Dr. Ulrich Dammann
Prof. Dr. Spiros Simitis

Bundesdatenschutzgesetz (BDSG)

mit Landesdatenschutzgesetzen und Internationalen Vorschriften

Textausgabe
8. Auflage

Nomos Verlagsgesellschaft
Baden-Baden

Die Deutsche Bibliothek – CIP-Einheitsaufnahme

Ein Titeldatensatz für diese Publikation ist bei
Der Deutschen Bibliothek erhältlich. (http://www.ddb.de)

ISBN 3-7890-7475-6

8. erweiterte Auflage 2001

Vorwort zur 8. Auflage

Mit der Umsetzung der EG-Datenschutzrichtlinie hat für das Datenschutzrecht in Deutschland wiederum eine neue Phase begonnen. Aus den europäischen Nachbarländern kommen neue Regelungsgegenstände, wie das allgemeine Widerspruchsrecht, das Verbot persönlichkeitsnaher automatisierter Entscheidungen und die Förderung autonomer Verhaltensregelungen. Mit der Öffnung des europäischen Binnenmarktes zu einem einheitlichen Informationsraum korrespondiert eine differenzierte Regelung des Exports in Drittländer. Bei der Auslegung nationaler Bestimmungen kommt dem europäischen Rechtshintergrund eine wachsende Bedeutung zu.

Der Bundesgesetzgeber hat die von Brüssel gesetzte Umsetzungsfrist nicht eingehalten. Dafür hat er es aber unternommen, über die Richtlinie hinausgehend, neue Antworten auf die veränderten technologischen Herausforderungen zu geben. Die Regelungen über die optisch-elektronische Überwachung, über mobile Datenverarbeitungsmedien und, über das Datenschutz-Qualitätssiegel sowie der Grundsatz der Datenvermeidung und -sparsamkeit werden der künftigen europäischen Rechtsentwicklung sicher wesentliche Impulse geben.

Das neue Bundesdatenschutzgesetz weist damit in die Zukunft, zugleich haben sich aber die notorischen Mängel seiner Anwenderfreundlichkeit weiter verschärft. Koalition und Bundesregierung haben eine grundlegende Modernisierung als »2. Phase« der Reform eingeleitet. Sie soll inhaltlich die Aktivierung des »Betroffenen« (zum »data subject«, wie er im englischen bereits heißt) durch bessere Angebote zum »Selbstdatenschutz« fördern und weitere Antworten auf die technische Entwicklung geben. Zugleich sollen das BDSG und der bereichsspezifische Datenschutz neu strukturiert und formuliert und dadurch eine neue Übersichtlichkeit gewonnen werden.

Die hier vorgelegte 8. Auflage umfasst auf nationaler Ebene das harmonisierte BDSG 2001 und die bereits angepassten Landesdatenschutzgesetze, auf der europäischen Ebene neben der EG-Datenschutzrichtlinie auch die EG-Telekommunikationsrichtlinie und auf der internationalen Ebene die geänderte Konvention 108 des Europarats sowie dessen neue Empfehlungen zur Telekommunikation, Medizin, Statistik und zum Internet.

Inhaltsverzeichnis

Bund

Bundesdatenschutzgesetz (BDSG)

Vom 20. Dezember 1990 (BGBl. I S. 2954)
(BGBl. III 204-3)
zuletzt geändert durch Gesetz zur Neuregelung von Beschränkungen des Brief-, Post- und Fernmeldegeheimnisses vom 26. Juni 2001 (BGBl. I S. 1254, 1260)[1]

Inhaltsübersicht

1 Unter Berücksichtigung der von der Bundesregierung vorgeschlagenen Berichtigungen; das Verfahren war zum Zeitpunkt der Drucklegung noch nicht abgeschlossen.

Erster Abschnitt
Allgemeine und gemeinsame Bestimmungen

§ 1 Zweck und Anwendungsbereich des Gesetzes

(1) Zweck dieses Gesetzes ist es, den einzelnen davor zu schützen, daß er durch den Umgang mit seinen personenbezogenen Daten in seinem Persönlichkeitsrecht beeinträchtigt wird.

(2) Dieses Gesetz gilt für die Erhebung, Verarbeitung und Nutzung personenbezogener Daten durch

1. öffentliche Stellen des Bundes,
2. öffentliche Stellen der Länder, soweit der Datenschutz nicht durch Landesgesetz geregelt ist und soweit sie
   a) Bundesrecht ausführen oder
   b) als Organe der Rechtspflege tätig werden und es sich nicht um Verwaltungsangelegenheiten handelt,
3. nicht öffentliche Stellen, soweit sie die Daten unter Einsatz von Datenverarbeitungsanlagen verarbeiten, nutzen oder dafür erheben oder die Daten in oder aus nicht automatisierten Dateien verarbeiten, nutzen oder dafür erheben, es sei denn, die Erhebung, Verarbeitung oder Nutzung der Daten erfolgt ausschließlich für persönliche oder familiäre Tätigkeiten.

(3) Soweit andere Rechtsvorschriften des Bundes auf personenbezogene Daten einschließlich deren Veröffentlichung anzuwenden sind, gehen sie den Vorschriften dieses Gesetzes vor. Die Verpflichtung zur Wahrung gesetzlicher Geheimhaltungspflichten oder von Berufs- oder besonderen Amtsgeheimnissen, die nicht auf gesetzlichen Vorschriften beruhen, bleibt unberührt.

(4) Die Vorschriften dieses Gesetzes gehen denen des Verwaltungsverfahrensgesetzes vor, soweit bei der Ermittlung des Sachverhalts personenbezogene Daten verarbeitet werden.

(5) Dieses Gesetz findet keine Anwendung, sofern eine in einem anderen Mitgliedstaat der Europäischen Union oder in einem anderen Vertragsstaat des Abkommens über den Europäischen Wirtschaftsraum belegene verantwortliche Stelle personenbezogene Daten im Inland erhebt, verarbeitet oder nutzt, es sei denn, dies erfolgt durch eine Niederlassung im Inland. Dieses Gesetz findet Anwendung, sofern eine verantwortliche Stelle, die nicht in einem Mitgliedstaat der Europäischen Union oder in einem anderen Vertragsstaat des Abkommens über den Europäischen Wirtschaftsraum belegen ist, personenbezogene Daten im Inland erhebt, verarbeitet oder nutzt. Soweit die verantwortliche Stelle nach diesem Gesetz zu nennen ist, sind auch Angaben über im Inland ansässige Vertreter zu machen. Die Sätze 2 und 3

gelten nicht, sofern Datenträger nur zum Zweck des Transits durch das Inland eingesetzt werden. § 38 Abs. 1 Satz 1 bleibt unberührt.

§ 2 Öffentliche und nicht-öffentliche Stellen

(1) Öffentliche Stellen des Bundes sind die Behörden, die Organe der Rechtspflege und andere öffentlich-rechtlich organisierte Einrichtungen des Bundes, der bundesunmittelbaren Körperschaften, Anstalten und Stiftungen des öffentlichen Rechts sowie derer Vereinigungen ungeachtet ihrer Rechtsform. Als öffentliche Stellen gelten die aus dem Sondervermögen Deutsche Bundespost durch Gesetz hervorgegangenen Unternehmen, solange ihnen ein ausschließliches Recht nach dem Postgesetz zusteht.

(2) Öffentliche Stellen der Länder sind die Behörden, die Organe der Rechtspflege und andere öffentlich-rechtlich organisierte Einrichtungen eines Landes, einer Gemeinde, eines Gemeindeverbandes und sonstiger der Aufsicht des Landes unterstehender juristischer Personen des öffentlichen Rechts sowie derer Vereinigungen ungeachtet ihrer Rechtsform.

(3) Vereinigungen des privaten Rechts von öffentlichen Stellen des Bundes und der Länder, die Aufgaben der öffentlichen Verwaltung wahrnehmen, gelten ungeachtet der Beteiligung nicht-öffentlicher Stellen als öffentliche Stellen des Bundes, wenn

1. sie über den Bereich eines Landes hinaus tätig werden oder
2. dem Bund die absolute Mehrheit der Anteile gehört oder die absolute Mehrheit der Stimmen zusteht.

Andernfalls gelten sie als öffentliche Stellen der Länder.

(4) Nicht-öffentliche Stellen sind natürliche und juristische Personen, Gesellschaften und andere Personenvereinigungen des privaten Rechts, soweit sie nicht unter die Absätze 1 bis 3 fallen. Nimmt eine nicht-öffentliche Stelle hoheitliche Aufgaben der öffentlichen Verwaltung wahr, ist sie insoweit öffentliche Stelle im Sinne dieses Gesetzes.

§ 3 Weitere Begriffsbestimmungen

(1) Personenbezogene Daten sind Einzelangaben über persönliche oder sachliche Verhältnisse einer bestimmten oder bestimmbaren natürlichen Person (Betroffener).

(2) Automatisierte Verarbeitung ist die Erhebung, Verarbeitung oder Nutzung personenbezogener Daten unter Einsatz von Datenverarbeitungsanlagen. Eine nicht automatisierte Datei ist jede nicht automatisierte Sammlung personenbezogener Daten, die gleichartig aufgebaut ist und nach bestimmten Merkmalen zugänglich ist und ausgewertet werden kann.

(3) Erheben ist das Beschaffen von Daten über den Betroffenen.

(4) Verarbeiten ist das Speichern, Verändern, Übermitteln, Sperren und Löschen personenbezogener Daten. Im einzelnen ist, ungeachtet der dabei angewendeten Verfahren:

1. Speichern das Erfassen, Aufnehmen oder Aufbewahren personenbezogener Daten auf einem Datenträger zum Zwecke ihrer weiteren Verarbeitung oder Nutzung,
2. Verändern das inhaltliche Umgestalten gespeicherter personenbezogener Daten,
3. Übermitteln das Bekanntgeben gespeicherter oder durch Datenverarbeitung gewonnener personenbezogener Daten an einen Dritten in der Weise, daß
   a) die Daten an den Dritten weitergegeben werden oder
   b) der Dritte zur Einsicht oder zum Abruf bereitgehaltene Daten einsieht oder abruft,
4. Sperren das Kennzeichnen gespeicherter personenbezogener Daten, um ihre weitere Verarbeitung oder Nutzung einzuschränken,
5. Löschen das Unkenntlichmachen gespeicherter personenbezogener Daten.

(5) Nutzen ist jede Verwendung personenbezogener Daten, soweit es sich nicht um Verarbeitung handelt.

(6) Anonymisieren ist das Verändern personenbezogener Daten derart, daß die Einzelangaben über persönliche oder sachliche Verhältnisse nicht mehr oder nur mit einem unverhältnismäßig großen Aufwand an Zeit, Kosten und Arbeitskraft einer bestimmten oder bestimmbaren natürlichen Person zugeordnet werden können.

(6a) Pseudonymisieren ist das Ersetzen des Namens und anderer Identifikationsmerkmale durch ein Kennzeichen zu dem Zweck, die Bestimmung des Betroffenen auszuschließen oder wesentlich zu erschweren.

(7) Verantwortliche Stelle ist jede Person oder Stelle, die personenbezogene Daten für sich selbst erhebt, verarbeitet oder nutzt oder dies durch andere im Auftrag vornehmen lässt.

(8) Empfänger ist jede Person oder Stelle, die Daten erhält. Dritter ist jede Person oder Stelle außerhalb der verantwortlichen Stelle. Dritte sind nicht der Betroffene sowie Personen und Stellen, die im Inland, in einem anderen Mitgliedstaat der Europäischen Union oder in einem anderen Vertragsstaat des Abkommens über den Europäischen Wirtschaftsraum personenbezogene Daten im Auftrag erheben, verarbeiten oder nutzen.

(9) Besondere Arten personenbezogener Daten sind Angaben über die rassische und ethnische Herkunft, politische Meinungen, religi-

öse oder philosophische Überzeugungen, Gewerkschaftszugehörigkeit, Gesundheit oder Sexualleben.

(10) Mobile personenbezogene Speicher- und Verarbeitungsmedien sind Datenträger,
1. die an den Betroffenen ausgegeben werden,
2. auf denen personenbezogene Daten über die Speicherung hinaus durch die ausgebende oder eine andere Stelle automatisiert verarbeitet werden können und
3. bei denen der Betroffene diese Verarbeitung nur durch den Gebrauch des Mediums beeinflussen kann.

§ 3a Datenvermeidung und Datensparsamkeit

Gestaltung und Auswahl von Datenverarbeitungssystemen haben sich an dem Ziel auszurichten, keine oder so wenig personenbezogene Daten wie möglich zu erheben, zu verarbeiten oder zu nutzen. Insbesondere ist von den Möglichkeiten der Anonymisierung und Pseudonymisierung Gebrauch zu machen, soweit dies möglich ist und der Aufwand in einem angemessenen Verhältnis zu dem angestrebten Schutzzweck steht.

§ 4 Zulässigkeit der Datenerhebung, -verarbeitung und -nutzung

(1) Die Erhebung, Verarbeitung und Nutzung personenbezogener Daten sind nur zulässig, soweit dieses Gesetz oder eine andere Rechtsvorschrift dies erlaubt oder anordnet oder der Betroffene eingewilligt hat.

(2) Personenbezogene Daten sind beim Betroffenen zu erheben. Ohne seine Mitwirkung dürfen sie nur erhoben werden, wenn
1. eine Rechtsvorschrift dies vorsieht oder zwingend voraussetzt oder
2. a) die zu erfüllende Verwaltungsaufgabe ihrer Art nach oder der Geschäftszweck eine Erhebung bei anderen Personen oder Stellen erforderlich macht oder
   b) die Erhebung beim Betroffenen einen unverhältnismäßigen Aufwand erfordern würde

   und keine Anhaltspunkte dafür bestehen, dass überwiegende schutzwürdige Interessen des Betroffenen beeinträchtigt werden.

(3) Werden personenbezogene Daten beim Betroffenen erhoben, so ist er, sofern er nicht bereits auf andere Weise Kenntnis erlangt hat, von der verantwortlichen Stelle über
1. die Identität der verantwortlichen Stelle,
2. die Zweckbestimmungen der Erhebung, Verarbeitung oder Nutzung und

3. die Kategorien von Empfängern nur, soweit der Betroffene nach den Umständen des Einzelfalles nicht mit der Übermittlung an diese rechnen muss,

zu unterrichten. Werden personenbezogene Daten beim Betroffenen aufgrund einer Rechtsvorschrift erhoben, die zur Auskunft verpflichtet, oder ist die Erteilung der Auskunft Voraussetzung für die Gewährung von Rechtsvorteilen, so ist der Betroffene hierauf, sonst auf die Freiwilligkeit seiner Angaben hinzuweisen. Soweit nach den Umständen des Einzelfalles erforderlich oder auf Verlangen, ist er über die Rechtsvorschrift und über die Folgen der Verweigerung von Angaben aufzuklären.

§ 4a Einwilligung

(1) Die Einwilligung ist nur wirksam, wenn sie auf der freien Entscheidung des Betroffenen beruht. Er ist auf den vorgesehenen Zweck der Erhebung, Verarbeitung oder Nutzung sowie, soweit nach den Umständen des Einzelfalles erforderlich oder auf Verlangen, auf die Folgen der Verweigerung der Einwilligung hinzuweisen. Die Einwilligung bedarf der Schriftform, soweit nicht wegen besonderer Umstände eine andere Form angemessen ist. Soll die Einwilligung zusammen mit anderen Erklärungen schriftlich erteilt werden, ist sie besonders hervorzuheben.

(2) Im Bereich der wissenschaftlichen Forschung liegt ein besonderer Umstand im Sinne von Absatz 1 Satz 3 auch dann vor, wenn durch die Schriftform der bestimmte Forschungszweck erheblich beeinträchtigt würde. In diesem Fall sind der Hinweis nach Absatz 1 Satz 2 und die Gründe, aus denen sich die erhebliche Beeinträchtigung des bestimmten Forschungszwecks ergibt, schriftlich festzuhalten.

(3) Soweit besondere Arten personenbezogener Daten (§ 3 Abs. 9) erhoben, verarbeitet oder genutzt werden, muss sich die Einwilligung darüber hinaus ausdrücklich auf diese Daten beziehen.

§ 4b Übermittlung personenbezogener Daten ins Ausland sowie an über- oder zwischenstaatliche Stellen

(1) Für die Übermittlung personenbezogener Daten an Stellen

1. in anderen Mitgliedstaaten der Europäischen Union,
2. in anderen Vertragsstaaten des Abkommens über den Europäischen Wirtschaftsraum oder
3. der Organe und Einrichtungen der Europäischen Gemeinschaften

gelten § 15 Abs. 1, § 16 Abs. 1 und §§ 28 bis 30 nach Maßgabe der für diese Übermittlung geltenden Gesetze und Vereinbarungen, soweit die Übermittlung im Rahmen von Tätigkeiten erfolgt, die ganz oder teilweise in den Anwendungsbereich des Rechts der Europäischen Gemeinschaften fallen.

(2) Für die Übermittlung personenbezogener Daten an Stellen nach Absatz 1, die nicht im Rahmen von Tätigkeiten erfolgt, die ganz oder teilweise in den Anwendungsbereich des Rechts der Europäischen Gemeinschaften fallen, sowie an sonstige ausländische oder über- oder zwischenstaatliche Stellen gilt Absatz 1 entsprechend. Die Übermittlung unterbleibt, soweit der Betroffene ein schutzwürdiges Interesse an dem Ausschluss der Übermittlung hat, insbesondere wenn bei den in Satz 1 genannten Stellen ein angemessenes Datenschutzniveau nicht gewährleistet ist. Satz 2 gilt nicht, wenn die Übermittlung zur Erfüllung eigener Aufgaben einer öffentlichen Stelle des Bundes aus zwingenden Gründen der Verteidigung oder der Erfüllung über- oder zwischenstaatlicher Verpflichtungen auf dem Gebiet der Krisenbewältigung oder Konfliktverhinderung oder für humanitäre Maßnahmen erforderlich ist.

(3) Die Angemessenheit des Schutzniveaus wird unter Berücksichtigung aller Umstände beurteilt, die bei einer Datenübermittlung oder einer Kategorie von Datenübermittlungen von Bedeutung sind; insbesondere können die Art der Daten, die Zweckbestimmung, die Dauer der geplanten Verarbeitung, das Herkunfts- und das Endbestimmungsland, die für den betreffenden Empfänger geltenden Rechtsnormen sowie die für ihn geltenden Standesregeln und Sicherheitsmaßnahmen herangezogen werden.

(4) In den Fällen des § 16 Abs. 1 Nr. 2 unterrichtet die übermittelnde Stelle den Betroffenen von der Übermittlung seiner Daten. Dies gilt nicht, wenn damit zu rechnen ist, dass er davon auf andere Weise Kenntnis erlangt, oder wenn die Unterrichtung die öffentliche Sicherheit gefährden oder sonst dem Wohl des Bundes oder eines Landes Nachteile bereiten würde.

(5) Die Verantwortung für die Zulässigkeit der Übermittlung trägt die übermittelnde Stelle.

(6) Die Stelle, an die die Daten übermittelt werden, ist auf den Zweck hinzuweisen, zu dessen Erfüllung die Daten übermittelt werden.

§ 4c Ausnahmen

(1) Im Rahmen von Tätigkeiten, die ganz oder teilweise in den Anwendungsbereich des Rechts der Europäischen Gemeinschaften fallen, ist eine Übermittlung personenbezogener Daten an andere als die in § 4b Abs. 1 genannten Stellen, auch wenn bei ihnen ein angemessenes Datenschutzniveau nicht gewährleistet ist, zulässig, sofern

1. der Betroffene seine Einwilligung gegeben hat,
2. die Übermittlung für die Erfüllung eines Vertrags zwischen dem Betroffenen und der verantwortlichen Stelle oder zur Durchführung von vorvertraglichen Maßnahmen, die auf Veranlassung des Betroffenen getroffen worden sind, erforderlich ist,
3. die Übermittlung zum Abschluss oder zur Erfüllung eines Vertrags erforderlich ist, der im Interesse des Betroffenen von der verantwortlichen Stelle mit einem Dritten geschlossen wurde oder geschlossen werden soll,
4. die Übermittlung für die Wahrung eines wichtigen öffentlichen Interesses oder zur Geltendmachung, Ausübung oder Verteidigung von Rechtsansprüchen vor Gericht erforderlich ist,
5. die Übermittlung für die Wahrung lebenswichtiger Interessen des Betroffenen erforderlich ist oder
6. die Übermittlung aus einem Register erfolgt, das zur Information der Öffentlichkeit bestimmt ist und entweder der gesamten Öffentlichkeit oder allen Personen, die ein berechtigtes Interesse nachweisen können, zur Einsichtnahme offen steht, soweit die gesetzlichen Voraussetzungen im Einzelfall gegeben sind.

Die Stelle, an die die Daten übermittelt werden, ist darauf hinzuweisen, dass die übermittelten Daten nur zu dem Zweck verarbeitet oder genutzt werden dürfen, zu dessen Erfüllung sie übermittelt werden.

(2) Unbeschadet des Absatzes 1 Satz 1 kann die zuständige Aufsichtsbehörde einzelne Übermittlungen oder bestimmte Arten von Übermittlungen personenbezogener Daten an andere als die in § 4b Abs. 1 genannten Stellen genehmigen, wenn die verantwortliche Stelle ausreichende Garantien hinsichtlich des Schutzes des Persönlichkeitsrechts und der Ausübung der damit verbundenen Rechte vorweist; die Garantien können sich insbesondere aus Vertragsklauseln oder verbindlichen Unternehmensregelungen ergeben. Bei den Post- und Telekommunikationsunternehmen ist der Bundesbeauftragte für den Datenschutz zuständig. Sofern die Übermittlung durch öffentliche Stellen erfolgen soll, nehmen diese die Prüfung nach Satz 1 vor.

(3) Die Länder teilen dem Bund die nach Absatz 2 Satz 1 ergangenen Entscheidungen mit.

§ 4d Meldepflicht

(1) Verfahren automatisierter Verarbeitungen sind vor ihrer Inbetriebnahme von nicht öffentlichen verantwortlichen Stellen der zuständigen Aufsichtsbehörde und von öffentlichen verantwortlichen Stellen des Bundes sowie von den Post- und Telekommunikationsunternehmen dem Bundesbeauftragten für den Datenschutz nach Maßgabe von § 4e zu melden.

(2) Die Meldepflicht entfällt, wenn die verantwortliche Stelle einen Beauftragten für den Datenschutz bestellt hat.

(3) Die Meldepflicht entfällt ferner, wenn die verantwortliche Stelle personenbezogene Daten für eigene Zwecke erhebt, verarbeitet oder nutzt, hierbei höchstens vier Arbeitnehmer mit der Erhebung, Verarbeitung oder Nutzung personenbezogener Daten beschäftigt und entweder eine Einwilligung der Betroffenen vorliegt oder die Erhebung, Verarbeitung oder Nutzung der Zweckbestimmung eines Vertragsverhältnisses oder vertragsähnlichen Vertrauensverhältnisses mit den Betroffenen dient.

(4) Die Absätze 2 und 3 gelten nicht, wenn es sich um automatisierte Verarbeitungen handelt, in denen geschäftsmäßig personenbezogene Daten von der jeweiligen Stelle

1. zum Zweck der Übermittlung oder
2. zum Zweck der anonymisierten Übermittlung

gespeichert werden.

(5) Soweit automatisierte Verarbeitungen besondere Risiken für die Rechte und Freiheiten der Betroffenen aufweisen, unterliegen sie der Prüfung vor Beginn der Verarbeitung (Vorabkontrolle). Eine Vorabkontrolle ist insbesondere durchzuführen, wenn

1. besondere Arten personenbezogener Daten (§ 3 Abs. 9) verarbeitet werden oder
2. die Verarbeitung personenbezogener Daten dazu bestimmt ist, die Persönlichkeit des Betroffenen zu bewerten einschließlich seiner Fähigkeiten, seiner Leistung oder seines Verhaltens,

es sei denn, dass eine gesetzliche Verpflichtung oder eine Einwilligung des Betroffenen vorliegt oder die Erhebung, Verarbeitung oder Nutzung der Zweckbestimmung eines Vertragsverhältnisses oder vertragsähnlichen Vertrauensverhältnisses mit dem Betroffenen dient.

(6) Zuständig für die Vorabkontrolle ist der Beauftragte für den Datenschutz. Dieser nimmt die Vorabkontrolle nach Empfang der Übersicht nach § 4g Abs. 2 Satz 1 vor. Er hat sich in Zweifelsfällen an die Aufsichtsbehörde oder bei den Post- und Telekommunikationsunternehmen an den Bundesbeauftragten für den Datenschutz zu wenden.

§ 4e Inhalt der Meldepflicht

Sofern Verfahren automatisierter Verarbeitungen meldepflichtig sind, sind folgende Angaben zu machen:

1. Name oder Firma der verantwortlichen Stelle,
2. Inhaber, Vorstände, Geschäftsführer oder sonstige gesetzliche oder nach der Verfassung des Unternehmens berufene Leiter und die mit der Leitung der Datenverarbeitung beauftragten Personen,

3. Anschrift der verantwortlichen Stelle,
4. Zweckbestimmungen der Datenerhebung, -verarbeitung oder -nutzung,
5. eine Beschreibung der betroffenen Personengruppen und der diesbezüglichen Daten oder Datenkategorien,
6. Empfänger oder Kategorien von Empfängern, denen die Daten mitgeteilt werden können,
7. Regelfristen für die Löschung der Daten,
8. eine geplante Datenübermittlung in Drittstaaten,
9. eine allgemeine Beschreibung, die es ermöglicht, vorläufig zu beurteilen, ob die Maßnahmen nach § 9 zur Gewährleistung der Sicherheit der Verarbeitung angemessen sind.

§ 4d Abs. 1 und 4 gilt für die Änderung der nach Satz 1 mitgeteilten Angaben sowie für den Zeitpunkt der Aufnahme und der Beendigung der meldepflichtigen Tätigkeit entsprechend.

§ 4f Beauftragter für den Datenschutz

(1) Öffentliche und nicht öffentliche Stellen, die personenbezogene Daten automatisiert erheben, verarbeiten oder nutzen, haben einen Beauftragten für den Datenschutz schriftlich zu bestellen. Nicht öffentliche Stellen sind hierzu spätestens innerhalb eines Monats nach Aufnahme ihrer Tätigkeit verpflichtet. Das Gleiche gilt, wenn personenbezogene Daten auf andere Weise erhoben, verarbeitet oder genutzt werden und damit in der Regel mindestens 20 Personen beschäftigt sind. Die Sätze 1 und 2 gelten nicht für nicht öffentliche Stellen, die höchstens vier Arbeitnehmer mit der Erhebung, Verarbeitung oder Nutzung personenbezogener Daten beschäftigen. Soweit aufgrund der Struktur einer öffentlichen Stelle erforderlich, genügt die Bestellung eines Beauftragten für den Datenschutz für mehrere Bereiche. Soweit nicht öffentliche Stellen automatisierte Verarbeitungen vornehmen, die einer Vorabkontrolle unterliegen oder personenbezogene Daten geschäftsmäßig zum Zweck der Übermittlung oder der anonymisierten Übermittlung erheben, verarbeiten oder nutzen, haben sie unabhängig von der Anzahl der Arbeitnehmer einen Beauftragten für den Datenschutz zu bestellen.

(2) Zum Beauftragten für den Datenschutz darf nur bestellt werden, wer die zur Erfüllung seiner Aufgaben erforderliche Fachkunde und Zuverlässigkeit besitzt. Mit dieser Aufgabe kann auch eine Person außerhalb der verantwortlichen Stelle betraut werden. Öffentliche Stellen können mit Zustimmung ihrer Aufsichtsbehörde einen Bediensteten aus einer anderen öffentlichen Stelle zum Beauftragten für den Datenschutz bestellen.

(3) Der Beauftragte für den Datenschutz ist dem Leiter der öffentlichen oder nicht öffentlichen Stelle unmittelbar zu unterstellen. Er

ist in Ausübung seiner Fachkunde auf dem Gebiet des Datenschutzes weisungsfrei. Er darf wegen der Erfüllung seiner Aufgaben nicht benachteiligt werden. Die Bestellung zum Beauftragten für den Datenschutz kann in entsprechender Anwendung von § 626 des Bürgerlichen Gesetzbuches, bei nicht öffentlichen Stellen auch auf Verlangen der Aufsichtsbehörde, widerrufen werden.

(4) Der Beauftragte für den Datenschutz ist zur Verschwiegenheit über die Identität des Betroffenen sowie über Umstände, die Rückschlüsse auf den Betroffenen zulassen, verpflichtet, soweit er nicht davon durch den Betroffenen befreit wird.

(5) Die öffentlichen und nicht öffentlichen Stellen haben den Beauftragten für den Datenschutz bei der Erfüllung seiner Aufgaben zu unterstützen und ihm insbesondere, soweit dies zur Erfüllung seiner Aufgaben erforderlich ist, Hilfspersonal sowie Räume, Einrichtungen, Geräte und Mittel zur Verfügung zu stellen. Betroffene können sich jederzeit an den Beauftragten für den Datenschutz wenden.

§ 4g Aufgaben des Beauftragten für den Datenschutz

(1) Der Beauftragte für den Datenschutz wirkt auf die Einhaltung dieses Gesetzes und anderer Vorschriften über den Datenschutz hin. Zu diesem Zweck kann sich der Beauftragte für den Datenschutz in Zweifelsfällen an die für die Datenschutzkontrolle bei der verantwortlichen Stelle zuständige Behörde wenden. Er hat insbesondere

1. die ordnungsgemäße Anwendung der Datenverarbeitungsprogramme, mit deren Hilfe personenbezogene Daten verarbeitet werden sollen, zu überwachen; zu diesem Zweck ist er über Vorhaben der automatisierten Verarbeitung personenbezogener Daten rechtzeitig zu unterrichten,
2. die bei der Verarbeitung personenbezogener Daten tätigen Personen durch geeignete Maßnahmen mit den Vorschriften dieses Gesetzes sowie anderen Vorschriften über den Datenschutz und mit den jeweiligen besonderen Erfordernissen des Datenschutzes vertraut zu machen.

(2) Dem Beauftragten für den Datenschutz ist von der verantwortlichen Stelle eine Übersicht über die in § 4e Satz 1 genannten Angaben sowie über zugriffsberechtigte Personen zur Verfügung zu stellen. Im Fall des § 4d Abs. 2 macht der Beauftragte für den Datenschutz die Angaben nach § 4e Satz 1 Nr. 1 bis 8 auf Antrag jedermann in geeigneter Weise verfügbar. Im Fall des § 4d Abs. 3 gilt Satz 2 entsprechend für die verantwortliche Stelle.

(3) Auf die in § 6 Abs. 2 Satz 4 genannten Behörden findet Absatz 2 Satz 2 keine Anwendung. Absatz 1 Satz 2 findet mit der Maßgabe Anwendung, dass der behördliche Beauftragte für den Datenschutz

das Benehmen mit dem Behördenleiter herstellt; bei Unstimmigkeiten zwischen dem behördlichen Beauftragten für den Datenschutz und dem Behördenleiter entscheidet die oberste Bundesbehörde.

§ 5 Datengeheimnis

Den bei der Datenverarbeitung beschäftigten Personen ist untersagt, personenbezogene Daten unbefugt zu erheben, zu verarbeiten oder zu nutzen (Datengeheimnis). Diese Personen sind, soweit sie bei nicht-öffentlichen Stellen beschäftigt werden, bei der Aufnahme ihrer Tätigkeit auf das Datengeheimnis zu verpflichten. Das Datengeheimnis besteht auch nach Beendigung ihrer Tätigkeit fort.

§ 6 Unabdingbare Rechte des Betroffenen

(1) Die Rechte des Betroffenen auf Auskunft (§§ 19, 34) und auf Berichtigung, Löschung oder Sperrung (§§ 20, 35) können nicht durch Rechtsgeschäft ausgeschlossen oder beschränkt werden.

(2) Sind die Daten des Betroffenen automatisiert in der Weise gespeichert, dass mehrere Stellen speicherungsberechtigt sind, und ist der Betroffene nicht in der Lage festzustellen, welche Stelle die Daten gespeichert hat, so kann er sich an jede dieser Stellen wenden. Diese ist verpflichtet, das Vorbringen des Betroffenen an die Stelle, die die Daten gespeichert hat, weiterzuleiten. Der Betroffene ist über die Weiterleitung und jene Stelle zu unterrichten. Die in § 19 Abs. 3 genannten Stellen, die Behörden der Staatsanwaltschaft und der Polizei sowie öffentliche Stellen der Finanzverwaltung, soweit sie personenbezogene Daten in Erfüllung ihrer gesetzlichen Aufgaben im Anwendungsbereich der Abgabenordnung zur Überwachung und Prüfung speichern, können statt des Betroffenen den Bundesbeauftragten für den Datenschutz unterrichten. In diesem Fall richtet sich das weitere Verfahren nach § 19 Abs. 6.

§ 6a Automatisierte Einzelentscheidung

(1) Entscheidungen, die für den Betroffenen eine rechtliche Folge nach sich ziehen oder ihn erheblich beeinträchtigen, dürfen nicht ausschließlich auf eine automatisierte Verarbeitung personenbezogener Daten gestützt werden, die der Bewertung einzelner Persönlichkeitsmerkmale dienen.

(2) Dies gilt nicht, wenn

1. die Entscheidung im Rahmen des Abschlusses oder der Erfüllung eines Vertragsverhältnisses oder eines sonstigen Rechtsverhältnisses ergeht und dem Begehren des Betroffenen stattgegeben wurde oder

2. die Wahrung der berechtigten Interessen des Betroffenen durch geeignete Maßnahmen gewährleistet und dem Betroffenen von der verantwortlichen Stelle die Tatsache des Vorliegens einer Entscheidung im Sinne des Absatzes 1 mitgeteilt wird. Als geeignete Maßnahme gilt insbesondere die Möglichkeit des Betroffenen, seinen Standpunkt geltend zu machen. Die verantwortliche Stelle ist verpflichtet, ihre Entscheidung erneut zu prüfen.

(3) Das Recht des Betroffenen auf Auskunft nach den §§ 19 und 34 erstreckt sich auch auf den logischen Aufbau der automatisierten Verarbeitung der ihn betreffenden Daten.

§ 6b Beobachtung öffentlich zugänglicher Räume mit optisch-elektronischen Einrichtungen

(1) Die Beobachtung öffentlich zugänglicher Räume mit optisch-elektronischen Einrichtungen (Videoüberwachung) ist nur zulässig, soweit sie

1. zur Aufgabenerfüllung öffentlicher Stellen,
2. zur Wahrnehmung des Hausrechts oder
3. zur Wahrnehmung berechtigter Interessen für konkret festgelegte Zwecke

erforderlich ist und keine Anhaltspunkte bestehen, dass schutzwürdige Interessen der Betroffenen überwiegen.

(2) Der Umstand der Beobachtung und die verantwortliche Stelle sind durch geeignete Maßnahmen erkennbar zu machen.

(3) Die Verarbeitung oder Nutzung von nach Absatz 1 erhobenen Daten ist zulässig, wenn sie zum Erreichen des verfolgten Zwecks erforderlich ist und keine Anhaltspunkte bestehen, dass schutzwürdige Interessen der Betroffenen überwiegen. Für einen anderen Zweck dürfen sie nur verarbeitet oder genutzt werden, soweit dies zur Abwehr von Gefahren für die staatliche und öffentliche Sicherheit sowie zur Verfolgung von Straftaten erforderlich ist.

(4) Werden durch Videoüberwachung erhobene Daten einer bestimmten Person zugeordnet, ist diese über eine Verarbeitung oder Nutzung entsprechend den §§ 19a und 33 zu benachrichtigen.

(5) Die Daten sind unverzüglich zu löschen, wenn sie zur Erreichung des Zwecks nicht mehr erforderlich sind oder schutzwürdige Interessen der Betroffenen einer weiteren Speicherung entgegenstehen.

§ 6c Mobile personenbezogene Speicher- und Verarbeitungsmedien

(1) Die Stelle, die ein mobiles personenbezogenes Speicher- und Verarbeitungsmedium ausgibt oder ein Verfahren zur automatisierten

Verarbeitung personenbezogener Daten, das ganz oder teilweise auf einem solchen Medium abläuft, auf das Medium aufbringt, ändert oder hierzu bereithält, muss den Betroffenen
1. über ihre Identität und Anschrift,
2. in allgemein verständlicher Form über die Funktionsweise des Mediums einschließlich der Art der zu verarbeitenden personenbezogenen Daten,
3. darüber, wie er seine Rechte nach den §§ 19, 20, 34 und 35 ausüben kann, und
4. über die bei Verlust oder Zerstörung des Mediums zu treffenden Maßnahmen

unterrichten, soweit der Betroffene nicht bereits Kenntnis erlangt hat.

(2) Die nach Absatz 1 verpflichtete Stelle hat dafür Sorge zu tragen, dass die zur Wahrnehmung des Auskunftsrechts erforderlichen Geräte oder Einrichtungen in angemessenem Umfang zum unentgeltlichen Gebrauch zur Verfügung stehen.

(3) Kommunikationsvorgänge, die auf dem Medium eine Datenverarbeitung auslösen, müssen für den Betroffenen eindeutig erkennbar sein.

§ 7 Schadensersatz

Fügt eine verantwortliche Stelle dem Betroffenen durch eine nach diesem Gesetz oder nach anderen Vorschriften über den Datenschutz unzulässige oder unrichtige Erhebung, Verarbeitung oder Nutzung seiner personenbezogenen Daten einen Schaden zu, ist sie oder ihr Träger dem Betroffenen zum Schadensersatz verpflichtet. Die Ersatzpflicht entfällt, soweit die verantwortliche Stelle die nach den Umständen des Falles gebotene Sorgfalt beachtet hat.

§ 8 Schadensersatz bei automatisierter Datenverarbeitung durch öffentliche Stellen

(1) Fügt eine verantwortliche öffentliche Stelle dem Betroffenen durch eine nach diesem Gesetz oder nach anderen Vorschriften über den Datenschutz unzulässige oder unrichtige automatisierte Erhebung, Verarbeitung oder Nutzung seiner personenbezogenen Daten einen Schaden zu, ist ihr Träger dem Betroffenen unabhängig von einem Verschulden zum Schadensersatz verpflichtet.

(2) Bei einer schweren Verletzung des Persönlichkeitsrechts ist dem Betroffenen der Schaden, der nicht Vermögensschaden ist, angemessen in Geld zu ersetzen.

(3) Die Ansprüche nach den Absätzen 1 und 2 sind insgesamt auf einen Betrag von 250 000 Deutsche Mark begrenzt. Ist aufgrund desselben Ereignisses an mehrere Personen Schadensersatz zu leisten, der insgesamt den Höchstbetrag von 250 000 Deutsche Mark übersteigt, so verringern sich die einzelnen Schadensersatzleistungen in dem Verhältnis, in dem ihr Gesamtbetrag zu dem Höchstbetrag steht.

(4) Sind bei einer automatisierten Verarbeitung mehrere Stellen speicherungsberechtigt und ist der Geschädigte nicht in der Lage, die speichernde Stelle festzustellen, so haftet jede dieser Stellen.

(5) Auf das Mitverschulden des Betroffenen und die Verjährung sind die §§ 254 und 852 des Bürgerlichen Gesetzbuches entsprechend anzuwenden.

§ 9 Technische und organisatorische Maßnahmen

Öffentliche und nicht-öffentliche Stellen, die selbst oder im Auftrag personenbezogene Daten erheben, verarbeiten oder nutzen, haben die technischen und organisatorischen Maßnahmen zu treffen, die erforderlich sind, um die Ausführung der Vorschriften dieses Gesetzes, insbesondere die in der Anlage zu diesem Gesetz genannten Anforderungen, zu gewährleisten. Erforderlich sind Maßnahmen nur, wenn ihr Aufwand in einem angemessenen Verhältnis zu dem angestrebten Schutzzweck steht.

§ 9a Datenschutzaudit

Zur Verbesserung des Datenschutzes und der Datensicherheit können Anbieter von Datenverarbeitungssystemen und -programmen und datenverarbeitende Stellen ihr Datenschutzkonzept sowie ihre technischen Einrichtungen durch unabhängige und zugelassene Gutachter prüfen und bewerten lassen sowie das Ergebnis der Prüfung veröffentlichen. Die näheren Anforderungen an die Prüfung und Bewertung, das Verfahren sowie die Auswahl und Zulassung der Gutachter werden durch besonderes Gesetz geregelt.

§ 10 Einrichtung automatisierter Abrufverfahren

(1) Die Einrichtung eines automatisierten Verfahrens, das die Übermittlung personenbezogener Daten durch Abruf ermöglicht, ist zulässig, soweit dieses Verfahren unter Berücksichtigung der schutzwürdigen Interessen der Betroffenen und der Aufgaben oder Geschäftszwecke der beteiligten Stellen angemessen ist. Die Vorschriften über die Zulässigkeit des einzelnen Abrufs bleiben unberührt.

(2) Die beteiligten Stellen haben zu gewährleisten, daß die Zulässigkeit des Abrufverfahrens kontrolliert werden kann. Hierzu haben sie schriftlich festzulegen:

1. Anlaß und Zweck des Abrufverfahrens,
2. Dritte, an die übermittelt wird,
3. Art der zu übermittelnden Daten,
4. nach § 9 erforderliche technische und organisatorischen Maßnahmen.

Im öffentlichen Bereich können die erforderlichen Festlegungen auch durch die Fachaufsichtsbehörden getroffen werden.

(3) Über die Einrichtung von Abrufverfahren ist in Fällen, in denen die in § 12 Abs. 1 genannten Stellen beteiligt sind, der Bundesbeauftragte für den Datenschutz unter Mitteilung der Festlegungen nach Absatz 2 zu unterrichten. Die Einrichtung von Abrufverfahren, bei denen die in § 6 Abs. 2 und in § 19 Abs. 3 genannten Stellen beteiligt sind, ist nur zulässig, wenn das für die speichernde und die abrufende Stelle jeweils zuständige Bundes- oder Landesministerium zugestimmt hat.

(4) Die Verantwortung für die Zulässigkeit des einzelnen Abrufs trägt der Dritte, an den übermittelt wird. Die speichernde Stelle prüft die Zulässigkeit der Abrufe nur, wenn dazu Anlaß besteht. Die speichernde Stelle hat zu gewährleisten, daß die Übermittlung personenbezogener Daten zumindest durch geeignete Stichprobenverfahren festgestellt und überprüft werden kann. Wird ein Gesamtbestand personenbezogener Daten abgerufen oder übermittelt (Stapelverarbeitung), so bezieht sich die Gewährleistung der Feststellung und Überprüfung nur auf die Zulässigkeit des Abrufes oder der Übermittlung des Gesamtbestandes.

(5) Die Absätze 1 bis 4 gelten nicht für den Abruf allgemein zugänglicher Daten. Allgemein zugänglich sind Daten, die jedermann, sei es ohne oder nach vorheriger Anmeldung, Zulassung oder Entrichtung eines Entgelts, nutzen kann.

§ 11 Erhebung, Verarbeitung oder Nutzung personenbezogener Daten im Auftrag

(1) Werden personenbezogene Daten im Auftrag durch andere Stellen erhoben, verarbeitet oder genutzt, ist der Auftraggeber für die Einhaltung der Vorschriften dieses Gesetzes und anderer Vorschriften über den Datenschutz verantwortlich. Die in den §§ 6, 7 und 8 genannten Rechte sind ihm gegenüber geltend zu machen.

(2) Der Auftragnehmer ist unter besonderer Berücksichtigung der Eignung der von ihm getroffenen technischen und organisatorischen Maßnahmen sorgfältig auszuwählen. Der Auftrag ist schriftlich zu erteilen, wobei die Datenerhebung, -verarbeitung oder -nutzung, die technischen und organisatorischen Maßnahmen und etwaige Unterauftragsverhältnisse festzulegen sind. Er kann bei öffentlichen Stellen auch durch die Fachaufsichtsbehörde erteilt werden. Der Auftraggeber

hat sich von der Einhaltung der beim Auftragnehmer getroffenen technischen und organisatorischen Maßnahmen zu überzeugen.

(3) Der Auftragnehmer darf die Daten nur im Rahmen der Weisungen des Auftraggebers erheben, verarbeiten oder nutzen. Ist er der Ansicht, daß eine Weisung des Auftraggebers gegen dieses Gesetz oder andere Vorschriften über den Datenschutz verstößt, hat er den Auftraggeber unverzüglich darauf hinzuweisen.

(4) Für den Auftragnehmer gelten neben den §§ 5, 9, 43 Abs. 1 Nr. 2, 10 und 11, Abs. 2 Nr. 1 bis 3 und Abs. 3 sowie § 44 nur die Vorschriften über die Datenschutzkontrolle oder die Aufsicht, und zwar für

1. a) öffentliche Stellen,
   b) nicht-öffentliche Stellen, bei denen der öffentlichen Hand die Mehrheit der Anteile gehört oder die Mehrheit der Stimmen zusteht und der Auftraggeber eine öffentliche Stelle ist,

   die §§ 18, 24 bis 26 oder die entsprechenden Vorschriften der Datenschutzgesetze der Länder,
2. die übrigen nicht-öffentlichen Stellen, soweit sie personenbezogene Daten im Auftrag als Dienstleistungsunternehmen geschäftsmäßig erheben, verarbeiten oder nutzen, die §§ 4f, 4g und 38.

(5) Die Absätze 1 bis 4 gelten entsprechend, wenn die Prüfung oder Wartung automatisierter Verfahren oder von Datenverarbeitungsanlagen durch andere Stellen im Auftrag vorgenommen wird und dabei ein Zugriff auf personenbezogene Daten nicht ausgeschlossen werden kann.

Zweiter Abschnitt
Datenverarbeitung der öffentlichen Stellen

Erster Unterabschnitt
Rechtsgrundlagen der Datenverarbeitung

§ 12 Anwendungsbereich

(1) Die Vorschriften dieses Abschnittes gelten für öffentliche Stellen des Bundes, soweit sie nicht als öffentlich-rechtliche Unternehmen am Wettbewerb teilnehmen.

(2) Soweit der Datenschutz nicht durch Landesgesetz geregelt ist, gelten die §§ 12 bis 16, 19 bis 20 auch für die öffentlichen Stellen der Länder, soweit sie

1. Bundesrecht ausführen und nicht als öffentlich-rechtliche Unternehmen am Wettbewerb teilnehmen oder

2. als Organe der Rechtspflege tätig werden und es sich nicht um Verwaltungsangelegenheiten handelt.

(3) Für Landesbeauftragte für den Datenschutz gilt § 23 Abs. 4 entsprechend.

(4) Werden personenbezogene Daten für frühere, bestehende oder zukünftige dienst- oder arbeitsrechtliche Rechtsverhältnisse erhoben, verarbeitet oder genutzt, gelten anstelle der §§ 13 bis 16, 19 bis 20 der § 28 Abs. 1 und 3 Nr. 1 sowie die §§ 33 bis 35, auch soweit personenbezogene Daten weder automatisiert verarbeitet noch in nicht automatisierten Dateien verarbeitet oder genutzt oder dafür erhoben werden.

§ 13 Datenerhebung

(1) Das Erheben personenbezogener Daten ist zulässig, wenn ihre Kenntnis zur Erfüllung der Aufgaben der verantwortlichen Stelle erforderlich ist.

(1a) Werden personenbezogene Daten statt beim Betroffenen bei einer nicht öffentlichen Stelle erhoben, so ist die Stelle auf die Rechtsvorschrift, die zur Auskunft verpflichtet, sonst auf die Freiwilligkeit ihrer Angaben hinzuweisen.

(2) Das Erheben besonderer Arten personenbezogener Daten (§ 3 Abs. 9) ist nur zulässig, soweit

1. eine Rechtsvorschrift dies vorsieht oder aus Gründen eines wichtigen öffentlichen Interesses zwingend erfordert,
2. der Betroffene nach Maßgabe des § 4a Abs. 3 eingewilligt hat,
3. dies zum Schutz lebenswichtiger Interessen des Betroffenen oder eines Dritten erforderlich ist, sofern der Betroffene aus physischen oder rechtlichen Gründen außerstande ist, seine Einwilligung zu geben,
4. es sich um Daten handelt, die der Betroffene offenkundig öffentlich gemacht hat,
5. dies zur Abwehr einer erheblichen Gefahr für die öffentliche Sicherheit erforderlich ist,
6. dies zur Abwehr erheblicher Nachteile für das Gemeinwohl oder zur Wahrung erheblicher Belange des Gemeinwohls zwingend erforderlich ist,
7. dies zum Zweck der Gesundheitsvorsorge, der medizinischen Diagnostik, der Gesundheitsversorgung oder Behandlung oder für die Verwaltung von Gesundheitsdiensten erforderlich ist und die Verarbeitung dieser Daten durch ärztliches Personal oder durch sonstige Personen erfolgt, die einer entsprechenden Geheimhaltungspflicht unterliegen,

8. dies zur Durchführung wissenschaftlicher Forschung erforderlich ist, das wissenschaftliche Interesse an der Durchführung des Forschungsvorhabens das Interesse des Betroffenen an dem Ausschluss der Erhebung erheblich überwiegt und der Zweck der Forschung auf andere Weise nicht oder nur mit unverhältnismäßigem Aufwand erreicht werden kann oder
9. dies aus zwingenden Gründen der Verteidigung oder der Erfüllung über- oder zwischenstaatlicher Verpflichtungen einer öffentlichen Stelle des Bundes auf dem Gebiet der Krisenbewältigung oder Konfliktverhinderung oder für humanitäre Maßnahmen erforderlich ist.

§ 14 Datenspeicherung, -veränderung und -nutzung

(1) Das Speichern, Verändern oder Nutzen personenbezogener Daten ist zulässig, wenn es zur Erfüllung der in der Zuständigkeit der verantwortlichen Stelle liegenden Aufgaben erforderlich ist und es für die Zwecke erfolgt, für die die Daten erhoben worden sind. Ist keine Erhebung vorausgegangen, dürfen die Daten nur für die Zwecke geändert oder genutzt werden, für die sie gespeichert worden sind.

(2) Das Speichern, Verändern oder Nutzen für andere Zwecke ist nur zulässig, wenn
1. eine Rechtsvorschrift dies vorsieht oder zwingend voraussetzt,
2. der Betroffene eingewilligt hat,
3. offensichtlich ist, daß es im Interesse des Betroffenen liegt, und kein Grund zu der Annahme besteht, daß er in Kenntnis des anderen Zwecks seine Einwilligung verweigern würde,
4. Angaben des Betroffenen überprüft werden müssen, weil tatsächliche Anhaltspunkte für deren Unrichtigkeit bestehen,
5. die Daten allgemein zugänglich oder die verantwortliche Stelle sie veröffentlichen dürfte, es sei denn, daß das schutzwürdige Interesse des Betroffenen an dem Ausschluß der Zweckänderung offensichtlich überwiegt,
6. es zur Abwehr erheblicher Nachteile für das Gemeinwohl oder einer Gefahr für die öffentliche Sicherheit oder zur Wahrung erheblicher Belange des Gemeinwohls erforderlich ist,
7. es zur Verfolgung von Straftaten oder Ordnungswidrigkeiten, zur Vollstreckung oder zum Vollzug von Strafen oder Maßnahmen im Sinne des § 11 Abs. 1 Nr. 8 des Strafgesetzbuches oder von Erziehungsmaßregeln oder Zuchtmitteln im Sinne des Jugendgerichtsgesetzes oder zur Vollstreckung von Bußgeldentscheidungen erforderlich ist,
8. es zur Abwehr einer schwerwiegenden Beeinträchtigung der Rechte einer anderen Person erforderlich ist oder

9. es zur Durchführung wissenschaftlicher Forschung erforderlich ist, das wissenschaftliche Interesse an der Durchführung des Forschungsvorhabens das Interesse des Betroffenen an dem Ausschluß der Zweckänderung erheblich überwiegt und der Zweck der Forschung auf andere Weise nicht oder nur mit unverhältnismäßigem Aufwand erreicht werden kann.

(3) Eine Verarbeitung oder Nutzung für andere Zwecke liegt nicht vor, wenn sie der Wahrnehmung von Aufsichts- und Kontrollbefugnissen, der Rechnungsprüfung oder der Durchführung von Organisationsuntersuchungen für die verantwortliche Stelle dient. Das gilt auch für die Verarbeitung oder Nutzung zu Ausbildungs- und Prüfungszwecken durch die verantwortliche Stelle, soweit nicht überwiegende schutzwürdige Interessen des Betroffenen entgegenstehen.

(4) Personenbezogene Daten, die ausschließlich zu Zwecken der Datenschutzkontrolle, der Datensicherung oder zur Sicherstellung eines ordnungsgemäßen Betriebes einer Datenverarbeitungsanlage gespeichert werden, dürfen nur für diese Zwecke verwendet werden.

(5) Das Speichern, Verändern oder Nutzen von besonderen Arten personenbezogener Daten (§ 3 Abs. 9) für andere Zwecke ist nur zulässig, wenn
1. die Voraussetzungen vorliegen, die eine Erhebung nach § 13 Abs. 2 Nr. 1 bis 6 oder 9 zulassen würden oder
2. dies zur Durchführung wissenschaftlicher Forschung erforderlich ist, das öffentliche Interesse an der Durchführung des Forschungsvorhabens das Interesse des Betroffenen an dem Ausschluss der Zweckänderung erheblich überwiegt und der Zweck der Forschung auf andere Weise nicht oder nur mit unverhältnismäßigem Aufwand erreicht werden kann.

Bei der Abwägung nach Satz 1 Nr. 2 ist im Rahmen des öffentlichen Interesses das wissenschaftliche Interesse an dem Forschungsvorhaben besonders zu berücksichtigen.

(6) Die Speicherung, Veränderung oder Nutzung von besonderen Arten personenbezogener Daten (§ 3 Abs. 9) zu den in § 13 Abs. 2 Nr. 7 genannten Zwecken richtet sich nach den für die in § 13 Abs. 2 Nr. 7 genannten Personen geltenden Geheimhaltungspflichten.

§ 15 Datenübermittlung an öffentliche Stellen

(1) Die Übermittlung personenbezogener Daten an öffentliche Stellen ist zulässig, wenn
1. sie zur Erfüllung der in der Zuständigkeit der übermittelnden Stelle oder des Dritten, an den die Daten übermittelt werden, liegenden Aufgaben erforderlich ist und

2. die Voraussetzungen vorliegen, die eine Nutzung nach § 14 zulassen würden.

(2) Die Verantwortung für die Zulässigkeit der Übermittlung trägt die übermittelnde Stelle. Erfolgt die Übermittlung auf Ersuchen des Dritten, an den die Daten übermittelt werden, trägt dieser die Verantwortung. In diesem Falle prüft die übermittelnde Stelle nur, ob das Übermittlungsersuchen im Rahmen der Aufgaben des Dritten, an den die Daten übermittelt werden, liegt, es sei denn, daß besonderer Anlaß zur Prüfung der Zulässigkeit der Übermittlung besteht. § 10 Abs. 4 bleibt unberührt.

(3) Der Dritte, an den die Daten übermittelt werden, darf diese für den Zweck verarbeiten oder nutzen, zu dessen Erfüllung sie ihm übermittelt werden. Eine Verarbeitung oder Nutzung für andere Zwecke ist nur unter den Voraussetzungen des § 14 Abs. 2 zulässig.

(4) Für die Übermittlung personenbezogener Daten an Stellen der öffentlich-rechtlichen Religionsgesellschaften gelten die Absätze 1 bis 3 entsprechend, sofern sichergestellt ist, daß bei diesen ausreichende Datenschutzmaßnahmen getroffen werden.

(5) Sind mit personenbezogenen Daten, die nach Absatz 1 übermittelt werden dürfen, weitere personenbezogene Daten des Betroffenen oder eines Dritten so verbunden, daß eine Trennung nicht oder nur mit unvertretbarem Aufwand möglich ist, so ist die Übermittlung auch dieser Daten zulässig, soweit nicht berechtigte Interessen des Betroffenen oder eines Dritten an deren Geheimhaltung offensichtlich überwiegen; eine Nutzung dieser Daten ist unzulässig.

(6) Absatz 5 gilt entsprechend, wenn personenbezogene Daten innerhalb einer öffentlichen Stelle weitergegeben werden.

§ 16 Datenübermittlung an nicht-öffentliche Stellen

(1) Die Übermittlung personenbezogener Daten an nicht-öffentliche Stellen ist zulässig, wenn

1. sie zur Erfüllung der in der Zuständigkeit der übermittelnden Stelle liegenden Aufgaben erforderlich ist und die Voraussetzungen vorliegen, die eine Nutzung nach § 14 zulassen würden, oder
2. der Dritte, an den die Daten übermittelt werden, ein berechtigtes Interesse an der Kenntnis der zu übermittelnden Daten glaubhaft darlegt und der Betroffene kein schutzwürdiges Interesse an dem Ausschluß der Übermittlung hat. Das Übermitteln von besonderen Arten personenbezogener Daten (§ 3 Abs. 9) ist abweichend von Satz 1 Nr. 2 nur zulässig, wenn die Voraussetzungen vorliegen, die eine Nutzung nach § 14 Abs. 5 und 6 zulassen würden oder soweit

dies zur Geltendmachung, Ausübung oder Verteidigung rechtlicher Ansprüche erforderlich ist.

(2) Die Verantwortung für die Zulässigkeit der Übermittlung trägt die übermittelnde Stelle.

(3) In den Fällen der Übermittlung nach Absatz 1 Nr. 2 unterrichtet die übermittelnde Stelle den Betroffenen von der Übermittlung seiner Daten. Dies gilt nicht, wenn damit zu rechnen ist, daß er davon auf andere Weise Kenntnis erlangt, oder wenn die Unterrichtung die öffentliche Sicherheit gefährden oder sonst dem Wohle des Bundes oder eines Landes Nachteile bereiten würde.

(4) Der Dritte, an den die Daten übermittelt werden, darf diese nur für den Zweck verarbeiten oder nutzen, zu dessen Erfüllung sie ihm übermittelt werden. Die übermittelnde Stelle hat ihn darauf hinzuweisen. Eine Verarbeitung oder Nutzung für andere Zwecke ist zulässig, wenn eine Übermittlung nach Absatz 1 zulässig wäre und die übermittelnde Stelle zugestimmt hat.

§ 17 (aufgehoben)

§ 18 Durchführung des Datenschutzes in der Bundesverwaltung

(1) Die obersten Bundesbehörden, der Präsident des Bundeseisenbahnvermögens sowie die bundesunmittelbaren Körperschaften, Anstalten und Stiftungen des öffentlichen Rechts, über die von der Bundesregierung oder einer obersten Bundesbehörde lediglich die Rechtsaufsicht ausgeübt wird, haben für ihren Geschäftsbereich die Ausführung dieses Gesetzes sowie anderer Rechtsvorschriften über den Datenschutz sicherzustellen. Das gleiche gilt für die Vorstände der aus dem Sondervermögen Deutsche Bundespost durch Gesetz hervorgegangenen Unternehmen, solange diesen ein ausschließliches Recht nach dem Postgesetz zusteht.

(2) Die öffentlichen Stellen führen ein Verzeichnis der eingesetzten Datenverarbeitungsanlagen. Für ihre automatisierten Verarbeitungen haben sie die Angaben nach § 4e sowie die Rechtsgrundlage der Verarbeitung schriftlich festzulegen. Bei allgemeinen Verwaltungszwecken dienenden automatisierten Verarbeitungen, bei welchen das Auskunftsrecht des Betroffenen nicht nach § 19 Abs. 3 oder 4 eingeschränkt wird, kann hiervon abgesehen werden. Für automatisierte Verarbeitungen, die in gleicher oder ähnlicher Weise mehrfach geführt werden, können die Festlegungen zusammengefasst werden.

Zweiter Unterabschnitt
Rechte des Betroffenen

§ 19 Auskunft an den Betroffenen

(1) Dem Betroffenen ist auf Antrag Auskunft zu erteilen über
1. die zu seiner Person gespeicherten Daten, auch soweit sie sich auf die Herkunft dieser Daten beziehen,
2. die Empfänger oder Kategorien von Empfängern, an die die Daten weitergegeben werden, und
3. den Zweck der Speicherung.

In dem Antrag soll die Art der personenbezogenen Daten, über die Auskunft erteilt werden soll, näher bezeichnet werden. Sind die personenbezogenen Daten weder automatisiert noch in nicht automatisierten Dateien gespeichert, wird die Auskunft nur erteilt, soweit der Betroffene Angaben macht, die das Auffinden der Daten ermöglichen, und der für die Erteilung der Auskunft erforderliche Aufwand nicht außer Verhältnis zu dem vom Betroffenen geltend gemachten Informationsinteresse steht. Die verantwortliche Stelle bestimmt das Verfahren, insbesondere die Form der Auskunftserteilung, nach pflichtgemäßem Ermessen.

(2) Absatz 1 gilt nicht für personenbezogene Daten, die nur deshalb gespeichert sind, weil sie aufgrund gesetzlicher, satzungsmäßiger oder vertraglicher Aufbewahrungsvorschriften nicht gelöscht werden dürfen, oder ausschließlich Zwecken der Datensicherung oder der Datenschutzkontrolle dienen und eine Auskunftserteilung einen unverhältnismäßigen Aufwand erfordern würde.

(3) Bezieht sich die Auskunftserteilung auf die Übermittlung personenbezogener Daten an Verfassungsschutzbehörden, den Bundesnachrichtendienst, den Militärischen Abschirmdienst und, soweit die Sicherheit des Bundes berührt wird, andere Behörden des Bundesministeriums der Verteidigung, ist sie nur mit Zustimmung dieser Stellen zulässig.

(4) Die Auskunftserteilung unterbleibt, soweit
1. die Auskunft die ordnungsgemäße Erfüllung der in der Zuständigkeit der verantwortlichen Stelle liegenden Aufgaben gefährden würde,
2. die Auskunft die öffentliche Sicherheit oder Ordnung gefährden oder sonst dem Wohle des Bundes oder eines Landes Nachteile bereiten würde oder
3. die Daten oder die Tatsache ihrer Speicherung nach einer Rechtsvorschrift oder ihrem Wesen nach, insbesondere wegen der überwiegenden berechtigten Interessen eines Dritten, geheimgehalten werden müssen

und deswegen das Interesse des Betroffenen an der Auskunftserteilung zurücktreten muß.

(5) Die Ablehnung der Auskunftserteilung bedarf einer Begründung nicht, soweit durch die Mitteilung der tatsächlichen und rechtlichen Gründe, auf die die Entscheidung gestützt wird, der mit der Auskunftsverweigerung verfolgte Zweck gefährdet würde. In diesem Falle ist der Betroffene darauf hinzuweisen, daß er sich an den Bundesbeauftragten für den Datenschutz wenden kann.

(6) Wird dem Betroffenen keine Auskunft erteilt, so ist sie auf sein Verlangen dem Bundesbeauftragten für den Datenschutz zu erteilen, soweit nicht die jeweils zuständige oberste Bundesbehörde im Einzelfall feststellt, daß dadurch die Sicherheit des Bundes oder eines Landes gefährdet würde. Die Mitteilung des Bundesbeauftragten an den Betroffenen darf keine Rückschlüsse auf den Erkenntnisstand der verantwortlichen Stelle zulassen, sofern diese nicht einer weitergehenden Auskunft zustimmt.

(7) Die Auskunft ist unentgeltlich.

§ 19a Benachrichtigung

(1) Werden Daten ohne Kenntnis des Betroffenen erhoben, so ist er von der Speicherung, der Identität der verantwortlichen Stelle sowie über die Zweckbestimmungen der Erhebung, Verarbeitung oder Nutzung zu unterrichten. Der Betroffene ist auch über die Empfänger oder Kategorien von Empfängern von Daten zu unterrichten, soweit er nicht mit der Übermittlung an diese rechnen muss. Sofern eine Übermittlung vorgesehen ist, hat die Unterrichtung spätestens bei der ersten Übermittlung zu erfolgen.

(2) Eine Pflicht zur Benachrichtigung besteht nicht, wenn

1. der Betroffene auf andere Weise Kenntnis von der Speicherung oder der Übermittlung erlangt hat,
2. die Unterrichtung des Betroffenen einen unverhältnismäßigen Aufwand erfordert oder
3. die Speicherung oder Übermittlung der personenbezogenen Daten durch Gesetz ausdrücklich vorgesehen ist.

Die verantwortliche Stelle legt schriftlich fest, unter welchen Voraussetzungen von einer Benachrichtigung nach Nummer 2 oder 3 abgesehen wird.

(3) § 19 Abs. 2 bis 4 gilt entsprechend.

§ 20 Berichtigung, Löschung und Sperrung von Daten; Widerspruchsrecht

(1) Personenbezogene Daten sind zu berichtigen, wenn sie un-

richtig sind. Wird festgestellt, daß personenbezogene Daten, die weder automatisiert verarbeitet noch in nicht automatisierten Dateien gespeichert sind, unrichtig sind, oder wird ihre Richtigkeit von dem Betroffenen bestritten, so ist dies in geeigneter Weise festzuhalten.

(2) Personenbezogene Daten, die automatisiert verarbeitet oder in nicht automatisierten Dateien gespeichert sind, sind zu löschen, wenn
1. ihre Speicherung unzulässig ist oder
2. ihre Kenntnis für die verantwortliche Stelle zur Erfüllung der in ihrer Zuständigkeit liegenden Aufgaben nicht mehr erforderlich ist.

(3) An die Stelle einer Löschung tritt eine Sperrung, soweit
1. einer Löschung gesetzliche, satzungsmäßige oder vertragliche Aufbewahrungsfristen entgegenstehen,
2. Grund zu der Annahme besteht, daß durch eine Löschung schutzwürdige Interessen des Betroffenen beeinträchtigt würden, oder
3. eine Löschung wegen der besonderen Art der Speicherung nicht oder nur mit unverhältnismäßig hohem Aufwand möglich ist.

(4) Personenbezogene Daten, die automatisiert verarbeitet oder in nicht automatisierten Dateien gespeichert sind, sind ferner zu sperren, soweit ihre Richtigkeit vom Betroffenen bestritten wird und sich weder die Richtigkeit noch die Unrichtigkeit feststellen läßt.

(5) Personenbezogene Daten dürfen nicht für eine automatisierte Verarbeitung oder Verarbeitung in nicht automatisierten Dateien erhoben, verarbeitet oder genutzt werden, soweit der Betroffene dieser bei der verantwortlichen Stelle widerspricht und eine Prüfung ergibt, dass das schutzwürdige Interesse des Betroffenen wegen seiner besonderen persönlichen Situation das Interesse der verantwortlichen Stelle an dieser Erhebung, Verarbeitung oder Nutzung überwiegt. Satz 1 gilt nicht, wenn eine Rechtsvorschrift zur Erhebung, Verarbeitung oder Nutzung verpflichtet.

(6) Personenbezogene Daten, die weder automatisiert verarbeitet noch in einer nicht automatisierten Datei gespeichert sind, sind zu sperren, wenn die Behörde im Einzelfall feststellt, daß ohne die Sperrung schutzwürdige Interessen des Betroffenen beeinträchtigt würden und die Daten für die Aufgabenerfüllung der Behörde nicht mehr erforderlich sind.

(7) Gesperrte Daten dürfen ohne Einwilligung des Betroffenen nur übermittelt oder genutzt werden, wenn
1. es zu wissenschaftlichen Zwecken, zur Behebung einer bestehenden Beweisnot oder aus sonstigen im überwiegenden Interesse der verantwortlichen Stelle oder eines Dritten liegenden Gründen unerläßlich ist und

2. die Daten hierfür übermittelt oder genutzt werden dürften, wenn sie nicht gesperrt wären.

(8) Von der Berichtigung unrichtiger Daten, der Sperrung bestrittener Daten sowie der Löschung oder Sperrung wegen Unzulässigkeit der Speicherung sind die Stellen zu verständigen, denen im Rahmen einer Datenübermittlung diese Daten zur Speicherung weitergegeben wurden, wenn dies keinen unverhältnismäßigen Aufwand erfordert und schutzwürdige Interessen des Betroffenen nicht entgegenstehen.

(9) § 2 Abs. 1 bis 6, 8 und 9 des Bundesarchivgesetzes ist anzuwenden.

§ 21 Anrufung des Bundesbeauftragten für den Datenschutz

Jedermann kann sich an den Bundesbeauftragten für den Datenschutz wenden, wenn er der Ansicht ist, bei der Erhebung, Verarbeitung oder Nutzung seiner personenbezogenen Daten durch öffentliche Stellen des Bundes in seinen Rechten verletzt worden zu sein. Für die Erhebung, Verarbeitung oder Nutzung von personenbezogenen Daten durch Gerichte des Bundes gilt dies nur, soweit diese in Verwaltungsangelegenheiten tätig werden.

Dritter Unterabschnitt
Bundesbeauftragter für den Datenschutz

§ 22 Wahl des Bundesbeauftragten für den Datenschutz

(1) Der Deutsche Bundestag wählt auf Vorschlag der Bundesregierung den Bundesbeauftragten für den Datenschutz mit mehr als der Hälfte der gesetzlichen Zahl seiner Mitglieder. Der Bundesbeauftragte muß bei seiner Wahl das 35. Lebensjahr vollendet haben. Der Gewählte ist vom Bundespräsidenten zu ernennen.

(2) Der Bundesbeauftragte leistet vor dem Bundesminister des Innern folgenden Eid:

> »Ich schwöre, daß ich meine Kraft dem Wohle des deutschen Volkes widmen, seinen Nutzen mehren, Schaden von ihm wenden, das Grundgesetz und die Gesetze des Bundes wahren und verteidigen, meine Pflichten gewissenhaft erfüllen und Gerechtigkeit gegen jedermann üben werde. So wahr mir Gott helfe.«

Der Eid kann auch ohne religiöse Beteuerung geleistet werden.

(3) Die Amtszeit des Bundesbeauftragten beträgt fünf Jahre. Einmalige Wiederwahl ist zulässig.

(4) Der Bundesbeauftragte steht nach Maßgabe dieses Gesetzes zum Bund in einem öffentlich-rechtlichen Amtsverhältnis. Er ist in Aus-

übung seines Amtes unabhängig und nur dem Gesetz unterworfen. Er untersteht der Rechtsaufsicht der Bundesregierung.

(5) Der Bundesbeauftragte wird beim Bundesministerium des Innern eingerichtet. Er untersteht der Dienstaufsicht des Bundesministeriums des Innern. Dem Bundesbeauftragten ist die für die Erfüllung seiner Aufgaben notwendige Personal- und Sachausstattung zur Verfügung zu stellen; sie ist im Einzelplan des Bundesministeriums des Innern in einem eigenen Kapitel auszuweisen. Die Stellen sind im Einvernehmen mit dem Bundesbeauftragten zu besetzen. Die Mitarbeiter können, falls sie mit der beabsichtigten Maßnahme nicht einverstanden sind, nur im Einvernehmen mit ihm versetzt, abgeordnet oder umgesetzt werden.

(6) Ist der Bundesbeauftragte vorübergehend an der Ausübung seines Amtes verhindert, kann der Bundesminister des Innern einen Vertreter mit der Wahrnehmung der Geschäfte beauftragen. Der Bundesbeauftragte soll dazu gehört werden.

§ 23 Rechtsstellung des Bundesbeauftragten für den Datenschutz

(1) Das Amtsverhältnis des Bundesbeauftragten für den Datenschutz beginnt mit der Aushändigung der Ernennungsurkunde. Es endet

1. mit Ablauf der Amtszeit,
2. mit der Entlassung.

Der Bundespräsident entläßt den Bundesbeauftragten, wenn dieser es verlangt oder auf Vorschlag der Bundesregierung, wenn Gründe vorliegen, die bei einem Richter auf Lebenszeit die Entlassung aus dem Dienst rechtfertigen. Im Falle der Beendigung des Amtsverhältnisses erhält der Bundesbeauftragte eine vom Bundespräsidenten vollzogene Urkunde. Eine Entlassung wird mit der Aushändigung der Urkunde wirksam. Auf Ersuchen des Bundesministers des Innern ist der Bundesbeauftragte verpflichtet, die Geschäfte bis zur Ernennung seines Nachfolgers weiterzuführen.

(2) Der Bundesbeauftragte darf neben seinem Amt kein anderes besoldetes Amt, kein Gewerbe und keinen Beruf ausüben und weder der Leitung oder dem Aufsichtsrat oder Verwaltungsrat eines auf Erwerb gerichteten Unternehmens noch einer Regierung oder einer gesetzgebenden Körperschaft des Bundes oder eines Landes angehören. Er darf nicht gegen Entgelt außergerichtliche Gutachten abgeben.

(3) Der Bundesbeauftragte hat dem Bundesministerium des Innern Mitteilung über Geschenke zu machen, die er in bezug auf sein Amt erhält. Das Bundesministerium des Innern entscheidet über die Verwendung der Geschenke.

(4) Der Bundesbeauftragte ist berechtigt, über Personen, die ihm in seiner Eigenschaft als Bundesbeauftragter Tatsachen anvertraut haben,

sowie über diese Tatsachen selbst das Zeugnis zu verweigern. Dies gilt auch für die Mitarbeiter des Bundesbeauftragten mit der Maßgabe, daß über die Ausübung dieses Rechts der Bundesbeauftragte entscheidet. Soweit das Zeugnisverweigerungsrecht des Bundesbeauftragten reicht, darf die Vorlegung oder Auslieferung von Akten oder anderen Schriftstücken von ihm nicht gefordert werden.

(5) Der Bundesbeauftragte ist, auch nach Beendigung seines Amtsverhältnisses, verpflichtet, über die ihm amtlich bekanntgewordenen Angelegenheiten Verschwiegenheit zu bewahren. Dies gilt nicht für Mitteilungen im dienstlichen Verkehr oder über Tatsachen, die offenkundig sind oder ihrer Bedeutung nach keiner Geheimhaltung bedürfen. Der Bundesbeauftragte darf, auch wenn er nicht mehr im Amt ist, über solche Angelegenheiten ohne Genehmigung des Bundesministeriums des Innern weder vor Gericht noch außergerichtlich aussagen oder Erklärungen abgeben. Unberührt bleibt die gesetzlich begründete Pflicht, Straftaten anzuzeigen und bei Gefährdung der freiheitlichen demokratischen Grundordnung für deren Erhaltung einzutreten. Für den Bundesbeauftragten und seine Mitarbeiter gelten die §§ 93, 97, 105 Abs. 1, § 111 Abs. 5 in Verbindung mit § 105 Abs. 1 sowie § 116 Abs. 1 der Abgabenordnung nicht. Satz 5 findet keine Anwendung, soweit die Finanzbehörden die Kenntnis für die Durchführung eines Verfahrens wegen einer Steuerstraftat sowie eines damit zusammenhängenden Steuerverfahrens benötigen, an deren Verfolgung ein zwingendes öffentliches Interesse besteht, oder soweit es sich um vorsätzlich falsche Angaben des Auskunftspflichtigen oder der für ihn tätigen Personen handelt. Stellt der Bundesbeauftragte einen Datenschutzverstoß fest, ist er befugt, diesen anzuzeigen und den Betroffenen hierüber zu informieren.

(6) Die Genehmigung, als Zeuge auszusagen, soll nur versagt werden, wenn die Aussage dem Wohle des Bundes oder eines deutschen Landes Nachteile bereiten oder die Erfüllung öffentlicher Aufgaben ernstlich gefährden oder erheblich erschweren würde. Die Genehmigung, ein Gutachten zu erstatten, kann versagt werden, wenn die Erstattung den dienstlichen Interessen Nachteile bereiten würde. § 28 des Bundesverfassungsgerichtsgesetzes bleibt unberührt.

(7) Der Bundesbeauftragte erhält vom Beginn des Kalendermonats an, in dem das Amtsverhältnis beginnt, bis zum Schluß des Kalendermonats, in dem das Amtsverhältnis endet, im Falle des Absatzes 1 Satz 6 bis zum Ende des Monats, in dem die Geschäftsführung endet, Amtsbezüge in Höhe der einem Bundesbeamten der Besoldungsgruppe B 9 zustehenden Besoldung. Das Bundesreisekostengesetz und das Bundesumzugskostengesetz sind entsprechend anzuwenden. Im übrigen sind die §§ 13 bis 20 des Bundesministergesetzes in der Fassung der Bekanntmachung vom 27. Juli 1971 (BGBl. I S. 1166), zuletzt

geändert durch das Gesetz zur Kürzung des Amtsgehalts der Mitglieder der Bundesregierung und der Parlamentarischen Staatssekretäre vom 22. Dezember 1982 (BGBl. I S. 2007), mit der Maßgabe anzuwenden, daß an die Stelle der zweijährigen Amtszeit in § 15 Abs. 1 des Bundesministergesetzes eine Amtszeit von fünf Jahren tritt. Abweichend von Satz 3 in Verbindung mit den §§ 15 bis 17 des Bundesministergesetzes berechnet sich das Ruhegehalt des Bundesbeauftragten unter Hinzurechnung der Amtszeit als ruhegehaltsfähige Dienstzeit in entsprechender Anwendung des Beamtenversorgungsgesetzes, wenn dies günstiger ist und der Bundesbeauftragte sich unmittelbar vor seiner Wahl zum Bundesbeauftragten als Beamter oder Richter mindestens in dem letzten gewöhnlich vor Erreichen der Besoldungsgruppe B 9 zu durchlaufenden Amt befunden hat.

(8) Absatz 5 Satz 5 bis 7 gilt entsprechend für die öffentlichen Stellen, die für die Kontrolle der Einhaltung der Vorschriften über den Datenschutz in den Ländern zuständig sind.

§ 24 Kontrolle durch den Bundesbeauftragten für den Datenschutz

(1) Der Bundesbeauftragte für den Datenschutz kontrolliert bei den öffentlichen Stellen des Bundes die Einhaltung der Vorschriften dieses Gesetzes und anderer Vorschriften über den Datenschutz.

(2) Die Kontrolle des Bundesbeauftragten erstreckt sich auch auf
1. von öffentlichen Stellen des Bundes erlangte personenbezogene Daten über den Inhalt und die näheren Umstände des Brief-, Post- und Fernmeldeverkehrs, und
2. personenbezogene Daten, die einem Berufs- oder besonderen Amtsgeheimnis, insbesondere dem Steuergeheimnis nach § 30 der Abgabenordnung, unterliegen.

Das Grundrecht des Brief-, Post- und Fernmeldegeheimnisses des Artikels 10 des Grundgesetzes wird insoweit eingeschränkt. Personenbezogene Daten, die der Kontrolle durch die Kommission nach § 15 des Artikel 10-Gesetzes unterliegen, unterliegen nicht der Kontrolle durch den Bundesbeauftragten, es sei denn, die Kommission ersucht den Bundesbeauftragten, die Einhaltung der Vorschriften über den Datenschutz bei bestimmten Vorgängen oder in bestimmten Bereichen zu kontrollieren und ausschließlich ihr darüber zu berichten. Der Kontrolle durch den Bundesbeauftragten unterliegen auch nicht personenbezogene Daten in Akten über die Sicherheitsüberprüfung, wenn der Betroffene der Kontrolle der auf ihn bezogenen Daten im Einzelfall gegenüber dem Bundesbeauftragten widerspricht.

(3) Die Bundesgerichte unterliegen der Kontrolle des Bundesbeauftragten nur, soweit sie in Verwaltungsangelegenheiten tätig werden.

(4) Die öffentlichen Stellen des Bundes sind verpflichtet, den Bundesbeauftragten und seine Beauftragten bei der Erfüllung ihrer Aufgaben zu unterstützen. Ihnen ist dabei insbesondere
1. Auskunft zu ihren Fragen sowie Einsicht in alle Unterlagen, insbesondere in die gespeicherten Daten und in die Datenverarbeitungsprogramme, zu gewähren, die im Zusammenhang mit der Kontrolle nach Absatz 1 stehen,
2. jederzeit Zutritt in alle Diensträume zu gewähren.

Die in § 6 Abs. 2 und § 19 Abs. 3 genannten Behörden gewähren die Unterstützung nur dem Bundesbeauftragten selbst und den von ihm schriftlich besonders Beauftragten. Satz 2 gilt für diese Behörden nicht, soweit die oberste Bundesbehörde im Einzelfall feststellt, daß die Auskunft oder Einsicht die Sicherheit des Bundes oder eines Landes gefährden würde.

(5) Der Bundesbeauftragte teilt das Ergebnis seiner Kontrolle der öffentlichen Stelle mit. Damit kann er Vorschläge zur Verbesserung des Datenschutzes, insbesondere zur Beseitigung von festgestellten Mängeln bei der Verarbeitung oder Nutzung personenbezogener Daten, verbinden. § 25 bleibt unberührt.

(6) Absatz 2 gilt entsprechend für die öffentlichen Stellen, die für die Kontrolle der Einhaltung der Vorschriften über den Datenschutz in den Ländern zuständig sind.

§ 25 Beanstandungen durch den Bundesbeauftragten für den Datenschutz

(1) Stellt der Bundesbeauftragte für den Datenschutz Verstöße gegen die Vorschriften dieses Gesetzes oder gegen andere Vorschriften über den Datenschutz oder sonstige Mängel bei der Verarbeitung oder Nutzung personenbezogener Daten fest, so beanstandet er dies
1. bei der Bundesverwaltung gegenüber der zuständigen obersten Bundesbehörde,
2. beim Bundeseisenbahnvermögen gegenüber dem Präsidenten,
3. bei den aus dem Sondervermögen Deutsche Bundespost durch Gesetz hervorgegangenen Unternehmen, solange ihnen ein ausschließliches Recht nach dem Postgesetz zusteht, gegenüber deren Vorständen,
4. bei den bundesunmittelbaren Körperschaften, Anstalten und Stiftungen des öffentlichen Rechts sowie bei Vereinigungen solcher Körperschaften, Anstalten und Stiftungen gegenüber dem Vorstand oder dem sonst vertretungsberechtigten Organ

und fordert zur Stellungnahme innerhalb einer von ihm zu bestimmenden Frist auf. In den Fällen von Satz 1 Nr. 4 unterrichtet der Bundesbeauftragte gleichzeitig die zuständige Aufsichtsbehörde.

(2) Der Bundesbeauftragte kann von einer Beanstandung absehen oder auf eine Stellungnahme der betroffenen Stelle verzichten, insbesondere wenn es sich um unerhebliche oder inzwischen beseitigte Mängel handelt.

(3) Die Stellungnahme soll auch eine Darstellung der Maßnahmen enthalten, die auf Grund der Beanstandung des Bundesbeauftragten getroffen worden sind. Die in Absatz 1 Satz 1 Nr. 4 genannten Stellen leiten der zuständigen Aufsichtsbehörde gleichzeitig eine Abschrift ihrer Stellungnahme an den Bundesbeauftragten zu.

§ 26 Weitere Aufgaben des Bundesbeauftragten für den Datenschutz

(1) Der Bundesbeauftragte für den Datenschutz erstattet dem Deutschen Bundestag alle zwei Jahre einen Tätigkeitsbericht. Er unterrichtet den Deutschen Bundestag und die Öffentlichkeit über wesentliche Entwicklungen des Datenschutzes.

(2) Auf Anforderung des Deutschen Bundestages oder der Bundesregierung hat der Bundesbeauftragte Gutachten zu erstellen und Berichte zu erstatten. Auf Ersuchen des Deutschen Bundestages, des Petitionsausschusses, des Innenausschusses oder der Bundesregierung geht der Bundesbeauftragte ferner Hinweisen auf Angelegenheiten und Vorgänge des Datenschutzes bei den öffentlichen Stellen des Bundes nach. Der Bundesbeauftragte kann sich jederzeit an den Deutschen Bundestag wenden.

(3) Der Bundesbeauftragte kann der Bundesregierung und den in § 12 Abs. 1 genannten Stellen des Bundes Empfehlungen zur Verbesserung des Datenschutzes geben und sie in Fragen des Datenschutzes beraten. Die in § 25 Abs. 1 Nr. 1 bis 4 genannten Stellen sind durch den Bundesbeauftragten zu unterrichten, wenn die Empfehlung oder Beratung sie nicht unmittelbar betrifft.

(4) Der Bundesbeauftragte wirkt auf die Zusammenarbeit mit den öffentlichen Stellen, die für die Kontrolle der Einhaltung der Vorschriften über den Datenschutz in den Ländern zuständig sind, sowie mit den Aufsichtsbehörden nach § 38 hin. § 38 Abs. 1 Satz 3 und 4 gilt entsprechend.

Dritter Abschnitt
Datenverarbeitung nicht-öffentlicher Stellen und öffentlich-rechtlicher Wettbewerbsunternehmen

Erster Unterabschnitt
Rechtsgrundlagen der Datenverarbeitung

§ 27 Anwendungsbereich

(1) Die Vorschriften dieses Abschnittes finden Anwendung, soweit personenbezogene Daten unter Einsatz von Datenverarbeitungsanlagen verarbeitet, genutzt oder dafür erhoben werden oder die Daten in oder aus nicht automatisierten Dateien verarbeitet, genutzt oder dafür erhoben werden durch

1. nicht-öffentliche Stellen,
2. a) öffentliche Stellen des Bundes, soweit sie als öffentlich-rechtliche Unternehmen am Wettbewerb teilnehmen,
   b) öffentliche Stellen der Länder, soweit sie als öffentlich-rechtliche Unternehmen am Wettbewerb teilnehmen, Bundesrecht ausführen und der Datenschutz nicht durch Landesgesetz geregelt ist.

Dies gilt nicht, wenn die Erhebung, Verarbeitung oder Nutzung der Daten ausschließlich für persönliche oder familiäre Tätigkeiten erfolgt. In den Fällen der Nummer 2 Buchstabe a gelten anstelle des § 38 die §§ 18, 21 und 24 bis 26.

(2) Die Vorschriften dieses Abschnittes gelten nicht für die Verarbeitung und Nutzung personenbezogener Daten außerhalb von nicht automatisierten Dateien, soweit es sich nicht um personenbezogene Daten handelt, die offensichtlich aus einer automatisierten Verarbeitung entnommen worden sind.

§ 28 Datenerhebung, -verarbeitung und -nutzung für eigene Zwecke

(1) Das Erheben, Speichern, Verändern oder Übermitteln personenbezogener Daten oder ihre Nutzung als Mittel für die Erfüllung eigener Geschäftszwecke ist zulässig

1. wenn es der Zweckbestimmung eines Vertragsverhältnisses oder vertragsähnlichen Vertrauensverhältnisses mit dem Betroffenen dient,
2. soweit es zur Wahrung berechtigter Interessen der verantwortlichen Stelle erforderlich ist und kein Grund zu der Annahme besteht, daß das schutzwürdige Interesse des Betroffenen an dem Ausschluß der Verarbeitung oder Nutzung überwiegt, oder

3. wenn die Daten allgemein zugänglich sind oder die verantwortliche Stelle sie veröffentlichen dürfte, es sei denn, dass das schutzwürdige Interesse des Betroffenen an dem Ausschluss der Verarbeitung oder Nutzung gegenüber dem berechtigten Interesse der verantwortlichen Stelle offensichtlich überwiegt.

Bei der Erhebung personenbezogener Daten sind die Zwecke, für die die Daten verarbeitet oder genutzt werden sollen, konkret festzulegen.

(2) Für einen anderen Zweck dürfen sie nur unter den Voraussetzungen des Absatzes 1 Satz 1 Nr. 2 und 3 übermittelt oder genutzt werden.

(3) Die Übermittlung oder Nutzung für einen anderen Zweck ist auch zulässig:

1. soweit es zur Wahrung berechtigter Interessen eines Dritten oder
2. zur Abwehr von Gefahren für die staatliche und öffentliche Sicherheit sowie zur Verfolgung von Straftaten erforderlich ist, oder
3. für Zwecke der Werbung, der Markt- und Meinungsforschung, wenn es sich um listenmäßig oder sonst zusammengefasste Daten über Angehörige einer Personengruppe handelt, die sich auf
   a) eine Angabe über die Zugehörigkeit des Betroffenen zu dieser Personengruppe,
   b) Berufs-, Branchen- oder Geschäftsbezeichnung,
   c) Namen,
   d) Titel,
   e) akademische Grade,
   f) Anschrift und
   g) Geburtsjahr

   beschränken

und kein Grund zu der Annahme besteht, dass der Betroffene ein schutzwürdiges Interesse an dem Ausschluss der Übermittlung oder Nutzung hat, oder

4. wenn es im Interesse einer Forschungseinrichtung zur Durchführung wissenschaftlicher Forschung erforderlich ist, das wissenschaftliche Interesse an der Durchführung des Forschungsvorhabens das Interesse des Betroffenen an dem Ausschluss der Zweckänderung erheblich überwiegt und der Zweck der Forschung auf andere Weise nicht oder nur mit unverhältnismäßigem Aufwand erreicht werden kann.

In den Fällen des Satzes 1 Nr. 3 ist anzunehmen, dass dieses Interesse besteht, wenn im Rahmen der Zweckbestimmung eines Vertragsverhältnisses oder vertragsähnlichen Vertrauensverhältnisses gespeicherte Daten übermittelt werden sollen, die sich

1. auf strafbare Handlungen,
2. auf Ordnungswidrigkeiten sowie
3. bei Übermittlung durch den Arbeitgeber auf arbeitsrechtliche Rechtsverhältnisse

beziehen.

(4) Widerspricht der Betroffene bei der verantwortlichen Stelle der Nutzung oder Übermittlung seiner Daten für Zwecke der Werbung oder der Markt- oder Meinungsforschung, ist eine Nutzung oder Übermittlung für diese Zwecke unzulässig. Der Betroffene ist bei der Ansprache zum Zweck der Werbung oder der Markt- oder Meinungsforschung über die verantwortliche Stelle sowie über das Widerspruchsrecht nach Satz 1 zu unterrichten; soweit der Ansprechende personenbezogene Daten des Betroffenen nutzt, die bei einer ihm nicht bekannten Stelle gespeichert sind, hat er auch sicherzustellen, dass der Betroffene Kenntnis über die Herkunft der Daten erhalten kann. Widerspricht der Betroffene bei dem Dritten, dem die Daten nach Absatz 3 übermittelt werden, der Verarbeitung oder Nutzung für Zwecke der Werbung oder der Markt- oder Meinungsforschung, hat dieser die Daten für diese Zwecke zu sperren.

(5) Der Dritte, dem die Daten übermittelt worden sind, darf diese nur für den Zweck verarbeiten oder nutzen, zu dessen Erfüllung sie ihm übermittelt werden. Eine Verarbeitung oder Nutzung für andere Zwecke ist nicht öffentlichen Stellen nur unter den Voraussetzungen der Absätze 2 und 3 und öffentlichen Stellen nur unter den Voraussetzungen des § 14 Abs. 2 erlaubt. Die übermittelnde Stelle hat ihn darauf hinzuweisen.

(6) Das Erheben, Verarbeiten und Nutzen von besonderen Arten personenbezogener Daten (§ 3 Abs. 9) für eigene Geschäftszwecke ist zulässig, soweit nicht der Betroffene nach Maßgabe des § 4a Abs. 3 eingewilligt hat, wenn

1. dies zum Schutz lebenswichtiger Interessen des Betroffenen oder eines Dritten erforderlich ist, sofern der Betroffene aus physischen oder rechtlichen Gründen außerstande ist, seine Einwilligung zu geben,
2. es sich um Daten handelt, die der Betroffene offenkundig öffentlich gemacht hat,
3. dies zur Geltendmachung, Ausübung oder Verteidigung rechtlicher Ansprüche erforderlich ist und kein Grund zu der Annahme besteht, dass das schutzwürdige Interesse des Betroffenen an dem Ausschluss der Erhebung, Verarbeitung oder Nutzung überwiegt, oder
4. dies zur Durchführung wissenschaftlicher Forschung erforderlich ist, das wissenschaftliche Interesse an der Durchführung

des Forschungsvorhabens das Interesse des Betroffenen an dem Ausschluss der Erhebung, Verarbeitung und Nutzung erheblich überwiegt und der Zweck der Forschung auf andere Weise nicht oder nur mit unverhältnismäßigem Aufwand erreicht werden kann.

(7) Das Erheben von besonderen Arten personenbezogener Daten (§ 3 Abs. 9) ist ferner zulässig, wenn dies zum Zweck der Gesundheitsvorsorge, der medizinischen Diagnostik, der Gesundheitsversorgung oder Behandlung oder für die Verwaltung von Gesundheitsdiensten erforderlich ist und die Verarbeitung dieser Daten durch ärztliches Personal oder durch sonstige Personen erfolgt, die einer entsprechenden Geheimhaltungspflicht unterliegen. Die Verarbeitung und Nutzung von Daten zu den in Satz 1 genannten Zwecken richtet sich nach den für die in Satz 1 genannten Personen geltenden Geheimhaltungspflichten. Werden zu einem in Satz 1 genannten Zweck Daten über die Gesundheit von Personen durch Angehörige eines anderen als in § 203 Abs. 1 und 3 des Strafgesetzbuches genannten Berufes, dessen Ausübung die Feststellung, Heilung oder Linderung von Krankheiten oder die Herstellung oder den Vertrieb von Hilfsmitteln mit sich bringt, erhoben, verarbeitet oder genutzt, ist dies nur unter den Voraussetzungen zulässig, unter denen ein Arzt selbst hierzu befugt wäre.

(8) Für einen anderen Zweck dürfen die besonderen Arten personenbezogener Daten (§ 3 Abs. 9) nur unter den Voraussetzungen des Absatzes 6 Nr. 1 bis 4 oder des Absatzes 7 Satz 1 übermittelt oder genutzt werden. Eine Übermittlung oder Nutzung ist auch zulässig, wenn dies zur Abwehr von erheblichen Gefahren für die staatliche und öffentliche Sicherheit sowie zur Verfolgung von Straftaten von erheblicher Bedeutung erforderlich ist.

(9) Organisationen, die politisch, philosophisch, religiös oder gewerkschaftlich ausgerichtet sind und keinen Erwerbszweck verfolgen, dürfen besondere Arten personenbezogener Daten (§ 3 Abs. 9) erheben, verarbeiten oder nutzen, soweit dies für die Tätigkeit der Organisation erforderlich ist. Dies gilt nur für personenbezogene Daten ihrer Mitglieder oder von Personen, die im Zusammenhang mit deren Tätigkeitszweck regelmäßig Kontakte mit ihr unterhalten. Die Übermittlung dieser personenbezogenen Daten an Personen oder Stellen außerhalb der Organisation ist nur unter den Voraussetzungen des § 4a Abs. 3 zulässig. Absatz 3 Nr. 2 gilt entsprechend.

§ 29 Geschäftsmäßige Datenerhebung und -speicherung zum Zwecke der Übermittlung

(1) Das geschäftsmäßige Erheben, Speichern oder Verändern per-

sonenbezogener Daten zum Zwecke der Übermittlung, insbesondere wenn dies der Werbung, der Tätigkeit von Auskunfteien, dem Adresshandel oder der Markt- und Meinungsforschung dient, ist zulässig, wenn

1. kein Grund zu der Annahme besteht, daß der Betroffene ein schutzwürdiges Interesse an dem Ausschluß der Erhebung, Speicherung oder Veränderung hat, oder
2. die Daten aus allgemein zugänglichen Quellen entnommen werden können oder die verantwortliche Stelle sie veröffentlichen dürfte, es sei denn, daß das schutzwürdige Interesse des Betroffenen an dem Ausschluß der Erhebung, Speicherung oder Veränderung offensichtlich überwiegt.

§ 28 Abs. 1 Satz 2 ist anzuwenden.

(2) Die Übermittlung im Rahmen der Zwecke nach Absatz 1 ist zulässig, wenn

1. a) der Dritte, dem die Daten übermittel werden, ein berechtigtes Interesse an ihrer Kenntnis glaubhaft dargelegt hat oder
   b) es sich um listenmäßig oder sonst zusammengefaßte Daten nach § 28 Abs. 3 Nr. 3 handelt, die für Zwecke der Werbung oder der Markt- oder Meinungsforschung übermittelt werden sollen, und
2. kein Grund zu der Annahme besteht, daß der Betroffene ein schutzwürdiges Interesse an dem Ausschluß der Übermittlung hat.

§ 28 Abs. 3 Satz 2 gilt entsprechend. Bei der Übermittlung nach Nummer 1 Buchstabe a sind die Gründe für das Vorliegen eines berechtigten Interesses und die Art und Weise ihrer glaubhaften Darlegung von der übermittelnden Stelle aufzuzeichnen. Bei der Übermittlung im automatisierten Abrufverfahren obliegt die Aufzeichnungspflicht dem Dritten, dem die Daten übermittel werden.

(3) Die Aufnahme personenbezogener Daten in elektronische oder gedruckte Adress-, Telefon-, Branchen- oder vergleichbare Verzeichnisse hat zu unterbleiben, wenn der entgegenstehende Wille des Betroffenen aus dem zugrunde liegenden elektronischen oder gedruckten Verzeichnis oder Register ersichtlich ist. Der Empfänger der Daten hat sicherzustellen, dass Kennzeichnungen aus elektronischen oder gedruckten Verzeichnissen oder Registern bei der Übernahme in Verzeichnisse oder Register übernommen werden.

(4) Für die Verarbeitung oder Nutzung der übermittelten Daten gilt § 28 Abs. 4 und 5.

(5) § 28 Abs. 6 bis 9 gilt entsprechend.

§ 30 Geschäftsmäßige Datenerhebung und -speicherung zum Zwecke der Übermittlung in anonymisierter Form

(1) Werden personenbezogene Daten geschäftsmäßig erhoben und gespeichert, um sie in anonymisierter Form zu übermitteln, sind die Merkmale gesondert zu speichern, mit denen Einzelangaben über persönliche oder sachliche Verhältnisse einer bestimmten oder bestimmbaren natürlichen Person zugeordnet werden können. Diese Merkmale dürfen mit den Einzelangaben nur zusammengeführt werden, soweit dies für die Erfüllung des Zweckes der Speicherung oder zu wissenschaftlichen Zwecken erforderlich ist.

(2) Die Veränderung personenbezogener Daten ist zulässig, wenn
1. kein Grund zu der Annahme besteht, daß der Betroffene ein schutzwürdiges Interesse an dem Ausschluß der Veränderung hat, oder
2. die Daten aus allgemein zugänglichen Quellen entnommen werden können oder die verantwortliche Stelle sie veröffentlichen dürfte, soweit nicht das schutzwürdige Interesse des Betroffenen an dem Ausschluß der Veränderung offensichtlich überwiegt.

(3) Die personenbezogenen Daten sind zu löschen, wenn ihre Speicherung unzulässig ist.

(4) § 29 gilt nicht.

(5) § 28 Abs. 6 bis 9 gilt entsprechend.

§ 31 Besondere Zweckbindung

Personenbezogene Daten, die ausschließlich zu Zwecken der Datenschutzkontrolle, der Datensicherung oder zur Sicherstellung eines ordnungsgemäßen Betriebes einer Datenverarbeitungsanlage gespeichert werden, dürfen nur für diese Zwecke verwendet werden.

§ 32 (aufgehoben)

Zweiter Unterabschnitt
Rechte des Betroffenen

§ 33 Benachrichtigung des Betroffenen

(1) Werden erstmals personenbezogene Daten für eigene Zwecke ohne Kenntnis des Betroffenen gespeichert, ist der Betroffene von der Speicherung, der Art der Daten, der Zweckbestimmung der Erhebung, Verarbeitung oder Nutzung und der Identität der verantwortlichen Stelle zu benachrichtigen. Werden personenbezogene Daten geschäftsmäßig zum Zwecke der Übermittlung ohne Kenntnis des Betroffenen

gespeichert, ist der Betroffene von der erstmaligen Übermittlung und der Art der übermittelten Daten zu benachrichtigen. Der Betroffene ist in den Fällen der Sätze 1 und 2 auch über die Kategorien von Empfängern zu unterrichten, soweit er nach den Umständen des Einzelfalles nicht mit der Übermittlung an diese rechnen muss.

(2) Eine Pflicht zur Benachrichtigung besteht nicht, wenn

1. der Betroffene auf andere Weise Kenntnis von der Speicherung oder der Übermittlung erlangt hat,
2. die Daten nur deshalb gespeichert sind, weil sie aufgrund gesetzlicher, satzungsmäßiger oder vertraglicher Aufbewahrungsvorschriften nicht gelöscht werden dürfen oder ausschließlich der Datensicherung oder der Datenschutzkontrolle dienen und eine Benachrichtigung einen unverhältnismäßigen Aufwand erfordern würde,
3. die Daten nach einer Rechtsvorschrift oder ihrem Wesen nach, namentlich wegen des überwiegenden rechtlichen Interesses eines Dritten, geheimgehalten werden müssen,
4. die Speicherung oder Übermittlung durch Gesetz ausdrücklich vorgesehen ist,
5. die Speicherung oder Übermittlung für Zwecke der wissenschaftlichen Forschung erforderlich ist und eine Benachrichtigung einen unverhältnismäßigen Aufwand erfordern würde,
6. die zuständige öffentliche Stelle gegenüber der verantwortlichen Stelle festgestellt hat, daß das Bekanntwerden der Daten die öffentliche Sicherheit oder Ordnung gefährden oder sonst dem Wohle des Bundes oder eines Landes Nachteile bereiten würde,
7. die Daten für eigene Zwecke gespeichert sind und
   a) aus allgemein zugänglichen Quellen entnommen sind und eine Benachrichtigung wegen der Vielzahl der betroffenen Fälle unverhältnismäßig ist, oder
   b) die Benachrichtigung die Geschäftszwecke der verantwortlichen Stelle erheblich gefährden würde, es sei denn, daß das Interesse an der Benachrichtigung die Gefährdung überwiegt, oder
8. die Daten geschäftsmäßig zum Zwecke der Übermittlung gespeichert sind und
   a) aus allgemein zugänglichen Quellen entnommen sind, soweit sie sich auf diejenigen Personen beziehen, die diese Daten veröffentlicht haben, oder
   b) es sich um listenmäßig oder sonst zusammengefasste Daten handelt (§ 29 Abs. 2 Nr. 1 Buchstabe b)

   und eine Benachrichtigung wegen der Vielzahl der betroffenen Fälle unverhältnismäßig ist.

Die verantwortliche Stelle legt schriftlich fest, unter welchen Voraussetzungen von einer Benachrichtigung nach Satz 1 Nr. 2 bis 7 abgesehen wird.

§ 34 Auskunft an den Betroffenen

(1) Der Betroffene kann Auskunft verlangen über

1. die zu seiner Person gespeicherten Daten, auch soweit sie sich auf die Herkunft dieser Daten beziehen,
2. Empfänger oder Kategorien von Empfängern, an die Daten weitergegeben werden, und
3. den Zweck der Speicherung.

Er soll die Art der personenbezogenen Daten, über die Auskunft erteilt werden soll, näher bezeichnen. Werden die personenbezogenen Daten geschäftsmäßig zum Zwecke der Übermittlung gespeichert, kann der Betroffene über Herkunft und Empfänger nur Auskunft verlangen, sofern nicht das Interesse an der Wahrung des Geschäftsgeheimnisses überwiegt. In diesem Falle ist Auskunft über Herkunft und Empfänger auch dann zu erteilen, wenn diese Angaben nicht gespeichert sind.

(2) Der Betroffene kann von Stellen, die geschäftsmäßig personenbezogene Daten zum Zwecke der Auskunftserteilung speichern, Auskunft über seine personenbezogenen Daten verlangen, auch wenn sie weder in einer automatisierten Verarbeitung noch in einer nicht automatisierten Datei gespeichert sind. Auskunft über Herkunft und Empfänger kann der Betroffene nur verlangen, sofern nicht das Interesse an der Wahrung des Geschäftsgeheimnisses überwiegt.

(3) Die Auskunft wird schriftlich erteilt, soweit nicht wegen der besonderen Umstände eine andere Form der Auskunftserteilung angemessen ist.

(4) Eine Pflicht zur Auskunftserteilung besteht nicht, wenn der Betroffene nach § 33 Abs. 2 Satz 1 Nr. 2, 3 und 5 bis 7 nicht zu benachrichtigen ist.

(5) Die Auskunft ist unentgeltlich. Werden die personenbezogenen Daten geschäftsmäßig zum Zwecke der Übermittlung gespeichert, kann jedoch ein Entgelt verlangt werden, wenn der Betroffene die Auskunft gegenüber Dritten zu wirtschaftlichen Zwecken nutzen kann. Das Entgelt darf über die durch die Auskunftserteilung entstandenen direkt zurechenbaren Kosten nicht hinausgehen. Ein Entgelt kann in den Fällen nicht verlangt werden, in denen besondere Umstände die Annahme rechtfertigen, daß Daten unrichtig oder unzulässig gespeichert werden, oder in denen die Auskunft ergibt, daß die Daten zu berichtigen oder unter der Voraussetzung des § 35 Abs. 2 Satz 2 Nr. 1 zu löschen sind.

(6) Ist die Auskunftserteilung nicht unentgeltlich, ist dem Betroffenen die Möglichkeit zu geben, sich im Rahmen seines Auskunftsanspruchs persönlich Kenntnis über die ihn betreffenden Daten und

Angaben zu verschaffen. Er ist hierauf in geeigneter Weise hinzuweisen.

§ 35 Berichtigung, Löschung und Sperrung von Daten

(1) Personenbezogene Daten sind zu berichtigen, wenn sie unrichtig sind.

(2) Personenbezogene Daten können außer in den Fällen des Absatzes 3 Nr. 1 und 2 jederzeit gelöscht werden. Personenbezogene Daten sind zu löschen, wenn

1. ihre Speicherung unzulässig ist,
2. es sich um Daten über die rassische oder ethnische Herkunft, politische Meinungen, religiöse oder philosophische Überzeugungen oder die Gewerkschaftszugehörigkeit, über Gesundheit oder das Sexualleben, strafbare Handlungen oder Ordnungswidrigkeiten handelt und ihre Richtigkeit von der verantwortlichen Stelle nicht bewiesen werden kann,
3. sie für eigene Zwecke verarbeitet werden, sobald ihre Kenntnis für die Erfüllung des Zweckes der Speicherung nicht mehr erforderlich ist, oder
4. sie geschäftsmäßig zum Zweck der Übermittlung verarbeitet werden und eine Prüfung jeweils am Ende des vierten Kalenderjahres beginnend mit ihrer erstmaligen Speicherung ergibt, dass eine längerwährende Speicherung nicht erforderlich ist.

(3) An die Stelle einer Löschung tritt eine Sperrung, soweit

1. im Falle des Absatzes 2 Nr. 3 einer Löschung gesetzliche, satzungsmäßige oder vertragliche Aufbewahrungsfristen entgegenstehen,
2. Grund zu der Annahme besteht, daß durch eine Löschung schutzwürdige Interessen des Betroffenen beeinträchtigt würden, oder
3. eine Löschung wegen der besonderen Art der Speicherung nicht oder nur mit unverhältnismäßig hohem Aufwand möglich ist.

(4) Personenbezogene Daten sind ferner zu sperren, soweit ihre Richtigkeit vom Betroffenen bestritten wird und sich weder die Richtigkeit noch die Unrichtigkeit feststellen läßt.

(5) Personenbezogene Daten dürfen nicht für eine automatisierte Verarbeitung oder Verarbeitung in nicht automatisierten Dateien erhoben, verarbeitet oder genutzt werden, soweit der Betroffene dieser bei der verantwortlichen Stelle widerspricht und eine Prüfung ergibt, dass das schutzwürdige Interesse des Betroffenen wegen seiner besonderen persönlichen Situation das Interesse der verantwortlichen Stelle an dieser Erhebung, Verarbeitung oder Nutzung überwiegt. Satz 1 gilt nicht, wenn eine Rechtsvorschrift zur Erhebung, Verarbeitung oder Nutzung verpflichtet.

(6) Personenbezogene Daten, die unrichtig sind oder deren Richtigkeit bestritten wird, müssen bei der geschäftsmäßigen Datenspeicherung zum Zwecke der Übermittlung außer in den Fällen des Absatzes 2 Nr. 2 nicht berichtigt, gesperrt oder gelöscht werden, wenn sie aus allgemein zugänglichen Quellen entnommen und zu Dokumentationszwecken gespeichert sind. Auf Verlangen des Betroffenen ist diesen Daten für die Dauer der Speicherung seine Gegendarstellung beizufügen. Die Daten dürfen nicht ohne diese Gegendarstellung übermittelt werden.

(7) Von der Berichtigung unrichtiger Daten, der Sperrung bestrittener Daten sowie der Löschung oder Sperrung wegen Unzulässigkeit der Speicherung sind die Stellen zu verständigen, denen im Rahmen einer Datenübermittlung diese Daten zur Speicherung weitergegeben werden, wenn dies keinen unverhältnismäßigen Aufwand erfordert und schutzwürdige Interessen des Betroffenen nicht entgegenstehen.

(8) Gesperrte Daten dürfen ohne Einwilligung des Betroffenen nur übermittelt oder genutzt werden, wenn

1. es zu wissenschaftlichen Zwecken, zur Behebung einer bestehenden Beweisnot oder aus sonstigen im überwiegenden Interesse der verantwortlichen Stelle oder eines Dritten liegenden Gründen unerläßlich ist und
2. die Daten hierfür übermittelt oder genutzt werden dürften, wenn sie nicht gesperrt wären.

Dritter Unterabschnitt
Aufsichtsbehörde

§§ 36 und 37 (aufgehoben)

§ 38 Aufsichtsbehörde

(1) Die Aufsichtsbehörde kontrolliert die Ausführung dieses Gesetzes sowie anderer Vorschriften über den Datenschutz, soweit diese die automatisierte Verarbeitung personenbezogener Daten oder die Verarbeitung oder Nutzung personenbezogener Daten in oder aus nicht automatisierten Dateien regeln einschließlich des Rechts der Mitgliedstaaten in den Fällen des § 1 Abs. 5. Die Aufsichtsbehörde darf die von ihr gespeicherten Daten nur für Zwecke der Aufsicht verarbeiten und nutzen; § 14 Abs. 2 Nr. 1 bis 3, 6 und 7 gilt entsprechend. Insbesondere darf die Aufsichtsbehörde zum Zweck der Aufsicht Daten an andere Aufsichtsbehörden übermitteln. Sie leistet den Aufsichtsbehörden anderer Mitgliedstaaten der Europäischen Union auf Ersuchen ergänzende Hilfe (Amtshilfe). Stellt die Aufsichtsbehörde einen Verstoß gegen dieses Gesetz oder andere Vorschriften über den Datenschutz fest, so

ist sie befugt, die Betroffenen hierüber zu unterrichten, den Verstoß bei den für die Verfolgung oder Ahndung zuständigen Stellen anzuzeigen sowie bei schwerwiegenden Verstößen die Gewerbeaufsichtsbehörde zur Durchführung gewerberechtlicher Maßnahmen zu unterrichten. Sie veröffentlicht regelmäßig, spätestens alle zwei Jahre, einen Tätigkeitsbericht. § 21 Satz 1 und § 23 Abs. 5 Satz 4 bis 7 gelten entsprechend.

(2) Die Aufsichtsbehörde führt ein Register der nach § 4d meldepflichtigen automatisierten Verarbeitungen mit den Angaben nach § 4e Satz 1. Das Register kann von jedem eingesehen werden. Das Einsichtsrecht erstreckt sich nicht auf die Angaben nach § 4e Satz 1 Nr. 9 sowie auf die Angabe der zugriffsberechtigten Personen.

(3) Die der Kontrolle unterliegenden Stellen sowie die mit deren Leitung beauftragten Personen haben der Aufsichtsbehörde auf Verlangen die für die Erfüllung ihrer Aufgaben erforderlichen Auskünfte unverzüglich zu erteilen. Der Auskunftspflichtige kann die Auskunft auf solche Fragen verweigern, deren Beantwortung ihn selbst oder einen der in § 383 Abs. 1 Nr. 1 bis 3 der Zivilprozeßordnung bezeichneten Angehörigen der Gefahr strafgerichtlicher Verfolgung oder eines Verfahrens nach dem Gesetz über Ordnungswidrigkeiten aussetzen würde. Der Auskunftspflichtige ist darauf hinzuweisen.

(4) Die von der Aufsichtsbehörde mit der Kontrolle beauftragten Personen sind befugt, soweit es zur Erfüllung der der Aufsichtsbehörde übertragenen Aufgaben erforderlich ist, während der Betriebs- und Geschäftszeiten Grundstücke und Geschäftsräume der Stelle zu betreten und dort Prüfungen und Besichtigungen vorzunehmen. Sie können geschäftliche Unterlagen, insbesondere die Übersicht nach § 4g Abs. 2 Satz 1 sowie die gespeicherten personenbezogenen Daten und die Datenverarbeitungsprogramme, einsehen. § 24 Abs. 6 gilt entsprechend. Der Auskunftspflichtige hat diese Maßnahmen zu dulden.

(5) Zur Gewährleistung des Datenschutzes nach diesem Gesetz und anderen Vorschriften über den Datenschutz, soweit diese die automatisierte Verarbeitung personenbezogener Daten oder die Verarbeitung personenbezogener Daten in oder aus nicht automatisierten Dateien regeln, kann die Aufsichtsbehörde anordnen, daß im Rahmen der Anforderungen nach § 9 Maßnahmen zur Beseitigung festgestellter technischer oder organisatorischer Mängel getroffen werden. Bei schwerwiegenden Mängeln dieser Art, insbesondere, wenn sie mit besonderer Gefährdung des Persönlichkeitsrechts verbunden sind, kann sie den Einsatz einzelner Verfahren untersagen, wenn die Mängel entgegen der Anordnung nach Satz 1 und trotz der Verhängung eines Zwangsgeldes nicht in angemessener Zeit beseitigt werden. Sie kann die Abberufung des Beauftragten für den Datenschutz verlangen, wenn er die zur Er-

füllung seiner Aufgaben erforderliche Fachkunde und Zuverlässigkeit nicht besitzt.

(6) Die Landesregierungen oder die von ihnen ermächtigten Stellen bestimmen die für die Kontrolle der Durchführung des Datenschutzes im Anwendungsbereich dieses Abschnittes zuständigen Aufsichtsbehörden.

(7) Die Anwendung der Gewerbeordnung auf die den Vorschriften dieses Abschnitts unterliegenden Gewerbebetriebe bleibt unberührt.

§ 38a Verhaltensregeln zur Förderung der Durchführung datenschutzrechtlicher Regelungen

(1) Berufsverbände und andere Vereinigungen, die bestimmte Gruppen von verantwortlichen Stellen vertreten, können Entwürfe für Verhaltensregeln zur Förderung der Durchführung von datenschutzrechtlichen Regelungen der zuständigen Aufsichtsbehörde unterbreiten.

(2) Die Aufsichtsbehörde überprüft die Vereinbarkeit der ihr unterbreiteten Entwürfe mit dem geltenden Datenschutzrecht.

Vierter Abschnitt
Sondervorschriften

§ 39 Zweckbindung bei personenbezogenen Daten, die einem Berufs- oder besonderen Amtsgeheimnis unterliegen

(1) Personenbezogene Daten, die einem Berufs- oder besonderen Amtsgeheimnis unterliegen und die von der zur Verschwiegenheit verpflichteten Stelle in Ausübung ihrer Berufs- oder Amtspflicht zur Verfügung gestellt worden sind, dürfen von der verantwortlichen Stelle nur für den Zweck verarbeitet oder genutzt werden, für den sie sie erhalten hat. In die Übermittlung an eine nicht-öffentliche Stelle muß die zur Verschwiegenheit verpflichtete Stelle einwilligen.

(2) Für einen anderen Zweck dürfen die Daten nur verarbeitet oder genutzt werden, wenn die Änderung des Zwecks durch besonderes Gesetz zugelassen ist.

§ 40 Verarbeitung und Nutzung personenbezogener Daten durch Forschungseinrichtungen

(1) Für Zwecke der wissenschaftlichen Forschung erhobene oder gespeicherte personenbezogene Daten dürfen nur für Zwecke der wissenschaftlichen Forschung verarbeitet oder genutzt werden.

(2) Die personenbezogenen Daten sind zu anonymisieren, sobald dies nach dem Forschungszweck möglich ist. Bis dahin sind die Merkmale

gesondert zu speichern, mit denen Einzelangaben über persönliche oder sachliche Verhältnisse einer bestimmten oder bestimmbaren Person zugeordnet werden können. Sie dürfen mit den Einzelangaben nur zusammengeführt werden, soweit der Forschungszweck dies erfordert.

(3) Die wissenschaftliche Forschung betreibenden Stellen dürfen personenbezogene Daten nur veröffentlichen, wenn
1. der Betroffene eingewilligt hat oder
2. dies für die Darstellung von Forschungsergebnissen über Ereignisse der Zeitgeschichte unerläßlich ist.

§ 41 Erhebung, Verarbeitung und Nutzung personenbezogener Daten durch die Medien

(1) Die Länder haben in ihrer Gesetzgebung vorzusehen, dass für die Erhebung, Verarbeitung und Nutzung personenbezogener Daten von Unternehmen und Hilfsunternehmen der Presse ausschließlich zu eigenen journalistisch-redaktionellen oder literarischen Zwecken den Vorschriften der §§ 5, 9 und 38a entsprechende Regelungen einschließlich einer hierauf bezogenen Haftungsregelung entsprechend § 7 zur Anwendung kommen.

(2) Führt die journalistisch-redaktionelle Erhebung, Verarbeitung oder Nutzung personenbezogener Daten durch die Deutsche Welle zur Veröffentlichung von Gegendarstellungen des Betroffenen, so sind diese Gegendarstellungen zu den gespeicherten Daten zu nehmen und für dieselbe Zeitdauer aufzubewahren wie die Daten selbst.

(3) Wird jemand durch eine Berichterstattung der Deutschen Welle in seinem Persönlichkeitsrecht beeinträchtigt, so kann er Auskunft über die der Berichterstattung zugrundeliegenden, zu seiner Person gespeicherten Daten verlangen. Die Auskunft kann nach Abwägung der schutzwürdigen Interessen der Beteiligten verweigert werden, soweit
1. aus den Daten auf Personen, die bei der Vorbereitung, Herstellung oder Verbreitung von Rundfunksendungen berufsmäßig journalistisch mitwirken oder mitgewirkt haben, geschlossen werden kann,
2. aus den Daten auf die Person des Einsenders oder des Gewährsträgers von Beiträgen, Unterlagen und Mitteilungen für den redaktionellen Teil geschlossen werden kann,
3. durch die Mitteilung der recherchierten oder sonst erlangten Daten die journalistische Aufgabe der Deutschen Welle durch Ausforschung des Informationsbestandes beeinträchtigt würde.

Der Betroffene kann die Berichtigung unrichtiger Daten verlangen.

(4) Im übrigen gelten für die Deutsche Welle von den Vorschriften dieses Gesetzes die §§ 5, 7, 9 und 38a. Anstelle der §§ 24 bis 26 gilt § 42, auch soweit es sich um Verwaltungsangelegenheiten handelt.

§ 42 Datenschutzbeauftragter der Deutschen Welle

(1) Die Deutsche Welle bestellt einen Beauftragten für den Datenschutz, der an die Stelle des Bundesbeauftragten für den Datenschutz tritt. Die Bestellung erfolgt auf Vorschlag des Intendanten durch den Verwaltungsrat für die Dauer von vier Jahren, wobei Wiederbestellungen zulässig sind. Das Amt eines Beauftragten für den Datenschutz kann neben anderen Aufgaben innerhalb der Rundfunkanstalt wahrgenommen werden.

(2) Der Beauftragte für den Datenschutz kontrolliert die Einhaltung der Vorschriften dieses Gesetzes sowie anderer Vorschriften über den Datenschutz. Er ist in Ausübung dieses Amtes unabhängig und nur dem Gesetz unterworfen. Im übrigen untersteht er der Dienst- und Rechtsaufsicht des Verwaltungsrates.

(3) Jedermann kann sich entsprechend § 21 Satz 1 an den Beauftragten für den Datenschutz wenden.

(4) Der Beauftragte für den Datenschutz erstattet den Organen der Deutschen Welle alle zwei Jahre, erstmals zum 1. Januar 1994 einen Tätigkeitsbericht. Er erstattet darüber hinaus besondere Berichte auf Beschluß eines Organes der Deutschen Welle. Die Tätigkeitsberichte übermittelt der Beauftragte auch an den Bundesbeauftragten für den Datenschutz.

(5) Weitere Regelungen entsprechend den §§ 23 bis 26 trifft die Deutsche Welle für ihren Bereich. Die §§ 4f und 4g bleiben unberührt.

Fünfter Abschnitt
Schlußvorschriften

§ 43 Bußgeldvorschriften

(1) Ordnungswidrig handelt, wer vorsätzlich oder fahrlässig

1. entgegen § 4d Abs. 1, auch in Verbindung mit § 4e Satz 2, eine Meldung nicht, nicht richtig, nicht vollständig oder nicht rechtzeitig macht,
2. entgegen § 4f Abs. 1 Satz 1 oder 2, jeweils auch in Verbindung mit Satz 3 und 6, einen Beauftragten für den Datenschutz nicht, nicht in der vorgeschriebenen Weise oder nicht rechtzeitig bestellt,
3. entgegen § 28 Abs. 4 Satz 2 den Betroffenen nicht, nicht richtig oder nicht rechtzeitig unterrichtet oder nicht sicherstellt, dass der Betroffene Kenntnis erhalten kann,
4. entgegen § 28 Abs. 5 Satz 2 personenbezogene Daten übermittelt oder nutzt,

5. entgegen § 29 Abs. 2 Satz 3 oder 4 die dort bezeichneten Gründe oder die Art und Weise ihrer glaubhaften Darlegung nicht aufzeichnet,
6. entgegen § 29 Abs. 3 Satz 1 personenbezogene Daten in elektronische oder gedruckte Adress-, Rufnummern-, Branchen- oder vergleichbare Verzeichnisse aufnimmt,
7. entgegen § 29 Abs. 3 Satz 2 die Übernahme von Kennzeichnungen nicht sicherstellt,
8. entgegen § 33 Abs. 1 den Betroffenen nicht, nicht richtig oder nicht vollständig benachrichtigt,
9. entgegen § 35 Abs. 6 Satz 3 Daten ohne Gegendarstellung übermittelt,
10. entgegen § 38 Abs. 3 Satz 1 oder Abs. 4 Satz 1 eine Auskunft nicht, nicht richtig, nicht vollständig oder nicht rechtzeitig erteilt oder eine Maßnahme nicht duldet oder
11. einer vollziehbaren Anordnung nach § 38 Abs. 5 Satz 1 zuwiderhandelt.

(2) Ordnungswidrig handelt, wer vorsätzlich oder fahrlässig
1. unbefugt personenbezogene Daten, die nicht allgemein zugänglich sind, erhebt oder verarbeitet,
2. unbefugt personenbezogene Daten, die nicht allgemein zugänglich sind, zum Abruf mittels automatisierten Verfahrens bereithält,
3. unbefugt personenbezogene Daten, die nicht allgemein zugänglich sind, abruft oder sich oder einem anderen aus automatisierten Verarbeitungen oder nicht automatisierten Dateien verschafft,
4. die Übermittlung von personenbezogenen Daten, die nicht allgemein zugänglich sind, durch unrichtige Angaben erschleicht,
5. entgegen § 16 Abs. 4 Satz 1, § 28 Abs. 5 Satz 1, auch in Verbindung mit § 29 Abs. 4, § 39 Abs. 1 Satz 1 oder § 40 Abs. 1, die übermittelten Daten für andere Zwecke nutzt, indem er sie an Dritte weitergibt, oder
6. entgegen § 30 Abs. 1 Satz 2 die in § 30 Abs. 1 Satz 1 bezeichneten Merkmale oder entgegen § 40 Abs. 2 Satz 3 die in § 40 Abs. 2 Satz 2 bezeichneten Merkmale mit den Einzelangaben zusammenführt.

(3) Die Ordnungswidrigkeit kann im Falle des Absatzes 1 mit einer Geldbuße bis zu fünfzigtausend Deutsche Mark, in den Fällen des Absatzes 2 mit einer Geldbuße bis zu fünfhunderttausend Deutsche Mark geahndet werden.

§ 44 Strafvorschriften

(1) Wer eine in § 43 Abs. 2 bezeichnete vorsätzliche Handlung gegen Entgelt oder in der Absicht, sich oder einen anderen zu bereichern

oder einen anderen zu schädigen, begeht, wird mit Freiheitsstrafe bis zu zwei Jahren oder mit Geldstrafe bestraft.

(2) Die Tat wird nur auf Antrag verfolgt. Antragsberechtigt sind der Betroffene, die verantwortliche Stelle, der Bundesbeauftragte für den Datenschutz und die Aufsichtsbehörde.

Sechster Abschnitt
Übergangsvorschriften

§ 45 Laufende Verwendungen

Erhebungen, Verarbeitungen oder Nutzungen personenbezogener Daten, die am 23. Mai 2001 bereits begonnen haben, sind binnen drei Jahren nach diesem Zeitpunkt mit den Vorschriften dieses Gesetzes in Übereinstimmung zu bringen. Soweit Vorschriften dieses Gesetzes in Rechtsvorschriften außerhalb des Anwendungsbereichs der Richtlinie 95/46/EG des Europäischen Parlaments und des Rates vom 24. Oktober 1995 zum Schutz natürlicher Personen bei der Verarbeitung personenbezogener Daten und zum freien Datenverkehr zur Anwendung gelangen, sind Erhebungen, Verarbeitungen oder Nutzungen personenbezogener Daten, die am 23. Mai 2001 bereits begonnen haben, binnen fünf Jahren nach diesem Zeitpunkt mit den Vorschriften dieses Gesetzes in Übereinstimmung zu bringen.

§ 46 Weitergeltung von Begriffsbestimmungen

(1) Wird in besonderen Rechtsvorschriften des Bundes der Begriff Datei verwendet, ist Datei

1. eine Sammlung personenbezogener Daten, die durch automatisierte Verfahren nach bestimmten Merkmalen ausgewertet werden kann (automatisierte Datei), oder
2. jede sonstige Sammlung personenbezogener Daten, die gleichartig aufgebaut ist und nach bestimmten Merkmalen geordnet, umgeordnet und ausgewertet werden kann (nicht automatisierte Datei).

Nicht hierzu gehören Akten und Aktensammlungen, es sei denn, dass sie durch automatisierte Verfahren umgeordnet und ausgewertet werden können.

(2) Wird in besonderen Rechtsvorschriften des Bundes der Begriff Akte verwendet, ist Akte jede amtlichen oder dienstlichen Zwecken dienende Unterlage, die nicht dem Dateibegriff des Absatzes 1 unterfällt; dazu zählen auch Bild- und Tonträger. Nicht hierunter fallen Vorentwürfe und Notizen, die nicht Bestandteil eines Vorgangs werden sollen.

(3) Wird in besonderen Rechtsvorschriften des Bundes der Begriff Empfänger verwendet, ist Empfänger jede Person oder Stelle außerhalb

der verantwortlichen Stelle. Empfänger sind nicht der Betroffene sowie Personen und Stellen, die im Inland, in einem anderen Mitgliedstaat der Europäischen Union oder in einem anderen Vertragsstaat des Abkommens über den Europäischen Wirtschaftsraum personenbezogene Daten im Auftrag erheben, verarbeiten oder nutzen.

Anlage
(zu § 9 Satz 1)

Werden personenbezogene Daten automatisiert verarbeitet oder genutzt, ist die innerbehördliche oder innerbetriebliche Organisation so zu gestalten, dass sie den besonderen Anforderungen des Datenschutzes gerecht wird. Dabei sind insbesondere Maßnahmen zu treffen, die je nach der Art der zu schützenden personenbezogenen Daten oder Datenkategorien geeignet sind,

1. Unbefugten den Zutritt zu Datenverarbeitungsanlagen, mit denen personenbezogene Daten verarbeitet oder genutzt werden, zu verwehren (Zutrittskontrolle),
2. zu verhindern, dass Datenverarbeitungssysteme von Unbefugten genutzt werden können (Zugangskontrolle),
3. zu gewährleisten, dass die zur Benutzung eines Datenverarbeitungssystems Berechtigten ausschließlich auf die ihrer Zugriffsberechtigung unterliegenden Daten zugreifen können, und dass personenbezogene Daten bei der Verarbeitung, Nutzung und nach der Speicherung nicht unbefugt gelesen, kopiert, verändert oder entfernt werden können (Zugriffskontrolle),
4. zu gewährleisten, dass personenbezogene Daten bei der elektronischen Übertragung oder während ihres Transports oder ihrer Speicherung auf Datenträger nicht unbefugt gelesen, kopiert, verändert oder entfernt werden können, und dass überprüft und festgestellt werden kann, an welche Stellen eine Übermittlung personenbezogener Daten durch Einrichtungen zur Datenübertragung vorgesehen ist (Weitergabekontrolle),
5. zu gewährleisten, dass nachträglich überprüft und festgestellt werden kann, ob und von wem personenbezogene Daten in Datenverarbeitungssysteme eingegeben, verändert oder entfernt worden sind (Eingabekontrolle),
6. zu gewährleisten, dass personenbezogene Daten, die im Auftrag verarbeitet werden, nur entsprechend den Weisungen des Auftraggebers verarbeitet werden können (Auftragskontrolle),
7. zu gewährleisten, dass personenbezogene Daten gegen zufällige Zerstörung oder Verlust geschützt sind (Verfügbarkeitskontrolle),
8. zu gewährleisten, dass zu unterschiedlichen Zwecken erhobene Daten getrennt verarbeitet werden können.

Länder

Erster Abschnitt
Allgemeine Bestimmungen

§ 1 Aufgabe des Gesetzes

Aufgabe dieses Gesetzes ist es, den Einzelnen davor zu schützen, dass er durch die Verarbeitung seiner personenbezogenen Daten durch öffentliche Stellen in seinem Persönlichkeitsrecht beeinträchtigt wird.

§ 2 Anwendungsbereich

(1) Die Vorschriften dieses Gesetzes – ausgenommen des Sechsten Abschnitts – gelten für die Verarbeitung personenbezogener Daten durch Behörden und sonstige öffentliche Stellen des Landes, der Gemeinden und Gemeindeverbände sowie der sonstigen der Aufsicht des Landes unterstehenden juristischen Personen des öffentlichen Rechts (öffentliche Stellen).

(2) Als öffentliche Stellen gelten auch juristische Personen und sonstige Vereinigungen des privaten Rechts, die Aufgaben der öffentlichen Verwaltung wahrnehmen und an denen eine oder mehrere der in Absatz 1 genannten juristischen Personen des öffentlichen Rechts mit absoluter Mehrheit der Anteile oder absoluter Mehrheit der Stimmen beteiligt sind. Beteiligt sich eine juristische Person oder sonstige Vereinigung des privaten Rechts, auf die dieses Gesetz nach Satz 1 Anwendung findet, an einer weiteren Vereinigung des privaten Rechts, so findet Satz 1 entsprechende Anwendung. Nehmen nicht-öffentliche Stellen hoheitliche Aufgaben der öffentlichen Verwaltung wahr, sind sie insoweit öffentliche Stellen im Sinne dieses Gesetzes.

(3) Dieses Gesetz gilt für den Landtag nur, soweit er in Verwaltungsangelegenheiten tätig wird; § 9 findet auch dann Anwendung, wenn der Landtag bei der Wahrnehmung parlamentarischer Aufgaben personenbezogene Daten verarbeitet. Die §§ 10, 11, 27 bis 32 gelten für die Gerichte nur, soweit sie in Verwaltungsangelegenheiten tätig werden, für den Rechnungshof und die staatlichen Rechnungsprüfungsämter nur außerhalb ihrer Prüfungstätigkeit.

(4) Soweit öffentliche Stellen als Unternehmen mit eigener Rechtspersönlichkeit am Wettbewerb teilnehmen, sind die für nicht-öffentliche Stellen geltenden Vorschriften des Bundesdatenschutzgesetzes entsprechend anzuwenden. Satz 1 gilt nicht für Zweckverbände.

(5) Soweit besondere Rechtsvorschriften des Bundes oder des Landes auf personenbezogene Daten anzuwenden sind, gehen sie den Vorschriften dieses Gesetzes vor. Die Verpflichtung zur Wahrung gesetzlicher Geheimhaltungspflichten und von Berufs- oder besonderen Amtsgeheimnissen, die nicht auf gesetzlichen Vorschriften beruhen, bleibt unberührt.

§ 3 Begriffsbestimmungen

(1) Personenbezogene Daten sind Einzelangaben über persönliche oder sachliche Verhältnisse einer bestimmten oder bestimmbaren natürlichen Person (Betroffener).

(2) Verarbeiten ist das Erheben, Speichern, Verändern, Übermitteln, Nutzen, Sperren und Löschen personenbezogener Daten. Im Einzelnen ist, ungeachtet der dabei angewendeten Verfahren:

1. Erheben das Beschaffen von personenbezogenen Daten über den Betroffenen,
2. Speichern das Erfassen, Aufnehmen oder Aufbewahren von personenbezogenen Daten auf einem Datenträger zum Zwecke ihrer weiteren Verarbeitung,
3. Verändern das inhaltliche Umgestalten gespeicherter personenbezogener Daten,
4. Übermitteln das Bekanntgeben personenbezogener Daten an einen Dritten in der Weise, dass
   a) die Daten an den Dritten weitergegeben werden oder
   b) der Dritte zur Einsicht oder zum Abruf bereitgehaltene Daten einsieht oder abruft,
5. Nutzen jede sonstige Verwendung personenbezogener Daten innerhalb der Daten verarbeitenden Stelle,
6. Sperren die Einschränkung der weiteren Verarbeitung personenbezogener Daten,
7. Löschen das Unkenntlichmachen gespeicherter personenbezogener Daten.

(3) Verantwortliche Stelle ist jede Stelle, die personenbezogene Daten für sich selbst verarbeitet oder durch andere im Auftrag verarbeiten lässt.

(4) Empfänger ist jede Person oder Stelle, die Daten erhält, mit Ausnahme des Betroffenen.

(5) Dritter ist jede Person oder Stelle außerhalb der verantwortlichen Stelle, ausgenommen der Betroffene sowie diejenige Person und Stelle,

die in einem Mitgliedstaat der Europäischen Union personenbezogene Daten im Auftrag verarbeitet.

(6) Anonymisieren ist das Verändern personenbezogener Daten in der Weise, dass Einzelangaben über persönliche und sachliche Verhältnisse nicht mehr oder nur mit einem unverhältnismäßig großen Aufwand an Zeit, Kosten und Arbeitskraft einer bestimmten oder bestimmbaren natürlichen Person zugeordnet werden können.

(7) Pseudonymisieren ist das Ersetzen des Namens und anderer Identifikationsmerkmale durch ein Kennzeichen zu dem Zweck, die Bestimmung des Betroffenen auszuschließen oder wesentlich zu erschweren.

(8) Automatisiert ist eine Datenverarbeitung, wenn sie durch Einsatz eines elektronischen Datenverarbeitungssystems programmgesteuert durchgeführt wird.

(9) Eine Datei ist
1. eine Sammlung personenbezogener Daten, die durch automatisierte Verfahren nach bestimmten Merkmalen ausgewertet werden kann (automatisierte Datei) oder
2. eine sonstige Sammlung personenbezogener Daten, die gleichartig aufgebaut ist und nach bestimmten Merkmalen geordnet, umgeordnet und ausgewertet werden kann (nicht-automatisierte Datei).

(10) Eine Akte ist jede sonstige amtlichen oder dienstlichen Zwecken dienende Unterlage. Nicht hierunter fallen Entwürfe und Notizen, die nicht Bestandteil eines Vorgangs werden sollen.

§ 4 Zulässigkeit der Datenverarbeitung

(1) Die Verarbeitung personenbezogener Daten ist nur zulässig,
1. wenn dieses Gesetz oder eine andere Rechtsvorschrift sie erlaubt oder
2. soweit der Betroffene eingewilligt hat.

(2) Wird die Einwilligung beim Betroffenen eingeholt, ist er über die beabsichtigte Datenverarbeitung und den Zweck der Verarbeitung aufzuklären. Die Aufklärungspflicht umfasst bei einer beabsichtigten Übermittlung auch den Empfänger der Daten. Über die Möglichkeit einer weitergehenden Datenverarbeitung auf Grund gesetzlicher Bestimmungen ist er zu unterrichten. Der Betroffene ist unter Darlegung der Folgen darauf hinzuweisen, dass er die Einwilligung verweigern kann und dass die Möglichkeit besteht, die Einwilligung zu widerrufen.

(3) Die Einwilligung bedarf der Schriftform, soweit nicht wegen besonderer Umstände eine andere Form angemessen ist. Soll die

Einwilligung zusammen mit anderen Erklärungen schriftlich erteilt werden, ist die Einwilligungserklärung im äußeren Erscheinungsbild der Erklärung hervorzuheben.

(4) Die Einwilligung kann auch elektronisch erklärt werden, wenn die empfangende Stelle sicherstellt, dass
1. die Einwilligung nur durch eine eindeutige und bewusste Handlung des Einwilligenden erfolgen kann,
2. sie nicht unerkennbar verändert werden kann,
3. ihr Urheber eindeutig erkannt werden kann und
4. die Einwilligung (Tag, Uhrzeit, Inhalt) protokolliert wird.

(5) Im Bereich der wissenschaftlichen Forschung liegt ein besonderer Umstand im Sinne von Absatz 3 Satz 1 auch dann vor, wenn durch die Schriftform der bestimmte Forschungszweck erheblich beeinträchtigt würde. In diesem Fall sind der Hinweis nach Absatz 2, die Gründe, aus denen sich die erhebliche Beeinträchtigung des bestimmten Forschungszwecks ergibt, und die Erteilung der Einwilligung schriftlich festzuhalten.

(6) Der Betroffene hat das Recht, gegenüber der Verarbeitung seiner Daten, auch wenn diese rechtmäßig ist, ein schutzwürdiges, in seiner persönlichen Situation begründetes Interesse einzuwenden (Einwendungsrecht). Die Verarbeitung ist in diesem Fall nur zulässig, wenn eine Abwägung ergeben hat, dass sein Interesse hinter dem öffentlichen Interesse an der Verarbeitung zurückzustehen hat. Das Ergebnis der Abwägung ist ihm unter Angabe der Gründe mitzuteilen. Sätze 1 bis 3 finden keine Anwendung in den in § 33 Abs. 3 genannten Fällen.

(7) Entscheidungen, die für den Betroffenen eine nachteilige rechtliche Folge nach sich ziehen oder ihn erheblich beeinträchtigen, dürfen nicht auf eine Bewertung seiner Persönlichkeitsmerkmale gestützt werden, die ausschließlich im Wege einer automatisierten Verarbeitung seiner personenbezogenen Daten zu Stande gekommen ist.

§ 5 Rechte des Betroffenen

(1) Der Betroffene hat nach Maßgabe dieses Gesetzes ein Recht auf
1. Auskunft über die zu seiner Person gespeicherten Daten (§ 21),
2. Berichtigung, Löschung und Sperrung der zu seiner Person gespeicherten Daten (§§ 22 bis 24),
3. Auskunft aus dem Verfahrensverzeichnis (§ 11 Abs. 4),
4. Einwendung eines schutzwürdigen, in seiner persönlichen Situation begründeten Interesses gegenüber der Verarbeitung seiner Daten (§ 4 Abs. 6),

5. Schadensersatz (§ 25),
6. Anrufung des Landesbeauftragten für den Datenschutz (§ 27).

Diese Rechte können nicht durch Rechtsgeschäft ausgeschlossen oder beschränkt werden.

(2) Wird für den Erhalt einer Leistung, das Erkennen einer Person oder für einen anderen Zweck ein Datenträger herausgegeben, den der Inhaber mit sich führen kann und auf dem seine personenbezogenen Daten automatisiert verarbeitet werden, hat die verantwortliche Stelle sicherzustellen, dass er dies erkennen und seine ihm nach Absatz 1 Nr. 1 bis 6 zustehenden Rechte ohne unvertretbaren Aufwand geltend machen kann. Der Inhaber ist bei Ausgabe des Datenträgers über die ihm nach Absatz 1 zustehenden Rechte sowie über die von ihm bei Verlust des Datenträgers zu treffenden Maßnahmen und über die Folgen aufzuklären.

§ 6 Datengeheimnis

Den bei öffentlichen Stellen beschäftigten Personen ist untersagt, personenbezogene Daten unbefugt zu verarbeiten oder sonst zu verwenden (Datengeheimnis). Das Datengeheimnis besteht auch nach Beendigung ihrer Tätigkeit fort.

§ 7 Verarbeitung personenbezogener Daten im Auftrag

(1) Werden personenbezogene Daten im Auftrag öffentlicher Stellen durch andere Personen oder Stellen verarbeitet, bleibt der Auftraggeber für die Einhaltung der Vorschriften dieses Gesetzes und anderer Vorschriften über den Datenschutz verantwortlich. Die in § 5 Abs. 1 Satz 1 Nr. 1 bis 5 genannten Rechte sind ihm gegenüber geltend zu machen.

(2) Der Auftraggeber hat den Auftragnehmer sorgfältig auszuwählen. Dabei ist besonders zu berücksichtigen, ob der Auftragnehmer ausreichend Gewähr dafür bietet, dass er die für eine datenschutzgerechte Datenverarbeitung erforderlichen technischen und organisatorischen Maßnahmen zu treffen in der Lage ist. Der Auftrag ist schriftlich zu erteilen. Dabei sind insbesondere Gegenstand und Umfang der Datenverarbeitung, die notwendigen technischen und organisatorischen Maßnahmen, etwaige Unterauftragsverhältnisse sowie die Befugnis des Auftraggebers festzulegen, dass er hinsichtlich der Verarbeitung personenbezogener Daten dem Auftragnehmer Weisungen erteilen darf. Der Auftrag kann auch durch die Fachaufsichtsbehörde mit Wirkung für ihrer Aufsicht unterliegende Stellen des Landes erteilt werden; diese sind von der Auftragserteilung zu unterrichten. Der Auftraggeber hat sich von der Einhaltung der getroffenen technischen und organisatorischen Maßnahmen durch den Auftragnehmer zu überzeugen.

(3) Ist der Auftragnehmer eine öffentliche Stelle, gelten für ihn nur die §§ 6, 9, 10, 27 bis 31, 40 und 41. Die Verarbeitung personenbezogener Daten ist nur im Rahmen des Auftrags und der Weisungen zulässig. Ist der Auftragnehmer der Ansicht, dass der Auftrag, einzelne Bestimmungen des Auftrags oder eine Weisung des Auftraggebers gegen dieses Gesetz oder andere Vorschriften über den Datenschutz verstoßen, hat er den Auftraggeber unverzüglich darauf hinzuweisen.

(4) Soweit juristische Personen, Gesellschaften und andere Personenvereinigungen des privaten Rechts, bei denen dem Land oder der Aufsicht des Landes unterstehenden juristischen Personen des öffentlichen Rechts die Mehrheit der Anteile gehört oder die Mehrheit der Stimmen zusteht, für eine öffentliche Stelle Daten im Auftrag verarbeiten, gelten die §§ 27 bis 31 entsprechend. Dies gilt nicht, soweit diese Personen oder Personenvereinigungen personenbezogene Daten im Auftrag eines der in § 2 Abs. 4 Satz 1 genannten Unternehmen oder deren Vereinigungen verarbeiten.

(5) Werden Wartungsarbeiten und vergleichbare Hilfstätigkeiten bei der Datenverarbeitung durch Stellen oder Personen außerhalb der verantwortlichen Stelle erbracht, gilt dies als Datenverarbeitung im Auftrag.

§ 8 Automatisiertes Abrufverfahren

(1) Ein automatisiertes Verfahren, das die Übermittlung personenbezogener Daten durch Abruf ermöglicht, darf nur eingerichtet werden, soweit dieses Verfahren unter Berücksichtigung der schutzwürdigen Interessen der Betroffenen und der Aufgaben der beteiligten Stellen angemessen ist.

(2) Die beteiligten Stellen haben zu gewährleisten, dass die Zulässigkeit des Abrufverfahrens kontrolliert werden kann. Hierzu haben sie schriftlich festzulegen

1. Anlass und Zweck des Abrufverfahrens,
2. Dritte, an die übermittelt wird,
3. Art der abzurufenden Daten,
4. nach § 9 erforderliche technische und organisatorische Maßnahmen.

Die erforderlichen Festlegungen können auch durch die Fachaufsichtsbehörde mit Wirkung für ihrer Aufsicht unterliegende Stellen des Landes getroffen werden.

(3) Die Zulässigkeit des einzelnen Abrufs beurteilt sich nach den für die Erhebung und Übermittlung geltenden Vorschriften. Die Verantwortung für die Zulässigkeit des einzelnen Abrufs trägt der Dritte,

an den übermittelt wird. Die speichernde Stelle prüft die Zulässigkeit des Abrufs nur, wenn dazu Anlass besteht. Die speichernde Stelle hat zu gewährleisten, dass die Übermittlung personenbezogener Daten zumindest durch geeignete Stichprobenverfahren festgestellt und überprüft werden kann.

(4) Für die Einrichtung oder wesentliche Änderung eines automatisierten Verfahrens, das den Abruf personenbezogener Daten nur innerhalb einer öffentlichen Stelle ermöglicht, gelten die Absätze 1 und 2 entsprechend, wenn die Daten für einen anderen Zweck als den, für den sie gespeichert worden sind, genutzt werden sollen; dabei ist eine angemessene Abrufkontrolle zu gewährleisten.

(5) Die Absätze 1 bis 4 gelten nicht für den Abruf aus Datenbeständen, die jedermann ohne oder nach besonderer Zulassung zur Benutzung offen stehen oder deren Veröffentlichung zulässig wäre.

§ 9 Technische und organisatorische Maßnahmen

(1) Die Gestaltung und Auswahl der technischen Einrichtungen und der Verfahren zur automatisierten Verarbeitung personenbezogener Daten hat sich an dem Grundsatz auszurichten, keine oder so wenige personenbezogene Daten wie möglich zu verarbeiten.

(2) Öffentliche Stellen, die selbst oder im Auftrag personenbezogene Daten verarbeiten, haben die technischen und organisatorischen Maßnahmen zu treffen, die erforderlich sind, um eine den Vorschriften dieses Gesetzes entsprechende Datenverarbeitung zu gewährleisten. Erforderlich sind Maßnahmen, wenn ihr Aufwand, insbesondere unter Berücksichtigung der Art der zu schützenden personenbezogenen Daten, in einem angemessenen Verhältnis zu dem angestrebten Schutzzweck steht.

(3) Werden personenbezogene Daten automatisiert verarbeitet, sind je nach Art und Verwendung der zu schützenden personenbezogenen Daten und unter Berücksichtigung des Standes der Technik Maßnahmen zu treffen, die geeignet sind,

1. Unbefugten den Zutritt zu Datenverarbeitungsanlagen zu verwehren (Zutrittskontrolle),
2. zu verhindern, dass Datenträger unbefugt gelesen, kopiert, verändert oder entfernt werden können (Datenträgerkontrolle),
3. die unbefugte Eingabe in den Speicher sowie die unbefugte Kenntnisnahme, Veränderung oder Löschung gespeicherter Daten zu verhindern (Speicherkontrolle),
4. zu verhindern, dass Datenverarbeitungssysteme mit Hilfe von Einrichtungen zur Datenübertragung von Unbefugten genutzt werden können (Benutzerkontrolle),

5. zu gewährleisten, dass die zur Benutzung eines Datenverarbeitungssystems Berechtigten ausschließlich auf die ihrer Zugriffsberechtigung unterliegenden Daten zugreifen können (Zugriffskontrolle),
6. zu gewährleisten, dass überprüft und festgestellt werden kann, an welche Stellen Daten durch Einrichtungen zur Datenübertragung übermittelt werden können (Übermittlungskontrolle),
7. zu gewährleisten, dass nachträglich überprüft und festgestellt werden kann, welche Daten zu welcher Zeit von wem in Datenverarbeitungssysteme eingegeben worden sind (Eingabekontrolle),
8. zu gewährleisten, dass Daten, die im Auftrag verarbeitet werden, nur entsprechend den Weisungen des Auftraggebers verarbeitet werden können (Auftragskontrolle),
9. zu gewährleisten, dass bei der Übertragung von Daten sowie beim Transport von Datenträgern die Daten nicht unbefugt gelesen, kopiert, verändert oder gelöscht werden können (Transportkontrolle),
10. zu gewährleisten, dass personenbezogene Daten gegen zufällige Zerstörung oder Verlust geschützt sind (Verfügbarkeitskontrolle), und
11. die innerbehördliche oder innerbetriebliche Organisation so zu gestalten, dass sie den besonderen Anforderungen des Datenschutzes gerecht wird (Organisationskontrolle).

(3) Die Landesregierung wird ermächtigt, die in Absatz 2 genannten Anforderungen nach dem jeweiligen Stand der Technik und Organisation durch Rechtsverordnung fortzuschreiben.

(4) Werden personenbezogene Daten in nicht-automatisierten Dateien oder in Akten verarbeitet, sind insbesondere Maßnahmen zu treffen, um zu verhindern, dass Unbefugte bei der Bearbeitung, der Aufbewahrung, dem Transport und der Vernichtung auf die Daten zugreifen können.

§ 10 Behördlicher Datenschutzbeauftragter

(1) Öffentliche Stellen können einen behördlichen Datenschutzbeauftragten bestellen. Die Bestellung bedarf der Schriftform.

(2) Bestellt werden darf nur, wer die zur Erfüllung seiner Aufgaben erforderliche Sachkunde und Zuverlässigkeit besitzt und durch die Bestellung keinem Interessenkonflikt ausgesetzt wird. Die öffentliche Stelle kann einen Bediensteten ihrer Aufsichtsbehörde mit deren Zustimmung zum Beauftragten für den Datenschutz bestellen. Mehrere Stellen können gemeinsam einen Datenschutzbeauftragten bestellen.

(3) Der behördliche Datenschutzbeauftragte ist bei der Erfüllung seiner Aufgaben der Behördenleitung unmittelbar zu unterstellen. Er ist bei der Erfüllung seiner Aufgaben weisungsfrei und darf deswegen nicht benachteiligt werden.

(4) Der behördliche Datenschutzbeauftragte hat die Aufgabe, die öffentliche Stelle bei der Ausführung dieses Gesetzes sowie anderer Vorschriften über den Datenschutz zu unterstützen. Zu seinen Aufgaben gehört es insbesondere,

1. auf die Einhaltung der Datenschutzvorschriften bei der Planung, Einführung und Anwendung von Verfahren, mit denen personenbezogene Daten automatisiert verarbeitet werden, hinzuwirken,
2. die bei der Verarbeitung personenbezogener Daten tätigen Personen durch geeignete Maßnahmen mit den Bestimmungen dieses Gesetzes sowie den sonstigen Vorschriften über den Datenschutz und den besonderen Erfordernissen des Datenschutzes in ihrem Tätigkeitsbereich vertraut zu machen sowie
3. das Verfahrensverzeichnis (§ 11) zu führen.

Der behördliche Datenschutzbeauftragte ist vor dem Einsatz oder der wesentlichen Änderung eines automatisierten Verfahrens rechtzeitig zu unterrichten.

§ 11 Verfahrensverzeichnis

(1) Jede öffentliche Stelle führt ein Verzeichnis der automatisierten Verfahren, mit denen personenbezogene Daten verarbeitet werden (Verfahrensverzeichnis). Das Verzeichnis kann auch von einer Stelle für andere Stellen geführt werden.

(2) In das Verfahrensverzeichnis sind einzutragen:

1. Name und Anschrift der verantwortlichen Stelle,
2. die Bezeichnung des Verfahrens,
3. die Zweckbestimmung und die Rechtsgrundlage der Verarbeitung,
4. die Art der gespeicherten Daten,
5. der Kreis der Betroffenen,
6. die Empfänger der Daten oder Gruppen von Empfängern sowie die jeweiligen Datenarten, wenn vorgesehen ist,
   a) die Daten zu übermitteln,
   b) sie innerhalb der öffentlichen Stelle für einen weiteren Zweck zu nutzen oder
   c) sie im Auftrag verarbeiten zu lassen,
7. die Fristen für die Prüfung der Sperrung und Löschung der Daten oder für die Sperrung und Löschung,
8. die zugriffsberechtigten Personengruppen oder Personen, die allein zugriffsberechtigt sind,

9. eine allgemeine Beschreibung der eingesetzten Hardware, der Vernetzung und der Software und
10. die technischen und organisatorischen Maßnahmen nach § 9.

(3) Absatz 1 gilt nicht für Verfahren, deren einziger Zweck das Führen eines Registers ist, das zur Information der Öffentlichkeit bestimmt ist und allen Personen, die ein berechtigtes Interesse nachweisen können, zur Einsichtnahme offen steht, sowie für Verfahren, die allgemeinen Verwaltungszwecken dienen, insbesondere Verfahren der Textverarbeitung.

(4) Die öffentliche Stelle macht die Angaben nach Absatz 2 Nr. 1 bis 7 des Verfahrensverzeichnisses auf Antrag jedermann in geeigneter Weise verfügbar. Satz 1 findet keine Anwendung auf Verfahren des Landesamtes für Verfassungsschutz.

§ 12 Vorabkontrolle

Wer für den Einsatz oder die wesentliche Änderung eines automatisierten Verfahrens zur Verarbeitung personenbezogener Daten zuständig ist, das mit besonderen Gefahren für das Persönlichkeitsrecht verbunden sein kann, insbesondere auf Grund der Art oder der Zweckbestimmung der Verarbeitung, darf das Verfahren erst einsetzen, wenn sichergestellt ist, dass diese Gefahren nicht bestehen oder durch technische oder organisatorische Maßnahmen verhindert werden; dies gilt insbesondere für die Einrichtung eines automatisierten Abrufverfahrens nach § 8, für automatisierte Verfahren, mit denen Daten nach § 33 verarbeitet werden, und für die Herausgabe von Datenträgern nach § 5 Abs. 2. Das Ergebnis der Untersuchung und dessen Begründung sind aufzuzeichnen und dem behördlichen Datenschutzbeauftragten oder, wenn ein solcher nicht bestellt ist, dem Landesbeauftragten für den Datenschutz zur Prüfung zuzuleiten. Der behördliche Datenschutzbeauftragte wendet sich in Zweifelsfällen an den Landesbeauftragten für den Datenschutz.

Zweiter Abschnitt
Rechtsgrundlagen der Datenverarbeitung

§ 13 Erhebung

(1) Das Erheben personenbezogener Daten ist zulässig, wenn ihre Kenntnis zur Erfüllung der Aufgaben der erhebenden Stelle erforderlich ist.

(2) Personenbezogene Daten, die nicht aus allgemein zugänglichen Quellen entnommen werden, sind beim Betroffenen mit seiner Kenntnis zu erheben. Werden Daten nicht über eine bestimmte Person,

sondern über einen bestimmten Personenkreis, etwa durch Videoüberwachung, erhoben, muss der Betroffene die seinen schutzwürdigen Belangen angemessene Möglichkeit zur Kenntnisnahme erhalten.

(3) Personenbezogene Daten dürfen beim Betroffenen ohne seine Kenntnis nur erhoben werden, wenn
1. eine Rechtsvorschrift dies vorsieht oder zwingend voraussetzt oder
2. die zu erfüllende Aufgabe ihrer Art nach eine solche Erhebung erforderlich macht und keine Anhaltspunkte dafür vorliegen, dass ihr überwiegende schutzwürdige Interessen des Betroffenen entgegenstehen.

(4) Bei Dritten dürfen personenbezogene Daten nur erhoben werden, wenn
1. einer der in § 15 Abs. 2 Nr. 1 bis 6 genannten Fälle vorliegt oder
2. die zu erfüllende Aufgabe ihrer Art nach eine solche Erhebung erforderlich macht und keine Anhaltspunkte dafür vorliegen, dass ihr überwiegende schutzwürdige Interessen des Betroffenen entgegenstehen.

§ 14 Unterrichtung bei der Erhebung

(1) Werden personenbezogene Daten beim Betroffenen mit seiner Kenntnis erhoben, sind ihm gegenüber anzugeben:
1. die beabsichtigte Datenverarbeitung und der Zweck der Verarbeitung sowie
2. bei einer beabsichtigten Übermittlung auch die Empfänger der Daten oder Gruppen von Empfängern, soweit der Betroffene nach den Umständen des Einzelfalls nicht mit der Übermittlung an diese rechnen muss.

Werden die Daten auf Grund einer Rechtsvorschrift erhoben, die zur Auskunft verpflichtet, oder ist die Erteilung der Auskunft Voraussetzung für die Gewährung von Rechtsvorteilen, so ist der Betroffene hierauf, sonst auf die Freiwilligkeit seiner Angaben hinzuweisen. Über die der Auskunftspflicht zu Grunde liegende Rechtsvorschrift und die Folgen der Verweigerung von Angaben ist der Betroffene bei Verwendung eines Erhebungsvordrucks stets, sonst nur auf Verlangen aufzuklären. Bei Verwendung eines Erhebungsvordrucks ist der Betroffene auch auf das Bestehen von Auskunfts- und Berichtigungsrechten hinzuweisen.

(2) Werden Daten beim Betroffenen ohne seine Kenntnis oder bei Dritten erhoben, ist der Betroffene entsprechend Absatz 1 Satz 1 zu benachrichtigen, wenn die Daten in einer Datei gespeichert werden. Bei schriftlicher Benachrichtigung ist der Betroffene auch auf das Bestehen von Auskunfts- und Berichtigungsrechten hinzuweisen. Die

Benachrichtigung erfolgt zum Zeitpunkt der Speicherung oder im Fall einer beabsichtigten Übermittlung spätestens bei der ersten Übermittlung. Sätze 1 bis 3 finden keine Anwendung auf Verfahren des Landesamtes für Verfassungsschutz.

(3) Eine Pflicht zur Benachrichtigung besteht in den Fällen des Absatzes 2 nicht, wenn

1. die Verarbeitung der Daten durch Gesetz ausdrücklich vorgesehen ist,
2. der Betroffene auf andere Weise Kenntnis von der Verarbeitung seiner Daten erlangt,
3. die Benachrichtigung des Betroffenen einen unverhältnismäßigen Aufwand erfordern würde,
4. die Benachrichtigung die ordnungsgemäße Erfüllung von Aufgaben der Gefahrenabwehr oder von Aufgaben der Finanzverwaltung im Anwendungsbereich der Abgabenordnung zur Überwachung und Prüfung oder die Verfolgung von Straftaten oder Ordnungswidrigkeiten gefährden würde,
5. die Benachrichtigung die Sicherheit des Bundes oder eines Landes gefährden würde,
6. die Daten oder die Tatsache ihrer Speicherung zum Schutze des Betroffenen oder zum Schutze der Rechte Dritter geheim gehalten werden müssen und deshalb das Interesse des Betroffenen an der Benachrichtigung zurücktreten muss oder
7. die Daten ausschließlich für Zwecke der wissenschaftlichen Forschung oder der Statistik verarbeitet werden.

(4) Werden personenbezogene Daten bei einem Dritten außerhalb des öffentlichen Bereichs erhoben, so ist er auf Verlangen auf den Erhebungszweck hinzuweisen, soweit dadurch schutzwürdige Interessen des Betroffenen nicht beeinträchtigt werden. Werden die Daten auf Grund einer Rechtsvorschrift erhoben, die zur Auskunft verpflichtet, so ist er auf die Auskunftspflicht, sonst auf die Freiwilligkeit seiner Angaben hinzuweisen. Über die der Auskunftspflicht zu Grunde liegende Rechtsvorschrift und die Folgen der Verweigerung von Angaben ist er bei Verwendung eines Erhebungsvordrucks stets, sonst nur auf Verlangen aufzuklären.

§ 15 Speicherung, Veränderung und Nutzung

(1) Das Speichern, Verändern und Nutzen personenbezogener Daten ist zulässig, wenn es

1. zur Erfüllung der Aufgaben der öffentlichen Stelle erforderlich ist und
2. für Zwecke erfolgt, für die die Daten erhoben worden sind; ist keine Erhebung vorausgegangen, dürfen die Daten nur für Zwecke genutzt werden, für die sie erstmals gespeichert worden sind.

(2) Das Speichern, Verändern und Nutzen personenbezogener Daten für andere Zwecke ist nur zulässig, wenn
1. eine Rechtsvorschrift dies vorsieht oder zwingend voraussetzt,
2. der Betroffene eingewilligt hat oder offensichtlich ist, dass dies im Interesse des Betroffenen liegt, und kein Grund zu der Annahme besteht, dass er seine Einwilligung hierzu verweigern würde,
3. der Betroffene einer durch Rechtsvorschrift festgelegten Auskunftspflicht nicht nachgekommen und über die beabsichtigte Datenverarbeitung unterrichtet worden ist,
4. Angaben des Betroffenen überprüft werden müssen, weil tatsächliche Anhaltspunkte für deren Unrichtigkeit bestehen,
5. es zur Abwehr erheblicher Nachteile für das Gemeinwohl oder einer sonst unmittelbar drohenden Gefahr für die öffentliche Sicherheit oder zur Abwehr einer schwerwiegenden Beeinträchtigung der Rechte einer anderen Person erforderlich ist,
6. die Erhebung beim Betroffenen einen unverhältnismäßigen Aufwand erfordern würde, es sei denn, dass überwiegende schutzwürdige Interessen des Betroffenen entgegenstehen,
7. die Daten aus allgemein zugänglichen Quellen entnommen werden können oder die verantwortliche Stelle sie veröffentlichen dürfte, es sei denn, dass überwiegende schutzwürdige Interessen des Betroffenen entgegenstehen, oder
8. es zur Verfolgung von Straftaten oder Ordnungswidrigkeiten, zur Vollstreckung oder zum Vollzug von Strafen oder Maßnahmen im Sinne des § 11 Abs. 1 Nr. 8 des Strafgesetzbuches oder von Erziehungsmaßregeln oder Zuchtmitteln im Sinne des Jugendgerichtsgesetzes oder zur Vollstreckung von Bußgeldentscheidungen erforderlich ist.

(3) Eine Speicherung oder Nutzung für andere Zwecke liegt nicht vor, wenn sie der Wahrnehmung von Aufsichts- und Kontrollbefugnissen, der Rechnungsprüfung, der Durchführung von Organisationsuntersuchungen, der Prüfung und Wartung von automatisierten Verfahren der Datenverarbeitung sowie statistischen Zwecken oder Zwecken der Durchführung eigener wissenschaftlicher Forschung der speichernden Stelle dient. Dies gilt auch für die Speicherung und Nutzung zu Ausbildungs- und Prüfungszwecken, soweit nicht überwiegende schutzwürdige Interessen des Betroffenen entgegenstehen.

(4) Personenbezogene Daten, die ausschließlich zum Zweck der Datenschutzkontrolle, der Datensicherung oder zur Sicherstellung eines ordnungsgemäßen Betriebs einer Datenverarbeitungsanlage gespeichert werden, dürfen nur für Zweck und hiermit in Zusammenhang stehende Maßnahmen gegenüber Bediensteten genutzt werden.

(5) Sind mit personenbezogenen Daten, die nach Absatz 1 bis 3 gespeichert werden dürfen, weitere personenbezogene Daten des Be-

troffenen oder eines Dritten in Akten so verbunden, dass eine Trennung nicht oder nur mit unverhältnismäßigem Aufwand möglich ist, so ist die Speicherung auch dieser Daten zulässig, soweit nicht schutzwürdige Interessen des Betroffenen oder eines Dritten an deren Geheimhaltung offensichtlich überwiegen. Unter denselben Voraussetzungen dürfen die für die Aufgabenerfüllung nicht erforderlichen Daten innerhalb der speichernden Stelle weitergegeben werden; eine darüber hinausgehende Nutzung dieser Daten ist unzulässig.

§ 16 Übermittlung an Stellen innerhalb des öffentlichen Bereichs

(1) Die Übermittlung personenbezogener Daten an Stellen innerhalb des öffentlichen Bereichs ist zulässig, wenn sie

1. zur Erfüllung der Aufgaben der übermittelnden Stelle oder der Stelle, an die die Daten übermittelt werden, erforderlich ist und
2. für Zwecke erfolgt, für die eine Nutzung nach § 15 Abs. 1 bis 4 zulässig wäre.

(2) Die Verantwortung für die Zulässigkeit der Übermittlung trägt die übermittelnde Stelle. Erfolgt die Übermittlung auf Ersuchen einer öffentlichen Stelle im Geltungsbereich des Grundgesetzes, trägt diese die Verantwortung. In diesem Fall prüft die übermittelnde Stelle nur, ob das Übermittlungsersuchen im Rahmen der Aufgaben der ersuchenden Stelle liegt, es sei denn, dass besonderer Anlass zur Prüfung der Zulässigkeit der Übermittlung besteht. § 8 Abs. 3 Satz 2 und 3 bleibt unberührt.

(3) Die Stelle, an die die Daten übermittelt werden, darf sie nur für den Zweck verarbeiten, zu dessen Erfüllung sie ihr übermittelt worden sind. Eine Verarbeitung für andere Zwecke ist nur unter den Voraussetzungen des § 15 Abs. 2 zulässig.

(4) Auf die Übermittlung verbundener Daten findet § 15 Abs. 5 entsprechende Anwendung.

§ 17 Übermittlung an Stellen der öffentlich-rechtlichen Religionsgesellschaften

Für die Übermittlung personenbezogener Daten an Stellen der öffentlich-rechtlichen Religionsgesellschaften gilt § 16 Abs. 1 bis 3 entsprechend, sofern für diese Stellen ausreichende Datenschutzregelungen gelten. Die Feststellung hierüber trifft das Innenministerium.

§ 18 Übermittlung an Stellen außerhalb des öffentlichen Bereichs

(1) Die Übermittlung personenbezogener Daten an Personen oder Stellen außerhalb des öffentlichen Bereichs ist zulässig, wenn

1. sie zur Erfüllung der Aufgaben der übermittelnden Stelle erforderlich ist und für Zwecke erfolgt, für die eine Nutzung nach § 15 Abs. 1 bis 4 zulässig wäre, oder
2. der Dritte, an den die Daten übermittelt werden sollen, ein berechtigtes Interesse an der Kenntnis der zu übermittelnden Daten glaubhaft darlegt und der Betroffene kein schutzwürdiges Interesse am Ausschluss der Übermittlung hat.

(2) Die Verantwortung für die Zulässigkeit der Übermittlung trägt die übermittelnde Stelle.

(3) In den Fällen der Übermittlung nach Absatz 1 Nr. 2 unterrichtet die übermittelnde Stelle den Betroffenen von der Übermittlung seiner Daten, insbesondere über den Dritten, an den die Daten übermittelt werden, und den Zweck der Übermittlung. Dies gilt nicht, wenn die Unterrichtung einen unverhältnismäßigen Aufwand erfordern würde, der Betroffene von der Übermittlung auf andere Weise Kenntnis erlangt, die Unterrichtung wegen der Art der personenbezogenen Daten unter Berücksichtigung der schutzwürdigen Interessen des Betroffenen nicht geboten erscheint oder wenn die Unterrichtung die öffentliche Sicherheit gefährden oder sonst dem Wohle des Bundes oder eines Landes Nachteile bereiten würde.

(4) Die Stelle, an die die Daten übermittelt werden, darf diese nur für den Zweck verarbeiten, zu dessen Erfüllung sie ihr übermittelt worden sind. Die übermittelnde Stelle hat sie in den Fällen des Absatzes 1 Nr. 2 hierauf hinzuweisen. Eine Verarbeitung für andere Zwecke ist nur zulässig, wenn eine Übermittlung nach Absatz 1 zulässig wäre und die übermittelnde Stelle eingewilligt hat.

(5) Die übermittelnde Stelle soll die Übermittlung mit Auflagen versehen, die den Datenschutz bei dem Dritten, an den die Daten übermittelt werden, sicherstellen, oder mit dem Dritten Vereinbarungen zur Gewährleistung des Datenschutzes treffen.

§ 19 Übermittlung für Zwecke der wissenschaftlichen Forschung

(1) Die Übermittlung personenbezogener Daten für Zwecke der wissenschaftlichen Forschung an Stellen innerhalb des öffentlichen Bereichs ist zulässig, wenn dies zur Durchführung wissenschaftlicher Forschung erforderlich ist, das wissenschaftliche Interesse an der Durchführung des Forschungsvorhabens das Interesse des Betroffenen am Ausschluss der Übermittlung erheblich überwiegt und der Zweck der Forschung auf andere Weise nicht oder nur mit unverhältnismäßigem Aufwand erreicht werden kann. Kann der Zweck der Forschung auch mit anonymisierten Daten erreicht werden und steht der verantwortlichen Stelle nicht ausreichend Personal für eine

Anonymisierung der Daten zur Verfügung, können die mit der Durchführung des Forschungsvorhabens befassten Personen diese Aufgabe für die verantwortliche Stelle unter deren Aufsicht wahrnehmen. Die betreffenden Personen sind zuvor nach dem Verpflichtungsgesetz zu verpflichten.

(2) Für die Übermittlung personenbezogener Daten an Stellen außerhalb des öffentlichen Bereichs gilt Absatz 1 mit der Maßgabe, dass die Übermittlung nur zulässig ist, wenn sich die Stelle verpflichtet, die übermittelten Daten nicht für andere Zwecke zu verarbeiten und die Bestimmungen des § 35 Abs. 2 und 3 einzuhalten.

§ 20 Übermittlung an Stellen außerhalb des Geltungsbereichs des Grundgesetzes

(1) Für die Übermittlung personenbezogener Daten in Mitgliedstaaten der Europäischen Union sowie für die Übermittlung an Organe und Einrichtungen der Europäischen Gemeinschaft gelten §§ 16, 18 und 19 entsprechend.

(2) Die Übermittlung personenbezogener Daten in Staaten außerhalb der Europäischen Union oder an über- oder zwischenstaatliche Stellen ist unter den Voraussetzungen der §§ 18 und 19 zulässig, soweit in den folgenden Absätzen nichts anderes bestimmt ist.

(3) Die Übermittlung unterbleibt, soweit

1. Grund zu der Annahme besteht, dass durch sie gegen den Zweck eines deutschen Gesetzes verstoßen würde, oder
2. der Betroffene ein überwiegendes schutzwürdiges Interesse an dem Ausschluss der Übermittlung hat, insbesondere wenn in dem Staat außerhalb der Europäischen Union oder bei der über- oder zwischenstaatlichen Stelle ein angemessenes Datenschutzniveau nicht gewährleistet ist.

Die Angemessenheit des Datenschutzniveaus wird unter Berücksichtigung aller Umstände beurteilt, die bei Datenübermittlungen von Bedeutung sind; insbesondere können die Art der Daten, die Zweckbestimmung, die Dauer der geplanten Verarbeitung, das Herkunfts- und das Endbestimmungsland, die für den Empfänger geltenden Rechtsnormen sowie die dort geltenden Standesregeln und Sicherheitsmaßnahmen herangezogen werden.

(4) Ist in dem Staat, in den die Daten übermittelt werden sollen, kein angemessenes Datenschutzniveau gewährleistet, ist die Übermittlung nur zulässig, wenn

1. der Betroffene eingewilligt hat,
2. die Übermittlung für die Wahrung eines überwiegenden öffentlichen Interesses oder zur Geltendmachung rechtlicher Ansprüche vor Gericht einschließlich eines Vorverfahrens erforderlich ist,

3. die Übermittlung für die Wahrung lebenswichtiger Interessen des Betroffenen erforderlich ist oder
4. die Übermittlung aus einem Register erfolgt, das zur Information der Öffentlichkeit bestimmt ist und allen Personen, die ein berechtigtes Interesse nachweisen können, zur Einsichtnahme offen steht, soweit die gesetzlichen Voraussetzungen im Einzelfall gegeben sind.

(5) Ist in dem Staat, in den die Daten übermittelt werden sollen, kein angemessenes Datenschutzniveau gewährleistet, ist unbeschadet des Absatzes 4 eine Übermittlung auch zulässig, wenn die Person oder Stelle, an die die Daten übermittelt werden sollen, ausreichende Garantien hinsichtlich des Schutzes des Persönlichkeitsrechts und der Ausübung der damit verbundenen Rechte vorweist; diese Garantien können sich auch aus Vertragsklauseln ergeben.

Dritter Abschnitt
Rechte des Betroffenen

§ 21 Auskunft

(1) Dem Betroffenen ist von der speichernden Stelle auf Antrag unentgeltlich Auskunft zu erteilen über
1. die zu seiner Person gespeicherten Daten,
2. den Zweck der Verarbeitung,
3. die Herkunft der Daten, soweit diese gespeichert oder sonst bekannt ist, und die Empfänger oder Gruppen von Empfängern, an die die Daten übermittelt werden sollen, sowie
4. den strukturierten Ablauf der automatisierten Verarbeitung der ihn betreffenden Daten in den Fällen des § 4 Abs. 7 und die dabei herangezogenen Entscheidungskriterien.

Dies gilt nicht für personenbezogene Daten, die ausschließlich zu Zwecken der Datensicherung oder der Datenschutzkontrolle gespeichert sind.

(2) In dem Antrag soll die Art der personenbezogenen Daten näher bezeichnet werden, über die Auskunft erteilt werden soll. Sind die personenbezogenen Daten in Akten gespeichert, wird Auskunft nur erteilt, soweit der Betroffene Angaben macht, die das Auffinden der Daten ermöglichen und der für die Erteilung der Auskunft erforderliche Aufwand nicht außer Verhältnis zu dem vom Betroffenen geltend gemachten Informationsinteresse steht.

(3) Die speichernde Stelle bestimmt das Verfahren, insbesondere die Form der Auskunftserteilung, nach pflichtgemäßem Ermessen. Sind die

Daten in Akten gespeichert, ist dem Betroffenen auf Verlangen Akteneinsicht zu gewähren; Absatz 2 Satz 2 findet entsprechende Anwendung. Ein Recht auf Akteneinsicht besteht nicht, wenn die Daten des Betroffenen mit Daten Dritter oder geheimhaltungsbedürftigen nicht personenbezogenen Daten derart verbunden sind, dass ihre Trennung nicht oder nur mit unverhältnismäßig großem Aufwand möglich ist. In diesem Fall ist dem Betroffenen Auskunft zu erteilen. Rechtsvorschriften über die Akteneinsicht im Verwaltungsverfahren bleiben unberührt.

(4) Bezieht sich die Auskunftserteilung auf die Übermittlung personenbezogener Daten an Behörden der Staatsanwaltschaften, an Polizeidienststellen, Verfassungsschutzbehörden und Behörden der Finanzverwaltung, soweit sie personenbezogene Daten in Erfüllung ihrer gesetzlichen Aufgaben im Anwendungsbereich der Abgabenordnung zur Überwachung und Prüfung speichern, ist sie nur mit Zustimmung dieser oder der nach Absatz 7 zuständigen Stelle zulässig. Satz 1 findet auch Anwendung auf die Übermittlung personenbezogener Daten an den Bundesnachrichtendienst, den Militärischen Abschirmdienst und, soweit die Sicherheit des Bundes berührt wird, andere Behörden des Bundesministers der Verteidigung. Für die Versagung der Zustimmung gelten die Absätze 5 und 6 entsprechend.

(5) Die Auskunftserteilung unterbleibt, soweit

1. die Auskunft die ordnungsgemäße Erfüllung der in der Zuständigkeit der speichernden Stelle liegenden Aufgaben gefährden würde,
2. die Auskunft die öffentliche Sicherheit oder Ordnung gefährden oder sonst dem Wohle des Bundes oder eines Landes Nachteile bereiten würde oder
3. die personenbezogenen Daten oder die Tatsache ihrer Speicherung nach einer Rechtsvorschrift oder ihrem Wesen nach, insbesondere wegen überwiegender berechtigter Interessen eines Dritten, geheim gehalten werden müssen

und deswegen das Interesse des Betroffenen an der Auskunftserteilung zurücktreten muss.

(6) Die Ablehnung der Auskunftserteilung bedarf keiner Begründung, soweit durch die Mitteilung der tatsächlichen und rechtlichen Gründe der mit der Auskunftsverweigerung verfolgte Zweck gefährdet würde. In diesem Fall ist der Betroffene darauf hinzuweisen, dass er den Landesbeauftragten für den Datenschutz anrufen kann.

(7) Die fachlich zuständige oberste Landesbehörde kann durch Rechtsverordnung bestimmen, dass eine andere als die speichernde Stelle die Auskunft erteilt.

§ 22 Berichtigung

(1) Personenbezogene Daten sind zu berichtigen, wenn sie unrichtig sind. Wird bei personenbezogenen Daten in Akten festgestellt, dass sie unrichtig sind, oder wird ihre Richtigkeit vom Betroffenen bestritten, so ist dies in der Akte zu vermerken oder auf sonstige Weise festzuhalten.

(2) Von der Berichtigung unrichtiger Daten sind die Empfänger der Daten zu verständigen, soweit dies zur Wahrung schutzwürdiger Interessen des Betroffenen oder zur Erfüllung der Aufgaben der verantwortlichen Stelle oder des Empfängers erforderlich erscheint; dies gilt nicht, wenn dies einen unverhältnismäßigen Aufwand erfordern würde.

§ 23 Löschung

(1) Personenbezogene Daten in Dateien sind zu löschen, wenn
1. ihre Speicherung unzulässig ist oder
2. ihre Kenntnis für die speichernde Stelle zur Erfüllung ihrer Aufgaben nicht mehr erforderlich ist.

(2) Personenbezogene Daten in Akten sind zu löschen, wenn die speichernde Stelle im Einzelfall feststellt, dass die gesamte Akte zur Aufgabenerfüllung nicht mehr erforderlich ist.

(3) Vor einer Löschung sind die Daten dem zuständigen Archiv nach Maßgabe der §§ 3, 7 und 8 des Landesarchivgesetzes zur Übernahme anzubieten.

(4) Die Löschung unterbleibt, wenn
1. Grund zu der Annahme besteht, dass durch sie schutzwürdige Interessen des Betroffenen beeinträchtigt würden, oder
2. sie wegen der besonderen Art der Speicherung nicht oder nur mit unverhältnismäßig hohem Aufwand möglich ist.

(5) Von einer Löschung unzulässig gespeicherter Daten sind die Empfänger der Daten nach Maßgabe des § 22 Abs. 2 zu verständigen.

§ 24 Sperrung

(1) Personenbezogene Daten in Dateien sind zu sperren, wenn
1. ihre Richtigkeit vom Betroffenen bestritten wird und sich weder die Richtigkeit noch die Unrichtigkeit feststellen lässt oder
2. in den Fällen des § 23 Abs. 4 eine Löschung unterbleibt.

(2) Personenbezogene Daten in Akten sind zu sperren, wenn die speichernde Stelle im Einzelfall feststellt, dass die Daten unzulässig gespeichert sind. Sie sind ferner zu sperren, wenn die speichernde

Stelle im Einzelfall feststellt, dass die Daten zur Aufgabenerfüllung nicht mehr erforderlich sind, eine Löschung nach § 23 Abs. 2 nicht in Betracht kommt und ohne die Sperrung schutzwürdige Interessen des Betroffenen beeinträchtigt würden.

(3) Gesperrte personenbezogene Daten sind gesondert aufzubewahren; bei automatisierten Verfahren kann die Sperrung statt dessen auch durch zusätzliche technische Maßnahmen gewährleistet werden. Lassen sich auf Grund der Art der Verarbeitung Maßnahmen nach Satz 1 nicht oder nur mit unverhältnismäßig hohem Aufwand durchführen, sind die Daten mit einem Sperrvermerk zu versehen.

(4) Ohne Einwilligung des Betroffenen dürfen gesperrte personenbezogene Daten nur genutzt oder übermittelt werden, wenn

1. es zu wissenschaftlichen Zwecken, zur Behebung einer bestehenden Beweisnot, zu Aufsichts- und Kontrollzwecken, zur Rechnungsprüfung oder aus sonstigen im überwiegenden Interesse der speichernden Stelle oder eines Dritten liegenden Gründen unerlässlich ist und
2. die Daten hierfür übermittelt oder genutzt werden dürften, wenn sie nicht gesperrt wären.

Personenbezogene Daten, die unzulässig in Akten gespeichert sind, dürfen ohne Einwilligung des Betroffenen nicht mehr genutzt oder übermittelt werden.

(5) Von einer Sperrung unzulässig gespeicherter Daten sind die Empfänger der Daten nach Maßgabe des § 22 Abs. 2 zu verständigen.

§ 25 Schadensersatz

(1) Fügt eine öffentliche Stelle dem Betroffenen durch eine nach den Vorschriften dieses Gesetzes oder nach anderen Vorschriften über den Datenschutz unzulässige oder unrichtige Verarbeitung seiner personenbezogenen Daten in oder aus Dateien einen Schaden zu, ist sie dem Betroffenen zum Ersatz des daraus entstehenden Schadens verpflichtet. Dies gilt nicht, wenn die öffentliche Stelle nachweist, dass der Umstand, durch den der Schaden eingetreten ist, nicht von ihr zu vertreten ist.

(2) Bei einer schweren Verletzung des Persönlichkeitsrechts ist dem Betroffenen der Schaden, der nicht Vermögensschaden ist, angemessen in Geld zu ersetzen.

(3) Die Ansprüche nach den Absätzen 1 und 2 sind insgesamt bis zu einem Betrag in Höhe von zweihundertfünfzigtausend Deutsche Mark begrenzt. Ist auf Grund desselben Ereignisses an mehrere Personen Schadensersatz zu leisten, der insgesamt den Höchstbetrag von zweihundertfünfzigtausend Deutsche Mark übersteigt, so verringern sich

die einzelnen Schadensersatzleistungen in dem Verhältnis, in dem ihr Gesamtbetrag zu dem Höchstbetrag steht.

(4) Sind bei einer Datei mehrere Stellen speicherungsberechtigt und ist der Geschädigte nicht in der Lage, die speichernde Stelle festzustellen, so haftet jede dieser Stellen.

(5) Mehrere Ersatzpflichtige haften als Gesamtschuldner.

(6) Auf das Mitverschulden des Betroffenen und die Verjährung sind die §§ 254 und 852 des Bürgerlichen Gesetzbuches entsprechend anzuwenden.

(7) Vorschriften, nach denen ein Ersatzpflichtiger in weiterem Umfang als nach dieser Vorschrift haftet oder nach denen ein anderer für den Schaden verantwortlich ist, bleiben unberührt.

(8) Der Rechtsweg vor den ordentlichen Gerichten steht offen.

Vierter Abschnitt
Landesbeauftragter für den Datenschutz

§ 26 Bestellung und Rechtsstellung

(1) Die Landesregierung bestellt mit Zustimmung des Landtags einen Landesbeauftragten für den Datenschutz. Dieser muss die Befähigung zum Richteramt oder zum höheren Verwaltungsdienst haben oder für eine andere Laufbahn des höheren Dienstes befähigt sein. Der Landesbeauftragte für den Datenschutz ist Beamter auf Zeit und wird für die Dauer von acht Jahren berufen; einmalige Wiederberufung ist zulässig.

(2) Der Landesbeauftragte für den Datenschutz ist in Ausübung seines Amtes unabhängig und nur dem Gesetz unterworfen.

(3) Die Dienststelle des Landesbeauftragten für den Datenschutz wird beim Innenministerium eingerichtet. Der Landesbeauftragte trifft die Entscheidungen nach §§ 79 und 80 des Landesbeamtengesetzes für sich und seine Mitarbeiter in eigener Verantwortung. Er untersteht der Dienstaufsicht des Innenministeriums, soweit seine Unabhängigkeit dadurch nicht beeinträchtigt wird.

(4) Dem Landesbeauftragten für den Datenschutz ist die für die Erfüllung seiner Aufgaben notwendige Personal- und Sachausstattung zur Verfügung zu stellen; sie ist im Einzelplan des Innenministeriums in einem eigenen Kapitel auszuweisen. Die Besetzung der Personalstellen erfolgt im Einvernehmen mit dem Landesbeauftragten für den Datenschutz. Die Mitarbeiter können, falls sie mit der beabsichtigten Maßnahme nicht einverstanden sind, nur im Einvernehmen mit ihm versetzt, abgeordnet oder umgesetzt werden.

(5) Ist der Landesbeauftragte für den Datenschutz an der Ausübung seines Amtes verhindert, nimmt der leitende Beamte der Dienststelle des Landesbeauftragten für den Datenschutz dessen Geschäfte wahr. Geht die Dauer der Verhinderung über drei Monate hinaus, kann die Landesregierung einen Vertreter mit der Wahrnehmung der Geschäfte beauftragen; der Landesbeauftragte für den Datenschutz soll dazu gehört werden.

§ 27 Anrufung des Landesbeauftragten für den Datenschutz

(1) Jeder kann sich an den Landesbeauftragten für den Datenschutz wenden, wenn er der Ansicht ist, bei der Verarbeitung seiner personenbezogenen Daten durch eine öffentliche Stelle in seinen Rechten verletzt worden zu sein. Niemand darf benachteiligt oder gemaßregelt werden, weil er von seinem Recht nach Satz 1 Gebrauch gemacht hat.

(2) Wendet sich ein Betroffener an den Landesbeauftragten für den Datenschutz, weil ihm nach § 21 Abs. 5 oder besonderen gesetzlichen Vorschriften keine Auskunft erteilt worden ist, darf die Mitteilung des Landesbeauftragten für den Datenschutz an den Betroffenen keine Rückschlüsse auf den Erkenntnisstand der speichernden Stelle zulassen, sofern diese oder die nach § 21 Abs. 7 zuständige Stelle nicht einer weitergehenden Auskunft zustimmt. Das Gleiche gilt, wenn ein Betroffener unmittelbar den Landesbeauftragten für den Datenschutz anruft, und die für die Erteilung der Auskunft zuständige Stelle diesem unter Angabe von Gründen darlegt, dass sie bei einem Auskunftsersuchen eine Auskunft nach den in Satz 1 genannten Vorschriften verweigern würde.

§ 28 Kontrolle durch den Landesbeauftragten für den Datenschutz

(1) Der Landesbeauftragte für den Datenschutz kontrolliert bei den öffentlichen Stellen die Einhaltung der Vorschriften dieses Gesetzes und anderer Vorschriften über den Datenschutz.

(2) Die Kontrolle des Landesbeauftragten für den Datenschutz erstreckt sich auch auf personenbezogene Daten, die einem Berufs- oder besonderen Amtsgeheimnis unterliegen. Für personenbezogene Daten in Dateien oder Akten über die Sicherheitsüberprüfung gilt dies jedoch nur, wenn der Betroffene der Kontrolle der auf ihn bezogenen Daten nicht widersprochen hat. Die speichernde Stelle hat die Betroffenen im Einzelfall oder in allgemeiner Form auf das Widerspruchsrecht hinzuweisen. Der Widerspruch ist schriftlich gegenüber der speichernden Stelle oder dem Landesbeauftragten für den Datenschutz zu erklären.

(3) Die Kontrolle des Landesbeauftragten für den Datenschutz erstreckt sich nicht auf personenbezogene Daten, die der Kontrolle durch die Kommission nach § 2 des Gesetzes zur Ausführung des Gesetzes zu Artikel 10 Grundgesetz unterliegen, es sei denn, die Kommission ersucht den Landesbeauftragten für den Datenschutz, die Einhaltung der Vorschriften über den Datenschutz bei bestimmten Vorgängen oder in bestimmten Bereichen zu kontrollieren und ausschließlich ihr darüber zu berichten.

(4) Stellt der Landesbeauftragte für den Datenschutz bei seiner Kontrolle einen Verstoß gegen dieses Gesetz oder andere Vorschriften über den Datenschutz fest, so ist er befugt, diesen bei den für die Verfolgung oder Ahndung zuständigen Stellen anzuzeigen.

§ 29 Pflicht zur Unterstützung

(1) Die öffentlichen Stellen sind verpflichtet, den Landesbeauftragten für den Datenschutz und seine Beauftragten bei der Erfüllung ihrer Aufgaben zu unterstützen. Ihnen ist im Rahmen der Kontrollbefugnis nach § 28 insbesondere

1. Auskunft zu ihren Fragen sowie Einsicht in alle Unterlagen und Akten, insbesondere in die gespeicherten Daten und die Datenverarbeitungsprogramme, zu gewähren, die im Zusammenhang mit der Verarbeitung personenbezogener Daten stehen,
2. jederzeit Zutritt zu den Diensträumen zu gewähren.

(2) Für die in § 21 Abs. 4 Satz 1 genannten öffentlichen Stellen besteht die Pflicht zur Unterstützung nur gegenüber dem Landesbeauftragten für den Datenschutz selbst und den von ihm oder dem leitenden Beamten seiner Dienststelle schriftlich besonders Beauftragten. Absatz 1 Satz 2 findet für diese Stellen keine Anwendung, soweit die jeweils zuständige oberste Landesbehörde im Einzelfall feststellt, dass die Auskunft oder Einsicht die Sicherheit des Bundes oder eines Landes gefährden würde.

§ 30 Mitteilung des Ergebnisses der Kontrolle, Beanstandungen

(1) Der Landesbeauftragte für den Datenschutz teilt der verantwortlichen Stelle das Ergebnis seiner Kontrolle mit. Damit können Vorschläge zur Verbesserung des Datenschutzes verbunden werden, insbesondere zur Beseitigung von festgestellten Mängeln bei der Verarbeitung personenbezogener Daten.

(2) Stellt der Landesbeauftragte für den Datenschutz Verstöße gegen Vorschriften dieses Gesetzes oder gegen andere Vorschriften über den Datenschutz oder sonstige Mängel bei der Verarbeitung personenbezogener Daten fest, so beanstandet er dies

1. bei den öffentlichen Stellen des Landes gegenüber der zuständigen obersten Landesbehörde,
2. bei den Gemeinden, Gemeindeverbänden und den sonstigen der Aufsicht des Landes unterstehenden juristischen Personen des öffentlichen Rechts sowie bei den in § 2 Abs. 2 genannten Stellen gegenüber dem vertretungsberechtigten Organ

und fordert zur Stellungnahme innerhalb einer von ihm zu bestimmenden angemessenen Frist auf. In den Fällen des Satzes 1 Nr. 2 unterrichtet der Landesbeauftragte für den Datenschutz gleichzeitig die zuständige Aufsichtsbehörde.

(3) Der Landesbeauftragte für den Datenschutz kann von einer Beanstandung absehen oder auf eine Stellungnahme der betroffenen Stelle verzichten, insbesondere wenn es sich um unerhebliche oder inzwischen beseitigte Mängel handelt.

(4) Die Stellungnahme soll auch eine Darstellung der Maßnahmen enthalten, die auf Grund der Beanstandung des Landesbeauftragten für den Datenschutz getroffen worden oder beabsichtigt sind. Die in Absatz 2 Satz 1 Nr. 2 genannten Stellen leiten der zuständigen Aufsichtsbehörde eine Abschrift ihrer Stellungnahme an den Landesbeauftragten für den Datenschutz zu.

§ 31 Weitere Aufgaben des Landesbeauftragten für den Datenschutz

(1) Der Landesbeauftragte für den Datenschutz erstattet dem Landtag zum 1. Dezember jeden Jahres einen Tätigkeitsbericht.

(2) Der Landesbeauftragte für den Datenschutz hat auf Anforderung des Landtags oder der Landesregierung Gutachten zu erstellen und besondere Berichte zu erstatten. Auf Ersuchen des Landtags, seiner Ausschüsse oder der Landesregierung geht der Landesbeauftragte für den Datenschutz Hinweisen auf Angelegenheiten nach, die den Datenschutz in dem seiner Kontrolle unterliegenden Bereich betreffen. Er kann sich jederzeit an den Landtag wenden.

(3) Der Landesbeauftragte für den Datenschutz kann der Landesregierung und einzelnen Ministerien sowie anderen öffentlichen Stellen Empfehlungen zur Verbesserung des Datenschutzes geben und sie in Fragen des Datenschutzes beraten. Er ist bei der Ausarbeitung von Rechts- und Verwaltungsvorschriften zu beteiligen, wenn sie die Verarbeitung personenbezogener Daten betreffen.

(4) Der Landesbeauftragte für den Datenschutz leistet den anderen Kontrollstellen in den Mitgliedstaaten der Europäischen Union auf Ersuchen ergänzende Hilfe (Amtshilfe).

§ 32 Meldung an den Landesbeauftragten für den Datenschutz

(1) Die öffentlichen Stellen, die keinen Datenschutzbeauftragten nach § 10 bestellt haben, melden dem Landesbeauftragten für den Datenschutz den Einsatz und die wesentliche Veränderung eines automatisierten Verfahrens. Ausgenommen sind die in § 11 Abs. 3 und 4 Satz 2 genannten Verfahren.

(2) Die meldepflichtigen Stellen haben spätestens gleichzeitig mit der ersten Einspeicherung die Angaben nach § 11 Abs. 2 mitzuteilen.

Fünfter Abschnitt
Besondere Bestimmungen

§ 33 Verarbeitung besonderer Arten personenbezogener Daten

(1) Daten, aus denen die rassische und ethnische Herkunft, politische Meinungen, religiöse oder weltanschauliche Überzeugungen, die Gewerkschaftszugehörigkeit, die Gesundheit oder das Sexualleben hervorgehen, dürfen nur verarbeitet werden, wenn
1. eine besondere Rechtsvorschrift dies vorsieht,
2. der Betroffene ausdrücklich eingewilligt hat,
3. die Verarbeitung zum Schutz lebenswichtiger Interessen des Betroffenen oder eines Dritten erforderlich ist und der Betroffene aus rechtlichen oder tatsächlichen Gründen nicht in der Lage ist, seine Einwilligung zu geben, oder
4. dies zur Geltendmachung rechtlicher Ansprüche vor Gericht einschließlich eines Vorverfahrens erforderlich ist.

(2) Absatz 1 findet keine Anwendung auf die Verarbeitung von Daten über religiöse oder weltanschauliche Überzeugungen nach § 17, von Daten für Zwecke der wissenschaftlichen Forschung nach §§ 19 und 35 und von Daten im Zusammenhang mit Dienst- und Arbeitsverhältnissen nach § 36.

(3) Absatz 1 findet ferner keine Anwendung auf die Verarbeitung personenbezogener Daten
1. zur Gefahrenabwehr,
2. zur Verfolgung von Straftaten oder Ordnungswidrigkeiten, zur Vollstreckung oder zum Vollzug von Strafen oder Maßnahmen im Sinne des § 11 Abs. 1 Nr. 8 des Strafgesetzbuches oder von Erziehungsmaßregeln oder Zuchtmitteln im Sinne des Jugendgerichtsgesetzes oder zur Vollstreckung von Bußgeldentscheidungen,
3. durch das Landesamt für Verfassungsschutz,
4. durch die Finanzverwaltung, soweit sie die Daten in Erfüllung ihrer gesetzlichen Aufgaben im Anwendungsbereich der Abgabenordnung zur Überwachung und Prüfung verarbeitet, und

5. bei einer Sicherheitsüberprüfung nach dem Landessicherheitsüberprüfungsgesetz.

§ 34 Zweckbindung bei der Verarbeitung personenbezogener Daten, die einem Berufs- oder besonderen Amtsgeheimnis unterliegen

(1) Personenbezogene Daten, die einem Berufs- oder besonderen Amtsgeheimnis unterliegen und die von der zur Verschwiegenheit verpflichteten Person oder Stelle in Ausübung ihrer Berufs- oder Amtspflicht zur Verfügung gestellt worden sind, dürfen von der speichernden Stelle nur für den Zweck verarbeitet werden, für den sie sie erhalten hat. § 33 bleibt unberührt. In die Übermittlung an einen Dritten außerhalb des öffentlichen Bereichs muss die zur Verschwiegenheit verpflichtete Stelle einwilligen.

(2) Für einen anderen Zweck dürfen die Daten nur verarbeitet werden, wenn
1. die Änderung des Zwecks durch besonderes Gesetz zugelassen ist oder
2. die Voraussetzungen vorliegen, die eine Nutzung nach § 15 Abs. 1 bis 4 zulassen würden und die zur Verschwiegenheit verpflichtete Stelle eingewilligt hat.

§ 35 Verarbeitung personenbezogener Daten durch Forschungseinrichtungen

(1) Öffentliche Stellen mit der Aufgabe unabhängiger wissenschaftlicher Forschung dürfen die zur Durchführung wissenschaftlicher Forschung erforderlichen personenbezogenen Daten erheben. Ohne Kenntnis des Betroffenen dürfen die Daten nur erhoben werden, wenn der Zweck des Forschungsvorhabens auf andere Weise nicht oder nur mit unverhältnismäßigem Aufwand erreicht werden kann. Für Zwecke der wissenschaftlichen Forschung erhobene oder gespeicherte personenbezogene Daten dürfen nur für Zwecke der wissenschaftlichen Forschung verarbeitet werden.

(2) Die personenbezogenen Daten sind zu anonymisieren, sobald dies nach dem Forschungszweck möglich ist. Bis dahin sind die Merkmale gesondert zu speichern, mit denen Einzelangaben einer bestimmten oder bestimmbaren Person zugeordnet werden können. Sie dürfen mit den Einzelangaben nur zusammengeführt werden, soweit der Forschungszweck dies erfordert.

(3) Die wissenschaftliche Forschung betreibenden Stellen dürfen personenbezogene Daten nur veröffentlichen, soweit
1. der Betroffene eingewilligt hat oder

2. dies für die Darstellung von Forschungsergebnissen über Ereignisse der Zeitgeschichte unerlässlich ist und überwiegende schutzwürdige Interessen des Betroffenen nicht entgegenstehen.

(4) Bei der Meldung nach § 32 darf die Beschreibung der Zweckbestimmung der Verarbeitung, zu deren Erfüllung personenbezogene Daten verarbeitet werden, auf die Angabe »Forschungsvorhaben« beschränkt werden.

§ 36 Datenverarbeitung bei Dienst- und Arbeitsverhältnissen

(1) Personenbezogene Daten von Beschäftigten dürfen nur verarbeitet werden, soweit dies zur Eingehung, Durchführung, Beendigung oder Abwicklung des Dienst- oder Arbeitsverhältnisses oder zur Durchführung innerdienstlicher planerischer, organisatorischer, personeller, sozialer oder haushalts- und kostenrechnerischer Maßnahmen, insbesondere zu Zwecken der Personalplanung und des Personaleinsatzes, erforderlich ist oder eine Rechtsvorschrift, ein Tarifvertrag oder eine Dienst- oder Betriebsvereinbarung es vorsieht.

(2) Auf die Verarbeitung von Personalaktendaten von Angestellten und Arbeitern sowie Auszubildenden in einem privatrechtlichen Ausbildungsverhältnis finden die für Beamte geltenden Vorschriften der §§ 113 bis 113 g des Landesbeamtengesetzes entsprechende Anwendung, es sei denn, besondere Rechtsvorschriften oder tarifliche Vereinbarungen gehen vor.

(3) Im Zusammenhang mit der Begründung eines Dienst- oder Arbeitsverhältnisses ist die Erhebung personenbezogener Daten eines Bewerbers bei dem bisherigen Dienstherrn oder Arbeitgeber nur zulässig, wenn der Betroffene eingewilligt hat. Satz 1 gilt entsprechend für die Übermittlung personenbezogener Daten an künftige Dienstherrn oder Arbeitgeber. Steht fest, dass ein Dienst- oder Arbeitsverhältnis nicht zu Stande kommt, sind dem Betroffenen die von ihm vorgelegten Unterlagen unverzüglich zurückzusenden und die zu ihm gespeicherten Daten spätestens nach Ablauf eines Jahres zu löschen, es sei denn, er hat in die weitere Verarbeitung eingewilligt oder diese ist wegen eines anhängigen Rechtsstreits erforderlich.

§ 37 Verarbeitung personenbezogener Daten durch den Südwestrundfunk

(1) Soweit der Südwestrundfunk personenbezogene Daten ausschließlich zu eigenen journalistisch-redaktionellen Zwecken verarbeitet, gelten von den Vorschriften dieses Gesetzes neben den Absätzen 2 und 3 und § 38 nur die §§ 6 und 9 entsprechend. Für die Verarbeitung personenbezogener Daten zu anderen Zwecken gelten neben § 38 die

Vorschriften dieses Gesetzes entsprechend mit Ausnahme des Vierten Abschnitts.

(2) Führt die journalistisch-redaktionelle Verarbeitung personenbezogener Daten durch den Südwestrundfunk zur Verbreitung einer Gegendarstellung des Betroffenen, so ist diese zu den gespeicherten Daten zu nehmen und für dieselbe Zeitdauer aufzubewahren wie die Daten selbst.

(3) Wird jemand durch eine Berichterstattung des Südwestrundfunks in seinem Persönlichkeitsrecht beeinträchtigt, so kann er Auskunft über die der Berichterstattung zugrunde liegenden, zu seiner Person gespeicherten Daten verlangen. Die Auskunft kann verweigert werden, soweit aus den Daten auf die Person des Verfassers, Einsenders oder Gewährsmannes von Beiträgen, Unterlagen und Mitteilungen für den redaktionellen Teil geschlossen werden kann. Der Betroffene kann die Berichtigung unrichtiger Daten verlangen.

§ 38 Rundfunkbeauftragter für den Datenschutz

(1) Der Südwestrundfunk bestellt auf die Dauer von acht Jahren einen Rundfunkbeauftragten für den Datenschutz. Die Bestellung erfolgt durch den Intendanten mit Zustimmung des Verwaltungsrats.

(2) Der Rundfunkbeauftragte für den Datenschutz kontrolliert die Einhaltung der Vorschriften dieses Gesetzes sowie anderer Vorschriften über den Datenschutz. Er ist in Ausübung seines Amtes unabhängig und nur dem Gesetz unterworfen; im Übrigen untersteht er der Dienstaufsicht des Intendanten.

(3) Jeder kann sich an den Rundfunkbeauftragten für den Datenschutz wenden, wenn er der Ansicht ist, bei der Verarbeitung seiner personenbezogenen Daten durch den Südwestrundfunk in seinen Rechten verletzt worden zu sein.

(4) Für Beanstandungen gilt § 30 entsprechend mit der Maßgabe, dass Beanstandungen an den Intendanten unter gleichzeitiger Unterrichtung des Verwaltungsrats zu richten sind. Dem Verwaltungsrat ist auch die zu der Beanstandung abgegebene Stellungnahme des Intendanten zuzuleiten.

(5) Der Rundfunkbeauftragte für den Datenschutz erstattet dem Verwaltungsrat und dem Intendanten alle zwei Jahre einen schriftlichen Bericht über seine Tätigkeit. Auf Beschluss des Verwaltungsrats oder auf Anordnung des Intendanten erstattet er darüber hinaus besondere Berichte.

(6) Der Rundfunkbeauftragte für den Datenschutz ist auch nach Beendigung seiner Tätigkeit verpflichtet, über die ihm bei seiner dienstli-

chen Tätigkeit bekannt gewordenen Angelegenheiten Verschwiegenheit zu bewahren. Dies gilt nicht für Mitteilungen im dienstlichen Verkehr oder über Tatsachen, die offenkundig sind oder ihrer Bedeutung nach keiner Geheimhaltung bedürfen. Er darf ohne Genehmigung des Intendanten über Angelegenheiten im Sinne von Satz 1 weder vor Gericht noch außergerichtlich aussagen oder Erklärungen abgeben.

Sechster Abschnitt
Bestimmungen über die Datenverarbeitung nicht-öffentlicher Stellen

§ 39 Tätigkeitsbericht

Das Innenministerium erstattet dem Landtag zum 1. Juli jeden zweiten Jahres einen Bericht über die Tätigkeit der für den Datenschutz im nicht-öffentlichen Bereich zuständigen Aufsichtsbehörde. Der Bericht wird veröffentlicht.

Siebter Abschnitt
Übergangs- und Schlussvorschriften

§ 40 Ordnungswidrigkeiten

(1) Ordnungswidrig handelt, wer

1. unbefugt von diesem Gesetz geschützte personenbezogene Daten, die nicht offenkundig sind,
   a) speichert, nutzt, verändert, übermittelt oder löscht,
   b) zum Abruf mittels automatisierten Verfahrens bereithält oder
   c) abruft oder sich oder einem anderen aus Dateien verschafft,
2. die Übermittlung von personenbezogenen Daten, die durch dieses Gesetz geschützt werden und nicht offenkundig sind, durch unrichtige Angaben erschleicht,
3. personenbezogene Daten ohne die nach § 18 Abs. 4 Satz 3 oder nach § 34 Abs. 2 Nr. 2 erforderliche Einwilligung oder entgegen § 35 Abs. 1 für einen anderen Zweck nutzt,
4. entgegen § 35 Abs. 2 Satz 3 die in § 35 Abs. 2 Satz 2 bezeichneten Merkmale mit den Einzelangaben zusammenführt oder
5. entgegen § 18 Abs. 5 eine vollziehbare Auflage nicht, nicht rechtzeitig oder nicht vollständig erfüllt.

(2) Die Ordnungswidrigkeit kann mit einer Geldbuße bis zu 50.000 Deutsche Mark geahndet werden.

(3) Verwaltungsbehörden im Sinne von § 36 Abs. 1 Nr. 1 des Gesetzes über Ordnungswidrigkeiten sind die Regierungspräsidien.

§ 41 Straftaten

Wer eine der in § 40 Abs. 1 Nr. 1 bis 4 bezeichneten Handlungen gegen Entgelt oder in der Absicht begeht, sich oder einen anderen zu bereichern oder einen anderen zu schädigen, wird mit Freiheitsstrafe bis zu zwei Jahren oder mit Geldstrafe bestraft. Der Versuch ist strafbar.

§ 42[1] Übergangsvorschriften

(aufgehoben)

§ 43[1] Änderung des Landesverwaltungsverfahrensgesetzes

(nicht abgedruckt)

§ 44[1] Änderung des Vermessungsgesetzes

(nicht abgedruckt)

§ 45[1] Änderung des Landeskatastrophenschutzgesetzes

(nicht abgedruckt)

§ 46[1] Änderung des Feuerwehrgesetzes

(nicht abgedruckt)

§ 47[1] Änderung des Gesetzes zu dem Staatsvertrag über Bildschirmtext

(nicht abgedruckt)

§ 48[1] Änderung des Meldegesetzes

(nicht abgedruckt)

§ 49[1] Inkrafttreten

(nicht abgedruckt)

---

1 Diese Vorschriften betreffen §§ 35 bis 42 in der ursprünglichen Fassung vom 27. Mai 1991.

Bayerisches Datenschutzgesetz (BayDSG)

vom 23. Juli 1993 (GVBl S. 498)
zuletzt geändert durch Gesetz vom 25. Oktober 2000 (GVBl S. 752)

Inhaltsübersicht

Vierter Abschnitt
Durchführung des Datenschutzes bei öffentlichen Stellen

Fünfter Abschnitt
Landesbeauftragter für den Datenschutz

Sechster Abschnitt
Tätigkeit der Aufsichtsbehörden für den Datenschutz bei nicht-öffentlichen Stellen

Siebter Abschnitt
Ordnungswidrigkeiten, Strafvorschrift, Schlußvorschriften

Erster Abschnitt
Allgemeine Bestimmungen

Art. 1 Zweck des Gesetzes

Zweck dieses Gesetzes ist es, die einzelnen davor zu schützen, daß sie bei der Erhebung, Verarbeitung oder Nutzung ihrer personenbezogenen

Daten durch öffentliche Stellen in unzulässiger Weise in ihrem Persönlichkeitsrecht beeinträchtigt werden.

Art. 2 Anwendungsbereich des Gesetzes

(1) Die Vorschriften dieses Gesetzes – ausgenommen der Sechste Abschnitt - gelten für die Erhebung, Verarbeitung und Nutzung personenbezogener Daten durch Behörden, Gerichte und sonstige öffentliche Stellen des Freistaates Bayern, der Gemeinden, Gemeindeverbände und der sonstigen der Aufsicht des Freistaates Bayern unterstehenden juristischen Personen des öffentlichen Rechts.

(2) [1]Die Vorschriften dieses Gesetzes gelten auch für Vereinigungen des privaten Rechts, die Aufgaben der öffentlichen Verwaltung wahrnehmen und an denen – ungeachtet der Beteiligung nicht-öffentlicher Stellen –

1. eine oder mehrere der in Absatz 1 genannten juristischen Personen des öffentlichen Rechts beteiligt sind, oder
2. außer einer oder mehrerer der in Absatz 1 genannten juristischen Personen des öffentlichen Rechts auch eine oder mehrere der in § 2 Absatz 1 des Bundesdatenschutzgesetzes genannten juristischen Personen des öffentlichen Rechts oder Vereinigungen beteiligt sind, wenn sie keine öffentlichen Stellen des Bundes gemäß § 2 Abs. 3 des Bundesdatenschutzgesetzes sind.

[2]Beteiligt sich eine Vereinigungen des privaten Rechts, auf die dieses Gesetz nach Satz 1 Anwendung findet, an einer weiteren Vereinigung des privaten Rechts, so findet Satz 1 entsprechende Anwendung.

(3) Für personenbezogene Daten in automatisierten Dateien, die ausschließlich aus verarbeitungstechnischen Gründen vorübergehend erstellt und nach ihrer verarbeitungstechnischen Nutzung automatisch gelöscht werden, gelten von den Vorschriften dieses Gesetzes nur die Art. 5, 7, 17 Abs. 4, Art. 25, 29 bis 31, 32 Abs. 1 bis 3, 33 und 37.

(4) Die Vorschriften dieses Gesetzes gelten nicht für die Ausübung des Begnadigungsrechts.

(5) Die Vorschriften dieses Gesetzes gelten für den Landtag nur, soweit er in Verwaltungsangelegenheiten tätig wird.

(6) In Bezug auf Gerichte und den Obersten Rechnungshof gelten der Vierte und Fünfte Abschnitt sowie Art. 9 nur, soweit sie in Verwaltungsangelegenheiten tätig werden.

(7) Soweit besondere Rechtsvorschriften über den Datenschutz oder über Verfahren der Rechtspflege auf personenbezogene Daten anzuwenden sind, gehen sie den Vorschriften dieses Gesetzes vor.

(8) Die Vorschriften dieses Gesetzes gehen denen des Bayerischen Verwaltungsverfahrensgesetzes vor, soweit bei der Ermittlung des Sachverhalts personenbezogene Daten erhoben, verarbeitet oder genutzt werden.

(9) Dieses Gesetz läßt die Verpflichtung zur Wahrung der in § 203 Abs. 1 des Strafgesetzbuchs genannten Geheimnisse unberührt.

Art. 3 Öffentliche Stellen, die am Wettbewerb teilnehmen

(1) [1]Soweit öffentliche Stellen als Unternehmen am Wettbewerb teilnehmen, gelten für sie sowie für ihre Zusammenschlüsse und Verbände die Vorschriften des Bundesdatenschutzgesetzes mit Ausnahme des Zweiten Abschnitts. [2]Art. 2 Abs. 7 bleibt unberührt. [3]Für die Durchführung und die Kontrolle des Datenschutzes gelten anstelle der §§ 32 und 36 bis 38 des Bundesdatenschutzgesetzes die Art. 9 und 25 bis 33.

(2) [1]Soweit öffentlich-rechtliche Versicherungsunternehmen am Wettbewerb teilnehmen, gelten für sie die Vorschriften des Bundesdatenschutzgesetzes, die auf privatrechtliche Versicherungsunternehmen anzuwenden sind. [2]Für öffentlich-rechtliche Kreditinstitute sowie für ihre Zusammenschlüsse und Verbände gelten die Vorschriften des Bundesdatenschutzgesetzes, die auf privatrechtliche Kreditinstitute anzuwenden sind. [3]Art. 2 Abs. 7 bleibt unberührt.

(3) Die Anstalt für Kommunale Datenverarbeitung in Bayern unterliegt den Vorschriften dieses Gesetzes auch, soweit sie am Wettbewerb teilnimmt.

Art. 4 Begriffsbestimmungen

(1) Personenbezogene Daten sind Einzelangaben über persönliche oder sachliche Verhältnisse bestimmter oder bestimmbarer natürlicher Personen (Betroffene).

(2) [1]Öffentliche Stellen im Sinn dieses Gesetzes sind die in Art. 2 Abs. 1 und 2 bezeichneten Stellen und Vereinigungen. [2]Öffentliche Stellen im Sinn der Art. 18 und 24 sind darüber hinaus die öffentlichen Stellen des Bundes gemäß § 2 des Bundesdatenschutzgesetzes und der anderen Länder nach § 2 des Bundesdatenschutzgesetzes und der jeweils maßgeblichen Landesdatenschutzgesetze. [3]Nicht-öffentliche Stellen sind natürliche und juristische Personen, Gesellschaften und andere Personenvereinigungen des privaten Rechts, soweit sie nicht unter Satz 1 oder 2 fallen. [4]Nimmt eine nicht-öffentliche Stelle hoheitliche Aufgaben der öffentlichen Verwaltung wahr, ist sie insoweit öffentliche Stelle.

(3) [1]Eine Datei ist
1. eine Sammlung personenbezogener Daten, die durch automatisierte Verfahren nach bestimmten Merkmalen ausgewertet werden kann (automatisierte Datei)

oder
2. jede sonstige Sammlung personenbezogener Daten, die gleichartig aufgebaut ist und nach bestimmten Merkmalen geordnet, umgeordnet und ausgewertet werden kann (nicht automatisierte Datei).

[2]Nicht hierzu gehören Akten und Aktensammlungen, es sei denn, daß sie durch automatisierte Verfahren umgeordnet und ausgewertet werden können.

(4) [1]Akten sind alle sonstigen amtlichen oder dienstlichen Zwecken dienenden Unterlagen; dazu zählen auch Bild- und Tonträger. [2]Nicht hierunter fallen Vorentwürfe und Notizen, die nicht Bestandteil eines Vorgangs werden sollen.

(5) Erheben ist das Beschaffen von Daten über Betroffene.

(6) [1]Verarbeiten ist das Speichern, Verändern, Übermitteln, Sperren und Löschen personenbezogener Daten. [2]Im einzelnen ist, ungeachtet der dabei angewendeten Verfahren:
1. Speichern das Erfassen, Aufnehmen oder Aufbewahren personenbezogener Daten auf einem Datenträger zum Zwecke ihrer weiteren Verarbeitung oder Nutzung,
2. Verändern das inhaltliche Umgestalten gespeicherter personenbezogener Daten,
3. Übermitteln das Bekanntgeben gespeicherter oder durch Datenverarbeitung gewonnener personenbezogener Daten an Dritte in der Weise, daß
   a) die Daten durch die speichernde Stelle an Dritte weitergegeben werden oder
   b) Dritte Daten einsehen oder abrufen, die von der speichernden Stelle zur Einsicht oder zum Abruf bereitgehalten werden,
4. Sperren das Kennzeichnen gespeicherter personenbezogener Daten, um ihre weitere Verarbeitung oder Nutzung einzuschränken,
5. Löschen das Unkenntlichmachen gespeicherter personenbezogener Daten.

(7) Nutzen ist jede Verwendung personenbezogener Daten, soweit es sich nicht um Verarbeitung handelt, insbesondere die Weitergabe von Daten innerhalb der speichernden Stelle an Teile derselben Stelle mit anderen Aufgaben oder anderem örtlichem Zuständigkeitsbereich.

(8) Anonymisieren ist das Verändern personenbezogener Daten derart, daß die Einzelangaben über persönliche oder sachliche Verhältnisse nicht mehr oder nur mit einem unverhältnismäßig großen Aufwand an

Zeit, Kosten und Arbeitskraft einer bestimmten oder bestimmbaren natürlichen Person zugeordnet werden können.

(9) Speichernde Stelle ist jede öffentliche Stelle, die personenbezogene Daten für sich selbst speichert oder durch andere im Auftrag speichern läßt.

(10) [1]Dritte sind alle Personen oder Stellen außerhalb der speichernden Stelle. [2]Dritte sind nicht die Betroffenen sowie diejenigen Personen und Stellen, die im Inland oder innerhalb der Mitgliedstaaten der Europäischen Union personenbezogene Daten im Auftrag erheben, verarbeiten oder nutzen.

Art. 5 Datengeheimnis

[1]Den bei öffentlichen Stellen beschäftigten Personen ist es untersagt, personenbezogene Daten unbefugt zu erheben, zu verarbeiten oder zu nutzen (Datengeheimnis).
[2]Das Datengeheimnis besteht auch nach Beendigung ihrer Tätigkeit fort.

Art. 6 Erhebung, Verarbeitung oder Nutzung personenbezogener Daten im Auftrag

(1) [1]Werden personenbezogene Daten durch andere Stellen im Auftrag erhoben, verarbeitet oder genutzt, bleibt der Auftraggeber für die Einhaltung der Vorschriften dieses Gesetzes und anderer Vorschriften über den Datenschutz verantwortlich. [2]Die im Zweiten Abschnitt genannten Rechte sind ihm gegenüber geltend zu machen.

(2) [1]Auftragnehmer sind unter besonderer Berücksichtigung der Eignung der von ihnen getroffenen technischen und organisatorischen Maßnahmen sorgfältig auszuwählen. [2]Der Auftrag ist schriftlich zu erteilen, wobei Datenerhebung, -verarbeitung oder -nutzung, die technischen und organisatorischen Maßnahmen und etwaige Unterauftragsverhältnisse festzulegen sind. [3]Der Auftraggeber hat sich soweit erforderlich von der Einhaltung der getroffenen technischen und organisatorischen Maßnahmen beim Auftragnehmer zu überzeugen.

(3) [1]Ist eine öffentliche Stelle Auftragnehmer, so gelten für sie nur die Art. 5, 7, 25, 29 bis 31, 32 Abs. 1 bis 3, Art. 33 und 37. [2]Der Auftragnehmer darf die Daten nur im Rahmen der Weisungen des Auftraggebers erheben, verarbeiten oder nutzen. [3]Ist er der Ansicht, daß eine Weisung des Auftraggebers gegen dieses Gesetz oder andere Vorschriften über den Datenschutz verstößt, hat er den Auftraggeber unverzüglich darauf hinzuweisen.

(4) [1]Die Absätze 1 bis 3 gelten entsprechend, wenn die Prüfung oder Wartung automatisierter Verfahren oder Datenverarbeitungsanlagen

durch andere Stellen vorgenommen wird und dabei ein Zugriff auf personenbezogene Daten nicht ausgeschlossen werden kann. [2]Ist eine schriftliche Auftragserteilung nach Absatz 2 Satz 2 nicht möglich, so ist diese unverzüglich nachzuholen.

Art. 7 Technische und organisatorische Maßnahmen

(1) [1]Öffentliche Stellen, die selbst oder im Auftrag personenbezogene Daten erheben, verarbeiten oder nutzen, haben die technischen und organisatorischen Maßnahmen zu treffen, die erforderlich sind, um die Ausführung der Vorschriften dieses Gesetzes zu gewährleisten. [2]Erforderlich sind Maßnahmen nur, wenn ihr Aufwand in einem angemessenen Verhältnis zu dem angestrebten Schutzzweck steht.

(2) Werden personenbezogene Daten automatisiert verarbeitet, sind Maßnahmen zu treffen, die je nach der Art der zu schützenden personenbezogenen Daten geeignet sind,

1. Unbefugten den Zugang zu Datenverarbeitungsanlagen, mit denen personenbezogene Daten verarbeitet werden, zu verwehren (Zugangskontrolle),
2. zu verhindern, daß Datenträger unbefugt gelesen, kopiert, verändert oder entfernt werden können (Datenträgerkontrolle),
3. die unbefugte Eingabe in den Speicher sowie die unbefugte Kenntnisnahme, Veränderung oder Löschung gespeicherter personenbezogener Daten zu verhindern (Speicherkontrolle),
4. zu verhindern, daß Datenverarbeitungssysteme mit Hilfe von Einrichtungen zur Datenübertragung von Unbefugten genutzt werden können (Benutzerkontrolle),
5. zu gewährleisten, daß die zur Benutzung eines Datenverarbeitungssystems Berechtigten ausschließlich auf die ihrer Zugriffsberechtigung unterliegenden Daten zugreifen können (Zugriffskontrolle),
6. zu gewährleisten, daß überprüft und festgestellt werden kann, an welche Stellen personenbezogene Daten durch Einrichtungen zur Datenübertragung übermittelt werden können (Übermittlungskontrolle),
7. zu gewährleisten, daß nachträglich überprüft und festgestellt werden kann, welche personenbezogenen Daten zu welcher Zeit von wem in Datenverarbeitungssysteme eingegeben worden sind (Eingabekontrolle),
8. zu gewährleisten, daß personenbezogene Daten, die im Auftrag verarbeitet werden, nur entsprechend den Weisungen des Auftraggebers verarbeitet werden können (Auftragskontrolle),
9. zu verhindern, daß bei der Übertragung personenbezogener Daten sowie beim Transport von Datenträgern die Daten unbefugt

gelesen, kopiert, verändert oder gelöscht werden können (Transportkontrolle),

10. die innerbehördliche oder innerbetriebliche Organisation so zu gestalten, daß sie den besonderen Anforderungen des Datenschutzes gerecht wird (Organisationskontrolle).

Art. 8 Einrichtung automatisierter Abrufverfahren

(1) Die Einrichtung eines automatisierten Verfahrens, das die Übermittlung personenbezogener Daten an Dritte durch Abruf ermöglicht, ist zulässig, soweit dieses Verfahren unter Berücksichtigung der schutzwürdigen Interessen der Betroffenen und der Aufgaben der beteiligten Stellen angemessen ist.

(2) [1]Die beteiligten Stellen haben zu gewährleisten, daß die Zulässigkeit des Abrufverfahrens kontrolliert werden kann. [2]Hierzu haben sie schriftlich festzulegen:

1. die Aufgaben, zu deren Erfüllung personenbezogene Daten verarbeitet werden und die Rechtsgrundlage der Verarbeitung,
2. die Datenempfänger,
3. die Art der zu übermittelnden Daten,
4. die nach Art. 7 erforderlichen technischen und organisatorischen Maßnahmen.

(3) [1]Die Zulässigkeit des einzelnen Abrufs beurteilt sich nach den für die Erhebung und Übermittlung geltenden Vorschriften. [2]Die Verantwortung für die Zulässigkeit des einzelnen Abrufs trägt der Empfänger. [3]Die speichernde Stelle prüft die Zulässigkeit der Abrufe nur, wenn dazu Anlaß besteht. [4]Die speichernde Stelle hat zu gewährleisten, daß die Übermittlung personenbezogener Daten zumindest durch geeignete Stichprobenverfahren festgestellt und überprüft werden kann. [5]Wird ein Gesamtbestand personenbezogener Daten abgerufen oder übermittelt (Stapelverarbeitung), so bezieht sich die Gewährleistung der Feststellung und Überprüfung nur auf die Zulässigkeit des Abrufes oder der Übermittlung des Gesamtbestandes.

(4) Die Absätze 1 bis 3 gelten nicht für den Abruf aus Datenbeständen, die allen, sei es ohne oder nach besonderer Zulassung, zur Benutzung offenstehen.

Zweiter Abschnitt
Schutzrechte

Art. 9 Anrufung des Landesbeauftragten für den Datenschutz

Jeder kann sich an den Landesbeauftragten für den Datenschutz mit dem Vorbringen wenden, bei der Erhebung, Verarbeitung oder Nutzung seiner personenbezogenen Daten durch öffentliche Stellen in seinen Rechten verletzt worden zu sein.

Art. 10 Auskunft und Benachrichtigung

(1) [1]Die speichernde Stelle hat den Betroffenen auf Antrag Auskunft zu erteilen über

1. die zur Person gespeicherten Daten,
2. den Zweck und die Rechtsgrundlage der Erhebung, Verarbeitung oder Nutzung,
3. die Herkunft der Daten und die Empfänger übermittelter Daten, soweit diese Angaben gespeichert sind,
4. die Empfänger regelmäßiger Datenübermittlungen,
5. im Fall des Art. 6 Abs. 1 bis 3 die Auftragnehmer,
6. im Fall des Art. 15 Abs. 6 den strukturierten Ablauf der automatisierten Verarbeitung oder Nutzung seiner Daten und die dabei herangezogenen Entscheidungskriterien.

[2]Dies gilt nicht für personenbezogene Daten, die ausschließlich Zwecken der Datensicherung oder der Datenschutzkontrolle dienen.

(2) Für die Auskunft werden Kosten nicht erhoben, es sei denn, daß mit der Auskunftserteilung ein besonderer Verwaltungsaufwand verbunden ist.

(3) [1]In dem Antrag soll die Art der personenbezogenen Daten, über die Auskunft erteilt werden soll, näher bezeichnet werden. [2]Sind die personenbezogenen Daten nicht in automatisierten Dateien gespeichert, so wird die Auskunft nur erteilt, soweit der Betroffene Angaben macht, die das Auffinden der Daten ermöglichen, und der für die Erteilung der Auskunft erforderliche Aufwand nicht außer Verhältnis zu dem vom Betroffenen geltend gemachten Informationsinteresse steht. [3]Die speichernde Stelle bestimmt das Verfahren, insbesondere die Form der Auskunftserteilung, nach pflichtgemäßem Ermessen.

(4) [1]Bezieht sich die Auskunftserteilung auf die Übermittlung personenbezogener Daten an Behörden der Staatsanwaltschaft, an Polizeidienststellen, an Behörden der Finanzverwaltung, soweit sie personenbezogene Daten in Erfüllung ihrer gesetzlichen Aufgaben im Anwendungsbereich der Abgabenordnung zur Überwachung und Prüfung speichern, an Verfassungsschutzbehörden, an den Bundesnachrichtendienst, an den Militärischen Abschirmdienst und, soweit die Sicherheit des Bundes berührt wird, an andere Behörden des Bundesministers der Verteidigung, so ist sie nur mit Zustimmung dieser Stellen zulässig. [2]Für die Versagung der Zustimmung durch Behörden des Freistaates Bayern gilt Absatz 5 entsprechend.

(5) Die Auskunftserteilung unterbleibt, soweit

1. die Auskunft die ordnungsgemäße Erfüllung von Aufgaben der Gefahrenabwehr oder die Verfolgung von Straftaten, Ordnungswidrigkeiten oder berufsrechtlichen Vergehen gefährden würde,
2. die Auskunft die öffentliche Sicherheit oder Ordnung, die Sicherheit des Staates, die Landesverteidigung oder ein wichtiges wirtschaftliches oder finanzielles Interesse des Freistaates Bayern, eines anderen Landes, des Bundes oder der Europäischen Union – einschließlich Währungs-, Haushalts- und Steuerangelegenheiten – gefährden würde oder
3. personenbezogene Daten oder die Tatsache ihrer Speicherung nach einer Rechtsvorschrift oder wegen der überwiegenden berechtigten Interessen Dritter geheim gehalten werden müssen und deswegen das Interesse des Betroffenen an der Auskunftserteilung zurücktreten muss.

(6) [1]Die Ablehnung der Auskunftserteilung durch Behörden der Staatsanwaltschaft, durch Justizvollzugsanstalten und Behörden der Finanzverwaltung, soweit sie personenbezogene Daten in Erfüllung ihrer gesetzlichen Aufgaben im Anwendungsbereich der Abgabenordnung zur Überwachung und Prüfung speichern, bedarf keiner Begründung. [2]Die Ablehnung der Auskunftserteilung durch sonstige öffentliche Stellen bedarf keiner Begründung, soweit durch die Mitteilung der tatsächlichen und rechtlichen Gründe der mit der Auskunftsverweigerung verfolgte Zweck gefährdet würde. [3]In den Fällen der Sätze 1 und 2 ist der Betroffene darauf hinzuweisen, daß er sich an den Landesbeauftragten für den Datenschutz wenden kann.

(7) [1]Wird dem Betroffenen keine Auskunft erteilt, so ist sie auf sein Verlangen dem Landesbeauftragten für den Datenschutz zu erteilen, soweit nicht die Staatskanzlei, die Staatsministerien, die sonstigen obersten Dienststellen des Staates oder die obersten Aufsichtsbehörden jeweils für ihren Zuständigkeitsbereich im Einzelfall feststellen, daß dadurch die Sicherheit des Freistaates Bayern, eines anderen Landes oder des Bundes gefährdet würde. [2]Die Mitteilung des Landesbeauftragten für den Datenschutz an den Betroffenen darf keine Rückschlüsse auf den Erkenntnisstand der speichernden Stelle zulassen, sofern diese nicht einer weitergehenden Auskunft zustimmt.

(8) [1]Werden in einer Datei zur Person Betroffener Daten gespeichert, die weder von den Betroffenen mit ihrer Kenntnis erhoben noch von ihnen mitgeteilt worden sind, so hat die speichernde Stelle die Betroffenen von der Tatsache der Speicherung zu benachrichtigen und dabei die Art der Daten sowie die Zweckbestimmung und die Rechtsgrundlage der Speicherung zu nennen; Absatz 1 Satz 2 gilt entsprechend. [2]Die Benachrichtigung erfolgt zum Zeitpunkt der Speicherung oder im Fall einer beabsichtigten Übermittlung spätestens

mit deren Durchführung. [3]Dienen die Daten der Erstellung einer beabsichtigten Mitteilung an Betroffene, kann die Benachrichtigung mit dieser Mitteilung verbunden werden. [4]Die Sätze 1 bis 3 gelten nicht, wenn

1. eine Rechtsvorschrift die Speicherung der personenbezogenen Daten ausdrücklich vorsieht,
2. die Betroffenen auf andere Weise Kenntnis von der Tatsache der Speicherung erlangt haben, oder
3. die Benachrichtigung der Betroffenen unmöglich ist oder einen unverhältnismäßigen Aufwand erfordert.

[5]Absatz 5 gilt entsprechend.

(9) [1]Die Absätze 1 bis 8 gelten für Gerichte nur, soweit sie in Verwaltungsangelegenheiten tätig werden. [2]Absatz 6 Satz 3 und Absatz 7 gelten für den Obersten Rechnungshof nur, soweit er in Verwaltungsangelegenheiten tätig wird. [3]Absatz 8 gilt nicht für Behörden der Staatsanwaltschaft, für Justizvollzugsanstalten, für Führungsaufsichtsstellen und für Stellen der Gerichts- und Bewährungshilfe.

Art. 11 Berichtigung

[1]Personenbezogene Daten sind zu berichtigen, wenn sie unrichtig sind. [2]Wird bei personenbezogenen Daten in Akten festgestellt, daß sie unrichtig sind, oder wird ihre Richtigkeit vom Betroffenen bestritten, so ist dies in den Akten zu vermerken oder auf sonstige Weise festzuhalten.

Art. 12 Löschung, Sperrung

(1) Personenbezogene Daten in Dateien sind zu löschen, wenn

1. ihre Speicherung unzulässig ist oder
2. ihre Kenntnis für die speichernde Stelle zur Erfüllung der in ihrer Zuständigkeit liegenden Aufgaben nicht mehr erforderlich ist.

(2) Personenbezogene Daten in Dateien sind zu sperren, wenn

1. ihre Richtigkeit vom Betroffenen bestritten wird und sich weder die Richtigkeit noch die Unrichtigkeit feststellen läßt oder
2. eine Löschung nach Absatz 1 wegen der besonderen Art der Speicherung nicht oder nur mit unverhältnismäßig hohem Aufwand möglich ist.

(3) [1]Personenbezogene Daten in Akten sind zu sperren, wenn die speichernde Stelle im Einzelfall feststellt, daß ihre Speicherung unzulässig ist. [2]Stellt die speichernde Stelle im Einzelfall fest, daß der gesamte Akt ausschließlich unzulässig gespeicherte Daten enthält, so sind die personenbezogenen Daten zu löschen.

(4) [1]Personenbezogene Daten in Akten sind ferner zu sperren, wenn die speichernde Stelle im Einzelfall feststellt, daß ihre Kenntnis für die

speichernde Stelle zur Erfüllung der in ihrer Zuständigkeit liegenden Aufgaben nicht mehr erforderlich ist und ohne die Sperrung schutzwürdige Interessen des Betroffenen beeinträchtigt würden. [2]Stellt die speichernde Stelle im Einzelfall fest, daß der gesamte Akt zur Erfüllung der in ihrer Zuständigkeit liegenden Aufgaben nicht mehr erforderlich ist, sind die personenbezogenen Daten zu löschen.

(5) An die Stelle einer Löschung tritt eine Sperrung, wenn Grund zu der Annahme besteht, daß durch eine Löschung die schutzwürdigen Interessen des Betroffenen beeinträchtigt würden.

(6) Gesperrte Daten dürfen ohne Einwilligung des Betroffenen nur übermittelt oder genutzt werden, wenn
1. es zu wissenschaftlichen Zwecken, zur Behebung einer bestehenden Beweisnot oder aus sonstigen im überwiegenden Interesse der speichernden Stelle oder eines Dritten liegenden Gründen unerläßlich oder zur Wahrnehmung von Aufsichts- oder Kontrollbefugnissen oder zur Rechnungsprüfung erforderlich ist und
2. die Daten hierfür übermittelt oder genutzt werden dürften, wenn sie nicht gesperrt wären.

(7) Daten, die wegen Unzulässigkeit der Speicherung gesperrt sind, dürfen ohne Einwilligung des Betroffenen nicht mehr übermittelt oder genutzt werden, es sei denn, daß dies zur Wahrnehmung von Aufsichts- und Kontrollbefugnissen oder zur Rechnungsprüfung erforderlich ist.

(8) Soweit öffentliche Stellen verpflichtet sind, Unterlagen einem öffentlichen Archiv zur Übernahme anzubieten, ist eine Löschung erst zulässig, nachdem die Unterlagen dem öffentlichen Archiv angeboten worden sind und von diesem nicht als archivwürdig übernommen worden sind oder über die Übernahme nicht fristgerecht (Art. 6 Abs. 4 Bayerisches Archivgesetz oder auf Grund der entsprechenden Festlegungen der Träger von Archiven sonstiger öffentlicher Stellen nach Abschnitt III des Bayerischen Archivgesetzes) entschieden worden ist.

Art. 13 Benachrichtigung nach Datenübermittlung

Von der Berichtigung unrichtiger Daten, der Sperrung bestrittener Daten sowie der Löschung oder Sperrung wegen Unzulässigkeit der Speicherung sind die Stellen zu verständigen, denen diese Daten übermittelt wurden, es sei denn, dass die Verständigung sich als unmöglich erweist oder mit einem unverhältnismäßigen Aufwand verbunden ist.

Art. 14 Schadensersatz

(1) [1]Fügt eine öffentliche Stelle dem Betroffenen durch eine nach

diesem Gesetz oder nach anderen Vorschriften über den Datenschutz unzulässige oder unrichtige Erhebung, Verarbeitung oder Nutzung seiner personenbezogenen Daten einen Schaden zu, ist ihr Träger dem Betroffenen zum Ersatz dieses Schadens verpflichtet. [2]Die Ersatzpflicht entfällt, soweit die öffentliche Stelle die nach den Umständen des Falles gebotene Sorgfalt beachtet hat.

(2) [1]Fügt eine öffentliche Stelle dem Betroffenen durch eine nach diesem Gesetz oder nach anderen Vorschriften über den Datenschutz unzulässige oder unrichtige automatisierte Verarbeitung seiner personenbezogenen Daten einen Schaden zu, ist sie dem Betroffenen unabhängig von einem Verschulden zum Ersatz des daraus entstehenden Schadens verpflichtet. [2]Bei einer schweren Verletzung des Persönlichkeitsrechts ist dem Betroffenen der Schaden, der nicht Vermögensschaden ist, angemessen in Geld zu ersetzen. [3]Der Anspruch ist insgesamt bis zu einem Betrag in Höhe von 250.000 Deutsche Mark begrenzt. [4]Ist auf Grund desselben Ereignisses an mehrere Personen Schadensersatz zu leisten, der insgesamt den Höchstbetrag von 250.000 Deutsche Mark übersteigt, so verringern sich die einzelnen Schadensersatzleistungen in dem Verhältnis, in dem ihr Gesamtbetrag zu dem Höchstbetrag steht. [5]Sind bei einer Datei mehrere Stellen speicherungsberechtigt und sind Geschädigte nicht in der Lage, die speichernde Stelle festzustellen, so haftet jede dieser Stellen.

(3) Mehrere Ersatzpflichtige haften als Gesamtschuldner.

(4) Auf das Mitverschulden des Betroffenen und die Verjährung sind die §§ 254 und 852 des Bürgerlichen Gesetzbuchs entsprechend anzuwenden.

(5) Vorschriften, nach denen Ersatzpflichtige in weiterem Umfang als nach dieser Vorschrift haften oder nach denen andere für den Schaden verantwortlich sind, bleiben unberührt.

(6) Der Rechtsweg vor den ordentlichen Gerichten steht offen.

Dritter Abschnitt
Rechtsgrundlagen der Datenerhebung, -verarbeitung und -nutzung

Art. 15 Zulässigkeit der Datenerhebung, -verarbeitung und -nutzung

(1) Die Erhebung, Verarbeitung und Nutzung personenbezogener Daten sind nur zulässig, wenn

1. dieses Gesetz oder eine andere Rechtsvorschrift sie erlaubt oder anordnet oder
2. der Betroffene eingewilligt hat.

(2) Wird eine Einwilligung eingeholt, so sind Betroffene auf den Zweck der Erhebung, Verarbeitung oder Nutzung, auf die Empfänger vorgesehener Übermittlungen sowie unter Darlegung der Rechtsfolgen darauf hinzuweisen, dass sie die Einwilligung verweigern können.

(3) [1]Die Einwilligung bedarf der Schriftform, soweit nicht wegen besonderer Umstände eine andere Form angemessen ist. [2]Im Bereich der wissenschaftlichen Forschung liegen solche besonderen Umstände auch dann vor, wenn der bestimmte Forschungszweck durch die Schriftform erheblich beeinträchtigt würde. [3]In diesem Fall sind der Hinweis gemäß Absatz 2 und die Gründe, aus denen sich die erhebliche Beeinträchtigung des wissenschaftlichen Forschungszwecks ergibt, schriftlich festzuhalten.

(4) Soll die Einwilligung zusammen mit anderen Erklärungen schriftlich erteilt werden, ist die Einwilligungserklärung im äußeren Erscheinungsbild der Erklärung hervorzuheben.

(5) [1]Widersprechen Betroffene schriftlich einer bestimmten Erhebung, Verarbeitung oder Nutzung und ergibt eine Abwägung im Einzelfall, dass das schutzwürdige Interesse eines Betroffenen wegen seiner besonderen persönlichen Situation das Interesse der öffentlichen Stelle an der Erhebung, Verarbeitung oder Nutzung dieser Daten überwiegt, so dürfen insoweit personenbezogene Daten nicht erhoben, verarbeitet oder genutzt werden. [2]Satz 1 gilt nicht, wenn eine Rechtsvorschrift die Erhebung, Verarbeitung oder Nutzung anordnet.

(6) [1]Entscheidungen, die für Betroffene eine rechtliche Folge nach sich ziehen oder sie erheblich beeinträchtigen, dürfen nicht ausschließlich auf eine automatisierte Verarbeitung oder Nutzung zum Zweck der Bewertung einzelner Persönlichkeitsmerkmale gestützt werden. [2]Satz 1 gilt nicht, soweit

1. eine Rechtsvorschrift dies ausdrücklich vorsieht,
2. damit dem Begehren der Betroffenen stattgegeben wird, oder
3. den Betroffenen die Tatsache einer Entscheidung nach Satz 1 mitgeteilt wird und ihnen Gelegenheit gegeben wird, ihren Standpunkt geltend zu machen; die öffentliche Stelle ist verpflichtet, nach Eingang der Stellungnahme ihre Entscheidung erneut zu prüfen.

(7) [1]Das Erheben, Verarbeiten oder Nutzen personenbezogener Daten, aus denen die rassische und ethnische Herkunft, politische Meinungen, religiöse oder philosophische Überzeugungen oder die Gewerkschaftszugehörigkeit hervorgehen, sowie von Daten über Gesundheit oder Sexualleben, ist über die Vorschriften dieses Abschnitts hinaus nur zulässig, wenn

1. eine Rechtsvorschrift dies ausdrücklich vorsieht,
2. die Betroffenen eingewilligt haben, wobei sich die Einwilligung ausdrücklich auf diese Daten beziehen muss,

3. es zum Schutz lebenswichtiger Interessen Betroffener oder Dritter erforderlich ist, sofern die Betroffenen aus physischen oder rechtlichen Gründen außerstande sind, ihre Einwilligung zu geben,
4. es sich um Daten handelt, die Betroffene offenkundig öffentlich gemacht haben,
5. es zur Abwehr erheblicher Nachteile für das Gemeinwohl oder von Gefahren für die öffentliche Sicherheit und Ordnung erforderlich ist,
6. es zur Verfolgung von Straftaten oder Ordnungswidrigkeiten, zur Vollstreckung oder zum Vollzug von Strafen oder Maßnahmen im Sinn des § 11 Abs. 1 Nr. 8 des Strafgesetzbuchs oder von Erziehungsmaßregeln oder Zuchtmitteln im Sinn des Jugendgerichtsgesetzes oder zur Vollstreckung von Bußgeldentscheidungen erforderlich ist,
7. es zur Durchführung wissenschaftlicher Forschung erforderlich ist, das wissenschaftliche Interesse an der Durchführung des Forschungsvorhabens das Interesse des Betroffenen an dem Ausschluss der Erhebung, Verarbeitung oder Nutzung erheblich überwiegt und der Zweck der Forschung auf andere Weise nicht oder nur mit unverhältnismäßigem Aufwand erreicht werden kann,
8. es erforderlich ist, um den Rechten und Pflichten der öffentlichen Stellen auf dem Gebiet des Dienst- und Arbeitsrechts Rechnung zu tragen,

oder

9. es zum Zweck der Gesundheitsvorsorge, der medizinischen Diagnostik, der Gesundheitsversorgung oder Behandlung oder für die Verwaltung von Gesundheitsdiensten erforderlich ist und die Verarbeitung dieser Daten durch ärztliches Personal oder durch sonstige Personen erfolgt, die einer entsprechenden Geheimhaltungspflicht unterliegen.

[2]Art. 20 bleibt unberührt.

(8) [1]Die Absätze 5 bis 7 gelten für Strafgerichte nur, soweit sie in Verwaltungsangelegenheiten tätig werden. [2]Die Absätze 5 bis 7 gelten nicht für Behörden der Staatsanwaltschaft, für Justizvollzugsanstalten, für Führungsaufsichtsstellen und für Stellen der Gerichts- und Bewährungshilfe.

Art. 16 Erhebung

(1) Das Erheben personenbezogener Daten ist zulässig, wenn ihre Kenntnis zur Erfüllung der in der Zuständigkeit der erhebenden Stelle liegenden Aufgaben erforderlich ist.

(2) [1]Personenbezogene Daten, die nicht aus allgemein zugänglichen Quellen entnommen werden, sind beim Betroffenen mit seiner Kennt-

nis zu erheben. [2]Personenbezogene Daten dürfen bei Dritten nur erhoben werden, wenn

1. eine Rechtsvorschrift eine solche Erhebung vorsieht oder zwingend voraussetzt,
2. a) die zu erfüllende Verwaltungsaufgabe ihrer Art nach oder im Einzelfall eine solche Erhebung erforderlich macht oder
   b) die Erhebung beim Betroffenen einen unverhältnismäßigen Aufwand erfordern würde oder keinen Erfolg verspricht

und keine Anhaltspunkte dafür bestehen, daß überwiegende schutzwürdige Interessen des Betroffenen beeinträchtigt werden, oder

3. die Daten nach Art. 18 Abs. 1 oder einer anderen Rechtsvorschrift von einer öffentlichen Stelle an die erhebende Stelle übermittelt werden dürfen.

[3]Werden Daten beim Betroffenen ohne seine Kenntnis erhoben, gelten die Nummern 1 und 2 Buchst. a des Satzes 2 entsprechend.

(3) [1]Werden personenbezogene Daten beim Betroffenen mit seiner Kenntnis erhoben, so ist der Erhebungszweck ihm gegenüber anzugeben. [2]Werden sie beim Betroffenen aufgrund einer Rechtsvorschrift erhoben, die zur Auskunft verpflichtet, oder ist die Erteilung der Auskunft Voraussetzung für die Gewährung von Rechtsvorteilen, so ist der Betroffene hierauf, sonst auf die Freiwilligkeit seiner Angaben hinzuweisen. [3]Auf Verlangen ist der Betroffene über die Rechtsvorschrift und über die Folgen der Verweigerung von Angaben aufzuklären. [4]Bei einer Datenerhebung auf schriftlichem Weg ist die Rechtsvorschrift stets anzugeben.

(4) Werden personenbezogene Daten statt beim Betroffenen bei einer nicht-öffentlichen Stelle erhoben, so ist die Stelle auf die Rechtsvorschrift, die zur Auskunft verpflichtet, sonst auf die Freiwilligkeit ihrer Angaben hinzuweisen.

Art. 17 Verarbeitung und Nutzung

(1) Das Speichern, Verändern oder Nutzen personenbezogener Daten ist zulässig, wenn

1. es zur Erfüllung der in der Zuständigkeit der speichernden Stelle liegenden Aufgaben erforderlich ist und
2. es für die Zwecke erfolgt, für die die Daten erhoben worden sind; ist keine Erhebung vorausgegangen, dürfen die Daten nur für die Zwecke geändert oder genutzt werden, für die sie gespeichert worden sind.

(2) Abweichend von Absatz 1 Nr. 2 ist das Speichern, Verändern oder Nutzen personenbezogener Daten für andere Zwecke zulässig, wenn

1. eine Rechtsvorschrift dies vorsieht oder zwingend voraussetzt

(4) [1]Sind mit personenbezogenen Daten, die nach Absatz 1 übermittelt werden dürfen, weitere personenbezogene Daten des Betroffenen oder Dritter in Akten so verbunden, daß eine Trennung nicht oder nur mit unvertretbarem Aufwand möglich ist, so ist die Übermittlung auch dieser Daten zulässig, soweit nicht offensichtlich überwiegende schutzwürdige Interessen des Betroffenen oder Dritter entgegenstehen. [2]Eine Nutzung oder Verarbeitung dieser Daten durch den Empfänger ist nur zulässig, soweit die Daten auch hierfür hätten übermittelt werden dürfen.

Art. 19 Datenübermittlung an nicht-öffentliche Stellen

(1) Die Übermittlung personenbezogener Daten an nicht-öffentliche Stellen ist zulässig, wenn

1. sie zur Erfüllung der in der Zuständigkeit der übermittelnden Stelle liegenden Aufgaben erforderlich ist und die Voraussetzungen vorliegen, die eine Nutzung nach Art. 17 Abs. 1 Nr. 2, Abs. 2 bis 4 zulassen würden oder
2. die nicht-öffentliche Stelle ein berechtigtes Interesse an der Kenntnis der zu übermittelnden Daten glaubhaft darlegt und der Betroffene kein schutzwürdiges Interesse an dem Ausschluß der Übermittlung hat.

(2) Die Verantwortung für die Zulässigkeit der Übermittlung trägt die übermittelnde Stelle.

(3) [1]In den Fällen der Übermittlung nach Absatz 1 Nr. 2 unterrichtet die übermittelnde Stelle den Betroffenen von der Übermittlung seiner Daten. [2]Dies gilt nicht, wenn damit zu rechnen ist, daß er davon auf andere Weise Kenntnis erlangt, wenn die Unterrichtung wegen der Art der personenbezogenen Daten unter Berücksichtigung der schutzwürdigen Interessen des Betroffenen nicht geboten erscheint, oder wenn die Unterrichtung die öffentliche Sicherheit gefährden oder sonst dem Wohle des Freistaates Bayern, eines anderen Landes oder des Bundes Nachteile bereiten würde.

(4) [1]Die nicht-öffentliche Stelle darf die übermittelten Daten nur für den Zweck verarbeiten oder nutzen, zu dessen Erfüllung sie ihr übermittelt worden sind. [2]Sie ist von der übermittelnden Stelle darauf hinzuweisen. [3]Eine Verarbeitung oder Nutzung für andere Zwecke ist zulässig, wenn eine Übermittlung nach Absatz 1 auch für die anderen Zwecke zulässig wäre und die übermittelnde Stelle zugestimmt hat.

Art. 20 Datenübermittlung an öffentlich-rechtliche Religionsgesellschaften

Die Übermittlung personenbezogener Daten an Stellen der öffentlich-rechtlichen Religionsgesellschaften ist in entsprechender Anwendung von Art. 18 zulässig, wenn sichergestellt ist, daß bei dem Empfänger ausreichende Datenschutzmaßnahmen getroffen sind.

Art. 21 Datenübermittlung an Stellen im Ausland

(1) Für die Übermittlung personenbezogener Daten an öffentliche Stellen innerhalb der Mitgliedstaaten der Europäischen Union oder an Organe und Einrichtungen der Europäischen Union gelten Art. 18 Abs. 1, Art. 22 und 23 sowie für die Übermittlung an nicht-öffentliche Stellen innerhalb der Mitgliedstaaten der Europäischen Union Art. 19 Abs. 1 und 3, soweit nicht besondere Rechtsvorschriften anzuwenden sind.

(2) [1]Für die Übermittlung personenbezogener Daten an Stellen außerhalb der Mitgliedstaaten der Europäischen Union sowie an über- und zwischenstaatliche Stellen gelten Art. 19 Abs. 1 und 3, Art. 22 und 23 entsprechend nach Maßgabe der Sätze 2 bis 5, soweit nicht besondere Rechtsvorschriften anzuwenden sind. [2]Die Datenübermittlung ist nur zulässig, wenn das Drittland oder die über- oder zwischenstaatliche Stelle ein angemessenes Datenschutzniveau gewährleistet. [3]Die Angemessenheit des Datenschutzniveaus wird unter Berücksichtigung aller Umstände beurteilt, die bei Datenübermittlungen von Bedeutung sind; insbesondere werden die Art der Daten, die Zweckbestimmung, die Dauer der geplanten Verarbeitung oder Nutzung, das Herkunfts- und das Endbestimmungsland, die in dem Drittland geltenden Rechtsvorschriften sowie die dort geltenden Standesregeln und Sicherheitsmaßnahmen berücksichtigt. [4]Ist kein angemessenes Datenschutzniveau gewährleistet, so ist die Übermittlung nur zulässig, wenn

1. die Betroffenen ihre Einwilligung gegeben haben,
2. die Übermittlung für die Erfüllung eines Vertrags zwischen der übermittelnden Stelle und den Betroffenen oder zur Durchführung von vorvertraglichen Maßnahmen, die auf Veranlassung der Betroffenen getroffen worden sind, erforderlich ist,
3. die Übermittlung zum Abschluss oder zur Erfüllung eines Vertrags erforderlich ist, der im Interesse Betroffener von der übermittelnden Stelle mit einem Dritten geschlossen wurde oder geschlossen werden soll,
4. die Übermittlung für die Wahrung eines wichtigen öffentlichen Interesses oder zur Geltendmachung, Ausübung oder Verteidigung von Rechtsansprüchen vor Gericht erforderlich ist,
5. die Übermittlung für die Wahrung lebenswichtiger Interessen Betroffener erforderlich ist,
6. die Übermittlung aus einem Register erfolgt, das zur Information der Öffentlichkeit bestimmt ist und entweder der gesamten Öffentlichkeit oder allen Personen, die ein berechtigtes Interesse

nachweisen können, zur Einsichtnahme offen steht, soweit die gesetzlichen Voraussetzungen im Einzelfall gegeben sind oder
7. die empfangende Stelle ausreichende Garantien hinsichtlich des Schutzes des Persönlichkeitsrechts und der Ausübung der damit verbundenen Rechte vorweist; diese Garantien können sich insbesondere aus Vertragsklauseln ergeben.

[5]Datenübermittlungen, die nach Satz 4 Nr. 7 vorgenommen werden, sind dem Staatsministerium des Innern mitzuteilen.

(3) Die Verantwortung für die Zulässigkeit der Übermittlung trägt die übermittelnde Stelle.

(4) Der Empfänger ist darauf hinzuweisen, daß die übermittelten Daten nur zu dem Zweck verarbeitet oder genutzt werden dürfen, zu dessen Erfüllung sie ihm übermittelt werden.

Art. 22 Zweckbindung bei personenbezogenen Daten, die einem Berufs- oder besonderen Amtsgeheimnis unterliegen

[1]Personenbezogene Daten, die einem Berufs- oder besonderen Amtsgeheimnis unterliegen und die von der zur Verschwiegenheit verpflichteten Person oder Stelle in Ausübung ihrer Berufs- oder Amtspflicht zur Verfügung gestellt worden sind, dürfen von der speichernden Stelle nur für den Zweck verarbeitet oder genutzt werden, für den sie sie erhalten hat. [2]Für einen anderen Zweck dürfen die Daten nur verarbeitet oder genutzt werden, wenn sie von der zur Verschwiegenheit verpflichteten Person oder Stelle auch für diesen Zweck übermittelt werden dürften und die zur Verschwiegenheit verpflichtete Person oder Stelle in die Zweckänderung eingewilligt hat. [3]Die Übermittlung an eine nicht-öffentliche Stelle ist darüber hinaus nur zulässig, wenn die zur Verschwiegenheit verpflichtete Person oder Stelle eingewilligt hat.

Art. 23 Verarbeitung und Nutzung personenbezogener Daten durch Forschungseinrichtungen

(1) Für Zwecke der wissenschaftlichen Forschung erhobene oder gespeicherte personenbezogene Daten dürfen nur für Zwecke der wissenschaftlichen Forschung verarbeitet oder genutzt werden.

(2) Die Übermittlung personenbezogener Daten an andere als öffentliche Stellen für Zwecke der wissenschaftlichen Forschung ist nur zulässig, wenn diese sich verpflichten, übermittelte Daten nicht für andere Zwecke zu verarbeiten oder zu nutzen und die Vorschriften der Absätze 3 und 4 einzuhalten.

(3) [1]Die personenbezogenen Daten sind zu anonymisieren, sobald dies nach dem Forschungszweck möglich ist. [2]Bis dahin sind die Merkmale gesondert zu speichern, mit denen Einzelangaben über persönli-

che oder sachliche Verhältnisse einer bestimmten oder bestimmbaren Person zugeordnet werden können. [3]Sie dürfen mit den Einzelangaben nur zusammengeführt werden, soweit der Forschungszweck dies erfordert.

(4) Die wissenschaftliche Forschung betreibenden Stellen dürfen personenbezogene Daten nur veröffentlichen, wenn der Betroffene eingewilligt hat oder dies für die Darstellung von Forschungsergebnissen über Ereignisse der Zeitgeschichte unerläßlich ist.

Art. 24 Rechtsverordnungsermächtigung für Datenübermittlungen

[1]Die Staatsregierung kann durch Rechtsverordnung für bestimmte Sachgebiete die Voraussetzungen näher regeln, unter denen personenbezogene Daten an öffentliche Stellen und an nicht-öffentliche Stellen übermittelt werden dürfen. [2]Dabei sind die schutzwürdigen Belange der Betroffenen, berechtigte Interessen Dritter und die Belange einer wirtschaftlichen und zweckmäßigen Verwaltung miteinander abzuwägen. [3]In der Rechtsverordnung sind die für die Übermittlung bestimmten Daten, deren Empfänger und der Zweck der Übermittlung zu bezeichnen.

Vierter Abschnitt
Durchführung des Datenschutzes bei öffentlichen Stellen

Art. 25 Sicherstellung des Datenschutzes, behördliche Datenschutzbeautragte

(1) Die Staatskanzlei, die Staatsministerien und die sonstigen obersten Dienststellen des Staates, die Gemeinden, die Gemeindeverbände und die sonstigen der Aufsicht des Freistaates Bayern unterstehenden juristischen Personen des öffentlichen Rechts sowie die privatrechtlichen Vereinigungen, auf die dieses Gesetz gemäß Art. 2 Abs. 2 Anwendung findet, haben für ihren Bereich die Ausführung dieses Gesetzes sowie anderer Rechtsvorschriften über den Datenschutz sicherzustellen.

(2) [1]Öffentliche Stellen, die personenbezogene Daten mit Hilfe von automatisierten Verfahren verarbeiten oder nutzen, haben einen ihrer Beschäftigten zum behördlichen Datenschutzbeauftragten zu bestellen. [2]Mehrere öffentliche Stellen können gemeinsam einen ihrer Beschäftigten bestellen; bei Staatsbehörden kann die Bestellung auch durch eine höhere Behörde erfolgen.

(3) [1]Die behördlichen Datenschutzbeauftragten sind in dieser Eigenschaft der Leitung der öffentlichen Stelle oder deren ständigen

Vertretung unmittelbar zu unterstellen; bei obersten Dienstbehörden können sie auch dem Ministerialdirektor (Amtschef), in Gemeinden einem berufsmäßigen Gemeinderatsmitglied unterstellt werden. [2]Sie sind in ihrer Eigenschaft als behördliche Datenschutzbeauftragte weisungsfrei. [3]Sie können sich in Zweifelsfällen unmittelbar an den Landesbeauftragten für den Datenschutz wenden. [4]Sie dürfen wegen der Erfüllung ihrer Aufgaben nicht benachteiligt werden. [5]Sie sind im erforderlichen Umfang von der Erfüllung sonstiger dienstlicher Aufgaben freizustellen. [6]Die Beschäftigten öffentlicher Stellen können sich in Angelegenheiten des Datenschutzes an ihre behördlichen Datenschutzbeauftragten wenden.

(4) [1]Die behördlichen Datenschutzbeauftragten haben die Aufgabe, auf die Einhaltung dieses Gesetzes und anderer Vorschriften über den Datenschutz in der öffentlichen Stelle hinzuwirken. [2]Sie können die zur Überwachung der Einhaltung dieses Gesetzes und anderer Vorschriften über den Datenschutz erforderliche Einsicht in Dateien und Akten der öffentlichen Stelle nehmen, soweit nicht gesetzliche Regelungen entgegenstehen; sie dürfen Akten mit personenbezogenen Daten, die dem Arztgeheimnis unterliegen, Akten über die Sicherheitsüberprüfung und nicht in Dateien geführte Personalakten nur mit Einwilligung der Betroffenen einsehen. [3]Sie sind zur Verschwiegenheit über Personen verpflichtet, die ihnen in ihrer Eigenschaft als behördliche Datenschutzbeauftragte Tatsachen anvertraut haben, sowie über diese Tatsachen selbst, soweit sie nicht davon durch diese Personen befreit werden.

Art. 26 Datenschutzrechtliche Freigabe automatisierter Verfahren

(1) [1]Der erstmalige Einsatz von automatisierten Verfahren, mit denen personenbezogene Daten verarbeitet werden, bedarf der vorherigen schriftlichen Freigabe durch die das Verfahren einsetzende öffentliche Stelle. [2]Eine datenschutzrechtliche Freigabe nach Satz 1 ist nicht erforderlich für Verfahren, welche durch den Vorstand der Anstalt für Kommunale Datenverarbeitung in Bayern bereits datenschutzrechtlich freigegeben worden sind, soweit diese Verfahren unverändert übernommen werden; das gleiche gilt bei öffentlichen Stellen des Freistaates Bayern für Verfahren, welche durch das fachlich zuständige Staatsministerium oder die von ihm ermächtigte öffentliche Stelle für den landesweiten Einsatz datenschutzrechtlich freigegeben worden sind. [3]Für wesentliche Änderungen von Verfahren gelten die Sätze 1 und 2 entsprechend.

(2) Die datenschutzrechtliche Freigabe hat folgende Angaben zu enthalten:

1. Bezeichnung des Verfahrens,
2. Zweck und Rechtsgrundlage der Erhebung, Verarbeitung oder Nutzung,
3. Art der gespeicherten Daten,
4. Kreis der Betroffenen,
5. Art der regelmäßig zu übermittelnden Daten und deren Empfänger,
6. Regelfristen für die Löschung der Daten oder für die Prüfung der Löschung,
7. verarbeitungs- und nutzungsberechtigte Personengruppen,
8. im Fall des Art. 6 Abs. 1 bis 3 die Auftragnehmer,
9. Empfänger vorgesehener Datenübermittlungen in Drittländer.

(3) [1]Öffentliche Stellen haben ihren behördlichen Datenschutzbeauftragten rechtzeitig vor dem Einsatz oder der wesentlichen Änderung eines automatisierten Verfahrens eine Verfahrensbeschreibung mit den in Absatz 2 aufgeführten Angaben zur Verfügung zu stellen; zugleich ist eine allgemeine Beschreibung der Art der für das Verfahren eingesetzten Datenverarbeitungsanlagen und der technischen und organisatorischen Maßnahmen nach Art. 7 und 8 beizugeben. [2]Die behördlichen Datenschutzbeauftragten erteilen die datenschutzrechtliche Freigabe, soweit nicht schon eine datenschutzrechtliche Freigabe nach Absatz 1 Sätze 2 und 3 vorliegt. [3]Wird ihren datenschutzrechtlichen Einwendungen nicht Rechnung getragen, so legen sie die Entscheidung über die datenschutzrechtliche Freigabe den Personen vor, denen sie nach Art. 25 Abs. 3 Satz 1 unterstellt sind; bei den in Art. 15 Abs. 7 genannten Daten haben sie zuvor eine Stellungnahme des Landesbeauftragten für den Datenschutz einzuholen.

Art. 27 Verfahrensverzeichnis

(1) Die behördlichen Datenschutzbeauftragten führen ein Verzeichnis der bei der öffentlichen Stelle eingesetzten und datenschutzrechtlich freigegebenen Verfahren, mit denen personenbezogene Daten verarbeitet werden.

(2) In dem Verzeichnis sind für jedes automatisierte Verfahren die in Art. 26 Abs. 2 genannten Angaben festzuhalten.

(3) [1]Das Verfahrensverzeichnis kann von jedem kostenfrei eingesehen werden. [2]Dies gilt nicht bei Behörden der Staatsanwaltschaft, bei Justizvollzugsanstalten, bei Führungsaufsichtsstellen, bei Stellen der Gerichts- und Bewährungshilfe und bei Behörden der Finanzverwaltung, soweit sie personenbezogene Daten in Erfüllung ihrer gesetzlichen Aufgaben im Anwendungsbereich der Abgabenordnung zur Überwachung und Prüfung speichern. [3]Art. 10 Abs. 5 gilt entsprechend.

Art. 28 Rechtsverordnungsermächtigungen

(1) [1]Die Staatsregierung wird ermächtigt, durch Rechtsverordnung das Nähere zur Ausgestaltung der datenschutzrechtlichen Freigabe und des Verfahrensverzeichnisses zu regeln, insbesondere zum Zweck der Vereinfachung der Verfahren und zur Entlastung der öffentlichen Stellen. [2]Die Staatsregierung wird ferner ermächtigt, durch Rechtsverordnung zu bestimmen, dass
1. für automatisierte Verfahren, die dem internen Verwaltungsablauf dienen, wie Registraturverfahren, ausschließlich der Erstellung von Texten dienende Verfahren, Kommunikationsverzeichnisse und Anschriftenverzeichnisse für die Versendung an die Betroffenen,
2. automatisierte Verfahren, die ausschließlich Zwecken der Datensicherung und Datenschutzkontrolle dienen, und
3. für automatisierte Verfahren, deren einziger Zweck das Führen eines Registers ist, das aufgrund einer Rechtsvorschrift zur Information der Öffentlichkeit bestimmt ist oder allen Personen, die ein berechtigtes Interesse nachweisen können, zur Einsichtnahme offen steht,

keine Freigabe und Aufnahme in das Verfahrensverzeichnis erforderlich sind.

(2) [1]Die Bestellung behördlicher Datenschutzbeauftragter, die datenschutzrechtliche Freigabe und die Führung eines Verfahrensverzeichnisses sind nicht erforderlich, wenn in öffentlichen Stellen ausschließlich automatisierte Verfahren ein-gesetzt werden, von denen unter Berücksichtigung der erhobenen, verarbeiteten oder genutzten Daten eine Beeinträchtigung der Rechte und Freiheiten der Betroffenen unwahrscheinlich ist. [2]Die Staatsministerien regeln für ihren Geschäftsbereich und für die unter ihrer Aufsicht stehenden juristischen Personen des öffentlichen Rechts durch Rechtsverordnung, bei welchen öffentlichen Stellen die Voraussetzungen des Satzes 1 erfüllt sind. [3]In der Rechtsverordnung sind die in Art. 26 Abs. 2 genannten Angaben festzuhalten; diese Angaben sind nicht erforderlich für automatisierte Verfahren, die dem internen Verwaltungsablauf dienen, wie Registraturverfahren, ausschließlich der Erstellung von Texten dienende Verfahren, Kommunikationsverzeichnisse und Anschriftenverzeichnisse für die Versendung an die Betroffenen.

Fünfter Abschnitt
Landesbeauftragter für den Datenschutz

Art. 29 Ernennung und Rechtsstellung

(1) [1]Der Landtag wählt auf Vorschlag der Staatsregierung einen

Landesbeauftragten für den Datenschutz. [2]Die Ernennung und Abberufung erfolgt durch den Präsidenten des Landtags. [3]Das Amt des Landesbeauftragten für den Datenschutz wird auf die Dauer von sechs Jahren ausgeübt. [4]Wiederwahl ist zulässig. [5]Vor Ablauf seiner Amtszeit kann der Landesbeauftragte für den Datenschutz auf seinen Antrag abberufen werden; ohne seine Zustimmung kann er vor Ablauf seiner Amtszeit nur mit Zweidrittelmehrheit der Mitgliederzahl des Landtags abberufen werden, wenn eine entsprechende Anwendung der Vorschriften über die Amtsenthebung von Richtern auf Lebenszeit dies rechtfertigt. [6]Die Beendigung des Amtes läßt seine Rechtsstellung als Beamter auf Lebenszeit mit der vom Bayerischen Besoldungsgesetz für das Amt des Landesbeauftragten für den Datenschutz vorgesehenen Besoldungsgruppe unberührt.

(2) [1]Der Landesbeauftragte für den Datenschutz ist in Ausübung seines Amtes unabhängig und nur dem Gesetz unterworfen; er kann sich jederzeit an den Landtag wenden. [2]Er untersteht der Dienstaufsicht des Präsidenten des Landtags. [3]Der Landesbeauftragte für den Datenschutz ist oberste Dienstbehörde im Sinn des § 96 der Strafprozeßordnung und des Art. 70 Abs. 3 des Bayerischen Beamtengesetzes; die Vorlegung oder Auslieferung von Akten oder anderen Schriftstücken sowie die Zeugenaussage bedürfen der Zustimmung des Präsidenten des Landtags.

(3) [1]Der Landesbeauftragte für den Datenschutz bedient sich einer Geschäftsstelle, die beim Landtag eingerichtet wird; Verwaltungsangelegenheiten der Geschäftsstelle werden vom Landtagsamt wahrgenommen, soweit sie nicht der Zuständigkeit des Landesbeauftragten für den Datenschutz unterliegen. [2]Die Stellen sind im Einvernehmen mit dem Landesbeauftragten für den Datenschutz zu besetzen. [3]Die Mitarbeiter können, falls sie mit der beabsichtigten Maßnahme nicht einverstanden sind, nur im Einvernehmen mit dem Landesbeauftragten für den Datenschutz versetzt, abgeordnet oder umgesetzt werden. [4]Der Landesbeauftragte für den Datenschutz ist Dienstvorgesetzter dieser Mitarbeiter. [5]Sie sind in ihrer Tätigkeit nach diesem Gesetz nur an seine Weisungen gebunden und unterstehen ausschließlich seiner Dienstaufsicht.

(4) Die Personal- und Sachmittel der Geschäftsstelle werden im Einzelplan des Landtags gesondert ausgewiesen.

Art. 30 Aufgaben

(1) Der Landesbeauftragte für den Datenschutz kontrolliert bei den öffentlichen Stellen die Einhaltung dieses Gesetzes und anderer Vorschriften über den Datenschutz.

(2) [1]Die Kontrolle durch den Landesbeauftragten für den Datenschutz erstreckt sich auch auf personenbezogene Daten, die einem Berufs- oder besonderen Amtsgeheimnis unterliegen, insbesondere dem Steuergeheimnis nach § 30 der Abgabenordnung. [2]Akten über die Sicherheitsüberprüfung unterliegen seiner Kontrolle nicht, wenn Betroffene der Kontrolle der auf sie bezogenen Daten widersprochen haben. [3]Unbeschadet des Kontrollrechts des Landesbeauftragten für den Datenschutz unterrichtet die speichernde Stelle die Betroffenen in allgemeiner Form über das ihnen zustehende Widerspruchsrecht. [4]Der Widerspruch ist schriftlich gegenüber der speichernden Stelle zu erklären.

(3) Die Kontrolle durch den Landesbeauftragten für den Datenschutz erstreckt sich nicht auf personenbezogene Daten, die der Kontrolle durch die Kommission nach Art. 2 des Gesetzes zur Ausführung des Gesetzes zu Artikel 10 Grundgesetz unterliegen, es sei denn, die Kommission ersucht den Landesbeauftragten für den Datenschutz, die Einhaltung der Vorschriften über den Datenschutz bei bestimmten Vorgängen und in bestimmten Bereichen zu kontrollieren und ausschließlich ihr darüber zu berichten.

(4) [1]Die Kontrolle durch den Landesbeauftragten für den Datenschutz über die Erhebung personenbezogener Daten durch Strafverfolgungsbehörden bei der Verfolgung von Straftaten ist erst nach Abschluß des Strafverfahrens zulässig. [2]Sie erstreckt sich nicht auf eine Datenerhebung, die gerichtlich überprüft wurde. [3]Die Sätze 1 und 2 gelten für die Strafvollstreckung entsprechend.

(5) [1]Der Landesbeauftragte für den Datenschutz erstattet dem Landtag und der Staatsregierung alle zwei Jahre einen Bericht über seine Tätigkeit. [2]Er gibt dabei auch einen Überblick über die technischen und organisatorischen Maßnahmen nach Art. 7 und regt Verbesserungen des Datenschutzes an. [3]Der Bericht ist in der Datenschutzkommission vorzuberaten.

(6) Der Landtag oder die Staatsregierung können den Landesbeauftragten für den Datenschutz ersuchen, bestimmte Vorgänge aus seinem Aufgabenbereich zu überprüfen.

(7) Der Landesbeauftragte für den Datenschutz und die Aufsichtsbehörden nach § 38 des Bundesdatenschutzgesetzes tauschen regelmäßig die in Erfüllung ihrer Aufgaben gewonnenen Erfahrungen aus.

Art. 31 Beanstandungen

(1) [1]Der Landesbeauftragte für den Datenschutz beanstandet festgestellte Verstöße gegen dieses Gesetz oder andere Vorschriften über den Datenschutz und fordert ihre Behebung in angemessener Frist. [2]Der

Landesbeauftragte für den Datenschutz verständigt von der Beanstandung die nach Art. 25 Abs. 1 für die Sicherstellung des Datenschutzes verantwortliche Stelle. [3]Bei juristischen Personen des öffentlichen Rechts, die der Aufsicht des Freistaates Bayern unterstehen, verständigt er darüber hinaus auch die Aufsichtsbehörde.

(2) [1]Wird die Beanstandung nicht behoben, so fordert der Landesbeauftragte für den Datenschutz von der für die Sicherstellung des Datenschutzes nach Art. 25 Abs. 1 verantwortlichen Stelle binnen angemessener Frist geeignete Maßnahmen. [2]Absatz 1 Satz 3 gilt entsprechend. [3]Hat dies nach Ablauf dieser Frist keinen Erfolg, verständigt er den Landtag und die Staatsregierung.

(3) Der Landesbeauftragte für den Datenschutz kann von einer Beanstandung absehen, insbesondere wenn es sich um unerhebliche oder inzwischen behobene Mängel handelt.

Art. 32 Unterstützung durch die öffentlichen Stellen

(1) [1]Der Landesbeauftragte für den Datenschutz ist von allen öffentlichen Stellen in der Erfüllung seiner Aufgaben zu unterstützen. [2]Ihm sind alle zur Erfüllung seiner Aufgaben notwendigen Auskünfte zu geben und auf Anforderung alle Unterlagen über die Erhebung, Verarbeitung oder Nutzung personenbezogener Daten zur Einsicht vorzulegen. [3]Er hat ungehinderten Zutritt zu allen Diensträumen, in denen öffentliche Stellen Daten erheben, verarbeiten oder nutzen.

(2) [1]Für
1. Einrichtungen der Rechtspflege, soweit sie strafverfolgend, strafvollstreckend oder strafvollziehend tätig werden,
2. Behörden, soweit sie Steuern verwalten oder strafverfolgend oder in Bußgeldverfahren tätig werden und
3. Polizei und Verfassungsschutzbehörden

gilt Absatz 1 nur gegenüber dem Landesbeauftragten für den Datenschutz selbst und gegenüber den von ihm schriftlich besonders damit Beauftragten. [2]Die Sätze 2 und 3 des Absatzes 1 gelten für diese Stellen nicht, soweit das jeweils zuständige Staatsministerium im Einzelfall feststellt, daß die Auskunft oder Einsicht die Sicherheit des Freistaates Bayern, eines anderen Landes oder des Bundes gefährden würde.

(3) Die Staatskanzlei und die Staatsministerien unterrichten den Landesbeauftragten für den Datenschutz rechtzeitig über Entwürfe von Rechts- und Verwaltungsvorschriften des Freistaates Bayern sowie über Planungen bedeutender Automationsvorhaben, sofern sie die Erhebung, Verarbeitung oder Nutzung personenbezogener Daten betreffen.

(4) Die öffentlichen Stellen sind verpflichtet, die nach Art. 27 zu führenden Verfahrensverzeichnisse dem Landesbeauftragten für den Datenschutz auf Aufforderung zuzuleiten.

Art. 33 Datenschutzkommission

(1) [1]Beim Landtag wird eine Datenschutzkommission gebildet. [2]Sie besteht aus zehn Mitgliedern. [3]Der Landtag bestellt sechs Mitglieder aus seiner Mitte nach Maßgabe der Stärke seiner Fraktionen; das d'Hondtsche Verfahren findet Anwendung. [4]Für Fraktionen, die hiernach nicht zum Zuge kommen, kann der Landtag jeweils ein weiteres Mitglied bestellen, auch wenn sich dadurch die Zahl der Mitglieder nach Satz 2 erhöht. [5]Ferner bestellt der Landtag jeweils ein weiteres Mitglied auf Vorschlag

1. der Staatsregierung,
2. der kommunalen Spitzenverbände,
3. des Staatsministeriums für Arbeit und Sozialordnung, Familie, Frauen und Gesundheit aus dem Bereich der gesetzlichen Sozialversicherungsträger und
4. des Verbands freier Berufe e. V. in Bayern.

[6]Für jedes Mitglied der Datenschutzkommission wird zugleich ein stellvertretendes Mitglied bestellt.

(2) Die Mitglieder der Datenschutzkommission werden für fünf Jahren, die Mitglieder des Landtags für die Wahldauer des Landtags bestellt; sie sind in ihrer Tätigkeit an Aufträge und Weisungen nicht gebunden.

(3) [1]Die Datenschutzkommission unterstützt den Landesbeauftragten für den Datenschutz in seiner Arbeit. [2]Sie gibt sich eine Geschäftsordnung.

(4) [1]Die Datenschutzkommission tritt auf Antrag jedes ihrer Mitglieder oder des Landesbeauftragten für den Datenschutz zusammen. [2]Den Vorsitz führt ein Mitglied des Landtags.

(5) [1]Der Landesbeauftragte für den Datenschutz nimmt an allen Sitzungen teil. [2]Er verständigt die Datenschutzkommission von Beanstandungen nach Art. 31 Abs. 1. [3]Vor Maßnahmen nach Art. 31 Abs. 2 ist der Datenschutzkommission Gelegenheit zur Stellungnahme zu geben.

(6) [1]Die Mitglieder der Datenschutzkommission haben, auch nach ihrem Ausscheiden, über die ihnen bei ihrer Tätigkeit bekannt gewordenen Angelegenheiten Verschwiegenheit zu bewahren. [2]Dies gilt nicht für Tatsachen, die offenkundig sind oder ihrer Bedeutung nach keiner Geheimhaltung bedürfen.

(7) Die Mitglieder der Datenschutzkommission erhalten vom Landesbeauftragten für den Datenschutz Reisekostenvergütung in entsprechender Anwendung der Bestimmungen des Bayerischen Reisekostengesetzes in der Reisekostenstufe B.

Sechster Abschnitt
Tätigkeit der Aufsichtsbehörden für den Datenschutz bei nicht-öffentlichen Stellen

Art. 34 Mitwirkung des Technischen Überwachungs-Vereins

(1) [1]Die Aufsichtsbehörden nach § 38 des Bundesdatenschutzgesetzes bedienen sich zur Erfüllung ihrer Aufgaben des Technischen Überwachungs-Vereins Bayern Sachsen e.V.; dieser nimmt insoweit eigene Aufgaben wahr. [2]Die Bediensteten des Technischen Überwachungs-Vereins Bayern Sachsen e.V. haben die in § 38 Abs. 4 des Bundesdatenschutzgesetzes genannten Rechte; auch ihnen gegenüber besteht die in § 38 Abs. 3 des Bundesdatenschutzgesetzes genannte Auskunftspflicht. [3]Der Technische Überwachungs-Verein Bayern Sachsen e.V. erhebt für seine Tätigkeit Gebühren und Auslagen nach Maßgabe der Absätze 2 bis 6.

(2) In den Fällen, in denen das Bundesdatenschutzgesetz eine Meldepflicht gegenüber den Aufsichtsbehörden bestimmt, sind die Gebühren und Auslagen von den Überwachten zu tragen.

(3) [1]In den Fällen, in denen das Bundesdatenschutzgesetz keine Meldepflicht gegenüber den Aufsichtsbehörden bestimmt, sind die Gebühren und Auslagen von den Überprüften zu tragen, wenn Mängel festgestellt werden. [2]Werden keine Mängel festgestellt, sind Gebühren und Auslagen von denjenigen zu tragen, die die Tätigkeit veranlaßt haben, soweit dies nicht der Billigkeit widerspricht.

(4) Für die Unterstützung der Beauftragten für den Datenschutz (§ 37 Abs. 1 Satz 2 des Bundesdatenschutzgesetzes) sind Gebühren und Auslagen von den natürlichen oder juristischen Personen, Gesellschaften oder anderen Personenvereinigungen des privaten Rechts zu tragen, die die Beauftragten für den Datenschutz bestellt haben.

(5) Schulden mehrere die Gebühren und Auslagen, so haften sie gesamtschuldnerisch.

(6) Art. 71 des Gesetzes zur Ausführung des Bürgerlichen Gesetzbuchs und anderer Gesetze gilt entsprechend.

(7) [1]Die Staatsregierung wird ermächtigt, durch Rechtsverordnung die Gebühren und Auslagen des Technischen Überwachungs-Vereins Bayern Sachsen e.V. festzusetzen. [2]Die Höhe der Gebühren und

Auslagen ist nach dem Aufwand und der Bedeutung der Leistung für die Schuldner zu bemessen.

Art. 35 Kostenerhebung durch die Aufsichtsbehörden

[1]Die Erhebung von Kosten (Gebühren und Auslagen) durch die Aufsichtsbehörden nach § 38 des Bundesdatenschutzgesetzes bestimmt sich nach dem Kostengesetz. [2]Abweichend von Art. 2 Abs. 1 des Kostengesetzes gelten jedoch Art. 34 Abs. 2 bis 4 entsprechend.

Art. 36 Weitere Aufgaben der Aufsichtsbehörden

Die Staatsregierung wird ermächtigt, durch Rechtsverordnung die Aufsichtsbehörden nach § 38 Abs. 6 des Bundesdatenschutzgesetzes als zuständige öffentliche Stellen nach § 33 Abs. 2 Nr. 4 und § 34 Abs. 4 in Verbindung mit § 33 Abs. 2 Nr. 4 des Bundesdatenschutzgesetzes zu bestimmen.

Siebter Abschnitt
Ordnungswidrigkeiten, Strafvorschrift, Schlußvorschriften

Art. 37 Ordnungswidrigkeiten, Strafvorschrift

(1) Mit Geldbuße bis zu fünfzigtausend Deutsche Mark kann belegt werden, wer unbefugt von diesem Gesetz oder von nach Art. 2 Abs. 7 diesem Gesetz vorgehenden Rechtsvorschriften geschützte personenbezogene Daten, die nicht offenkundig sind,
1. speichert, verändert oder übermittelt,
2. zum Abruf mittels automatisierten Verfahrens bereithält oder
3. abruft oder sich oder einem anderen aus Dateien verschafft.

(2) Ferner kann mit Geldbuße bis zu fünfzigtausend Deutsche Mark belegt werden, wer
1. die Übermittlung von durch dieses Gesetz oder durch nach Art. 2 Abs. 7 diesem Gesetz vorgehenden Rechtsvorschriften geschützten personenbezogenen Daten, die nicht offenkundig sind, durch unrichtige Angaben erschleicht,
2. entgegen Art. 19 Abs. 4 Satz 1, Art. 22 Satz 1 oder Art. 23 Abs. 1 die übermittelten Daten für andere Zwecke nutzt, indem er sie an Dritte weitergibt oder
3. entgegen Art. 23 Abs. 3 Satz 3 die in Art. 23 Abs. 3 Satz 2 bezeichneten Merkmale mit den Einzelangaben zusammenführt.

(3) [1]Wer eine der in den Absätzen 1 und 2 bezeichneten Handlungen gegen Entgelt oder in der Absicht, sich oder einen anderen zu bereichern oder einen anderen zu schädigen, begeht, wird mit Freiheitsstrafe bis zu zwei Jahren oder mit Geldstrafe bestraft. [2]Die Tat

wird nur auf Antrag verfolgt. [3]Antragsberechtigt sind die Betroffenen, die speichernde öffentliche Stelle und der Landesbeauftragte für den Datenschutz.

Art. 38 Änderung von Gesetzen

– nicht abgedruckt –

Art. 39 Inkrafttreten, Außerkrafttreten, Übergangsbestimmungen

– betreffen das am 1. März 1994 in Kraft getretene Gesetz –

Gesetz zum Schutz personenbezogener Daten in der Berliner Verwaltung (Berliner Datenschutzgesetz – BlnDSG)

in der Fassung vom 17. Dezember 1990 (GVBl 1991 S. 16, 54)
zuletzt geändert durch Gesetz vom 3. Juli 1995 (GVBl S. 404)

Erster Abschnitt
Allgemeine Vorschriften

§ 1 Aufgabe und Gegenstand des Datenschutzes

(1) Aufgabe dieses Gesetzes ist es, die Verarbeitung personenbezogener Daten durch Behörden und sonstige öffentliche Stellen zu regeln, um

1. das Recht des einzelnen zu schützen, selbst über die Preisgabe und Verwendung seiner Daten zu bestimmen, soweit keine Einschränkungen in diesem Gesetz oder in anderen Rechtsvorschriften zugelassen sind (informationelles Selbstbestimmungsrecht),
2. die auf dem Grundsatz der Gewaltenteilung beruhende verfassungsmäßige Ordnung vor einer Gefährdung infolge der automatisierten Datenverarbeitung zu bewahren.

(2) Dieses Gesetz schützt personenbezogene Daten, die von Behörden oder sonstigen öffentlichen Stellen erhoben, gespeichert, verändert, übermittelt, gesperrt, gelöscht oder sonst genutzt werden.

§ 2 Anwendungsbereich

(1) Zum Schutz personenbezogener Daten nach Maßgabe dieses Gesetzes sind alle Behörden und sonstigen öffentlichen Stellen (insbesondere nichtrechtsfähige Anstalten, Krankenhausbetriebe, Eigenbetriebe und Gerichte) des Landes Berlin und der landesunmittelbaren Körperschaften, Anstalten und Stiftungen des öffentlichen Rechts (§ 28 des allgemeinen Zuständigkeitsgesetzes) verpflichtet. Dies gilt auch für natürliche und juristische Personen, Gesellschaften und andere Personenvereinigungen des privaten Rechts, die Aufgaben der öffentlichen Verwaltung wahrnehmen.

(2) Für landesunmittelbare Anstalten des öffentlichen Rechts, die am Wettbewerb teilnehmen, gelten die §§ 3, 6, 9 bis 17 und 30 dieses Gesetzes nicht. Für sie gelten die §§ 11, 27 Abs. 2, 28 bis 31, 33 bis 35, 39, 40 und 44 des Bundesdatenschutzgesetzes.

(3) Soweit personenbezogene Daten im Anwendungsbereich des Gesetzes über das Verfahren der Berliner Verwaltung verarbeitet werden, gelten die Vorschriften des Berliner Datenschutzgesetzes.

(4) Dieses Gesetz regelt den Schutz personenbezogener Daten für die Behörden und sonstigen öffentlichen Stellen umfassend. Andere Landesgesetze können für bestimmte Behörden und sonstige öffentliche Stellen einzelne notwendige Abweichungen von diesem Gesetz vorschreiben; im übrigen richtet sich der Datenschutz auch in diesen Fällen nach den Vorschriften dieses Gesetzes.

§ 3 Verarbeitung personenbezogener Daten im Auftrag

(1) Die Vorschriften dieses Gesetzes gelten für die Behörden und sonstigen öffentlichen Stellen auch insoweit, als personenbezogene Daten in ihrem Auftrag durch andere Personen oder Stellen verarbeitet werden. In diesen Fällen ist der Auftragnehmer unter besonderer Berücksichtigung der Eignung der von ihm getroffenen technischen und organisatorischen Maßnahmen (§ 5 Abs. 1) sorgfältig auszuwählen.

(2) Für die Behörden und sonstigen öffentlichen Stellen gelten die §§ 9 bis 17 dieses Gesetzes nicht, soweit sie personenbezogene Daten im Auftrag verarbeiten. In diesen Fällen ist die Verarbeitung personenbezogener Daten nur im Rahmen der Weisungen des Auftraggebers zulässig. Weisungen, die sich auf eine Datenverarbeitung richten, die gegen dieses Gesetz oder andere Rechtsvorschriften über den Datenschutz verstoßen, sind nicht auszuführen. Der Auftraggeber sowie dessen Aufsichtsbehörde sind unverzüglich zu unterrichten. Dasselbe gilt, wenn Daten verarbeitet werden sollen, die nach Ansicht des Auftragnehmers unter Verstoß gegen Rechtsvorschriften erlangt worden sind.

(3) Für juristische Personen, Gesellschaften und andere Personenvereinigungen des privaten Rechts, bei denen dem Land Berlin oder einer landesunmittelbaren Körperschaft, Anstalt oder Stiftung des öffentlichen Rechts die Mehrheit der Anteile gehört oder die Mehrheit der Stimmen zusteht, gelten die Vorschriften des Vierten Abschnittes entsprechend, soweit sie in den Fällen des Absatzes 1 Satz 1 im Auftrag tätig werden. Hinsichtlich der Befugnisse nach § 28 Abs. 1 wird das Grundrecht der Unverletzlichkeit der Wohnung (Artikel 13 des Grundgesetzes, Artikel 19 Abs. 2 Satz 1 der Verfassung von Berlin) für die Betriebs- und Geschäftszeit eingeschränkt.

(4) Sofern die Vorschriften dieses Gesetzes auf den Auftragnehmer keine Anwendung finden, ist der Auftraggeber verpflichtet, vertraglich sicherzustellen, daß der Auftragnehmer die Vorschriften dieses Gesetzes befolgt und sich, sofern die Datenverarbeitung im Geltungsbereich dieses Gesetzes durchgeführt wird, der Kontrolle des Berliner

Datenschutzbeauftragten unterwirft. Wird die Datenverarbeitung in einem anderen Bundesland durchgeführt, ist sicherzustellen, daß sich der Auftragnehmer der Kontrolle des jeweiligen Landesbeauftragten unterwirft. Der Auftraggeber hat den Datenschutzbeauftragten und die Aufsichtsbehörde nach § 33 Abs.1 dieses Gesetzes über die Beauftragung zu unterrichten.

§ 4 Begriffsbestimmungen

(1) Im Sinne dieses Gesetzes sind personenbezogene Daten Einzelangaben über persönliche oder sachliche Verhältnisse einer bestimmten oder bestimmbaren natürlichen Person (Betroffener). Entsprechendes gilt für Daten über Verstorbene, es sei denn, daß schutzwürdige Belange des Betroffenen nicht mehr beeinträchtigt werden können.

(2) Datenverarbeitung ist das Erheben, Speichern, Verändern, Übermitteln, Sperren, Löschen sowie Nutzen personenbezogener Daten. Im Sinne der nachfolgenden Vorschriften ist

1. Erheben das Beschaffen von Daten über den Betroffenen,
2. Speichern das Erfassen, Aufnehmen oder Aufbewahren von Daten auf einem Datenträger,
3. Verändern das inhaltliche Umgestalten gespeicherter Daten, ungeachtet der dabei angewandten Verfahren,
4. Übermitteln das Bekanntgeben gespeicherter oder durch Datenverarbeitung gewonnener Daten an einen Dritten in der Weise, daß die Daten durch die datenverarbeitende Stelle an den Dritten weitergegeben werden oder daß der Dritte zum Abruf bereitgehaltener Daten abruft,
5. Sperren das Verhindern weiterer Verarbeitung gespeicherter Daten,
6. Löschen das Beseitigen gespeicherter Daten,
7. Nutzen jede sonstige Verwendung personenbezogener Daten.

(3) Im Sinne dieses Gesetzes ist

1. datenverarbeitende Stelle jede Behörde oder sonstige öffentliche Stelle, die Daten für sich selbst verarbeitet oder durch andere verarbeiten läßt. Nehmen diese unterschiedliche gesetzliche Aufgaben wahr, gelten diejenigen Organisationseinheiten als datenverarbeitende Stelle, denen die Aufgabe zugewiesen ist;
2. Dritter jede Person oder Stelle außerhalb der datenverarbeitenden Stelle, ausgenommen der Betroffene oder diejenigen Personen und Stellen, die in den Fällen der Nummer 1 im Geltungsbereich des Grundgesetzes im Auftrag tätig werden;
3. eine Datei eine Sammlung von Daten, die durch automatisierte Verfahren ausgewertet werden kann (automatisierte Datei) oder eine gleichartig aufgebaute Sammlung von Daten, die nach

bestimmten Merkmalen geordnet und ausgewertet werden kann (nicht automatisierte Datei);
4. eine Akte jede sonstigen amtlichen oder dienstlichen Zwecken dienende Unterlage. Dazu zählen auch Bild- und Tonträger.

§ 5 Technische und organisatorische Maßnahmen

(1) Jede Behörde oder sonstige öffentliche Stelle, die für sich oder im Auftrag personenbezogene Daten verarbeitet, hat die technischen und organisatorischen Maßnahmen zu treffen, die erforderlich sind, um die Ausführung der Vorschriften dieses Gesetzes, insbesondere die in Absatz 3 genannten Anforderungen, zu gewährleisten. Die Art und Weise der Maßnahmen richtet sich nach dem jeweiligen Stand der Technik.

(2) Werden personenbezogene Daten in nicht automatisierten Dateien oder Akten verarbeitet, so sind insbesondere Maßnahmen zu treffen, um den Zugriff Unbefugter bei der Bearbeitung, der Aufbewahrung, dem Transport und der Vernichtung zu verhindern.

(3) Werden personenbezogene Daten automatisiert verarbeitet, so sind Maßnahmen zu treffen, die je nach der Art der zu schützenden personenbezogenen Daten geeignet sind:

1. Unbefugten den Zugang zu Datenverarbeitungsanlagen, mit denen personenbezogende Daten verarbeitet werden, zu verwehren (Zugangskontrolle),
2. zu verhindern, daß Datenträger unbefugt gelesen, kopiert, verändert oder entfernt werden können (Datenträgerkontrolle),
3. die unbefugte Eingabe in den Speicher sowie die unbefugte Kenntnisnahme, Veränderung oder Löschung gespeicherter personenbezogener Daten zu verhindern (Speicherkontrolle),
4. die Benutzung von Datenverarbeitungssystemen mit Hilfe von Einrichtungen zur Datenübermittlung durch Unbefugte zu verhindern (Benutzerkontrolle),
5. zu gewährleisten, daß die zur Benutzung eines Datenverarbeitungssystems Berechtigten ausschließlich auf die ihrer Zugriffsberechtigung unterliegenden personenbezogenen Daten zugreifen können (Zugriffskontrolle),
6. aufzuzeichnen, an welche Stellen wann welche personenbezogenen Daten übermittelt worden sind (Übermittlungskontrolle),
7. zu gewährleisten, daß nachträglich überprüft und festgestellt werden kann, welche personenbezogenen Daten zu welcher Zeit von wem in Datenverarbeitungssysteme eingegeben worden sind (Eingabekontrolle),
8. zu gewährleisen, daß personenbezogene Daten, die im Auftrag verarbeitet werden, nur entsprechend den Weisungen des Auftraggebers verarbeitet werden können (Auftragskontrolle),

9. zu gewährleisten, daß bei der Übertragung personenbezogener Daten sowie beim Transport von Datenträgern diese nicht unbefugt gelesen, kopiert, verändert oder gelöscht werden können (Transportkontrolle),
10. die innerbehördliche oder innerbetriebliche Organisation so zu gestalten, daß sie den besonderen Anforderungen des Datenschutzes gerecht wird (Organisationskontrolle).

(4) Der Senat setzt durch Rechtsverordnung die in Absatz 2 und 3 genannten Anforderungen nach dem jeweiligen Stand der Technik fest. Stand der Technik ist der Entwicklungsstand fortschrittlicher Verfahren, Einrichtungen oder Betriebsweisen, der die praktische Eignung einer Maßnahme zur Gewährleistung der Durchführung dieses Gesetzes gesichert erscheinen läßt. Bei der Bestimmung des Standes der Technik sind insbesondere vergleichbare Verfahren, Einrichtungen oder Betriebsweisen heranzuziehen, die mit Erfolg im Betrieb erprobt worden sind.

Zweiter Abschnitt
Voraussetzungen der Datenverarbeitung und Rechte der Betroffenen

§ 6 Zulässigkeit der Datenverarbeitung

(1) Die Verarbeitung personenbezogener Daten ist nur zulässig, wenn
1. dieses Gesetz oder
2. eine besondere Rechtsvorschrift sie erlaubt oder
3. der Betroffene eingewilligt hat.

Die Verarbeitung personenbezogener Daten ist nach diesem Gesetz zulässig, wenn wegen der Art der Daten, wegen ihrer Offenkundigkeit oder wegen der Art der Verwendung schutzwürdige Belange der Betroffenen nicht beeinträchtigt werden. Satz 1 Nr. 2 gilt nur, wenn die Rechtsvorschrift einen diesem Gesetz vergleichbaren Datenschutz gewährleistet.

(2) Werden aufgrund einer Rechtsvorschrift des Bundes personenbezogene Daten verarbeitet, ohne daß die Verarbeitung im einzelnen geregelt ist, finden die §§ 13 bis 15 des Bundesdatenschutzgesetzes Anwendung.

(3) Wird die Datenverarbeitung auf die Einwilligung des Betroffenen gestützt, so ist dieser in geeigneter Weise über die Bedeutung der Einwilligung, insbesondere über den Verwendungszweck der Daten, aufzuklären. Die Aufklärungspflicht umfaßt bei beabsichtigten Übermittlungen auch den Empfänger der Daten sowie den Zweck der

Übermittlung. Der Betroffene ist unter Darlegung der Rechtsfolgen darauf hinzuweisen, daß er die Einwilligung verweigern kann.

(4) Die Einwilligung bedarf der Schriftform, soweit nicht wegen besonderer Umstände eine andere Form angemessen ist. Soll die Einwilligung zusammen mit anderen Erklärungen schriftlich erteilt werden, so ist der Betroffene darauf schriftlich besonders hinzuweisen.

(5) Die Einwilligung ist unwirksam, wenn sie durch Androhung ungesetzlicher Nachteile oder durch fehlende Aufklärung bewirkt wurde.

§ 7 Rechte des Betroffenen

Jeder hat nach Maßgabe dieses Gesetzes ein Recht auf

1. Auskunft und Benachrichtigung über die zu seiner Person gespeicherten Daten (§ 16),
2. Berichtigung, Sperrung oder Löschung der zu seiner Person gespeicherten Daten (§ 17),
3. Schadenersatz und Unterlassung (§ 18),
4. Anrufung des Datenschutzbeauftragten (§ 27),
5. Einsicht in das beim Berliner Datenschutzbeauftragten geführte Register (§ 25).

§ 8 Datengeheimnis

(1) Dienstkräften von Behörden und sonstigen öffentlichen Stellen, die Daten für sich oder im Auftrag verarbeiten, ist untersagt, personenbezogene Daten unbefugt zu verarbeiten.

(2) Die Dienstkräfte sind bei der Aufnahme ihrer Tätigkeit nach Maßgabe des Absatzes 1 zu verpflichten. Ihre Pflichten bestehen auch nach Beendigung ihrer Tätigkeit fort.

§ 9 Erforderlichkeit

(1) Nach Maßgabe der nachfolgenden Vorschriften ist die Verarbeitung personenbezogener Daten nur zulässig, wenn sie zur rechtmäßigen Erfüllung der durch Gesetz der datenverarbeitenden Stelle zugewiesenen Aufgaben und für den jeweils damit verbundenen Zweck erforderlich ist.

(2) Sind personenbezogene Daten in Akten derart verbunden, daß ihre Trennung nach erforderlichen und nicht erforderlichen Daten auch durch Vervielfältigung und Unkenntlichmachung nicht oder nur mit unverhältnismäßig großem Aufwand möglich ist, so sind die Kenntnisnahme, die Weitergabe innerhalb der datenverarbeitenden Stelle und die Übermittlung der Daten, die nicht zur Erfüllung der jeweiligen

Aufgabe erforderlich sind, über Absatz 1 hinaus zulässig. Diese Daten unterliegen insoweit einem Verwendungsverbot.

§ 10 Erheben

(1) Personenbezogene Daten sind unter der Voraussetzung des § 6 Abs. 1 grundsätzlich bei dem Betroffenen mit seiner Kenntnis zu erheben.

(2) Werden Daten beim Betroffenen mit seiner Kenntnis erhoben, so ist er in geeigneter Weise über den Zweck der Datenerhebung aufzuklären. Die Aufklärungspflicht umfaßt bei beabsichtigten Übermittlungen auch den Empfänger der Daten. Werden Daten bei dem Betroffenen auf Grund einer durch Rechtsvorschrift festgelegten Auskunftspflicht erhoben, so ist er auf die Rechtsgrundlage hinzuweisen. Im übrigen ist er darauf hinzuweisen, daß er die Auskunft verweigern kann. Sind die Angaben für die Gewährung einer Leistung erforderlich, so ist er über die möglichen Folgen einer Nichtbeantwortung aufzuklären.

(3) Bei Behörden und sonstigen öffentlichen Stellen dürfen Daten im Einzelfall ohne seine Kenntnis nur erhoben werden, wenn
1. eine Rechtsvorschrift dies erlaubt,
2. der Betroffene in diese Form der Erhebung eingewilligt hat oder
3. eine rechtzeitige Kenntnisnahme an den Betroffenen nicht möglich ist und keine Anhaltspunkte dafür bestehen, daß schutzwürdige Belange des Betroffenen beeinträchtigt werden könnten.

(4) Beim Betroffenen und bei Dritten außerhalb des öffentlichen Bereichs dürfen Daten ohne seine Kenntnis nur erhoben werden, wenn eine Rechtsvorschrift dieses vorsieht.

(5) Werden Daten beim Betroffenen ohne seine Kenntnis erhoben, so ist er davon zu benachrichtigen, sobald die rechtmäßige Erfüllung der Aufgaben dadurch nicht mehr gefährdet wird. Die Benachrichtigung umfaßt die Angabe der Rechtsgrundlage und die in Absatz 2 Satz 1 und 2 vorgesehene Aufklärung.

§ 11 Zweckbindung

(1) Personenbezogene Daten dürfen grundsätzlich nur für den Zweck weiterverarbeitet werden, für den sie erhoben oder gespeichert worden sind. Personenbezogene Daten, von denen eine Behörde oder sonstige öffentliche Stelle ohne Erhebung Kenntnis erlangt hat, dürfen nur für Zwecke genutzt werden, für die sie erstmals gespeichert worden sind.

(2) Sollen personenbezogene Daten zu Zwecken weiterverarbeitet werden, für die sie nicht erhoben oder gespeichert worden sind, so

ist dies nur zulässig, wenn eine der Voraussetzungen des § 6 Abs. 1 vorliegt.

(3) Sind personenbezogene Daten in Akten derart verbunden, daß ihre Trennung nach verschiedenen Zwecken auch durch Vervielfältigen und Unkenntlichmachen nicht oder nur mit unvertretbar großem Aufwand möglich ist, so tritt an die Stelle der Trennung ein Verwertungsverbot nach Maßgabe des Absatzes 2 für die Daten, die nicht dem Zweck der jeweiligen Verarbeitung dienen.

(4) Eine Verarbeitung zu anderen Zwecken liegt nicht vor, wenn sie der Wahrnehmung von Aufsichts- und Kontrollbefugnissen, der Rechnungsprüfung oder der Durchführung von Organisationsuntersuchungen dient. Der Zugriff auf personenbezogene Daten ist insoweit nur zulässig, als dieses für die Ausübung dieser Befugnisse unverzichtbar ist. Zu Aus- und Fortbildungszwecken dürfen personenbezogene Daten nur verwendet werden, wenn dies unerläßlich ist und schutzwürdige Belange des Betroffenen dem nicht entgegenstehen; zu Test- und Prüfungszwecken dürfen personenbezogene Daten nicht verwendet werden.

(5) Personenbezogene Daten, die ausschließlich zu Zwecken der Datenschutzkontrolle, der Datensicherung oder zur Sicherstellung des ordnungsgemäßen Betriebs einer Datenverarbeitungsanlage gespeichert werden, dürfen nicht für andere Zwecke verwendet werden.

§ 12 Datenübermittlung innerhalb des öffentlichen Bereichs

(1) Die Übermittlung personenbezogener Daten an Behörden und sonstige öffentliche Stellen ist zulässig, wenn eine der Voraussetzungen des § 6 Abs. 1 vorliegt. Werden die Daten vom Empfänger zur Erfüllung des gleichen Zwecks benötigt, zu dem die Daten erhoben wurden, ist die Übermittlung personenbezogener Daten an Behörden und sonstige öffentliche Stellen ferner zulässig, wenn sie zur rechtmäßigen Erfüllung der durch Gesetz der übermittelnden Stelle oder des Empfängers zugewiesenen Aufgabe erforderlich ist.

(2) Die Übermittlung personenbezogener Daten an Stellen der öffentlich-rechtlichen Religionsgemeinschaften ist in entsprechender Anwendung der Vorschriften über die Datenübermittlung an Behörden und sonstige öffentliche Stellen zulässig, sofern sichergestellt ist, daß bei dem Empfänger hinreichende Datenschutzmaßnahmen getroffen werden.

(3) Über die Zulässigkeit der Datenübermittlung entscheidet die übermittelnde Stelle.

§ 13 Datenübermittlung an Stellen außerhalb des öffentlichen Bereichs

Die Übermittlung personenbezogener Daten an Personen und andere Stellen außerhalb des öffentlichen Bereichs sowie an landesunmittelbare Anstalten des öffentlichen Rechts, die am Wettbewerb teilnehmen, ist zulässig, wenn eine Rechtsvorschrift dies erlaubt oder der Betroffene eingewilligt hat.

§ 14 Datenübermittlung an öffentliche Stellen außerhalb des Geltungsbereichs des Grundgesetzes

(1) Eine Übermittlung personenbezogener Daten an Behörden oder sonstige öffentliche Stellen außerhalb des Geltungsbereichs des Grundgesetzes sowie an über- oder zwischenstaatliche Stellen ist zulässig, soweit die Übermittlung in einem Gesetz, einem Rechtsakt der Europäischen Gemeinschaften oder einer internationalen Vereinbarung ausdrücklich geregelt ist.

(2) Eine Übermittlung ist auch zulässig, wenn für den Empfänger gleichwertige Datenschutzregelungen gelten und bei einer Übermittlung an öffentliche Stellen die Voraussetzungen der §§ 9 und 11 erfüllt sind. Die Übermittlung unterbleibt, soweit Grund zu der Annahme besteht, daß sie gegen den Zweck eines deutschen Gesetzes, insbesondere gegen § 1 Abs. 1, verstoßen würde.

§ 15 Automatisiertes Abrufverfahren

(1) Ein automatisiertes Verfahren zum Abruf personenbezogener Daten durch Dritte darf durch Behörden oder sonstige öffentliche Stellen nur eingerichtet werden, wenn ein Gesetz dies ausdrücklich zuläßt. Die Vorschriften über die Zulässigkeit des einzelnen Abrufs bleiben unberührt.

(2) Der Senat setzt durch Rechtsverordnung die Einzelheiten bei der Einrichtung automatisierter Abrufverfahren fest. Der Berliner Datenschutzbeauftragte ist vorher zu hören. Die Rechtsverordnung hat den Datenempfänger, die Datenart und den Zweck des Abrufs festzulegen. Sie hat Maßnahmen zur Datensicherung und zur Kontrolle vorzusehen, die in einem angemessenen Verhältnis zu dem angestrebten Schutzzweck stehen.

(3) Personenbezogene Daten dürfen für Stellen außerhalb des öffentlichen Bereichs zum automatisierten Abruf nicht bereitgehalten werden; dieses gilt nicht für den Betroffenen.

(4) Die Absätze 1 und 3 gelten nicht für Datenbestände, die jedermann ohne oder nach besonderer Zulassung zur Benutzung offenstehen oder deren Veröffentlichung zulässig wäre.

§ 16 Auskunft und Benachrichtigung

(1) Werden personenbezogene Daten in einer Datei gespeichert, so ist dem Betroffenen von der datenverarbeitenden Stelle auf Antrag gebührenfrei Auskunft zu erteilen über

1. die zu seiner Person gespeicherten Daten,
2. den Zweck und die Rechtsgrundlage der Verarbeitung,
3. die Herkunft der Daten und die Empfänger von Übermittlungen innerhalb der letzten zwei Jahre.

(2) Werden personenbezogene Daten in einer automatisierten Datei gespeichert, so ist der Betroffene von dieser Tatsache schriftlich zu benachrichtigen. Die Benachrichtigung umfaßt einen Hinweis auf die Dateibeschreibung nach § 19 Abs. 2 sowie die Meldung zum Dateienregister nach § 25 Abs. 1 außer in den Fällen des § 25 Abs. 1 Sätze 5 und 7. Die Benachrichtigung kann zusammen mit der Erhebung erfolgen.

(3) Die Absätze 1 und 2 gelten nicht für personenbezogene Daten, die ausschließlich zum Zweck der Datensicherung gespeichert sind.

(4) Sind personenbezogene Daten in Akten gespeichert, so kann der Betroffene bei der datenverarbeitenden Stelle Einsicht in die Akten verlangen. Werden die Akten zur Person des Betroffenen geführt, so hat er sie zu bezeichnen. Werden die Akten nicht zur Person des Betroffenen geführt, so hat er Angaben zu machen, die das Auffinden der zu seiner Person gespeicherten Daten mit angemessenem Aufwand ermöglichen. Die Einsichtnahme ist unzulässig, wenn die Daten des Betroffenen mit Daten Dritter oder geheimhaltungsbedürftigen nicht personenbezogenen Daten derart verbunden sind, daß ihre Trennung nach verschiedenen Zwecken auch durch Vervielfältigen und Unkenntlichmachung nicht oder nur mit unverhältnismäßig großem Aufwand möglich ist. In diesem Fall ist dem Betroffenen Auskunft nach Absatz 1 zu erteilen. Im übrigen kann mit Einwilligung des Betroffenen statt Einsicht Auskunft gewährt werden. § 29 Abs. 1 und 3 des Verwaltungsverfahrensgesetzes bleibt unberührt.

(5) Die Absätze 1, 2 und 4 gelten nicht, soweit eine Abwägung ergibt, daß die dort gewährten Rechte des Betroffenen hinter dem öffentlichen Interesse an der Geheimhaltung oder einem überwiegenden Geheimhaltungsinteresse Dritter aus zwingenden Gründen zurücktreten müssen; die wesentlichen Gründe sind dem Betroffenen im einzelnen mitzuteilen. Die Entscheidung trifft der Leiter der datenverarbeitenden Stelle oder dessen Stellvertreter. Werden Auskunft oder Einsicht nicht gewährt, so ist der Betroffene darauf hinzuweisen, daß er sich an den Berliner Datenschutzbeauftragten wenden kann. Die datenverarbeitende Stelle muß dem Datenschutzbeauftragten die Gründe der Auskunfts- oder Einsichtsverweigerung darlegen.

§ 17 Berichtigung, Sperrung und Löschung von Daten

(1) Personenbezogene Daten sind zu berichtigen, wenn sie unrichtig sind. Der Betroffene ist vor der Berichtigung zu hören.

(2) Personenbezogene Daten sind zu sperren, wenn ihre Richtigkeit vom Betroffenen bestritten wird und solange sich weder die Richtigkeit noch die Unrichtigkeit feststellen läßt. Sie sind ferner zu sperren, wenn ihre Kenntnis für die datenverarbeitende Stelle zur rechtmäßigen Erfüllung der in ihrer Zuständigkeit liegenden Aufgaben nicht mehr erforderlich ist. Gesperrte Daten sind mit einem entsprechenden Vermerk zu versehen; sie dürfen nicht mehr verarbeitet, insbesondere übermittelt oder sonst genutzt werden, es sei denn, daß die Nutzung zu wissenschaftlichen Zwecken oder zur Behebung einer bestehenden Beweisnot unerläßlich ist und der Betroffene in die Nutzung eingewilligt hat.

(3) Personenbezogene Daten sind zu löschen, wenn ihre Kenntnis für die speichernde Stelle zur rechtmäßigen Erfüllung der in ihrer Zuständigkeit liegenden Aufgaben nicht mehr erforderlich ist und kein Grund zu der Annahme besteht, daß durch die Löschung schutzwürdige Belange des Betroffenen beeinträchtigt werden. Sie sind zu löschen, wenn ihre Speicherung unzulässig war oder wenn es in den Fällen des Absatzes 2 Satz 2 der Betroffene verlangt. In den Fällen des Satzes 2 1. Alternative ist der Betroffene vor der Löschung zu hören. Das gleiche gilt, wenn die Daten ohne Beteiligung des Betroffenen erhoben wurden und eine Benachrichtigung nach § 10 Abs. 5 nicht erfolgt ist.

(4) In den Fällen des Absatzes 2 Satz 2 und des Absatzes 3 Satz 1 und 2 kann die datenverarbeitende Stelle die Daten anstelle der dort vorgeschriebenen Sperrung oder Löschung einem dem öffentlichen Recht unterliegenden Archiv überantworten. Dazu ist die Einwilligung des Betroffenen in den Fällen des Absatzes 3 Satz 2 erforderlich.

(5) Von der Berichtigung nach Absatz 1, der Sperrung nach Absatz 2 und der Löschung nach Absatz 3 sind unverzüglich die Stellen zu verständigen, denen die Daten im Rahmen regelmäßiger Datenübermittlung übermittelt wurden.

(6) Sind personenbezogene Daten in Akten gespeichert und ist eine Sperrung nicht durch Vervielfältigen und Unkenntlichmachen möglich, so ist die Sperrung nach Absatz 2 Satz 2 nur durchzuführen, wenn die gesamte zur Person des Betroffenen geführte Akte zur Erfüllung der dort genannten Aufgaben nicht mehr erforderlich ist. Die Löschung nach Absatz 3 Satz 1 kann der Betroffene in diesem Fall nicht verlangen.

§ 18 Schadenersatz- und Unterlassungsanspruch

(1) Wird der Betroffene durch eine nach diesem Gesetz oder anderen

Rechtsvorschriften über den Datenschutz rechtswidrige Datenverarbeitung in seinen schutzwürdigen Belangen beeinträchtigt, so hat ihm diejenige Behörde oder sonstige öffentliche Stelle, die die Daten verarbeitet oder nach § 3 Abs. 1 verarbeiten läßt, den daraus entstandenen Vermögensschaden zu ersetzen. Sind weitere Rechtsverletzungen zu besorgen, so kann der Betroffene Unterlassung verlangen. In schweren Fällen kann der Betroffene auch wegen des Schadens, der nicht Vermögensschaden ist, eine billige Entschädigung in Geld verlangen.

(2) Schadenersatz- und Unterlassungsansprüche auf Grund anderer Vorschriften bleiben unberührt.

§ 19 Durchführung des Datenschutzes, Dateibeschreibung und behördliche Datenschutzbeauftragte

(1) Die datenverarbeitenden Stellen, in den Fällen des § 4 Abs. 3 Nr. 1 Halbsatz 2 auch die jeweiligen Behörden oder sonstigen öffentlichen Stellen, und die Aufsichtsbehörden haben für ihren Geschäftsbereich die Ausführung dieses Gesetzes sowie anderer Rechtsvorschriften über den Datenschutz sicherzustellen. Sie haben insbesondere dafür zu sorgen, daß die ordnungsgemäße Anwendung der Datenverarbeitungsprogramme, mit deren Hilfe personenbezogene Daten verarbeitet werden sollen, gewährleistet ist.

(2) Die datenverarbeitenden Stellen haben für jede Datei in einer Beschreibung schriftlich festzulegen:

1. die Bezeichnung der Datei und ihre Zweckbestimmung,
2. die Art der gespeicherten Daten und die Rechtsgrundlage ihrer Verarbeitung,
3. den Kreis der Betroffenen,
4. die Art regelmäßig zu übermittelnder Daten, ihre Empfänger und die Herkunft regelmäßig empfangener Daten,
5. Fristen für die Sperrung und Löschung der Daten,
6. die technischen und organisatorischen Maßnahmen nach § 5,
7. bei automatisierten Verfahren die Betriebsart des Verfahrens, die Art der Geräte, die Stellen, bei denen sie aufgestellt sind, und das Verfahren zur Übermittlung, Sperrung, Löschung und Auskunftserteilung.

(3) Absatz 2 findet keine Anwendung auf nichtautomatisierte Dateien, aus denen keine Daten an Dritte übermittelt werden, und auf Dateien, die bei automatisierter Verarbeitung ausschließlich aus verarbeitungstechnischen Gründen vorübergehend vorgehalten werden.

(4) Die datenverarbeitende Stelle oder die in ihrem Auftrag tätige Stelle ist verpflichtet, in einem Verzeichnis der Geräte, mit denen personenbezogene Daten automatisiert verarbeitet werden, festzulegen:

1. den Typ und die Art der Geräte,
2. den Hersteller,
3. die Anzahl und den Standort der Geräte,
4. das verwendete Betriebssystem,
5. die Möglichkeit zur Datenfernverarbeitung und Datenübertragung,
6. verwendete Standard- und Anwenderprogramme.

Das Verzeichnis ist laufend auf dem neuesten Stand zu halten. Weitere in das Verzeichnis aufzunehmende Angaben über die Ausstattung der Geräte und deren Verwendung bestimmt der Senat durch Rechtsverordnung.

(5) Zur Wahrnehmung dieser Aufgaben bestellen die Behörden und sonstigen öffentlichen Stllen Datenschutzbeauftragte (behördliche Datenschutzbeauftragte). Für sie gelten die §§ 36 und 37 des Bundesdatenschutzgesetzes entsprechend.

Dritter Abschnitt
Daten für das Abgeordnetenhaus und die Bezirksverordnetenversammlungen

§ 20

(1) Die Behörden und sonstigen öffentlichen Stellen haben dem Abgeordnetenhaus, dessen verfassungsmäßigen Organen und den Fraktionen des Abgeordnetenhauses die von diesen im Rahmen ihrer Aufgaben verlangten Auskünfte über Daten zu erteilen. Personenbezogene Daten dürfen an diese Institutionen zur Erfüllung ihrer Aufgaben nur herausgegeben werden, wenn die in § 28 Abs. 2 Nr. 1 Satz 1 Buchstabe b und Satz 2 des Bundesdatenschutzgesetzes genannten Voraussetzungen erfüllt sind.

(2) Dieselbe Verpflichtung besteht gegenüber den Bezirksverordnetenversammlungen, ihren verfassungsmäßigen Organen und ihren Fraktionen, soweit diese im Rahmen ihrer Zuständigkeiten Auskünfte über Daten verlangen.

(3) Gesetzesvorlagen müssen Angaben über die Daten, die für den Vollzug des Gesetzes mit Datenverarbeitungsanlagen erforderlich sind, und über die Form der vorgesehenen Datenverarbeitung enthalten.

Vierter Abschnitt
Berliner Datenschutzbeauftragter

§ 21 Bestellung und Entlassung

(1) Der Berliner Datenschutzbeauftragte wird auf Vorschlag des

Senats vom Abgeordnetenhaus mit den Stimmen der Mehrheit seiner Mitglieder gewählt und vom Senat ernannt.

(2) Der Datenschutzbeauftragte leistet vor dem Präsidenten des Abgeordnetenhauses folgenden Eid:
»Ich schwöre mein Amt gerecht und unparteiisch getreu dem Grundgesetz der Verfassung von Berlin und den Gesetzen zu führen und meine ganze Kraft dafür einzusetzen, so wahr mit Gott helfe.«
Der Eid kann auch ohne religiöse Beteuerung geleistet werden.

(3) Die Amtszeit des Datenschutzbeauftragten beträgt fünf Jahre; nach dem Ende der Amtszeit bleibt er auf Aufforderung des Präsidiums des Abgeordnetenhauses bis zur Ernennung eines Nachfolgers im Amt. Die Wiederwahl ist zulässig. Vor Ablauf seiner Amtszeit kann der Datenschutzbeauftragte gegen seinen Willen nur entlassen werden, wenn Gründe vorliegen, die bei einem Richter auf Lebenszeit die Entlassung aus dem Dienst rechtfertigen.

§ 22 Rechtsstellung

(1) Der Datenschutzbeauftragte steht nach Maßgabe dieses Gesetzes in einem öffentlich-rechtlichen Amtsverhältnis.

(2) Der Datenschutzbeauftragte wird als oberste Landesbehörde eingerichtet; er ist in Ausübung seines Amtes unabhängig und nur dem Gesetz unterworfen. Er untersteht der Dienstaufsicht des Präsidenten des Abgeordnetenhauses.

(3) Der Datenschutzbeauftragte darf neben seinem Amt kein weiteres besoldetes Amt und kein Gewerbe ausüben und weder der Leitung oder dem Aufsichtsrat oder Verwaltungsrat eines auf Erwerb gerichteten Unternehmens noch einer Regierung oder einer gesetzgebenden Körperschaft des Bundes oder eines Landes angehören. Er darf nicht gegen Entgelt außergerichtliche Gutachten abgeben. Seine Rechtsstellung wird im übrigen durch Vertrag geregelt.

(4) Der Datenschutzbeauftragte ist berechtigt und kann von der Mehrheit des Abgeordnetenhauses oder eines Ausschusses verpflichtet werden, vor dem Parlament oder dem betreffenden Ausschuß zu erscheinen und zu reden.

§ 23 Verschwiegenheitspflicht

Der Datenschutzbeauftragte ist, auch nach Beendigung seines Amtsverhältnisses, verpflichtet, über die ihm amtlich bekanntgewordenen Angelegenheiten Verschwiegenheit zu bewahren. Dies gilt nicht für Mitteilungen im dienstlichen Verkehr oder über Tatsachen, die offenkundig sind oder ihrer Bedeutung nach keiner Geheimhaltung bedürfen. Der Datenschutzbeauftragte darf, auch wenn er nicht mehr im Amt ist, über solche Angelegenheiten ohne Genehmigung des Präsidenten des Abgeordnetenhauses weder vor Gericht noch außergerichtlich Aussagen oder Erklärungen abgeben.

§ 24 Aufgaben und Befugnisse

(1) Der Datenschutzbeauftragte kontrolliert die Einhaltung der Vorschriften dieses Gesetzes sowie anderer Vorschriften über den Datenschutz bei den Behörden und sonstigen öffentlichen Stellen. Zu diesem Zweck kann er Empfehlungen zur Verbesserung des Datenschutzes geben; insbesondere kann er den Senat und einzelne Mitglieder des Senats sowie die übrigen Behörden und sonstigen öffentlichen Stellen in Fragen des Datenschutzes beraten.

(2) Ausgenommen von Absatz 1 sind die Gerichte, soweit sie nicht in Verwaltungsangelegenheiten tätig werden. Setzen Gerichte zur Erfüllung ihrer gesetzlichen Aufgaben automatische Datenverarbeitungsanlagen ein, so unterliegt unbeschadet der richterlichen Unabhängigkeit die Ordnungsmäßigkeit und Rechtmäßigkeit der Verfahren der Kontrolle des Datenschutzbeauftragten.

(3) Der Datenschutzbeauftragte beobachtet die Auswirkungen der automatischen Datenverarbeitung auf die Arbeitsweise und die Entscheidungsbefugnisse der Behörden und sonstigen öffentlichen Stellen dahingehend, ob sie zu einer Beschränkung der Kontrollmöglichkeiten durch das Abgeordnetenhaus oder die Bezirksverordnetenversammlungen führen. Er kann Maßnahmen zum Schutz gegen derartige Auswirkungen anregen. Der Datenschutzbeauftragte ist über die Einführung neuer Automationsvorhaben im Bereich der Behörden und sonstigen öffentlichen Stellen zu informieren.

(4) Der Datenschutzbeauftragte arbeitet mit den Behörden und sonstigen öffentlichen Stellen, die für die Kontrolle der Einhaltung der Vorschriften über den Datenschutz im Bund und in den Ländern zuständig sind, und mit den Aufsichtsbehörden nach § 38 des Bundesdatenschutzgesetzes zusammen. Er ist berechtigt, an andere Datenschutzbeauftragte und die Aufsichtsbehörden personenbezogene Daten zu übermitteln, soweit dies zur Kontrolle der Einhaltung datenschutzrechtlicher Vorschriften erforderlich ist. Er ist ferner berechtigt, für diese Stellen auf ihr Ersuchen die Einhaltung datenschutzrechtlicher Vorschriften zu kontrollieren und in diesem Zusammenhang personenbezogene Daten zu erheben und sie an diese Stellen zu übermitteln.

(5) Der Datenschutzbeauftragte ist befugt, personenbezogene Daten, die ihm durch Beschwerden, Anfragen, Hinweise und Beratungsersuchen bekannt werden, zu verarbeiten, soweit dies zur Erfüllung seiner Aufgaben nach diesem Gesetz und dem Bundesdatenschutzgesetz erforderlich ist. Er darf im Rahmen von Kontrollmaßnahmen

im Einzelfall personenbezogene Daten auch ohne Kenntnis der Betroffenen erheben, wenn nur auf diese Weise festgestellt werden kann, ob ein datenschutzrechtlicher Mangel besteht. Die nach den Sätzen 1 und 2 erhobenen und verarbeiteten Daten dürfen nicht zu anderen Zwecken weiterverarbeitet werden. Soweit der Datenschutzbeauftragte von seinem Strafantragsrecht nach § 32 Abs. 3 Gebrauch macht, ist er befugt, der Staatsanwaltschaft personenbezogene Daten zu übermitteln, soweit dies zur Durchführung des Ermittlungsverfahrens erforderlich ist.

§ 25 Dateienregister

(1) Der Datenschutzbeauftragte führt ein Register der Dateien, in denen personenbezogene Daten gespeichert werden, und der Geräte, mit denen diese Daten verarbeitet werden. Das Register kann von jedem eingesehen werden. Die Behörden und sonstigen öffentlichen Stellen sind verpflichtet, die von ihnen betriebenen Dateien und die verwendeten Geräte beim Datenschutzbeauftragten anzumelden. Dazu legen sie dem Datenschutzbeauftragten die Dateibeschreibungen und Geräteverzeichnisse nach § 19 Abs. 2 und 4 vor. Die Dateien des Landesamtes für Verfassungsschutz, der Behörden der Staatsanwaltschaft und der Polizei, soweit diese nicht Ordnungsaufgaben wahrnimmt, sowie der Landesfinanzbehörden, soweit sie personenbezogene Daten in Erfüllung ihrer gesetzlichen Aufgaben im Anwendungsbereich der Abgabenordnung zur Überwachung und Prüfung in Dateien speichern, können in einem besonderen Register geführt werden. Diese Dateien werden auf Antrag der genannten Behörden nach Anhörung des Datenschutzbeauftragten bei Vorliegen eines besonderen öffentlichen Interesses an der Geheimhaltung der Dateien in dieses besondere Register aufgenommen. Dateien der Anstalten nach § 2 Abs. 2 werden im besonderen Register geführt. Satz 2 findet auf die besonderen Register keine Anwendung.

(2) Das Nähere regelt der Senat durch Rechtsverordnung.

§ 26 Beanstandungen

(1) Stellt der Datenschutzbeauftragte Verstöße gegen die Vorschriften dieses Gesetzes oder gegen andere Datenschutzvorschriften oder sonstige Mängel bei der Verarbeitung personenbezogener Daten fest, so beanstandet er dies

1. bei Behörden und sonstigen öffentlichen Stellen der Hauptverwaltung gegenüber dem zuständigen Mitglied des Senats, dem Präsidenten des Abgeordnetenhauses oder dem Präsidenten des Rechnungshofs,

2. bei Behörden und sonstigen öffentlichen Stellen der Bezirksverwaltungen gegenüber den Bezirksämtern,
3. bei den landesunmittelbaren Körperschaften, Anstalten und Stiftungen des öffentlichen Rechts sowie bei Vereinigungen solcher Körperschaften, Anstalten und Stiftungen gegenüber dem Vorstand oder dem sonst vertretungsberechtigten Organ

und fordert zur Stellungnahme innerhalb einer von ihm zu bestimmenden Frist auf. In den Fällen des Satzes 1 Nr. 2 und 3 unterrichtet der Datenschutzbeauftragte gleichzeitig auch das für die Aufgabe zuständige Mitglied des Senats.

(2) Der Datenschutzbeauftragte kann von einer Beanstandung absehen oder auf eine Stellungnahme der betroffenen Stelle verzichten, wenn es sich um unerhebliche Mängel handelt.

(3) Mit der Beanstandung kann der Datenschutzbeauftragte Vorschläge zur Beseitigung der Mängel und zur sonstigen Verbesserung des Datenschutzes verbinden.

(4) Die nach Absatz 1 Satz 1 abzugebende Stellungnahme soll auch eine Darstellung der Maßnahmen enthalten, die auf Grund der Beanstandung des Datenschutzbeauftragten getroffen worden sind. Die in Absatz 1 Satz 1 Nr. 2 und 3 genannten Stellen leiten dem für die Aufgabe zuständigen Mitglied des Senats eine Abschrift ihrer Stellungnahme an den Datenschutzbeauftragten zu.

§ 27 Anrufung

Jedermann kann sich an den Datenschutzbeauftragten wenden, wenn er der Ansicht ist, daß bei der Verarbeitung personenbezogener Daten durch Behörden oder sonstige öffentliche Stellen gegen die Vorschriften dieses Gesetzes oder gegen andere Datenschutzvorschriften verstoßen worden ist oder ein solcher Verstoß bevorsteht. Dies gilt auch für Dienstkräfte der Behörden und sonstigen öffentlichen Stellen ohne, daß der Dienstweg einzuhalten ist.

§ 28 Unterstützung

Die Behörden und sonstigen öffentlichen Stellen sind verpflichtet, den Datenschutzbeauftragten und seine Beauftragten bei der Erfüllung ihrer Aufgaben zu unterstützen. Ihnen sind dabei insbesondere

1. Auskunft zu ihren Fragen sowie Einsicht in alle Unterlagen und Akten zu gewähren, die im Zusammenhang mit der Verarbeitung personenbezogener Daten stehen, namentlich in die gespeicherten Daten und in die Datenverarbeitungsprogramme,
2. die in Ziffer 1 genannten Unterlagen und Akten herauszugeben,
3. jederzeit Zutritt in alle Diensträume zu gewähren.

Satz 2 gilt für die in § 25 Abs. 1 Satz 5 genannten Behörden nicht, soweit das jeweils zuständige Mitglied des Senats im Einzelfall feststellt, daß die Einsicht in die Unterlagen und Akten die Sicherheit des Bundes oder eines Landes gefährdet. Auf Antrag des Datenschutzbeauftragten hat die Senatsverwaltung dies im zuständigen Ausschuß des Abgeordnetenhauses in geheimer Sitzung zu begründen. Die Entscheidung des Ausschusses kann veröffentlicht werden.

(2) Berufs- und Amtsgeheimnisse entbinden nicht von der Unterstützungspflicht.

§ 29 Berichte und Gutachten

(1) Auf Anforderung des Abgeordnetenhauses oder des Senats hat der Datenschutzbeauftragte Gutachten zu erstellen und Berichte zu erstatten.

(2) Außerdem hat er dem Abgeordnetenhaus und dem Regierenden Bürgermeister jährlich einen Bericht über das Ergebnis seiner Tätigkeit vorzulegen. Der Regierende Bürgermeister führt eine Stellungnahme des Senats zu dem Bericht herbei und legt diesen regelmäßig innerhalb von drei Monaten nach Vorlage des Berichts dem Abgeordnetenhaus vor.

(3) Auf Ersuchen des Abgeordnetenhauses, des Petitionsausschusses des Abgeordnetenhauses oder des Senats hat der Datenschutzbeauftragte ferner Hinweisen auf Angelegenheiten und Vorgänge, die seinen Aufgabenkreis unmittelbar betreffen, nachzugehen. Der Datenschutzbeauftragte kann sich jederzeit an das Abgeordnetenhaus wenden.

Fünfter Abschnitt
Besonderer Datenschutz

§ 30 Datenverarbeitung für wissenschaftliche Zwecke

(1) Zum Zwecke wissenschaftlicher Forschung dürfen datenverarbeitende Stellen personenbezogene Daten ohne Einwilligung des Betroffenen nur für bestimmte Forschungsarbeiten übermitteln,

1. soweit dessen schutzwürdige Belange wegen der Art der Daten, wegen ihrer Offenkundigkeit oder wegen der Art der Verwendung nicht beeinträchtigt werden, oder
2. wenn das öffentliche Interesse an der Durchführung des Forschungsvorhabens die schutzwürdigen Belange des Betroffenen erheblich überwiegt und der Zweck der Forschung nicht auf andere Weise erreicht werden kann.

Die Übermittlung bedarf der vorherigen Zustimmung der obersten Landesbehörde oder einer von dieser bestimmten Stelle; dieses gilt nicht für die Anstalten nach § 2 Abs. 2. Die Zustimmung muß den Empfänger, die Art der zu übermittelnden personenbezogenen Daten, den Kreis der Betroffenen und das Forschungsvorhaben bezeichnen und ist dem Berliner Datenschutzbeauftragten mitzuteilen.

(2) Sobald der Forschungszweck dies erlaubt, sind die Merkmale, mit deren Hilfe ein Personenbezug hergestellt werden kann, gesondert zu speichern; die Merkmale sind zu löschen, sobald der Forschungszweck erreicht ist.

(3) Eine Verarbeitung der nach Absatz 0 übermittelten Daten zu anderen als Forschungszwecken ist unzulässig. Die nach Absatz 1 Satz 2 übermittelten Daten dürfen nur mit Einwilligung des Betroffenen weiterübermittelt werden.

(4) Soweit die Vorschriften dieses Gesetzes auf den Empfänger keine Anwendung finden, dürfen personenbezogene Daten nur übermittelt werden, wenn sich der Empfänger verpflichtet, die Vorschriften der Absätze 2 und 3 einzuhalten, und sich der Kontrolle des Berliner Datenschutzbeauftragten unterwirft.

(5) Die wissenschaftliche Forschung betreibenden öffentlichen Stellen dürfen personenbezogene Daten nur veröffentlichen, wenn
a) der Betroffene eingewilligt hat oder
b) dieses für die Darstellung von Forschungsergebnissen über Ereignisse der Zeitgeschichte unerläßlich ist.

(6) Unter den Voraussetzungen des Absatzes 1 darf die datenverarbeitende Stelle personenbezogene Daten ohne Einwilligung des Betroffenen selbst zum Zweck wissenschaftlicher Forschung verarbeiten.

§ 31 Datenverarbeitung zu journalistisch-redaktionellen Zwecken

(1) Soweit der Sender Freies Berlin personenbezogene Daten ausschließlich zu eigenen journalistisch-redaktionellen Zwecken verarbeitet, gelten nicht die §§ 9 bis 13 sowie die §§ 21 bis 29.

(2) Führt die journalistisch-redaktionelle Verarbeitung personenbezogener Daten zur Veröffentlichung von Gegendarstellungen der Betroffenen, so sind diese Gegendarstellungen zu den gespeicherten Daten zu nehmen und für dieselbe Zeitdauer aufzubewahren wie die Daten selbst.

(3) Der Sender Freies Berlin bestellt einen Beauftragten für den Datenschutz, der die Vorschriften über den Datenschutz im journalistisch-redaktionellen Bereich frei von Weisungen überwacht. An ihn kann sich jedermann wenden, wenn er annimmt, bei der Verarbeitung personenbezogener Daten zu journalistisch-redaktionellen Zwecken in

seinen Rechten verletzt worden zu sein. Beanstandungen richtet der Beauftragte für den Datenschutz an den Intendanten und unterrichtet gleichzeitig den Rundfunkrat. Die Dienstaufsicht obliegt dem Verwaltungsrat.

§ 31a Fernmeß- und Fernwirkdienste

(1) Öffentliche Stellen dürfen ferngesteuerte Messungen oder Beobachtungen (Fernmeßdienste) in Wohnungen oder Geschäftsräumen nur vornehmen oder mittels einer Übertragungseinrichtung in Wohnungen oder Geschäftsräumen andere Wirkungen nur auslösen (Fernwerkdienste), wenn der Betroffene zuvor über den Verwendungszweck sowie über Art, Umfang und Zeitraum des Einsatzes der Dienste unterrichtet worden ist und nach der Unterrichtung schriftlich eingewilligt hat. Der Betroffene kann seine Einwilligung jederzeit widerrufen. Das Abschalten eines Dienstes gilt im Zweifel als Widerruf der Einwilligung.

(2) Die Einrichtung von Fernmeß- und Fernwirkdiensten ist nur zulässig, wenn der Betroffene erkennen kann, wann ein Dienst in Anspruch genommen wird und welcher Art dieser Dienst ist, und wenn der Teilnehmer den Dienst jederzeit abschalten kann, soweit dies mit dem Vertragszweck vereinbar ist.

(3) Eine Leistung, der Abschluß oder die Abwicklung eines Vertragsverhältnisses dürfen nicht davon abhängig gemacht werden, daß der Betroffene nach Absatz 1 Satz 1 einwilligt. Verweigert oder widerruft er seine Einwilligung, so dürfen ihm keine Nachteile entstehen, die über die unmittelbaren Folgekosten hinausgehen.

(4) Soweit im Rahmen von Fernmeß- und Fernwirkdiensten personenbezogene Daten erhoben werden, dürfen diese nur zu den vereinbarten Zwecken verarbeitet werden. Sie sind zu löschen, wenn sie zur Erfüllung dieser Zwecke nicht mehr erforderlich sind.

Sechster Abschnitt
Schlußvorschriften

§ 32 Straftaten

(1) Wer unbefugt personenbezogene Daten, die nicht offenkundig sind,

1. übermittelt oder verändert oder
2. abruft oder sich aus in Behältnissen verschlossenen Dateien verschafft,

wird mit Freiheitsstrafe bis zu einem Jahr oder mit Geldstrafe bestraft.

(2) Handelt der Täter gegen Entgelt oder in der Absicht, sich oder einen anderen zu bereichern oder einen anderen zu schädigen, so ist die Strafe Freiheitsstrafe bis zu zwei Jahren oder Geldstrafe.

(3) Die Tat wird nur auf Antrag verfolgt. Antragsberechtigt ist auch der Datenschutzbeauftragte. Der Datenschutzbeauftragte ist auch gegen den Willen des Betroffenen antragsberechtigt.

§ 33 Aufsichtsbehörde nach dem Bundesdatenschutzgesetz

(1) Aufsichtsbehörde nach § 38 des Bundesdatenschutzgesetzes ist der Berliner Datenschutzbeauftragte. Er untersteht insoweit der Rechtsaufsicht des Senats.

(2) Die Aufsichtsbehörde erhält von den Gewerbeämtern Durchschriften der An-, Um- bzw. Abmeldungen von Betrieben, die nach dem Kenntnisstand der Gewerbeämter der Meldepflicht des § 32 Abs. 1 des Bundesdatenschutzgesetzes unterfallen. Wenn der Aufsichtbehörde im Rahmen ihrer rechtmäßigen Aufgabenerfüllung Tatsachen bekannt werden, die auf eine gewerberechtliche Unzuverlässigkeit hindeuten, kann sie diese Tatsachen den Gewerbeämtern mitteilen.

(3) Die Aufsichtbehörde ist befugt, personenbezogene Daten, die ihr im Rahmen von Beschwerden und Anfragen bekannt werden, zu verarbeiten, soweit dies zur Erfüllung ihrer Aufgaben nach dem Bundesdatenschutzgesetz erforderlich ist. Sie darf personenbezogene Daten im Rahmen von Kontrollmaßnahmen im Einzelfall auch ohne Kenntnis der Betroffenen erheben, wenn nur auf diese Weise festgestellt werden kann, ob ein datenschutzrechtlicher Mangel besteht. Die nach den Sätzen 1 und 2 verarbeiteten Daten dürfen nicht zu anderen Zwecken weiterverarbeitet werden.

§ 34 Besondere Regelungen

(1) (aufgehoben)

(2) Abweichend von § 2 Abs. 1 und 2 gelten anstelle der §§ 9 bis 17 dieses Gesetzes die §§ 13, 28, 31, 33 bis 35, 39 und 44 des Bundesdatenschutzgesetzes, soweit die Datenverarbeitung frühere, bestehende oder künftige dienst- oder arbeitsrechtliche Rechtsverhältnisse betrifft. Die Vorschriften des Bundesdatenschutzgesetzes sind entsprechend auch auf die Verarbeitung in Akten anzuwenden.

(3) Abweichend von § 13 ist die Einwilligung des Betroffenen nicht erforderlich bei der Übermittlung personenbezogener Daten
1. aus den Anzeigen Gewerbetreibender nach den §§ 14 und 55c der Gewerbeordnung
   oder

2. an geeignete private Einrichtungen zur Durchführung des Rettungsdienstes, wenn die Einwilligung nicht oder nur schwer eingeholt werden kann,

soweit die Übermittlung zur rechtmäßigen Erfüllung der in der Zuständigkeit der übermittelnden Stelle liegenden Aufgaben erforderlich ist oder soweit der Empfänger ein berechtigtes Interesse an der Kenntnis der zu übermittelnden Daten glaubhaft macht.

(4) Für die Übergangszeit bis zum 31. Januar 1993 dürfen Daten zu Zwecken weiterverarbeitet werden, für die sie nicht erhoben oder gespeichert worden sind, wenn sich bei Gelegenheit der rechtmäßigen Aufgabenerfüllung Anhaltspunkte für Straftaten oder Ordnungswidrigkeiten ergeben und die Unterrichtung der für die Verfolgung oder Vollstreckung zuständigen Behörden geboten erscheint.

§ 35 Änderung des Gesetzes über das Verfahren der Berliner Verwaltung

Das Gesetz über das Verfahren der Berliner Verwaltung vom 8. Dezember 1976 (GVBl. S. 2735, 2898), zuletzt geändert durch Gesetz vom 24. April 1990 (GVBl. S. 877), wird wie folgt geändert:

1. § 1 Abs. 1 wird wie folgt gefaßt:

»(1) Für die öffentlich-rechtliche Verwaltungstätigkeit der Behörden Berlins gilt das Verwaltungsverfahrensgesetz (VwVfG) vom 25. Mai 1976 (BGBl. S. 1253/GVBl. S. 1173), geändert durch Gesetz vom 2. Juli 1976 (BGBl. S. 1749/GVBl. S. 1620), soweit nicht in den §§ 2 bis 4 dieses Gesetzes etwas anderes bestimmt wird.«

2. Nach § 2 wird folgender neuer § 2 a eingefügt:

»§ 2 a Personenbezogene Daten, Betriebs- und Geschäftsgeheimnisse

(1) Die Behörde darf Angaben über persönliche und sachliche Verhältnisse einer natürlichen Person und Betriebs- und Geschäftsgeheimnisse nicht unbefugt offenbaren. Sie unterliegt, sowie sie personenbezogene Daten verarbeitet, den Vorschriften des Berliner Datenschutzgesetzes.

(2) § 26 Abs. 2 Satz 3 des Verwaltungsverfahrensgesetzes findet mit der Maßgabe Anwendung, daß auch eine Pflicht zur Angabe von personenbezogener Daten oder von Betriebs- und Geschäftsgeheimnissen nur besteht, soweit sie durch Rechtsvorschrift besonders vorgesehen ist. Der Beteiligte kann die Auskunft auf solche Fragen, zu denen er durch Rechtsvorschrift verpflichtet ist, verweigern, wenn eine Beantwortung ihn selbst oder einen der in § 383 Abs. 1 Nr. 1 bis 3 der Zivilprozeßordnung bezeichneten Angehörigen der Gefahr

strafgerichtlicher Verfolgung oder eines Verfahrens nach dem Gesetz über Ordnungswidrigkeiten aussetzen würde.

(3) Abweichend von § 29 Abs. 2 des Verwaltungsverfahrensgesetzes ist die Behörde den Beteiligten zur Gestattung der Einsicht in die das Verfahren betreffenden Akten nach § 29 Abs. 1 des Verwaltungsverfahrensgesetzes nicht verpflichtet, soweit eine Abwägung ergibt, daß die dort gewährten Rechte der Beteiligten hinter dem öffentlichen Interesse an der Geheimhaltung oder einem überwiegenden Geheimhaltungsinteresse Dritter aus zwingenden Gründen zurücktreten müssen; die wesentlichen Gründe für die Verweigerung der Akteneinsicht sind den Beteiligten im einzelnen mitzuteilen.«

§ 36 Inkrafttreten; Außerkrafttreten

(1) Dieses Gesetz tritt am Tage nach der Verkündung im Gesetzes- und Verordnungsblatt für Berlin in Kraft.

(2) Gleichzeitig treten außer Kraft:
1. das Gesetz über den Datenschutz in der Berliner Verwaltung (Berliner Datenschutzgesetz – BlnDSG) vom 12. Juli 1978 (GVBl. S. 1317), zuletzt geändert durch Gesetz vom 16. Dezember 1983 (GVBl. S. 1582),
2. die Verordnung über die Veröffentlichung der Angaben über gespeicherte personenbezogene Daten (Datenschutzveröffentlichungsordnung – BlnDsVeröffO) vom 27. Juli 1978 (GVBl. S. 1567).

(3) Die Senatsverwaltung für Inneres wird ermächtigt, das Berliner Datenschutzgesetz mit neuer fortlaufender Paragraphenfolge bekanntzumachen und dabei Unstimmigkeiten des Wortlauts zu beseitigen.

Gesetz über die Informationsverarbeitung bei der allgemeinen Verwaltungstätigkeit (Informationsverarbeitungsgesetz – IVG)

vom 9. Oktober 1992 (GVBl 1992 S. 305, ber. 1993 S. 6)

§ 1 Anwendungsbereich

(1) Dieses Gesetz regelt die Verarbeitung personenbezogener Daten bei der manuellen und automatisierten allgemeinen Verwaltungstätigkeit, soweit hierfür keine besonderen gesetzlichen Vorschriften gelten oder im Hinblick auf das informationelle Selbstbestimmungsrecht erforderlich sind.

(2) Im Sinne dieses Gesetzes umfaßt allgemeine Verwaltungstätigkeit die Vorgangsverwaltung, die Dokumentation der Vorgänge und der Verfahrensbeteiligten, die Bürokommunikation sowie sonstige zur ordnungsgemäßen Erledigung der behördlichen Aufgaben erforderliche organisatorische Tätigkeiten, insbesondere den dafür notwendigen Schriftwechsel innerhalb der Veraltung und nach außen sowie die Erstellung, Verwaltung oder Archivierung der im Rahmen des Geschäftsgangs notwendigen Aufzeichnungen. Als allgemeine Verwaltungstätigkeit gilt auch die Bearbeitung von Anträgen und Vorgängen, die keinem gesetzlich geregelten Sachgebiet zugeordnet werden können, ferner die Durchführung von Rechtsstreitigkeiten.

(3) Dieses Gesetz gilt für alle Behörden und sonstigen öffentlichen Stellen des Landes Berlin, der landesunmittelbaren Körperschaften, Anstalten und Stiftungen des öffentlichen Rechts, soweit diese nicht am Wettbewerb teilnehmen, sowie für natürliche und juristische Personen, Gesellschaften und andere Personenvereinigungen des privaten Rechts, die Aufgaben der öffentlichen Verwaltung wahrnehmen.

§ 2 Datenschutz bei der allgemeinen Verwaltungstätigkeit

(1) Die in § 1 Abs. 3 genannten Stellen dürfen personenbezogene Daten bei der Wahrnehmung ihrer Aufgaben ohne Einwilligung des Betroffenen verarbeiten, soweit dies für die allgemeine Verwaltungstätigkeit erforderlich ist und schutzwürdige Belange des Betroffenen wegen der Art der Daten, wegen der Art der Verwendung oder wegen ihrer Offenkundigkeit nicht entgegenstehen.

(2) Für Dateien mit diesen Daten sind Benachrichtigungen des Betroffenen, Dateibeschreibungen und die Anmeldung der Dateien zum Dateienregister beim Berliner Datenschutzbeauftragten gemäß § 16

Abs. 2, § 19 Abs. 2 und § 25 des Berliner Datenschutzgesetzes in der Fassung vom 17. Dezember 1990 (GVBl. 1991 S. 16, 54), zuletzt geändert durch das Gesetz vom 26. März 1992 (GVBl. S. 81), nicht erforderlich.

(3) Die datenverarbeitenden Stellen haben für die in Absatz 2 genannten Dateien in einer Kurzbeschreibung schriftlich festzulegen
1. die Bezeichnung der Datei und ihre Zweckbestimmung,
2. die Art der gespeicherten Daten und
3. den Kreis der Betroffenen.

(4) Automatisierte Verfahren der allgemeinen Verwaltungstätigkeit sind von Verfahren, in denen personenbezogene Daten auf Grund besonderer gesetzlicher Vorschriften verarbeitet werden, durch geeignete technische Maßnahme zu trennen, soweit nicht die Verbindung am Arbeitsplatz erforderlich ist. Automatisierte Auswertungen von personenbezogenen Daten sind außer zu den Zwecken der allgemeinen Verwaltungstätigkeit nur zu Zwecken des Datenschutzes oder die Datensicherheit oder mit dem Einverständnis der Betroffenen im Einzelfall zulässig.

§ 3 Abgeordnetenhaus-Dokumentations- und Informationssystem

(1) Das Abgeordnetenhaus von Berlin richtet für das Parlament ein Dokumentations- und Informationssystem ein, aus dem auch die Berliner Verwaltung und die Öffentlichkeit Daten abrufen dürfen.

(2) Zur Veröffentlichung bestimmte Dokumente dürfen auch insoweit, als sie personenbezogene Daten enthalten, in dem Dokumentations- und Informationssystem bereitgestellt werden, wenn diese Daten Gegenstand öffentlicher Sitzungen des Abgeordnetenhauses oder seiner Gremien waren oder wenn schutzwürdige Belange Betroffener einer Veröffentlichung nicht entgegenstehen.

(3) Nicht zur Veröffentlichung bestimmte Dokumente sind durch geeignete technische Maßnahmen vom Dokumentations- und Informationssystem getrennt zu halten.

§ 4 Risikoanalyse

Vor der Entscheidung über den Einsatz oder die wesentliche Änderung eines automatisierten Verfahrens der allgemeinen Verwaltungstätigkeit ist zu prüfen, ob und in welchem Umfang mit der Nutzung der Informationstechnik Gefahren für die Rechte der Betroffenen oder für die Funktionsfähigkeit der Verwaltung verbunden sind. Automatisierte Verfahren dürfen nur eingesetzt oder wesentlich geändert werden, soweit derartige Risiken durch technische oder organisatorische Maßnahmen wirksam beherrscht werden können. Die Entscheidung trifft der

Leiter der die Informationstechnik einsetzenden Stelle. Er unterrichtet den Berliner Datenschutzbeauftragten über die Entscheidung.

§ 5 Inkrafttreten

Dieses Gesetz tritt am Tage nach der Verkündung im Gesetz- und Verordnungsblatt für Berlin in Kraft.

Brandenburgisches Datenschutzgesetz – BbgDSG

vom 20. Januar 1992 (GVBl I S. 2) in der Fassung der Bekanntmachung vom 9. März 1999 (GVBl I S. 66)

Inhaltsverzeichnis

Aufgrund des Artikels 3 des Zweiten Gesetzes zur Änderung des Brandenburgischen Datenschutzgesetzes vom 21. Dezember 1998 (GVBl. I S. 243) wird nachstehend der Wortlaut des Brandenburgischen Datenschutzgesetzes in der seit dem 24. Dezember 1998 geltenden Fassung bekanntgemacht. Die Neufassung berücksichtigt die Berichtigung des Zweiten Gesetzes zur Änderung des Brandenburgischen Datenschutzgesetzes vom 16. Februar 1999 (GVBl. I S. 63).

Abschnitt 1
Allgemeiner Datenschutz

Unterabschnitt 1
Allgemeine Bestimmungen

§ 1 Aufgabe

Aufgabe dieses Gesetzes ist es, den einzelnen davor zu schützen, daß er durch die Verarbeitung personenbezogener Daten durch öffentliche Stellen in unzulässiger Weise in seinem Grundrecht beeinträchtigt wird, selbst über die Preisgabe und Verwendung seiner Daten zu bestimmen (informationelles Selbstbestimmungsrecht).

§ 2 Anwendungsbereich

(1) Dieses Gesetz gilt für die Behörden, Einrichtungen und sonstigen öffentlichen Stellen des Landes, die Gemeinden und Gemeindeverbände sowie für die sonstigen der Aufsicht des Landes unterstehenden juristischen Personen des öffentlichen Rechts und deren Vereinigungen (öffentliche Stellen), soweit diese personenbezogene Daten verarbeiten. Für die Gerichte sowie für die Behörden der Staatsanwaltschaft gilt dieses Gesetz, soweit sie Verwaltungsaufgaben wahrnehmen; darüber hinaus gelten für die Behörden der Staatsanwaltschaft, soweit sie keine Verwaltungsaufgaben wahrnehmen nur die Vorschriften des Abschnittes 2 dieses Gesetzes. Nimmt eine nicht-öffentliche Stelle hoheitliche Aufgaben einer öffentlichen Stelle des Landes wahr, ist sie insoweit öffentliche Stelle im Sinne des Gesetzes.

(1a) Der Landtag, seine Gremien, seine Mitglieder, die Fraktionen sowie deren Verwaltungen und deren Beschäftigte unterliegen mit

Ausnahme des § 31 nicht den Bestimmungen dieses Gesetzes, soweit sie zur Wahrnehmung parlamentarischer Aufgaben personenbezogene Daten verarbeiten. Der Landtag erläßt insoweit unter Berücksichtigung seiner verfassungsrechtlichen Stellung und der Grundsätze dieses Gesetzes eine Datenschutzordnung.

(2) Von den Vorschriften dieses Gesetzes gelten nur die Vorschriften des Abschnitts 2 sowie die §§ 7a, 8 und 28 bis 30 dieses Gesetzes, soweit

1. wirtschaftliche Unternehmen der Gemeinden oder Gemeindeverbände ohne eigene Rechtspersönlichkeit (Eigenbetriebe),
2. öffentliche Einrichtungen, die entsprechend den Vorschriften über die Eigenbetriebe geführt werden,
3. der Aufsicht des Landes unterstehende juristische Personen des öffentlichen Rechts, die am Wettbewerb teilnehmen,

personenbezogene Daten zu wirtschaftlichen Zwecken oder Zielen verarbeiten. Im übrigen sind mit Ausnahme der §§ 32 sowie 36 bis 38 die für nicht-öffentliche Stellen geltenden Vorschriften des Bundesdatenschutzgesetzes einschließlich der Straf- und Bußgeldvorschriften anzuwenden. Unbeschadet der Regelung des Absatzes 1 Satz 1 gelten Schulen der Gemeinden und Gemeindeverbände, soweit sie in inneren Schulangelegenheiten personenbezogene Daten verarbeiten, als öffentliche Stellen im Sinne dieses Gesetzes.

(3) Die Vorschriften dieses Gesetzes gehen denen eines brandenburgischen Verwaltungsverfahrensgesetzes vor, soweit bei der Ermittlung des Sachverhalts personenbezogene Daten verarbeitet werden. Im übrigen gehen besondere Rechtsvorschriften, die auf die Verarbeitung personenbezogener Daten anzuwenden sind, den Vorschriften dieses Gesetzes vor.

§ 3 Begriffsbestimmungen

(1) Personenbezogene Daten sind Einzelangaben über persönliche oder sachliche Verhältnisse einer bestimmten oder bestimmbaren natürlichen Person (Betroffener).

(2) Datenverarbeitung ist das Erheben, Speichern, Verändern, Übermitteln, Sperren, Löschen sowie Nutzen personenbezogener Daten. Im einzelnen ist

1. Erheben (Erhebung) das Beschaffen von Daten über den Betroffenen,
2. Speichern (Speicherung) das Erfassen, Aufnehmen oder Aufbewahren von Daten auf einem Datenträger zum Zwecke ihrer weiteren Verarbeitung,
3. Verändern (Veränderung) das inhaltliche Umgestalten gespeicherter Daten,

4. Übermitteln (Übermittlung) das Bekanntgeben gespeicherter oder durch Datenverarbeitung gewonnener Daten an einen Dritten in der Weise, daß die Daten durch die datenverarbeitende Stelle weitergegeben oder zur Einsichtnahme bereitgehalten werden oder daß der Dritte zum Abruf in einem automatisierten Verfahren bereitgehaltene Daten abruft,
5. Sperren (Sperrung) das Verhindern weiterer Verarbeitung gespeicherter Daten,
6. Löschen (Löschung) das Unkenntlichmachen gespeicherter Daten,
7. Nutzen (Nutzung) jede sonstige Verwendung personenbezogener Daten,

ungeachtet der dabei verwendeten Verfahren.

(3) Im Sinne dieses Gesetzes ist

1. Anonymisieren das Verändern personenbezogener Daten derart, daß die Einzelangaben über persönliche oder sachliche Verhältnisse nicht mehr oder nur mit einem unverhältnismäßig großen Aufwand an Zeit, Kosten und Arbeitskraft einer bestimmten oder bestimmbaren natürlichen Person zugeordnet werden können und
2. Pseudonymisieren das Verändern personenbezogener Daten mittels der Vergabe von Pseudonymen derart, daß die Einzelangaben über persönliche und sachliche Verhältnisse von Unbefugten nicht mehr oder nur mit einem unverhältnismäßig großen Aufwand an Zeit, Kosten und Arbeitskraft einer bestimmten oder bestimmbaren natürlichen Person zugeordnet werden können.

(4) Im Sinne dieses Gesetzes ist

1. datenverarbeitende Stelle jede öffentliche Stelle, die Daten für sich selbst verarbeitet oder durch andere verarbeiten läßt,
2. Empfänger jede Person oder Stelle, die Daten erhält und
3. Dritter jede Stelle außerhalb der datenverarbeitenden Stelle, ausgenommen der Betroffene sowie diejenige Person oder Stelle, die im Geltungsbereich der Rechtsvorschriften zum Schutz personenbezogener Daten der Mitgliedstaaten der Europäischen Union Daten im Auftrag verarbeitet.

(5) Automatisiert ist eine Datenverarbeitung, wenn sie durch Einsatz eines gesteuerten technischen Verfahrens selbsttätig ablaufen kann.

(6) Soweit bereichsspezifische Gesetze den Dateibegriff verwenden, ist eine Datei eine Sammlung personenbezogener Daten, die durch automatisierte Verfahren ausgewertet werden kann (automatisierte Datei), oder jede sonstige Sammlung personenbezogener Daten, die gleichartig aufgebaut ist und nach bestimmten Merkmalen geordnet, umgeordnet und ausgewertet werden kann (nicht-automatisierte Datei).

(7) Eine Akte ist jede sonstige amtlichen oder dienstlichen Zwecken dienende Unterlage; dazu zählen auch Bild- und Tonträger, soweit sie nicht Dateien im Sinne von Absatz 6 sind; nicht hierunter fallen Vorentwürfe und Notizen, die nicht Bestandteil eines Vorgangs werden sollen und alsbald vernichtet werden.

§ 4 Zulässigkeit der Datenverarbeitung

(1) Die Verarbeitung personenbezogener Daten ist nur zulässig, wenn
a) dieses Gesetz oder eine andere Rechtsvorschrift sie erlaubt oder
b) der Betroffene ohne jeden Zweifel eingewilligt hat.

(2) Die Einwilligung bedarf der Schriftform, soweit nicht wegen besonderer Umstände eine andere Form angemessen ist. Soll die Einwilligung zusammen mit anderen Erklärungen schriftlich erteilt werden, ist der Betroffene auf die Einwilligungserklärung schriftlich besonders hinzuweisen. Der Betroffene ist in geeigneter Weise über die Bedeutung der Einwilligung, insbesondere über den Verwendungszweck der Daten, bei einer beabsichtigten Übermittlung über die Empfänger der Daten sowie den Zweck der Übermittlung aufzuklären; er ist unter Darlegung der Rechtsfolgen darauf hinzuweisen, daß er die Einwilligung verweigern und mit Wirkung für die Zukunft widerrufen kann.

(3) Die Einwilligung kann auch elektronisch erklärt werden, wenn sichergestellt ist, daß
1. sie nur durch eine eindeutige und bewußte Handlung des Betroffenen erfolgen kann,
2. sie nicht unerkennbar verändert werden kann,
3. der Urheber erkannt werden kann,
4. die Einwilligung protokolliert wird und
5. die betroffene Person den Inhalt der Einwilligung jederzeit ohne unverhältnismäßigen Aufwand zur Kenntnis nehmen kann.

(4) Unzulässig ist eine zu rechtlichen Folgen oder erheblichen Beeinträchtigungen für den Betroffenen führende Entscheidung, wenn sie auf einer Bewertung einzelner Merkmale seiner Person beruht, die ausschließlich durch eine automatisierte Verarbeitung seiner Daten erstellt wurde. Eine Entscheidung nach Satz 1 kann durch Gesetz zugelassen werden, wenn es die Wahrung der berechtigten Interessen des Betroffenen sicherstellt.

(5) Die Datenverarbeitung soll so organisiert sein, daß bei der Verarbeitung, insbesondere der Übermittlung, der Kenntnisnahme im Rahmen der Aufgabenerfüllung und der Einsichtnahme, die Trennung der Daten nach den jeweils verfolgten Zwecken und nach

unterschiedlichen Betroffenen möglich ist. Sind personenbezogene Daten in Akten derart verbunden, daß ihre Trennung nach erforderlichen und nicht erforderlichen Daten auch durch Vervielfältigung und Unkenntlichmachung nicht oder nur mit unverhältnismäßigem Aufwand möglich ist, so sind auch die Kenntnisnahme, die Weitergabe innerhalb der datenverarbeitenden Stelle und die Übermittlung der Daten, die nicht zur Erfüllung der jeweiligen Aufgabe erforderlich sind, zulässig, soweit nicht schutzwürdige Belange des Betroffenen oder eines Dritten überwiegen. Die nicht erforderlichen Daten unterliegen insoweit einem Verwertungsverbot.

§ 4a Verarbeitung besonderer Kategorien personenbezogener Daten

Die Verarbeitung personenbezogener Daten über
a) die rassische und ethnische Herkunft,
b) politische Meinungen,
c) religiöse oder weltanschauliche Überzeugungen,
d) die Gewerkschaftszugehörigkeit,
e) die Gesundheit oder
f) das Sexualleben

ist nur zulässig, wenn sie in einer bereichsspezifischen Rechtsvorschrift geregelt ist, die den Zweck der Verarbeitung bestimmt sowie angemessene Garantien zum Schutze des Rechtes auf informationelle Selbstbestimmung vorsieht. Abweichend von Satz 1 ist die Verarbeitung dieser Daten zulässig,
a) wenn der Betroffene ausdrücklich eingewilligt hat,
b) auf der Grundlage der §§ 15, 28 und 29 oder
c) wenn sie ausschließlich im Interesse des Betroffenen liegt und der Landesbeauftragte für den Datenschutz und für das Recht auf Akteneinsicht vorab gehört worden ist.

§ 4b Widerspruchsrecht des Betroffenen aus besonderem Grund

Wenn der Betroffene schriftlich begründet, daß der rechtmäßigen Verarbeitung seiner Daten ein schutzwürdiges besonderes persönliches Interesse entgegensteht, ist die Verarbeitung der Daten nur zulässig, wenn im Einzelfall das öffentliche Interesse an der Datenverarbeitung gegenüber dem persönlichen Interesse des Betroffenen überwiegt. Dem Betroffenen ist das Ergebnis mit Begründung schriftlich mitzuteilen.

§ 5 Rechte des Betroffenen

(1) Jeder hat nach Maßgabe dieses Gesetzes ein Recht auf
1. Auskunft und Benachrichtigung über die zu seiner Person gespeicherten Daten sowie Einsicht in Akten (§ 18),

2. Gegenvorstellung aufgrund eines schutzwürdigen besonderen persönlichen Interesses (§ 4b),
3. Einsicht in das Verfahrensverzeichnis (§ 8 Abs. 6),
4. Berichtigung, Löschung oder Sperrung der zu seiner Person gespeicherten Daten (§ 19),
5. Schadensersatz (§ 20) und
6. Anrufung des Landesbeauftragten für den Datenschutz und für das Recht auf Akteneinsicht (§ 21 Abs. 1).

Diese Rechte können auch durch die Einwilligung des Betroffenen nicht ausgeschlossen oder beschränkt werden. Sie sind gegenüber der jeweiligen datenverarbeitenden Stelle geltend zu machen.

(2) Werden die Daten des Betroffenen in einem automatisierten Verfahren gespeichert, bei dem mehrere Stellen speicherungsberechtigt sind, und ist der Betroffene nicht in der Lage, die datenverarbeitende Stelle festzustellen, so kann er sich an jede dieser Stellen wenden. Diese ist verpflichtet, das Vorbringen des Betroffenen an die datenverarbeitende Stelle weiterzuleiten. Der Betroffene ist über die Weiterleitung und die datenverarbeitende Stelle zu unterrichten. Die in § 19 Abs. 3 des Bundesdatenschutzgesetzes genannten Stellen, die Behörden der Staatsanwaltschaft und der Polizei sowie öffentliche Stellen der Finanzverwaltung, soweit sie personenbezogene Daten in Erfüllung ihrer gesetzlichen Aufgaben im Anwendungsbereich der Abgabenordnung zur Überwachung und Prüfung speichern, können statt des Betroffenen den Landesbeauftragten für den Datenschutz und für das Recht auf Akteneinsicht über die Weiterleitung und die datenverarbeitende Stelle unterrichten. In diesem Fall richtet sich das weitere Vorgehen nach § 18 Abs. 8.

(3) Gibt eine öffentliche Stelle für das Erfassen einer Leistung, das Erkennen einer Person oder für einen anderen Zweck einen Datenträger heraus, auf dem oder durch den personenbezogene Daten des jeweiligen Inhabers dieses Datenträgers automatisiert nach Maßgabe des § 4 Abs. 1 als Chipkarte oder in anderer Form verarbeitet werden, hat sie sicherzustellen, daß er dies erkennen und seine ihm nach Absatz 1 zustehenden Rechte ohne unvertretbaren Aufwand geltend machen kann. Der Inhaber ist bei Ausgabe des Datenträgers über die ihm nach Absatz 1 zustehenden Rechte sowie über die von ihm bei Verlust des Datenträgers zu treffenden Maßnahmen und über die Folgen aufzuklären. Die Ausgabe und Verwendung von Datenträgern nach Satz 1 darf für die Betroffenen nicht mit Vergünstigungen verbunden sein, die über das durch die Technik bedingte Maß hinausgehen.

§ 6 Datengeheimnis

Denjenigen Personen, die bei öffentlichen Stellen oder ihren Auftragnehmern dienstlichen Zugang zu personenbezogenen Daten haben, ist es untersagt, solche Daten unbefugt zu einem anderen als dem zur jeweiligen rechtmäßigen Aufgabenerfüllung gehörenden Zweck zu verarbeiten oder zu offenbaren. Diese Personen sind verpflichtet, das Datengeheimnis auch nach Beendigung ihrer Tätigkeit zu wahren.

§ 7 Sicherstellung des Datenschutzes

(1) Die obersten Landesbehörden, die Gemeinden und Gemeindeverbände sowie die sonstigen der Aufsicht des Landes unterstehenden juristischen Personen des öffentlichen Rechts und deren Vereinigungen haben jeweils für ihren Bereich die Ausführung dieses Gesetzes sowie anderer Rechtsvorschriften über den Datenschutz sicherzustellen. Sie haben insbesondere dafür zu sorgen, daß die ordnungsgemäße Anwendung der Datenverarbeitungsprogramme, mit deren Hilfe personenbezogene Daten verarbeitet werden sollen, gewährleistet ist.

(2) Vor dem Erlaß von Rechts- und Verwaltungsvorschriften, die die Verarbeitung personenbezogener Daten betreffen, ist der Landesbeauftragte für den Datenschutz und für das Recht auf Akteneinsicht zu hören.

(3) Der erstmalige Einsatz von automatisierten Verfahren, mit denen personenbezogene Daten verarbeitet werden, bedarf hinsichtlich der im Verfahrensverzeichnis festzulegenden Angaben (§ 8 Abs. 2) der schriftlichen Freigabe; dabei ist auch zu untersuchen, ob von diesen Verfahren spezifische Risiken für die Rechte und Freiheiten der Betroffenen ausgehen können. Die Freigabe darf nur erklärt werden, wenn sichergestellt ist, daß diese Risiken nicht bestehen oder durch technische und organisatorische Maßnahmen beherrscht werden können. Das Ergebnis der Untersuchung und dessen Begründung sind aufzuzeichnen und dem behördlichen Datenschutzbeauftragten zuzuleiten. In der Landesverwaltung ist die Freigabe durch diejenige oberste Landesbehörde zu erklären, die für die dem automatisierten Verfahren zugrunde liegende Rechtsmaterie zuständig ist. Im übrigen erfolgt die Freigabe durch die datenverarbeitende Stelle. Entsprechendes gilt für wesentliche Änderungen des Verfahrens.

§ 7a Behördlicher Datenschutzbeauftragter

(1) Datenverarbeitende Stellen haben einen behördlichen Datenschutzbeauftragten zu bestellen. Bestellt werden darf nur, wer die zur Erfüllung seiner Aufgaben erforderliche Fachkunde und Zuverlässigkeit besitzt und wer dadurch keinem Interessenkonflikt mit sonstigen dienstlichen Aufgaben ausgesetzt wird.

(2) Der behördliche Datenschutzbeauftragte kann sich in dieser Funktion unmittelbar an die Leitung der datenverarbeitenden Stelle wenden.

Er ist in seiner Eigenschaft als behördlicher Datenschutzbeauftragter weisungsfrei. Er darf wegen der Erfüllung seiner Aufgaben nicht benachteiligt werden.

(3) Die datenverarbeitenden Stellen können einen Bediensteten einer anderen datenverarbeitenden Stelle zum behördlichen Datenschutzbeauftragten bestellen.

(4) Der behördliche Datenschutzbeauftragte ist zur Verschwiegenheit über die Identität des Betroffenen sowie über Umstände, die Rückschlüsse auf den Betroffenen zulassen, verpflichtet, soweit er nicht davon durch den Betroffenen befreit wird.

(5) Die behördlichen Datenschutzbeauftragten haben die Aufgabe, die datenverarbeitenden Stellen bei der Ausführung der Datenschutzvorschriften zu unterstützen. Zu ihren Aufgaben gehört es insbesondere

1. auf die Beachtung der Datenschutzvorschriften und deren Einhaltung hinzuwirken,
2. die bei der Verarbeitung tätigen Personen mit den Bestimmungen dieses Gesetzes und anderer für die datenverarbeitende Stelle einschlägigen Rechtsvorschriften vertraut zu machen und
3. die datenverarbeitende Stelle bei der Umsetzung der nach § 7 Abs. 3 und nach den §§ 8, 10, 11, 11a und 26 erforderlichen Maßnahmen zu unterstützen.

Soweit keine gesetzliche Regelung entgegensteht, kann er die zur Erfüllung seiner Aufgaben notwendige Einsicht in personenbezogene Datenverarbeitungsvorgänge nehmen.

§ 8 Verfahrens- und Anlagenverzeichnis

(1) Jede datenverarbeitende Stelle, die personenbezogene Daten verarbeitet, führt ein Verzeichnis der automatisierten Verfahren (Verfahrensverzeichnis) und ein Verzeichnis der eingesetzten Datenverarbeitungsanlagen (Anlagenverzeichnis); die Verzeichnisse enthalten auch die Angaben über die Verfahren und Anlagen, die für die Stelle in Fällen von Datenverarbeitung im Auftrag eingesetzt werden.

(2) Das Verfahrensverzeichnis hat folgende Angaben zu enthalten:

1. Bezeichnung des Verfahrens,
2. Name und Anschrift des für die Verarbeitung Verantwortlichen,
3. Zweckbestimmung und Rechtsgrundlagen der Verarbeitung,
4. Art der gespeicherten Daten,
5. Kreis der Betroffenen,
6. Art der regelmäßig an Dritte zu übermittelnden oder regelmäßig innerhalb der datenverarbeitenden Stelle weiterzugebenden Daten und deren Empfänger,

7. Art sowie Herkunft der regelmäßig von Dritten empfangenen Daten,
8. Regelfristen für die Löschung der Daten oder für die Prüfung der Löschung,
9. Datenübermittlungen in Drittländer sowie deren Namen,
10. allgemeine Beschreibung der Art der eingesetzten Datenverarbeitungsanlagen und der technischen und organisatorischen Maßnahmen nach § 10 und
11. welche Teile des Verfahrens der Datenverarbeitung räumlich außerhalb der datenverarbeitenden Stelle durchgeführt werden.

(3) Die Führung des Verfahrensverzeichnisses soll dem behördlichen Datenschutzbeauftragten übertragen werden. Die datenverarbeitende Stelle hat dem behördlichen Datenschutzbeauftragten die in Absatz 2 aufgeführten Angaben rechtzeitig vor Einführung oder wesentlicher Änderung des Verfahrens mitzuteilen, um ihm die Prüfung des Verfahrens zu ermöglichen.

(4) Die Führung eines eigenen Anlagenverzeichnisses kann entfallen, wenn ein Geräteverzeichnis nach haushaltsrechtlichen Vorschriften geführt wird, sofern die Geräte in dem gleichen Umfang technisch beschrieben werden, wie er zum Zweck der Datenschutzkontrolle geboten ist; zu diesen Angaben gehören auch die Bezeichnungen gegenwärtig verwendeter Betriebssysteme.

(5) Das Anlagen- und das Verfahrensverzeichnis sind bei wesentlichen Änderungen zu aktualisieren.

(6) Die Angaben des Verfahrensverzeichnisses gemäß Absatz 2 Nr. 1 bis 7 und 9 können bei der datenverarbeitenden Stelle von jedem eingesehen werden; dies gilt auch für die Angaben gemäß Absatz 2 Nr. 10, soweit dadurch die Sicherheit des Verfahrens nicht beeinträchtigt wird. Satz 1 gilt nicht für
1. Verfahren der Verfassungsschutzbehörde,
2. Verfahren, die der Gefahrenabwehr oder der Strafverfolgung dienen und
3. Verfahren der Steuerfahndung,

soweit die datenverarbeitende Stelle eine Einsichtnahme im Einzelfall mit der Erfüllung ihrer Aufgaben für unvereinbar erklärt.

(7) Absatz 2 gilt nicht für Verfahren,
a) deren einziger Zweck das Führen eines Registers ist, das zur Information der Öffentlichkeit bestimmt ist oder allen Personen, die ein berechtigtes Interesse nachweisen können, zur Einsichtnahme offensteht,
b) soweit mit ihnen Datensammlungen erstellt werden, die nur vorübergehend vorgehalten und innerhalb von drei Monaten nach ihrer Erstellung gelöscht werden, oder

c) die unter Einsatz handelsüblicher Schreibprogramme ablaufen.

(8) Die Landesregierung wird ermächtigt, durch Rechtsverordnung das Nähere zur Ausgestaltung des Anlagen- und Verfahrensverzeichnisses zu regeln, insbesondere zum Zweck der Vereinfachung des Verfahrens und zur Entlastung der datenverarbeitenden Stellen.

§ 9 Automatisiertes Abrufverfahren und regelmäßige Datenübermittlung

(1) Die Einrichtung eines automatisierten Verfahrens, das die Übermittlung personenbezogener Daten durch Abruf ermöglicht, ist nur zulässig, soweit dies durch Bundes- oder Landesrecht bestimmt ist. Die Vorschriften über die Zulässigkeit des einzelnen Abrufes bleiben unberührt.

(2) Die Minister werden ermächtigt, für die Behörden und Einrichtungen ihres Geschäftsbereiches sowie für die der Rechtsaufsicht des Landes unterliegenden sonstigen öffentlichen Stellen die Einrichtung automatisierter Abrufverfahren durch Rechtsverordnung zuzulassen. Ein solches Verfahren darf nur eingerichtet werden, soweit dies unter Berücksichtigung des informationellen Selbstbestimmungsrechts des betroffenen Personenkreises und der Aufgaben der beteiligten Stellen angemessen ist. Die Datenempfänger, die Datenart und der Zweck des Abrufes sind festzulegen. Der Landesbeauftragte für den Datenschutz und für das Recht auf Akteneinsicht ist zu unterrichten.

(3) Die am Abrufverfahren beteiligten Stellen haben die nach § 10 erforderlichen Maßnahmen zu treffen.

(4) Für die Einrichtung automatisierter Abrufverfahren innerhalb einer öffentlichen Stelle gelten nur Absatz 2 Satz 2 und 3 sowie Absatz 3 entsprechend.

(5) Personenbezogene Daten dürfen für Stellen außerhalb des öffentlichen Bereiches nicht zum automatisierten Abruf bereitgehalten werden; dies gilt nicht für den Betroffenen.

(6) Die Absätze 1 bis 5 gelten nicht für Datenbestände, die jedermann ohne oder nach besonderer Zulassung zur Benutzung offenstehen oder deren Veröffentlichung zulässig wäre.

(7) Absatz 1 Satz 1 und Absatz 2 Satz 1 und 4 sowie Absatz 5 finden keine Anwendung, soweit die zur Übermittlung vorgesehenen Daten mit schriftlicher Einwilligung der Betroffenen zum Zwecke der Übermittlung im automatisierten Abrufverfahren gespeichert sind, § 4 Absatz 2 Satz 2 und 3 gilt entsprechend.

(8) Die Absätze 1 bis 7 sind auf die Zulassung regelmäßiger Datenübermittlungen entsprechend anzuwenden.

§ 10 Technische und organisatorische Maßnahmen

(1) Die datenverarbeitenden Stellen oder die in ihrem Auftrag tätigen Stellen haben die technischen und organisatorischen Maßnahmen zu treffen, die nach den Absätzen 2 und 3 erforderlich sind, um die Ausführung der Vorschriften dieses Gesetzes zu gewährleisten. Die Maßnahmen haben für den angestrebten Schutzzweck angemessen zu sein und richten sich nach den im Einzelfall zu betrachtenden Risiken und dem jeweiligen Stand der Technik.

(2) Werden personenbezogene Daten automatisiert verarbeitet, sind Maßnahmen zu treffen, die je nach Art der zu schützenden personenbezogenen Daten geeignet sind,

1. Unbefugten den Zutritt zu Datenverarbeitungsanlagen, mit denen personenbezogene Daten verarbeitet werden, zu verwehren (Zutrittskontrolle),
2. zu verhindern, daß Datenverarbeitungssysteme mit Hilfe von Einrichtungen zur Datenübertragung von Unbefugten benutzt werden können (Benutzerkontrolle),
3. zu gewährleisten, daß die zur Benutzung eines Datenverarbeitungssystems Berechtigten ausschließlich auf die ihrer Zugriffsberechtigung unterliegenden personenbezogenen Daten zugreifen können (Zugriffskontrolle),
4. zu verhindern, daß personenbezogene Daten unbefugt oder zufällig gespeichert, zur Kenntnis genommen, verändert, kopiert, übermittelt, entfernt, vernichtet oder sonst verarbeitet werden (Datenverarbeitungskontrolle),
5. festzustellen, wer welche personenbezogenen Daten zu welcher Zeit verarbeitet hat und wohin sie übermittelt werden sollen oder übermittelt worden sind (Verantwortlichkeitskontrolle),
6. zu gewährleisten, daß personenbezogene Daten, die im Auftrag verarbeitet werden, nur entsprechend den Weisungen des Auftraggebers verarbeitet werden können (Auftragskontrolle),
7. eine Überprüfung aller wesentlichen Verarbeitungsschritte der Datenverarbeitungsanlage und des -verfahrens durch eine Dokumentation zu ermöglichen (Dokumentationskontrolle) und
8. die innerbehördliche oder innerbetriebliche Organisation so zu gestalten, daß sie den besonderen Anforderungen des Datenschutzes gerecht wird (Organisationskontrolle).

(3) Werden personenbezogene Daten nicht-automatisiert oder in Akten verarbeitet, sind Maßnahmen zu treffen, um insbesondere den Zugriff Unbefugter bei der Bearbeitung, der Aufbewahrung, dem Transport und der Vernichtung zu verhindern.

(4) Soweit Vorentwürfe und Notizen nicht Bestandteil eines Vorganges werden und personenbezogene Daten enthalten, ist eine ordnungsgemäße Vernichtung zu gewährleisten.

§ 11 Verarbeitung personenbezogener Daten im Auftrag

(1) Werden personenbezogene Daten im Auftrag einer datenverarbeitenden Stelle (Auftraggeber) durch andere Personen oder Stellen (Auftragnehmer) verarbeitet, bleibt die auftraggebende Stelle für die Einhaltung der Bestimmungen dieses Gesetzes und anderer Vorschriften über den Datenschutz verantwortlich. Die in § 5 Abs. 1 genannten Rechte sind ihr gegenüber geltend zu machen. Sofern die Bestimmungen dieses Gesetzes auf den Auftragnehmer keine Anwendung finden, ist der Auftraggeber verpflichtet, sicherzustellen, daß der Auftragnehmer die Bestimmungen dieses Gesetzes befolgt und sich, sofern die Datenverarbeitung im Geltungsbereich dieses Gesetzes vorgenommen wird, der Kontrolle des Landesbeauftragten für den Datenschutz und für das Recht auf Akteneinsicht unterwirft. Erfolgt die Durchführung des Auftrages außerhalb des Geltungsbereiches dieses Gesetzes durch eine nicht-öffentliche Stelle, so ist sicherzustellen, daß sich diese Stelle der Kontrolle des Landesbeauftragten für den Datenschutz, in dessen Land die Verarbeitung erfolgt, unterwirft, soweit dieser hierzu durch Landesrecht befugt ist. Bei einer Auftragsdurchführung außerhalb des Geltungsbereiches dieses Gesetzes ist die für den Ort der Auftragsdurchführung zuständige Datenschutzkontrollbehörde zu unterrichten. Der Auftraggeber hat den Landesbeauftragten für den Datenschutz und für das Recht auf Akteneinsicht und die im Land Brandenburg nach § 38 des Bundesdatenschutzgesetzes zuständige Aufsichtsbehörde über die Beauftragung zu unterrichten. Soweit der Auftragnehmer eine nicht-öffentliche Stelle ist, bedarf die Auftragserteilung der Zustimmung; bei öffentlichen Stellen des Landes erteilt die Zustimmung die zuständige oberste Landesbehörde, bei Gemeinden und Gemeindeverbänden der Minister des Innern. Die Zustimmung ist vor Abschluß des Vertrages einzuholen.

(2) Der Auftragnehmer ist unter Berücksichtigung der Eignung der von ihr getroffenen technischen und organisatorischen Maßnahmen sorgfältig auszuwählen. Der Auftrag ist unter Festlegung des Gegenstandes und des Umfanges der Datenverarbeitung, der technischen und organisatorischen Maßnahmen und etwaiger Unterauftragsverhältnisse schriftlich zu erteilen. Für ergänzende Weisungen gilt Satz 2 entsprechend. Der Auftrag kann auch durch die Fachaufsichtsbehörde mit Wirkung für die ihrer Aufsicht unterliegenden öffentlichen Stellen des Landes erteilt werden; diese sind hiervon zu unterrichten.

(3) Der Auftragnehmer darf die personenbezogenen Daten nur im Rahmen der Weisungen der auftraggebenden Stelle verarbeiten. Wei-

sungen, die sich auf eine Datenverarbeitung richten, die gegen dieses Gesetz oder andere Rechtsvorschriften über den Datenschutz verstoßen, sind nicht durchzuführen. Dasselbe gilt, wenn Daten verarbeitet werden sollen, die nach Ansicht des Auftragnehmers unter Verstoß gegen Rechtsvorschriften erlangt worden sind.

(4) Ist der Auftragnehmer eine in § 2 Abs. 1 Satz 1 oder 2 genannte Stelle des Landes, gelten für ihn neben Absatz 3 nur die §§ 6 und 10 sowie 21, 23, 25, 26, 38 und 39.

(5) Bezieht sich der Auftrag auf die Verarbeitung von Daten, für die gesetzliche Geheimhaltungspflichten bestehen oder die Berufs- oder besonderen Amtsgeheimnissen unterfallen, die nicht auf gesetzlichen Vorschriften beruhen, sind besondere Maßnahmen nach Absatz 2 Satz 2 zu treffen, die eine Wahrung der Geheimnisse sicherstellen. Darüber hinaus sollen an nicht-öffentliche Stellen Aufträge nach Satz 1 nur vergeben werden, wenn überwiegende schutzwürdige Interessen der Betroffenen nicht entgegenstehen. Satz 2 gilt nicht, wenn sich der Auftrag nur auf

a) das Erfassen, Aufnehmen, Aufbewahren oder Vernichten von Daten,
b) das Übertragen von Daten von einem auf ein anderes Speichermedium oder
c) die Verarbeitung von Daten, die aus der Sicht der auftragnehmenden Person oder Stelle nicht oder nur mit einem unverhältnismäßig großen Aufwand an Zeit, Kosten und Arbeitskraft einer bestimmten oder bestimmbaren natürlichen Person zugeordnet werden können,

bezieht, und sofern technische und organisatorische Maßnahmen ergriffen worden sind, durch die sichergestellt wird, daß der Auftragnehmer nur soweit es für die Aufgabenerfüllung unerläßlich ist, die Daten zur Kenntnis nehmen kann.

(6) Sofern Unterauftragsverhältnisse vorgesehen sind oder zugelassen werden sollen, ist vertraglich sicherzustellen, daß die datenschutzrechtlichen Pflichten in dem gleichen Umfang eingehalten werden, wie sie im Auftragsverhältnis mit der öffentlichen Stelle festgelegt sind; Absatz 1 Satz 3 bis 6 gilt entsprechend.

§ 11a Wartung

(1) Datenverarbeitungssysteme sind so zu gestalten, daß bei ihrer Wartung möglichst nicht auf personenbezogene Daten zugegriffen werden kann. Sofern dies nicht sichergestellt ist, hat die datenverarbeitende Stelle durch technische und organisatorische Maßnahmen sicherzustellen, daß nur auf die für die Wartung unbedingt erforderlichen personenbezogenen Daten zugegriffen werden kann. Dabei sind

insbesondere die in der Anlage 1 genannten Anforderungen zu erfüllen. § 10 Abs. 1 Satz 2 gilt entsprechend.

(2) Eine Wartung durch andere Stellen darf über die Anforderungen nach Absatz 1 hinaus nur aufgrund schriftlicher Vereinbarungen erfolgen. Darin sind die im Rahmen der Wartung notwendigen technischen und organisatorischen Maßnahmen gemäß Anlage 2 festzulegen. Die mit Wartungsarbeiten betrauten Personen sind zur Wahrung des Datengeheimnisses zu verpflichten.

(3) Ist im Rahmen einer Prüfung nach § 11b festgestellt worden, daß bei Wartungsarbeiten nur ein Zugriff auf Daten in verschlüsselter, pseudonymisierter oder anonymisierter Form gegeben ist, so daß seitens der mit der Wartung betrauten Stelle eine Reidentifizierung von Betroffenen nicht möglich ist, sind nur Maßnahmen nach Absatz 2 Satz 1 und 3 erforderlich. Ein Zugriff darf nur zweckgebunden erfolgen.

(4) Im Sinne dieses Gesetzes ist

a) Wartung die Summe der Maßnahmen zur Sicherstellung der Verfügbarkeit und Integrität der Hard- und Software von Datenverarbeitungsanlagen; dazu gehören die Installation, Pflege, Überprüfung und Korrektur der Software sowie Überprüfung und Reparatur oder Austausch von Hardware,
b) Fernwartung die Wartung der Soft- und Hardware von Datenverarbeitungsanlagen, die von einem Ort außerhalb der Stelle, bei der die Verarbeitung personenbezogener Daten erfolgt, mittels Einrichtungen zur Datenübertragung vorgenommen wird, und
c) Verschlüsselung das Ersetzen von Klartextbegriffen oder Zeichen durch andere in der Weise, daß der Klartext nur mit einem unverhältnismäßig großen Aufwand an Zeit, Kosten und Arbeitskraft wieder lesbar gemacht werden kann.

§ 11b Grundsätze der System- und Verfahrensgestaltung

(1) Die datenverarbeitenden Stellen können die Inanspruchnahme von Leistungen auch anonym oder unter Pseudonym ermöglichen, soweit dies technisch durchführbar ist. Die Person, die das Angebot in Anspruch nehmen will, ist über diese Möglichkeit zu informieren.

(2) Bei der Gestaltung und Auswahl informationstechnischer Produkte und Verfahren hat die datenverarbeitende Stelle sich an dem Ziel auszurichten, keine oder so wenige personenbezogene Daten wie möglich zu verarbeiten. Sie hat zu prüfen, ob deren Einsatz mit den Regelungen des Datenschutzrechts vereinbar ist. Produkte und Verfahren, deren Vereinbarkeit mit den Regeln des Datenschutzrechts in einem förmlichen Verfahren geprüft und positiv bewertet worden sind, sollen vorrangig berücksichtigt werden.

§ 11c Datenschutzaudit

Die öffentlichen Stellen können zur Verbesserung von Datenschutz und Datensicherheit sowie zum Erreichen größtmöglicher Datensparsamkeit ihr Datenschutzkonzept sowie ihre technischen Einrichtungen durch unabhängige und zugelassene Gutachter prüfen und bewerten sowie das Ergebnis der Prüfung veröffentlichen lassen. Sie können auch bereits geprüfte und bewertete Datenschutzkonzepte und -programme zum Einsatz bringen. Die näheren Anforderungen an die Prüfung und Bewertung, das Verfahren sowie die Auswahl und Zulassung der Gutachter werden durch besonderes Gesetz geregelt.

Unterabschnitt 2
Rechtsgrundlagen der Datenverarbeitung

§ 12 Erhebung

(1) Das Erheben personenbezogener Daten ist nur zulässig, wenn ihre Kenntnis zur rechtmäßigen Erfüllung der durch Gesetz der erhebenden Stelle zugewiesenen Aufgabe und für den jeweils damit verbundenen Zweck erforderlich ist. Dazu sollen durch das zuständige Ministerium im Einvernehmen mit dem Ministerium des Innern und dem Ministerium der Justiz Verwaltungsvorschriften erlassen werden. Diese sind im Amtsblatt für das Land Brandenburg zu veröffentlichen.

(2) Personenbezogene Daten sind grundsätzlich beim Betroffenen mit seiner Kenntnis zu erheben. Ohne seine Kenntnis dürfen sie bei anderen Stellen oder Personen unter der Voraussetzung des § 13 Abs. 2 Satz 1 Buchstabe a und c bis f erhoben werden. Beim Betroffenen dürfen Daten ohne seine Kenntnis nur erhoben werden, wenn eine Rechtsvorschrift dies vorsieht oder, soweit es sich um eine Rechtsvorschrift des Bundes handelt, zwingend voraussetzt oder der Schutz von Leben oder Gesundheit oder die Abwehr einer erheblichen Gefährdung der natürlichen Lebensgrundlagen dies erforderlich macht. Durch die Art und Weise des Erhebens dürfen schutzwürdige Interessen des Betroffenen nicht beeinträchtigt werden.

(3) Werden Daten beim Betroffenen mit seiner Kenntnis erhoben, so ist er über den Verwendungszweck aufzuklären. Die Aufklärungspflicht umfaßt bei beabsichtigten Übermittlungen auch den Empfänger der Daten. Werden die Daten aufgrund einer Rechtsvorschrift erhoben, so ist der Betroffene in geeigneter Weise über diese aufzuklären. Soweit eine Auskunftspflicht besteht oder die Angaben Voraussetzung für die Gewährung von Rechtsvorteilen sind, ist der Betroffene hierauf, sonst auf die Freiwilligkeit seiner Angaben hinzuweisen.

(4) Werden Daten bei einer dritten Person oder einer nicht-öffentlichen Stelle erhoben, so ist diese auf Verlangen über den Verwendungszweck aufzuklären. Soweit eine Auskunftspflicht besteht, ist sie hierauf, sonst auf die Freiwilligkeit ihrer Angaben hinzuweisen.

(5) Werden Daten beim Betroffenen ohne seine Kenntnis erhoben, so ist er davon zu benachrichtigen, sobald die rechtmäßige Erfüllung der Aufgabe dadurch nicht mehr gefährdet wird. Absatz 3 Satz 1 und 2 gelten entsprechend.

§ 13 Zweckbindung bei Speicherung, Veränderung und Nutzung

(1) Das Speichern, Verändern und Nutzen personenbezogener Daten ist zulässig, wenn es zur rechtmäßigen Erfüllung der Aufgaben der öffentlichen Stelle erforderlich ist. Die Daten dürfen nur für Zwecke weiterverarbeitet werden, für die sie erhoben worden sind. Daten, von denen die Stelle ohne Erhebung Kenntnis erlangt hat, dürfen nur für Zwecke genutzt werden, für die sie erstmals gespeichert worden sind.

(2) Sollen personenbezogene Daten zu Zwecken weiterverarbeitet werden, für die sie nicht erhoben oder erstmals gespeichert worden sind, ist dies nur zulässig, wenn

a) eine Rechtsvorschrift dies erlaubt oder die Wahrnehmung einer durch Gesetz oder Rechtsverordnung zugewiesenen einzelnen Aufgabe die Verarbeitung dieser Daten zwingend voraussetzt,
b) der Betroffene eingewilligt hat,
c) die Bearbeitung eines vom Betroffenen gestellten Antrages ohne diese Zweckänderung der Daten nicht möglich ist oder es erforderlich ist, Angaben des Betroffenen zu überprüfen, weil tatsächliche Anhaltspunkte für deren Unrichtigkeit bestehen,
d) es zur Abwehr erheblicher Nachteile für das Gemeinwohl oder einer sonst unmittelbar drohenden Gefahr für die öffentliche Sicherheit oder zur Abwehr einer schwerwiegenden Beeinträchtigung der Rechte einer anderen Person erforderlich ist,
e) die Einholung der Einwilligung des Betroffenen nicht möglich ist oder mit unverhältnismäßig hohem Aufwand verbunden wäre, aber offensichtlich ist, daß es in seinem Interesse liegt und er in Kenntnis des anderen Zweckes seine Einwilligung erteilen würde,
f) sie aus allgemein zugänglichen Quellen entnommen werden können oder die datenverarbeitende Stelle sie veröffentlichen dürfte, es sei denn, daß das Interesse des Betroffenen an dem Ausschluß der Speicherung oder einer Veröffentlichung der gespeicherten Daten offensichtlich überwiegt oder

g) sich bei Gelegenheit der rechtmäßigen Aufgabenerfüllung Anhaltspunkte für Straftaten oder Ordnungswidrigkeiten ergeben und die Unterrichtung der für die Verfolgung oder Vollstreckung zuständigen Behörden geboten erscheint.

Im Falle des Satzes 1 Buchstabe b darf die Erbringung einer Leistung nicht von der Einwilligung der betroffenen Person in eine Verarbeitung ihrer Daten für andere Zwecke abhängig gemacht werden. Unterliegen die personenbezogenen Daten einem Berufs- oder besonderen Amtsgeheimnis und sind sie der datenverarbeitenden Stelle von der zur Verschwiegenheit verpflichteten Person in Ausübung ihrer Berufs- oder Amtspflicht übermittelt worden, findet Satz 1 Buchstabe c bis g keine Anwendung.

(3) Eine Verarbeitung zu anderen Zwecken liegt nicht vor, wenn sie der Wahrnehmung von Aufsichts- und Kontrollbefugnissen, der Rechnungsprüfung oder der Durchführung von 0rganisationsuntersuchungen dient. Der Zugriff auf personenbezogene Daten ist insoweit nur zulässig, als er für die Ausübung dieser Befugnisse unverzichtbar ist. Zu Aus- und Fortbildungszwecken dürfen personenbezogene Daten nur verwendet werden, wenn dies unerläßlich ist und schutzwürdige Belange des Betroffenen dem nicht entgegenstehen; zu Test- und Prüfungszwecken dürfen personenbezogene Daten nicht verwendet werden.

§ 14 Übermittlung innerhalb des öffentlichen Bereiches

(1) Die Übermittlung personenbezogener Daten an öffentliche Stellen ist zulässig, wenn sie zur rechtmäßigen Erfüllung der Aufgaben der übermittelnden Stelle oder des Empfängers erforderlich ist und die Voraussetzungen des § 13 Abs. 1 Satz 2 oder 3 oder des Absatzes 2 Satz 1 vorliegen, sowie zur Wahrnehmung von Aufgaben nach § 13 Abs. 3. Die Übermittlung ist ferner zulässig, soweit es zur Entscheidung in einem Verwaltungsverfahren der Beteiligung mehrerer öffentlicher Stellen bedarf.

(2) (gestrichen)

(3) Die Verantwortung für die Zulässigkeit der Übermittlung trägt die übermittelnde Stelle. Erfolgt die Übermittlung aufgrund eines Ersuchens des Empfängers, hat die übermittelnde Stelle lediglich zu prüfen, ob das Übermittlungsersuchen im Rahmen der Aufgaben des Empfängers liegt. Die Rechtmäßigkeit des Ersuchens prüft sie nur, wenn im Einzelfall hierzu Anlaß besteht; der Empfänger hat der übermittelnden Stelle die für diese Prüfung erforderlichen Angaben zu machen. Erfolgt die Übermittlung durch automatisierten Abruf (§ 9), so trägt die Verantwortung für die Rechtmäßigkeit des Abrufes der Empfänger.

(4) Der Empfänger darf die übermittelten Daten nur für die Zwecke verarbeiten, zu deren Erfüllung sie ihm übermittelt worden sind; § 13 Abs. 2 findet entsprechende Anwendung.

(5) Die Absätze 1 bis 4 gelten entsprechend, wenn personenbezogene Daten innerhalb einer öffentlichen Stelle weitergegeben werden.

§ 15 Übermittlung an öffentlich-rechtliche Religionsgesellschaften

Die Übermittlung personenbezogener Daten an Stellen der öffentlich-rechtlichen Religionsgesellschaften ist in entsprechender Anwendung der Vorschriften über die Datenübermittlung an öffentliche Stellen zulässig, sofern sichergestellt ist, daß bei dem Empfänger ausreichende Datenschutzmaßnahmen getroffen sind.

§ 16 Übermittlung an Personen oder Stellen außerhalb des öffentlichen Bereiches

(1) Die Übermittlung personenbezogener Daten an Stellen nach § 2 Abs. 2 Satz 1, soweit sie die Daten für die Verfolgung ihrer wirtschaftlichen Zwecke oder Ziele benötigen, sowie an Personen oder Stellen außerhalb des öffentlichen Bereiches, ist zulässig, wenn

a) sie zur rechtmäßigen Erfüllung der in der Zuständigkeit der übermittelnden Stelle liegenden Aufgaben erforderlich ist und die Voraussetzungen des § 13 Abs. 1 vorliegen,
b) die Voraussetzungen des § 13 Abs. 2 Satz 1 Buchstabe a, b, d oder f vorliegen,
c) der Auskunftsbegehrende ein rechtliches Interesse an der Kenntnis der zu übermittelnden Daten glaubhaft macht und kein Grund zu der Annahme besteht, daß das Geheimhaltungsinteresse des Betroffenen überwiegt, oder
d) sie im öffentlichen Interesse liegt oder hierfür ein berechtigtes Interesse geltend gemacht wird und der Betroffene in diesen Fällen der Datenübermittlung nicht widersprochen hat.

(2) In den Fällen des Absatzes 1 Buchstabe d ist der Betroffene über die beabsichtigte Übermittlung, die Art der zu übermittelnden Daten und den Verwendungszweck in geeigneter Weise zu unterrichten. Dies gilt nicht, wenn damit zu rechnen ist, daß er davon auf andere Weise Kenntnis erlangt.

(3) Der Empfänger darf die übermittelten Daten nur für die Zwecke verarbeiten, zu denen sie ihm übermittelt wurden.

(4) Die übermittelnde Stelle kann die Datenübermittlung mit Auflagen versehen, die den Datenschutz beim Empfänger sicherstellen.

§ 17 Übermittlung an ausländische und internationale Stellen

(1) Die Zulässigkeit der Übermittlung personenbezogener Daten an Stellen im Geltungs-bereich der Rechtsvorschriften zum Schutz personenbezogener Daten der Mitgliedstaaten der Europäischen Union richtet sich nach § 4.

(2) Für die Übermittlung personenbezogener Daten an Stellen außerhalb des Geltungsbereichs der Rechtsvorschriften zum Schutz personenbezogener Daten der Mitgliedstaaten der Europäischen Union sowie an über- und zwischenstaatliche Stellen ist § 16 Abs. 1, 2 und 4 nach Maßgabe der für diese Übermittlung geltenden Gesetze und Vereinbarungen nur dann anzuwenden, wenn diese Stellen ein angemessenes Datenschutzniveau gewährleisten.

(3) Die Angemessenheit des Schutzniveaus wird unter Berücksichtigung aller Umstände beurteilt, die bei einer Datenübermittlung oder einer Kategorie von Datenübermittlungen von Bedeutung sind; insbesondere können die Art der Daten, die Zweckbestimmung, die Dauer der geplanten Verarbeitung, das Herkunfts- und das Endbestimmungsland, die in den Stellen nach Absatz 2 geltenden Rechtsnormen sowie die dort geltenden Standesregeln und Sicherheitsmaßnahmen herangezogen werden.

(4) Die Verantwortung für die Zulässigkeit der Übermittlung trägt die übermittelnde Stelle.

§ 17a Ausnahmsweise Übermittlung an Stellen außerhalb der Europäischen Union

(1) Sofern Stellen nach § 17 Abs. 2 kein angemessenes Datenschutzniveau gewährleisten, ist eine Übermittlung personenbezogener Daten nach § 17 Abs. 1 nur zulässig, sofern
a) der Betroffene seine Einwilligung gegeben hat,
b) die Übermittlung für die Wahrung eines wichtigen öffentlichen Interesses oder zur Geltendmachung, Ausübung oder Verteidigung von Rechtsansprüchen vor Gericht erforderlich ist,
c) die Übermittlung für die Wahrung lebenswichtiger Interessen des Betroffenen erforderlich ist oder
d) die Übermittlung aus einem Register erfolgt, das zur Information der Öffentlichkeit bestimmt ist oder allen Personen, die ein berechtigtes Interesse nachweisen können, zur Einsichtnahme offensteht, soweit die gesetzlichen Voraussetzungen im Einzelfall gegeben sind.

Die Stelle, an die die Daten übermittelt werden, ist darauf hinzuweisen, daß die übermittelten Daten nur zu Zwecken verarbeitet werden dürfen, die mit den Zwecken zu vereinbaren sind, zu deren Erfüllung sie ihr übermittelt werden.

(2) Unbeschadet des Absatzes 1 kann die datenverarbeitende Stelle eine Übermittlung oder eine Kategorie von Übermittlungen personenbezogener Daten zulassen, wenn die verantwortliche Stelle ausreichende Garantien hinsichtlich des Schutzes des Persönlichkeitsrechts und der Ausübung der damit verbundenen Rechte vorweist. Die datenverarbeitenden Stellen teilen dem Ministerium des Innern die Fälle mit, in denen Stellen nach § 17 Abs. 2 kein angemessenes Datenschutzniveau aufweisen und sie eine Genehmigung nach Satz 1 erteilt haben.

Unterabschnitt 3
Rechte des Betroffenen

§ 18 Auskunft und Benachrichtigung sowie Einsicht in Akten

(1) Dem Betroffenen ist von der datenverarbeitenden Stelle auf Antrag Auskunft zu erteilen über

1. die zu seiner Person gespeicherten Daten,
2. den Zweck und die Rechtsgrundlage der Verarbeitung,
3. den logischen Aufbau der automatisierten Verarbeitung der zu seiner Person gespeicherten Daten sowie
4. die Herkunft der Daten, den Zweck der Übermittlung und die Empfänger von regelmäßigen Übermittlungen und die Teilnehmer eines automatisierten Abrufverfahrens, auch soweit diese Angaben nicht zu seiner Person gespeichert sind, aber mit vertretbarem Aufwand festgestellt werden können. Sind die Daten in einem automatisierten Verfahren gespeichert, so umfaßt die Auskunft auch die Empfänger von Übermittlungen innerhalb der letzten zwei Jahre. In Akten und bei nicht-automatisierter Speicherung sind Übermittlungen zu dokumentieren.

(2) Werden personenbezogene Daten automatisiert gespeichert, so ist der Betroffene von dieser Tatsache schriftlich zu benachrichtigen. Die Benachrichtigung kann zusammen mit der Erhebung erfolgen.

(2a) Eine Pflicht zur Benachrichtigung nach Absatz 2 besteht nicht, wenn

a) die Daten beim Betroffenen mit dessen Kenntnis erhoben worden sind,
b) die Verarbeitung der personenbezogenen Daten durch Gesetz ausdrücklich vorgesehen ist,
c) der Betroffene auf andere Weise Kenntnis von der Verarbeitung seiner Daten erlangt oder
d) die Benachrichtigung des Betroffenen unmöglich ist oder einen unverhältnismäßigen Aufwand erfordert.

(3) Die Absätze 1 und 2 gelten nicht für personenbezogene Daten, die nur deshalb gespeichert sind, weil sie auf Grund gesetzlicher Aufbe-

wahrungsvorschriften nicht gelöscht werden dürfen oder ausschließlich zu Zwecken der Datensicherung oder der Datenschutzkontrolle gespeichert sind.

(4) Die datenverarbeitende Stelle bestimmt das Verfahren, insbesondere die Form der Auskunftserteilung, nach pflichtgemäßem Ermessen; sind die Daten in Akten oder nicht-automatisiert gespeichert, ist dem Betroffenen auf Verlangen Einsicht zu gewähren. Die Akteneinsicht ist auf die Teile der Akten beschränkt, die personenbezogene Daten des Betroffenen enthalten, soweit sich aus einem Verwaltungsverfahrensgesetz nichts anderes ergibt. Auskunft aus Akten oder Akteneinsicht sind zu gewähren, soweit der Betroffene Angaben macht, die das Auffinden der Daten mit angemessenem Aufwand ermöglichen. Auskunftserteilung und Akteneinsicht sind gebührenfrei; Erstattung von Auslagen kann verlangt werden.

(5) Die Verpflichtung zur Auskunftserteilung oder zur Gewährung der Akteneinsicht sowie zur Benachrichtigung entfällt, soweit die personenbezogenen Daten oder die Tatsache ihrer Speicherung nach einer Rechtsvorschrift oder wegen der überwiegenden berechtigten Interessen eines Dritten geheimgehalten werden müssen und deswegen das Interesse des Betroffenen an der Auskunftserteilung zurücktreten muß.

(6) Einer Begründung für die Auskunftsverweigerung bedarf es nur dann nicht, wenn durch die Mitteilung der Gründe der mit der Auskunftsverweigerung verfolgte Zweck gefährdet würde. In diesem Fall sind die wesentlichen Gründe für die Entscheidung aufzuzeichnen.

(7) Bezieht sich die Auskunftserteilung oder die Akteneinsicht auf die Herkunft personenbezogener Daten von Behörden des Verfassungsschutzes, der Staatsanwaltschaft und der Polizei, von Landesfinanzbehörden, soweit diese personenbezogene Daten in Erfüllung ihrer gesetzlichen Aufgaben im Anwendungsbereich der Abgabenordnung zur Überwachung und Prüfung speichern, sowie von den in § 19 Abs. 3 des Bundesdatenschutzgesetzes genannten Behörden, ist sie nur mit Zustimmung dieser Stellen zulässig. Gleiches gilt für die Übermittlung personenbezogener Daten an diese Behörden. Für die Versagung der Zustimmung gelten, soweit dieses Gesetz auf die genannten Behörden Anwendung findet, die Absätze 5 und 6 entsprechend.

(8) Wird dem Betroffenen keine Auskunft erteilt, so ist sie auf sein Verlangen dem Landesbeauftragten für den Datenschutz und für das Recht auf Akteneinsicht zu erteilen, soweit nicht die jeweils zuständige oberste Landesbehörde im Einzelfall feststellt, daß dadurch die Sicherheit des Bundes oder eines Landes gefährdet würde. Die Mitteilung des Landesbeauftragten für den Datenschutz und für das

Recht auf Akteneinsicht an den Betroffenen darf keine Rückschlüsse auf den Erkenntnisstand der datenverarbeitenden Stelle zulassen, sofern diese nicht einer weitergehenden Auskunft zustimmt.

§ 19 Berichtigung, Löschung und Sperrung

(1) Personenbezogene Daten sind zu berichtigen, wenn sie unrichtig sind. Sind personenbezogene Daten, die nicht-automatisiert verarbeitet werden, oder in Akten zu berichtigen, so ist in geeigneter Weise kenntlich zu machen, zu welchem Zeitpunkt und aus welchem Grund diese Daten unrichtig waren oder geworden sind.

(2) Personenbezogene Daten sind zu löschen, wenn
a) ihre Speicherung unzulässig ist oder
b) ihre Kenntnis für die datenverarbeitende Stelle zur Aufgabenerfüllung nicht mehr erforderlich ist.

Sind personenbezogene Daten in Akten gespeichert, ist die Löschung nach Satz 1 Buchstabe b nur durchzuführen, wenn die gesamte Akte zur Aufgabenerfüllung nicht mehr erforderlich ist, es sei denn, daß der Betroffene die Löschung verlangt und die weitere Speicherung ihn in unangemessener Weise beeinträchtigen würde. Soweit hiernach eine Löschung nicht in Betracht kommt, sind die personenbezogenen Daten auf Antrag des Betroffenen zu sperren.

(3) An die Stelle einer Löschung tritt eine Sperrung der personenbezogenen Daten, wenn
a) ihre Richtigkeit vom Betroffenen bestritten wird und sich weder die Richtigkeit noch die Unrichtigkeit feststellen läßt,
b) der Betroffene an Stelle der Löschung nach Absatz 2 Satz 1 Buchstabe a die Sperrung verlangt,
c) die weitere Speicherung im Interesse des Betroffenen geboten ist,
d) sie nur zu Zwecken der Datensicherung oder der Datenschutzkontrolle gespeichert sind oder
e) die Voraussetzungen des Absatzes 2 Satz 1 Buchstabe b vorliegen und die Daten aber aufgrund gesetzlicher Aufbewahrungsfristen nicht gelöscht werden dürfen.

In den Fällen nach Satz 1 Buchstabe c sind die Gründe aufzuzeichnen. Bei automatisiert verarbeiteten Daten ist die Sperrung grundsätzlich durch technische Maßnahmen sicherzustellen; im übrigen ist ein entsprechender Vermerk anzubringen. Gesperrte Daten dürfen über die Speicherung hinaus nicht mehr weiterverarbeitet werden, es sei denn, daß dies zu wissenschaftlichen Zwecken, zur Behebung einer bestehenden Beweisnot oder aus sonstigen im überwiegenden Interesse der datenverarbeitenden Stelle oder eines Dritten liegenden Gründen unerläßlich ist oder der Betroffene eingewilligt hat.

(4) Abgesehen von den Fällen des Absatzes 2 Satz 1 Buchstabe a ist von einer Löschung abzusehen, soweit die gespeicherten Daten aufgrund des Brandenburgischen Archivgesetzes dem zuständigen öffentlichen Archiv zur Übernahme anzubieten sind und von diesem übernommen werden.

(5) Über die Berichtigung unrichtiger Daten, die Sperrung bestrittener Daten und die Löschung oder Sperrung unzulässig gespeicherter Daten sind unverzüglich die Stellen zu unterrichten, denen die Daten übermittelt worden sind. Die Unterrichtung kann unterbleiben, wenn sie einen erheblichen Aufwand erfordern würde und nachteilige Folgen für den Betroffenen nicht zu befürchten sind.

§ 20 Schadensersatz

(1) Wird dem Betroffenen durch eine nach den Vorschriften dieses Gesetzes oder nach anderen Vorschriften über den Datenschutz unzulässige oder unrichtige automatisierte Verarbeitung seiner personenbezogenen Daten ein Schaden zugefügt, so ist ihm der Träger der datenverarbeitenden Stelle unabhängig von einem Verschulden zum Schadensersatz verpflichtet. In schweren Fällen kann der Betroffene auch wegen des Schadens, der nicht Vermögensschaden ist, eine billige Entschädigung in Geld verlangen. Der Ersatzpflichtige haftet jedem Betroffenen für jedes schädigende Ereignis bis zu einem Betrag von 500 000 Deutsche Mark.

(2) Auf eine schuldhafte Mitverursachung des Schadens durch den Betroffenen und die Verjährung des Entschädigungsanspruches sind die §§ 254, 839 Abs. 3 und 852 des Bürgerlichen Gesetzbuches entsprechend anzuwenden.

(3) Weitergehende sonstige Schadensersatzansprüche bleiben unberührt.

(4) Der Rechtsweg vor den ordentlichen Gerichten steht offen.

§ 21 Anrufungsrecht des Betroffenen

(1) Jedermann hat das Recht, sich unmittelbar an den Landesbeauftragten für den Datenschutz und für das Recht auf Akteneinsicht zu wenden, wenn er der Ansicht ist, bei der Verarbeitung seiner personenbezogenen Daten durch eine der Kontrolle des Landesbeauftragten unterliegende Stelle in seinen Rechten verletzt zu sein; dies gilt auch für Bedienstete der öffentlichen Stellen, ohne daß der Dienstweg einzuhalten ist.

(2) Niemand darf deswegen benachteiligt oder gemaßregelt werden, weil er sich an den Landesbeauftragten für den Datenschutz und für das Recht auf Akteneinsicht wendet.

Abschnitt 2
Landesbeauftragter für den Datenschutz und für das Recht auf Akteneinsicht

§ 22 Berufung und Rechtsstellung

(1) Der Landtag wählt einen Landesbeauftragten für den Datenschutz und für das Recht auf Akteneinsicht mit mehr als der Hälfte der gesetzlichen Zahl seiner Mitglieder. Dieser muß die Befähigung zum Richteramt oder zum höheren Dienst oder eine nach dem Einigungsvertrag gleichgestellte Befähigung haben und die zur Erfüllung seiner Aufgaben erforderliche Fachkunde besitzen.

(2) Der Landesbeauftragte für den Datenschutz und für das Recht auf Akteneinsicht leistet vor dem Präsidenten des Landtages folgenden Eid:
»Ich schwöre, mein Amt gerecht und unparteiisch getreu dem Grundgesetz, der Verfassung von Brandenburg und den Gesetzen zu führen und meine ganze Kraft dafür einzusetzen.«
Der Eid kann auch mit einer religiösen Beteuerung geleistet werden.

(3) Der Landesbeauftragte für den Datenschutz und für das Recht auf Akteneinsicht wird jeweils auf die Dauer von sechs Jahren in ein Beamtenverhältnis auf Zeit berufen. Die Wiederwahl ist zulässig. Der Landesbeauftragte für den Datenschutz und für das Recht auf Akteneinsicht ist verpflichtet, das Amt bis zur Bestellung eines Nachfolgers weiterzuführen; die Amtszeit gilt als entsprechend verlängert. Der Landesbeauftragte für den Datenschutz und für das Recht auf Akteneinsicht kann außer auf eigenen Antrag nur entlassen werden, wenn er der Pflicht nach Satz 3 nicht nachkommt oder wenn Gründe vorliegen, die bei einem Richterverhältnis auf Lebenszeit die Entlassung aus dem Dienst rechtfertigen.

(4) Das Amt des Landesbeauftragten für den Datenschutz und für das Recht auf Akteneinsicht wird bei dem Präsidenten des Brandenburgischen Landtages eingerichtet. Der Landesbeauftragte für den Datenschutz und für das Recht auf Akteneinsicht ist in der Ausübung seines Amtes unabhängig und nur dem Gesetz unterworfen. Er untersteht der Dienstaufsicht des Präsidenten des Landtages. Für die Erfüllung der Aufgaben ist die notwendige Personal- und Sachausstattung zur Verfügung zu stellen, die Mittel sind im Einzelplan des Landtages in einem gesonderten Kapitel auszuweisen. Die Mitarbeiter werden auf Vorschlag des Landesbeauftragten für den Datenschutz und für das Recht auf Akteneinsicht durch den Präsidenten des Landtages ernannt. Sie können nur im Einvernehmen mit dem Landesbeauftragten für den Datenschutz und für das Recht auf Akteneinsicht versetzt oder abgeordnet werden. Ihr Dienstvorgesetzter ist der Landesbeauftragte

für den Datenschutz und für das Recht auf Akteneinsicht, an dessen Weisungen sie ausschließlich gebunden sind. Der Landesbeauftragte für den Datenschutz und für das Recht auf Akteneinsicht bestellt einen Mitarbeiter zum Stellvertreter. Dieser führt die Geschäfte, wenn der Landesbeauftragte für den Datenschutz und für das Recht auf Akteneinsicht an der Ausübung des Amtes verhindert ist.

(5) Der Landesbeauftragte für den Datenschutz und für das Recht auf Akteneinsicht ist oberste Dienstbehörde im Sinne von § 96 der Strafprozeßordnung. Er trifft die Entscheidungen über Aussagegenehmigungen für sich und seine Mitarbeiter in eigener Verantwortung.

(6) Der Landesbeauftragte für den Datenschutz und für das Recht auf Akteneinsicht darf neben seinem Amt kein anderes besoldetes Amt, kein Gewerbe und keinen Beruf ausüben und weder der Leitung oder dem Aufsichtsrat oder Verwaltungsrat eines auf Erwerb gerichteten Unternehmens noch einer Regierung oder einer gesetzgebenden Körperschaft des Bundes oder eines Landes angehören.

(7) Der Landesbeauftragte für den Datenschutz übt zugleich die Aufgaben eines Landesbeauftragten für das Recht auf Akteneinsicht gemäß den Vorschriften des Akteneinsichts- und Informationszugangsgesetzes aus. Seine Amts- und Funktionsbezeichnung lautet »Der Landesbeauftragte für den Datenschutz und für das Recht auf Akteneinsicht«; diese kann in männlicher und weiblicher Form geführt werden.

§ 23 Aufgaben

(1) Der Landesbeauftragte für den Datenschutz und für das Recht auf Akteneinsicht kontrolliert die Einhaltung der Vorschriften dieses Gesetzes, anderer Vorschriften über den Datenschutz sowie die Einhaltung des Akteneinsichts- und Informationszugangsgesetzes gemäß § 11 Abs. 2 des Akteneinsichts- und Informationszugangsgesetzes bei öffentlichen Stellen, soweit sie nach diesem Gesetz seiner Kontrolle unterliegen oder sich gemäß § 11 Abs. 1 Satz 3 oder § 28 Abs. 4 seiner Kontrolle unterworfen haben.

(2) Der Landesbeauftragte für den Datenschutz und für das Recht auf Akteneinsicht kann Empfehlungen zur Verbesserung des Datenschutzes geben. Insbesondere kann er die Landesregierung und einzelne Minister, die Gemeinden und Gemeindeverbände sowie die übrigen öffentlichen Stellen in Fragen des Datenschutzes beraten. Er hat auf einzelgesetzliche Regelungen hinzuwirken. Er ist über Planungen des Landes zum Aufbau automatisierter Informationssysteme rechtzeitig zu unterrichten, sofern in den Systemen personenbezogene Daten verarbeitet werden sollen.

(3) Auf Ersuchen des Landtages, des Petitionsausschusses oder des Ausschusses für Inneres oder der Landesregierung geht der Landesbeauftragte für den Datenschutz und für das Recht auf Akteneinsicht ferner Hinweisen auf Angelegenheiten und Vorgänge, die seinen Aufgabenbereich unmittelbar betreffen, nach. Er geht außerdem Hinweisen nach, die sich aus der Wahrnehmung des Rechts des Betroffenen nach § 21 ergeben.

(4) Der Landtag und die Landesregierung können den Landesbeauftragten für den Datenschutz und für das Recht auf Akteneinsicht mit der Erstattung von Gutachten und Stellungnahmen oder der Durchführung von Untersuchungen in Datenschutzfragen betrauen. § 22 Abs. 4 Satz 2 bleibt unberührt.

(5) Der Landesbeauftragte für den Datenschutz und für das Recht auf Akteneinsicht kann nach Maßgabe der Geschäftsordnung des Landtages an den Sitzungen des Landtages und seiner Ausschüsse teilnehmen und Stellung nehmen zu Fragen, die für den Datenschutz von Bedeutung sind. Der Landtag und seine Ausschüsse können seine Anwesenheit und seine mündliche oder schriftliche Stellungnahme verlangen.

(6) Der Landesbeauftragte für den Datenschutz und für das Recht auf Akteneinsicht ist berechtigt, die für die Erfüllung seiner ihm durch dieses Gesetz zugewiesenen Aufgaben erforderlichen personenbezogenen Daten unter den Voraussetzungen dieses Gesetzes zu verarbeiten. Er darf personenbezogene Daten im Rahmen von Kontrollmaßnahmen im Einzelfall auch ohne Kenntnis der Betroffenen erheben, wenn nur auf diese Weise festgestellt werden kann, ob ein datenschutzrechtlicher Mangel besteht. Die nach den Sätzen 1 und 2 verarbeiteten Daten dürfen nicht zu anderen Zwecken weiterverarbeitet werden.

(7) Der Landesbeauftragte für den Datenschutz und für das Recht auf Akteneinsicht arbeitet mit den Behörden und sonstigen Stellen, die für die Kontrolle der Einhaltung der Vorschriften über den Datenschutz im Bund und in den Ländern zuständig sind, sowie mit den Aufsichtsbehörden nach § 38 des Bundesdatenschutzgesetzes zusammen. Er ist berechtigt, für diese Stellen auf ihr Ersuchen die Einhaltung datenschutzrechtlicher Vorschriften zu kontrollieren und zu diesem Zweck personenbezogene Daten zu verarbeiten; das gleiche gilt, wenn sich eine nicht-öffentliche Stelle durch einen Vertrag im Sinne des § 11 Abs. 1 Satz 3 seiner Kontrolle unterworfen hat.

(8) Für die öffentlichen Stellen des Landes gilt § 24 Abs. 2 Satz 5 des Bundesdatenschutzgesetzes entsprechend.

§ 24 (aufgehoben)

§ 25 Beanstandungen durch den Landesbeauftragten für den Datenschutz und für das Recht auf Akteneinsicht

(1) Stellt der Landesbeauftragte für den Datenschutz und für das Recht auf Akteneinsicht Verstöße gegen die Vorschriften dieses Gesetzes, gegen andere Vorschriften über den Datenschutz, oder sonstige Mängel bei der Verarbeitung personenbezogener Daten oder Verstöße gegen das Akteneinsichts- und Informationszugangsgesetz fest, so beanstandet er diese

1. bei der Landesverwaltung gegenüber der zuständigen obersten Landesbehörde,
2. bei der Kommunalverwaltung gegenüber der jeweils verantwortlichen Gemeinde oder dem verantwortlichen Gemeindeverband,
3. bei den wissenschaftlichen Hochschulen und Fachhochschulen gegenüber dem Hochschulpräsidenten oder dem Rektor, bei öffentlichen Schulen gegenüber dem Leiter der Schule,
4. bei den sonstigen Körperschaften, Anstalten und Stiftungen des öffentlichen Rechts gegenüber dem Vorstand oder dem sonst vertretungsberechtigten Organ

und fordert zur Stellungnahme innerhalb einer von ihm zu bestimmenden Frist auf. In den Fällen von Satz 1 Nr. 2 bis 4 unterrichtet der Landesbeauftragte für den Datenschutz und für das Recht auf Akteneinsicht gleichzeitig auch die zuständige Aufsichtsbehörde.

(2) Der Landesbeauftragte für den Datenschutz und für das Recht auf Akteneinsicht kann von einer Beanstandung absehen oder auf eine Stellungnahme der betroffenen Stelle verzichten, insbesondere wenn es sich um unerhebliche oder inzwischen beseitigte Mängel handelt oder wenn ihre Behebung sichergestellt ist.

(3) Mit der Beanstandung kann der Landesbeauftragte für den Datenschutz und für das Recht auf Akteneinsicht Vorschläge zur Beseitigung der Mängel und zur sonstigen Verbesserung des Datenschutzes verbinden.

(4) Die gemäß Absatz 1 abzugebende Stellungnahme soll auch eine Darstellung der Maßnahmen enthalten, die aufgrund der Beanstandung des Landesbeauftragten für den Datenschutz und für das Recht auf Akteneinsicht getroffen worden sind. Die in Absatz 1 Nr. 2 bis 4 genannten Stellen leiten der zuständigen Aufsichtsbehörde eine Abschrift ihrer Stellungnahme an den Landesbeauftragten für den Datenschutz und für das Recht auf Akteneinsicht zu.

(5) Der Landesbeauftragte für den Datenschutz und für das Recht auf Akteneinsicht ist nach pflichtgemäßem Ermessen befugt, Betroffene über Beanstandungen und die hierauf erfolgten Maßnahmen nach Absatz 4 zu unterrichten.

§ 26 Durchführung der Kontrolle

(1) Die öffentlichen Stellen sind verpflichtet, den Landesbeauftragten für den Datenschutz und für das Recht auf Akteneinsicht und seine Beauftragten bei der Erfüllung ihrer Aufgaben zu unterstützen. Ihnen ist insbesondere

1. Auskunft auf ihre Fragen zu erteilen sowie Einsicht in alle Vorgänge und Aufzeichnungen, insbesondere in die gespeicherten Daten und in die Datenverarbeitungsprogramme, zu gewähren, die im Zusammenhang mit der Verarbeitung personenbezogener Daten stehen,
2. jederzeit Zutritt zu allen Diensträumen zu gewähren.

Die Einsicht nach Nummer 1 kann auch elektronisch gewährt werden.

(2) Absatz 1 gilt für die in § 18 Abs. 7 genannten Behörden nicht, soweit das jeweils zuständige Mitglied der Landesregierung im Einzelfall feststellt, daß die Einsicht in die Unterlagen und Akten die Sicherheit des Bundes oder eines Landes gefährdet. Auf Antrag des Landesbeauftragten für den Datenschutz und für das Recht auf Akteneinsicht hat die Landesregierung dies im zuständigen Ausschuß des Landtages in geheimer Sitzung zu begründen. Die Entscheidung des Ausschusses kann veröffentlicht werden.

§ 27 Tätigkeitsberichte

Der Landesbeauftragte für den Datenschutz und für das Recht auf Akteneinsicht legt dem Landtag und der Landesregierung jährlich einen Bericht über seine Tätigkeit vor. Die Landesregierung legt hierzu regelmäßig innerhalb von vier Monaten nach Vorlage des Tätigkeitsberichtes ihre Stellungnahme dem Landtag vor; gleichzeitig gibt sie einen Bericht über die Tätigkeit der für den Datenschutz im nicht-öffentlichen Bereich zuständigen Aufsichtsbehörde.

Abschnitt 3
Besonderer Datenschutz

§ 28 Datenverarbeitung für wissenschaftliche Zwecke

(1) Öffentliche Stellen dürfen personenbezogene Daten zu wissenschaftlichen Zwecken verarbeiten, soweit der Betroffene eingewilligt hat.

(2) Öffentliche Stellen dürfen personenbezogene Daten ohne Einwilligung für ein bestimmtes Forschungsvorhaben erheben, speichern, verändern, nutzen und an andere Stellen oder Personen zu diesem Zweck übermitteln, wenn

a) schutzwürdige Belange des Betroffenen wegen der Art der Daten, wegen ihrer Offenkundigkeit oder wegen der Art der Verwendung nicht beeinträchtigt werden,
b) eine Rechtsvorschrift dies vorsieht oder
c) die zuständige oberste Aufsichtsbehörde festgestellt hat, daß das öffentliche Interesse an der Durchführung des Forschungsvorhabens die schutzwürdigen Belange des Betroffenen überwiegt und der Zweck der Forschung nicht auf andere Weise oder nur mit unverhältnismäßigem Aufwand erreicht werden kann.

Der Empfänger darf die übermittelten Daten nicht für andere Zwecke verwenden. Personen, die innerhalb einer öffentlichen Stelle aufgrund ihrer Zuständigkeiten Zugriff auf den jeweiligen Datenbestand haben, dürfen personenbezogene Daten ohne Einwilligung speichern, verändern und nutzen, wenn die übrigen Voraussetzungen des Satzes 1 vorliegen. In den Fällen des Satzes 1 haben die öffentlichen Stellen den Landesbeauftragten für den Datenschutz und für das Recht auf Akteneinsicht zu unterrichten.

(3) Die Daten sind zu anonymisieren, sobald dies nach dem Forschungszweck möglich ist. Bis dahin sind die Merkmale gesondert zu speichern, mit denen Einzelangaben über persönliche oder sachliche Verhältnisse einer bestimmten oder bestimmbaren Person zugeordnet werden können. Sie sind zu löschen, sobald der Forschungszweck dies erlaubt.

(4) Soweit die Vorschriften dieses Gesetzes auf den Empfänger keine Anwendung finden, dürfen diesem personenbezogene Daten nur übermittelt werden, wenn er sich verpflichtet, die Vorschriften des Absatzes 2 Satz 2 und des Absatzes 3 einzuhalten, und sich, sofern das Forschungsvorhaben im Geltungsbereich dieses Gesetzes durchgeführt werden soll, der Kontrolle des Landesbeauftragten für den Datenschutz und für das Recht auf Akteneinsicht unterwirft. Bei einer Datenübermittlung an Stellen außerhalb des Geltungsbereiches dieses Gesetzes hat die übermittelnde Stelle die für den Empfänger zuständige Datenschutzkontrollbehörde zu unterrichten.

(5) Die wissenschaftliche Forschung betreibenden öffentlichen Stellen dürfen personenbezogene Daten nur veröffentlichen, wenn
a) der Betroffene eingewilligt hat oder
b) dies für die Darstellung von Forschungsergebnissen über Ereignisse der Zeitgeschichte unerläßlich ist.

§ 29 Datenverarbeitung bei Dienst- und Arbeitsverhältnissen

(1) Daten von Bewerbern und Beschäftigten dürfen nur verarbeitet werden, wenn dies zur Eingehung, Durchführung, Beendigung oder Abwicklung des Dienst- oder Arbeitsverhältnisses oder zur Durchfüh-

rung organisatorischer, personeller und sozialer Maßnahmen, insbesondere auch zu Zwecken der Personalplanung und des Personaleinsatzes, erforderlich ist oder eine Rechtsvorschrift, ein Tarifvertrag oder eine Dienstvereinbarung dies vorsieht. Abweichend von § 16 Abs. 1 ist eine Übermittlung der Daten von Beschäftigten an Personen und Stellen außerhalb des öffentlichen Bereiches nur zulässig, wenn der Empfänger ein rechtliches Interesse darlegt, der Dienstverkehr es erfordert oder der Betroffene eingewilligt hat. Die Datenübermittlung an einen künftigen Dienstherrn oder Arbeitgeber ist nur mit Einwilligung des Betroffenen zulässig.

(2) Die Weiterverarbeitung der bei medizinischen oder psychologischen Untersuchungen und Tests zum Zwecke der Eingehung eines Dienst- oder Arbeitsverhältnisses erhobenen Daten ist nur mit schriftlicher Einwilligung des Bewerbers zulässig. Die Einstellungsbehörde darf vom untersuchenden Arzt in der Regel nur die Übermittlung des Ergebnisses der Eignungsuntersuchung und dabei festgestellter Risikofaktoren verlangen.

(3) Personenbezogene Daten, die vor der Eingehung eines Dienst- oder Arbeitsverhältnisses erhoben wurden, sind unverzüglich zu löschen, sobald feststeht, daß ein Dienst- oder Arbeitsverhältnis nicht zustande kommt, es sei denn, daß der Betroffene in die weitere Speicherung eingewilligt hat. Nach Beendigung eines Dienst- oder Arbeitsverhältnisses sind personenbezogene Daten zu löschen, wenn diese Daten nicht mehr benötigt werden, es sei denn, daß Rechtsvorschriften entgegenstehen; § 19 Abs. 2 Satz 2 und 3 sowie § 19 Abs. 4 finden Anwendung.

(4) Die Ergebnisse medizinischer oder psychologischer Untersuchungen und Tests des Beschäftigten dürfen automatisiert nur verarbeitet werden, wenn dies dem Schutz des Beschäftigten dient.

(5) Soweit Daten der Beschäftigten im Rahmen der Durchführung der technischen und organisatorischen Maßnahmen nach § 10 Abs. 2 gespeichert werden, dürfen sie nicht zu Zwecken der Verhaltens- oder Leistungskontrolle genutzt werden.

(6) Beurteilungen dürfen nicht allein auf Informationen gestützt werden, die unmittelbar durch automatisierte Datenverarbeitung gewonnen werden.

§ 30 Fernmessen und Fernwirken

(1) Öffentliche Stellen dürfen ferngesteuerte Messungen oder Beobachtungen (Fernmeßdienste) in Wohnungen oder Geschäftsräumen nur vornehmen, wenn der Betroffene zuvor über den Verwendungszweck sowie über Art, Umfang und Zeitraum des Einsatzes unterrichtet

worden ist und nach der Unterrichtung schriftlich eingewilligt hat. Entsprechendes gilt, soweit eine Übertragungseinrichtung dazu dienen soll, in Wohnungen oder Geschäftsräumen andere Wirkungen auszulösen (Fernwirkdienste). Die Einrichtung von Fernmeß- und Fernwirkdiensten ist nur zulässig, wenn der Betroffene erkennen kann, wann ein Dienst in Anspruch genommen wird und welcher Art dieser Dienst ist; dies gilt nicht für Fernmeß- und Fernwirkdienste der Versorgungsunternehmen. Der Betroffene kann seine Einwilligung jederzeit widerrufen, soweit dies mit der Zweckbestimmung des Dienstes vereinbar ist. Das Abschalten eines Dienstes gilt im Zweifel als Widerruf der Einwilligung.

(2) Eine Leistung, der Abschluß oder die Abwicklung eines Vertragsverhältnisses dürfen nicht davon abhängig gemacht werden, daß der Betroffene nach Absatz 1 Satz 1 oder 2 einwilligt. Verweigert oder widerruft er seine Einwilligung, so dürfen ihm keine Nachteile entstehen, die über die unmittelbaren Folgekosten hinausgehen.

(3) Soweit im Rahmen von Fernmeß- oder Fernwirkdiensten personenbezogene Daten erhoben werden, dürfen diese nur zu den vereinbarten Zwecken verarbeitet werden. Sie sind zu löschen, sobald sie zur Erfüllung dieser Zwecke nicht mehr erforderlich sind.

§ 31 Verarbeitung personenbezogener Daten durch den Landtag

(1) Die Landesregierung darf personenbezogene Daten, die für andere Zwecke erhoben worden sind, zur Beantwortung parlamentarischer Anfragen sowie zur Vorlage von Unterlagen und Berichten an den Landtag in dem dafür erforderlichen Umfang verwenden. Eine Übermittlung der Daten zu einem der in Satz 1 genannten Zwecke ist nicht zulässig, wenn dies wegen des streng persönlichen Charakters der Daten für den Betroffenen unzumutbar ist oder wenn der Eingriff in sein informationelles Selbstbestimmungsrecht unverhältnismäßig ist. Dies gilt nicht, wenn im Hinblick auf § 2 Abs. 1a Satz 2 oder durch sonstige geeignete Maßnahmen sichergestellt ist, daß schutzwürdige Interessen der Betroffenen nicht beeinträchtigt werden. Besondere gesetzliche Übermittlungsverbote bleiben unberührt.

(2) Von der Landesregierung übermittelte personenbezogene Daten dürfen nicht in Landtagsdrucksachen aufgenommen oder in sonstiger Weise allgemein zugänglich gemacht werden. Dies gilt nicht, wenn keine Anhaltspunkte dafür bestehen, daß schutzwürdige Belange der Betroffenen beeinträchtigt werden.

§ 32 (aufgehoben)

§ 33 Datenverarbeitung zu journalistisch-redaktionellen Zwecken

(1) Soweit öffentliche Stellen – insbesondere Unternehmen oder Hilfsunternehmen der Presse, des Rundfunks oder des Films – personenbezogene Daten ausschließlich zu eigenen meinungsbildenden journalistisch-redaktionellen Zwecken verarbeiten, gilt von den Vorschriften dieses Gesetzes nur § 10.

(2) Führt die journalistisch-redaktionelle Verarbeitung personenbezogener Daten zur Veröffentlichung von Gegendarstellungen der Betroffenen, so sind diese Gegendarstellungen zu den gespeicherten Daten zu nehmen und für dieselbe Zeitdauer aufzubewahren wie die Daten selbst.

§ 33a Öffentliche Auszeichnungen und Ehrungen

(1) Zur Vorbereitung öffentlicher Auszeichnungen und Ehrungen dürfen die zuständigen Stellen die dazu erforderlichen Daten auch ohne Kenntnis des Betroffenen erheben und weiter verarbeiten. Eine Verarbeitung dieser Daten für andere Zwecke ist nur mit Einwilligung des Betroffenen zulässig.

(2) Auf Anforderung der in Absatz 1 genannten Stellen dürfen andere öffentliche Stellen die zur Vorbereitung der Auszeichnung oder Ehrung erforderlichen Daten übermitteln.

(3) Die in Absatz 1 genannten Stellen haben den Betroffenen auf Antrag Auskunft zu erteilen über
a) die zu seiner Person gespeicherten Daten,
b) den Zweck und die Rechtsgrundlage der Speicherung sowie
c) die Herkunft der Daten.
Die Form der Auskunftserteilung ist nach pflichtgemäßem Ermessen zu bestimmen. Im übrigen findet § 18 keine Anwendung.

(4) Die Absätze 1 und 2 finden keine Anwendung, wenn der datenverarbeitenden Stelle bekannt ist, daß der Betroffene seiner öffentlichen Auszeichnung oder Ehrung oder der mit ihr verbundenen Datenverarbeitung widersprochen hat.

§ 33b Begnadigungsverfahren

In Begnadigungsverfahren ist die Verarbeitung personenbezogener Daten zulässig, soweit sie zur Ausübung des Gnadenrechts durch die zuständigen Stellen erforderlich ist. Die Datenverarbeitung unterliegt nicht der Kontrolle durch den Landesbeauftragten für den Datenschutz und für das Recht auf Akteneinsicht.

§ 33c Videoüberwachung und -aufzeichnung

(1) Öffentliche Stellen dürfen mit optisch-elektronischen Einrichtungen öffentlich zugängliche Räume beobachten (Videoüberwachung), soweit dies zur Erfüllung ihrer Aufgaben oder zur Wahrnehmung des Hausrechts erforderlich ist und überwiegende schutzwürdige Interessen Betroffener nicht beeinträchtigt werden. Das Bildmaterial darf gespeichert werden (Videoaufzeichnung), wenn die Tatsache der Aufzeichnung den Betroffenen durch geeignete Maßnahmen erkennbar gemacht ist. § 19 Abs. 2 Buchstabe b bleibt unberührt.

(2) Werden durch Videoaufnahmen gewonnene personenbezogene Daten verändert, übermittelt oder sonst genutzt, ist der Betroffene mit Angabe der Rechtsgrundlage zu benachrichtigen. § 12 Abs. 5 gilt entsprechend.

(3) Besondere Vorschriften bleiben unberührt.

§ 34 Personenbezogene Daten aus ehemaligen Einrichtungen

(1) Waren personenbezogene Daten aus ehemaligen Einrichtungen vor dem 3. Oktober 1990 nach ihrer Zweckbestimmung überwiegend für Verwaltungsaufgaben gespeichert, die nach dem Grundgesetz von Behörden, Einrichtungen und sonstigen öffentlichen Stellen des Landes, den Gemeinden, Gemeindeverbänden oder sonstigen öffentlichen Stellen im Sinne des § 2 Abs. 1 Satz 1 wahrzunehmen sind, so stehen sie demjenigen Träger öffentlicher Verwaltung zu, der für die Verwaltungsaufgabe zuständig ist.

(2) Ehemalige Einrichtungen im Sinne des Absatzes 1 sind ehemalige staatliche oder wirtschaftsleitende Organe, Kombinate, Betriebe und Einrichtungen sowie gesellschaftliche Organisationen der Deutschen Demokratischen Republik.

(3) Öffentliche und nicht-öffentliche Stellen sowie Personen, die personenbezogene Daten im Sinne des Absatzes 1 im Besitz haben, soweit diese nicht in den Verwaltungsvollzug übernommen worden sind, haben bis zum 1. Juli 1992 entsprechend § 8 Abs. 1 ein Verzeichnis zu erstellen und dieses dem Ministerium des Innern vorzulegen; entsprechendes gilt für vorhandene Aktenbestände und nicht-automatisiert verarbeitete Daten. Auf Verlangen des Ministeriums des Innern haben sie diese Dateien oder Akten sowie die zu ihrer Ordnung, Auffindung oder Auswertung dienenden Materialien und Träger sowie sämtliches Zubehör dem Minsterium des Innern oder einer von diesem benannten Behörde im Original und mit sämtlichen Ausfertigungen zur Einsicht vorzulegen und zu übergeben. Kopien dürfen von ihnen weder angefertigt noch behalten werden. Das Ministerium des Innern übergibt die Unterlagen den nach Absatz 1 zuständigen Behörden.

§ 35 Verarbeitung personenbezogener Daten aus ehemaligen Einrichtungen

(1) Abweichend von § 13 Abs. 1 ist das Speichern, Verändern oder Nutzen personenbezogener Daten aus ehemaligen Einrichtungen durch die in § 34 Abs. 1 genannten Stellen zulässig, soweit
1. die Kenntnis der Daten zur rechtmäßigen Erfüllung einer in der Zuständigkeit dieser Stellen liegenden Aufgabe erforderlich ist,
2. die erneute Erhebung dieser Daten einen unverhältnismäßig hohen Aufwand darstellt,
3. der Betroffene der Verarbeitung nicht nach § 36 widersprochen hat und
4. die Zuständigkeit und Verantwortlichkeit der datenverarbeitenden Stellen eindeutig bestimmt ist.

(2) Personenbezogene Daten, deren Verarbeitung nach Absatz 1 zulässig ist, gelten als für den nach Absatz 1 Nr. 1 bestimmten Zweck erstmalig gespeichert.

§ 36 Widerspruchsrecht

(1) Der Betroffene kann der Verarbeitung seiner personenbezogenen Daten widersprechen, wenn die Daten durch eine ehemalige Einrichtung erhoben und durch diese oder eine andere ehemalige Einrichtung gespeichert wurden und die Daten nach geltendem Recht nicht ohne seine Mitwirkung erhoben werden dürfen.
(2) Der Betroffene ist in geeigneter Weise über
1. die Herkunft solcher Daten,
2. die Art der ursprünglichen Verwendung,
3. die Art und den Umfang der beabsichtigten Verarbeitung,
4. die nunmehr zuständige datenverarbeitende Stelle und
5. die bestehende Widerspruchsmöglichkeit

persönlich zu unterrichten. Die Unterrichtung kann auch in allgemeiner Form erfolgen, soweit eine Einzelunterrichtung wegen des damit verbundenen unverhältnismäßigen Aufwandes nicht geboten erscheint und schutzwürdige Belange der Betroffenen nicht überwiegen.

§ 37 Sperrung personenbezogener Daten aus ehemaligen Einrichtungen

(1) Ist die Verarbeitung personenbezogener Daten aus ehemaligen Einrichtungen nach § 35 Abs. 1 nicht zulässig, sind diese Daten abweichend von § 19 Abs. 2 dem zuständigen öffentlichen Archiv zu übergeben. Daten, deren Speicherung nach Landesrecht unzulässig wäre, sind nach den Bestimmungen des § 4 Abs. 2 und 3 des Brandenburgischen Archivgesetzes zu behandeln.

(2) Abweichend von § 19 Abs. 3 dürfen gesperrte Daten nach Absatz 1 Satz 1 nur zur Behebung einer akuten Beweisnot, zu wissenschaftlichen Zwecken oder mit Zustimmung des Betroffenen weiterverarbeitet werden.

(3) Jeder Betroffene kann die Löschung rechtswidrig erhobener personenbezogener Daten fordern. Dem Antrag ist stattzugeben, soweit nicht schutzwürdige Belange der Öffentlichkeit oder Dritter dem entgegenstehen.

Abschnitt 4
Straf- und Bußgeldvorschriften; Übergangsvorschriften

§ 38 Straftaten

(1) Wer gegen Entgelt oder in der Absicht, sich oder einen anderen zu bereichern oder einen anderen zu schädigen, entgegen den Vorschriften dieses Gesetzes oder einer anderen Rechtsvorschrift über den Datenschutz personenbezogene Daten, die nicht offenkundig sind,

1. erhebt, speichert, unbefugt verwendet, verändert, übermittelt, weitergibt, zum Abruf bereithält, entschlüsselt, den Personenbezug herstellt oder löscht,
2. abruft, einsieht, sich verschafft oder durch Vortäuschung falscher Tatsachen ihre Übermittlung oder Weitergabe an sich oder andere veranlaßt,

wird mit Freiheitsstrafe bis zu zwei Jahren oder mit Geldstrafe bestraft. Ebenso wird bestraft, wer unter den in Satz 1 genannten Voraussetzungen Einzelangaben über persönliche oder sachliche Verhältnisse einer nicht mehr bestimmbaren Person mit anderen Informationen zusammenführt und dadurch die betroffene Person wieder bestimmbar macht. Der Versuch ist strafbar.

(2) Absatz 1 findet nur Anwendung, soweit die Tat nicht nach anderen Vorschriften mit Strafe bedroht ist.

§ 39 Ordnungswidrigkeiten

(1) Ordnungswidrig handelt, wer entgegen den Vorschriften dieses Gesetzes oder einer anderen Rechtsvorschrift über den Datenschutz personenbezogene Daten, die nicht offenkundig sind,

1. erhebt, speichert, unbefugt verwendet, verändert, übermittelt, weitergibt, zum Abruf bereithält, entschlüsselt, den Personenbezug herstellt oder löscht,
2. abruft, einsieht, sich verschafft oder durch Vortäuschung falscher Tatsachen ihre Übermittlung oder Weitergabe an sich oder andere veranlaßt.

Ordnungswidrig handelt auch, wer unter den in Satz 1 genannten Voraussetzungen Einzelangaben über persönliche oder sachliche Verhältnisse einer nicht mehr bestimmbaren Person mit anderen Informationen zusammenführt und dadurch die betroffene Person wieder bestimmbar macht.

(2) Die Ordnungswidrigkeit kann mit einer Geldbuße bis zu einhunderttausend Deutsche Mark geahndet werden.

§ 40 Übergangsvorschriften

(1) In Akten, die bei Inkrafttreten des Gesetzes vorhanden waren, ist die Berichtigung, Löschung oder Sperrung vorzunehmen, wenn die datenverarbeitende Stelle deren Voraussetzungen bei der Erfüllung ihrer laufenden Aufgaben oder aufgrund eines Überprüfungsersuchens des Betroffenen feststellt.

(2) Für Behörden des Justizvollzuges gilt § 18 mit der Maßgabe, daß der Betroffene Auskunft oder Akteneinsicht erhält, soweit er zur Wahrnehmung seiner Rechte oder berechtigten Interessen auf die Kenntnis gespeicherter Daten angewiesen ist.

(3) Für personenbezogene Daten, die bereits automatisiert gespeichert sind, findet die Vorschrift des § 18 Abs. 2 erstmals in Fällen einer Veränderung oder Ergänzung des personenbezogenen Datensatzes Anwendung.

§ 40a Einschränkung von Grundrechten

Das informationelle Selbstbestimmungsrecht nach Artikel 11 Abs. 1 der Verfassung des Landes Brandenburg wird nach Maßgabe dieses Gesetzes eingeschränkt.

§ 41 Inkrafttreten

Dieses Gesetz tritt am Tage nach der Verkündung in Kraft.

Anlage 1
Anforderungskatalog zu § 11a Abs. 1 Satz 3

Werden Datenverarbeitungssysteme vor Ort oder über Datenfernübertragungseinrichtungen (Fernwartung) gewartet, so sind Maßnahmen zu treffen, die je nach Art der zu schützenden personenbezogenen Daten geeignet sind,

1. sicherzustellen, daß nur dafür autorisiertes Personal die Wartung vornimmt;

2. sicherzustellen, daß jeder Wartungsvorgang nur mit Wissen und Wollen der speichernden Stelle erfolgen kann;
3. zu verhindern, daß personenbezogene Daten im Rahmen der Wartung unbefugt entfernt oder übertragen werden;
4. sicherzustellen, daß alle Wartungsvorgänge während der Durchführung kontrolliert werden können;
5. sicherzustellen, daß alle Wartungsvorgänge nach der Durchführung nachvollzogen werden können;
6. zu verhindern, daß bei der Wartung Programme unbefugt aufgerufen werden können, die für die Wartung nicht benötigt werden;
7. zu verhindern, daß bei der Wartung Datenverarbeitungsprogramme unbefugt verändert werden können und
8. die Wartung so zu organisieren und zu gestalten, daß sie den besonderen Anforderungen des Datenschutzes gerecht wird.

Anlage 2
Mindestvertragsinhalt zu § 11a Abs. 2 Satz 2

In der schriftlichen Vereinbarung sind folgende Regelungen zu treffen:
1. Aussagen zu Art und Umfang der Wartung,
2. Bestimmungen hinsichtlich der Abgrenzung der Rechte und Pflichten zwischen Auftraggeber und Auftragnehmer,
3. eine Protokollierungspflicht beim Auftraggeber und die Verpflichtung des Auftragnehmers, Weisungen des Auftraggebers zum Umgang mit den Daten auszuführen und sich an dessen Weisungen zu halten,
4. Regelung, daß die Daten ausschließlich für den Zweck der Wartung verwendet werden dürfen,
5. Sicherstellung, daß keine Datenübermittlung an andere Stellen durch den Auftragnehmer erfolgt,
6. nach Abschluß der Wartungsarbeiten sind die Daten zu löschen,
7. die technische Verbindung muß vom Auftraggeber hergestellt werden; sofern dies nicht möglich ist, ist ein Rückrufverfahren verbindlich festzulegen,
8. Anwesenheit des Systemverwalters ist möglichst sicherzustellen,
9. Verschlüsselung von personenbezogenen Daten auf dem Übertragungsweg nach dem jeweiligen Stand der Technik und
10. für den Fall, daß ein Auftragnehmer außerhalb der Mitgliedstaaten der Europäischen Union aus tätig wird, sind stets die jeweiligen Regelungen über die Übermittlung personenbezogener Daten an ausländische und internationale Stellen des § 17 anzuwenden.

Bremisches Datenschutzgesetz (BrDSG)

in der Fassung der Bekanntmachung vom 6. Juni 1995 (GBl S. 343)

Inhaltsübersicht

Dritter Abschnitt
Überwachung des Datenschutzes

Vierter Abschnitt
Sonderbestimmung für Radio Bremen

Fünfter Abschnitt
Straf- und Bußgeldvorschriften

Sechster Abschnitt
Übergangs- und Schlußvorschriften

Erster Abschnitt
Allgemeine Vorschriften

§ 1 Aufgabe und Anwendungsbereich des Gesetzes

(1) Aufgabe dieses Gesetzes ist es, die Verarbeitung personenbezogener Daten durch öffentliche Stellen zu regeln, um das Recht des einzelnen zu schützen, selbst über die Preisgabe und Verwendung seiner Daten zu bestimmen.

(2) Dieses Gesetz gilt für die Verarbeitung von personenbezogenen Daten durch Behörden und sonstige öffentliche Stellen des Landes, der Gemeinden und der sonstigen der Aufsicht des Landes unterstehenden juristischen Personen des öffentlichen Rechts und deren Vereinigungen ungeachtet ihrer Rechtsform. Nimmt eine Person oder Stelle außerhalb des öffentlichen Bereichs Aufgaben der öffentlichen Verwaltung wahr, so ist sie insoweit öffentliche Stelle im Sinne dieses Gesetzes. Besondere Rechtsvorschriften über die Verarbeitung personenbezogener Daten gehen den Bestimungen dieses Gesetzes vor.

(3) Die Bürgerschaft (Landtag), ihre Mitglieder, ihre Gremien, die von ihr gewählten Mitglieder der Deputationen, die Fraktionen und Gruppen sowie deren Verwaltungen und deren Beschäftigte unterliegen nicht den Bestimmungen dieses Gesetzes, soweit sie in Wahrnehmung verfassungsmäßiger Aufgaben personenbezogene Daten verarbeiten. Dies gilt, soweit sie Aufgaben der Stadtbürgerschaft wahrnehmen, entsprechend für die Fraktionen und Gruppen der Stadtbürgerschaft, die Mitglieder der Bürgerschaft (Landtag) und die von der Stadtbürgerschaft gewählten Mitglieder von Deputationen.

(4) Für Gerichte gilt dieses Gesetz nur, soweit sie Verwaltungsaufgaben erledigen; § 1 Abs. 2 Nr. 2 Buchstabe b des Bundesdatenschutzgesetzes bleibt unberührt. Für Gnadenverfahren gelten der Dritte Abschnitt und § 19 nicht.

(5) Soweit öffentlich-rechtliche Unternehmen der in Absatz 2 Satz 1 genannten Rechtsträger am Wettbewerb teilnehmen, gelten für sie nur der Dritte Abschnitt und § 22 dieses Gesetzes. Im übrigen sind die für nichtöffentliche Stellen geltenden Vorschriften des Bundesdatenschutzgesetzes einschließlich der Straf- und Bußgeldvorschriften anwendbar.

(6) Soweit Radio Bremen personenbezogene Daten ausschließlich zu eigenen publizistischen Zwecken verarbeitet, gelten nur die §§ 7 und 36 dieses Gesetzes.

(7) Dieses Gesetz gilt nicht für personenbezogene Daten, solange sie in allgemein zugänglichen Quellen enthalten sind, und für Daten des Betroffenen, die von ihm zur Veröffentlichung bestimmt sind.

§ 2 Begriffsbestimmungen

(1) Im Sinne dieses Gesetzes sind personenbezogene Daten Einzelangaben über persönliche oder sachliche Verhältnisse einer bestimmten oder bestimmbaren natürlichen Person (Betroffener).

(2) Datenverarbeitung im Sinne dieses Gesetzes ist das Erheben, Speichern, Verändern, Übermitteln, Sperren, Löschen und Nutzen personenbezogener Daten.

Im einzelnen ist
1. Erheben das Beschaffen von Daten über den Betroffenen,
2. Speichern das Erfassen, Aufnehmen und Aufbewahren von Daten auf einem Datenträger zum Zwecke ihrer weiteren Verarbeitung,
3. Verändern das inhaltliche Umgestalten gespeicherter Daten,
4. Übermitteln das Bekanntgeben gespeicherter oder durch Datenverarbeitung gewonnener Daten an einen Dritten in der Weise, daß die Daten durch die datenverarbeitende Stelle an den Dritten weitergegeben werden oder daß der Dritte zum Abruf bereitgehaltene Daten abruft,
5. Sperren das Verhindern weiterer Verarbeitung gespeicherter Daten,
6. Löschen das endgültige Unkenntlichmachen gespeicherter Daten,
7. Nutzen jede sonstige Verwendung gespeicherter oder zur Speicherung vorgesehener personenbezogener Daten,

ungeachtet der dabei angewendeten Verfahren.

(3) Im Sinne dieses Gesetzes ist
1. erhebende Stelle jede der in § 1 Abs. 2 genannten Stellen, die Daten für sich selbst oder für andere beschafft,
2. speichernde Stelle jede der in § 1 Abs. 2 genannten Stellen, die Daten für sich selbst speichert oder durch andere speichern läßt,
3. Dritter jede Person oder Stelle außerhalb der speichernden Stelle, ausgenommen der Betroffenen und diejenigen Stellen, die in den Fällen der Nummer 2 im Geltungsbereich des Grundgesetzes im Auftrag tätig werden,
4. eine Datei
   a) eine Sammlung von Daten, die durch automatisierte Verfahren ausgewertet werden kann (automatisierte Datei), oder
   b) eine gleichartig aufgebaute Sammlung von Daten, die nach bestimmten Merkmalen geordnet und ausgewertet werden kann (nicht automatisierte Datei),
5. eine Akte jede amtlichen Zwecken dienende Unterlage; dazu zählen auch Bild- und Tonträger.

§ 3 Zulässigkeit der Datenverarbeitung

(1) Die Verarbeitung personenbezogener Daten, die von diesem Gesetz geschützt werden, ist nur zulässig, wenn
1. dieses Gesetz oder eine andere Rechtsvorschrift sie erlaubt oder zwingend voraussetzt oder
2. der Betroffene eingewilligt hat.

(2) Die Einwilligung bedarf der Schriftform, soweit nicht wegen besonderer Umstände eine andere Form angemessen ist; wird die Einwilligung zusammen mit anderen Erklärungen schriftlich erteilt, ist der

Betroffene hierauf schriftlich besonders hinzuweisen. Der Betroffene ist in geeigneter Weise über die Bedeutung der Einwilligung, insbesondere über den Verarbeitungszweck der Daten, bei einer beabsichtigten Übermittlung auch über den Empfänger der Daten aufzuklären. Er ist unter Hinweis auf mögliche Rechtsfolgen darauf hinzuweisen, daß er die Einwilligung verweigern und mit Wirkung für die Zukunft widerrufen kann.

§ 4 Rechte der Betroffenen

(1) Jeder hat nach Maßgabe dieses Gesetzes ein Recht auf

1. Auskunft über die zu seiner Person gespeicherten Daten und Einsicht in Akten (§ 19),
2. Berichtigung, Sperrung oder Löschung der zu seiner Person gespeicherten Daten (§ 20),
3. Anrufung des Landesbeauftragten für den Datenschutz (§ 30),
4. Schadensersatz (§ 5).

Die Ausübung der Rechte nach Satz 1 ist kostenfrei.

(2) Sind die Daten der Betroffenen in einer Datei gespeichert, bei der mehrere Stellen speicherungsberechtigt sind, und ist der Betroffene nicht in der Lage, die speichernde Stelle festzustellen, kann er sich an jede dieser Stellen wenden. Diese ist verpflichtet, das Ersuchen an die speichernde Stelle weiterzuleiten. Der Betroffenen ist über die Weiterleitung und die speichernde Stelle zu unterrichten.

§ 5 Schadensersatz durch öffentliche Stellen

(1) Fügt eine öffentliche Stelle dem Betroffenen durch eine nach den Vorschriften dieses Gesetzes oder nach anderen Vorschriften über den Datenschutz unzulässige oder unrichtige automatisierte Verarbeitung seiner personenbezogenen Daten einen Schaden zu, ist ihr Rechtsträger dem Betroffenen unabhängig von einem Verschulden zum Ersatz des daraus entstehenden Schadens verpflichtet. Bei einer schweren Verletzung des Persönlichkeitsrechts ist dem Betroffenen der Schaden, der nicht Vermögensschaden ist, angemessen in Geld zu ersetzen.

(2) Die Ansprüche nach Absatz 1 Satz 1 und 2 sind insgesamt bis zu einem Betrag in Höhe von 250 000 DM begrenzt. Ist aufgrund desselben Erreignisses an mehrere Personen Schadensersatz zu leisten, der insgesamt den Höchstbetrag von Satz 1 übersteigt, so verringern sich die einzelnen Schadensersatzleistungen in dem Verhältnis, in dem ihr Gesamtbeitrag zu dem Höchstbetrag steht.

(3) Sind bei der Datei mehrere Stellen speicherungsberechtigt und ist der Geschädigte nicht in der Lage, die speichernde Stelle festzustellen, so haftet der Rechtsträger jeder speicherungsberechtigten Stelle. Mehrere Ersatzpflichtige haften als Gesamtschuldner.

(4) Auf das Mitverschulden des Betroffenen und die Verjährung sind die §§ 254 und 852 des Bürgerlichen Gesetzbuches entsprechend anzuwenden.

(5) Schadenersatzansprüche aufgrund anderer Vorschriften bleiben unberührt.

(6) Über Ansprüche nach den Absätzen 1 bis 3 entscheiden die ordentlichen Gerichte.

§ 6 Datengeheimnis

Den bei der datenverarbeitenden Stelle oder in deren Auftrag beschäftigten Personen, die Zugang zu personenbezogenen Daten haben, ist untersagt, geschützte personenbezogene Daten unbefugt zu einem anderen als dem zur jeweiligen rechtmäßigen Aufgabenerfüllung gehörenden Zweck zu verarbeiten oder zu offenbaren; dies gilt auch nach Beendigung ihrer Tätigkeit. Diese Personen sind über die bei ihrer Tätigkeit zu beachtenden Vorschriften über den Datenschutz zu unterrichten.

§ 7 Technische und organisatorische Maßnahmen

(1) Wer im Rahmen des § 1 Abs. 2 oder im Auftrag der dort genannten Stellen personenbezogene Daten verarbeitet, hat die technischen und organisatorischen Maßnahmen zu treffen, die erforderlich sind, um die Ausführung der Vorschriften dieses Gesetzes zu gewährleisten. Erforderlich sind Maßnahmen nur, wenn der Aufwand in einem angemessenen Verhältnis zu dem angestrebten Schutzzweck steht. Nach Maßgabe von Satz 2 sind die Maßnahmen dem jeweiligen Stand der Technik anzupassen.

(2) Werden personenbezogene Daten automatisiert verarbeitet, sind Maßnahmen zu treffen, die je nach der Art der zu schützenden personenbezogenen Daten geeignet sind,

1. Unbefugten den Zugang zu Datenverarbeitungssystemen, mit denen personenbezogene Daten verarbeitet werden, zu verwehren (Zugangskontrolle),
2. zu verhindern, daß Datenträger unbefugt gelesen, kopiert, verändert oder entfernt werden können (Datenträgerkontrolle),
3. die unbefugte Eingabe in den Speicher sowie die unbefugte Kenntnisnahme, Veränderung oder Löschung gespeicherter personenbezogener Daten zu verhindern (Speicherkontrolle),
4. die Benutzung von Datenverarbeitungssystemen mit Hilfe von Einrichtungen zur Datenübertragung durch Unbefugte zu verhindern (Benutzerkontrolle),
5. zu gewährleisten, daß die zur Benutzung eines Datenverarbeitungssystems Berechtigten ausschließlich auf die ihrer Zugriffs-

berechtigung unterliegenden personenbezogenen Daten zugreifen können (Zugriffskontrolle),

6. zu gewährleisten, daß überprüft und festgestellt werden kann, an wen wann welche personenbezogenen Daten durch Einrichtungen zur Datenübertragung übermittelt worden sind (Übermittelungskontrolle),
7. zu gewährleisten, daß überprüft und festgestellt werden kann, welche personenbezogenen Daten zu welcher Zeit von wem in Datenverarbeitungssysteme eingegeben worden sind (Eingabekontrolle),
8. zu gewährleisten, daß personenbezogene Daten, die im Auftrag verarbeitet werden, nur entsprechend den Weisungen des Auftraggebers verarbeitet werden können (Auftragskontrolle),
9. zu gewährleisten, daß bei der Übertragung personenbezogener Daten sowie beim Transport von Datenträgern diese nicht unbefugt gelesen, kopiert, verändert, gelöscht oder entfernt werden können (Transportkontrolle),
10. die innerbehördliche oder innerbetriebliche Organisation so zu gestalten, daß sie den besonderen Anforderungen des Datenschutzes gerecht wird (Organisationskontrolle).

(3) Werden personenbezogene Daten in nicht automatisierten Dateien oder in Akten verarbeitet, sind die nach Absatz 1 erforderlichen Maßnahmen zu treffen, um insbesondere den Zugriff Unbefugter bei der Bearbeitung, der Aufbewahrung, dem Transport und der Vernichtung zu verhindern.

(4) Auf die in § 1 Abs. 2 genannten Stellen, die Sozialleistungsträger im Sinne des § 12 des Ersten Buches Sozialgesetzbuch, aber nicht Sozialversicherungsträger oder deren Verbände im Sinne des § 81 Abs. 4 Satz 4 des Zehnten Buches Sozialgesetzbuch sind, sind die §§ 36 und 37 Abs. 1 des Bundesdatenschutzgesetzes entsprechend anzuwenden.

§ 8 Dateibeschreibung und Geräteverzeichnis

(1) Die speichernde Stelle ist verpflichtet, in einer Beschreibung jeder automatisiert geführten Datei festzulegen:

1. die Zweckbestimmung und die Rechtsgrundlage der Datei,
2. die Art der gespeicherten Daten,
3. den Kreis der Betroffenen,
4. die Art regelmäßig übermittelter Daten, deren Empfänger sowie die Art und die Herkunft regelmäßig empfangener Daten,
5. Fristen für das Sperren und Löschen der Daten,
6. die technischen und organisatorischen Maßnahmen nach § 7,
7. zugriffsberechtigte Personengruppen oder allein zugriffsberechtigte Personen.

Die speichernde Stelle kann die Angaben nach Satz 1 für mehrere gleichartige Dateien in einer Dateibeschreibung zusammenfassen.

(2) Absatz 1 findet keine Anwendung auf automatisierte Dateien, die ausschließlich aus verarbeitungstechnischen Gründen vorübergehend erstellt und nach ihrer Nutzung gelöscht werden.

(3) Die datenverarbeitende Stelle oder die in ihrem Auftrag tätige Stelle ist verpflichtet, in einem Verzeichnis der Geräte, mit denen personenbezogene Daten automatisiert verarbeitet werden, festzulegen:
1. den Typ und die Art der Geräte,
2. den Hersteller,
3. die Anzahl und den Standort der Geräte,
4. das verwendete Betriebssystem,
5. die Möglichkeiten zur Datenfernverarbeitung und Datenübertragung,
6. verwendete Standard- und Anwenderprogramme.

(4) Die Beschreibung nach Absatz 1 und das Verzeichnis nach Absatz 3 sind laufend auf dem neuesten Stand zu halten.

(5) Die Beschreibung nach Absatz 1 und das Verzeichnis nach Absatz 3 sind dem Landesbeauftragten für den Datenschutz auf Anforderung einzureichen.

§ 9 Verarbeitung personenbezogener Daten im Auftrag

(1) Die Vorschriften dieses Gesetzes gelten für die in § 1 Abs. 2 genannten Stellen auch insoweit, als personenbezogene Daten in deren Auftrag durch andere Personen oder Stellen verarbeitet werden. In diesen Fällen ist der Auftragnehmer unter besonderer Berücksichtigung der Eignung der von ihm getroffenen technischen und organisatorischen Maßnahmen (§ 7) sorgfältig auszuwählen. Der Auftrag ist schriftlich zu erteilen, wobei die Datenverarbeitung, die technischen und organisatorischen Maßnahmen nach § 7 und etwaige Unterauftragsverhältnisse festzulegen sind. Sofern die Vorschriften dieses Gesetzes auf den Auftragnehmer keine Anwendung finden, ist der Auftraggeber verpflichtet, sicherzustellen, daß der Auftragnehmer die Bestimmungen dieses Gesetzes beachtet und sich der Kontrolle des Landesbeauftragten für den Datenschutz unterwirft. Findet Satz 4 Anwendung, hat der Auftraggeber den Landesbeauftragten für den Datenschutz unverzüglich von der Auftragsvergabe zu unterrichten.

(2) Die Vorschriften des Zweiten Abschnitts gelten nicht für die in § 1 Abs. 2 genannten Stellen, soweit sie personenbezogene Daten im Auftrag verarbeiten. In diesen Fällen ist die Verarbeitung personenbezogener Daten nur im Rahmen der Weisungen des Auftraggebers zulässig.

(3) Für juristische Personen, Gesellschaften und andere Personenvereinigungen des privaten Rechts, bei denen dem Land, einer Gemeinde oder einer der Aufsicht des Landes unterstehenden juristischen Person des öffentlichen Rechts die Mehrheit der Anteile gehört oder die Mehrheit der Stimmen zusteht, gelten die Vorschriften des Dritten Abschnitts entsprechend, soweit diese Personen oder Personenvereinigungen in den Fällen des Absatzes 1 Satz 1 im Auftrag tätig werden.

Zweiter Abschnitt
Datenverarbeitung der Behörden und sonstigen öffentlichen Stellen

§ 10 Datenerhebung

(1) Das Erheben personenbezogener Daten ist zulässig, wenn diese zur rechtmäßigen Erfüllung der Aufgaben der erhebenden Stelle oder der Stelle, für die die Daten beschafft werden, erforderlich sind.

(2) Personenbezogene Daten dürfen grundsätzlich nur beim Betroffenen mit seiner Kenntnis erhoben werden. Ohne seine Kenntnis dürfen personenbezogene Daten im Einzelfall beim Betroffenen oder bei öffentlichen Stellen erhoben werden, wenn eine Rechtsvorschrift dies erlaubt oder zwingend voraussetzt oder der Schutz von Leben und Gesundheit dies gebietet. Darüber hinaus dürfen personenbezogene Daten im Einzelfall bei öffentlichen Stellen auch ohne Kenntnis des Betroffenen erhoben werden, wenn

1. die Verhinderung oder Beseitigung erheblicher Nachteile für das Gemeinwohl oder schwerwiegender Beeinträchtigungen der Rechte einzelner dies gebietet oder
2. das Erheben beim Betroffenen einen unverhältnismäßigen Aufwand erfordern würde und keine Anhaltspunkte dafür bestehen, daß schutzwürdige Belange des Betroffenen beeinträchtigt werden können.

(3) Bei Dritten außerhalb des öffentlichen Bereichs dürfen personenbezogene Daten im Einzelfall ohne Kenntnis des Betroffenen nur erhoben werden, wenn eine Rechtsvorschrift dies erlaubt oder zwingend voraussetzt oder wenn der Schutz von Leben und Gesundheit dies gebietet.

(4) Werden personenbezogene Daten beim Betroffenen aufgrund einer Rechtsvorschrift erhoben, ist er auf diese, sonst auf die Freiwilligkeit seiner Angaben hinzuweisen.

(5) Werden personenbezogene Daten beim Betroffenen ohne seine Kenntnis erhoben, dann ist er davon zu benachrichtigen, sobald die rechtmäßige Erfüllung der Aufgaben dadurch nicht gefährdet wird. Die

Benachrichtigung umfaßt die Angabe der Rechtsgrundlage, die Aufklärung über den Zweck der Datenerhebung und bei Übermittlungen auch den Empfänger der Daten.

§ 11 Datenspeicherung, -veränderung und -nutzung

Das Speichern, Verändern und Nutzen personenbezogener Daten ist zulässig, wenn es zur rechtmäßigen Erfüllung der Aufgaben der öffentlichen Stelle erfoderlich ist.

§ 12 Zweckbindung

(1) Personenbezogene Daten dürfen grundsätzlich nur für Zwecke verarbeitet werden, für die sie erhoben worden sind; personenbezogene Daten, von denen eine öffentliche Stelle ohne Erhebung Kenntnis erlangt hat, dürfen nur für Zwecke verarbeitet werden, für die sie erstmals gespeichert worden sind.

(2) Die Verarbeitung für andere Zwecke ist nur zulässig, wenn
1. der Betroffene eingewilligt hat,
2. eine Rechtsvorschrift dies erlaubt oder zwingend voraussetzt,
3. hierdurch erhebliche Nachteile für das Gemeinwohl oder schwerwiegende Beeinträchtigungen der Rechte einzelner verhindert oder beseitigt werden sollen,
4. sie zur Verfolgung von Straftaten oder Ordnungswidrigkeiten, zur Vollstreckung von Strafen oder Bußgeldern oder zur Erledigung eines gerichtlichen Auskunftsersuchens erforderlich ist,
5. das Erheben beim Betroffenen einen unverhältnismäßigen Aufwand erfordern würde, die Verarbeitung im Interesse des Betroffenen liegt und davon ausgegangen werden kann, daß dieser in Kenntnis des Verarbeitungszwecks seine Einwilligung hierzu erteilt hätte,
6. die Daten aus allgemein zugänglichen Quellen entnommen werden können oder von der erhebenden oder speichernden Stelle veröffentlicht werden dürfen, es sei denn, daß schutzwürdige Belange des Betroffenen offensichtlich entgegenstehen.

Besondere Amts- oder Berufsgeheimnisse bleiben unberührt.

(3) Die Wahrnehmung von Aufsichts- und Kontrollbefugnissen, die Rechnungsprüfung, die Durchführung von Organisationsuntersuchungen und die Verarbeitung zu Ausbildungs- und Prüfungszwecken gelten nicht als Verarbeitung für andere Zwecke.

(4) Personenbezogene Daten, die ausschließlich zu Zwecken der Datenschutzkontrolle, der Datensicherung oder zur Sicherstellung des ordnungsgemäßen Betriebs einer Datenverarbeitungsanlage gespeichert werden, dürfen nicht für andere Zwecke verarbeitet werden.

§ 13 Datenübermittlung innerhalb des öffentlichen Bereichs

(1) Die Übermittlung personenbezogener Daten an eine andere öffentliche Stelle einschließlich der Vertretungen des Bundes außerhalb des Geltungsbereichs des Grundgesetzes ist zulässig, wenn sie zur rechtmäßigen Erfüllung der Aufgaben der übermittelnden oder der empfangenden Stelle erforderlich ist und entweder die Voraussetzungen des § 12 Abs. 1 oder 3 oder die des § 12 Abs. 2 vorliegen. Die Übermittlung ist ferner zulässig, soweit es zur Entscheidung in einem Verwaltungsverfahren der Beteiligung anderer öffentlicher Stellen bedarf.

(2) Sind personenbezogene Daten, die nach Absatz 1 übermittelt werden dürfen, mit weiteren personenbezogenen Daten des Betroffenen oder eines Dritten in Akten so verbunden, daß sie nicht oder nur mit unvertretbarem Aufwand voneinander getrennt werden können, so ist die Übermittlung auch dieser Daten zulässig, soweit nicht berechtigte Interessen des Betroffenen oder des Dritten anderen Geheimhaltung offensichtlich überwiegen. Eine weitere Verarbeitung dieser Daten ist unzulässig.

(3) Die Verantwortung für die Übermittlung trägt die übermittelnde Stelle. Erfolgt die Übermittlung aufgrund eines Ersuchens des Empfängers, hat die übermittelnde Stelle lediglich zu prüfen, ob das Übermittlungsersuchen im Rahmen der Aufgaben des Empfängers liegt. Die Rechtmäßigkeit des Ersuchens prüft sie nur, wenn im Einzelfall hierzu Anlaß besteht; der Empfänger hat der übermittelnden Stelle die für diese Prüfung erforderlichen Angaben zu machen. Erfolgt die Übermittlung durch automatisierten Abruf, so trägt die Verantwortung für die Rechtmäßigkeit des Abrufs der Empfänger; die übermittelnde Stelle überprüft zumindest stichprobenweise die Rechtmäßigkeit der Übermittlung.

(4) Der Empfänger darf die übermittelten Daten nur für die Zwecke verarbeiten, zu deren Erfüllung sie ihm übermittelt worden sind. § 12 Abs. 2 bleibt unberührt.

(5) Die Absätze 1 bis 4 gelten entsprechend, wenn personenbezogene Daten innerhalb einer öffentlichen Stelle weitergegeben werden, sofern die übermittelnde Stelle und der Empfänger unterschiedliche Aufgaben wahrnehmen; dies gilt nicht für Akten, soweit die Daten zur Bearbeitung der Akte innerhalb der öffentlichen Stelle benötigt werden.

§ 14 Automatisiertes Abrufverfahren

(1) Die Einrichtung eines automatisierten Verfahrens, das die Übermittlung personenbezogener Daten durch Abruf ermöglicht,

ist nur zulässig, soweit dies durch Bundes- oder Landesrecht bestimmt ist.

(2) Der Senat wird ermächtigt, durch Rechtsverordnung für die Behörden und sonstigen Stellen des Landes sowie für die der Aufsicht des Landes unterstehenden juristischen Personen des öffentlichen Rechts die Einrichtung automatisierter Abrufverfahren zuzulassen. Die Senatoren werden ermächtigt, durch Rechtsverordnung für die Behörden und sonstigen öffentlichen Stellen ihres Geschäftsbereichs die Einrichtung automatisierter Abrufverfahren zuzulassen. Ein solches Verfahren darf nur eingerichtet werden, soweit dies unter Berücksichtigung des informationellen Selbstbestimmungsrechts des betroffenen Personenkreises und der Aufgaben der beteiligten Stellen angemessen ist. Die Datenempfänger, die Datenart und der Zweck des Abrufs sind festzulegen. Der Landesbeauftragte für den Datenschutz ist vorher zu beteiligen.

(3) Die an Abrufverfahren beteiligten Stellen haben die nach § 7 erforderlichen Maßnahmen zu treffen.

(4) Für die Einrichtung automatisierter Abrufverfahren innerhalb einer öffentlichen Stelle gelten Absatz 2 Satz 2 und 3 sowie Absatz 3 entsprechend, sofern die übermittelnde Stelle und der Empfänger unterschiedliche Aufgaben wahrnehmen.

(5) Personenbezogene Daten dürfen für Stellen außerhalb des öffentlichen Bereichs zum automatisierten Abruf nicht bereitgehalten werden; dies gilt nicht für den Abruf durch den Betroffenen.

(6) Die Absätze 1 bis 5 gelten nicht für Datenbestände, die jedermann ohne oder nach besonderer Zulassung zur Benutzung offenstehen oder deren Veröffentlichung zulässig wäre.

(7) Bei automatisierten Abrufverfahren nach Absatz 1 oder 2 kann der Rechnungshof auf sein Verlangen als abrufberechtigter Datenempfänger zugelassen werden. Der Landesbeauftragte für den Datenschutz ist vorher anzuhören. Absatz 2 Satz 3 und Absatz 3 sind entsprechend anzuwenden. Abrufe sind nur aus Anlaß und für die Dauer konkreter Prüfverfahren zulässig.

§ 15 Datenübermittlung an öffentlich-rechtliche Religionsgesellschaften

Die Übermittlung personenbezogener Daten an Stellen der öffentlich-rechtlichen Religionsgesellschaften ist in entsprechender Anwendung der Vorschriften über die Datenübermittlung innerhalb des öffentlichen Bereichs zulässig, sofern sichergestellt ist, daß bei dem Empfänger ausreichende Datenschutzmaßnahmen getroffen werden.

§ 16 Datenübermittlung an die Bürgerschaft (Landtag) und die kommunalen Vertretungsorgane

(1) Die Übermittlung personenbezogener Daten, die für andere Zwecke erhoben worden sind, an die Bürgerschaft (Landtag), die Stadtbürgerschaft der Stadt Bremen und die Stadtverordnetenversammlung der Stadt Bremerhaven ist zulässig, soweit sie für die Beantwortung von Anfragen, zur Erfüllung sonstiger Auskunfts- und Einsichtsrechte sowie zur Vorlage von Unterlagen und Berichten im Rahmen der Landesverfassung oder der Gemeindeverfassung erforderlich ist und überwiegende schutzwürdige Belange des Betroffenen nicht entgegenstehen. § 13 Abs. 2 bis 4 gilt entsprechend.

(2) Personenbezogene Daten, die einem besonderen Amts- oder Berufsgeheimnis unterliegen, dürfen nur übermittelt werden, wenn die in Absatz 1 genannten Vertretungsorgane die Wahrung dieser Geheimnisse durch geeignete Vorkehrungen gewährleisten.

§ 17 Datenübermittlung an Stellen außerhalb des öffentlichen Bereichs

(1) Die Übermittlung personenbezogener Daten an Personen und andere als die in § 13 genannten Stellen ist zulässig, wenn

1. sie zur rechtmäßigen Erfüllung der in der Zuständigkeit der übermittelnden Stelle liegenden Aufgaben erforderlich ist und die Voraussetzungen des § 12 Abs. 1 oder 3 vorliegen,
2. sie unter den Voraussetzungen des § 12 Abs. 2 Satz 1 Nr. 1 bis 3 und 6 für andere Zwecke verarbeitet werden dürfen, wobei besondere Amts- oder Berufsgeheimnisse unberührt bleiben oder
3. der Empfänger ein rechtliches Interesse an der Kenntnis der zu übermittelnden Daten glaubhaft macht, diese Kenntnis nicht auf ihm zumutbare andere Weise erhalten kann und schutzwürdige Belange des Betroffenen nicht entgegenstehen.

(2) Der Empfänger darf die übermittelten Daten nur für die Zwecke verarbeiten, zu deren Erfüllung sie ihm übermittelt worden sind.

§ 18 Datenübermittlung an ausländische und an über- und zwischenstaatliche Stellen

(1) Eine Übermittlung personenbezogener Daten an ausländische und an über- und zwischenstaatliche Stellen ist zulässig, soweit die Übermittlung in einem Gesetz, einem Rechtsakt der Europäischen Gemeinschaft oder einem zwischenstaatlichen Vertrag ausdrücklich geregelt ist.

(2) Eine Übermittlung darf unter den Voraussetzungen des § 13 Abs. 1 Satz 1 auch erfolgen, wenn für den Empfänger gleichwertige Datenschutzvorschriften gelten. Die Übermittlung unterbleibt, wenn sie gegen dieses Gesetz oder eine andere Rechtsvorschrift verstoßen würde oder soweit Grund zu der Annahme besteht, daß sie schutzwürdige Belange des Betroffenen verletzt.

(3) Der Empfänger ist darauf hinzuweisen, daß er die übermittelten Daten nur zur Verarbeitung für den Zweck erhält, zu dem sie ihm übermittelt werden.

§ 19 Auskunft an den Betroffenen und Akteneinsicht

(1) Dem Betroffenen ist von der speichernden Stelle auf Antrag Auskunft zu erteilen über

1. die zu seiner Person gespeicherten Daten,
2. den Zweck und die Rechtsgrundlage der Speicherung und sonstigen Verarbeitung sowie
3. die Herkunft der Daten und die Empfänger von Übermittlungen, soweit dies festgehalten wird.

Dies gilt nicht für die personenbezogenen Daten, die nur deshalb als gesperrte Daten gespeichert sind, weil sie aufgrund gesetzlicher Aufbewahrungsvorschriften nicht gelöscht werden dürfen (§ 20 Abs. 2 Nr. 2), sowie für solche Daten, die ausschließlich zum Zwecke der Datensicherung oder der Datenschutzkontrolle gespeichert sind (§ 20 Abs. 2 Nr. 3), es sei denn, der Betroffene legt ein besonderes berechtigtes Interesse an der Kenntnis dieser Daten dar. Der Betroffene soll die Art der personenbezogenen Daten, über die er Auskunft verlangt, näher bezeichnen. Nach seiner Wahl ist dem Betroffenen Auskunft aus Akten oder Akteneinsicht nach Maßgabe von Satz 1 bis 3 zu gewähren, soweit er die Angaben macht, die das Auffinden der Daten mit angemessenem Aufwand ermöglichen und soweit sich aus § 29 des Bremischen Verwaltungsverfahrensgesetzes nichts anderes ergibt. Die Auskunft ist schriftlich zu erteilen, soweit nicht wegen der besonderen Umstände eine andere Form der Auskunftserteilung angemessen ist. Soweit Akteneinsicht zu erteilen ist, kann der Betroffene Auszüge oder Abschriften selbst fertigen oder sich gegen angemessenen Ersatz der Aufwendungen Kopien durch die speichernde Stelle herstellen lassen.

(2) Die Auskunftserteilung oder die Gewährung der Akteneinsicht unterbleibt, soweit und solange

1. die Auskunft oder die Akteneinsicht die rechtmäßige Wahrnehmung der Aufgaben der speichernden Stelle gefährden würde,

2. die Auskunft oder die Akteneinsicht die öffentliche Sicherheit gefährden oder sonst dem Wohle des Bundes oder eines Landes Nachteile bereiten würde oder
3. die personenbezogenen Daten oder die Tatsache ihrer Speicherung nach einer Rechtsvorschrift oder wegen berechtigter Interessen Dritter geheimzuhalten sind und deswegen das Interesse des Betroffenen an der Auskunftserteilung zurücktreten muß.

(3) Bezieht sich die Auskunft oder die Akteneinsicht auf die Herkunft von personenbezogenen Daten von Behörden des Verfassungsschutzes, der Staatsanwaltschaft, des Polizeivollzugsdienstes der Länder und der Gemeinden, soweit sie strafverfolgend tätig werden, von den Finanzbehörden im Rahmen der Steuerfahnung sowie von den in § 19 Abs. 3 des Bundesdatenschutzgesetzes genannten Behörden, ist sie nur mit Zustimmung dieser Stellen zulässig. Gleiches gilt, soweit sich die Auskunft oder die Akteneinsicht auf die Übermittlung personenbezogener Daten an diese Behörden bezieht. Für die Versagung der Zustimmung gilt, soweit dieses Gesetz auf die benannten Behörden Anwendung findet, Absatz 2 entsprechend.

(4) Die Verweigerung der Auskunft oder der Akteneinsicht ist zu begründen. Dies gilt nicht, wenn durch die Mitteilung der Gründe der mit der Verweigerung verfolgte Zweck gefährdet würde; die wesentlichen Gründe für die Entscheidung sind aufzuzeichnen. Der Betroffene ist darauf hinzuweisen, daß er sich an den Landesbeauftragten für den Datenschutz wenden kann.

§ 20 Berichtigung, Sperrung und Löschung von Daten

(1) Personenbezogene Daten sind zu berichtigen, wenn sie unrichtig sind.

(2) Personenbezogene Daten sind zu sperren, wenn
1. ihre Richtigkeit vom Betroffenen bestritten wird und sich weder die Richtigkeit noch die Unrichtigkeit feststellen läßt,
2. in den Fällen des Absatzes 3 Grund zu der Annahme besteht, daß durch die Löschung schutzwürdige Belange des Betroffenen beeinträchtigt würden oder sie aufgrund gesetzlicher Aufbewahrungsvorschriften nicht gelöscht werden dürfen,
3. sie nur zu Zwecken der Datensicherung oder der Datenschutzkontrolle gespeichert sind.

Satz 1 Nr. 1 gilt nicht, wenn personenbezogene Daten in Akten gespeichert sind; in diesen Fällen ist in der Akte lediglich zu vermerken, daß die Daten vom Betroffenen bestritten worden sind. In automatisierten Dateien ist die Sperrung grundsätzlich durch technische Maßnahmen sicherzustellen; im übrigen ist ein entsprechender Vermerk anzubringen. Gesperrte Daten dürfen über die Speicherung hinaus nicht mehr verarbeitet werden, es sei denn, daß die Verarbeitung zur Behebung einer bestehenden Beweisnot oder aus sonstigen im überwiegenden Interesse der speichernden Stelle oder im rechtlichen Interesse eines Dritten liegenden Gründen unerläßlich ist oder der Betroffene in die Verarbeitung eingewilligt hat.

(3) Personenbezogene Daten sind zu löschen, wenn
1. ihre Speicherung unzulässig ist oder
2. ihre Kenntnis für die speichernde Stelle zur rechtmäßigen Erfüllung ihrer Aufgaben nicht mehr erforderlich ist.

(4) Sind personenbezogene Daten in Akten gespeichert, erfolgt die Löschung nach Absatz 3 Nr. 2 nur, wenn die gesamte Akte zur Erfüllung der Aufgaben nicht mehr erforderlich ist; gleiches gilt für die Sperrung nach Absatz 2 Satz 1 Nr. 2.

(5) Von der Berichtigung unrichtiger Daten, von der Sperrung bestrittener oder unzulässig gespeicherter Daten und von der Löschung unzulässig gespeicherter Daten sind unverzüglich die Stellen zu unterrichten, denen die Daten im Rahmen regelmäßiger Datenübermittlung übermittelt wurden; im übrigen liegt die Unterrichtung im pflichtgemäßen Ermessen.

§ 21 Datenverarbeitung zum Zwecke wissenschaftlicher Forschung

(1) Personenbezogene Daten dürfen durch Hochschulen und andere mit wissenschaftlicher Forschung beauftragte öffentliche Stellen für bestimmte Forschungsvorhaben verarbeitet werden, wenn der Betroffene eingewilligt hat. Ohne Einwilligung des Betroffenen dürfen sie nur verarbeitet werden, soweit dessen schutzwürdige Belange, insbesondere wegen der Art der Daten, wegen ihrer Offenkundigkeit oder wegen der Art der Verarbeitung nicht beeinträchtigt werden.

(2) Unter den Voraussetzungen des Absatzes 1 Satz 2 dürfen nicht mit wissenschaftlicher Forschung beauftragte öffentliche Stellen personenbezogene Daten ohne Einwilligung des Betroffenen an Stellen mit der Aufgabe unabhängiger wissenschaftlicher Forschung übermitteln. Der Einwilligung des Betroffenen bedarf es auch nicht, wenn das öffentliche Interesse an der Durchführung des Forschungsvorhabens die schutzwürdigen Belange des Betroffenen erheblich überwiegt und der Zweck der Forschung nicht auf andere Weise oder nur mit unverhältnismäßigem Aufwand erreicht werden kann.

(3) Sobald der Forschungszweck dies erlaubt, sind die Merkmale, mit deren Hilfe ein Personenbezug hergestellt werden kann, gesondert zu speichern; die Merkmale sind zu löschen, sobald der Forschungszweck erreicht ist. § 10 Abs. 5 findet keine Anwendung.

(4) Eine Verarbeitung der nach Absatz 1 erhobenen oder der nach Absatz 2 übermittelten Daten zu anderen als zu Forschungszwecken ist unzulässig. Die unter den Voraussetzungen des Absatzes 2 Satz 2 übermittelten Daten dürfen nur mit Einwilligung des Betroffenen weiter übermittelt werden.

(5) Soweit die Vorschriften dieses Gesetzes auf den Empfänger keine Anwendung finden, dürfen personenbezogene Daten nur übermittelt werden, wenn sich der Empfänger verpflichtet, die Vorschriften der Absätze 3 und 4 einzuhalten und sich der Kontrolle des Landesbeauftragten für den Datenschutz unterwirft.

§ 22 Datenschutz bei Dienst- und Arbeitsverhältnissen

(1) Öffentliche Stellen dürfen personenbezogene Daten über Bewerber, Bedienstete und ehemalige Bedienstete nur nach Maßgabe der §§ 93 ff. des Bremischen Beamtengesetzes verarbeiten.

(2) Die Verarbeitung dieser Daten in automatisierten Verfahren bedarf der Zustimmung der obersten Dienstbehörde.

(3) Die Erhebung medizinischer Daten aufgrund ärztlicher Untersuchungen zum Zweck der Eingehung eines Dienst- oder Arbeitsverhältnisses ist nur zulässig, soweit dadurch die Eignung des Bewerbers hierfür festgestellt wird und er seine Einwilligung erteilt hat. Die öffentliche Stelle darf nur das Ergebnis der Untersuchung anfordern.

(4) Die Erhebung psychologischer Daten zum Zwecke der Eingehung eines dienst- oder Arbeitsverhältnisses ist nur zulässig, soweit dies wegen der besonderen Anforderungen an die vorgesehene Tätigkeit erforderlich ist, vorhandene Unterlagen zur Beurteilung nicht ausreichen und der Bewerber seine Einwilligung hierzu erklärt hat. Daten im Zusammenhang mit psychologischen Untersuchungen dürfen nur aufgrund von Untersuchungen durch einen Psychologen mit staatlich anerkannter wissenschaftlicher Abschlußprüfung erhoben werden. Absatz 3 Satz 2 gilt entsprechend.

(5) Personenbezogene Daten, die vor der Eingehung eines Dienst- oder Arbeitsverhältnisses erhoben wurden, sind, soweit sie nicht mit dem Datenträger an den Betroffenen zurückgegeben werden, unverzüglich zu löschen, sobald feststeht, daß ein Dienst- oder Arbeitsverhältnis nicht zustande kommt, es sei denn, daß der Betroffene zur Aufrechterhaltung seiner Bewerbung in die weitere Speicherung eingewilligt hat. Nach Beendigung eines Dienst- oder Arbeitsverhältnisses sind personenbezogene Daten des Beschäftigten auf seinen Antrag zu löschen, sobald feststeht, daß sie für die Abwicklung des Dienst- oder Arbeitsverhältnisses nicht mehr benötigt werden und Rechtsvorschriften nicht entgegenstehen.

(6) Soweit Daten der Beschäftigten im Rahmen der Durchführung der technischen und organisatorischen Maßnahmen nach § 7 Abs. 2 gespeichert werden, dürfen sie nicht zu Zwecken der individuellen Verhaltens- oder Leistungskontrolle ausgewertet werden; auf Verlangen ist dem Beschäftigten Auskunft über die Art dieser Daten zu erteilen.

§ 23 (weggefallen)

Dritter Abschnitt
Überwachung des Datenschutzes

§ 24 Bestellung des Landesbeauftragten für den Datenschutz

(1) Der Landesbeauftragte für den Datenschutz wird auf Vorschlag des Senats von der Bürgerschaft (Landtag) mit der Mehrheit ihrer Mitglieder gewählt und vom Senat ernannt. Die Amtszeit des Landesbeauftragten für den Datenschutz beträgt 8 Jahre.

(2) Für den Fall der nicht nur vorübergehenden Verhinderung des Landesbeauftragten für den Datenschutz an der Ausübung seines Amtes kann der Senat einen Vertreter mit der Wahrnehmung der Geschäfte beauftragten. Satz 1 gilt auch für das Ausscheiden aus dem Amt bis zur Bestellung eines neuen Amtsinhabers nach Absatz 1 Satz 1. Vor der Beauftragung eines Vertreters ist der Ausschuß nach § 35, im Falle des Satzes 1 ist auch der Landesbeauftragte für den Datenschutz anzuhören.

§ 25 Rechtsstellung

Der Landesbeauftragte für den Datenschutz ist in Ausübung seines Amtes unabhängig und nur dem Gesetz unterworfen. Er untersteht der Dienstaufsicht des Senats.

§ 26 Verschwiegenheitspflicht

Der Landesbeauftragte für den Datenschutz bleibt auch nach Beendigung seines Amtsverhältnisses verpflichtet, über die ihm bei seiner amtlichen Tätigkeit bekanntgewordenen Angelegenheiten Verschwiegenheit zu bewahren. Dies gilt nicht für Mitteilungen im dienstlichen Verkehr oder über Tatsachen, die offenkundig sind oder ihrer Bedeutung nach keiner Geheimhaltung bedürfen. Im Falle des § 96 der Strafprozeßordnung sowie in den Fällen der §§ 61, 62 des Bremischen Beamtengesetzes entscheidet die oberste Dienstbehörde für den Landesbeauftragten für den Datenschutz und die Bediensteten seiner Dienststelle; die Entscheidung ist im Benehmen mit dem Landesbeauftragten für den Datenschutz zu treffen.

§ 27 Aufgaben

(1) Der Landesbeauftragte für den Datenschutz überwacht die Einhaltung der Vorschriften dieses Gesetzes sowie anderer Vorschriften über den Datenschutz bei den in § 1 Abs. 2 genannten Stellen. Die in § 1 Abs. 3 genannten Stellen, die Gerichte und der Rechnungshof unterliegen der Überwachung durch den Landesbeauftragten für den Datenschutz nur, wenn sie in Verwaltungsangelegenheiten tätig werden, die Gerichte und der Rechnungshof darüber hinaus beim Einsatz automatisierter Datenverarbeitung hinsichtlich der organisatorischen und technischen Maßnahmen der Datensicherung, unbeschadet der verfassungsrechtlich gewährleisteten Unabhängigkeit. Der Landesbeauftragte für den Datenschutz kann Empfehlungen zur Verbesserung des Datenschutzes geben, insbesondere kann er den Senat und die einzelnen Senatoren sowie die übrigen in § 1 Abs. 2 genannten Stellen in Fragen des Datenschutzes beraten. Der Landesbeauftragte für den Datenschutz kontrolliert die Einhaltung der Datenschutzvorschriften auch bei den Stellen, die sich nach § 9 Abs. 1 Nr. 3 seiner Kontrolle unterworfen haben.

(2) Der Landesbeauftragte für den Datenschutz beobachtet die Auswirkungen der automatisierten Datenverarbeitung auf die Arbeitsweise und die Entscheidungsbefugnisse der in § 1 Abs. 2 genannten Stellen dahingehend, ob sie zu einer Verschiebung der Gewaltenteilung zwischen den Verfassungsorganen des Landes, der gesetzlichen Aufgaben der Organe der Gemeinden und der Aufgabentrennung zwischen der staatlichen Verwaltung und der kommunalen Selbstverwaltung führen. Er kann Maßnahmen anregen, die ihm geeignet erscheinen, derartige Auswirkungen zu verhindern.

(3) Die in Absatz 1 genannten Stellen sind verpflichtet, den Landesbeauftragten für den Datenschutz und seine Beauftragten bei der Erfüllung ihrer Aufgaben zu unterstützen. Sie können dabei insbesondere

1. von den in Absatz 1 genannten Stellen Auskunft zu den Fragen sowie Einsicht in die Unterlagen und Akten verlangen, die im Zusammenhang mit der Verarbeitung personenbezogener Daten stehen, namentlich in die gespeicherten Daten, die Datenverarbeitungsprogramme und die Programmunterlagen,
2. die in Absatz 1 genannten Stellen jederzeit unangemeldet aufsuchen und ihre Dienst- und Geschäftsräume betreten.

Stellt der zuständige Senator im Einzelfall fest, daß die Sicherheit des Bundes oder eines Landes dies gebietet, ist die Unterstützung nach Satz 1 und 2 nur dem Landesbeauftragten für den Datenschutz selbst oder seinem Vertreter nach § 24 Abs. 2 und den von ihm schriftlich besonders damit Beauftragten seines Personals zu gewähren.

In diesem Fall muß die Identität eines Betroffenen, dem das Landesamt für Verfassungsschutz, die Behörden der Staatsanwaltschaft oder die Behörden des Polizeivollzugsdienstes, soweit sie strafverfolgend tätig werden, im Rahmen ihrer Aufgabenerfüllung Vertraulichkeit besonders zugesichert haben, auch dem Landesbeauftragten für den Datenschutz gegenüber nicht offenbart werden.

(4) Der Landesbeauftragte für den Datenschutz soll zu den Auswirkungen des Einsatzes neuer Informationstechniken auf den Datenschutz Stellung nehmen. Er ist rechtzeitig zu unterrichten

1. über Planungen zum Aufbau automatisierter Informationssysteme, sofern in den Systemen personenbezogene Daten verarbeitet werden sollen,
2. über Entwürfe für Rechtsvorschriften, die die Verarbeitung personenbezogener Daten regeln, sowie
3. über Entwürfe für Verwaltungsvorschriften, soweit diese zur Ausführung dieses Gesetzes oder besonderer Rechtsvorschriften nach § 1 Abs. 2 erlassen werden sollen.

(5) Der Landesbeauftragte für Datenschutz arbeitet mit den Behörden und sonstigen Stellen, die für die Kontrolle der Einhaltung der Vorschriften über den Datenschutz im Bund und in den Ländern zuständig sind, sowie mit den Aufsichtsbehörden nach § 38 des Bundesdatenschutzgesetzes zusammen.

§ 28 (weggefallen)

§ 29 Beanstandungen

(1) Stellt der Landesbeauftragte für den Datenschutz Verstöße gegen die Vorschriften dieses Gesetzes oder gegen andere Datenschutzbestimmungen oder sonstige Mängel bei der Verarbeitung personenbezogener Daten fest, so beanstandet er dies

1. bei Behörden oder sonstigen Stellen des Landes und der Stadtgemeinde Bremen gegenüber dem zuständigen Senator,
2. bei Behörden und sonstigen Stellen der Stadtgemeinde Bremerhaven gegenüber dem Magistrat,
3. bei den juristischen Personen des öffentlichen Rechts sowie bei Vereinigungen solcher juristischer Personen gegenüber dem Vorstand oder dem sonst vertretungsberechtigten Organ und fordert zur Stellungnahme innerhalb einer von ihm zu bestimmenden Frist auf. In den Fällen des Satzes 1 Nr. 2 und 3 unterrichtet der Landesbeauftragte für den Datenschutz gleichzeitig auch die zuständige Aufsichtsbehörde, bei sonstigen Mängeln jedoch nur, wenn seinen Beanstandungen nicht unverzüglich abgeholfen wird.

(2) Der Landesbeauftragte für den Datenschutz kann von einer Beanstandung absehen oder auf eine Stellungnahme der betroffenen

Stelle verzichten, wenn es sich um unerhebliche oder inzwischen beseitigte Mängel handelt oder wenn ihre Behebung sichergestellt ist.

(3) Mit der Beanstandung kann der Landesbeauftragte für den Datenschutz Vorschläge zur Beseitigung der Mängel und zur sonstigen Verbesserung des Datenschutzes verbinden.

(4) Die nach Absatz 1 Satz 1 abzugebende Stellungnahme soll auch eine Darstellung der Maßnahmen enthalten, die aufgrund der Beanstandungen des Landesbeauftragten für den Datenschutz getroffen worden sind. Die in Absatz 1 Satz 1 Nr. 2 und 3 genannten Stellen leiten der zuständigen Aufsichtsbehörde eine Abschrift ihrer Stellungnahme an den Landesbeauftragten für den Datenschutz zu.

§ 30 Anrufungsrecht

Jedermann kann sich an den Landesbeauftragten für den Datenschutz wenden, wenn er annimmt, bei der Verarbeitung seiner personenbezogenen Daten durch datenverarbeitende Stellen in seinen Rechten verletzt worden zu sein; hierbei brauchen Bedienstete öffentlicher Stellen den Dienstweg nicht einzuhalten. Niemand darf dafür gemaßregelt oder benachteiligt werden, daß er sich aufgrund tatsächlicher Anhaltspunkte für einen Verstoß gegen dieses Gesetz oder andere Vorschriften über den Datenschutz an den Landesbeauftragten für den Datenschutz wendet.

§ 31 (weggefallen)

§ 32 Erstattung von Gutachten

(1) Die Bürgerschaft (Landtag) und der Senat können den Landesbeauftragten für den Datenschutz mit der Erstattung von Gutachten oder der Durchführung von Untersuchungen in Datenschutzfragen betrauen.

(2) Der Magistrat der Stadt Bremerhaven kann beim Senat beantragen, den Landesbeauftragten für den Datenschutz mit einem Auftrag nach Absatz 1 zu betrauen.

§ 33 Jahresbericht

(1) Bis zum 31.März jeden Jahres, erstmals zum 31. März 1979, hat der Landesbeauftragte für den Datenschutz der Bürgerschaft (Landtag) und dem Präsidenten des Senats einen Bericht über das Ergebnis seiner Tätigkeit vorzulegen. Soweit dem Landesbeauftragten für den Datenschutz Aufgaben der Aufsichtsbehörde nachdem Dritten Abschnitt des Bundesdatenschutzgesetzes übertragen sind, soll dem

Bericht eine Mitteilung über das Ergebnis dieser Tätigkeit beigefügt werden.

(2) Der Präsident des Senats führt eine Stellungnahme des Senats zu dem Bericht herbei und legt diese der Bürgerschaft (Landtag) vor.

(3) Zwischenberichte sind zulässig. Sie sind nach Absatz 2 zu behandeln.

(4) In der Aussprache über den Bericht kann die Bürgerschaft (Landtag) dem Landesbeauftragten für den Datenschutz Gelegenheit zur Vorstellung des Berichts geben. Das gleiche gilt für die Aussprache über Zwischenberichte nach Absatz 3 sowie über Gutachten und Untersuchungen nach § 32 Abs. 1.

§ 34 Personal und Sachmittel

(1) Dem Landesbeauftragten für den Datenschutz ist das für die Erfüllung seiner Aufgaben notwendige Personal zur Verfügung zu stellen.

(2) Die Personal- und Sachausstattung des Landesbeauftragten für den Datenschutz ist im Einzelplan in einem eigenen Kapitel auszuweisen. Die Stellen werden im Benehmen mit dem Landesbeauftragten für den Datenschutz besetzt.

(3) Für bestimmte Einzelfragen kann der Landesbeauftragte für den Datenschutz auch Dritte zur Mitarbeit heranziehen.

§ 35 Parlamentsausschuß

Zur Durchführung der parlamentarischen Kontrolle des Datenschutzes nach diesem Gesetz wählt die Bürgerschaft (Landtag) einen ständigen Parlamentsausschuß. Dieser berät unter anderem die Berichte nach § 33 und den jeweiligen Entwurf des Haushaltskapitels nach § 34 Abs. 2.

Vierter Abschnitt
Sonderbestimmung für Radio Bremen

§ 36 Sonderbestimmung für Radio Bremen

Der Rundfunkrat von Radio Bremen bestellt einen Beauftragten der Anstalt für den Datenschutz. Dieser ist in der Ausübung seines Amtes unabhängig und nur dem Gesetz unterworfen; im übrigen untersteht er der Dienstaufsicht des Verwaltungsrates. Der Beauftragte für den Datenschutz überwacht die Einhaltung dieses Gesetzes und anderer Vorschriften über den Datenschutz, soweit Radio Bremen personenbezogene Daten ausschließlich zu eigenen publizistischen Zwecken verarbeitet. Der Beauftragte für den Datenschutz kann auch andere Aufgaben innerhalb der Anstalt übernehmen; Satz 2 findet insoweit keine Anwendung. Für Beanstandungen gilt § 29 entsprechend; an die Stelle der in § 29 Abs. 1 Nr. 3 genannten Stellen tritt der Intendant, an die Stelle der in § 29 Abs. 1 Satz 2 genannten Aufsichtsbehörde der Rundfunkrat. Der Beauftragte für den Datenschutz erstattet dem Rundfunkrat jährlich einen Bericht über seine Tätigkeit.

Fünfter Abschnitt
Straf- und Bußgeldvorschriften

§ 37 Straftaten

Wer gegen Entgelt oder in der Absicht, sich oder einen anderen zu bereichern oder einen anderen zu schädigen, personenbezogene Daten entgegen den Vorschriften dieses Gesetzes

1. erhebt, speichert, verändert, übermittelt, zum Abruf bereithält, löscht oder nutzt,
2. abruft, einsieht oder einem Dritten verschafft,

wird mit einer Freiheitsstrafe bis zu zwei Jahren oder mit Geldstrafe bestraft. Der Versuch ist strafbar.

§ 38 Ordnungswidrigkeiten

(1) Ordnungswidrig handelt, wer personenbezogene Daten entgegen den Vorschriften dieses Gesetzes erhebt, speichert, übermittelt, löscht, zum Abruf bereithält, abruft oder nutzt.

(2) Die Ordnungswidrigkeit kann mit einer Geldbuße bis zu 50 000 Deutsche Mark geahndet werden.

Sechster Abschnitt
Übergangs- und Schlußvorschriften

§ 39 (Änderung beamten- und besoldungsrechtlicher Vorschriften)

§ 40 (Inkrafttreten)

Hamburgisches Datenschutzgesetz (HmbDSG)

vom 5. Juli 1990 (HmbGVBl S. 133, 165, 226),
zuletzt geändert am 30. Januar 2001 (HmbGVBl S. 9)

Inhaltsübersicht

Erster Abschnitt
Allgemeine Vorschriften

§ 1 Aufgabe des Datenschutzes

Dieses Gesetz regelt die Verarbeitung personenbezogener Daten durch öffentliche Stellen, um das Recht einer jeden Person zu schützen, selbst über die Preisgabe und Verwendung ihrer Daten zu bestimmen, soweit keine Einschränkungen in diesem Gesetz oder in anderen Rechtsvorschriften zugelassen sind.

§ 2 Anwendungsbereich

(1) [1]Dieses Gesetz gilt für die Verarbeitung personenbezogener Daten durch folgende öffentliche Stellen:

1. die Bürgerschaft, die Behörden, die Organe der Rechtspflege, den Rechnungshof und die sonstigen öffentlich-rechtlich organisierten Einrichtungen der Freien und Hansestadt Hamburg,
2. die der Aufsicht der Freien und Hansestadt Hamburg unterstehenden juristischen Personen des öffentlichen Rechts und deren öffentlich-rechtlich organisierte Einrichtungen,
3. Stellen, soweit sie als Beliehene hoheitliche Aufgaben der öffentlichen Verwaltung wahrnehmen.

[2]Für juristische Personen, Gesellschaften und andere Personenvereinigungen des privaten Rechts, an denen die Freie und Hansestadt Hamburg oder eine ihrer Aufsicht unterstehende juristische Person des öffentlichen Rechts beteiligt ist, gelten nur die auf nicht-öffentliche Stellen anzuwendenden Vorschriften des Bundesdatenschutzgesetzes in der jeweils geltenden Fassung, wenn sie keine öffentlichen Stellen des Bundes gemäß § 2 Absatz 3 des Bundesdatenschutzgesetzes sind.

(2) [1]Soweit die in Absatz 1 Satz 1 genannten Stellen als Unternehmen am Wettbewerb teilnehmen, gelten von den Vorschriften dieses Gesetzes nur die §§ 10, 28, 29 und der Vierte Abschnitt. [2]Im Übrigen sind die für nicht-öffentliche Stellen geltenden Vorschriften des Bundesdatenschutzgesetzes mit Ausnahme des § 38 in der jeweils geltenden Fassung anzuwenden.

(3) [1]Für öffentlich-rechtliche Kreditinstitute gelten abweichend von Absatz 2 nur die Vorschriften des Bundesdatenschutzgesetzes, die auf nicht-öffentliche Stellen anzuwenden sind. [2]Für die Hamburgische Wohnungsbaukreditanstalt gilt Satz 1 jedoch nicht, soweit sie Verwaltungsaufgaben wahrnimmt, die ihr gemäß § 3 Absatz 4 des Gesetzes über die Hamburgische Wohnungsbaukreditanstalt in der Fassung vom 6. März 1973 (Hamburgisches Gesetz- und Verordnungsblatt Seite 41), zuletzt geändert am 22. Dezember 1992 (Hamburgisches Gesetz- und Verordnungsblatt Seiten 320, 322), in der jeweils geltenden Fassung übertragen sind.

(4) Für die Ausübung des Gnadenrechts findet dieses Gesetz keine Anwendung.

(5) [1]Auf die nicht-automatisierte Verarbeitung personenbezogener Daten außerhalb von Dateien

1. durch die Gerichte im Rahmen der Rechtspflege,
2. durch die Staatsanwaltschaften und ihre Hilfsbeamtinnen und Hilfsbeamten bei der Verfolgung von Straftaten und bei der Strafvollstreckung sowie

3. durch die in Absatz 1 Satz 1 genannten Stellen bei der Verfolgung und Ahndung von Ordnungswidrigkeiten

finden § 5, § 6 Absatz 1 Nummern 1 bis 9 sowie die §§ 12 bis 19 keine Anwendung. [2]Satz 1 Nummer 1 gilt nicht für die Tätigkeit der Gerichtsvollzieherinnen und Gerichtsvollzieher.

(6) Dieses Gesetz gilt nicht für personenbezogene Daten, solange sie in allgemein zugänglichen Quellen gespeichert sind, sowie für Daten von Betroffenen, die diese zur Veröffentlichung bestimmt haben.

(7) Soweit besondere Rechtsvorschriften auf die Verarbeitung personenbezogener Daten anzuwenden sind (Rechtsvorschriften über den Datenschutz), gehen sie den Vorschriften dieses Gesetzes vor.

§ 3 Datenverarbeitung im Auftrag

(1) [1]Die Vorschriften dieses Gesetzes gelten für die in § 2 Absatz 1 Satz 1 genannten Stellen auch insoweit, als personenbezogene Daten in deren Auftrag durch andere Stellen verarbeitet werden. [2]In diesen Fällen ist die auftragnehmende Stelle unter besonderer Berücksichtigung der Eignung der von ihr getroffenen technischen und organisatorischen Maßnahmen (§ 8) sorgfältig auszuwählen. [3]Bei Erteilung des Auftrags sind, falls erforderlich, ergänzende technische und organisatorische Maßnahmen und etwaige Unterauftragsverhältnisse festzulegen. [4]Die auftragnehmenden Stellen sind zu verpflichten, die Daten nur zu dem Zweck zu verarbeiten, zu dem sie ihnen überlassen worden sind, sowie nach Erledigung des Auftrags die überlassenen Datenträger zurückzugeben, zu löschen oder zu vernichten und bei ihnen gespeicherte personenbezogene Daten zu löschen, soweit nicht besondere Rechtsvorschriften entgegenstehen.

(2) [1]Die Vorschriften der §§ 12 bis 20 gelten nicht für die in § 2 Absatz 1 Satz 1 genannten Stellen, soweit sie personenbezogene Daten im Auftrag verarbeiten. [2]In diesen Fällen ist die Datenverarbeitung nur im Rahmen der Weisungen der auftraggebenden Stelle zulässig. [3]Ist die auftragnehmende Stelle der Ansicht, dass eine solche Weisung gegen dieses Gesetz oder andere Vorschriften über den Datenschutz verstößt, so hat sie die auftraggebende Stelle unverzüglich darauf hinzuweisen.

(3) [1]Sofern die §§ 7 bis 9 auf die auftragnehmende Stelle keine Anwendung finden, ist die auftraggebende Stelle verpflichtet, vertraglich sicherzustellen, dass die auftragnehmende Stelle die in diesen Bestimmungen für auftragnehmende Stellen enthaltenen Regelungen befolgt und sich, sofern die Datenverarbeitung im Geltungsbereich dieses Gesetzes durchgeführt wird, der Überwachung der bzw. des Hamburgischen Datenschutzbeauftragten unterwirft. [2]Bei einer Auf-

tragsdurchführung außerhalb des Geltungsbereichs dieses Gesetzes ist die zuständige Datenschutzaufsichtsbehörde zu unterrichten.

(4) Die Absätze 1 bis 3 gelten entsprechend, soweit Stellen im Auftrag
1. beratende, begutachtende oder vergleichbare unterstützende Tätigkeiten ausführen,
2. Wartungsarbeiten oder Hilfstätigkeiten bei der Datenverarbeitung erledigen

und hierbei ein Zugriff auf personenbezogene Daten nicht ausgeschlossen werden kann.

§ 4 Begriffsbestimmungen

(1) Personenbezogene Daten sind Einzelangaben über persönliche oder sachliche Verhältnisse bestimmter oder bestimmbarer natürlicher Personen (Betroffene, betroffene Personen).

(2) [1]Datenverarbeitung ist das Erheben, Speichern, Verändern, Übermitteln, Sperren, Löschen und Nutzen personenbezogener Daten.

[2]Im Einzelnen ist
1. Erheben das Beschaffen von Daten über Betroffene,
2. Speichern das Erfassen, Aufnehmen oder Aufbewahren von Daten auf einem Datenträger zum Zwecke ihrer weiteren Verarbeitung,
3. Verändern das inhaltliche Umgestalten von Daten,
4. Übermitteln das Bekanntgeben von Daten an Dritte in der Weise, dass die Daten weitergegeben, zur Einsicht bereitgehalten oder veröffentlicht werden oder dass Dritte in einem automatisierten Verfahren bereitgehaltene Daten abrufen,
5. Sperren das Verhindern weiterer Verarbeitung von Daten,
6. Löschen das Unkenntlichmachen von Daten oder das Vernichten des Datenträgers,
7. Nutzen jede sonstige Verwendung von Daten ungeachtet der dabei angewendeten Verfahren.

(3) Daten verarbeitende Stelle ist jede der in § 2 Absatz 1 Satz 1 genannten Stellen, die allein oder gemeinsam mit anderen Daten für sich selbst verarbeitet oder durch andere verarbeiten lässt.

(4) Dritte sind alle Stellen außerhalb der Daten verarbeitenden Stelle, ausgenommen die Betroffenen und diejenigen Stellen, die in einem Mitgliedstaat der Europäischen Union personenbezogene Daten im Auftrag verarbeiten.

(5) Empfängerinnen und Empfänger sind alle Personen oder Stellen, die Daten erhalten.

(6) Eine Datei ist eine Sammlung personenbezogener Daten, die
1. durch automatisierte Verfahren verarbeitet werden kann (automatisierte Datei) oder
2. gleichartig aufgebaut und nach bestimmten Merkmalen zugänglich ist und ausgewertet werden kann (nicht-automatisierte Datei).

(7) Stellen sind natürliche Personen, juristische Personen und ihre Handlungseinheiten, Gesellschaften und andere Personenvereinigungen des privaten Rechts.

(8) Ein Datenträger ist jedes Material, auf dem Einzelangaben wahrnehmbar festgehalten werden.

(9) Anonymisieren ist das Verändern personenbezogener Daten derart, dass die Einzelangaben über persönliche oder sachliche Verhältnisse nicht mehr oder nur mit einem unverhältnismäßig großen Aufwand an Zeit, Kosten und Arbeitskraft einer bestimmten oder bestimmbaren natürlichen Person zugeordnet werden können.

(10) Pseudonymisieren ist das Verändern personenbezogener Daten mittels einer Zuordnungsregel derart, dass die Einzelangaben über persönliche oder sachliche Verhältnisse ohne Kenntnis dieser Regel nicht mehr oder nur mit einem unverhältnismäßig großen Aufwand an Zeit, Kosten und Arbeitskraft einer bestimmten oder bestimmbaren natürlichen Person zugeordnet werden können.

§ 4a Schriftform

(1) Anforderungen, die dieses Gesetz an Schriftstücke stellt, gelten für digitale Dokumente entsprechend.

(2) Soweit dieses Gesetz die schriftliche Form vorschreibt, wird ihr auch durch Dokumente genügt, die mit einer digitalen Signatur nach Maßgabe des Signaturgesetzes vom 22. Juli 1997 mit der Änderung vom 19. Dezember 1998 (Bundesgesetzblatt 1997 I Seiten 1870, 1872, 1998 I Seiten 3836, 3840) in der jeweils geltenden Fassung versehen sind.

§ 5 Zulässigkeit der Datenverarbeitung

(1) [1]Die Verarbeitung personenbezogener Daten ist nur zulässig, soweit
1. dieses Gesetz oder eine besondere Rechtsvorschrift über den Datenschutz sie erlaubt oder
2. die Betroffenen eingewilligt haben.

[2]Die Verarbeitung personenbezogener Daten, aus denen die rassische und ethnische Herkunft, politische Meinungen, religiöse oder weltanschauliche Überzeugungen oder die Gewerkschaftszugehörigkeit hervorgehen, sowie von Daten über Gesundheit oder Sexualleben ist nur zulässig, soweit

1. die §§ 15, 27 bis 30 oder eine besondere Rechtsvorschrift über den Datenschutz sie erlaubt,
2. die Betroffenen ausdrücklich eingewilligt haben,
3. es sich um Daten handelt, die die Betroffenen offensichtlich öffentlich gemacht haben,
4. sie zum Schutz lebenswichtiger Interessen der Betroffenen oder Dritter erforderlich ist und die Betroffenen aus rechtlichen oder tatsächlichen Gründen außer Stande sind, ihre Einwilligung zu geben,
5. sie zur Geltendmachung, Ausübung oder Verteidigung von Rechtsansprüchen vor Gericht erforderlich ist,
6. sie zur Abwehr erheblicher Nachteile für das Gemeinwohl zwingend erforderlich ist oder
7. sie zum Zweck der Gesundheitsvorsorge, der medizinischen Diagnostik, der Gesundheitsversorgung oder Behandlung oder für die Verwaltung von Gesundheitsdiensten erforderlich ist und durch ärztliches Personal oder sonstige Personen erfolgt, die einem entsprechenden Berufs- oder besonderen Amtsgeheimnis unterliegen.

[3]Satz 2 gilt nicht für

1. die Verarbeitung personenbezogener Daten zur Wahrnehmung von Aufgaben der Gefahrenabwehr und der Verfolgung von Straftaten sowie
2. die nicht-automatisierte Verarbeitung personenbezogener Daten außerhalb von Dateien.

[4]Vor der Entscheidung, personenbezogene Daten nach Satz 2 Nummer 6 zu verarbeiten, ist die bzw. der behördliche Datenschutzbeauftragte oder, falls keine behördliche Datenschutzbeauftragte bzw. kein behördlicher Datenschutzbeauftragter bestellt wurde, die bzw. der Hamburgische Datenschutzbeauftragte zu hören.

(2) [1]Die Einwilligung in dic Verarbeitung personenbezogener Daten bedarf der Schriftform, soweit nicht wegen besonderer Umstände eine andere Form angemessen ist. [2]Gegenstand, Inhalt und Umfang der erlaubten Verarbeitung, insbesondere die Art der Daten, die Adressaten der Übermittlung, der Verwendungszweck und die Dauer der Aufbewahrung, sind in der Einwilligungserklärung klar und verständlich zu bezeichnen; die Betroffenen sind unter Darlegung der Rechtsfolgen darauf hinzuweisen, dass sie die Einwilligung verweigern und mit Wirkung für die Zukunft widerrufen können. [3]Wird die Einwilligung zusammen mit anderen Erklärungen schriftlich erteilt, ist die Einwilligungserklärung im äußeren Erscheinungsbild der Erklärung hervorzuheben. [4]Die Einwilligung ist unwirksam, wenn sie durch unangemessene Androhung von Nachteilen, durch fehlende Aufklärung oder in sonstiger gegen die Gebote von Treu und Glauben verstoßender Weise erlangt wurde.

(3) [1]Machen Betroffene schriftlich den Einwand geltend, dass einer Verarbeitung ihrer personenbezogenen Daten schutzwürdige, sich aus

ihrer besonderen persönlichen Lage ergebende Gründe entgegenstehen, so ist die weitere Verarbeitung nur zulässig, nachdem eine Abwägung im Einzelfall ergeben hat, dass die geltend gemachten Gründe hinter dem öffentlichen Interesse an der Verarbeitung zurückstehen müssen. [2]Satz 1 gilt nicht, soweit die Verarbeitung personenbezogener Daten

1. auf einer Einwilligung der Betroffenen beruht oder
2. zur Erfüllung einer rechtlichen Verpflichtung der Daten verarbeitenden Stelle erforderlich ist.

[3]Wird dem Einwand entsprochen, so sind unverzüglich die Stellen zu verständigen, denen die Daten übermittelt worden sind; die Verständigung kann unterbleiben, wenn sie einen unverhältnismäßigen Aufwand erfordern würde und schutzwürdige Interessen der Betroffenen nicht entgegenstehen. [4]Wird dem Einwand nicht entsprochen, so sind die Betroffenen darauf hinzuweisen, dass sie sich an die Hamburgische Datenschutzbeauftragte bzw. den Hamburgischen Datenschutzbeauftragten wenden können.

(4) [1]Die Verarbeitung personenbezogener Daten und die Auswahl und Gestaltung technischer Einrichtungen haben sich auch an dem Ziel auszurichten, so wenig personenbezogene Daten wie möglich zu erheben und weiter zu verarbeiten. [2]Dabei ist jeweils zu prüfen, inwieweit es möglich ist, personenbezogene Daten anonym oder pseudonym zu verarbeiten. [3]Erforderlich sind Maßnahmen zur anonymen oder pseudonymen Datenverarbeitung nur, wenn ihr Aufwand in einem angemessenen Verhältnis zur Schutzwürdigkeit der Daten steht.

§ 5a Automatisierte Einzelentscheidungen

(1) Entscheidungen, die für die Betroffenen rechtliche Folgen nach sich ziehen oder sie erheblich beeinträchtigen, dürfen nicht ausschließlich auf eine automatisierte Verarbeitung personenbezogener Daten gestützt werden, die der Bewertung einzelner Persönlichkeitsmerkmale dient.

(2) Absatz 1 gilt nicht, soweit

1. ein Gesetz, das die Wahrung der berechtigten Interessen der Betroffenen sicherstellt, solche Entscheidungen zulässt,
2. mit der Entscheidung einem Begehren der Betroffenen stattgegeben wird oder
3. den Betroffenen das Vorliegen einer Entscheidung im Sinne von Absatz 1 mitgeteilt und die Wahrung ihrer berechtigten Interessen durch geeignete Maßnahmen sichergestellt wird; als geeignete Maßnahme gilt insbesondere die Möglichkeit der Betroffenen, ihren Standpunkt geltend zu machen; die Daten verarbeitende Stelle ist verpflichtet, ihre Entscheidung unter Berücksichtigung der Stellungnahme der bzw. des Betroffenen erneut zu prüfen.

§ 5b Mobile Datenverarbeitungsmedien

[1]Gibt eine in § 2 Absatz 1 Satz 1 genannte Stelle mobile Datenverarbeitungsmedien, insbesondere Chipkarten heraus, die mit von ihr oder Dritten bereitgestellten technischen Einrichtungen personenbezogene Daten mit oder ohne Mitwirkung der Betroffenen automatisiert austauschen können, so hat sie sicherzustellen, dass die Betroffenen den Datenaustausch jeweils erkennen und die ihnen nach diesem Gesetz zustehenden Rechte ohne unvertretbaren Aufwand geltend machen können. [2]Spätestens bei der Ausgabe sind die Betroffenen über die ihnen nach § 6 zustehenden Rechte sowie darüber aufzuklären, welche Maßnahmen bei Verlust oder beim Verdacht nicht ordnungsgemäßer Verarbeitung zu ergreifen sind.

§ 6 Rechte der Betroffenen

(1) Die Betroffenen haben nach Maßgabe dieses Gesetzes ein Recht auf

1. Geltendmachung von Einwänden gegen die Verarbeitung ihrer Daten (§ 5 Absatz 3),
2. Aufklärung bei der Herausgabe mobiler Datenverarbeitungsmedien (§ 5b),
3. Anrufung der bzw. des behördlichen Datenschutzbeauftragten (§ 10 a Absatz 6),
4. Unterrichtung bei der Erhebung (§ 12a),
5. Sperrung der Übermittlung an Stellen außerhalb des öffentlichen Bereichs (§ 16 Absatz 3),
6. Auskunft (§ 18),
7. Berichtigung (§ 19 Absatz 1),
8. Sperrung (§ 19 Absatz 2),
9. Löschung (§ 19 Absatz 3),
10. Schadensersatz (§ 20),
11. Anrufung der bzw. des Hamburgischen Datenschutzbeauftragten (§ 26).

(2) Auf diese Rechte kann nicht im Vorwege verzichtet werden.

§ 7 Datengeheimnis

[1]Denjenigen Personen, die bei den in § 2 Absatz 1 Satz 1 genannten Stellen oder ihren auftragnehmenden Stellen dienstlichen Zugang zu personenbezogenen Daten haben, ist es untersagt, geschützte personenbezogene Daten unbefugt zu einem anderen als dem zur jeweiligen Aufgabenerfüllung gehörenden Zweck zu verarbeiten, insbesondere bekannt zu geben oder zugänglich zu machen. [2]Dieses Verbot besteht auch nach Beendigung der Tätigkeit fort.

§ 8 Technische und organisatorische Maßnahmen; Vorabkontrolle

(1) [1]Die Daten verarbeitenden Stellen und ihre auftragnehmenden Stellen haben die technischen und organisatorischen Maßnahmen zu treffen, die erforderlich sind, um die Ausführung der Vorschriften dieses Gesetzes zu gewährleisten. [2]Erforderlich sind technische und organisatorische Maßnahmen nur, wenn ihr Aufwand in einem angemessenen Verhältnis zur Schutzwürdigkeit der Daten steht.

(2) Werden personenbezogene Daten automatisiert verarbeitet, sind technische und organisatorische Maßnahmen zu treffen, die geeignet sind zu gewährleisten, dass

1. nur Befugte die personenbezogenen Daten zur Kenntnis nehmen können (Vertraulichkeit),
2. die personenbezogenen Daten während der Verarbeitung unverfälscht, vollständig und widerspruchsfrei bleiben (Integrität),
3. die personenbezogenen Daten zeitgerecht zur Verfügung stehen und ordnungsgemäß verarbeitet werden können (Verfügbarkeit),
4. die personenbezogenen Daten ihrem Ursprung zugeordnet werden können (Authentizität),
5. festgestellt werden kann, wer wann welche personenbezogenen Daten in welcher Weise verarbeitet hat (Revisionsfähigkeit).

(3) Werden personenbezogene Daten nicht-automatisiert verarbeitet, sind technische und organisatorische Maßnahmen zu treffen, um insbesondere den Zugriff Unbefugter bei der Bearbeitung, der Aufbewahrung, dem Transport und der Vernichtung zu verhindern.

(4) [1]Vor der Entscheidung über die Einführung oder die wesentliche Änderung eines automatisierten Verfahrens, mit dem personenbezogene Daten verarbeitet werden sollen, haben die Daten verarbeitenden Stellen zu untersuchen, ob und in welchem Umfang mit der Nutzung dieses Verfahrens Gefahren für die Rechte der Betroffenen verbunden sind. [2]Die Einführung und die wesentliche Änderung eines automatisierten Verfahrens sind nur zulässig, soweit derartige Gefahren durch technische und organisatorische Maßnahmen wirksam beherrscht werden können, es sei denn, dass solche Maßnahmen gemäß Absatz 1 Satz 2 nicht erforderlich sind. [3]Ergibt die Untersuchung, dass von einem Verfahren eine besondere Gefährdung für die Rechte der Betroffenen ausgeht, so ist das Ergebnis der Untersuchung vor der Einführung oder wesentlichen Änderung des Verfahrens der bzw. dem behördlichen Datenschutzbeauftragten oder, falls keine behördliche Datenschutzbeauftragte bzw. kein behördlicher Datenschutzbeauftragter bestellt wurde, der bzw. dem Hamburgischen Datenschutzbeauftragten zur Stellungnahme zuzuleiten.

§ 9 Verfahrensbeschreibung

(1) [1]Die Daten verarbeitende Stelle legt in einer laufend auf dem neuesten Stand zu haltenden Verfahrensbeschreibung für jedes automatisierte Verfahren, mit dem personenbezogene Daten verarbeitet werden sollen, fest

1. den Namen und die Anschrift der Daten verarbeitenden Stelle,
2. die Bezeichnung des Verfahrens und seine Zweckbestimmungen,
3. die Art der verarbeiteten Daten sowie die Rechtsgrundlage ihrer Verarbeitung oder die Ziele, zu deren Erfüllung die Kenntnis dieser Daten erforderlich ist,
4. den Kreis der Betroffenen,
5. die Empfängerinnen oder Empfänger oder den Kreis der Empfängerinnen und Empfänger, die Daten erhalten können,
6. eine beabsichtigte Datenübermittlung nach § 17 Absätze 2 und 3,
7. Fristen für die Sperrung und Löschung der Daten,
8. die technischen und organisatorischen Maßnahmen nach § 8,
9. die Art der Geräte, die Stellen, bei denen sie aufgestellt sind sowie das Verfahren zur Übermittlung, Sperrung, Löschung, Auskunftserteilung und Benachrichtigung.

[2]Die Daten verarbeitende Stelle kann die Angaben nach Satz 1 für mehrere gleichartige Verfahren in einer Verfahrensbeschreibung zusammenfassen.

(2) Absatz 1 gilt nicht für Verfahren,

1. deren einziger Zweck das Führen eines Registers ist, das zur Information der Öffentlichkeit bestimmt ist oder allen Personen, die ein berechtigtes Interesse nachweisen können, zur Einsichtnahme offen steht,
2. die der Unterstützung der allgemeinen Bürotätigkeit dienen, insbesondere Verfahren der Textverarbeitung, Vorgangsverwaltung, Terminüberwachung und der Führung von Adress-, Telefon- und vergleichbaren Verzeichnissen, soweit sie keine Beeinträchtigung der Rechte Betroffener erwarten lassen.

(3) [1]Daten verarbeitende Stellen, die keine behördlichen Datenschutzbeauftragten bestellt haben, übersenden ihre Verfahrensbeschreibungen und deren Änderungen unverzüglich, jedenfalls aber vor der Einführung oder wesentlichen Änderung eines Verfahrens an die Hamburgische Datenschutzbeauftragte bzw. den Hamburgischen Datenschutzbeauftragten. [2]Die Verfahrensbeschreibungen können bei der Daten verarbeitenden Stelle von jeder Person eingesehen werden; für die Angaben nach Absatz 1 Satz 1 Nummern 8 und 9 gilt dies nur, soweit dadurch die Sicherheit des Verfahrens nicht beeinträchtigt wird.

[3]Satz 2 gilt nicht für die Verfahrensbeschreibungen der in § 23 Absatz 6 genannten Stellen.

§ 10 Durchführung des Datenschutzes

[1]Die in § 2 Absatz 1 Satz 1 genannten Stellen haben die Ausführung dieses Gesetzes sowie anderer Rechtsvorschriften über den Datenschutz jeweils für ihren Geschäftsbereich sicherzustellen. [2]Sie haben insbesondere dafür zu sorgen, dass die ordnungsgemäße Anwendung der Datenverarbeitungsprogramme, mit deren Hilfe personenbezogene Daten verarbeitet werden sollen, überwacht wird. [3]Der Senat kann die Überwachung nach Satz 2 für die Stellen der Freien und Hansestadt Hamburg einer anderen Stelle zuweisen, wenn die Überwachung besondere Fachkenntnisse hinsichtlich der verwendeten Datenverarbeitungssysteme erfordert.

§ 10a Behördliche Datenschutzbeauftragte bzw. behördlicher Datenschutzbeauftragter

(1)[1]Die in § 2 Absatz 1 Satz 1 genannten Stellen können eine behördliche Datenschutzbeauftragte oder einen behördlichen Datenschutzbeauftragten bestellen. [2]Die Bestellung einer oder eines Beschäftigten einer anderen in § 2 Absatz 1 Satz 1 genannten Stelle ist zulässig.

(2) Zu behördlichen Datenschutzbeauftragten dürfen nur Personen bestellt werden, die die zur Aufgabenerfüllung erforderliche Fachkunde und Zuverlässigkeit besitzen.

(3) [1]Die Bestellung kann in entsprechender Anwendung von § 626 des Bürgerlichen Gesetzbuchs widerrufen werden. [2]Vor der Entscheidung über den Widerruf sind die bzw. der behördliche Datenschutzbeauftragte sowie die bzw. der Hamburgische Datenschutzbeauftragte zu hören.

(4) [1]Die behördlichen Datenschutzbeauftragten können sich unmittelbar an die Leitung der Daten verarbeitenden Stelle wenden. [2]Sie sind bei ihrer Tätigkeit weisungsfrei und dürfen wegen der Erfüllung ihrer Aufgaben nicht benachteiligt werden. [3]Sie sind in erforderlichem Umfang von der Erfüllung anderer Aufgaben freizustellen und bei der Erfüllung ihrer Aufgaben zu unterstützen.

(5) [1]Die behördlichen Datenschutzbeauftragten haben die Aufgabe, die Daten verarbeitenden Stellen und deren Personalvertretungen in der Ausführung dieses Gesetzes sowie anderer Vorschriften über den Datenschutz zu unterstützen. [2]Sie können sich zu diesem Zweck jederzeit unmittelbar an die Hamburgische Datenschutzbeauftragte bzw. den Hamburgischen Datenschutzbeauftragten wenden. [3]Zu ihren Aufgaben gehört es insbesondere,

1. auf die Umsetzung und Einhaltung von Vorschriften über den Datenschutz hinzuwirken,
2. die nach § 9 Absatz 1 zu erstellenden Verfahrensbeschreibungen zu führen und zur Einsicht nach § 9 Absatz 3 bereitzuhalten,
3. das Ergebnis der Untersuchung nach § 8 Absatz 4 zu prüfen und im Zweifelsfall die Hamburgische Datenschutzbeauftragte bzw. den Hamburgischen Datenschutzbeauftragten zu hören.

[4]Soweit Rechtsvorschriften nicht entgegenstehen, können sie die zur Erfüllung ihrer Aufgaben erforderliche Einsicht in alle Unterlagen und Akten und die automatisierte Datenverarbeitung nehmen.

(6) Betroffene und Beschäftigte der Daten verarbeitenden Stellen können sich in allen Angelegenheiten des Datenschutzes jederzeit unmittelbar an die behördlichen Datenschutzbeauftragten wenden; niemand darf deswegen gemaßregelt oder benachteiligt werden.

(7) [1]Die behördlichen Datenschutzbeauftragten sind, auch nach Beendigung ihrer Tätigkeit, zur Verschwiegenheit über die Identität Betroffener und Beschäftigter, die sich an sie gewandt haben, sowie über Umstände, die Rückschlüsse auf diese Personen zulassen, verpflichtet. [2]Dies gilt nicht, soweit die Betroffenen oder Beschäftigten sie von der Pflicht zur Verschwiegenheit entbunden haben oder eine Übermittlung der Daten nach Absatz 5 Satz 2 erforderlich ist.

(8) Die in § 2 Absatz 1 Satz 1 genannten Stellen melden die Bestellung und den Widerruf der Bestellung oder die sonstige Beendigung des Amtes behördlicher Datenschutzbeauftragter unverzüglich der bzw. dem Hamburgischen Datenschutzbeauftragten.

§ 11 Automatisiertes Abrufverfahren

(1) Ein automatisiertes Verfahren zum Abruf personenbezogener Daten durch Dritte darf nur eingerichtet werden, wenn eine Rechtsvorschrift dies ausdrücklich zulässt.

(2) [1]Der Senat wird ermächtigt, die Einrichtung automatisierter Abrufverfahren durch Rechtsverordnung zuzulassen. [2]Die bzw. der Hamburgische Datenschutzbeauftragte ist vorher zu hören. [3]Ein solches Verfahren ist nur zulässig, wenn dies unter Berücksichtigung der schutzwürdigen Belange der Betroffenen und der Aufgaben der beteiligten Stellen angemessen ist. [4]Die Verordnung hat die abrufende Stelle, die Datenart und den Zweck des Abrufs festzulegen. [5]Sie hat technische und organisatorische Maßnahmen und Maßnahmen und zur Datenschutzkontrolle vorzusehen, die in einem angemessenen Verhältnis zu dem angestrebten Schutzzweck stehen. [6]Die Vorschriften über die Zulässigkeit des einzelnen Abrufs bleiben unberührt.

(3) [1]Die Einrichtung eines automatisierten Abrufverfahrens innerhalb einer Daten verarbeitenden Stelle bedarf der Zulassung durch die

Leiterin bzw. den Leiter der Stelle, wenn die Einheit, die die Daten zum Abruf bereithält, und die abrufende Einheit unterschiedliche Aufgaben wahrnehmen. [2]Für die Zulassung findet Absatz 2 Sätze 2 bis 6 entsprechende Anwendung.

(4) Personenbezogene Daten dürfen für Stellen außerhalb des öffentlichen Bereichs zum automatisierten Abruf nicht bereitgehalten werden; dies gilt nicht für Betroffene.

(5) Die Absätze 1 bis 4 gelten nicht für Datenbestände, die jeder oder jedem ohne oder nach besonderer Zulassung zur Benutzung offen stehen oder deren Veröffentlichung zulässig wäre.

§ 11a Gemeinsame und verbundene automatisierte Dateien

(1) [1]Die Einrichtung gemeinsamer oder verbundener automatisierter Dateien, in oder aus denen mehrere Daten verarbeitende Stellen personenbezogene Daten verarbeiten sollen, bedarf der ausdrücklichen Zulassung durch eine Rechtsvorschrift. [2]Der Senat wird ermächtigt, die Einrichtung automatisierter Dateien im Sinne des Satzes 1 durch Rechtsverordnung zuzulassen. [3]§ 11 Absatz 2 Sätze 2, 3 und 5 und Absatz 5 gilt entsprechend. [4]Die Verordnung hat die Art der zu verarbeitenden Daten, die Stellen, die in der gemeinsamen Datei oder in verbundenen Dateien Daten verarbeiten dürfen, sowie den Umfang ihrer Verarbeitungsbefugnis anzugeben und festzulegen, welche Stelle die datenschutzrechtliche Verantwortung gegenüber den Betroffenen trägt und die technischen und organisatorischen Maßnahmen trifft. [5]Die Vorschriften über die Zulässigkeit der lesenden und schreibenden Datenverarbeitung im Einzelnen bleiben unberührt.

(2) [1]Innerhalb einer Daten verarbeitenden Stelle bedarf die Einrichtung gemeinsamer oder verbundener automatisierter Dateien, mit denen personenbezogene Daten aus unterschiedlichen Aufgabengebieten verarbeitet werden sollen, der Zulassung durch die Leiterin bzw. den Leiter der Stelle. [2]Für die Zulassung gilt Absatz 1 Sätze 3 bis 5 entsprechend.

Zweiter Abschnitt
Rechtsgrundlagen der Datenverarbeitung

§ 12 Datenerhebung

(1) Das Erheben personenbezogener Daten ist zulässig, wenn ihre Kenntnis zur Erfüllung der Aufgaben der erhebenden Stelle erforderlich ist.

(2) [1]Personenbezogene Daten sollen bei den Betroffenen mit ihrer Kenntnis erhoben werden. [2]Werden Daten nicht über einzelne Betroffene, sondern über einen bestimmbaren Personenkreis erhoben,

so genügt es, wenn die Betroffenen in zumutbarer Weise von der Datenerhebung Kenntnis nehmen können. [3]Bei anderen Stellen dürfen personenbezogene Daten unter den in § 13 Absatz 2 Satz 1 genannten Voraussetzungen erhoben werden. [4]Bei Betroffenen dürfen Daten ohne ihre Kenntnis nur erhoben werden, wenn eine Rechtsvorschrift dies vorsieht oder zwingend voraussetzt oder der Schutz von Leben oder Gesundheit oder die Abwehr einer erheblichen Gefährdung der natürlichen Lebensgrundlagen dies erforderlich macht. [5]Durch die Art und Weise des Erhebens dürfen schutzwürdige Interessen der Betroffenen nicht beeinträchtigt werden.

§ 12a Unterrichtung bei der Erhebung

(1) [1]Werden Daten bei Betroffenen mit ihrer Kenntnis erhoben, so sind sie, sofern sie nicht bereits auf andere Weise Kenntnis erlangt haben, von der Daten verarbeitenden Stelle über

1. die Zweckbestimmungen der Datenverarbeitung und
2. die Empfängerinnen oder Empfänger oder den Kreis der Empfängerinnen und Empfänger, soweit die Betroffenen nach den Umständen des Einzelfalls nicht damit rechnen müssen, dass diese die Daten erhalten,

aufzuklären. [2]Werden die Daten auf Grund einer Rechtsvorschrift erhoben, so sind die Betroffenen in geeigneter Weise über diese aufzuklären. [3]Soweit eine Auskunftspflicht besteht oder die Angaben Voraussetzung für die Gewährung von Rechtsvorteilen sind, sind die Betroffenen hierauf, sonst auf die Freiwilligkeit ihrer Angaben hinzuweisen. [4]Werden die Daten schriftlich oder zur Niederschrift erhoben, so sollen die Betroffenen auch über bestehende Auskunfts- und Berichtigungsrechte aufgeklärt werden.

(2) [1]Werden Daten bei Dritten oder bei Betroffenen ohne ihre Kenntnis erhoben, so sind die Betroffenen, sofern sie nicht bereits auf andere Weise Kenntnis erlangt haben, von der Daten verarbeitenden Stelle bei Beginn der Speicherung in einer Datei (§ 4 Absatz 6) oder im Fall einer beabsichtigten Übermittlung spätestens bei deren erster Durchführung zu benachrichtigen und dabei

1. die Art der erhobenen Daten,
2. die Zweckbestimmungen der Datenverarbeitung und
3. die Empfängerinnen oder Empfänger oder der Kreis der Empfängerinnen und Empfänger, soweit die Betroffenen nach den Umständen des Einzelfalls nicht damit rechnen müssen, dass diese die Daten erhalten,

anzugeben. [2]Bei schriftlicher Benachrichtigung sind die Betroffenen auch über bestehende Auskunfts- und Berichtigungsrechte aufzuklären. [3]Dienen die Daten der Erstellung einer Mitteilung an die Betroffenen, kann die Benachrichtigung mit der Mitteilung verbunden werden.

(3) [1]Absatz 2 gilt nicht für die Verarbeitung personenbezogener Daten zur Wahrnehmung von Aufgaben der Gefahrenabwehr und der Verfolgung von Straftaten. [2]Er gilt ferner nicht, soweit

1. die Verarbeitung der Daten durch Gesetz ausdrücklich vorgesehen ist,
2. die Benachrichtigung der Betroffenen unmöglich ist oder einen unverhältnismäßigen Aufwand erfordern würde,
3. die Benachrichtigung die ordnungsgemäße Erfüllung von Aufgaben der Gefahrenabwehr oder die Verfolgung von Straftaten oder berufsrechtlichen Vergehen gefährden würde,
4. die Benachrichtigung die öffentliche Sicherheit oder die Sicherheit oder ein wichtiges wirtschaftliches oder finanzielles Interesse des Bundes oder eines Landes gefährden würde oder
5. die personenbezogenen Daten oder die Tatsache ihrer Speicherung nach einer Rechtsvorschrift oder wegen überwiegender schutzwürdiger Interessen der Betroffenen oder Dritter geheim gehalten werden müssen.

[3]Vor der Entscheidung, nach Satz 2 Nummer 1 oder 2 von einer Benachrichtigung abzusehen, ist die bzw. der behördliche Datenschutzbeauftragte oder, falls keine behördliche Datenschutzbeauftragte bzw. kein behördlicher Datenschutzbeauftragter bestellt wurde, der bzw. die Hamburgische Datenschutzbeauftragte zu hören, wenn sich die Entscheidung auf eine Vielzahl von Einzelfällen auswirkt.

(4) [1]Werden Daten bei Dritten außerhalb des öffentlichen Bereichs auf Grund einer Rechtsvorschrift erhoben, so sind diese in geeigneter Weise über die Rechtsvorschrift aufzuklären. [2]Soweit eine Auskunftspflicht besteht oder die Angaben Voraussetzung für die Gewährung von Rechtsvorteilen sind, sind sie hierauf, sonst auf die Freiwilligkeit ihrer Angaben hinzuweisen.

§ 13 Zulässigkeit der weiteren Datenverarbeitung; Zweckbindung

(1) [1]Die weitere Datenverarbeitung ist zulässig, wenn sie

1. erforderlich ist zur Erfüllung der Aufgaben der öffentlichen Stelle und
2. den Zwecken dient, für die die Daten erhoben wurden.

[2]Daten, von denen die Stelle ohne Erhebung Kenntnis erlangt hat oder die bei ihr neu entstanden sind, dürfen für Zwecke verarbeitet werden, für die sie erstmals gespeichert worden sind.

(2) [1]Die Datenverarbeitung für andere Zwecke ist nur zulässig, wenn

1. eine Rechtsvorschrift dies erlaubt oder die Wahrnehmung einer

durch Gesetz oder Rechtsverordnung begründeten Aufgabe die Verarbeitung dieser Daten zwingend voraussetzt,
2. bei Teilnahme am Privatrechtsverkehr oder zur Durchsetzung öffentlich-rechtlicher Geldforderungen ein rechtliches Interesse an der Kenntnis der zu verarbeitenden Daten vorliegt und kein Grund zu der Annahme besteht, dass das schutzwürdige Interesse der Betroffenen an der Geheimhaltung überwiegt,
3. Angaben der Betroffenen überprüft werden müssen, weil tatsächliche Anhaltspunkte dafür bestehen, dass sie unrichtig sind,
4. hierdurch erhebliche Nachteile für das Gemeinwohl oder schwer wiegende Beeinträchtigungen von gewichtigen Rechtspositionen einzelner verhindert oder beseitigt werden sollen,
5. sie zur Verfolgung von Straftaten oder Ordnungswidrigkeiten, zur Vollstreckung oder zum Vollzug von Strafen oder von Maßnahmen im Sinne des § 11 Absatz 1 Nummer 8 des Strafgesetzbuches oder von Erziehungsmaßregeln oder Zuchtmitteln im Sinne des Jugendgerichtsgesetzes oder zur Erledigung eines gerichtlichen Auskunftsersuchens erforderlich ist und gesetzliche Regelungen nicht entgegenstehen,
6. die Einholung der Einwilligung der Betroffenen nicht möglich ist oder mit unverhältnismäßigem Aufwand verbunden wäre, aber offensichtlich ist, dass es in ihrem Interesse liegt und sie in Kenntnis des anderen Zwecks ihre Einwilligung erteilen würden,
7. die Daten unmittelbar aus allgemein zugänglichen Quellen entnommen worden sind oder entnommen werden können oder die Daten verarbeitende Stelle sie veröffentlichen dürfte, es sei denn, dass schutzwürdige Interessen der Betroffenen offensichtlich entgegenstehen oder,
8. sie der Bearbeitung von Eingaben sowie Kleinen oder Großen Anfragen dient und überwiegende schutzwürdige Interessen der Betroffenen nicht entgegenstehen.

[2]Unterliegen die personenbezogenen Daten einem Berufs- oder besonderen Amtsgeheimnis und sind sie der öffentlichen Stelle von der zur Verschwiegenheit verpflichteten Person in Ausübung ihrer Berufs- oder Amtspflicht zur Verfügung gestellt worden, findet Satz 1 Nummern 2 bis 8 keine Anwendung.

(3) [1]Eine Datenverarbeitung zu anderen Zwecken liegt nicht vor, wenn sie der Wahrnehmung von Aufsichts- und Kontrollbefugnissen, der Rechnungsprüfung oder der Durchführung von Organisationsuntersuchungen dient. [2]Zulässig ist auch die Verarbeitung zu Ausbildungs- und Prüfungszwecken, soweit nicht schutzwürdige Interessen der Betroffenen an der Geheimhaltung der Daten offensichtlich überwiegen.

§ 14 Übermittlung innerhalb des öffentlichen Bereichs

(1) [1]Die Übermittlung personenbezogener Daten an andere öffentliche Stellen ist zulässig, wenn sie zur Erfüllung der Aufgaben der übermittelnden oder der Stelle, der die Daten übermittelt werden, erforderlich ist und die Voraussetzungen des § 13 erfüllt sind. [2]Die Übermittlung ist ferner zulässig, soweit es zur Entscheidung in einem Verwaltungsverfahren der Beteiligung mehrerer öffentlicher Stellen bedarf.

(2) Sind mit personenbezogenen Daten, die nach Absatz 1 übermittelt werden dürfen, weitere personenbezogene Daten von Betroffenen oder von Dritten in Akten so verbunden, dass eine Trennung nicht oder nur mit unvertretbarem Aufwand möglich ist, so ist die Übermittlung auch dieser Daten zulässig, soweit nicht schutzwürdige Interessen der Betroffenen oder Dritten an deren Geheimhaltung offensichtlich überwiegen; eine Nutzung dieser Daten ist unzulässig.

(3) [1]Die Verantwortung für die Zulässigkeit der Übermittlung trägt die übermittelnde Stelle. [2]Erfolgt die Übermittlung auf Grund eines Ersuchens der Stelle, der die Daten übermittelt werden sollen, so hat die übermittelnde Stelle von den in die Sphäre der ersuchenden Stelle fallenden Übermittlungsvoraussetzungen lediglich zu prüfen, ob das Übermittlungsersuchen im Rahmen der Aufgaben der ersuchenden Stelle liegt. [3]Die Rechtmäßigkeit des Ersuchens prüft sie nur, wenn im Einzelfall hierzu Anlass besteht; die ersuchende Stelle hat ihr die für diese Prüfung erforderlichen Angaben zu machen. [4]Erfolgt die Übermittlung durch Abruf in einem automatisierten Verfahren (§§ 11, 11a), trägt die abrufende Stelle die Verantwortung für die Rechtmäßigkeit des Abrufs.

(4) Absatz 2 gilt entsprechend, wenn personenbezogene Daten innerhalb einer öffentlichen Stelle weitergegeben werden.

§ 15 Übermittlung an öffentlich-rechtliche Religionsgesellschaften

Die Übermittlung personenbezogener Daten an Stellen der öffentlich-rechtlichen Religionsgesellschaften ist in entsprechender Anwendung der Vorschriften über die Datenübermittlung an öffentliche Stellen zulässig, sofern sichergestellt ist, dass bei der Stelle, der die Daten übermittelt werden, ausreichende Datenschutzmaßnahmen getroffen sind.

§ 16 Übermittlung an Stellen außerhalb des öffentlichen Bereichs

(1) [1]Die Übermittlung personenbezogener Daten an Stellen außerhalb des öffentlichen Bereichs ist zulässig, wenn

1. sie zur Erfüllung der in der Zuständigkeit der übermittelnden Stelle liegenden Aufgaben erforderlich ist und die Voraussetzungen des § 13 Absatz 1 vorliegen,
2. die Voraussetzungen des § 13 Absatz 2 Satz 1 Nummern 1, 4, 6, 7 oder 8 vorliegen und die Daten nicht einem nach § 13 Absatz 2 Satz 2 zu wahrenden Berufs- oder Amtsgeheimnis unterliegen,
3. die Stelle, der die Daten übermittelt werden sollen, ein rechtliches Interesse an deren Kenntnis glaubhaft macht und kein Grund zu der Annahme besteht, dass schutzwürdige Interessen der Betroffenen an der Geheimhaltung überwiegen,
4. sie im öffentlichen Interesse liegt oder hierfür ein berechtigtes Interesse geltend gemacht wird und die Betroffenen in diesen Fällen der Übermittlung nicht widersprochen haben.

[2]In den Fällen des Satzes 1 Nummer 4 sind die Betroffenen über die beabsichtigte Übermittlung, die Art der zu übermittelnden Daten und den Verwendungszweck in geeigneter Weise zu unterrichten.

(2) Die Stelle, der die Daten übermittelt werden, ist darauf hinzuweisen, dass sie sie nur zur Verarbeitung für den Zweck erhält, zu dem sie ihr übermittelt werden.

(3) Die Betroffenen können verlangen, dass die Übermittlung nach Absatz 1 Satz 1 Nummer 2 in Verbindung mit § 13 Absatz 2 Satz 1 Nummer 6 sowie nach Absatz 1 Satz 1 Nummern 3 und 4 gesperrt wird, wenn sie ein schutzwürdiges Interesse an der Sperrung darlegen.

§ 17 Übermittlung an Stellen außerhalb der Bundesrepublik Deutschland

(1) Die Übermittlung personenbezogener Daten in Mitgliedstaaten der Europäischen Union sowie an Organe und Einrichtungen der Europäischen Union ist unter den Voraussetzungen der §§ 14, 16 und 28 zulässig.

(2) [1]Die Übermittlung personenbezogener Daten in Staaten außerhalb der Europäischen Union und an über- oder zwischenstaatliche Stellen ist unter den Voraussetzungen der §§ 14, 16 und 28 zulässig, wenn in dem Staat außerhalb der Europäischen Union oder bei der über- oder zwischenstaatlichen Stelle ein angemessenes Schutzniveau gewährleistet ist. [2]Die Angemessenheit des Schutzniveaus ist unter Berücksichtigung aller Umstände zu beurteilen, die bei der Datenübermittlung von Bedeutung sind, insbesondere der Art der Daten, der Zweckbestimmung und Dauer ihrer geplanten Verarbeitung, des Herkunfts- und des Endbestimmungslandes sowie der anwendbaren Rechtsvorschriften, Standesregeln und Sicherheitsmaßnahmen.

(3) [1]Ist in Staaten außerhalb der Europäischen Union oder bei über- oder zwischenstaatlichen Stellen kein angemessenes Schutzniveau

gewährleistet, so ist die Übermittlung personenbezogener Daten nur zulässig, soweit

1. die Betroffenen eingewilligt haben,
2. die Übermittlung zur Wahrung eines überwiegenden öffentlichen Interesses oder zur Geltendmachung, Ausübung oder Verteidigung von Rechtsansprüchen vor Gericht erforderlich ist,
3. die Übermittlung zur Wahrung lebenswichtiger Interessen der Betroffenen erforderlich ist oder
4. die Übermittlung aus einem Register erfolgt, das zur Information der Öffentlichkeit bestimmt ist oder das allen Personen, die ein berechtigtes Interesse nachweisen können, zur Einsichtnahme offen steht, soweit die gesetzlichen Voraussetzungen im Einzelfall erfüllt sind.

[2]Darüber hinaus ist die Übermittlung unter den Voraussetzungen der §§ 14, 16 und 28 zulässig, wenn die Stelle, der die Daten übermittelt werden sollen, ausreichende Garantien hinsichtlich des Schutzes des Persönlichkeitsrechts der Betroffenen und der damit verbundenen Rechte bietet; die Garantien können sich insbesondere aus vertraglichen Vereinbarungen ergeben. [3]Die Übermittlung bedarf in diesem Falle der Zulassung durch die Leiterin bzw. den Leiter der übermittelnden Stelle. [4]Die bzw. der Hamburgische Datenschutzbeauftragte ist vorher zu hören. [5]Zugelassene Übermittlungen sind der zuständigen Behörde mitzuteilen.

(4) § 16 Absatz 2 gilt entsprechend.

Dritter Abschnitt
Rechte der Betroffenen

§ 18 Auskunft

(1) [1]Den Betroffenen ist von der Daten verarbeitenden Stelle auf Antrag gebührenfrei Auskunft zu erteilen über

1. die zu ihrer Person gespeicherten Daten,
2. die Zweckbestimmungen und die Rechtsgrundlage der Speicherung,
3. die Herkunft der Daten und die Empfängerinnen oder Empfänger oder den Kreis der Empfängerinnen oder Empfänger; dies gilt nicht für Empfängerinnen und Empfänger, die die Daten im Einzelfall zur Verfolgung von Straftaten, Ordnungswidrigkeiten oder berufsrechtlichen Vergehen erhalten,
4. die an einem automatisierten Abrufverfahren teilnehmenden Stellen,
5. in den Fällen des § 5 a den logischen Aufbau der automatisierten Verarbeitung der sie betreffenden Daten,

auch soweit diese Angaben nicht zu ihrer Person gespeichert sind, aber mit vertretbarem Aufwand festgestellt werden können. [2]Die Betroffenen sollen die Art der personenbezogenen Daten, über die sie Auskunft verlangen, näher bezeichnen. [3]Aus Akten ist den Betroffenen Auskunft zu erteilen, soweit sie Angaben machen, die das Auffinden der Daten ermöglichen, und der für die Erteilung der Auskunft erforderliche Aufwand nicht außer Verhältnis zum Auskunftsinteresse der Betroffenen steht. [4]Die Daten verarbeitende Stelle bestimmt die Form der Auskunftserteilung nach pflichtgemäßem Ermessen; die Auskunft kann auch in der Form erteilt werden, dass dem Betroffenen Akteneinsicht gewährt oder ein Ausdruck aus automatisierten Dateien überlassen wird. [5]§ 29 des Hamburgischen Verwaltungsverfahrensgesetzes bleibt unberührt.

(2) Die Verpflichtung zur Auskunftserteilung gilt nicht für die personenbezogenen Daten, die nur deshalb als gesperrte Daten gespeichert sind, weil sie auf Grund gesetzlicher Aufbewahrungsvorschriften nicht gelöscht werden dürfen, sowie für solche Daten, die ausschließlich zum Zwecke der Datensicherung oder der Datenschutzkontrolle gespeichert sind.

(3) Die Auskunftserteilung unterbleibt, soweit die Voraussetzungen für das Absehen von einer Benachrichtigung nach § 12 a Absatz 3 Satz 2 Nummern 3 bis 5 vorliegen oder die Daten ausschließlich für Zwecke der wissenschaftlichen Forschung oder der Statistik verarbeitet werden.

(4) [1]Einer Begründung für die Auskunftsverweigerung bedarf es nur insoweit nicht, als durch die Mitteilung der Gründe der mit der Auskunftsverweigerung verfolgte Zweck gefährdet würde. [2]In diesem Fall sind die wesentlichen Gründe für die Entscheidung aufzuzeichnen.

(5) [1]Bezieht sich die Auskunft auf die Herkunft von personenbezogenen Daten von Behörden des Verfassungsschutzes, der Staatsanwaltschaft und der Polizei, von Landesfinanzbehörden, soweit diese personenbezogene Daten in Erfüllung ihrer gesetzlichen Aufgaben im Anwendungsbereich der Abgabenordnung zur Überwachung und Prüfung speichern, sowie von den in § 19 Absatz 3 des Bundesdatenschutzgesetzes genannten Behörden, ist sie nur mit Zustimmung dieser Stellen zulässig. [2]Gleiches gilt, soweit sich die Auskunft auf die Übermittlung personenbezogener Daten an diese Behörden bezieht. [3]Für die Versagung der Zustimmung gelten, soweit dieses Gesetz auf die genannten Behörden Anwendung findet, die Absätze 3 und 4 entsprechend.

(6) Wird die Auskunft nicht gewährt, so sind die Betroffenen darauf hinzuweisen, dass sie sich an die Hamburgische Datenschutzbe-

auftragte bzw. den Hamburgischen Datenschutzbeauftragten wenden können.

§ 19 Berichtigung, Sperrung und Löschung

(1) [1]Personenbezogene Daten sind unverzüglich zu berichtigen, wenn sie unrichtig sind. [2]Sind Daten außerhalb automatisierter Dateien zu berichtigen, reicht es aus, in geeigneter Weise kenntlich zu machen, zu welchem Zeitpunkt oder aus welchem Grund diese Daten unrichtig waren oder unrichtig geworden sind.

(2) [1]Personenbezogene Daten sind zu sperren, wenn
1. ihre Richtigkeit von den Betroffenen bestritten wird und sich weder die Richtigkeit noch die Unrichtigkeit feststellen lässt,
2. in den Fällen des Absatzes 3 Grund zu der Annahme besteht, dass durch die Löschung schutzwürdige Belange Betroffener beeinträchtigt würden, oder wenn Betroffene an Stelle der Löschung die Sperrung verlangen,
3. sie nur zu Zwecken der Datensicherung oder der Datenschutzkontrolle gespeichert sind.

[2]Satz 1 Nummer 1 gilt nicht, wenn personenbezogene Daten in Akten gespeichert sind; in diesen Fällen ist in den Akten lediglich zu vermerken, dass die Daten von den Betroffenen bestritten worden sind. [3]Gesperrte Daten sind als solche zu kennzeichnen. [4]Ohne Einwilligung der Betroffenen dürfen sie nur weiterverarbeitet werden, wenn es zu wissenschaftlichen Zwecken, zur Behebung einer bestehenden Beweisnot oder aus sonstigen im überwiegenden Interesse der Daten verarbeitenden Stelle oder Dritter liegenden Gründen unerlässlich ist und die Voraussetzungen des § 13 oder des § 27 vorliegen.

(3) [1]Personenbezogene Daten sind zu löschen, wenn
1. ihre Speicherung unzulässig ist oder
2. ihre Kenntnis für die Daten verarbeitende Stelle zur Erfüllung ihrer Aufgaben nicht mehr erforderlich ist.

[2]Sind personenbezogene Daten in Akten gespeichert, ist die Löschung nach Satz 1 Nummer 2 nur durchzuführen, wenn die gesamte Akte zur Aufgabenerfüllung nicht mehr erforderlich ist; soweit hiernach eine Löschung nicht in Betracht kommt, sind die personenbezogenen Daten zu sperren.

(4) Abgesehen von den Fällen des Absatzes 3 Satz 1 Nummer 1 sind die Daten vor einer Löschung dem zuständigen öffentlichen Archiv nach Maßgabe des § 3 des Hamburgischen Archivgesetzes vom 21. Januar 1991 mit der Änderung vom 30. Januar 2001 (Hamburgisches Gesetz- und Verordnungsblatt 1991 Seite 7, 2001 Seiten 9,16) in seiner jeweiligen Fassung anzubieten.

(5) [1]Von der Berichtigung unrichtiger Daten, der Sperrung bestrittener oder unzulässig gespeicherter Daten und der Löschung unzulässig gespeicherter Daten sind unverzüglich die Stellen zu verständigen, denen die Daten übermittelt worden sind; die Verständigung kann unterbleiben, wenn sie einen unverhältnismäßigen Aufwand erfordern würde und schutzwürdige Interessen der Betroffenen nicht entgegenstehen. [2]Im Übrigen liegt die Verständigung im pflichtgemäßen Ermessen der Daten verarbeitenden Stelle.

(6) In automatisierten Dateien gespeicherte Daten sind regelmäßig alle vier Jahre auf ihre Erforderlichkeit hin zu überprüfen und die Datenbestände gemäß Absatz 3 zu bereinigen.

§ 20 Schadensersatz

(1) [1]Werden Betroffene durch eine unzulässige oder unrichtige Datenverarbeitung in ihren schutzwürdigen Belangen beeinträchtigt, so hat ihnen der Träger der in § 2 Absatz 1 Satz 1 genannten Stelle den daraus entstehenden Schaden zu ersetzen. [2]In schweren Fällen können Betroffene auch wegen des Schadens, der nicht Vermögensschaden ist, eine billige Entschädigung in Geld verlangen. [3]Die Ersatzpflicht tritt nicht ein, soweit die Daten verarbeitende Stelle den Umstand, durch den der Schaden eingetreten ist, nicht zu vertreten hat. [4]Beruht der Schaden auf einer unzulässigen oder unrichtigen automatisierten Datenverarbeitung, so tritt die Ersatzpflicht auch im Falle des Satzes 3 ein, beschränkt sich jedoch in diesem Falle gegenüber jeder betroffenen Person auf zweihundertfünfzigtausend Euro[1] für jedes schädigende Ereignis.

(2) Auf das Mitverschulden von Verletzten und die Verjährung des Entschädigungsanspruchs sind § 254, § 839 Absatz 3 und § 852 des Bürgerlichen Gesetzbuches entsprechend anzuwenden.

(3) Weitergehende sonstige Schadensersatzansprüche bleiben unberührt.

Vierter Abschnitt
Die bzw. der Hamburgische Datenschutzbeauftragte

§ 21 Berufung

(1) [1]Auf Vorschlag des Senats wählt die Bürgerschaft eine Hamburgische Datenschutzbeauftragte oder einen Hamburgischen Datenschutzbeauftragten; die Wiederwahl ist einmal zulässig. [2]Die bzw.

---

1 Bis zum 31. Dezember 2001 tritt an die Stelle des Betrages von zweihunderfünfzigtausend Euro der Betrag von fünfhunderttausend Deutsche Mark.

der Hamburgische Datenschutzbeauftragte muss die Befähigung zum Richteramt oder zum höheren Verwaltungsdienst haben und die zur Erfüllung ihrer bzw. seiner Aufgaben erforderliche Fachkunde besitzen. [3]Sie bzw. er muss bei ihrer bzw. seiner Bestellung das 35. Lebensjahr vollendet haben.

(2) Der Senat bestellt die Hamburgische Datenschutzbeauftragte bzw. den Hamburgischen Datenschutzbeauftragten für eine Amtszeit von sechs Jahren.

(3) [1]Die bzw. der Hamburgische Datenschutzbeauftragte ist verpflichtet, das Amt bis zur Bestellung einer Nachfolgerin oder eines Nachfolgers weiterzuführen; die Amtszeit gilt als entsprechend verlängert. [2]Kommt die bzw. der Hamburgische Datenschutzbeauftragte der Verpflichtung nach Satz 1 nicht nach, ist sie bzw. er zu entlassen.

§ 22 Rechtsstellung

(1) [1]In Ausübung des Amtes ist die bzw. der Hamburgische Datenschutzbeauftragte unabhängig und nur dem Gesetz unterworfen. [2]Sie bzw. er ist insoweit oberste Dienstbehörde im Sinne des § 96 der Strafprozessordnung sowie oberste Aufsichtsbehörde im Sinne des § 99 der Verwaltungsgerichtsordnung und trifft die Entscheidungen nach den §§ 65 und 66 des Hamburgischen Beamtengesetzes für sich und die ihr bzw. ihm zugewiesenen Bediensteten. [3]Sie bzw. er untersteht der Dienstaufsicht des Senats.

(2) [1]Der bzw. dem Hamburgischen Datenschutzbeauftragten wird die zur Aufgabenerfüllung notwendige Personal- und Sachausstattung vom Senat im Rahmen der haushaltsmäßigen Bestimmungen zur Verfügung gestellt. [2]Die Stellen werden auf Vorschlag der bzw. des Hamburgischen Datenschutzbeauftragten besetzt. [3]Die Mitarbeiterinnen und Mitarbeiter können nur im Einvernehmen mit ihr bzw. ihm versetzt oder abgeordnet werden. [4]Die bzw. der Hamburgische Datenschutzbeauftragte ist Dienstvorgesetzte bzw. Dienstvorgesetzter ihrer bzw. seiner Mitarbeiterinnen und Mitarbeiter; diese sind in ihrer Tätigkeit nach diesem Gesetz nur an ihre bzw. seine Weisungen gebunden.

(3) [1]Die bzw. der Hamburgische Datenschutzbeauftragte bestimmt eine Mitarbeiterin oder einen Mitarbeiter zur Vertreterin bzw. zum Vertreter. [2]Diese bzw. dieser nimmt die Befugnisse der bzw. des Hamburgischen Datenschutzbeauftragten im Falle von deren bzw. dessen Verhinderung wahr. [3]Dauert die Verhinderung länger als zwei Monate, so kann der Senat eine Person mit der Wahrnehmung der Geschäfte beauftragen; die bzw. der Hamburgische Datenschutzbeauftragte soll hierzu gehört werden. [4]Endet das Amtsverhältnis der bzw. des Hamburgischen Datenschutzbeauftragten, gelten Satz 2 und Satz 3 erster

Halbsatz bis zur Bestellung einer Nachfolgerin oder eines Nachfolgers entsprechend.

§ 23 Aufgaben

(1) [1]Die bzw. der Hamburgische Datenschutzbeauftragte überwacht bei den in § 2 Absatz 1 Satz 1 genannten Stellen und bei anderen Stellen, soweit sie sich auf Grund gesetzlicher Vorschriften ihrer bzw. seiner Überwachung unterworfen haben, die Einhaltung der Vorschriften dieses Gesetzes sowie anderer Vorschriften über den Datenschutz. [2]Die Bürgerschaft, die Gerichte und der Rechnungshof unterliegen der Überwachung durch die Hamburgische Datenschutzbeauftragte bzw. den Hamburgischen Datenschutzbeauftragten nur, soweit sie in Verwaltungsangelegenheiten tätig werden; die Einschränkung gilt nicht für Gerichtsvollzieherinnen und Gerichtsvollzieher. [3]Bei den Gerichten und beim Rechnungshof überwacht die bzw. der Hamburgische Datenschutzbeauftragte darüber hinaus, ob die erforderlichen technischen und organisatorischen Maßnahmen getroffen und eingehalten werden.

(2) Die bzw. der Hamburgische Datenschutzbeauftragte kann Empfehlungen zur Verbesserung des Datenschutzes geben; insbesondere soll sie bzw. er den Senat und die übrigen in § 2 Absatz 1 Satz 1 genannten Stellen in Fragen des Datenschutzes beraten.

(3) [1]Auf Anforderung des Senats oder auf Verlangen eines Viertels der Abgeordneten der Bürgerschaft hat die bzw. der Hamburgische Datenschutzbeauftragte Gutachten zu erstellen und Berichte zu erstatten. [2]Außerdem erstattet sie bzw. er Senat und Bürgerschaft mindestens alle zwei Jahre einen Tätigkeitsbericht. [3]Sie bzw. er kann sich jederzeit an die Bürgerschaft wenden. [4]Schriftliche Äußerungen gegenüber der Bürgerschaft sind gleichzeitig dem Senat vorzulegen. [5]Auf Ersuchen des Senats geht die bzw. der Hamburgische Datenschutzbeauftragte ferner Hinweisen auf Angelegenheiten und Vorgänge nach, die ihren bzw. seinen Aufgabenbereich unmittelbar betreffen.

(4) [1]Die bzw. der Hamburgische Datenschutzbeauftragte soll zu den Auswirkungen der Nutzung neuer Informations- und Kommunikationstechniken auf den Datenschutz Stellung nehmen. [2]Sie bzw. er ist über Planungen neuer Anwendungen zur Nutzung der Informations- und Kommunikationstechnik rechtzeitig zu unterrichten, sofern dabei personenbezogene Daten verarbeitet werden sollen.

(5) [1]Die in Absatz 1 Satz 1 genannten Stellen sind verpflichtet, die Hamburgische Datenschutzbeauftragte bzw. den Hamburgischen Datenschutzbeauftragten und ihre bzw. seine Beauftragten bei der Erfüllung ihrer Aufgaben zu unterstützen. [2]Ihnen ist dabei insbesondere

1. Auskunft zu ihren Fragen sowie die Einsicht in alle Unterlagen und Akten zu gewähren, die im Zusammenhang mit der Verarbeitung personenbezogener Daten stehen, namentlich in die gespeicherten Daten und in die Datenverarbeitungsprogramme,
2. jederzeit Zutritt zu allen Diensträumen zu gewähren.

[3]Gesetzliche Geheimhaltungsvorschriften können einem Auskunfts- oder Einsichtsverlangen nicht entgegengehalten werden.

(6) [1]Absatz 5 Sätze 1 und 2 gilt für das Landesamt für Verfassungsschutz, die Behörden der Staatsanwaltschaft und der Polizei sowie gegenüber Landesfinanzbehörden, soweit sie personenbezogene Daten in Erfüllung ihrer gesetzlichen Aufgaben im Anwendungsbereich der Abgabenordnung zur Überwachung und Prüfung speichern, mit der Maßgabe, dass die Unterstützung nur der bzw. dem Hamburgischen Datenschutzbeauftragten selbst und den von ihr bzw. ihm schriftlich damit betrauten Beauftragten zu gewähren ist. [2]Absatz 5 Satz 2 gilt für die genannten Behörden nicht, soweit der Senat im Einzelfall feststellt, dass die Einsicht in Akten die Sicherheit des Bundes oder eines Landes gefährdet.

(7) [1]Der Senat kann der bzw. dem Hamburgischen Datenschutzbeauftragten die Aufgaben der Aufsichtsbehörde für die Datenverarbeitung im nicht-öffentlichen Bereich nach § 38 des Bundesdatenschutzgesetzes in der jeweils geltenden Fassung übertragen. [2]Auch über diesen Tätigkeitsbereich ist ein Bericht nach Absatz 3 Satz 2 zu erstatten.

§ 24 (aufgehoben)

§ 25 Beanstandungen

(1) [1]Stellt die bzw. der Hamburgische Datenschutzbeauftragte Verstöße gegen dieses Gesetz oder gegen andere Vorschriften über den Datenschutz oder sonstige Mängel bei der Datenverarbeitung fest, so beanstandet sie bzw. er dies

1. im Bereich der Verwaltung und der Gerichte der Freien und Hansestadt Hamburg gegenüber dem für die Behörde oder das Gericht verantwortlichen Senatsmitglied, im Bereich der Bezirksverwaltung gegenüber dem für die Aufsichtsbehörde verantwortlichen Senatsmitglied,
2. im Bereich der der Aufsicht der Freien und Hansestadt Hamburg unterstehenden juristischen Personen des öffentlichen Rechts und deren öffentlich-rechtlich organisierten Einrichtungen gegenüber dem Vorstand oder dem sonst vertretungsberechtigten Organ,
3. im Bereich der Bürgerschaft und des Rechnungshofs gegenüber der jeweiligen Präsidentin bzw. dem jeweiligen Präsidenten

und fordert zur Behebung der Mängel und zur Stellungnahme innerhalb einer von ihr bzw. ihm zu bestimmenden Frist auf. [2]Werden die

Mängel nicht fristgemäß behoben, richtet die bzw. der Hamburgische Datenschutzbeauftragte eine weitere Beanstandung in den Fällen des Satzes 1 Nummer 1 an den Senat, in den Fällen des Satzes 1 Nummer 2 an die zuständige Aufsichtsbehörde; im Übrigen gilt Satz 1 entsprechend.

(2) Die bzw. der Hamburgische Datenschutzbeauftragte kann von einer Beanstandung absehen, insbesondere wenn die Mängel von geringer Bedeutung sind, bereits behoben sind oder ihre Behebung sichergestellt ist.

(3) Mit der Beanstandung kann die bzw. der Hamburgische Datenschutzbeauftragte Vorschläge zur Beseitigung der Mängel und zur sonstigen Verbesserung des Datenschutzes verbinden.

(4) [1]Die gemäß Absatz 1 abzugebenden Stellungnahmen sollen auch eine Darstellung der Maßnahmen enthalten, die auf Grund der Beanstandung getroffen worden sind. [2]Die in Absatz 1 Satz 1 Nummer 2 genannten Stellen leiten der zuständigen Aufsichtsbehörde eine Abschrift ihrer Stellungnahme zu.

§ 26 Anrufung

(1) Jede Person kann sich an die Hamburgische Datenschutzbeauftragte bzw. den Hamburgischen Datenschutzbeauftragten wenden, wenn sie der Ansicht ist, bei der Verarbeitung ihrer personenbezogenen Daten im Überwachungsbereich nach § 23 Absatz 1 in ihren Rechten verletzt worden zu sein.

(2) [1]Niemand darf wegen der Mitteilung von Tatsachen, die geeignet sind, den Verdacht aufkommen zu lassen, das Hamburgische Datenschutzgesetz oder eine andere Rechtsvorschrift über den Datenschutz sei verletzt worden, gemaßregelt oder benachteiligt werden. [2]Bedienstete der Freien und Hansestadt Hamburg sind nicht verpflichtet, der bzw. dem Hamburgischen Datenschutzbeauftragten gegenüber den Dienstweg einzuhalten.

Fünfter Abschnitt
Besondere Vorschriften über den Datenschutz

§ 27 Datenverarbeitung zum Zwecke wissenschaftlicher Forschung

(1) [1]Die in § 2 Absatz 1 Satz 1 genannten Stellen dürfen personenbezogene Daten ohne Einwilligung der Betroffenen für ein bestimmtes Forschungsvorhaben verarbeiten, soweit deren schutzwürdige Interessen wegen der Art der Daten, wegen ihrer Offenkundigkeit oder wegen der Art der Verwendung nicht beeinträchtigt werden. [2]Der Einwilligung

der Betroffenen bedarf es auch nicht, wenn das öffentliche Interesse an der Durchführung des Forschungsvorhabens die schutzwürdigen Interessen der Betroffenen erheblich überwiegt und der Zweck der Forschung auf andere Weise nicht oder nur mit unverhältnismäßigem Aufwand erreicht werden kann.

(2) [1]Über die Übermittlung entscheidet die Leiterin bzw. der Leiter der übermittelnden Stelle oder die von ihr bzw. ihm bestimmte Mitarbeiterin oder ein entsprechender Mitarbeiter. [2]Die Entscheidung muss die Stelle, der die Daten übermittelt werden, die Art der zu übermittelnden personenbezogenen Daten, den Kreis der Betroffenen und das Forschungsvorhaben bezeichnen; sie ist der bzw. dem Hamburgischen Datenschutzbeauftragten mitzuteilen.

(3) [1]Die Daten sind, sobald der Forschungszweck es gestattet, zu anonymisieren. [2]Die Merkmale, mit denen ein Bezug auf eine bestimmte natürliche Person wiederhergestellt werden kann, sind gesondert zu speichern; sie sind zu löschen, sobald der Forschungszweck dies gestattet.

(4) Die übermittelten personenbezogenen Daten dürfen nur mit Einwilligung der Betroffenen weiter übermittelt oder für einen anderen als den ursprünglichen Zweck verarbeitet werden.

(5) Die wissenschaftliche Forschung betreibenden in § 2 Absatz 1 Satz 1 genannten Stellen dürfen personenbezogene Daten ohne Einwilligung der Betroffenen nur veröffentlichen, wenn dies für die Darstellung von Forschungsergebnissen über Ereignisse der Zeitgeschichte unerlässlich ist.

(6) [1]Soweit die Vorschriften dieses Gesetzes auf die Stelle, der die Daten übermittelt werden sollen, keine Anwendung finden, dürfen sie ihr nur übermittelt werden, wenn sie sich verpflichtet, die Vorschriften der Absätze 3 bis 5 einzuhalten, und sich der Überwachung der bzw. des für den Ort der Forschungsstätte zuständigen Datenschutzbeauftragten unterwirft. [2]Befindet sich der Ort der Forschungsstätte außerhalb der Europäischen Union, ist eine Übermittlung nur zulässig, wenn kein Grund zu der Annahme besteht, dass bei der Durchführung des Forschungsvorhabens gegen Inhalt und Zweck eines deutschen Gesetzes verstoßen wird.

(7) Die Absätze 1, 3 und 4 gelten entsprechend bei der Datenverarbeitung zur Vorbereitung oder Überprüfung von Regelungen allgemeiner Art durch eine in § 2 Absatz 1 Satz 1 genannte Stelle.

§ 28 Datenverarbeitung bei Beschäftigungsverhältnissen

(1) [1]Die in § 2 Absatz 1 Satz 1 genannten Stellen dürfen personenbezogene Daten ihrer Bewerberinnen und Bewerber, Beschäftigten,

früheren Beschäftigten und von deren Hinterbliebenen nur verarbeiten, soweit dies eine Rechtsvorschrift, ein Tarifvertrag, eine allgemeine Regelung der obersten Dienstbehörde, die mit den Spitzenorganisationen der zuständigen Gewerkschaften und Berufsverbände beziehungsweise mit den Berufsverbänden der Richterinnen und Richter verbindlich vereinbart worden ist, oder eine Dienstvereinbarung vorsieht. [2]Soweit derartige Regelungen nicht bestehen, gelten die nachfolgenden Absätze.

(2) Die in § 2 Absatz 1 Satz 1 genannten Stellen dürfen, soweit die nachfolgenden Absätze keine besonderen Regelungen enthalten, personenbezogene Daten der in Absatz 1 genannten Personen nur verarbeiten, soweit dies zur Eingehung, Durchführung, Beendigung oder Abwicklung des Beschäftigungsverhältnisses oder zur Durchführung organisatorischer, personeller oder sozialer Maßnahmen, insbesondere auch zu Zwecken der Personalplanung oder des Personaleinsatzes, erforderlich ist.

(3) Die §§ 96 bis 96 h des Hamburgischen Beamtengesetzes (HmbBG) in der Fassung vom 29. November 1977 (Hamburgisches Gesetz- und Verordnungsblatt Seite 367), zuletzt geändert am 7. September 1995 (Hamburgisches Gesetz- und Verordnungsblatt Seite 207), sind in der jeweils geltenden Fassung auf diejenigen in Absatz 1 genannten Personen entsprechend anzuwenden, die nicht in den Anwendungsbereich dieser Vorschriften fallen.

(4) [1]Eine Übermittlung der Daten von Beschäftigten an Stellen außerhalb des öffentlichen Bereichs ist abweichend von § 16 Absatz 1 nur zulässig, soweit

1. die Stelle, der die Daten übermittelt werden sollen, ein überwiegendes rechtliches Interesse darlegt,
2. Art oder Zielsetzung der Aufgaben, die der oder dem Beschäftigten übertragen sind, die Übermittlung erfordert oder
3. offensichtlich ist, dass die Übermittlung im Interesse der betroffenen Person liegt, und keine Anhaltspunkte vorliegen, dass diese in Kenntnis des Übermittlungszweckes ihre Einwilligung nicht erteilen würde.

[2]Die Übermittlung an eine künftige Dienstherrin oder Arbeitgeberin oder einen künftigen Dienstherrn oder Arbeitgeber ist nur mit Einwilligung der betroffenen Person zulässig, es sei denn, dass eine Abordnung oder Versetzung vorbereitet wird, die der Zustimmung der oder des Beschäftigten nicht bedarf. [3]Absatz 3 in Verbindung mit § 96 e HmbBG bleibt unberührt.

(5) [1]Verlangt eine in § 2 Absatz 1 Satz 1 genannte Stelle medizinische oder psychologische Untersuchungen oder Tests (Untersuchungen), so hat sie Anlass und Zweck der Untersuchung anzugeben sowie erfor-

derlichenfalls auf die der betroffenen Person obliegenden Aufgaben hinzuweisen. [2]Sie darf von der untersuchenden Stelle nur die Mitteilung der Untersuchungsergebnisse sowie derjenigen festgestellten Risikofaktoren verlangen, deren Kenntnis für ihre Entscheidung in personellen Angelegenheiten der betroffenen Person erforderlich ist; darüber hinausgehende Daten darf sie nur verlangen, soweit auch deren Kenntnis für ihre Entscheidung erforderlich ist. [3]Führt eine in § 2 Absatz 1 Satz 1 genannte Stelle die Untersuchungen durch, so gilt für die Weitergabe der erhobenen Daten Satz 2 entsprechend. [4]Im Übrigen ist eine Weiterverarbeitung der bei den Untersuchungen erhobenen Daten ohne schriftliche Einwilligung der betroffenen Person nur zu dem Zweck zulässig, zu dem sie erhoben worden sind.

(6) [1]Personenbezogene Daten, die vor der Eingehung eines Beschäftigungsverhältnisses erhoben wurden, sind unverzüglich zu löschen, sobald feststeht, dass ein Beschäftigungsverhältnis nicht zustande kommt. [2]Dies gilt nicht, soweit überwiegende berechtigte Interessen der Daten verarbeitenden Stelle der Löschung entgegenstehen oder die betroffene Person in die weitere Speicherung einwilligt. [3]Nach Beendigung eines Beschäftigungsverhältnisses sind personenbezogene Daten zu löschen, soweit diese Daten nicht mehr benötigt werden, es sei denn, dass Rechtsvorschriften entgegenstehen. [4]§ 19 Absatz 4 findet Anwendung.

(7) Soweit Daten der Beschäftigten im Rahmen der technischen und organisatorischen Maßnahmen nach § 8 Absatz 2 gespeichert werden, dürfen sie nicht zu anderen Zwecken, insbesondere nicht zu Zwecken der Verhaltens- oder Leistungskontrolle, genutzt werden.

(8) § 27 findet Anwendung.

§ 29 Fernmessen und Fernwirken

(1) [1]In § 2 Absatz 1 Satz 1 genannte Stellen dürfen ferngesteuerte Messungen oder Beobachtungen (Fernmessdienste) in Wohn- oder Geschäftsräumen Privater nur vornehmen, wenn die Betroffenen zuvor über den Verwendungszweck sowie über Art, Umfang und Zeitraum des Einsatzes unterrichtet worden sind und nach der Unterrichtung schriftlich eingewilligt haben. [2]Entsprechendes gilt, soweit eine Übertragungseinrichtung dazu dienen soll, in Wohn- oder Geschäftsräumen Privater andere als die in Satz 1 genannten Wirkungen auszulösen (Fernwirkdienste). [3]Die Einrichtung von Fernmess- und Fernwirkdiensten ist nur zulässig, wenn die Betroffenen erkennen können, wann ein Dienst in Anspruch genommen wird und welcher Art dieser Dienst ist. [4]Die Betroffenen können ihre Einwilligung jederzeit widerrufen, soweit dies mit der Zweckbestimmung des Dienstes vereinbar ist.

[5]Das Abschalten eines Dienstes gilt im Zweifel als Widerruf der Einwilligung.

(2) [1]Eine Leistung, der Abschluss oder die Abwicklung eines Vertragsverhältnisses dürfen nicht davon abhängig gemacht werden, dass die Betroffenen nach Absatz 1 Satz 1 oder Satz 2 einwilligen. [2]Verweigern oder widerrufen sie ihre Einwilligung, so dürfen ihnen keine Nachteile entstehen, die über die nachweisbaren Mehrkosten einer anderen Art der Datenerhebung hinausgehen.

(3) [1]Soweit im Rahmen von Fernmess- und Fernwirkdiensten personenbezogene Daten erhoben werden, dürfen diese nur zu den vereinbarten Zwecken verarbeitet werden. [2]Sie sind zu löschen, sobald sie zur Erfüllung dieser Zwecke nicht mehr erforderlich sind.

(4) Die Absätze 1 und 2 gelten nicht für Fernmess- und Fernwirkdienste der Versorgungsunternehmen und für entsprechende Dienste von Wohnungsunternehmen.

§ 30 Datenverarbeitung für Planungszwecke

(1) Für Zwecke der öffentlichen Planung können personenbezogene Daten verarbeitet werden, wenn der Planungszweck auf andere Weise nicht oder nur mit unverhältnismäßigem Aufwand erreicht werden kann und das öffentliche Interesse an der Planung die schutzwürdigen Interessen der Betroffenen erheblich überwiegt.

(2) [1]Die zu Planungszwecken gespeicherten personenbezogenen Daten dürfen nicht für andere Zwecke genutzt werden. [2]Sobald es der Zweck der Planungsaufgabe erlaubt, sind die zu diesem Zweck verarbeiteten personenbezogenen Daten zu anonymisieren. [3]Eine Übermittlung von Daten, aus denen Rückschlüsse auf Einzelpersonen gezogen werden können, ist unzulässig.

(3) Soweit Daten für längere Zeit gespeichert werden, ist durch geeignete Maßnahmen sicherzustellen, dass sie innerhalb der Daten verarbeitenden Stelle getrennt von der Erfüllung anderer Verwaltungsaufgaben verarbeitet werden.

§ 31 (aufgehoben)

Sechster Abschnitt
Straf- und Bußgeldvorschriften; Übergangsbestimmungen; In-Kraft-Treten

§ 32 Straftaten

(1) Wer gegen Entgelt oder in der Absicht, sich oder eine andere bzw. einen anderen zu bereichern oder eine andere bzw. einen anderen zu schädigen, personenbezogene Daten, die nicht offenkundig sind,

1. unbefugt erhebt, speichert, löscht, sperrt, verändert, übermittelt oder nutzt oder
2. durch Vortäuschung falscher Tatsachen an sich oder eine andere bzw. einen anderen übermitteln lässt,

wird mit Freiheitsstrafe bis zu zwei Jahren oder mit Geldstrafe bestraft.

(2) Der Versuch ist strafbar.

(3) Die Tat wird nur auf Antrag verfolgt.

(4) Die Absätze 1 bis 3 finden nur Anwendung, soweit die Tat nicht nach anderen Vorschriften mit Strafe bedroht ist.

§ 33 Ordnungswidrigkeiten

(1) Ordnungswidrig handelt, wer personenbezogene Daten, die nicht offenkundig sind,

1. unbefugt erhebt, speichert, löscht, sperrt, verändert, übermittelt oder nutzt oder
2. durch Vortäuschung falscher Tatsachen an sich oder eine andere bzw. einen anderen übermitteln lässt.

(2) Die Ordnungswidrigkeit kann mit einer Geldbuße bis zu fünfundzwanzigtausend Euro[1] geahndet werden.

§ 34 (aufgehoben)

§ 35 In-Kraft-Treten

(1) [1]Dieses Gesetz tritt am 1. August 1990 in Kraft. [2]Abweichend davon tritt § 9 Absätze 3 und 4 am 1. Januar 1991 in Kraft.

(2) Zum gleichen Zeitpunkt tritt das Hamburgische Datenschutzgesetz vom 31. März 1981 (Hamburgisches Gesetz- und Verordnungsblatt Seite 71) in der geltenden Fassung außer Kraft.

---

1 Bis zum 31. Dezember 2001 tritt an die Stelle des Betrages von fünfundzwanzigtausend Euro der Betrag von fünfzigtausend Deutsche Mark.

Hessisches Datenschutzgesetz (HDSG)

vom 11. November 1986 (GVBl I S. 309) in der Fassung der Bekanntmachung vom 7. Januar 1999 (GVBl I S. 98)[1]

Inhaltsübersicht

---

1 In Kraft getreten am 10. Nov. 1998; § 6 tritt am 1. Juni 1999 in Kraft

§ 19 Berichtigung, Sperrung und Löschung
§ 20 Schadensersatz

ZWEITER TEIL
Hessischer Datenschutzbeauftragter

§ 21 Rechtsstellung
§ 22 Unabhängigkeit
§ 23 Verschwiegenheitspflicht
§ 24 Aufgaben
§ 25 Gutachten und Untersuchungen
§ 26 Frist
§ 27 Beanstandungen durch den Hessischen Datenschutzbeauftragten
§ 28 Anrufung des Hessischen Datenschutzbeauftragten
§ 29 Auskunftsrecht des Hessischen Datenschutzbeauftragten
§ 30 Berichtspflicht
§ 31 Personal- und Sachausstattung

DRITTER TEIL
Besonderer Datenschutz

§ 32 Datenverarbeitung für Planungszwecke
§ 33 Datenverarbeitung für wissenschaftliche Zwecke
§ 34 Datenschutz bei Dienst- und Arbeitsverhältnissen
§ 35 Übermittlung an öffentlich-rechtliche Religionsgesellschaften
§ 36 Fernmessen und Fernwirken
§ 37 Datenverarbeitung des Hessischen Rundfunks zu journalistisch-redaktionellen Zwecken

VIERTER TEIL
Rechte des Landtags und der kommunalen Vertretungsorgane

§ 38 Auskunftsrecht des Landtags und der kommunalen Vertretungsorgane
§ 39 Verarbeitung personenbezogener Daten durch den Landtag und die kommunalen Vertretungsorgane

FÜNFTER TEIL
Schlußvorschriften

§ 40 Straftaten
§ 41 Ordnungswidrigkeiten
§ 42 Übergangsvorschriften
§ 43 Aufhebung bisherigen Rechts
§ 44 Inkrafttreten

ERSTER TEIL
Allgemeiner Datenschutz

Erster Abschnitt
Grundsatzregelungen

§ 1 Aufgabe

(1) Aufgabe des Gesetzes ist es, die Verarbeitung personenbezogener Daten durch die in § 3 Abs. 1 genannten Stellen zu regeln, um

1. das Recht des einzelnen zu schützen, selbst über die Preisgabe und Verwendung seiner Daten zu bestimmen, soweit keine Einschränkungen in diesem Gesetz oder in anderen Rechtsvorschriften zugelassen sind,
2. das auf dem Grundsatz der Gewaltenteilung beruhende verfassungsmäßige Gefüge des Staates, insbesondere der Verfassungsorgane des Landes und der Organe der kommunalen Selbstverwaltung untereinander und zueinander, vor einer Gefährdung infolge der automatisierten Datenverarbeitung zu bewahren.

(2) Aufgabe der obersten Landesbehörden, Gemeinden und Landkreise sowie der sonstigen der Aufsicht des Landes unterstehenden juristischen Personen des öffentlichen Rechts ist es, die Ausführung dieses Gesetzes sowie anderer Vorschriften über den Datenschutz jeweils für ihren Bereich sicherzustellen.

§ 2 Begriffsbestimmungen

(1) Personenbezogene Daten sind Einzelangaben über persönliche und sachliche Verhältnisse einer bestimmten oder bestimmbaren natürlichen Person (Betroffener).

(2) Datenverarbeitung ist jede Verwendung gespeicherter oder zur Speicherung vorgesehener personenbezogener Daten. Im Sinne der nachfolgenden Vorschriften ist

1. Erheben das Beschaffen von Daten über den Betroffenen,
2. Speichern das Erfassen, Aufnehmen oder Aufbewahren von Daten auf einem Datenträger zum Zwecke ihrer weiteren Verarbeitung,
3. Übermitteln das Bekanntgeben gespeicherter oder durch Datenverarbeitung gewonnener Daten an einen Dritten in der Weise, daß die Daten durch die datenverarbeitende Stelle an den Dritten weitergegeben werden oder daß der Dritte zum Abruf bereitgehaltene Daten abruft,
4. Sperren das Verhindern weiterer Verarbeitung gespeicherter Daten,
5. Löschen das Unkenntlichmachen gespeicherter Daten

ungeachtet der dabei angewendeten Verfahren.

(3) Datenverarbeitende Stelle ist jede der in § 3 Abs. 1 genannten Stellen, die Daten für sich selbst verarbeitet oder durch andere verarbeiten läßt.

(4) Empfänger ist jede Person oder Stelle, die Daten erhält.

(5) Dritter ist jede Person oder Stelle außerhalb der datenverarbeitenden Stelle, ausgenommen der Betroffene oder diejenigen Personen und Stellen, die innerhalb des Geltungsbereichs der EG-Datenschutzrichtlinie Daten im Auftrag verarbeiten.

(6) Automatisiert ist eine Datenverarbeitung, wenn sie durch Einsatz eines gesteuerten technischen Verfahrens selbsttätig abläuft.

(7) Eine Akte ist jede der Aufgabenerfüllung dienende Unterlage, die nicht Teil der automatisierten Datenverarbeitung ist.

(8) Soweit andere landesrechtliche Vorschriften den Dateibegriff verwenden, ist Datei
1. eine Sammlung von Daten, die durch automatisierte Verfahren ausgewertet werden kann (automatisierte Datei), oder
2. eine gleichartig aufgebaute Sammlung von Daten, die nach bestimmten Merkmalen geordnet und ausgewertet werden kann (nicht-automatisierte Datei).

§ 3 Anwendungsbereich

(1) Dieses Gesetz gilt für Behörden und sonstige öffentliche Stellen des Landes, der Gemeinden und Landkreise sowie der sonstigen der Aufsicht des Landes unterstehenden juristischen Personen des öffentlichen Rechts und für deren Vereinigungen ungeachtet ihrer Rechtsform. Dieses Gesetz gilt auch für nicht-öffentliche Stellen, soweit sie hoheitliche Aufgaben unter Aufsicht der in Satz 1 genannten Stellen wahrnehmen.

(2) Die Vorschriften dieses Gesetzes gehen denen des Hessischen Verwaltungsverfahrensgesetzes vor, soweit bei der Ermittlung des Sachverhalts personenbezogene Daten verarbeitet werden.

(3) Soweit besondere Rechtsvorschriften über den Datenschutz bei der Verarbeitung personenbezogener Daten vorhanden sind, gehen sie den Vorschriften dieses Gesetzes vor.

(4) Dieses Gesetz gilt nicht für personenbezogene Daten, solange sie in allgemein zugänglichen Quellen gespeichert sind sowie für Daten des Betroffenen, die von ihm zur Veröffentlichung bestimmt sind.

(5) Soweit der Hessische Rundfunk personenbezogene Daten ausschließlich zu eigenen journalistischen-redaktionellen Zwecken verarbeitet, gelten von den Vorschriften dieses Gesetzes nur die §§ 10 und 37. Im übrigen gelten die Vorschriften dieses Gesetzes.

(6) Soweit öffentlich-rechtliche Unternehmen am Wettbewerb teilnehmen, gelten für sie nur der Zweite Teil sowie die §§ 34 und 36 dieses Gesetzes. Mit Ausnahme der Vorschriften über die Aufsichtsbehörde sind im übrigen die für nicht-öffentliche Stellen geltenden Vorschriften des Bundesdatenschutzgesetzes einschließlich der Straf- und Bußgeldvorschriften anwendbar.

§ 4 Verarbeitung personenbezogener Daten im Auftrag

(1) Die datenverarbeitende Stelle bleibt für die Einhaltung der Vorschriften dieses Gesetzes und anderer Vorschriften über den Datenschutz sowie für die Erfüllung ihrer sich aus § 8 ergebenden Pflichten auch dann verantwortlich, wenn personenbezogene Daten in ihrem Auftrag durch andere Personen oder Stellen verarbeitet werden. Der Auftragnehmer darf personenbezogene Daten nur im Rahmen der Weisungen des Auftraggebers verarbeiten. Ist der Auftragnehmer der Ansicht, daß eine Weisung des Auftraggebers gegen dieses Gesetz oder andere Vorschriften über den Datenschutz verstößt, hat er den Auftraggeber unverzüglich darauf hinzuweisen.

(2) Der Auftragnehmer ist unter besonderer Berücksichtigung der Zuverlässigkeit und der Eignung der von ihm getroffenen technischen und organisatorischen Maßnahmen sorgfältig auszuwählen. Der Auftrag ist schriftlich zu erteilen; dabei sind der Gegenstand und der Umfang der Datenverarbeitung, die technischen und organisatorischen Maßnahmen sowie etwaige Unterauftragsverhältnisse festzulegen. Für ergänzende Weisungen gilt Satz 2 entsprechend. Der Auftraggeber hat zu prüfen, ob beim Auftragnehmer die nach § 10 erforderlichen Maßnahmen getroffen und die erhöhten Anforderungen bei der Verarbeitung von Daten, die besonderen Amts- oder Berufsgeheimnissen unterliegen sowie der in § 7 Abs. 4 genannten Daten eingehalten werden. An nicht-öffentliche Stellen darf ein Auftrag nur vergeben werden, wenn weder gesetzliche Regelungen über Berufs- oder besondere Amtsgeheimnisse, noch überwiegende schutzwürdige Belange entgegenstehen.

(3) Sofern die Vorschriften dieses Gesetzes auf den Auftragnehmer keine Anwendung finden, ist der Auftraggeber verpflichtet, vertraglich sicherzustellen, daß der Auftragnehmer die Bestimmungen dieses Gesetzes befolgt und sich der Kontrolle des Hessischen Datenschutzbeauftragten unterwirft. Der Auftraggeber hat den Hessischen Datenschutzbeauftragten vorab über die Beauftragung zu unterrichten.

(4) Abs. 1 bis 3 gelten auch für Personen und Stellen, die im Auftrag Wartungsarbeiten und vergleichbare Hilfstätigkeiten bei der Datenverarbeitung erledigen.

§ 5 Behördlicher Datenschutzbeauftragter

(1) Die datenverarbeitende Stelle hat schriftlich einen behördlichen Datenschutzbeauftragten sowie einen Vertreter zu bestellen. Bestellt werden dürfen nur Beschäftigte, die dadurch keinem Interessenkonflikt mit sonstigen dienstlichen Aufgaben ausgesetzt werden. Für die Wahrnehmung seiner Aufgaben nach Abs. 2 muß der behördliche Datenschutzbeauftragte die erforderliche Sachkenntnis und Zuverlässigkeit besitzen. Wegen dieser Tätigkeit, bei der er frei von Weisungen ist, darf er nicht benachteiligt werden. Er ist insoweit unmittelbar der Leitung der datenverarbeitenden Stelle zu unterstellen; in Gemeinden und Gemeindeverbänden kann er auch einem hauptamtlichen Beigeordneten unterstellt werden. Der behördliche Datenschutzbeauftragte ist im erforderlichen Umfang von der Erfüllung anderer Aufgaben freizustellen sowie mit den zur Erfüllung seiner Aufgaben notwendigen räumlichen, personellen und sachlichen Mitteln auszustatten. Die Beschäftigten der datenverarbeitenden Stelle können sich ohne Einhaltung des Dienstweges in allen Angelegenheiten des Datenschutzes an ihn wenden.

(2) Der behördliche Datenschutzbeauftragte hat die Aufgabe, die datenverarbeitende Stelle bei der Ausführung dieses Gesetzes sowie anderer Vorschriften über den Datenschutz zu unterstützen und Hinweise zur Umsetzung zu geben. Zu seinen Aufgaben gehört es insbesondere

1. auf die Einhaltung der Datenschutzvorschriften bei der Einführung von Maßnahmen, die das in § 1 Satz 1 Nr. 1 geschützte Recht betreffen, hinzuwirken,
2. die bei der Verarbeitung personenbezogener Daten tätigen Personen durch geeignete Maßnahmen mit den Bestimmungen dieses Gesetzes sowie den sonstigen Vorschriften über den Datenschutz vertraut zu machen,
3. die datenverarbeitende Stelle bei der Umsetzung der nach den §§ 6, 10 und 29 erforderlichen Maßnahmen zu unterstützen,
4. das nach § 6 Abs. 1 zu erstellende Verzeichnis zu führen und für die Einsicht nach § 6 Abs. 2 bereitzuhalten,
5. das Ergebnis der Untersuchung nach § 7 Abs. 6 zu prüfen und im Zweifelsfall den Hessischen Datenschutzbeauftragten zu hören.

Soweit keine gesetzliche Regelung entgegensteht, kann er die zur Erfüllung seiner Aufgaben notwendige Einsicht in Akten und die automatisierte Datenverarbeitung nehmen. Vor einer beabsichtigten Maßnahme nach Satz 2 Nr. 1 ist er rechtzeitig umfassend zu unterrichten und anzuhören. Wird er nicht rechtzeitig an einer Maßnahme beteiligt, ist die Entscheidung über die Maßnahme auszusetzen und die Beteiligung nachzuholen.

(3) Die datenverarbeitende Stelle kann einen Beschäftigten ihrer Aufsichtsbehörde mit deren Zustimmung zum Beauftragten für den Datenschutz bestellen. Mehrere datenverarbeitende Stellen können gemeinsam einen ihrer Beschäftigten zum Datenschutzbeauftragten bestellen, wenn dadurch die Erfüllung seiner Aufgabe nicht beeinträchtigt wird. Bestellungen von Personen, die nicht der datenverarbeitenden Stelle angehören, sind dem Hessischen Datenschutzbeauftragten mitzuteilen.

§ 6 Verfahrensverzeichnis

(1) Wer für den Einsatz eines Verfahrens zur automatisierten Verarbeitung personenbezogener Daten zuständig ist, hat in einem für den behördlichen Datenschutzbeauftragten bestimmten Verzeichnis festzulegen:

1. Name und Anschrift der datenverarbeitenden Stelle,
2. die Zweckbestimmung und die Rechtsgrundlage der Datenverarbeitung,
3. die Art der gespeicherten Daten,
4. den Kreis der Betroffenen,
5. die Art regelmäßig übermittelter Daten, deren Empfänger sowie die Art und Herkunft regelmäßig empfangener Daten,
6. die zugriffsberechtigten Personen oder Personengruppen,
7. die technischen und organisatorischen Maßnahmen nach § 10,
8. die Technik des Verfahrens,
9. Fristen für die Löschung nach § 19 Abs. 3,
10. eine beabsichtigte Datenübermittlung an Drittstaaten nach § 17 Abs. 2,
11. das begründete Ergebnis der Untersuchung nach § 7 Abs. 6 Satz 3.

(2) Die Angaben des Verfahrensverzeichnisses können bei der datenverarbeitenden Stelle von jeder Person eingesehen werden; dies gilt für die Angaben zu Nr. 6, 7 und 10 nur, soweit dadurch die Sicherheit des Verfahrens nicht beeinträchtigt wird.

Satz 1 gilt nicht für

1. Verfahren des Landesamtes für Verfassungsschutz,
2. Verfahren, die der Gefahrenabwehr oder der Strafverfolgung dienen,
3. Verfahren der Steuerfahndung,

soweit die datenverarbeitende Stelle eine Einsichtnahme im Einzelfall mit der Erfüllung ihrer Aufgaben für unvereinbar erklärt.

§ 7 Zulässigkeit der Datenverarbeitung

(1) Die Verarbeitung personenbezogener Daten ist nur zulässig, wenn

1. eine diesem Gesetz vorgehende Rechtsvorschrift sie vorsieht oder zwingend voraussetzt,
2. dieses Gesetz sie zuläßt oder
3. der Betroffene ohne jeden Zweifel eingewilligt hat.

(2) Die Einwilligung bedarf der Schriftform, soweit nicht wegen besonderer Umstände eine andere Form angemessen ist. Sie muß sich im Falle einer Datenverarbeitung nach Abs. 4 ausdrücklich auch auf die dort genannten Daten beziehen. Wird die Einwilligung zusammen mit anderen Erklärungen schriftlich erteilt, ist der Betroffene hierauf schriftlich besonders hinzuweisen. Der Betroffene ist in geeigneter Weise über die Bedeutung der Einwilligung, insbesondere über den Verwendungszweck der Daten, aufzuklären. Die Aufklärungspflicht umfaßt bei beabsichtigten Übermittlungen auch den Empfänger der Daten. Der Betroffene ist unter Darlegung der Rechtsfolgen darauf hinzuweisen, daß er die Einwilligung verweigern und jederzeit mit Wirkung für die Zukunft widerrufen kann.

(3) Unzulässig ist eine zu rechtlichen Folgen oder erheblichen Beeinträchtigungen für den Betroffenen führende Entscheidung, wenn sie auf einer Bewertung einzelner Merkmale seiner Person beruht, die ausschließlich durch eine automatisierte Verarbeitung seiner Daten erstellt wurde. Eine Entscheidung nach Satz 1 kann durch Gesetz zugelassen werden, das die Wahrung der berechtigten Interessen des Betroffenen sicherstellt.

(4) Soweit nicht eine Rechtsvorschrift die Verarbeitung personenbezogener Daten über die rassische und ethnische Herkunft, politische Meinungen, religiöse oder philosophische Überzeugungen, die Gewerkschaftszugehörigkeit, die Gesundheit oder das Sexualleben vorsieht oder zwingend voraussetzt, darf eine Verarbeitung nur nach §§ 33 bis 35 und 39 erfolgen. Im übrigen ist eine Verarbeitung aufgrund dieses Gesetzes nur zulässig, wenn sie ausschließlich im Interesse des Betroffenen liegt und der Hessische Datenschutzbeauftragte vorab gehört worden ist.

(5) Wenn der Betroffene schriftlich begründet, daß der rechtmäßigen Verarbeitung seiner Daten aufgrund dieses Gesetzes schutzwürdige, sich aus seiner besonderen persönlichen Lage ergebende Gründe entgegenstehen, ist die Verarbeitung nur zulässig, nachdem eine Abwägung im Einzelfall ergeben hat, daß seine Gründe hinter dem öffentlichen Interesse an der Verarbeitung zurückstehen müssen. Dem Betroffenen ist das Ergebnis mit Begründung schriftlich mitzuteilen.

(6) Wer für den Einsatz oder die wesentliche Änderung eines Verfahrens zur automatisierten Datenverarbeitung zuständig ist, hat vor dem Beginn der Verarbeitung zu untersuchen, ob damit Gefahren

für die in § 1 Abs. 1 Nr. 1 geschützten Rechte verbunden sind; dies gilt in besonderem Maße für die in § 7 Abs. 4 genannten Daten. Das Verfahren darf nur eingesetzt werden, wenn sichergestellt ist, daß diese Gefahren nicht bestehen oder durch technische und organisatorische Maßnahmen verhindert werden können. Das Ergebnis der Untersuchung und dessen Begründung sind aufzuzeichnen und dem behördlichen Datenschutzbeauftragten zur Prüfung zuzuleiten.

(7) Die in § 3 Abs. 1 Satz 2 und Abs. 6 genannten Stellen dürfen Daten, die Straftaten betreffen, nur unter behördlicher Aufsicht verarbeiten oder wenn eine Rechtsvorschrift dies vorsieht.

§ 8 Rechte der Betroffenen

(1) Jeder hat nach Maßgabe dieses Gesetzes ein Recht auf
1. Auskunft und Benachrichtigung über die zu seiner Person gespeicherten Daten (§ 18),
2. Überprüfung der rechtmäßigen Verarbeitung seiner Daten aufgrund von ihm vorgebrachter besonderer persönlicher Gründe (§ 7 Abs. 5),
3. Einsicht in das Verfahrensverzeichnis (§ 6 Abs. 2),
4. Berichtigung, Sperrung oder Löschung der zu seiner Person gespeicherten Daten (§ 19),
5. Schadensersatz (§ 20),
6. Anrufung des Datenschutzbeauftragten (§§ 28 und 37 Abs. 2).

(2) Wenn eine in § 3 Abs. 1 genannte Stelle für die Gewährung einer Leistung, das Erkennen einer Person oder für einen anderen Zweck einen Datenträger herausgibt, auf dem personenbezogene Daten des Inh a bers automatisiert verarbeitet werden, etwa in Form einer Chipkarte, dann hat sie sicherzustellen, daß er dies erkennen und seine ihm nach Abs. 1 Nr. 1 bis 5 zustehenden Rechte ohne unvertretbaren Aufwand geltend machen kann. Der Inhaber ist bei Ausgabe des Datenträgers über die ihm nach Abs. 1 zustehe n den Rechte sowie über die von ihm bei Verlust des Datenträgers zu treffenden Maßnahmen und über die Folgen aufzuklären.

§ 9 Datengeheimnis

Den bei der datenverarbeitenden Stelle oder in deren Auftrag beschäftigten Personen, die Zugang zu personenbezogenen Daten haben, ist eine Verarbeitung dieser Daten zu einem anderen als dem zur jeweiligen rechtmäßigen Aufgabenerfüllung gehörenden Zweck während und nach Beendigung ihrer Tätigkeit untersagt. Diese Personen sind über die bei ihrer Tätigkeit zu beachtenden Vorschriften über den Datenschutz zu unterrichten.

§ 10 Technische und organisatorische Maßnahmen

(1) Die datenverarbeitende oder in ihrem Auftrag tätige Stelle hat die technischen und organisatorischen Maßnahmen zu treffen, die nach Abs. 2 und 3 erforderlich sind, um die Ausführung dieses Gesetzes sowie anderer Vorschriften über den Datenschutz zu gewährleisten. Erforderlich sind diese Maßnahmen, soweit der damit verbundene Aufwand unter Berücksichtigung der Art der personenbezogenen Daten und ihrer Verarbeitung zum Schutz des in § 1 Abs. 1 Nr. 1 genannten Rechts angemessen ist.

(2) Werden personenbezogene Daten automatisiert verarbeitet, ist das Verfahren auszuwählen oder zu entwickeln, welches geeignet ist, so wenig personenbezogene Daten zu verarbeiten, wie zur Erreichung des angestrebten Zwecks erforderlich ist. Außerdem sind Maßnahmen schriftlich anzuordnen, die nach dem jeweiligen Stand der Technik und der Art des eingesetzten Verfahrens erforderlich sind, um zu gewährleisten, daß

1. Unbefugte keinen Zutritt zu Datenverarbeitungsanlagen, mit denen personenbezogene Daten verarbeitet werden, erhalten (Zutrittskontrolle),
2. Unbefugte an der Benutzung von Datenverarbeitungsanlagen und -verfahren gehindert werden (Benutzerkontrolle),
3. die zur Benutzung eines Datenverarbeitungsverfahrens Befugten ausschließlich auf die ihrer Zugriffsberechtigung unterliegenden personenbezogenen Daten zugreifen können (Zugriffskontrolle),
4. personenbezogene Daten nicht unbefugt oder nicht zufällig gespeichert, zur Kenntnis genommen, verändert, kopiert, übermittelt, gelöscht, entfernt, vernichtet oder sonst verarbeitet werden (Datenverarbeitungskontrolle),
5. es möglich ist, festzustellen, wer welche personenbezogenen Daten zu welcher Zeit verarbeitet hat und wohin sie übermittelt werden sollen oder übermittelt worden sind (Verantwortlichkeitskontrolle),
6. personenbezogene Daten, die im Auftrag verarbeitet werden, nur entsprechend den Weisungen des Auftraggebers verarbeitet werden können (Auftragskontrolle),
7. durch eine Dokumentation aller wesentlichen Verarbeitungsschritte die Überprüfbarkeit der Datenverarbeitungsanlage und des -verfahrens möglich ist (Dokumentationskontrolle),
8. die innerbehördliche oder innerbetriebliche Organisation den besonderen Anforderungen des Datenschutzes gerecht wird (Organisationskontrolle).

(3) Werden personenbezogene Daten nicht automatisiert verarbeitet, dann sind insbesondere Maßnahmen zu treffen, um den Zugriff Unbefugter bei der Bearbeitung, der Aufbewahrung, dem Transport und der Vernichtung zu verhindern.

Zweiter Abschnitt
Rechtsgrundlage der Datenverarbeitung

§ 11 Erforderlichkeit

(1) Die Verarbeitung personenbezogener Daten ist nach Maßgabe der nachfolgenden Vorschriften zulässig, wenn sie zur rechtmäßigen Erfüllung der in der Zuständigkeit der datenverarbeitenden Stelle liegenden Aufgaben und für den jeweils damit verbundenen Zweck erforderlich ist. Die Erforderlichkeit einer Datenübermittlung muß nur bei einer der beteiligten Stellen vorliegen.

(2) Sind personenbezogene Daten in Akten derart verbunden, daß ihre Trennung nach erforderlichen und nicht erforderlichen Daten nicht oder nur mit unverhältnismäßig großem Aufwand möglich ist, dann sind die Kenntnisnahme, die Weitergabe innerhalb der datenverarbeitenden Stelle und die Übermittlung der Daten, die nicht zur Erfüllung der jeweiligen Aufgabe erforderlich sind, über Abs. 1 hinaus zulässig. Diese Daten unterliegen insoweit einem Verwertungsverbot.

§ 12 Erheben

(1) Personenbezogene Daten sind grundsätzlich bei dem Betroffenen mit seiner Kenntnis zu erheben. Werden Daten nicht über eine bestimmte Person, sondern über einen bestimmbaren Personenkreis, etwa durch Videoüberwachung, erhoben, dann genügt es, wenn er die seinen schutzwürdigen Belangen angemessene Möglichkeit zur Kenntnisnahme hat.

(2) Bei öffentlichen Stellen dürfen Daten im Einzelfall ohne seine Kenntnis nur erhoben werden, wenn

1. eine Rechtsvorschrift dies vorsieht, zwingend voraussetzt oder der Betroffene eingewilligt hat,
2. die Bearbeitung eines vom Betroffenen gestellten Antrags ohne Kenntnis der Daten nicht möglich ist oder Angaben des Betroffenen überprüft werden müssen; der Betroffenen ist darauf hinzuweisen, bei welchen Personen oder Stellen seine Daten erhoben werden können,
3. die Abwehr erheblicher Nachteile für das Allgemeinwohl oder von Gefahren für Leben, Gesundheit und persönliche Freiheit dies gebietet,

4. sich bei Gelegenheit der rechtmäßigen Aufgabenerfüllung Anhaltspunkte für Straftaten oder Ordnungswidrigkeiten ergeben oder
5. die Erhebung beim Betroffenen einen unverhältnismäßigen Aufwand erfordern würde und keine Anhaltspunkte dafür bestehen, daß schutzwürdige Belange des Betroffenen beeinträchtigt werden können.

(3) Beim Betroffenen und bei Dritten außerhalb des öffentlichen Bereichs dürfen Daten ohne seine Kenntnis nur erhoben werden, wenn der Schutz von Leben und Gesundheit oder die Abwehr einer erheblichen Gefährdung der natürlichen Lebensgrundlagen dies im Einzelfall gebietet oder eine Rechtsvorschrift dies vorsiehtoder, soweit es sich um eine Rechtsvorschrift des Bundes handelt, zwingend voraussetzt.

(4) Werden Daten beim Betroffenen mit seiner Kenntnis erhoben, dann ist er von der datenverarbeitenden Stelle in geeigneter Weise über deren Anschrift, den Zweck der Datenerhebung sowie über seine Rechte nach § 8 aufzuklären. Die Aufklärungspflicht umfaßt bei beabsichtigten Übermittlungen auch den Empfänger der Daten. Werden Daten bei dem Betroffenen auf Grund einer durch Rechtsvorschrift festgelegten Auskunftspflicht erhoben, dann ist er auf die Rechtsgrundlage hinzuweisen. Im übrigen ist er darauf hinzuweisen, daß er die Auskunft verweigern kann. Sind die Angaben für die Gewährung einer Leistung erforderlich, ist er über die möglichen Folgen einer Nichtbeantwortung aufzuklären.

(5) Werden Daten beim Betroffenen ohne seine Kenntnis erhoben, dann ist er davon zu benachrichtigen, sobald die rechtmäßige Erfüllung der Aufgaben dadurch nicht mehr gefährdet wird. Die Benachrichtigung umfaßt die Angabe der Rechtsgrundlage und die in Abs. 4 Satz 1 und 2 vorgesehene Aufklärung.

§ 13 Zweckbindung

(1) Personenbezogene Daten dürfen grundsätzlich nur für den Zweck weiterverarbeitet werden, für den sie erhoben oder gespeichert worden sind.

(2) Sollen personenbezogene Daten zu Zwecken verarbeitet werden, für die sie nicht erhoben oder gespeichert worden sind, dann ist dies nur aus den in § 12 Abs. 2 und 3 genannten Gründen zulässig. Besondere Amts- oder Berufsgeheimnisse bleiben unberührt.

(3) Sind personenbezogene Daten in Akten derart verbunden, daß ihre Trennung nach verschiedenen Zwecken nicht oder nur mit unvertretbar großem Aufwand möglich ist, so tritt an die Stelle der Trennung

ein Verwertungsverbot nach Maßgabe von Abs. 2 für die Daten, die nicht dem Zweck der jeweiligen Verarbeitung dienen.

(4) Personenbezogene Daten, die für andere Zwecke erhoben worden sind, dürfen auch zur Ausübung von Aufsichts- und Kontrollbefugnissen sowie zu Ausbildungs- und Prüfungszwecken in dem dafür erforderlichen Umfang verwendet werden.

(5) Personenbezogene Daten, die ausschließlich zu Zwecken der Datenschutzkontrolle, der Datensicherung oder zur Sicherstellung des ordnungsgemäßen Betriebes einer Datenverarbeitungsanlage gespeichert werden, dürfen nicht für andere Zwecke verwendet werden.

§ 14 Verantwortlichkeit für die Zulässigkeit der Datenübermittlung

Die Verantwortung für die Zulässigkeit der Übermittlung trägt die übermittelnde Stelle. Ist die Übermittlung zur Erfüllung von Aufgaben eines in § 3 Abs. 1 genannten Empfängers erforderlich, so trägt auch dieser hierfür die Verantwortung und hat sicherzustellen, daß die Erforderlichkeit nachträglich überprüft werden kann. Die übermittelnde Stelle hat in diesem Fall die Zuständigkeit des Empfängers und die Schlüssigkeit der Anfrage zu überprüfen. Bestehen im Einzelfall Zweifel an der Schlüssigkeit, so hat sie darüber hinaus die Erforderlichkeit zu überprüfen. Der Empfänger hat der übermittelnden Stelle die für ihre Prüfung erforderlichen Angaben zu machen.

§ 15 Gemeinsame Verfahren

(1) Die Einrichtung eines automatisierten Verfahrens, das mehreren datenverarbeitenden Stellen gemeinsam die Verarbeitung personenbezogener Daten ermöglicht, ist nur zulässig, wenn dies unter Berücksichtigung der schutzwürdigen Belange der Betroffenen und der Aufgaben der beteiligten Stellen angemessen ist. Die Benutzung des Verfahrens ist im Einzelfall nur erlaubt, wenn hierfür die Zulässigkeit der Datenverarbeitung gegeben ist. Vor der Einrichtung oder Änderung eines gemeinsamen Verfahrens ist der Hessische Datenschutzbeauftragte zu hören. Ihm sind die Festlegungen nach Abs. 2 Satz 1, das Verfahrensverzeichnis nach § 6 Abs. 1 und das Ergebnis der Untersuchung nach § 7 Abs. 6 Satz 3 vorzulegen.

(2) Die beteiligten Stellen bestimmen eine Stelle, der die Planung, Einrichtung und Durchführung des gemeinsamen Verfahrens obliegt und legen schriftlich fest

1. die Bezeichnung und die Aufgaben jeder beteiligten datenverarbeitenden Stelle sowie den Bereich der Datenverarbeitung, für deren Rechtmäßigkeit sie im Einzelfall verantwortlich ist und

2. die für die Durchführung des gemeinsamen Verfahrens nach § 10 Abs. 2 getroffenen technischen und organisatorischen Maßnahmen.

Die mit der Durchführung des gemeinsamen Verfahrens betraute Stelle verwahrt ein Doppel des von den beteiligten Stellen gem. § 6 Abs. 1 zu erstellenden Verfahrensverzeichnisses und hält es zusammen mit den Angaben nach Satz 1 Nr. 1 zur Einsicht für die Öffentlichkeit bereit; dies gilt auch für die Angaben nach Satz 1 Nr. 2, soweit dadurch die Sicherheit des Verfahrens nicht beeinträchtigt wird. § 6 Abs. 2 gilt entsprechend.

(3) Stellen, auf die dieses Gesetz keine Anwendung findet, können am gemeinsamen Verfahren beteiligt werden, wenn vertraglich sichergestellt ist, daß sie in diesem Verfahren die Bestimmungen dieses Gesetzes beachten und sich der Kontrolle des Hessischen Datenschutzbeauftragten unterwerfen.

(4) Die Betroffenen können ihre Rechte nach § 8 Abs. 1 Nr. 1 bis 5 gegenüber jeder der beteiligten Stellen geltend machen, unabhängig davon, welche Stelle im Einzelfall für die Verarbeitung der betroffenen Daten verantwortlich ist. Die Stelle, an die der Betroffene sich wendet, leitet das Anliegen an die jeweils zuständige Stelle weiter. Das Auskunftsrecht nach § 18 erstreckt sich auch auf die Angaben nach Abs. 2 Satz 1 Nr. 1.

(5) Die Abs. 1, 2 und 4 Satz 3 gelten entsprechend, wenn innerhalb einer datenverarbeitenden Stelle ein gemeinsames automatisiertes Verfahren zur Verarbeitung personenbezogener Daten für verschiedene Zwecke eingerichtet wird.

§ 16 Übermittlung an Personen oder Stellen außerhalb des öffentlichen Bereichs

(1) Die Übermittlung personenbezogener Daten an Personen oder Stellen außerhalb des öffentlichen Bereichs ist über §§ 11 und 13 hinaus zulässig, wenn der Empfänger ein berechtigtes Interesse an der Kenntnis der zu übermittelnden Daten glaubhaft macht und keine Anhaltspunkte dafür bestehen, daß schutzwürdige Belange des Betroffenen beeinträchtigt werden können.

(2) Der Empfänger darf die übermittelten Daten nur zu dem Zweck verwenden, zu dessen Erfüllung sie ihm übermittelt wurden.

§ 17 Übermittlung an Empfänger außerhalb des Geltungsbereichs des Grundgesetzes

(1) Für die Zulässigkeit der Übermittlung personenbezogener Daten

innerhalb des Geltungsbereichs der EG-Datenschutzrichtlinie gelten die Vorschriften dieses Gesetzes.

(2) Eine Übermittlung an Empfänger außerhalb des in Abs. 1 genannten Bereichs ist aufgrund dieses Gesetzes nur zulässig, wenn sie ausschließlich im Interesse des Betroffenen liegt oder beim Empfänger ein angemessener Datenschutz gewährleistet ist. Vor der Entscheidung über die Angemessenheit ist der Hessische Datenschutzbeauftragte zu hören. Sofern beim Empfänger kein angemessener Datenschutz gewährleistet ist, dürfen personenbezogene Daten übermittelt werden, wenn

1. der Betroffene seine Einwilligung gegeben hat,
2. die Übermittlung für die Wahrung eines überwiegenden öffentlichen Interesses oder zur Geltendmachung, Ausübung oder Verteidigung von Rechtsansprüchen vor Gericht erforderlich ist,
3. die Übermittlung für die Wahrung lebenswichtiger Interessen des Betroffenen erforderlich ist oder
4. die Übermittlung aus einem Register erfolgt, das zur Information der Öffentlichkeit bestimmt ist und entweder der gesamten Öffentlichkeit oder allen Personen, die ein berechtigtes Interesse nachweisen können, zur Einsichtnahme offensteht, soweit die gesetzlichen Voraussetzungen im Einzelfall gegeben sind.

Der Empfänger, an den die Daten übermittelt werden, ist darauf hinzuweisen, daß die übermittelten Daten nur zu Zwecken verarbeitet werden dürfen, die mit den Zwecken zu vereinbaren sind, zu deren Erfüllung sie ihm übermittelt werden.

Dritter Abschnitt
Rechte des Betroffenen

§ 18 Auskunft und Benachrichtigung

(1) Datenverarbeitende Stellen, die personenbezogene Daten automatisiert speichern, haben die Betroffenen von dieser Tatsache schriftlich zu benachrichtigen und dabei die Art der Daten sowie die Zweckbestimmung und die Rechtsgrundlage der Speicherung zu nennen. Die Benachrichtigung erfolgt zum Zeitpunkt der Speicherung oder im Fall einer beabsichtigten Übermittlung spätestens mit deren Durchführung. Dienen die Daten der Erstellung einer beabsichtigten Mitteilung an den Betroffenen, kann die Benachrichtigung mit dieser Mitteilung verbunden werden.

(2) Eine Pflicht zur Benachrichtigung besteht nicht, wenn

1. die Daten beim Betroffenen erhoben oder von ihm mitgeteilt worden sind,

2. die Verarbeitung der personenbezogenen Daten durch Gesetz ausdrücklich vorgesehen ist,
3. der Betroffene auf andere Weise Kenntnis von der Verarbeitung seiner Daten erlangt hat,
4. die Benachrichtigung des Betroffenen unmöglich ist oder einen unverhältnismäßigen Aufwand erfordert.

(3) Datenverarbeitende Stellen, die personenbezogene Daten automatisiert speichern, haben dem Betroffenen auf Antrag gebührenfrei Auskunft zu erteilen über

1. die zu seiner Person gespeicherten Daten
2. den Zweck und die Rechtsgrundlage der Verarbeitung sowie
3. die Herkunft der Daten und die Empfänger übermittelter Daten, soweit dies gespeichert ist.

In dem Antrag soll die Art der Daten, über die Auskunft erteilt werden soll, näher bezeichnet werden.

(4) Abs. 1 und 3 gelten nicht für personenbezogene Daten, die deshalb gesperrt sind, weil sie auf Grund gesetzlicher Aufbewahrungsvorschriften nicht gelöscht werden dürfen, sowie für solche Daten, die ausschließlich zum Zwecke der Datensicherung oder Datenschutzkontrolle gespeichert werden.

(5) Sind personenbezogene Daten in Akten gespeichert, die zur Person des Betroffenen geführt werden, dann kann er bei der aktenführenden Stelle Einsicht in die von ihm bezeichneten Akten verlangen. Werden die Akten nicht zur Person des Betroffenen geführt, hat er Angaben zu machen, die das Auffinden der zu seiner Person gespeicherten Daten mit angemessenem Aufwand ermöglichen. Die Einsichtnahme ist unzulässig, wenn die Daten des Betroffenen mit Daten Dritter oder geheimhaltungsbedürftigen nicht personenbezogenen Daten derart verbunden sind, daß ihre Trennung nicht oder nur mit unverhältnismäßig großem Aufwand möglich ist. In diesem Fall ist dem Betroffenen Auskunft nach Abs. 3 zu erteilen. Im übrigen kann ihm statt Einsicht Auskunft gewährt werden.

(6) Abs. 1 und 3 gelten nicht, soweit eine Abwägung ergibt, daß die dort gewährten Rechte des Betroffenen hinter dem öffentlichen Interesse an der Geheimhaltung oder einem überwiegenden Geheimhaltungsinteresse Dritter zurücktreten müssen. Die Entscheidung trifft der Leiter der verpflichteten Stelle oder dessen Stellvertreter. Werden Auskunft oder Einsicht nicht gewährt, ist der Betroffene unter Mitteilung der wesentlichen Gründe darauf hinzuweisen, daß er sich an den Hessischen Datenschutzbeauftragten wenden kann.

(7) Bei Prüfungs- und Berufungsverfahren können die in Abs. 1 bis 6 gewährten Rechte erst nach dem Verfahrensabschluß geltend gemacht werden.

§ 19 Berichtigung, Sperrung und Löschung

(1) Personenbezogene Daten sind zu berichtigen, wenn sie unrichtig sind.

(2) Personenbezogene Daten sind zu sperren, wenn
1. ihre Richtigkeit vom Betroffenen bestritten wird und sich weder die Richtigkeit noch die Unrichtigkeit feststellen läßt,
2. ihre Verarbeitung unzulässig ist und die Löschung den Betroffenen in der Verfolgung seiner Rechte beeinträchtigen würde.

In automatisierten Verfahren ist die Sperrung grundsätzlich durch technische Maßnahmen sicherzustellen; im übrigen ist ein entsprechender Vermerk anzubringen. Gesperrte Daten dürfen über die Speicherung hinaus nicht mehr verarbeitet werden, es sei denn, daß die Verarbeitung zur Behebung einer bestehenden Beweisnot oder aus sonstigen im rechtlichen Interesse eines Dritten liegenden Gründen unerläßlich ist oder der Betroffene in die Verarbeitung eingewilligt hat.

(3) Personenbezogene Daten sind unverzüglich zu löschen, sobald feststeht, daß ihre Speicherung nicht mehr erforderlich ist, um die Zwecke zu erfüllen, für die sie erhoben worden sind oder für die sie nach § 13 Abs. 2 und 4 weiterverarbeitet werden dürfen. Wenn bei der Speicherung nicht absehbar ist, wie lange die Daten benötigt werden, ist nach einer aufgrund der Erfahrung zu bestimmenden Frist zu prüfen, ob die Erforderlichkeit der Speicherung noch besteht. Satz 1 findet keine Anwendung, wenn Grund zu der Annahme besteht, daß durch die Löschung schutzwürdige Belange des Betroffenen beeinträchtigt werden.

(4) Personenbezogene Daten sind zu löschen, wenn ihre Verarbeitung unzulässig ist.

(5) Empfänger personenbezogener Daten sind unverzüglich von der Berichtigung nach Abs. 1 sowie von der Sperrung nach Abs. 2 und der Löschung nach Abs. 4 zu unterrichten. Die Unterrichtung kann unterbleiben, wenn sie einen unverhältnismäßigen Aufwand erfordern würde und keine Anhaltspunkte bestehen, daß dadurch schutzwürdige Belange des Betroffenen beeinträchtigt werden können.

(6) Sind personenbezogene Daten in Akten gespeichert, ist die Löschung nach Abs. 3 nur durchzuführen, wenn die gesamte zur Person des Betroffenen geführte Akte zur Erfüllung der dort genannten Aufgaben nicht mehr erforderlich ist. Die Abs. 1 bis 4 gelten nicht für Stellen, die Akten nur vorübergehend beigezogen haben.

§ 20 Schadensersatz

(1) Wird der Betroffene durch eine unzulässige oder unrichtige automatisierte Verarbeitung personenbezogener Daten in seinen Rechten

nach § 1 Abs. 1 Nr. 1 beeinträchtigt, so hat ihm der Träger der datenverarbeitenden Stelle den daraus entstehenden Schaden zu ersetzen. In schweren Fällen kann der Betroffene auch wegen des Schadens, der nicht Vermögensschaden ist, eine billige Entschädigung in Geld verlangen. Der Ersatzpflichtige haftet jedem Betroffenen für jedes schädigende Ereignis bis zu einem Betrag von fünfhunderttausend Deutsche Mark.

(2) Auf das Mitverschulden des Betroffenen und auf die Verjährung sind die §§ 254 und 852 des Bürgerlichen Gesetzbuches entsprechend anzuwenden.

(3) Weitergehende sonstige Schadensersatzansprüche bleiben unberührt.

(4) Der Rechtsweg vor den ordentlichen Gerichten steht offen.

ZWEITER TEIL
Hessischer Datenschutzbeauftragter

§ 21 Rechtsstellung

(1) Der Landtag wählt auf Vorschlag der Landesregierung den Hessischen Datenschutzbeauftragten.

(2) Der Präsident des Landtags verpflichtet den Hessischen Datenschutzbeauftragten vor dem Landtag, sein Amt gerecht zu verwalten und die Verfassung des Landes Hessen und das Grundgesetz für die Bundesrepublik Deutschland getreulich zu wahren.

(3) Der Hessische Datenschutzbeauftragte steht nach Maßgabe dieses Gesetzes in einem öffentlich-rechtlichen Amtsverhältnis. Das Amt kann auch einem Beamten im Nebenamt, einem beurlaubten Beamten oder einem Ruhestandsbeamten übertragen werden.

(4) Der Hessische Datenschutzbeauftragte wird für die Dauer der jeweiligen Wahlperiode des Landtags gewählt; nach dem Ende der Wahlperiode bleibt er bis zur Neuwahl im Amt. Die Wiederwahl ist zulässig. Vor Ablauf der Amtszeit kann er nur abberufen werden, wenn Tatsachen vorliegen, die bei einem Beamten die Entlassung aus dem Dienst rechtfertigen. Er kann jederzeit von seinem Amt zurücktreten. Er bestellt für den Fall seiner Verhinderung oder für den Fall seines vorzeitigen Ausscheidens aus dem Amt für die Zeit bis zur Wahl seines Nachfolgers einen Beschäftigten seiner Dienststelle zum Vertreter. Als Verhinderung gilt auch, wenn im Einzelfall in der Person des Hessischen Datenschutzbeauftragten Gründe vorliegen, die bei einem Richter zum Ausschluß von der Mitwirkung oder zur Ablehnung wegen Besorgnis der Befangenheit führen können.

(5) Der Hessische Datenschutzbeauftragte kann an den Sitzungen des Landtags und seiner Ausschüsse nach Maßgabe der Geschäftsordnung des Landtags teilnehmen und sich zu Fragen äußern, die für den Datenschutz von Bedeutung sind. Der Landtag und seine Ausschüsse können seine Anwesenheit verlangen.

(6) Die Vergütung des Hessischen Datenschutzbeauftragten ist durch Vertrag zu regeln.

§ 22 Unabhängigkeit

Der Hessische Datenschutzbeauftragte ist als oberste Landesbehörde in Ausübung seines Amtes unabhängig und nur dem Gesetz unterworfen.

§ 23 Verschwiegenheitspflicht

Der Hessische Datenschutzbeauftragte ist auch nach Beendigung seines Amtsverhältnisses verpflichtet, über die ihm bei seiner amtlichen Tätigkeit bekanntgewordenen Angelegenheiten Verschwiegenheit zu wahren. Dies gilt nicht für Mitteilungen im dienstlichen Verkehr oder über Tatsachen, die offenkundig sind oder ihrer Bedeutung nach keiner Geheimhaltung bedürfen. Der Hessische Datenschutzbeauftragte gilt als oberste Dienstbehörde im Sinne des § 96 der Strafprozeßordnung. Er entscheidet entsprechend nach den Bestimmungen über die Vorlage- und Auskunftspflichten von Behörden in den gerichtlichen Verfahrensordnungen. Er trifft die Entscheidungen nach §§ 75 und 76 des Hessischen Beamtengesetzes für sich und die ihm zugewiesenen Bediensteten in eigener Verantwortung.

§ 24 Aufgaben

(1) Der Hessische Datenschutzbeauftragte überwacht die Einhaltung der Vorschriften dieses Gesetzes sowie anderer Vorschriften über den Datenschutz bei den datenverarbeitenden Stellen. Zu diesem Zwecke kann er Empfehlungen zur Verbesserung des Datenschutzes geben; insbesondere kann er die Landesregierung und einzelne Minister sowie die übrigen datenverarbeitenden Stellen in Fragen des Datenschutzes beraten. Die Gerichte unterliegen der Kontrolle des Hessischen Datenschutzbeauftragten, soweit sie nicht in richterlicher Unabhängigkeit tätig werden. Der Hessische Datenschutzbeauftragte kontrolliert die Einhaltung der Datenschutzvorschriften auch bei den Stellen, die sich und soweit sie sich nach § 4 Abs. 3 Satz 1 seiner Kontrolle unterworfen haben.

(2) Der Hessische Datenschutzbeauftragte beobachtet die Auswirkungen der automatisierten Datenverarbeitung auf die Arbeitsweise

und die Entscheidungsbefugnisse der datenverarbeitenden Stellen. Er hat insbesondere darauf zu achten, ob sie zu einer Verschiebung in der Gewaltenteilung zwischen den Verfassungsorganen des Landes, zwischen den Organen der kommunalen Selbstverwaltung und zwischen der staatlichen und der kommunalen Selbstverwaltung führen. Er soll Maßnahmen anregen, die ihm geeignet erscheinen, derartige Auswirkungen zu verhindern.

(3) Der Hessische Datenschutzbeauftragte arbeitet mit den Behörden und sonstigen Stellen, die für die Kontrolle der Einhaltung der Vorschriften über den Datenschutz im Bund und in den Ländern zuständig sind, zusammen.

(4) Zum Zwecke der Zusammenarbeit kann der Hessische Datenschutzbeauftragte von den nach den Vorschriften des Bundesdatenschutzgesetzes in Hessen für nicht-öffentliche Stellen zuständigen Aufsichtsbehörden Auskünfte verlangen. Bei der Überprüfung nicht-öffentlicher Stellen kann er mit seiner Zustimmung beteiligt werden. Gibt er der zuständigen Aufsichtsbehörde Verstöße gegen Datenschutzvorschriften bei nicht-öffentlichen Stellen bekannt, unterrichtet ihn die Aufsichtsbehörde von Zeitpunkt, Umfang und Ergebnis der Überprüfung.

§ 25 Gutachten und Untersuchungen

(1) Der Landtag und die Landesregierung können den Hessischen Datenschutzbeauftragten mit der Erstattung von Gutachten und der Durchführung von Untersuchungen in Datenschutzfragen und Fragen des freien Zugangs zu Informationen betrauen.

(2) Der Landtag, der Präsident des Landtags und die in § 38 Abs. 3 genannten Vertretungsorgane können verlangen, daß der Hessische Datenschutzbeauftragte untersucht, aus welchen Gründen Auskunftsersuchen nach § 38 nicht oder nicht ausreichend beantwortet wurden.

§ 26 Frist

Soweit der Hessische Datenschutzbeauftragte aufgrund einer Rechtsvorschrift gehört wird, teilt er unverzüglich mit, ob und innerhalb welcher Frist er eine Stellungnahme abgeben wird.

§ 27 Beanstandungen durch den Hessischen Datenschutzbeauftragten

(1) Stellt der Hessische Datenschutzbeauftragte Verstöße gegen die Vorschriften dieses Gesetzes oder gegen andere Datenschutzbestimmungen oder sonstige Mängel bei der Verarbeitung personenbezogener Daten fest, so beanstandet er dies

1. bei der Landesverwaltung gegenüber der zuständigen obersten Landesbehörde,
2. bei den Körperschaften, Anstalten und Stiftungen des öffentlichen Rechts sowie bei Vereinigungen solcher Körperschaften, Anstalten und Stiftungen gegenüber dem Vorstand oder dem sonst vertretungsberechtigten Organ

und fordert zur Stellungnahme innerhalb einer von ihm zu bestimmenden Frist auf. In den Fällen von Satz 1 Nr. 2 unterrichtet der Hessische Datenschutzbeauftragte gleichzeitig auch die zuständige Aufsichtsbehörde.

(2) Der Hessische Datenschutzbeauftragte kann von einer Beanstandung absehen oder auf eine Stellungnahme der betroffenen Stelle verzichten, insbesondere wenn es sich um unerhebliche oder inzwischen beseitigte Mängel handelt.

(3) Mit der Beanstandung kann der Hessische Datenschutzbeauftragte Vorschläge zur Beseitigung der Mängel und zur sonstigen Verbesserung des Datenschutzes verbinden.

(4) Die gemäß Abs. 1 abzugebende Stellungnahme soll auch eine Darstellung der Maßnahmen enthalten, die auf Grund der Beanstandung des Hessischen Datenschutzbeauftragten getroffen worden sind. Die in Abs. 1 Satz 1 Nr. 2 genannten Stellen leiten der zuständigen Aufsichtsbehörde eine Abschrift ihrer Stellungnahme an den Hessischen Datenschutzbeauftragten zu.

§ 28 Anrufung des Hessischen Datenschutzbeauftragten

(1) Jeder kann sich an den Hessischen Datenschutzbeauftragten wenden, wenn er annimmt, bei der Verarbeitung seiner personenbezogenen Daten durch datenverarbeitende Stellen, ausgenommen die Gerichte, soweit sie nicht in Verwaltungsangelegenheiten tätig werden, in seinen Rechten verletzt worden zu sein. Niemand darf dafür gemaßregelt oder benachteiligt werden, daß er sich auf Grund tatsächlicher Anhaltspunkte für einen Verstoß gegen dieses Gesetz oder andere Vorschriften über den Datenschutz an den Hessischen Datenschutzbeauftragten wendet.

(2) Beschäftigte öffentlicher Stellen können sich ohne Einhaltung des Dienstweges an den Hessischen Datenschutzbeauftragten wenden. Die dienstrechtlichen Pflichten der Beschäftigten bleiben im übrigen unberührt.

§ 29 Auskunftsrecht des Hessischen Datenschutzbeauftragten

(1) Alle datenverarbeitenden Stellen und ihre Auftragnehmer sind

verpflichtet, den Hessischen Datenschutzbeauftragten bei der Erfüllung seiner Aufgaben zu unterstützen. Ihm ist dabei insbesondere

1. Auskunft zu seinen Fragen sowie Einsicht in alle Unterlagen zu gewähren, die in Zusammenhang mit der Verarbeitung personenbezogener Daten stehen,
2. Zutritt zu allen Diensträumen zu gewähren.

(2) Die Rechte nach Abs. 1 dürfen nur vom Hessischen Datenschutzbeauftragten persönlich ausgeübt werden, wenn die oberste Landesbehörde im Einzelfall feststellt, daß die Sicherheit des Bundes oder eines Landes dies gebietet. In diesem Fall müssen personenbezogene Daten eines Betroffenen, dem von der datenverarbeitenden Stelle Vertraulichkeit besonders zugesichert worden ist, auch ihm gegenüber nicht offenbart werden.

(3) Der Hessische Datenschutzbeauftragte ist über Verfahrensentwicklungen und Gesetzesvorhaben im Zusammenhang mit der automatisierten Verarbeitung personenbezogener Daten rechtzeitig und umfassend zu unterrichten.

§ 30 Berichtspflicht

(1) Zum 31. Dezember jeden Jahres hat der Hessische Datenschutzbeauftragte dem Landtag und der Landesregierung einen Bericht über das Ergebnis seiner Tätigkeit vorzulegen. Er gibt dabei auch einen Überblick über die technischen und organisatorischen Maßnahmen nach § 10 und regt Verbesserungen des Datenschutzes an. Zwischenberichte sind zulässig.

(2) Die Landesregierung legt ihre Stellungnahme zu dem Haupt- oder Zwischenbericht dem Landtag vor. Zusammen mit der Stellungnahme zum Hauptbericht gibt sie einen Bericht über die Tätigkeit der für den Datenschutz im nicht-öffentlichen Bereich zuständigen Aufsichtsbehörden.

§ 31 Personal- und Sachausstattung

(1) Dem Hessischen Datenschutzbeauftragten ist vom Präsidenten des Landtags die für die Erfüllung seiner Aufgaben notwendige Personal- und Sachausstattung zur Verfügung zu stellen; sie ist im Einzelplan des Landtags in einem eigenen Kapitel auszuweisen.

(2) Die Beamten werden auf Vorschlag des Hessischen Datenschutzbeauftragten ernannt. Ihr Dienstvorgesetzter ist der Hessische Datenschutzbeauftragte, an dessen Weisungen sie ausschließlich gebunden sind. Für sonstige Beschäftigte gelten Satz 1 und 2 entsprechend.

DRITTER TEIL
Besonderer Datenschutz

§ 32 Datenverarbeitung für Planungszwecke

(1) Für Zwecke der öffentlichen Planung können personenbezogene Daten gesondert verarbeitet werden. Die Verarbeitung soll von der übrigen Verwaltung personell und organisatorisch getrennt erfolgen.

(2) Die zu Planungszwecken gespeicherten personenbezogenen Daten dürfen nicht für andere Verwaltungszwecke genutzt werden. Sobald es der Zweck der Planungsaufgabe erlaubt, sind die zu diesem Zweck verarbeiteten personenbezogenen Daten so zu verändern, daß sie sich weder auf eine bestimmte Person beziehen noch eine solche erkennen lassen. Eine Übermittlung von Daten, aus denen Rückschlüsse auf Einzelpersonen gezogen werden können, ist unzulässig.

§ 33 Datenverarbeitung für wissenschaftliche Zwecke

(1) Zum Zwecke wissenschaftlicher Forschung dürfen datenverarbeitende Stellen personenbezogene Daten ohne Einwilligung des Betroffenen im Rahmen bestimmter Forschungsvorhaben verarbeiten, soweit dessen schutzwürdige Belange wegen der Art der Daten, ihrer Offenkundigkeit oder der Art ihrer Verwendung nicht beeinträchtigt werden. Der Einwilligung des Betroffenen bedarf es auch nicht, wenn das öffentliche Interesse an der Durchführung des Forschungsvorhabens die schutzwürdigen Belange des Betroffenen überwiegt und der Zweck der Forschung nicht auf andere Weise oder nur mit unverhältnismäßigem Aufwand erreicht werden kann. Im Falle des Satz 2 bedarf die Verarbeitung durch Stellen des Landes der vorherigen Genehmigung der obersten Landesbehörde oder einer von dieser bestimmten Stelle. Die Genehmigung muß den Empfänger, die Art der zu übermittelnden personenbezogenen Daten, den Kreis der Betroffenen und das Forschungsvorhaben bezeichnen und ist dem Hessischen Datenschutzbeauftragten mitzuteilen.

(2) Sobald der Forschungszweck dies erlaubt, sind die Merkmale, mit deren Hilfe ein Personenbezug hergestellt werden kann, gesondert zu speichern; die Merkmale sind zu löschen, sobald der Forschungszweck dies zuläßt.

(3) Eine Verarbeitung der nach Abs. 1 übermittelten Daten zu anderen als Forschungszwecken ist unzulässig. Die nach Abs. 1 Satz 2 übermittelten Daten dürfen nur mit Einwilligung des Betroffenen weiterübermittelt werden.

(4) Soweit die Vorschriften dieses Gesetzes auf den Empfänger keine Anwendung finden, dürfen personenbezogene Daten nur übermittelt

werden, wenn sich der Empfänger verpflichtet, die Vorschriften der Abs. 2 und 3 einzuhalten und sich der Kontrolle des Hessischen Datenschutzbeauftragten unterwirft.

§ 34 Datenschutz bei Dienst- und Arbeitsverhältnissen

(1) Der Dienstherr oder Arbeitgeber darf Daten seiner Beschäftigten nur verarbeiten, wenn dies zur Eingehung, Durchführung, Beendigung oder Abwicklung des Dienst- oder Arbeitsverhältnisses oder zur Durchführung innerdienstlicher planerischer, organisatorischer, sozialer und personeller Maßnahmen erforderlich ist oder eine Rechtsvorschrift, ein Tarifvertrag oder eine Dienstvereinbarung es vorsieht. Die für das Personalaktenrecht geltenden Vorschriften des Hessischen Beamtengesetzes sind, soweit tarifvertraglich nichts anderes geregelt ist, auf Angestellte und Arbeiter im öffentlichen Dienst entsprechend anzuwenden.

(2) Abweichend von § 16 Abs. 1 ist eine Übermittlung der Daten von Beschäftigten an Personen und Stellen außerhalb des öffentlichen Bereichs nur zulässig, wenn der Empfänger ein rechtliches Interesse darlegt, der Dienstverkehr es erfordert oder der Betroffene eingewilligt hat. Die Übermittlung an einen künftigen Dienstherrn oder Arbeitgeber ist nur mit Einwilligung des Betroffenen zulässig.

(3) Das Auskunftsrecht nach § 18 Abs. 3 umfaßt auch die Art der automatisierten Auswertung der Daten des Beschäftigten. § 18 Abs. 6 findet keine Anwendung.

(4) Im Falle des § 19 Abs. 2 Satz 1 Nr. 2 sind die Daten der Beschäftigten zu löschen. Daten, die vor der Eingehung eines Dienst- oder Arbeitsverhältnisses erhoben wurden, sind unverzüglich zu löschen, sobald feststeht, daß ein Dienst- oder Arbeitsverhältnis nicht zustande kommt. Dies gilt nicht, wenn Grund zu der Annahme besteht, daß durch die Löschung schutzwürdige Belange des Betroffenen beeinträchtigt werden.

(5) Vor Einführung, Anwendung, Änderung oder Erweiterung eines automatisierten Verfahrens zur Verarbeitung von Daten der Beschäftigten hat die Dienststelle das Verfahrensverzeichnis (§ 6) der Personalvertretung im Rahmen des personalvertretungsrechtlichen Beteiligungsverfahrens mit dem Hinweis vorzulegen, daß sie eine Stellungnahme des Hessischen Datenschutzbeauftragten fordern kann. Macht die Personalvertretung von dieser Möglichkeit Gebrauch, beginnt die von ihr einzuhaltende Frist erst mit der Vorlage der von der Dienststellenleitung einzuholenden Stellungnahme.

(6) Daten der Beschäftigten, die im Rahmen der Durchführung der technischen und organisatorischen Maßnahmen nach § 10 Abs. 2

gespeichert werden, dürfen nicht zu Zwecken der Verhaltens- oder Leistungskontrolle ausgewertet werden.

§ 35 Übermittlung an öffentlich-rechtliche Religionsgesellschaften

Die Übermittlung personenbezogener Daten an Stellen der öffentlich-rechtlichen Religionsgesellschaften ist in entsprechender Anwendung der Vorschriften über die Übermittlung an öffentliche Stellen nur zulässig, sofern sichergestellt ist, daß bei dem Empfänger gleichwertige Datenschutzmaßnahmen getroffen werden.

§ 36 Fernmessen und Fernwirken

Wer eine Datenverarbeitungs- oder Übertragungseinrichtung zu dem Zweck nutzt, bei einem Betroffenen, insbesondere in der Wohnung oder in den Geschäftsräumen ferngesteuert Messungen vorzunehmen oder andere Wirkungen auszulösen, bedarf dessen Einwilligung.

§ 37 Datenverarbeitung des Hessischen Rundfunks zu journalistisch-redaktionellen Zwecken

(1) Führt die journalistisch-redaktionelle Verarbeitung personenbezogener Daten zur Veröffentlichung von Gegendarstellungen der Betroffenen, so sind diese Gegendarstellungen zu den gespeicherten Daten zu nehmen und für dieselbe Zeitdauer aufzubewahren wie die Daten selbst.

(2) Der Rundfunkrat bestellt einen Beauftragten für den Datenschutz, der die Ausführung von Abs. 1 und § 10 sowie anderer Vorschriften über den Datenschutz im journalistisch-redaktionellen Bereich frei von Weisungen überwacht. An ihn kann sich jedermann wenden, wenn er annimmt, bei der Verarbeitung personenbezogener Daten zu journalistisch-redaktionellen Zwecken in seinen Rechten verletzt worden zu sein. Beanstandungen richtet der Beauftragte für den Datenschutz an den Intendanten und unterrichtet gleichzeitig den Rundfunkrat. Die Dienstaufsicht obliegt dem Verwaltungsrat.

(3) Dem nach Abs. 2 zu bestellenden Beauftragten für den Datenschutz können auch die Aufgaben nach § 5 zugewiesen werden.

VIERTER TEIL
Rechte des Landtags und der kommunalen Vertretungsorgane

§ 38 Auskunftsrecht des Landtags und der kommunalen Vertretungsorgane

(1) Die Hessische Zentrale für Datenverarbeitung, die Kommunalen Gebietsrechenzentren und die Landesbehörden, die Datenverarbei-

tungsanlagen betreiben, sind verpflichtet, dem Landtag, dem Präsidenten des Landtags und den Fraktionen des Landtags die von diesen im Rahmen ihrer Zuständigkeit verlangten Auskünfte auf Grund der gespeicherten Daten zu geben, soweit Programme zur Auswertung vorhanden sind. Die Auskünfte dürfen keine personenbezogenen Daten enthalten. Den Auskünften darf ein gesetzliches Verbot oder ein öffentliches Interesse nicht entgegenstehen; dem Auskunftsrecht des Landtags steht ein öffentliches Interesse in der Regel nicht entgegen. Der Landtag hat Zugriff zu den Daten, soweit durch technische Maßnahmen sichergestellt ist, daß die Grenzen der Sätze 1 bis 3 eingehalten werden.

(2) Der Landtag kann von der Landesregierung Auskünfte über die bestehenden Verfahren verlangen, die für Auskünfte oder den Zugriff nach Abs. 1 geeignet sind. Das Auskunftsverlangen kann sich erstrecken auf

1. den Namen des Verfahrens mit kurzer Funktionsbeschreibung,
2. die vorhandenen Verfahren,
3. den Aufbau der Datensätze mit Angaben über den Inhalt und die Ordnungskriterien,
4. die vorhandenen Auswertungsprogramme,
5. die zuständige Behörde

(3) Das Auskunftsrecht nach Abs. 1 steht im Rahmen ihrer Zuständigkeiten den Gemeindevertretungen und den Kreistagen sowie deren Fraktionen und den entsprechenden Organen anderer in § 3 Abs. 1 genannten Körperschaften und Anstalten gegenüber der Hessischen Zentrale für Datenverarbeitung, dem zuständigen Kommunalen Gebietsrechenzentrum und den Behörden der Gemeinden und Gemeindeverbände zu, die Datenverarbeitungsanlagen betreiben. Der Antrag der Fraktionen ist in den Gemeinden über den Gemeindevorstand, in den Kreisen über den Kreisausschuß zu leiten.

§ 39 Verarbeitung personenbezogener Daten durch den Landtag und die kommunalen Vertretungsorgane

(1) Mit Ausnahme der §§ 1 Abs. 1 Nr. 2, 25 und 38 gelten die Vorschriften dieses Gesetzes für den Landtag nur, soweit er in Verwaltungsangelegenheiten tätig wird, insbesondere wenn es sich um die wirtschaftlichen Angelegenheiten des Landtags, die Personalverwaltung oder die Ausführung von gesetzlichen Vorschriften, deren Vollzug dem Präsidenten des Landtags zugewiesen ist, handelt. Im übrigen gibt sich der Landtag unter Berücksichtigung seiner verfassungsrechtlichen Stellung eine Datenschutzordnung. Sie findet auf die für die Fraktionen und Abgeordneten tätigen Personen entsprechende Anwendung.

(2) Die Landesregierung darf personenbezogene Daten, die für andere Zwecke erhoben worden sind, zur Beantwortung parlamentarischer Anfragen sowie zur Vorlage von Unterlagen und Berichten im Rahmen der Geschäftsordnung des Hessischen Landtags in dem dafür erforderlichen Umfang verwenden. Dies gilt nicht, wenn die Übermittlung der Daten wegen ihres streng persönlichen Charakters für die Betroffenen unzumutbar ist. Besondere gesetzliche Übermittlungsverbote bleiben unberührt.

(3) Von der Landesregierung übermittelte personenbezogene Daten dürfen nicht in Landtagsdrucksachen aufgenommen oder in sonstiger Weise allgemein zugänglich gemacht werden. Dies gilt nicht, wenn keine Anhaltspunkte dafür bestehen, daß schutzwürdige Belange der Betroffenen beeinträchtigt werden.

(4) Abs. 2 gilt entsprechend für die Verwaltungsbehörden der Gemeinden und Gemeindeverbände im Rahmen ihrer jeweiligen Auskunftspflichten nach der Hessischen Gemeindeordnung und der Hessischen Landkreisordnung.

FÜNFTER TEIL
Schlußvorschriften

§ 40 Straftaten

(1) Wer gegen Entgelt oder in der Absicht, sich oder einen anderen zu bereichern oder einen anderen zu schädigen, personenbezogene Daten entgegen den Vorschriften dieses Gesetzes

1. erhebt, speichert, zweckwidrig verwendet, verändert, übermittelt, zum Abruf bereithält oder löscht,
2. abruft, einsieht, sich verschafft oder durch Vortäuschung falscher Tatsachen ihre Übermittlung an sich oder einen Dritten veranlaßt,

wird mit Freiheitsstrafe bis zu zwei Jahren oder mit Geldstrafe bestraft.

(2) Abs. 1 findet nur Anwendung, soweit die Tat nicht in anderen Vorschriften mit Strafe bedroht ist.

§ 41 Ordnungswidrigkeiten

(1) Ordnungswidrig handelt, wer entgegen § 16 Abs. 2 oder § 33 Abs. 3 Daten nicht nur für den Zweck verwendet, zu dessen Erfüllung sie ihm übermittelt wurden.

(2) Die Ordnungswidrigkeit kann mit einer Geldbuße bis zu fünfzigtausend Deutsche Mark geahndet werden.

§ 42 Übergangsvorschrift

Auf Akten, die bei Inkrafttreten des Gesetzes vorhanden waren, ist § 19 Abs. 1, 4 und 6 nur anwendbar, wenn die speichernde Stelle die Voraussetzungen für die Berichtigung, Löschung oder Sperrung bei der Erfüllung ihrer laufenden Aufgaben feststellt.

§ 43 Aufhebung bisherigen Rechts

Das Hessische Datenschutzgesetz vom 31. Januar 1978 (GVBl. I S. 96), geändert durch Gesetz vom 14. Oktober 1980 (GVBl. I S. 377)), sowie die Hessische Verordnung über die Veröffentlichung der Angaben über gespeicherte personenbezogene Daten vom 1. November 1978 (GVBl. I S. 553) und die Hessische Verordnung über die vom Hessischen Datenschutzbeauftragten zu führenden Dateienregister vom 8. Dezember 1978 (GVBl. I S. 682) werden aufgehoben.

§ 44 Inkrafttreten[1]

Dieses Gesetz tritt am 1. Januar 1987 in Kraft.

---

1 Anm.: § 44 betrifft das Inkrafttreten des Gesetzes vom 11. November 1986. Das Dritte Gesetz zur Änderung des Hessischen Datenschutzgesetzes ist – mit Ausnahme des § 6 – am Tage nach seiner Verkündung in Kraft getreten. § 6 tritt am 1. Juni 1999 in Kraft.
Vorstehend sind die Änderungen des Artikels 1 des Dritten Gesetzes zur Änderung des Hessischen Datenschutzgesetzes eingearbeitet. Die Änderungen anderer Gesetze (Hessisches Krankenhausgesetz, Hessisches Schulgesetz, Hessisches Privatrundfunkgesetz, Gesetz über das Landesamt für Verfassungsschutz) durch Artikel 3 des Gesetzes sind hier nicht enthalten.

Gesetz zum Schutz des Bürgers beim Umgang mit seinen Daten (Landesdatenschutzgesetz von Mecklenburg-Vorpommern – DSG MV –)

vom 24. Juli 1992 (GVOBl. S. 487)
zuletzt geändert am 7. Juli 1997 (GVOBl. S. 282)

Inhaltsübersicht

Abschnitt I
Grundsatzregelungen

§ 1 Zweck

Zweck dieses Gesetzes ist es, das Recht des einzelnen zu schützen, grundsätzlich selbst über die Preisgabe und Verwendung seiner Daten zu bestimmen (informationelles Selbstbestimmungsrecht).

§ 2 Anwendungsbereich

(1) Dieses Gesetz gilt für Behörden und öffentlich-rechtlich organisierte Einrichtungen und Stellen des Landes, der Gemeinden, der Ämter, der Landkreise sowie für sonstige der Aufsicht des Landes unterstehende juristische Personen des öffentlichen Rechts und deren Vereinigungen ungeachtet ihrer Rechtsform (öffentliche Stellen).

(2) Für automatisierte Dateien, die ausschließlich aus verarbeitungstechnischen Gründen vorübergehend erstellt und nach ihrer verarbeitungstechnischen Verwendung gelöscht werden, sowie für Vorentwürfe und Notizen, die nicht Bestandteil eines Vorgangs werden sollen und alsbald vernichtet werden, gelten nur die §§ 5 und 17 sowie die §§ 25 bis 29. Diese Daten sind vor dem Zugriff Unbefugter zu schützen.

(3) Soweit besondere Rechtsvorschriften den Umgang mit personenbezogenen Daten regeln, gehen sie den Vorschriften dieses Gesetzes vor. Für die Gerichte sowie für die Behörden der Staatsanwaltschaft gilt dieses Gesetz nur, soweit sie Verwaltungsaufgaben wahrnehmen. Darüber hinaus gelten für die Behörden der Staatsanwaltschaft, soweit sie keine Verwaltungsaufgaben wahrnehmen, die §§ 16, 22, 25 bis 29, 31 und 32 sowie die §§ 34 bis 36; die §§ 20 und 21 finden keine Anwendung.

(4) Soweit öffentlich-rechtliche Unternehmen am Wettbewerb teilnehmen, gelten für sie nur die §§ 16, 22, 25 bis 29, 31 und 32 sowie die §§ 34 bis 36. Mit Ausnahme der Vorschriften über die Meldepflichten und die Aufsichtsbehörde (§§ 32 und 38) sind im übrigen die für nicht-öffentliche Stellen geltenden Vorschriften des Bundesdatenschutzgesetzes einschließlich der §§ 43 und 44 anwendbar.

(5) Für Begnadigungsverfahren findet dieses Gesetz keine Anwendung.

§ 3 Begriffsbestimmungen

(1) Personenbezogene Daten sind Einzelangaben über persönliche oder sachliche Verhältnisse einer bestimmten oder bestimmbaren natürlichen Person (Betroffener).

(2) Eine Datei ist
1. eine Sammlung personenbezogener Daten, die durch automatisierte Verfahren verarbeitet und ausgewertet werden kann (automatisierte Datei), oder
2. jede sonstige Sammlung gleichartig aufgebauter personenbezogener Daten, die nach bestimmten Merkmalen geordnet und ausgewertet werden kann (nicht-automatisierte Datei).

Nicht hierzu gehören Akten und Aktensammlungen, es sei denn, daß sie durch automatisierte Verfahren umgeordnet und ausgewertet werden können.

(3) Eine Akte ist jede sonstige amtlichen oder dienstlichen Zwecken dienende Unterlage; dazu zählen auch Bild- und Tonträger. Nicht hierunter fallen Vorentwürfe oder Notizen, die nicht Bestandteil eines Vorgangs werden sollen.

(4) Umgang mit Daten ist jede Form ihrer Erhebung, Verarbeitung oder Nutzung ungeachtet der dabei angewendeten Verfahren.

(5) Erheben ist das Beschaffen von Daten.

(6) Nutzen ist die inhaltliche Auswertung und Verwendung von Daten.

(7) Verarbeiten ist das Speichern, Übermitteln, Verändern, Sperren, Anonymisieren oder Löschen von Daten. Im einzelnen ist

1. Speichern das Erfassen, Aufnehmen, Aufzeichnen oder Aufbewahren von Daten auf einem Datenträger; dazu zählt auch das Vervielfältigen,
2. Übermitteln das Bekanntgeben erhobener, gespeicherter oder durch sonstige Verarbeitung gewonnener Daten an Dritte in der Weise, daß die Daten durch die mit ihnen umgehende Stelle weitergegeben werden oder daß Dritte von der mit den Daten umgehenden Stelle zur Einsicht oder zum Abruf bereitgehaltene Daten einsehen oder abrufen,
3. Verändern das inhaltliche Umgestalten gespeicherter Daten,
4. Sperren das Verhindern des weiteren Umgangs mit gespeicherten Daten, ausgenommen in den Fällen, in denen dieses Gesetz den Umgang mit den Daten zuläßt,
5. Anonymisieren das Verändern personenbezogener Daten derart, daß die Einzelangaben über persönliche oder sachliche Verhältnisse nicht mehr einer bestimmten oder bestimmbaren natürlichen Person zugeordnet werden können.
6. Löschen das dauerhafte Unkenntlichmachen gespeicherter Daten.

Darüber hinaus ist Verarbeiten jede Form des Umgangs mit Daten, die nicht in den Vorschriften der Absätze 5 und 6 aufgeführt ist.

(8) Eine mit Daten umgehende Stelle ist jede öffentliche Stelle, die personenbezogene Daten für sich selbst erhebt, verarbeitet oder nutzt oder durch andere in ihrem Auftrag erheben, verarbeiten oder nutzen läßt.

(9) Dritter ist jede Person oder Stelle außerhalb der mit den personenbezogenen Daten umgehenden Stelle. Dritte sind nicht der Betroffene

sowie diejenigen Personen oder Stellen, die im Geltungsbereich des Grundgesetzes mit personenbezogenen Daten im Auftrag umgehen.

(10) Stellen innerhalb des öffentlichen Bereichs sind öffentliche Stellen nach § 2 Abs. 1 dieses Gesetzes sowie öffentliche Stellen des Bundes und der anderen Länder nach § 2 des Bundesdatenschutzgesetzes.

§ 4 Umgang mit personenbezogenen Daten im Auftrag

(1) Wird mit personenbezogenen Daten durch andere Personen oder Stellen im Auftrag einer öffentlichen Stelle umgegangen, so bleibt der Auftraggeber für die Einhaltung der Vorschriften dieses Gesetzes und anderer Vorschriften über den Datenschutz verantwortlich. Die in den §§ 20, 21 und 23 genannten Rechte sind ihm gegenüber geltend zu machen. Der Auftraggeber hat den Auftragnehmer unter besonderer Berücksichtigung seiner Eignung für die Gewährleistung der nach § 17 notwendigen technisch-organisatorischen Maßnahmen sorgfältig auszuwählen. Der Auftrag ist schriftlich zu erteilen, wobei die Art und der Umfang des Umgangs mit personenbezogenen Daten sowie erforderlichenfalls ergänzende Weisungen zu technischen und organisatorischen Maßnahmen und etwaige Unterauftragsverhältnisse festzulegen sind.

(2) Der Auftragnehmer darf mit den personenbezogenen Daten nur im Rahmen der Weisungen des Auftraggebers umgehen. Ist der Auftragnehmer der Ansicht, daß eine Weisung des Auftraggebers gegen dieses Gesetz oder eine andere Vorschrift über den Datenschutz verstößt, hat er den Auftraggeber unverzüglich darauf hinzuweisen.

(3) Sofern die Vorschriften dieses Gesetzes auf den Auftragnehmer keine Anwendung finden, ist der Auftraggeber verpflichtet sicherzustellen, daß der Auftragnehmer die Vorschriften dieses Gesetzes befolgt und sich der Kontrolle des Landesbeauftragten für den Datenschutz nach Maßgabe der §§ 26 und 27 unterwirft. Der Auftraggeber hat den Landesbeauftragten für den Datenschutz über die Beauftragung zu informieren.

§ 5 Datengeheimnis

Denjenigen Personen, die bei öffentlichen Stellen oder ihren Auftragnehmern dienstlichen Zugang zu personenbezogenen Daten haben, ist es während und nach Beendigung ihrer Tätigkeit untersagt, mit diesen Daten zu einem anderen als dem zur jeweiligen rechtmäßigen Aufgabenerfüllung gehörenden Zweck umzugehen (Datengeheimnis). Diese Personen sind über die bei ihrer Tätigkeit zu beachtenden Vorschriften über den Datenschutz in geeigneter Weise zu unterrichten und bei der Aufnahme ihrer Tätigkeit auf das Datengeheimnis zu verpflichten.

Abschnitt II
Umgang mit personenbezogenen Daten

§ 6 Grundsatz

Der Umgang mit personenbezogenen Daten ist nur zulässig, soweit
1. die Vorschriften dieses Gesetzes ihn zulassen,
2. eine andere Rechtsvorschrift ihn erlaubt oder zwingend voraussetzt oder
3. der Betroffene eingewilligt hat.

§ 7 Einwilligung

Die Einwilligung des Betroffenen bedarf der Schriftform, soweit nicht wegen besonderer Umstände eine andere Form angemessen ist. Soll die Einwilligung zusammen mit anderen Erklärungen schriftlich eingeholt werden, so ist die Einwilligungserklärung im äußeren Erscheinungsbild des Schriftstücks hervorzuheben. Der Betroffene ist in geeigneter Weise über die Bedeutung und Tragweite der Einwilligung, insbesondere über die Art und den Umfang der Erhebung, Verarbeitung und Nutzung sowie über Empfänger beabsichtigter Übermittlungen von Daten, aufzuklären. Die Anschrift der mit den Daten umgehenden Stelle ist ihm mitzuteilen. Der Betroffene ist unter Darlegung der Rechtsfolgen darauf hinzuweisen, daß er die Einwilligung verweigern und mit Wirkung für die Zukunft widerrufen kann.

§ 8 Erheben

(1) Das Erheben personenbezogener Daten ist zulässig, wenn deren Kenntnis zur rechtmäßigen Erfüllung einer in der Zuständigkeit der erhebenden Stelle liegenden Aufgabe erforderlich ist, der Zweck der Erhebung hinreichend bestimmt ist und die Daten ohne Verstoß gegen Rechtsvorschriften offenbart werden können.

(2) Personenbezogene Daten sind beim Betroffenen und mit seiner Kenntnis zu erheben, es sei denn, daß eine Rechtsvorschrift eine andere Art der Erhebung erlaubt oder zwingend voraussetzt oder daß der Betroffene in eine andere Art der Erhebung eingewilligt hat.

(3) Werden personenbezogene Daten beim Betroffenen mit seiner Kenntnis erhoben, so ist er in geeigneter Weise über den Zweck der Erhebung, die Art und den Umfang der Verarbeitung und Nutzung sowie über Empfänger beabsichtigter Übermittlungen der Daten aufzuklären. Die Anschrift der mit den Daten umgehenden Stelle ist ihm mitzuteilen. Werden die Daten aufgrund einer Rechtsvorschrift erhoben, die zur Auskunft verpflichtet, oder ist die Erteilung der Auskunft Voraussetzung für die Gewährung von Rechtsvorteilen, so

ist der Betroffene hierauf, sonst auf die Freiwilligkeit seiner Angaben hinzuweisen. Auf Verlangen ist er über die Rechtsvorschrift und über die Folgen der Verweigerung von Angaben aufzuklären.

(4) Werden personenbezogene Daten nicht beim Betroffenen, sondern bei anderen Personen sowie bei nicht-öffentlichen Stellen aufgrund einer Rechtsvorschrift, die zur Auskunft verpflichtet, erhoben, so sind diese auf die Rechtsgrundlage, sonst auf die Freiwilligkeit ihrer Angaben hinzuweisen. Der Betroffene ist in geeigneter Weise über die Erhebung entsprechend Absatz 3 Satz 1 und 2 zu unterrichten, wenn und soweit dadurch die Erfüllung der Aufgabe der erhebenden Stelle nicht mehr gefährdet ist.

§ 9 Nutzen

(1) Das Nutzen personenbezogener Daten ist zulässig, wenn und soweit es zur Erfüllung einer in der Zuständigkeit der nutzenden Stelle liegenden Aufgabe erforderlich ist.

(2) Personenbezogene Daten dürfen nur für den Zweck genutzt werden, für den sie erhoben worden sind. Ist keine Erhebung vorausgegangen, so dürfen die Daten für den Zweck genutzt werden, für den sie bei ihrer erstmaligen Speicherung bestimmt wurden. Empfänger übermittelter Daten dürfen diese für den bei ihrer Übermittlung bestimmten Zweck nutzen.

(3) Das Nutzen personenbezogener Daten zu anderen Zwecken ist nur zulässig, wenn

1. eine Rechtsvorschrift dies vorsieht oder zwingend voraussetzt,
2. der Betroffene eingewilligt hat,
3. offensichtlich ist, daß es im Interesse des Betroffenen liegt und kein Grund zu der Annahme besteht, daß er in Kenntnis des anderen Zwecks seine Einwilligung verweigern würde,
4. Angaben des Betroffenen überprüft werden müssen, weil tatsächliche Anhaltspunkte für deren Unrichtigkeit bestehen,
5. die Daten aus allgemein zugänglichen Quellen entnommen werden können oder die speichernde Stelle sie veröffentlichen dürfte, es sei denn, daß das schutzwürdige Interesse des Betroffenen an dem Ausschluß der Zweckänderung offensichtlich überwiegt,
6. es zur Abwehr erheblicher Nachteile für das Gemeinwohl oder einer sonst unmittelbar drohenden Gefahr für die öffentliche Sicherheit erforderlich ist,
7. es zur Verfolgung von Straftaten und Ordnungswidrigkeiten, zur Vollstreckung oder zum Vollzug von Strafen oder Maßnahmen im Sinne des § 11 Abs. 1 Nr. 8 des Strafgesetzbuches oder von Erziehungsmaßregeln oder Zuchtmitteln im Sinne des Jugendge-

richtsgesetzes oder zur Vollstreckung von Bußgeldentscheidungen erforderlich ist,

8. es zur Abwehr einer schwerwiegenden Beeinträchtigung der Rechte einer anderen Person erforderlich ist oder
9. es zur Durchführung wissenschaftlicher Forschung erforderlich ist, das wissenschaftliche Interesse an der Durchführung des Forschungsvorhabens das Interesse des Betroffenen an dem Ausschluß der Zweckänderung erheblich überwiegt und der Zweck der Forschung auf andere Weise nicht oder nur mit unverhältnismäßigem Aufwand erreicht werden kann.

Der andere Zweck muß hinreichend bestimmt sein. Besondere Amts- oder Berufsgeheimnisse bleiben unberührt.

(4) Personenbezogene Daten, die für andere Zwecke erhoben oder erstmalig gespeichert worden sind, dürfen zu Zwecken der Ausübung von Aufsichts- und Kontrollbefugnissen, der Rechnungsprüfung oder der Durchführung von Organisationsuntersuchungen in dem dafür erforderlichen Umfang genutzt werden. Der Zugriff auf personenbezogene Daten ist nur insoweit zulässig, als dieser für die Ausübung der Befugnisse nach Satz 1 unerläßlich oder unvermeidbar ist. Eine Nutzung personenbezogener Daten zu Ausbildungs- und Prüfungszwecken ist zulässig, soweit nicht überwiegende schutzwürdige Interessen des Betroffenen entgegenstehen.

(5) Gesperrte Daten dürfen ohne Einwilligung des Betroffenen nur genutzt werden, wenn

1. es zu wissenschaftlichen Zwecken, zur Behebung einer bestehenden Beweisnot oder aus sonstigen im überwiegenden Interesse der speichernden Stelle oder eines Dritten liegenden Gründen unerläßlich ist und
2. die Daten hierfür genutzt werden dürften, wenn sie nicht gesperrt wären.

§ 10 Verarbeiten

(1) Das Verarbeiten personenbezogener Daten ist zulässig, wenn es zur Erfüllung einer in der Zuständigkeit der verarbeitenden Stelle liegenden Aufgabe erforderlich ist. Die Inanspruchnahme Dritter ist zulässig; in diesem Fall gilt der § 4.

(2) Personenbezogene Daten dürfen nur zu Zwecken ihrer zulässigen Nutzung nach § 9 und in dem dafür notwendigen Umfang gespeichert, übermittelt oder verändert werden.

(3) Sind die für einen zulässigen Nutzungszweck notwendigen Daten mit anderen Daten oder mit gesperrten Daten in Akten oder nichtautomatisierten Dateien derart verbunden, daß eine Trennung der Daten nicht oder nur mit unverhältnismäßig hohem Aufwand möglich ist, so

ist auch eine Mitverarbeitung dieser Daten zulässig, sofern sie nicht Ändern oder Löschen ist. Eine Nutzung dieser Daten ist unzulässig. Im Falle der Übermittlung dieser Daten ist der Empfänger in geeigneter Weise auf das Nutzungsverbot hinzuweisen.

§ 11 Berichtigen, Sperren und Löschen

(1) Personenbezogene Daten sind zu berichtigen, wenn sie unrichtig sind. Sind personenbezogene Daten in nicht-automatisierten Dateien oder Akten zu berichtigen, so soll in geeigneter Weise kenntlich gemacht werden, zu welchem Zeitpunkt und aus welchem Grunde sie unrichtig waren oder geworden sind. Personenbezogene Daten sind zu ergänzen, wenn der Zweck der Speicherung oder das berechtigte Interesse des Betroffenen dies erfordern.

(2) Personenbezogene Daten sind zu löschen, wenn
1. sie unrichtig sind und die mit den Daten umgehende Stelle keine Kenntnis der richtigen Daten erlangen kann,
2. ihre Erhebung unzulässig war,
3. ihre Speicherung unzulässig ist oder
4. ihre Speicherung zur Erfüllung der in der Zuständigkeit der mit den Daten umgehenden Stelle liegenden Aufgabe nicht mehr erforderlich ist.

(3) An Stelle der Berichtigung oder Löschung tritt eine Sperrung, solange
1. einer Löschung nach Absatz 2 Nr. 4 Rechts- oder Verwaltungsvorschriften entgegenstehen,
2. Grund zur Annahme besteht, daß durch die Berichtigung oder Löschung schutzwürdige Interessen des Betroffenen beeinträchtigt würden,
3. eine Löschung wegen der besonderen Art der Speicherung nicht oder nur mit unverhältnismäßig hohem Aufwand möglich ist oder
4. es der Betroffene nach § 21 verlangt.

(4) Sind personenbezogene Daten in Akten gespeichert, ist die Löschung nach Absatz 2 Nr. 4 nur durchzuführen, wenn die gesamte Akte zur Aufgabenerfüllung nicht mehr erforderlich ist. Soweit hiernach eine Löschung nicht in Betracht kommt, sind die Daten zu sperren.

(5) Gesperrte Daten sind gesondert zu speichern. Ist dies nicht möglich, so sind die Daten mit einem entsprechenden Vermerk zu versehen. Gesperrte Daten dürfen über ihre Speicherung hinaus, außer zu Zwecken ihrer zulässigen Nutzung und in den Fällen des § 10 Abs. 3, nicht mehr verarbeitet werden. Gesperrte Daten dürfen vor Ablauf ihrer Sperrfrist nicht verändert oder gelöscht werden.

(6) Soweit öffentliche Stellen verpflichtet sind, Unterlagen einem öffentlichen Archiv zur Übernahme anzubieten, darf eine Löschung erst erfolgen, wenn das zuständige öffentliche Archiv die Übernahme abgelehnt oder über sie nicht fristgerecht entschieden hat.

§ 12 Übermittlung an Stellen innerhalb des öffentlichen Bereichs

(1) Die Übermittlung personenbezogener Daten an Stellen innerhalb des öffentlichen Bereichs ist über § 10 hinaus zulässig, wenn die Nutzung der Daten zur Erfüllung einer in der Zuständigkeit des Empfängers liegenden Aufgabe erforderlich und nach § 9 zulässig ist.

(2) Die Verantwortung für die Zulässigkeit der Übermittlung trägt die übermittelnde Stelle. Erfolgt die Übermittlung auf Ersuchen des Empfängers, trägt dieser die Verantwortung. In diesem Falle prüft die übermittelnde Stelle nur, ob das Übermittlungsersuchen im Rahmen der Aufgaben des Empfängers liegt, es sei denn, daß besonderer Anlaß zur Prüfung der Zulässigkeit der Übermittlung besteht.

(3) Für die Übermittlung personenbezogener Daten an Stellen der öffentlich-rechtlichen Religionsgesellschaften gelten die Absätze 1 und 2 entsprechend, sofern sichergestellt ist, daß bei dem Empfänger ausreichend Datenschutzmaßnahmen getroffen werden. Die Feststellung trifft der Innenminister im Einvernehmen mit dem Landesbeauftragten für den Datenschutz.

§ 13 Übermittlung an Stellen außerhalb des öffentlichen Bereichs

(1) Die Übermittlung personenbezogener Daten an Stellen außerhalb des öffentlichen Bereichs ist über § 10 hinaus zulässig, wenn der Empfänger ein berechtigtes Interesse an der Kenntnis der zu übermittelnden Daten glaubhaft darlegt und der Betroffene kein schutzwürdiges Interesse an dem Ausschluß der Übermittlung hat. In diesem Falle unterrichtet die übermittelnde Stelle den Betroffenen von der Übermittlung. Dies gilt nicht, wenn damit zu rechnen ist, daß er davon auf andere Weise Kenntnis erlangt oder wenn die Unterrichtung die öffentliche Sicherheit gefährden oder sonst dem Wohle des Bundes oder eines Landes Nachteile bereiten würde.

(2) Die Verantwortung für die Zulässigkeit der Übermittlung trägt die übermittelnde Stelle. Der Empfänger darf die übermittelten Daten nur für den Zweck verarbeiten oder nutzen, zu dessen Erfüllung sie ihm übermittelt werden. Die übermittelnde Stelle hat ihn darauf hinzuweisen. Eine Verarbeitung oder Nutzung für andere Zwecke ist

zulässig, wenn eine Übermittlung nach Absatz 1 zulässig wäre und die übermittelnde Stelle zugestimmt hat.

§ 14 Übermittlung an Stellen außerhalb des Geltungsbereichs des Grundgesetzes

(1) Für die Übermittlung personenbezogener Daten an Stellen außerhalb des Geltungsbereichs des Grundgesetzes sowie an über- und zwischenstaatliche Stellen gilt § 13 Abs. 1 nach Maßgabe der für diese Übermittlung geltenden Gesetze und Verordnungen. Eine Übermittlung unterbleibt, soweit Grund zu der Annahme besteht, daß durch sie gegen den Zweck eines deutschen Gesetzes verstoßen wird.

(2) Die Verantwortung für die Zulässigkeit der Übermittlung trägt die übermittelnde Stelle. Der Empfänger ist darauf hinzuweisen, daß die übermittelten Daten nur zu dem Zweck verarbeitet oder genutzt werden dürfen, zu dessen Erfüllung sie ihm übermittelt werden.

§ 15 Automatisierte Abrufverfahren

(1) Ein automatisiertes Verfahren zum Abruf personenbezogener Daten durch Dritte darf nur eingerichtet werden, wenn eine Rechtsvorschrift dies ausdrücklich zuläßt.

(2) Die Landesregierung wird ermächtigt, die Einrichtung automatisierter Abrufverfahren durch Rechtsverordnung einzuführen, wenn dies unter Berücksichtigung der schutzwürdigen Belange der Betroffenen und der Aufgabe der beteiligten Stellen angemessen ist. Der Landesbeauftragte für den Datenschutz ist vorher zu hören. In der Rechtsverordnung sind die Datenempfänger, die Datenart und der Zweck des Abrufs festzulegen. Darüber hinaus sind Maßnahmen zur Datensicherung und zur Kontrolle vorzusehen, die in einem angemessenen Verhältnis zu dem angestrebten Schutzzweck stehen.

§ 16 Dateibeschreibung und Geräteverzeichnis

(1) Die speichernde Stelle ist verpflichtet, in einer Beschreibung jeder automatisierten Datei festzulegen:

1. die Bezeichnung der Datei,
2. die Art der gespeicherten Daten,
3. die Art und den Umfang der Nutzung der Daten,
4. den Kreis der Betroffenen,
5. die Art der regelmäßig übermittelten Daten und deren Empfänger,
6. die Art der regelmäßig empfangenen Daten und deren Herkunft,
7. bestehende Fristen für die Sperrung oder Löschung der Daten,
8. die technisch-organisatorischen Maßnahmen nach § 17,

9. bei automatisierten Verfahren die Betriebsart des Verfahrens, die Art der Geräte sowie das Verfahren zur Übermittlung, Sperrung, Löschung und Auskunfts-erteilung.

(2) Die speichernde Stelle ist verpflichtet, in einem Verzeichnis der Geräte, mit denen personenbezogene Daten automatisiert verarbeitet werden, neben der Dateibeschreibung nach Absatz 1 festzulegen:
1. den Standort, den Typ und die Art der Geräte,
2. den Hersteller,
3. das verwendete Betriebssystem,
4. die verwendeten Programme.

(3) Die Dateibeschreibung und das Geräteverzeichnis sind laufend auf dem neuesten Stand zu halten. Sie sind dem Landesbeauftragten für den Datenschutz auf Anforderung zu übermitteln.

§ 17 Technisch-organisatorische Maßnahmen

(1) Die mit personenbezogenen Daten umgehende und die in ihrem Auftrag tätige Stelle hat die technischen und organisatorischen Maßnahmen zu treffen, die erforderlich und angemessen sind, um die Einhaltung der Vorschriften dieses Gesetzes und anderer Vorschriften über den Datenschutz sicherzustellen und insbesondere die Wahrnehmung der Rechte nach §§ 20 und 21 durch den Betroffenen zu gewährleisten.

(2) Werden personenbezogene Daten automatisiert verarbeitet, sind Maßnahmen zu treffen, die je nach der Art der Datenverarbeitung und der zu schützenden personenbezogenen Daten erforderlich sind,
1. Unbefugten den Zugang zu Datenverarbeitungsanlagen, mit denen personenbezogene Daten verarbeitet werden, zu verwehren (Zugangskontrolle),
2. zu verhindern, daß Datenträger unbefugt gelesen, kopiert, verändert oder entfernt werden können (Datenträgerkontrolle),
3. die unbefugte Eingabe in den Speicher sowie die unbefugte Kenntnisnahme, Veränderung oder Löschung gespeicherter personenbezogener Daten zu verhindern (Speicherkontrolle),
4. die Benutzung von Datenverarbeitungssystemen mit Hilfe von Einrichtungen zur Datenübertragung durch Unbefugte zu verhindern (Benutzerkontrolle),
5. zu gewährleisten, daß die zur Benutzung eines Datenverarbeitungssystems Berechtigten ausschließlich auf die ihrer Zugriffsberechtigung unterliegenden personenbezogenen Daten zugreifen können (Zugriffskontrolle),
6. zu gewährleisten, daß überprüft und festgestellt werden kann, an welche Stellen wann welche personenbezogenen Daten übermittelt worden sind (Übermittlungskontrolle),

7. zu gewährleisten, daß nachträglich überprüft werden kann, welche personenbezogenen Daten zu welcher Zeit von wem in Datenverarbeitungssysteme eingegeben worden sind (Eingabekontrolle),
8. zu gewährleisten, daß personenbezogene Daten, die im Auftrag verarbeitet werden, nur entsprechend den Weisungen des Auftraggebers verarbeitet werden können (Auftragskontrolle),
9. zu gewährleisten, daß bei der Übertragung personenbezogener Daten sowie beim Transport von Datenträgern diese nicht unbefugt gelesen, kopiert, verändert oder gelöscht werden können (Transportkontrolle),
10. die innerbehördliche oder innerbetriebliche Organisation so zu gestalten, daß sie den besonderen Anforderungen des Datenschutzes gerecht wird (Organisationskontrolle).

(3) Werden personenbezogene Daten in nicht-automatisierten Dateien oder Akten verarbeitet, sind Maßnahmen zu treffen, die je nach Art der Datenverarbeitung und der zu schützenden personenbezogenen Daten erforderlich sind, Kontrollen nach Absatz 2 Nr. 1, 2, 6, 9 und 10 zu gewährleisten.

§ 18 Pflicht zur gegenseitigen Benachrichtigung

Werden durch eine mit personenbezogenen Daten umgehende Stelle unrichtige, unzulässig erhobene oder unzulässig gespeicherte Daten berichtigt, gesperrt oder gelöscht, so benachrichtigt diese die anderen mit diesen Daten umgehenden Stellen, insbesondere die Empfänger von Übermittlungen. Die Unterrichtung kann unterbleiben, wenn sie einen unverhältnismäßig hohen Aufwand erfordern würde und kein Grund zur Annahme besteht, daß dadurch schutzwürdige Interessen des Betroffenen beeinträchtigt werden

§ 19 Pflicht zur Benachrichtigung Betroffener

Hat eine mit personenbezogenen Daten umgehende Stelle Grund zur Annahme oder Kenntnis, daß unrichtige, unzulässig erhobene oder unzulässig gespeicherte personenbezogene Daten bereits derart genutzt wurden, daß dem Betroffenen daraus ein Nachteil entstanden ist oder zu entstehen droht, so hat sie diesen unverzüglich zu benachrichtigen.

Abschnitt III
Rechte des Betroffenen

§ 20 Auskunft

(1) Dem Betroffenen ist auf Antrag Auskunft zu erteilen über

1. die zu seiner Person gespeicherten Daten, auch soweit sie sich auf Herkunft oder Empfänger dieser Daten beziehen, und
2. den Zweck der Speicherung.

In dem Antrag soll die Art der personenbezogenen Daten, über die Auskunft erteilt werden soll, näher bezeichnet werden. Sind die personenbezogenen Daten in Akten gespeichert, wird die Auskunft nur erteilt, soweit der Betroffene Angaben macht, die das Auffinden der Daten ermöglichen, und der für die Erteilung der Auskunft erforderliche Aufwand nicht außer Verhältnis zu dem vom Betroffenen geltend gemachten Informationsinteresse steht. Die speichernde Stelle bestimmt das Verfahren, insbesondere die Form der Auskunftserteilung, nach pflichtgemäßem Ermessen.

(2) Absatz 1 gilt nicht für personenbezogene Daten, die nur deshalb gespeichert sind, weil sie aufgrund gesetzlicher, satzungsmäßiger oder vertraglicher Aufbewahrungsvorschriften nicht gelöscht werden dürfen oder ausschließlich Zwecken der Datensicherung oder der Datenschutzkontrolle dienen.

(3) Bezieht sich die Auskunftserteilung auf die Übermittlung personenbezogener Daten an Verfassungsschutzbehörden, den Bundesnachrichtendienst, den Militärischen Abschirmdienst und, soweit die Sicherheit des Bundes berührt wird, andere Behörden des Bundesministers der Verteidigung, ist sie nur mit Zustimmung dieser Stellen zulässig.

(4) Die Auskunftserteilung unterbleibt, soweit

1. die Auskunft die ordnungsgemäße Erfüllung der in der Zuständigkeit der speichernden Stelle liegenden Aufgaben gefährden würde,
2. die Auskunft die öffentliche Sicherheit oder Ordnung gefährden oder sonst dem Wohle des Bundes oder eines Landes Nachteile bereiten würde oder
3. die Daten oder die Tatsache ihrer Speicherung nach einer Rechtsvorschrift oder dem Wesen nach, insbesondere wegen der überwiegenden berechtigten Interessen eines Dritten, geheimgehalten werden müssen und deswegen das Interesse des Betroffenen an der Auskunftserteilung zurücktreten muß.

(5) Die Ablehnung der Auskunftserteilung bedarf einer Begründung nicht, soweit durch die Mitteilung der tatsächlichen und rechtlichen Gründe, auf die die Entscheidung gestützt wird, der mit der Auskunftsverweigerung verfolgte Zweck gefährdet würde. In diesem Falle ist der Betroffene darauf hinzuweisen, daß er sich an den Landesbeauftragten für den Datenschutz wenden kann.

(6) Wird dem Betroffenen keine Auskunft erteilt, so ist sie auf sein Verlangen dem Landesbeauftragten für den Datenschutz zu

erteilen, soweit nicht die jeweils zuständige oberste Landesbehörde im Einzelfall feststellt, daß dadurch die Sicherheit des Bundes oder eines Landes gefährdet würde. Die Mitteilung des Landesbeauftragten für den Datenschutz an den Betroffenen darf keine Rückschlüsse auf den Erkenntnisstand der speichernden Stelle zulassen, sofern diese nicht einer weitergehenden Auskunft zugestimmt hat.

(7) Die Auskunft ist unentgeltlich.

§ 21 Sperrung durch den Betroffenen

(1) Der Betroffene hat das Recht, personenbezogene Daten sperren zu lassen, soweit er deren Richtigkeit bestreitet und sich weder die Richtigkeit noch die Unrichtigkeit nachweisen läßt.

(2) Der Betroffene hat das Recht, bis zur Klärung von Schadensersatzansprüchen unrichtige, unzulässig erhobene oder unzulässig gespeicherte Daten zu seiner Person, die bereits genutzt wurden, auf Antrag bei der mit den Daten umgehenden Stelle sperren zu lassen. Die Sperrung wird nach Ablauf von sechs Monaten vom Zeitpunkt des Sperrantrags an unwirksam, wenn durch den Betroffenen innerhalb dieses Zeitraums kein Schadensersatzanspruch gerichtlich geltend gemacht wurde.

§ 22 Anrufung des Landesbeauftragten für den Datenschutz

Jeder hat das Recht, sich an den Landesbeauftragten für den Datenschutz zu wenden, wenn er annimmt, beim Umgang mit seinen personenbezogenen Daten durch eine der Kontrolle des Landesbeauftragten für den Datenschutz unterliegenden Stellen in seinen Rechten verletzt worden zu sein; Beschäftigte öffentlicher Stellen können sich dabei ohne Einhaltung des Dienstwegs an den Landesbeauftragten für den Datenschutz wenden.

§ 23 Schadensersatz

(1) Fügt eine mit personenbezogenen Daten umgehende Stelle dem Betroffenen durch eine nach den Vorschriften dieses Gesetzes oder nach anderen Vorschriften über den Datenschutz unzulässige oder unrichtige automatisierte Verarbeitung seiner personenbezogenen Daten einen Schaden zu, ist sie dem Betroffenen unabhängig von einem Verschulden zum Ersatz des daraus entstehenden Schadens verpflichtet.

(2) Bei einer schweren Verletzung des Persönlichkeitsrechts ist dem Betroffenen der Schaden, der nicht Vermögensschaden ist, angemessen in Geld zu ersetzen.

(3) Die Ansprüche nach den Absätzen 1 und 2 sind insgesamt bis zu einer Höhe von zweihundertfünfzigtausend Deutsche Mark begrenzt.

Ist aufgrund desselben Ereignisses an mehrere Personen Schadensersatz zu leisten, der insgesamt den Höchstbetrag von zweihundertfünfzigtausend Deutsche Mark übersteigt, so verringern sich die einzelnen Schadensersatzleistungen in dem Verhältnis, in dem ihr Gesamtbetrag zu dem Höchstbetrag steht.

(4) Sind bei einer Datei mehrere mit den Daten umgehende Stellen beteiligt und ist der Geschädigte nicht in der Lage, die verursachende Stelle festzustellen, so haftet jede dieser Stellen.

(5) Mehrere Ersatzpflichtige haften als Gesamtschuldner.

(6) Auf das Mitverschulden des Betroffenen und die Verjährung sind die §§ 254 und 852 des Bürgerlichen Gesetzbuches entsprechend anzuwenden.

(7) Vorschriften, nach denen ein Ersatzpflichtiger in weiterem Umfang als nach dieser Vorschrift haftet oder nach denen ein anderer für den Schaden verantwortlich ist, bleiben unberührt.

(8) Der Rechtsweg vor den ordentlichen Gerichten steht offen.

§ 24 Unabdingbarkeit der Rechte Betroffener

Die Rechte nach den §§ 20 bis 23 können auch durch die Einwilligung des Betroffenen nicht ausgeschlossen oder beschränkt werden.

Abschnitt IV
Der Landesbeauftragte für den Datenschutz

§ 25 Berufung und Rechtsstellung

(1) Das Amt des Landesbeauftragten für den Datenschutz wird beim Präsidenten des Landtags eingerichtet.

(2) Der Landtag wählt ohne Aussprache den Landesbeauftragten für den Datenschutz mit mehr als der Hälfte seiner Mitglieder für die Dauer von sechs Jahren. Die Wiederwahl ist nur einmal zulässig. Vorschlagsberechtigt sind die Fraktionen des Landtags. Kommt vor Ablauf der Amtszeit eine Neuwahl nicht zustande, führt der Landesbeauftragte für den Datenschutz das Amt bis zur Neuwahl weiter.

(3) Der Präsident des Landtags ernennt den Landesbeauftragten für den Datenschutz zum Beamten auf Zeit.

(4) Der Landesbeauftragte für den Datenschutz bestellt einen Mitarbeiter zum Stellvertreter. Der Stellvertreter führt die Geschäfte, wenn der Landesbeauftragte für den Datenschutz an der Ausübung des Amtes verhindert ist.

(5) Vor Ablauf der Amtszeit kann der Landesbeauftragte nur mit einer Mehrheit von zwei Dritteln der Mitglieder des Landtags abberufen

werden. Der Landesbeauftragte für den Datenschutz kann jederzeit die Entlassung verlangen.

(6) Der Landesbeauftragte für den Datenschutz ist in der Ausübung des Amtes unabhängig und nur dem Gesetz unterworfen. Er untersteht der Dienstaufsicht des Präsidenten des Landtags. Für die Erfüllung der Aufgaben ist die notwendige Personal- und Sachausstattung zur Verfügung zu stellen; die Mittel sind im Einzelplan des Landtags in einem gesonderten Kapitel auszuweisen.

(7) Die Mitarbeiter werden auf Vorschlag des Landesbeauftragten für den Datenschutz ernannt. Sie können nur im Einvernehmen mit ihm versetzt oder abgeordnet werden. Ihr Dienstvorgesetzter ist der Landesbeauftragte für den Datenschutz, an dessen Weisungen sie ausschließlich gebunden sind.

(8) Der Landesbeauftragte für den Datenschutz ist oberste Dienstbehörde im Sinne des § 96 der Strafprozeßordnung und oberste Aufsichtsbehörde im Sinne des § 99 der Verwaltungsgerichtsordnung. Er trifft die Entscheidungen über Aussagegenehmigungen für sich und die Mitarbeiter in eigener Verantwortung.

(9) Der Landesbeauftragte für den Datenschutz kann sich jederzeit an den Landtag wenden.

§ 26 Kontrolle

(1) Der Landesbeauftragte für den Datenschutz kontrolliert die Einhaltung der Vorschriften dieses Gesetzes und anderer Vorschriften über den Datenschutz bei den öffentlichen Stellen. Er kontrolliert die Einhaltung der Datenschutzvorschriften auch bei Stellen, die sich und soweit sie sich seiner Kontrolle unterworfen haben.

(2) Der Landesbeauftragte für den Datenschutz teilt das Ergebnis seiner Kontrolle der öffentlichen Stelle mit. Damit kann er Vorschläge zur Verbesserung des Datenschutzes, insbesondere zur Beseitigung der festgestellten Mängel beim Umgang mit personenbezogenen Daten, verbinden. § 28 bleibt unberührt.

§ 27 Unterstützung

(1) Die öffentlichen Stellen und diejenigen Stellen, die sich der Kontrolle des Landesbeauftragten für den Datenschutz unterworfen haben, sind verpflichtet, ihn und seine Beauftragten bei der Aufgabenerfüllung, namentlich bei der Durchführung von Kontrollen zu unterstützen. Ihnen ist dabei insbesondere

1. Auskunft zu ihren Fragen sowie Einsicht in alle Unterlagen zu gewähren, die in Zusammenhang des Umgangs mit personenbe-

zogenen Daten stehen, namentlich in die gespeicherten Daten und in die Datenverarbeitungssysteme und Programme,
2. jederzeit Zutritt zu allen Diensträumen zu gewähren.

(2) Die Rechte nach Absatz 1 dürfen nur vom Landesbeauftragten für den Datenschutz persönlich ausgeübt werden, wenn die zuständige oberste Landesbehörde im Einzelfall feststellt, daß die Sicherheit des Bundes oder eines Landes dies gebietet.

§ 28 Beanstandungen

(1) Stellt der Landesbeauftragte für den Datenschutz Verstöße gegen die Vorschriften dieses Gesetzes oder gegen andere Datenschutzbestimmungen oder sonstige Mängel beim Umgang mit personenbezogenen Daten fest, so beanstandet er dies
1. bei den Behörden des Landes gegenüber der zuständigen obersten Landesbehörde,
2. bei den Gemeinden, Ämtern und Landkreisen gegenüber dem verwaltungsleitenden Organ,
3. bei den Körperschaften, Anstalten und Stiftungen des öffentlichen Rechts sowie bei Vereinigungen solcher Körperschaften, Anstalten und Stiftungen gegenüber dem Vorstand oder dem sonst vertretungsberechtigten Organ und fordert zur Stellungnahme innerhalb einer von ihm zu bestimmenden Frist auf. In Fällen von Satz 1 Nr. 2 und 3 unterrichtet der Landesbeauftragte für den Datenschutz gleichzeitig auch die zuständige oberste Aufsichtsbehörde.

(2) Der Landesbeauftragte für den Datenschutz kann von einer Beanstandung absehen oder auf eine Stellungnahme verzichten, wenn es sich um unerhebliche oder bereits beseitigte Mängel handelt.

(3) Die gemäß Absatz 1 abzugebende Stellungnahme soll auch eine Darstellung der Maßnahmen enthalten, die aufgrund der Beanstandung des Landesbeauftragten für den Datenschutz getroffen worden sind. Die in Absatz 1 Satz 1 Nr. 2 und 3 genannten Stellen leiten der zuständigen obersten Aufsichtsbehörde eine Abschrift ihrer Stellungnahme an den Landesbeauftragten für den Datenschutz zu.

(4) Der Landesbeauftragte für den Datenschutz kann nach pflichtgemäßem Ermessen Betroffene von Verstößen gegen die Vorschriften dieses Gesetzes oder andere Datenschutzvorschriften unterrichten.

§ 29 Weitere Aufgaben

(1) Der Landesbeauftragte für den Datenschutz hat dem Landtag und der Landesregierung jeweils für zwei Kalenderjahre einen Bericht über das Ergebnis seiner Tätigkeit vorzulegen. Die Landesregierung leitet dazu innerhalb von drei Monaten nach Vorlage dieses Berichts ihre Stellungnahme dem Landtag zu.

(2) Der Landesbeauftragte für den Datenschutz berät die obersten Landesbehörden sowie die sonstigen öffentlichen Stellen in Fragen des Datenschutzes. Dabei kann er Empfehlungen zur Verbesserung des Datenschutzes geben. Der Landtag und die Landesregierung können den Landesbeauftragten für den Datenschutz mit der Erstellung von Gutachten und der Durchführung von Untersuchungen in Datenschutzfragen betrauen.

(3) Der Landesbeauftragte für den Datenschutz wirkt auf eine Zusammenarbeit mit den öffentlichen Stellen, die für die Kontrolle der Einhaltung der Vorschriften über den Datenschutz im Bund und in den Ländern zuständig sind, sowie mit den für nicht-öffentlichen Stellen nach dem Bundesdatenschutzgesetz zuständigen Aufsichtsbehörden hin.

(4) Der Landesbeauftragte für den Datenschutz informiert die Öffentlichkeit in angemessener Form zu Fragen des Datenschutzes.

(5) Der Landesbeauftragte für den Datenschutz beobachtet die Entwicklung und Nutzung der Informations- und Kommunikationstechnik, insbesondere der automatisierten Datenverarbeitung und ihre Auswirkungen auf die Arbeitsweise der öffentlichen Stellen. Zu diesem Zweck ist er über Verfahrensentwicklungen im Zusammenhang mit der automatisierten Verarbeitung personenbezogener Daten rechtzeitig und umfassend zu unterrichten.

Abschnitt V
Besondere Regelungen

§ 30 Verarbeitung und Nutzung personenbezogener Daten zu wissenschaftlichen Zwecken

(1) Personenbezogene Daten dürfen ohne Einwilligung des Betroffenen nur zu bestimmten Zwecken wissenschaftlicher Forschung genutzt werden, soweit

1. dessen schutzwürdige Belange wegen der Art der Daten, wegen ihrer Offenkundigkeit oder wegen der Art der Nutzung nicht beeinträchtigt werden oder
2. die zuständige oberste Aufsichtsbehörde festgestellt hat, daß das öffentliche Interesse an der Durchführung des Forschungsvorhabens die schutzwürdigen Belange des Betroffenen erheblich überwiegt und der Zweck der Forschung nicht auf andere Weise erreicht werden kann.

(2) Die Übermittlung personenbezogener Daten zum Zwecke wissenschaftlicher Forschung ist nur unter den Voraussetzungen des Absatzes 1 zulässig und bedarf der vorherigen Genehmigung der obersten

Aufsichtsbehörde. Die Genehmigung muß den Empfänger, die Art der zu übermittelnden personenbezogenen Daten, den Kreis der Betroffenen und den Forschungszweck bezeichnen und ist dem Landesbeauftragten für den Datenschutz mitzuteilen.

(3) Die übermittelten personenbezogenen Daten dürfen ohne Einwilligung des Betroffenen nicht weiter übermittelt oder für einen anderen als den ursprünglichen Forschungszweck genutzt werden.

(4) Für Zwecke der wissenschaftlichen Forschung erhobene oder gespeicherte Daten dürfen nur für Zwecke der wissenschaftlichen Forschung verarbeitet oder genutzt werden.

(5) Die personenbezogenen Daten sind zu anonymisieren, sobald dies nach dem Forschungszweck möglich ist. Bis dahin sind die Merkmale gesondert zu speichern, mit denen Einzelangaben über persönliche oder sachliche Verhältnisse einer bestimmten oder bestimmbaren Person zugeordnet werden können. Sie dürfen mit den Einzelangaben nur zusammengeführt werden, soweit und solange der Forschungszweck dies erfordert.

(6) Die wissenschaftliche Forschung betreibende Stelle darf personenbezogene Daten nur veröffentlichen, soweit

1. der Betroffene eingewilligt hat oder
2. dieses für die Darstellung von Forschungsergebnissen über die Ereignisse der Zeitgeschichte unerläßlich ist.

(7) Soweit die Vorschriften dieses Gesetzes auf den Empfänger keine Anwendung finden, dürfen personenbezogene Daten an ihn nur übermittelt werden, wenn sich der Empfänger verpflichtet, die Vorschriften der Absätze 3 bis 6 einzuhalten und sich der Kontrolle des Landesbeauftragten für den Datenschutz unterwirft.

§ 31 Umgang mit personenbezogenen Daten bei Dienst- und Arbeitsverhältnissen

(1) Öffentliche Stellen dürfen mit Daten ihrer Beschäftigten nur umgehen, wenn dies zur Eingehung, Durchführung, Beendigung oder Abwicklung des Dienst- oder Arbeitsverhältnisses oder zur Durchführung innerdienstlicher organisatorischer, sozialer und personeller Maßnahmen erforderlich ist oder eine Rechtsvorschrift, ein Tarifvertrag oder eine Dienstvereinbarung es vorsehen.

(2) Eine Übermittlung der Daten von Beschäftigten an Personen und Stellen außerhalb des öffentlichen Bereichs ist nur zulässig, wenn

1. der Betroffene eingewilligt hat,
2. eine Rechtsvorschrift dies vorsieht,
3. Art oder Zielsetzung der einem Beschäftigten übertragenen Aufgabe oder der Dienstverkehr es erfordert oder

4. der Empfänger ein rechtliches Interesse glaubhaft macht und der Betroffene vor der Übermittlung unterrichtet wurde und dieser nicht widersprochen hat.

(3) Die Übermittlung an einen künftigen Dienstherrn oder Arbeitgeber ist nur mit Einwilligung des Betroffenen zulässig.

(4) Das Erheben medizinischer Daten aufgrund ärztlicher Untersuchungen zum Zwecke der Eingehung eines Dienst- oder Arbeitsverhältnisses ist nur zulässig, soweit dadurch die Eignung des Bewerbers hierfür festgestellt wird und er seine Einwilligung erteilt hat. Das Erheben psychologischer Daten zur Eingehung eines Dienst- oder Arbeitsverhältnisses ist nur zulässig, soweit dies wegen der besonderen Anforderungen an die vorgesehene Tätigkeit erforderlich ist und der Bewerber hierzu seine Einwilligung erteilt hat. Der Dienstherr darf in der Regel nur das Ergebnis der Untersuchungen anfordern.

(5) Personenbezogene Daten, die zu Zwecken der Eingehung eines Dienst- oder Arbeitsverhältnisses erhoben wurden, sind zu löschen, sobald feststeht, daß ein Dienst- oder Arbeitsverhältnis nicht zustande kommt. Dies gilt nicht, wenn der Betroffene in die weitere Speicherung eingewilligt hat oder soweit Rechtsvorschriften einer Löschung entgegenstehen. Besteht Grund zu der Annahme, daß durch die Löschung schutzwürdige Belange des Betroffenen beeinträchtigt werden, ist er zu benachrichtigen. Soweit Rechtsvorschriften nicht entgegenstehen, sind personenbezogene Daten nach Beendigung eines Dienst- oder Arbeitsverhältnisses zu löschen, wenn diese nicht mehr benötigt werden.

(6) Beurteilungen und Personalentscheidungen dürfen nicht allein auf Informationen gestützt werden, die aus automatisierter Datenverarbeitung gewonnen werden; medizinische und psychologische Befunde von Beschäftigten oder Bewerbern dürfen vom Dienstherrn oder Arbeitgeber nicht automatisiert verarbeitet werden.

(7) Daten von Beschäftigten, die im Rahmen der Durchführung der technischen und organisatorischen Maßnahmen nach § 17 gespeichert werden, dürfen nicht zu Zwecken der Verhaltens- oder Leistungskontrolle genutzt werden.

§ 32 Öffentliche Auszeichnungen

(1) Zur Vorbereitung öffentlicher Auszeichnungen dürfen der Ministerpräsident, der Innenminister sowie die von dem Ministerpräsidenten besonders beauftragten Stellen die dazu erforderlichen personenbezogenen Daten auch ohne Kenntnis des Betroffenen erheben. Die Nutzung dieser Daten für andere Zwecke ist nur mit Einwilligung des Betroffenen zulässig.

(2) Auf Anforderung der in Absatz 1 genannten Stellen dürfen andere öffentliche Stellen die zur Vorbereitung der Auszeichnung erforderlichen Daten übermitteln.

(3) § 20 findet keine Anwendung.

Abschnitt VI
Strafvorschriften

§ 33 Straftaten

(1) Wer unbefugt von diesem Gesetz geschützte personenbezogene Daten, die nicht offenkundig sind,
1. speichert, verändert oder übermittelt,
2. zum Abruf mittels automatisierten Verfahrens bereithält oder
3. abruft oder sich oder einem anderen aus Dateien verschafft,

wird mit Freiheitsstrafe bis zu einem Jahr oder mit Geldstrafe bestraft.

(2) Ebenso wird bestraft, wer
1. die Übermittlung von durch dieses Gesetz geschützten personenbezogenen Daten, die nicht offenkundig sind, durch unrichtige Angaben erschleicht,
2. entgegen § 13 Abs. 2 Satz 2 oder § 30 Abs. 4 die übermittelten Daten für andere Zwecke nutzt, indem er sie an Dritte weitergibt, oder
3. entgegen § 30 Abs. 5 Satz 3 die in § 30 Abs. 5 Satz 2 bezeichneten Merkmale mit Einzelangaben zusammenführt.

(3) Handelt der Täter gegen Entgelt oder in der Absicht, sich oder einen anderen zu bereichern oder einen anderen zu schädigen, so ist die Strafe Freiheitsstrafe bis zu zwei Jahren oder Geldstrafe.

(4) Die Tat wird nur auf Antrag verfolgt.

Abschnitt VII
Übergangsvorschriften

§ 34 Zuständigkeit für personenbezogene Daten ehemaliger Einrichtungen

(1) Personenbezogene Daten ehemaliger Einrichtungen stehen derjenigen öffentlichen Stelle zu, auf die die Aufgaben dieser Einrichtungen übergegangen sind. Sie ist die verantwortliche speichernde Stelle. Ist eine Zuordnung der Daten nach Satz 1 nicht möglich, so bestimmt der Innenminister durch Verordnung die zuständige öffentliche Stelle.

(2) Personenbezogene Daten ehemaliger Einrichtungen sind personenbezogene Daten, die vor dem 3. Oktober 1990 von ehemaligen

Einrichtungen nach ihrer Zweckbestimmung überwiegend für Verwaltungsaufgaben gespeichert waren, die nach dem Grundgesetz von öffentlichen Stellen wahrzunehmen sind.

(3) Ehemalige Einrichtungen sind ehemalige staatliche Organe, Kombinate, Betriebe oder Einrichtungen der Deutschen Demokratischen Republik auf dem Gebiet des Landes Mecklenburg-Vorpommern.

§ 35 Zulässige Nutzung und Zweckbestimmung der Speicherung personenbezogener Daten ehemaliger Einrichtungen

Die Nutzung personenbezogener Daten ehemaliger Einrichtungen ist zulässig, soweit ihre Kenntnis zur rechtmäßigen Erfüllung einer in der Zuständigkeit der speichernden Stelle liegenden Aufgabe erforderlich ist und die Art und der Umfang der weiteren Nutzung eindeutig bestimmt ist. Diese Daten gelten als für den nach Satz 1 bestimmten Zweck erstmalig gespeichert.

§ 36 Sperrung personenbezogener Daten ehemaliger Einrichtungen

Personenbezogene Daten ehemaliger Einrichtungen, deren Nutzung nicht nach § 35 zulässig ist, sind zu sperren. Die Landesregierung regelt durch Verordnung den weiteren Umgang mit diesen Daten bis zum Inkrafttreten eines Landesarchivgesetzes.

§ 37 Inkrafttreten

Dieses Gesetz tritt am Tage nach der Verkündung in Kraft.

Niedersächsisches Datenschutzgesetz (NDSG)

vom 17. Juni 1993 (Nds. GVBl S. 141)
zuletzt geändert durch Gesetz vom 21. Juni 2001
(NDs. GVBl S. 373)

Inhaltsübersicht

Vierter Abschnitt
Landesbeauftragte oder Landesbeauftragter für den Datenschutz

Fünfter Abschnitt
Besonderer Datenschutz

Sechster Abschnitt
Übergangs- und Schlussvorschriften

Erster Abschnitt
Allgemeine Bestimmungen

§ 1 Aufgabe des Gesetzes

Aufgabe dieses Gesetzes ist es, das Recht einer jeden Person zu gewährleisten, selbst über die Preisgabe und Verwendung ihrer Daten zu bestimmen (Recht auf informationelle Selbstbestimmung.

Dieses Gesetz bestimmt, unter welchen Voraussetzungen personenbezogene Daten durch öffentliche Stellen verarbeitet werden dürfen.

§ 2 Anwendungsbereich

(1) Dieses Gesetz gilt für die Verarbeitung personenbezogener Daten durch Behörden und sonstige öffentliche Stellen

1. des Landes,
2. der Gemeinden und Landkreise,
3. der sonstigen der Aufsicht des Landes unterstehenden Körperschaften, Anstalten und Stiftungen des öffentlichen Rechts

und deren Vereinigungen. Sind einer Person oder Stelle außerhalb des öffentlichen Bereichs Aufgaben der öffentlichen Verwaltung übertragen, so ist sie insoweit öffentliche Stelle im Sinne dieses Gesetzes.

(2) Der Landtag, seine Mitglieder, die Fraktionen sowie ihre jeweiligen Verwaltungen und Beschäftigten unterliegen nicht den Bestimmungen dieses Gesetzes, soweit sie bei der Wahrnehmung parlamentarischer Aufgaben personenbezogene Daten verarbeiten und dabei die vom Landtag erlassene Datenschutzordnung anzuwenden haben.

(3) Abweichend von Absatz 1 gelten nur § 8, §§ 19 und 26 sowie die Regelungen des Vierten Abschnitts, soweit personenbezogene Daten in Ausübung ihrer wirtschaftlichen Tätigkeit verarbeitet werden von

1. juristischen Personen des öffentlichen Rechts oder deren organisatorisch selbständigen Einrichtungen, die am Wettbewerb teilnehmen,
2. wirtschaftlichen Unternehmen der Gemeinden und Landkreise ohne eigene Rechtspersönlichkeit (Eigenbetriebe) und Zweckverbänden, die überwiegend wirtschaftliche Aufgaben wahrnehmen,
3. öffentlichen Einrichtungen, die entsprechend den Vorschriften über die Eigenbetriebe geführt werden.

Für diese finden im übrigen die für nicht-öffentliche Stellen geltenden Vorschriften des Bundesdatenschutzgesetzes vom 20. Dezember 1990 (BGBl. I S. 2954) Anwendung.

(4) Auf öffentlich-rechtliche Kreditinstitute und öffentlich-rechtliche Versicherungsanstalten sowie deren Vereinigungen finden § 24 des Niedersächsischen Datenschutzgesetzes vom 17. Juni 1993 (Nds. GVBl. S. 141) und im übrigen die Vorschriften des Bundesdatenschutzgesetzes über nicht-öffentliche Stellen Anwendung.

(5) Für öffentlich-rechtliche Rundfunkanstalten gilt das Recht des jeweiligen Sitzlandes.

(6) Besondere Rechtsvorschriften über die Verarbeitung personenbezogener Daten gehen den Bestimmungen dieses Gesetzes vor.

(7) Die Vorschriften dieses Gesetzes gehen denen des Niedersächsischen Verwaltungsverfahrensgesetzes vor, soweit bei der Ermittlung des Sachverhaltes personenbezogene Daten verarbeitet werden.

(8) Auf das Gnadenverfahren findet dieses Gesetz mit Ausnahme des Vierten Abschnitts keine Anwendung.

§ 3 Begriffsbestimmungen

(1) Personenbezogene Daten sind Einzelangaben über persönliche oder sachliche Verhältnisse von bestimmten oder bestimmbaren natürlichen Personen (Betroffene).

(2) Datenverarbeitung ist das Erheben, Speichern, Verändern, Übermitteln, Sperren, Löschen und Nutzen personenbezogener Daten. Im einzelnen ist

1. Erheben das Beschaffen von Daten über die Betroffenen,
2. Speichern das Erfassen, Aufnehmen oder Aufbewahren von Daten auf einem Datenträger,
3. Verändern das inhaltliche Umgestalten von Daten,
4. Übermitteln das Bekannt geben von Daten an Dritte in der Weise, dass
   a) die Daten durch die datenverarbeitende Stelle weitergegeben werden oder
   b) Dritte zur Einsicht oder zum Abruf bereitgehaltene Daten einsehen oder abrufen,
5. Sperren das Kennzeichnen von Daten, um ihre weitere Verarbeitung einzuschränken,
6. Löschen das Unkenntlichmachen von Daten,
7. Nutzen jede sonstige Verwendung von Daten.

(3) Datenverarbeitende Stelle ist jede Stelle, die personenbezogene Daten selbst verarbeitet oder durch andere im Auftrag verarbeiten lässt.

(4) [1]Empfänger ist jede Person oder Stelle, die Daten erhält. [2]Dritte sind Personen oder Stellen außerhalb der Daten verarbeitenden Stelle. [3]Dritte sind nicht die Betroffenen sowie diejenigen Personen und Stellen, die im Auftrag personenbezogene Daten verarbeiten (Auftragnehmer).

(5) Automatisierte Verarbeitung ist die Verarbeitung personenbezogener Daten unter Einsatz von Datenverarbeitungsanlagen.

(6) Eine Akte ist jede sonstige amtlichen oder dienstlichen Zwecken dienende Unterlage und die Zusammenfassung solcher Unterlagen einschließlich der Bild- und Tonträger. Hierunter fallen nicht Vorentwürfe und Notizen, die nicht Bestandteil eines Vorgangs werden sollen.

§ 4 Zulässigkeit der Datenverarbeitung

(1) Die Verarbeitung personenbezogener Daten ist nur zulässig, wenn
1. dieses Gesetz oder eine andere Rechtsvorschrift dies vorsieht oder
2. die Betroffenen eingewilligt haben.

(2) [1]Die Einwilligung bedarf der Schriftform, es sei denn, dass wegen besonderer Umstände eine andere Form angemessen ist. Soweit die Einwilligung personenbezogene Angaben über die rassische und ethnische Herkunft, politische Meinungen, religiöse oder weltanschauliche Überzeugungen, Gewerkschaftszugehörigkeit, Gesundheit oder Sexualleben betrifft, muss sie sich ausdrücklich auf diese Angaben beziehen. Soll die Einwilligung zusammen mit anderen Erklärungen schriftlich erteilt werden, so ist die Einwilligungserklärung im äußeren Erscheinungsbild der Erklärung hervorzuheben. Die Betroffenen sind in geeigneter Weise über die Bedeutung der Einwilligung, insbesondere über den Verwendungszweck der Daten, bei einer beabsichtigten Übermittlung auch über die Empfänger der Daten aufzuklären. Die Betroffenen sind unter Darlegung der Rechtsfolgen darauf hinzuweisen, dass sie die Einwilligung verweigern oder mit Wirkung für die Zukunft widerrufen können.

(3) Die Einwilligung ist unwirksam, wenn sie durch Androhung rechtswidriger Nachteile oder durch Fehlen der Aufklärung bewirkt wurde.

§ 5 Datengeheimnis

Den Personen, die bei öffentlichen Stellen oder ihren Auftragnehmern dienstlichen Zugang zu personenbezogenen Daten haben, ist es untersagt, diese zu einem anderen als dem zur jeweiligen Aufgabenerfüllung gehörenden Zweck zu verarbeiten oder zu offenbaren; dies gilt auch nach Beendigung ihrer Tätigkeit.

§ 6 Verarbeitung personenbezogener Daten im Auftrag

(1) [1]Werden personenbezogene Daten im Auftrag öffentlicher Stellen verarbeitet, so bleiben diese für die Einhaltung der Vorschriften dieses Gesetzes und anderer Vorschriften über den Datenschutz verantwortlich. [2]Die im Dritten Abschnitt genannten Rechte sind ihnen gegenüber geltend zu machen.

(2) Die Auftragnehmer dürfen personenbezogene Daten nur im Rahmen der Weisungen der Auftraggeber verarbeiten. Auftraggeber haben sich über die Beachtung der Maßnahmen nach § 7 und der erteilten Weisungen zu vergewissern.

(3) [1]Auftragnehmer müssen Gewähr für die Einhaltung der technischen und organisatorischen Maßnahmen nach § 7 bieten. [2]Aufträge, Weisungen zu technischen und organisatorischen Maßnahmen und die Zulassung von Unterauftragsverhältnissen sind schriftlich festzuhalten.

(4) [1]Sofern die Vorschriften dieses Gesetzes auf Auftragnehmer keine Anwendung finden, hat die datenverarbeitende Stelle den Auftragnehmer zu verpflichten, jederzeit vom Auftraggeber veranlasste Kontrollen zu ermöglichen. [2]Wird der Auftrag außerhalb des Geltungsbereichs dieses Gesetzes durchgeführt, so unterrichtet der Auftraggeber die zuständige Datenschutzkontrollbehörde.

§ 6a Mobile personenbezogene Speicher- und Verarbeitungsmedien

(1) Stellen, die personenbezogene Speicher- und Verarbeitungsmedien herausgeben oder die auf solchen Medien Verfahren zur automatisierten Verarbeitung personenbezogener Daten aufbringen oder ändern, müssen die betroffene Person in allgemein verständlicher Form

1. über ihre Identität und Anschrift,
2. über die Funktionsweise des Mediums einschließlich der Art der zu verarbeitenden personenbezogenen Daten,
3. darüber, wie die betroffene Person ihre Rechte nach den §§ 16 und 17 ausüben kann, und
4. über die bei Verlust oder Zerstörung des Mediums zu treffenden Maßnahmen

unterrichten, soweit die oder der Betroffene nicht bereits Kenntnis erlangt hat.

(2) Die nach Absatz 1 verpflichteten Stellen haben dafür Sorge zu tragen, dass die zur Wahrnehmung der Rechte nach den §§ 16 und 17 erforderlichen Geräte oder Einrichtungen in angemessenem Umfang zum unentgeltlichen Gebrauch zur Verfügung stehen.

(3) Die Tatsache der Kommunikation des mobilen personenbezogenen Speicher- und Verarbeitungsmediums muss für die betroffene Person eindeutig erkennbar sein.

§ 7 Technische und organisatorische Maßnahmen

(1) [1]Öffentliche Stellen haben die technischen und organisatorischen Maßnahmen zu treffen, die erforderlich sind, um eine den Vorschriften dieses Gesetzes entsprechende Verarbeitung personenbezogener Daten sicherzustellen. [2]Der Aufwand für die Maßnahmen muss unter Berücksichtigung des Standes der Technik in einem angemessenen Verhältnis zu dem angestrebten Zweck stehen.

(2) Werden personenbezogene Daten automatisiert verarbeitet, so sind Maßnahmen zu treffen, die je nach Art der Daten und ihrer Verwendung geeignet sind,

1. Unbefugten den Zugang zu den Verarbeitungsanlagen zu verwehren (Zugangskontrolle),
2. zu verhindern, dass Datenträger unbefugt gelesen, kopiert, verändert oder entfernt werden können (Datenträgerkontrolle),
3. die unbefugte Eingabe in den Speicher sowie die unbefugte Kenntnisnahme, Veränderung oder Löschung gespeicherter Daten zu verhindern (Speicherkontrolle),
4. zu verhindern, dass Datenverarbeitungssysteme mit Hilfe von Einrichtungen zur Datenübertragung von Unbefugten benutzt werden können (Benutzerkontrolle),
5. zu gewährleisten, dass die zur Benutzung eines Datenverarbeitungssystems Berechtigten ausschließlich auf die ihrer Zugriffsberechtigung unterliegenden Daten zugreifen können (Zugriffskontrolle),
6. zu gewährleisten, dass überprüft und festgestellt werden kann, welche Daten zu welcher Zeit an wen übermittelt worden sind (Übermittlungskontrolle),
7. zu gewährleisten, dass überprüft und festgestellt werden kann, welche Daten zu welcher Zeit von wem in Datenverarbeitungssysteme eingegeben worden sind (Eingabekontrolle),
8. [1]zu gewährleisten, dass personenbezogene Daten gegen zufällige Zerstörung oder Verlust geschützt sind (Verfügbarkeitskontrolle),
9. zu gewährleisten, dass Daten, die im Auftrag verarbeitet werden, nur entsprechend den Weisungen der Auftraggeber verarbeitet werden können (Auftragskontrolle),
10. zu gewährleisten, dass bei der Übertragung von Daten sowie beim Transport von Datenträgern diese nicht unbefugt gelesen, kopiert, verändert oder gelöscht werden können (Transportkontrolle),
11. die innerbehördliche oder innerbetriebliche Organisation so zu gestalten, dass sie den besonderen Anforderungen des Datenschutzes gerecht wird (Organisationskontrolle).

(3) [1]Ein automatisiertes Verfahren darf nur eingesetzt oder wesentlich geändert werden, soweit Gefahren für die Rechte Betroffener, die wegen der Art der zu verarbeitenden Daten oder der Verwendung neuer Technologien entstehen können, durch Maßnahmen nach Absatz 1 wirksam beherrscht werden können. [2]Die nach Satz 1 zu treffenden Feststellungen sind schriftlich festzuhalten.

(4) Gestaltung und Auswahl von Datenverarbeitungssystemen haben sich an dem Ziel auszurichten, keine oder so wenig personenbezogene Daten wie möglich zu verarbeiten.

(5) Personenbezogene Daten, die in Akten oder in anderer Weise ohne Einsatz automatisierter Verfahren verarbeitet werden, sind insbesondere vor dem Zugriff Unbefugter zu schützen.

§ 8 Verfahrensbeschreibung

[1]Jede öffentliche Stelle, die Verfahren zur automatisierten Verarbeitung personenbezogener Daten einrichtet oder ändert, hat in einer Beschreibung festzulegen:

1. die Bezeichnung der automatisierten Verarbeitung und ihre Zweckbestimmung,
2. die Art der gespeicherten Daten sowie die Rechtsgrundlage ihrer Verarbeitung,
3. den Kreis der Betroffenen,
4. die Art regelmäßig zu übermittelnder Daten, deren Empfänger, in den Fällen des § 6 auch die Auftragnehmer, sowie die Herkunft regelmäßig empfangener Daten,
5. die Absicht, Daten in Staaten nach § 14 zu übermitteln,
6. Fristen für die Sperrung und Löschung der Daten,
7. die technischen und organisatorischen Maßnahmen nach § 7,
8. die Betriebsart des Verfahrens, die Art der Geräte sowie das Verfahren zur Übermittlung, Sperrung, Löschung und Auskunftserteilung.

[2]Satz 1 gilt nicht, wenn die Daten nur vorübergehend und zu einem anderen Zweck als dem der inhaltlichen Auswertung gespeichert werden, sowie für Register nach § 8 a Abs. 4 und Verarbeitungen nach § 8 a Abs. 5 Satz 1.«

§ 8a Behördlicher Datenschutzbeauftragter

(1) [1]Jede öffentliche Stelle, die personenbezogene Daten automatisiert verarbeitet, hat eine Beauftragte oder einen Beauftragten für den Datenschutz zu bestellen. [2]Mit dieser Aufgabe kann auch eine Person beauftragt werden, die nicht der verarbeitenden Stelle angehört. [3]Ist die Person bereits von einer anderen Stelle zur Beauftragten für den Datenschutz bestellt worden, so setzt die weitere Bestellung das Einvernehmen mit der anderen Stelle voraus.

(2) Bestellt werden darf nur, wer die erforderliche Sachkenntnis und Zuverlässigkeit besitzt und durch die Bestellung keinem Interessenkonflikt mit anderen dienstlichen Aufgaben ausgesetzt ist. Beauftragte sind in dieser Eigenschaft weisungsfrei; sie können sich unmittelbar an die Behördenleitung wenden und dürfen wegen der Erfüllung ihrer Aufgaben nicht benachteiligt werden. Sie unterstützen die öffentliche Stelle bei der Sicherstellung des Datenschutzes und wirken auf die Einhaltung der datenschutzrechtlichen Vorschriften hin. Sie sind über geplante

Verfahren der automatisierten Verarbeitung personenbezogener Daten zu unterrichten. Sie erhalten eine Übersicht der automatisierten Verarbeitungen mit den Angaben nach § 8 Satz 1. Die öffentlichen Stellen haben die Beauftragten für den Datenschutz bei der Aufgabenerfüllung zu unterstützen.

(3) [1]Die Beauftragten haben auf Antrag die Angaben gemäß § 8 Satz 1 Nrn. 1 bis 6 jedermann in geeigneter Weise verfügbar zu machen. [2]Hiervon ausgenommen sind Beschreibungen nach § 22 Abs. 5 und Beschreibungen für Verarbeitungen zum Zweck der Strafverfolgung. [3]Den Beauftragten obliegt die Vorabprüfung von Verfahren nach § 7 Abs. 3, wobei in Zweifelsfällen die Landesbeauftragte oder der Landesbeauftragte für den Datenschutz zu beteiligen ist. [4]Betroffene können sich unmittelbar an die Beauftragte oder den Beauftragten für den Datenschutz wenden

(4) Wird in einer öffentlichen Stelle ein Register geführt, das zur Information der Öffentlichkeit bestimmt ist und entweder der gesamten Öffentlichkeit oder allen Personen, die ein berechtigtes Interesse geltend machen, zur Einsichtnahme offen steht, so ist Absatz 1 nur anzuwenden, soweit in dieser öffentlichen Stelle andere automatisierte Verarbeitungen stattfinden.

(5) [1]Die Landesregierung wird ermächtigt, durch Verordnung die Pflicht zur Bestellung einer Beauftragten oder eines Beauftragten für den Datenschutz einzuschränken, soweit in einer öffentlichen Stelle automatisierte Verarbeitungen solche Daten betreffen, bei denen eine Beeinträchtigung des Rechts auf informationelle Selbstbestimmung nicht zu erwarten ist. [2]In der Verordnung sind die Zweckbestimmungen der Verarbeitung, die Kategorien der Daten, die Empfänger, denen die Daten übermittelt werden dürfen, und die Dauer der Aufbewahrung festzulegen.

Zweiter Abschnitt
Rechtsgrundlagen der Datenverarbeitung

§ 9 Erhebung

(1) Personenbezogene Daten dürfen erhoben werden, wenn ihre Kenntnis zur Erfüllung der Aufgaben der erhebenden Stelle erforderlich ist. Die Daten sind bei den Betroffenen mit ihrer Kenntnis zu erheben. Bei Dritten dürfen personenbezogene Daten nur erhoben werden, wenn

1. eine Rechtsvorschrift dies vorsieht oder zwingend voraussetzt,
2. die Erhebung zur Abwehr von Gefahren für Leib, Leben oder die persönliche Freiheit erforderlich ist,

Aufgaben der übermittelnden Stelle oder des Empfängers erforderlich ist und die Daten nach § 10 verarbeitet werden dürfen.

(2) Sind mit personenbezogenen Daten, die nach Absatz 1 übermittelt werden dürfen, weitere personenbezogene Daten der Betroffenen oder Dritter in Akten so verbunden, dass eine Trennung nicht oder nur mit unvertretbarem Aufwand möglich ist, so ist die Übermittlung auch dieser Daten zulässig, soweit nicht berechtigte Interessen der Betroffenen oder Dritter an deren Geheimhaltung offensichtlich überwiegen; eine weitere Verarbeitung dieser Daten ist unzulässig.

(3) [1]Die Verantwortung für die Zulässigkeit der Übermittlung trägt die übermittelnde Stelle. [2]Erfolgt die Übermittlung aufgrund eines Ersuchens, so hat die übermittelnde Stelle lediglich zu prüfen, ob sich das Übermittlungsersuchen im Rahmen der Aufgaben der empfangenden Stelle hält. [3]Die Rechtmäßigkeit des Ersuchens prüft sie nur, wenn im Einzelfall hierzu Anlass besteht; die empfangende Stelle hat der übermittelnden Stelle die für diese Prüfung erforderlichen Angaben zu machen. [4]Erfolgt die Übermittlung durch automatisierten Abruf (§ 12), so trägt die Verantwortung für die Rechtmäßigkeit des Abrufs die empfangende Stelle.

(4) Die Absätze 1 bis 3 gelten entsprechend, wenn personenbezogene Daten innerhalb einer öffentlichen Stelle weitergegeben werden.

§ 12 Automatisiertes Abrufverfahren

(1) [1]Ein automatisiertes Verfahren, das die Übermittlung personenbezogener Daten durch Abruf eines Dritten ermöglicht, darf nur eingerichtet werden, wenn eine Rechtsvorschrift dies zulässt. [2]Die Zulässigkeit des einzelnen Abrufs bestimmt sich nach den Vorschriften dieses Gesetzes.

(2) [1]Die Landesregierung wird ermächtigt, durch Verordnung für die Behörden und Einrichtungen des Landes unterliegenden sonstigen öffentlichen Stellen die Einrichtung automatischer Abrufverfahren zuzulassen. [2]Für die Zulassung solcher Verfahren innerhalb des Geschäftsbereichs eines Ministeriums wird das jeweilige Ministerium ermächtigt, die Verordnung zu erlassen. [3]Ein solches Verfahren darf nur eingerichtet werden, soweit dies unter Berücksichtigung der schutzwürdigen Interessen des betroffenen Personenkreises und der Aufgaben der beteiligten Stellen angemessen ist. [4]In der Verordnung sind die Datenempfänger, die Art der zu übermittelnden Daten, der Zweck des Abrufs sowie die wesentlichen bei den beteiligten Stellen zu treffenden Maßnahmen zur Kontrolle der Verarbeitung festzulegen. [5]Die Landesbeauftragte für den Datenschutz oder der Landesbeauftragte für den Datenschutz (die Landesbeauftragte oder der Landesbeauftragte) ist vorher zu hören.

(3) Sind automatisierte Abrufverfahren in einer Verordnung nach Absatz 2 zugelassen, so dürfen sie auf Verlangen des Landesrechnungshofs auch für die Rechnungsprüfung eingesetzt werden.

(4) [1]Personenbezogene Daten dürfen nicht zum Abruf durch Personen oder Stellen außerhalb des öffentlichen Bereichs bereitgehalten werden. [2]Dies gilt nicht für den Abruf durch Betroffene.

(5) Die Absätze 1 bis 4 gelten nicht für den Abruf aus solchen Datenbeständen, die jeder Person offen stehen oder deren Inhalt veröffentlicht werden darf.

§ 13 Übermittlung an Personen oder Stellen außerhalb des öffentlichen Bereichs

(1) [1]Die Übermittlung personenbezogener Daten an Personen oder Stellen außerhalb des öffentlichen Bereichs ist zulässig, wenn

1. sie zur Erfüllung der in der Zuständigkeit der übermittelnden Stelle liegenden Aufgaben erforderlich ist und die Daten nach § 10 verarbeitet werden dürfen,
2. die Empfänger ein rechtliches Interesse an der Kenntnis der zu übermittelnden Daten glaubhaft machen und kein Grund zu der Annahme besteht, dass das schutzwürdige Interesse der Betroffenen an der Geheimhaltung überwiegt, oder
3. sie im öffentlichen Interesse liegt oder hierfür ein berechtigtes Interesse geltend gemacht wird und die Betroffenen in diesen Fällen der Übermittlung nicht widersprochen haben.

[2]In den Fällen des Satzes 1 Nr. 3 sind die Betroffenen über die beabsichtigte Übermittlung, die Art der zu übermittelnden Daten und den Verwendungszweck in geeigneter Weise und rechtzeitig zu unterrichten.

(2) Die übermittelnde Stelle hat die Empfänger zu verpflichten, die Daten nur für die Zwecke zu verarbeiten, zu denen sie ihnen übermittelt wurden.

§ 14 Übermittlung an Personen oder Stellen in Staaten außerhalb des Europäischen Wirtschaftsraums

(1) [1]Die Übermittlung personenbezogener Daten an Personen und Stellen in Staaten außerhalb der Europäischen Union und der Vertragsstaaten des Abkommens über den Europäischen Wirtschaftsraum sowie an über- und zwischenstaatliche Stellen ist zulässig, soweit die Übermittlung in einem Gesetz, einem Rechtsakt der Europäischen Gemeinschaften oder einem internationalen Vertrag geregelt ist. [2]Eine Übermittlung an öffentliche Stellen darf auch erfolgen, wenn die Voraussetzungen des § 11 Abs. 1, sowie an andere Empfänger, wenn

die Voraussetzungen des § 13 Abs. 1 erfüllt sind und im Empfängerland gleichwertige Datenschutzregelungen gelten. [3]Die Übermittlung nach Satz 2 darf nicht erfolgen, soweit Grund zu der Annahme besteht, dass die Übermittlung einen Verstoß gegen wesentliche Grundsätze des deutschen Rechts, insbesondere gegen Grundrechte, zur Folge haben würde.

(2) Eine Übermittlung ist abweichend von Absatz 1 Satz 2 auch dann zulässig, wenn sie
1. für die Wahrnehmung eines wichtigen öffentlichen Interesses oder zur Geltendmachung, Ausübung oder Verteidigung von Rechtsansprüchen vor Gericht erforderlich ist,
2. für die Wahrung lebenswichtiger Interessen der Betroffenen erforderlich ist oder
3. aus einem Register erfolgt,
   a) das zur Information der Öffentlichkeit bestimmt ist oder
   b) in das alle Personen, die ein berechtigtes Interesse an der Einsichtnahme haben, Einsicht nehmen können,

soweit der ausländische Empfänger die Voraussetzungen für die Einsichtnahme erfüllt.

§ 15 Übermittlung an Stellen öffentlich-rechtlicher Religionsgesellschaften

[1]Die Übermittlung personenbezogener Daten an Stellen öffentlich-rechtlicher Religionsgesellschaften ist zulässig, wenn
1. die Betroffenen eingewilligt haben,
2. eine Rechtsvorschrift dies vorsieht,
3. sie zur Erfüllung der in der Zuständigkeit der übermittelnden Stelle liegenden Aufgaben erforderlich ist und die Daten nach § 10 verarbeitet werden dürfen,
4. offensichtlich ist, dass die Übermittlung im Interesse der Betroffenen liegt und sie einwilligen würden, oder
5. sie im öffentlichen Interesse liegt oder hierfür ein berechtigtes Interesse geltend gemacht wird und die Betroffenen in diesen Fällen der Übermittlung nicht widersprochen haben

und sichergestellt ist, dass bei den Empfängern ausreichende Datenschutzmaßnahmen, insbesondere Regelungen zur Zweckbindung, getroffen sind. [2]In den Fällen des Satzes 1 Nr. 5 sind die Betroffenen über die beabsichtigte Übermittlung, die Art der zu übermittelnden Daten und den Verwendungszweck in geeigneter Weise und rechtzeitig zu unterrichten.

Dritter Abschnitt
Rechte der Betroffenen

§ 16 Auskunft, Einsicht in Akten

(1) [1]Betroffenen ist von der datenverarbeitenden Stelle auf Antrag Auskunft zu erteilen über
1. die zu ihrer Person gespeicherten Daten,
2. den Zweck und die Rechtsgrundlage der Speicherung,
3. die Herkunft der Daten, die Empfänger von Übermittlungen, in den Fällen des § 6 auch die Auftragnehmer, sowie
4. in den Fällen des § 10 a über die Art und Struktur der automatisierten Verarbeitung

[2]Dies gilt nicht für personenbezogene Daten, die ausschließlich zu Zwecken der Datensicherung oder der Datenschutzkontrolle gespeichert sind. [3]Für gesperrte Daten, die nur deshalb noch gespeichert sind, weil sie auf Grund gesetzlicher Aufbewahrungsvorschriften nicht gelöscht werden dürfen, gilt die Verpflichtung zur Auskunftserteilung nur, wenn Betroffene ein berechtigtes Interesse an der Erteilung der Auskunft über diese Daten glaubhaft machen.

(2) [1]In dem Antrag soll die Art der personenbezogenen Daten, über die Auskunft begehrt wird, näher bezeichnet werden. [2]Die datenverarbeitende Stelle bestimmt das Verfahren, insbesondere die Form der Auskunftserteilung, nach pflichtgemäßem Ermessen.

(3) Sind die Daten in Akten gespeichert, so können Betroffene Auskunft aus Akten oder Akteneinsicht verlangen, soweit sie Angaben machen, die das Auffinden der Daten mit angemessenem Aufwand ermöglichen.

(4) Anträge nach Absatz 1 oder 3 können abgelehnt werden, soweit und solange
1. die Erfüllung des Auskunfts- oder Einsichtsverlangens die ordnungsgemäße Wahrnehmung der übrigen Aufgaben der datenverarbeitenden Stelle gefährden würde,
2. die Auskunft oder Einsicht die öffentliche Sicherheit gefährden oder sonst dem Wohle des Bundes oder eines Landes Nachteile bereiten würde oder
3. die personenbezogenen Daten oder die Tatsache ihrer Speicherung nach einer Rechtsvorschrift oder wegen der berechtigten Interessen von Dritten geheim zu halten sind.

(5) [1]Die Ablehnung der Auskunft oder der Akteneinsicht bedarf keiner Begründung, soweit durch die Begründung der Zweck der Ablehnung gefährdet würde. [2]Die Gründe der Ablehnung sind aktenkundig zu machen.

(6) Wird die Auskunft oder die Akteneinsicht abgelehnt, so sind die Betroffenen darauf hinzuweisen, dass sie sich an die Landesbeauftragte oder den Landesbeauftragten wenden können.

(7) Auskunft und Akteneinsicht sind kostenfrei.

§ 17 Berichtigung, Löschung und Sperrung

(1) Personenbezogene Daten sind zu berichtigen, wenn sie unrichtig sind.

(2) [1]Personenbezogene Daten sind zu löschen, wenn
1. ihre Speicherung unzulässig ist oder
2. ihre Kenntnis für die datenverarbeitende Stelle zur Aufgabenerfüllung nicht mehr erforderlich ist.

[2]In den Fällen des Satzes 1 Nr. 2 tritt an die Stelle der Löschung die Abgabe an das zuständige Archiv, soweit dies in den entsprechenden Rechtsvorschriften vorgesehen ist. [3]Sind personenbezogene Daten in Akten gespeichert, so ist die Löschung nach Satz 1 Nr. 2 durchzuführen, wenn die gesamte Akte nach Maßgabe der entsprechenden Rechts- oder Verwaltungsvorschriften zur Aufgabenerfüllung nicht mehr erforderlich ist. [4]Werden durch die weitere Speicherung nach Satz 3 schutzwürdige Belange der Betroffenen erheblich beeinträchtigt, so sind die entsprechenden Daten zu sperren.

(3) [1]Personenbezogene Daten sind zu sperren,
1. solange und soweit ihre Richtigkeit von den Betroffenen bestritten wird und sich weder die Richtigkeit noch die Unrichtigkeit feststellen lässt,
2. wenn die Betroffenen anstelle der Löschung unzulässig gespeicherter Daten die Sperrung verlangen oder die weitere Speicherung im Interesse der Betroffenen geboten ist, oder
3. solange sie auf Grund gesetzlicher Aufbewahrungsvorschriften nicht gelöscht werden dürfen.

[2]Gesperrte Daten sind mit einem Sperrvermerk zu versehen; in automatisierten Verfahren ist die Sperrung durch zusätzliche technische Maßnahmen zu gewährleisten. [3]Gesperrte Daten dürfen nicht mehr weiter verarbeitet werden, es sei denn, dass dies zur Behebung einer bestehenden Beweisnot oder aus sonstigen im überwiegenden Interesse der speichernden Stelle oder Dritter liegenden Gründen unerlässlich ist oder die Betroffenen eingewilligt haben. [4]Die Gründe für die Verarbeitung gesperrter Daten sind aufzuzeichnen.

(4) [1]Sind Daten nach den Absätzen 1 bis 3 berichtigt, gesperrt oder gelöscht worden, so sind die Personen oder Stellen unverzüglich zu unterrichten, denen die Daten übermittelt worden sind. [2]Die Unterrichtung kann unterbleiben, wenn sie einen unverhältnismäßigen

Aufwand erfordern würde und kein Grund zu der Annahme besteht, dass dadurch schutzwürdige Belange der Betroffenen beeinträchtigt werden.

§ 17a Widerspruchsrecht

[1]Betroffene haben gegenüber der Daten verarbeitenden Stelle das Recht, der Verarbeitung der sie betreffenden Daten aus schutzwürdigen persönlichen Gründen zu widersprechen. [2]Soweit diese Gründe überwiegen, ist die Verarbeitung der Daten unzulässig. [3]Satz 1 gilt nicht, wenn eine Rechtsvorschrift zur Verarbeitung verpflichtet.«

§ 18 Schadensersatz

(1) [1]Wird den Betroffenen durch eine nach datenschutzrechtlichen Vorschriften unzulässige Verarbeitung ihrer personenbezogenen Daten ein Schaden zugefügt, so sind ihnen die Träger der datenverarbeitenden Stellen unabhängig von einem Verschulden zum Ersatz des daraus entstehenden Schadens verpflichtet; im Fall einer nicht-automatisierten Verarbeitung besteht die Ersatzpflicht nicht, wenn die Daten verarbeitende Stelle nachweist, dass die Unzulässigkeit nicht von ihr zu vertreten ist. [2]Bei einer schweren Verletzung des Persönlichkeitsrechts kann auch wegen des Schadens, der nicht Vermögensschaden ist, eine billige Entschädigung in Geld verlangt werden. [3]Ersatzpflichtige haften gegenüber jeder betroffenen Person für jedes schädigende Ereignis bis zu einem Betrag von 500 000 Deutsche Mark. Mehrere Ersatzpflichtige haften als Gesamtschuldner.

(2) Auf ein Mitverschulden der Betroffenen ist § 254 und auf die Verjährung des Schadensersatzanspruchs § 852 des Bürgerlichen Gesetzbuchs entsprechend anzuwenden.

§ 19 Anrufung der Landesbeauftragten oder des Landesbeauftragten

(1) Jede Person, die meint, durch die Verarbeitung ihrer personenbezogenen Daten in ihren Rechten durch eine Stelle verletzt worden zu sein, die der Kontrolle nach den Vorschriften dieses Gesetzes unterliegt, kann sich an die Landesbeauftragte oder den Landesbeauftragten wenden. Keine Person darf deswegen benachteiligt werden.

(2) Die Bediensteten der Behörden und sonstigen öffentlichen Stellen, auf die dieses Gesetz Anwendung findet, dürfen sich unbeschadet ihres Rechts nach Absatz 1 in allen Angelegenheiten des Datenschutzes jederzeit an die Landesbeauftragte oder den Landesbeauftragten wenden. Der Einhaltung des Dienstweges bedarf es nicht, wenn die Bedienstete oder der Bedienstete auf einen Verstoß gegen datenschutzrechtliche Vorschriften oder auf die Gefahr hingewiesen hat, dass

eine Person in unzulässiger Weise in ihrem Recht auf informationelle Selbstbestimmung beeinträchtigt wird, und diesem Hinweis binnen angemessener Frist nicht abgeholfen worden ist. Im übrigen bleiben die dienstrechtlichen Pflichten der Bediensteten unberührt.

§ 20 Verzicht auf Rechte der Betroffenen

Die in diesem Abschnitt genannten Rechte können auch durch die Einwilligung der Betroffenen nicht im voraus ausgeschlossen oder beschränkt werden.

Vierter Abschnitt
Landesbeauftragte oder Landesbeauftragter für den Datenschutz

§ 21 Rechtsstellung der Landesbeauftragten oder des Landesbeauftragten

(1) Die Landesbeauftragte oder der Landesbeauftragte muss das 35. Lebensjahr vollendet und soll die Befähigung zum Richteramt haben. Sie oder er wird nach der Wahl durch den Landtag auf die Dauer von acht Jahren in ein Beamtenverhältnis auf Zeit berufen. Die Wiederwahl und die Berufung für eine weitere Amtszeit sind zulässig. Das Amt ist im übrigen bis zum Eintritt der Nachfolge weiterzuführen. Die Landesbeauftragte oder der Landesbeauftragte kann außer auf Antrag nur entlassen werden, wenn der Pflicht nach Satz 4 nicht nachgekommen wird oder wenn Gründe vorliegen, die bei einem Richterverhältnis auf Lebenszeit die Entlassung aus dem Dienst rechtfertigen.

(2) Die Landesbeauftragte oder der Landesbeauftragte ist oberste Dienstbehörde im Sinne des § 96 der Strafprozessordnung und trifft die Entscheidungen nach den §§ 68 und 69 des Niedersächsischen Beamtengesetzes für sich selbst und die zugeordneten Bediensteten. Im übrigen untersteht sie oder er der Dienstaufsicht der Landesregierung.

(3) Die Geschäftsstelle der Landesbeauftragten oder des Landesbeauftragten wird beim Innenministerium eingerichtet. Die der Landesbeauftragten oder dem Landesbeauftragten zugeordneten Stellen werden auf ihren oder seinen Vorschlag besetzt. Die Bediensteten können ohne ihre Zustimmung nur im Einvernehmen mit der Landesbeauftragten oder dem Landesbeauftragten versetzt, abgeordnet oder umgesetzt werden.

(4) Ist die Landesbeauftragte oder der Landesbeauftragte länger als sechs Wochen an der Ausübung des Amtes verhindert, so kann

die Landesregierung eine Vertreterin oder einen Vertreter mit der Wahrnehmung der Geschäfte beauftragen. Die Landesbeauftragte oder der Landesbeauftragte soll dazu gehört werden. Bei einer kürzeren Verhinderung oder bis zu einer Regelung nach Satz 1 führt die leitende Beamtin oder der leitende Beamte der Geschäftsstelle die Geschäfte.

§ 22 Aufgaben, Rechte und Pflichten der Landesbeauftragten oder des Landesbeauftragten

(1) Die Landesbeauftragte oder der Landesbeauftragte kontrolliert die Einhaltung der Vorschriften dieses Gesetzes sowie anderer Vorschriften über den Datenschutz bei den Behörden und sonstigen öffentlichen Stellen. Der Landtag, die Gerichte und der Landesrechnungshof unterliegen dieser Kontrolle aber nur, soweit sie in Verwaltungsangelegenheiten tätig werden. Außerdem kann die Landesbeauftragte oder der Landesbeauftragte den Landtag, die Landesregierung, die übrigen Behörden und sonstigen öffentlichen Stellen über Verbesserungen des Datenschutzes beraten. Die Landesbeauftragte oder der Landesbeauftragte ist bei der Ausarbeitung von Rechts- und Verwaltungsvorschriften anzuhören, die Regelungen zum Recht auf informationelle Selbstbestimmung zum Gegenstand haben.

(2) Die Landesbeauftragte oder der Landesbeauftragte ist rechtzeitig über Planungen des Landes und der kommunalen Gebietskörperschaften zum Aufbau automatisierter Informationssysteme zu unterrichten.

(3) Die Landesbeauftragte oder der Landesbeauftragte legt dem Landtag jeweils für zwei Kalenderjahre einen Tätigkeitsbericht vor. Die Landesregierung nimmt hierzu gegenüber dem Landtag innerhalb von sechs Monaten Stellung. Die Landesbeauftragte oder der Landesbeauftragte unterrichtet den Landtag und die Öffentlichkeit auch über wesentliche Entwicklungen des Datenschutzes. Auf Ersuchen des Landtages, seines zuständigen Ausschusses oder der Landesregierung hat die Landesbeauftragte oder der Landesbeauftragte ferner Angelegenheiten von besonderer datenschutzrechtlicher Bedeutung zu untersuchen und über die Ergebnisse zu berichten. Die Landesbeauftragte oder der Landesbeauftragte hat in bedeutsamen Fällen alsbald dem Landtag schriftlich oder in den Sitzungen seiner Ausschüsse mündlich zu berichten. Schriftliche Äußerungen gegenüber dem Landtag sind gleichzeitig der Landesregierung vorzulegen.

(4) Die Behörden und sonstigen öffentlichen Stellen sind verpflichtet, die Landesbeauftragte oder den Landesbeauftragten bei der Erfüllung der Aufgaben zu unterstützen. Dazu haben sie insbesondere

1. Auskunft zu erteilen sowie Einsicht in alle Unterlagen zu gewähren, die die Landesbeauftragte oder der Landesbeauftragte zur Erfüllung der Aufgaben für erforderlich hält,
2. die in Nummer 1 genannten Unterlagen auf Verlangen innerhalb einer bestimmten Frist zu übersenden,
3. jederzeit Zutritt in alle Diensträume zu gewähren.

Die oberste Landesbehörde entscheidet, ob der Landesbeauftragten oder dem Landesbeauftragten personenbezogene Daten einer betroffenen Person zu offenbaren sind, wenn dieser Vertraulichkeit besonders zugesichert worden ist.

(5) Beschreibungen nach § 8 sind der Landesbeauftragten oder dem Landesbeauftragten zu übersenden, wenn die Verarbeitungen zur Erfüllung
1. der Aufgaben nach dem Niedersächsischen Verfassungsschutzgesetz oder
2. polizeilicher Aufgaben nach dem Niedersächsischen Gefahrenabwehrgesetz erfolgen.

(6) Die Landesregierung kann der Landesbeauftragten oder dem Landesbeauftragten die Aufgaben der Aufsichtsbehörde für die Datenverarbeitung im nichtöffentlichen Bereich nach den Bestimmungen des Bundesdatenschutzgesetzes übertragen. Abweichend von § 21 Abs. 2 unterliegt sie oder er insoweit der Fachaufsicht der Landesregierung. Auch für diesen Tätigkeitsbereich ist ein Bericht nach Absatz 3 vorzulegen.

§ 23 Beanstandungen durch die Landesbeauftragte oder den Landesbeauftragten

(1) Stellt die Landesbeauftragte oder der Landesbeauftragte Verstöße gegen die Vorschriften dieses Gesetzes oder gegen andere Datenschutzbestimmungen fest, so ist dies
1. bei der Landesverwaltung gegenüber der zuständigen obersten Landesbehörde,
2. bei den Gemeinden, Landkreisen und den sonstigen der Aufsicht des Landes unterstehenden Körperschaften, Anstalten und Stiftungen des öffentlichen Rechts sowie bei Vereinigungen solcher Körperschaften, Anstalten und Stiftungen gegenüber dem vertretungsberechtigten Organ

mit der Aufforderung zu beanstanden, innerhalb einer bestimmten Frist Stellung zu nehmen. In den Fällen des Satzes 1 Nr. 2 ist gleichzeitig auch die zuständige Aufsichtsbehörde zu unterrichten.

(2) Die Stellungnahme soll auch die Maßnahmen darstellen, die der Beanstandung abhelfen sollen. Die in Absatz 1 Satz 1 Nr. 2 genannten

Stellen leiten der zuständigen Aufsichtsbehörde eine Abschrift ihrer Stellungnahme zu.

(3) Die Landesbeauftragte oder der Landesbeauftragte kann insbesondere dann von einer Beanstandung absehen oder auf eine Stellungnahme der betroffenen Stelle verzichten, wenn es sich um unerhebliche Mängel handelt oder die Beseitigung der Mängel sichergestellt ist.

Fünfter Abschnitt
Besonderer Datenschutz

(§ 24 (Datenverarbeitung bei Dienst- und Arbeitsverhältnissen – aufgehoben; abgedruckt als Anhang im Hinblick auf § 2 Abs. 4)

§ 25 Verarbeitung personenbezogener Daten für Forschungsvorhaben

(1) Für die Verarbeitung personenbezogener Daten zur Durchführung von wissenschaftlichen Forschungsvorhaben sind die §§ 9 bis 15 nach Maßgabe der Absätze 2 bis 5 und 7 anzuwenden.

(2) Für wissenschaftliche Forschungsvorhaben dürfen personenbezogene Daten, die für andere Zwecke oder für ein anderes Forschungsvorhaben erhoben oder gespeichert worden sind, verarbeitet werden, wenn

1. die Betroffenen eingewilligt haben,
2. eine Rechtsvorschrift dies vorsieht oder
3. Art und Verarbeitung der Daten darauf schließen lassen, dass ein schutzwürdiges Interesse der Betroffenen der Verarbeitung der Daten für das Forschungsvorhaben nicht entgegensteht oder das öffentliche Interesse an der Durchführung des Forschungsvorhabens das schutzwürdige Interesse der Betroffenen erheblich überwiegt. Das Ergebnis der Abwägung und seine Begründung sind aufzuzeichnen. Über die Verarbeitung ist die Datenschutzbeauftragte oder der Datenschutzbeauftragte nach § 8 Abs. 2 zu unterrichten.

(3) Die für ein Forschungsvorhaben gespeicherten oder übermittelten Daten dürfen nur für Zwecke der wissenschaftlichen Forschung verarbeitet werden.

(4) Sobald der Stand des Forschungsvorhabens es gestattet, sind die Merkmale, mit deren Hilfe ein Bezug auf eine bestimmte natürliche Person hergestellt werden kann, gesondert zu speichern; sie sind zu löschen, sobald der Forschungszweck dies gestattet.

(5) Im Rahmen von wissenschaftlichen Forschungsvorhaben dürfen personenbezogene Daten nur veröffentlicht werden, wenn

1. die Betroffenen eingewilligt haben oder
2. dies für die Darstellung von Forschungsergebnissen über Ereignisse der Zeitgeschichte unerlässlich ist.

(6) Die Einwilligung der Betroffenen bedarf nicht der Schriftform, wenn hierdurch das Forschungsvorhaben erheblich beeinträchtigt würde.

(7) Eine Übermittlung personenbezogener Daten an Empfänger, auf die dieses Gesetz keine Anwendung findet, ist nach Maßgabe des Absatzes 2 zulässig, wenn sich die Empfänger verpflichten, die Daten nur für das von ihnen zu bezeichnende Forschungsvorhaben und nach Maßgabe der Absätze 3 bis 5 zu verarbeiten. Die Übermittlung ist der Landesbeauftragten oder dem Landesbeauftragten rechtzeitig vorher anzuzeigen.

§ 26 Fernmessen und Fernwirken

(1) Ferngesteuerte Messungen oder Beobachtungen (Fernmessdienste) dürfen in Wohnungen oder Geschäftsräumen nur vorgenommen werden, wenn die Betroffenen zuvor über den Verwendungszweck sowie über Art, Umfang und Zeitraum des Einsatzes unterrichtet worden sind und nach der Unterrichtung schriftlich eingewilligt haben. Entsprechendes gilt, soweit eine Übertragungseinrichtung dazu dienen soll, in Wohnungen oder Geschäftsräumen Wirkungen auszulösen (Fernwirkdienste). Die Einrichtung von Fernmess- und Fernwirkdiensten ist nur zulässig, wenn die Betroffenen erkennen können, wann ein Dienst in Anspruch genommen wird und welcher Art dieser Dienst ist. Die Betroffenen können ihre Einwilligung jederzeit widerrufen, soweit dies mit der Zweckbestimmung des Dienstes vereinbar ist. Das Abschalten eines Dienstes gilt im Zweifel als Widerruf der Einwilligung.

(2) Eine Leistung, der Abschluss oder die Abwicklung eines Vertragsverhältnisses dürfen nicht von der Einwilligung nach Absatz 1 abhängig gemacht werden. Betroffenen dürfen keine Nachteile entstehen, die über die unmittelbaren Folgekosten hinausgehen, wenn sie ihre Einwilligung verweigern oder widerrufen.

(3) Die im Rahmen von Fernmess- oder Fernwirkdiensten erhobenen Daten dürfen nur zu den vereinbarten Zwecken verarbeitet werden. Sie sind zu löschen, sobald sie zur Erfüllung dieser Zwecke nicht mehr erforderlich sind.

§ 27 Öffentliche Auszeichnungen

(1) Zur Vorbereitung öffentlicher Auszeichnungen dürfen die dazu erforderlichen personenbezogenen Daten auch ohne Kenntnis der

Betroffenen bei anderen Personen oder Stellen erhoben werden. Auf Anforderung dürfen öffentliche Stellen die erforderlichen Daten übermitteln.

(2) § 16 findet keine Anwendung.

Sechster Abschnitt
Übergangs- und Schlussvorschriften

§ 28 Straftaten

(1) Wer gegen Entgelt oder in der Absicht, sich oder einen anderen zu bereichern oder einen anderen zu schädigen, personenbezogene Daten, die nicht allgemein zugänglichsind,

1. unbefugt erhebt, speichert, verändert, löscht, übermittelt oder nutzt oder
2. durch Vortäuschung falscher Tatsachen ihre Weitergabe an sich oder andere veranlasst,

wird mit Freiheitsstrafe bis zu zwei Jahren oder mit Geldstrafe bestraft. Ebenso wird bestraft, wer unter den in Satz 1 genannten Voraussetzungen Einzelangaben über persönliche oder sachliche Verhältnisse einer nicht mehr bestimmbaren Person mit anderen Informationen zusammenführt und dadurch die betroffene Person wieder bestimmbar macht.

(2) Der Versuch ist strafbar.

§ 29 Ordnungswidrigkeiten

(1) Ordnungswidrig handelt, wer personenbezogene Daten, die nicht offenkundig sind,

1. entgegen § 5 zu einem anderen als dem zur jeweiligen rechtmäßigen Aufgabenerfüllung gehörenden Zweck verarbeitet oder offenbart oder
2. sich durch Vortäuschung falscher Tatsachen verschafft oder an sich oder andere übermitteln lässt.

(2) Die Ordnungswidrigkeit kann mit einer Geldbuße bis zu 50 000 Euro geahndet werden.

§ 30 Übergangsvorschrift

Soweit beim Inkrafttreten dieses Gesetzes bereits Dateien nach § 18 Abs. 5 des Niedersächsischen Datenschutzgesetzes vom 26. Mai 1978 (Nieder. GVBl. S. 421), zuletzt geändert durch Artikel 2 des Gesetzes zur Neuregelung der Stellung des Landesbeauftragten für den Datenschutz vom 28. Mai 1991 (Nds. GVBl. S. 195), bei der Landesbeauftragten oder dem Landesbeauftragten angemeldet worden sind, gelten sie bis zu einer Änderung der Dateien, längstens bis zum 31. Dezember 1995, als Dateibeschreibungen nach § 8 Abs. 1.

§§ 31 bis 33

(Auf den Abdruck der §§ 31 bis 33 (Aufhebung von Rechtsvorschriften, Änderung des Niedersächsischen Meldegesetzes, Änderung des Niedersächsischen Verfassungsschutzgesetzes) wird verzichtet.)

Inkrafttreten[1]

(1) Dieses Gesetz tritt am Tage nach seiner Verkündung in Kraft.

(2) Bis zum 31. Dezember 2001 ist § 29 Abs. 2 des Niedersächsischen Datenschutzgesetzes in der bisher geltenden Fassung anzuwenden.

(3) Artikel 3 Nr. 1 tritt mit Beginn der 15. Wahlperiode des Niedersächsischen Landtages in Kraft.

Anhang

§ 24 NDSG in der Fassung vom 17. Juni 1993 (Nds. GVBl. S. 141)[2]

Datenverarbeitung bei Dienst- und Arbeitsverhältnissen

(1) Daten von Bewerberinnen oder Bewerbern, Beschäftigten und ehemaligen Beschäftigten dürfen abweichend von § 10 Abs. 1 und 2 und § 11 nur verarbeitet werden, wenn dies zur Eingehung, Durchführung, Beendigung oder Abwicklung des Dienst- oder Arbeitsverhältnisses oder zur Durchführung organisatorischer, personeller und sozialer Maßnahmen, insbesondere auch zu Zwecken der Personalplanung und des Personaleinsatzes, erforderlich ist oder eine Rechtsvorschrift, ein Tarifvertrag oder eine Dienstvereinbarung dies vorsieht. Bei der erstmaligen Speicherung in Dateien ist den Betroffenen die Art der über sie gespeicherten Daten mitzuteilen, bei wesentlichen Änderungen sind sie zu benachrichtigen. Abweichend von § 13 Abs. 1 ist eine Übermittlung der Daten von Beschäftigten an Personen und Stellen außerhalb des öffentlichen Bereichs nur zulässig, wenn die Empfänger ein rechtliches Interesse darlegen oder der Dienstverkehr es erfordert. Die Datenübermittlung an künftige Dienstherrn oder Arbeitgeber ist nur mit Einwilligung der Betroffenen zulässig.

---

1 Art. 5 des Änderungsgesetzes vom 15. 6. 2001

2 noch anwendbar gemäß § 2 Abs. 4

(2) Die Weiterverarbeitung der bei ärztlichen oder psychologischen Untersuchungen und Tests zum Zwecke der Eingehung eines Dienst- oder Arbeitsverhältnisses erhobenen Daten ist nur mit schriftlicher Einwilligung der Bewerberin oder des Bewerbers zulässig. Die Einstellungsbehörde darf von der untersuchenden Person oder Stelle grundsätzlich nur das Ergebnis der Eignungsuntersuchung und die dabei festgestellten Risikofaktoren anfordern. Fordert die Einstellungsbehörde die Übermittlung weiterer personenbezogener Daten an, so hat sie die Gründe hierfür aufzuzeichnen. Sie hat die Bewerberin oder den Bewerber in diesen Fällen zu unterrichten.

(3) Personenbezogene Daten, die zur Aufzeichnung des Bewerbungsvorganges nicht erforderlich sind, sind unverzüglich zu löschen, sobald feststeht, dass ein Dienst- oder Arbeitsverhältnis nicht zustande kommt, es sei denn, dass die Betroffenen in die weitere Speicherung schriftlich eingewilligt haben.

(4) Medizinische und psychologische Befunde von Beschäftigten dürfen von den personalverwaltenden Stellen nicht in automatisierten Dateien verarbeitet werden. Dies gilt nicht für Dateien, die ausschließlich aus verarbeitungstechnischen Gründen vorübergehend vorgehalten werden.

(5) Daten von Beschäftigten, die zur Durchführung technischer oder organisatorischer Maßnahmen nach § 7 Abs. 2 gespeichert werden, dürfen nicht zu Zwecken der Verhaltens- oder Leistungskontrolle genutzt werden.

(6) Beurteilungen sowie dienst- und arbeitsrechtliche Entscheidungen dürfen nicht allein auf Informationen gestützt werden, die unmittelbar durch automatisierte Datenverarbeitung gewonnen werden.

(7) Die Verarbeitungs- und Nutzungsformen automatisierter Personalverwaltungsverfahren sind zu dokumentieren und einschließlich des jeweiligen Verwendungszweckes allgemein bekannt zu geben.

Gesetz zum Schutz personenbezogener Daten (Datenschutzgesetz Nordrhein-Westfalen – DSG NRW –)

vom 9. Mai 2000 (GVBl S. 542)
in der seit 31. Mai 2000 geltenden Fassung der Bekanntmachung vom 9. Juni 2000 (GVBl S. 542)

Inhaltsübersicht

Erster Teil
Allgemeiner Datenschutz

Erster Abschnitt
Allgemeine Bestimmungen

§ 1 Aufgabe

Aufgabe dieses Gesetzes ist es, den Einzelnen davor zu schützen, dass er durch die Verarbeitung personenbezogener Daten durch öffentliche Stellen in unzulässiger Weise in seinem Recht beeinträchtigt wird, selbst über die Preisgabe und Verwendung seiner Daten zu bestimmen (informationelles Selbstbestimmungsrecht).

§ 2 Anwendungsbereich

(1) Dieses Gesetz gilt für die Behörden, Einrichtungen und sonstigen öffentlichen Stellen des Landes, die Gemeinden und Gemeindeverbände sowie für die sonstigen der Aufsicht des Landes unterstehenden juristischen Personen des öffentlichen Rechts und deren Vereinigungen (öffentliche Stellen), soweit diese personenbezogene Daten verarbeiten. Für den Landtag und für die Gerichte sowie für die Behörden der Staatsanwaltschaft gilt dieses Gesetz, soweit sie Verwaltungsaufgaben wahrnehmen; darüber hinaus gelten für die Behörden der Staatsanwaltschaft, soweit sie keine Verwaltungsaufgaben wahrnehmen, nur die Vorschriften des Zweiten Teils dieses Gesetzes. Für den Landesrechnungshof und die Staatlichen Rechnungsprüfungsämter gelten der Dritte Abschnitt des Ersten Teils und der Zweite Teil sowie die §§ 8 und 32a nur, soweit sie Verwaltungsaufgaben wahrnehmen. Für die Ausübung des Gnadenrechts findet das Gesetz keine Anwendung.

(2) Von den Vorschriften dieses Gesetzes gelten nur die Vorschriften des Zweiten Teils sowie die §§ 8 und 28 bis 31 dieses Gesetzes, soweit

1. wirtschaftliche Unternehmen der Gemeinden oder Gemeindeverbände ohne eigene Rechtspersönlichkeit (Eigenbetriebe),
2. öffentliche Einrichtungen, die entsprechend den Vorschriften über die Eigenbetriebe geführt werden,
3. der Aufsicht des Landes unterstehende juristische Personen des öffentlichen Rechts, die am Wettbewerb teilnehmen,

personenbezogene Daten zu wirtschaftlichen Zwecken oder Zielen verarbeiten. Im Übrigen sind mit Ausnahme der §§ 32 sowie 36 bis 38 die für nicht-öffentliche Stellen geltenden Vorschriften des Bundesdatenschutzgesetzes einschließlich der Straf- und Bußgeldvorschriften anzuwenden. Unbeschadet der Regelung des Absatzes 1 Satz 1 gelten Schulen der Gemeinden und Gemeindeverbände, soweit sie in inneren

Schulangelegenheiten personenbezogene Daten verarbeiten, als öffentliche Stellen im Sinne dieses Gesetzes.

(3) Soweit besondere Rechtsvorschriften auf die Verarbeitung personenbezogener Daten anzuwenden sind, gehen sie den Vorschriften dieses Gesetzes vor.

§ 3 Begriffsbestimmungen

(1) Personenbezogene Daten sind Einzelangaben über persönliche oder sachliche Verhältnisse einer bestimmten oder bestimmbaren natürlichen Person (betroffene Person).

(2) Datenverarbeitung ist das Erheben, Speichern, Verändern, Übermitteln, Sperren, Löschen sowie Nutzen personenbezogener Daten. Im Einzelnen ist

1. Erheben (Erhebung) das Beschaffen von Daten über die betroffene Person,
2. Speichern (Speicherung) das Erfassen, Aufnehmen oder Aufbewahren von Daten auf einem Datenträger zum Zwecke ihrer weiteren Verarbeitung,
3. Verändern (Veränderung) das inhaltliche Umgestalten gespeicherter Daten,
4. Übermitteln (Übermittlung) das Bekanntgeben gespeicherter oder durch Datenverarbeitung gewonnener Daten an einen Dritten in der Weise, dass die Daten durch die verantwortliche Stelle weitergegeben oder zur Einsichtnahme bereitgehalten werden oder dass der Dritte zum Abruf in einem automatisierten Verfahren bereitgehaltene Daten abruft,
5. Sperren (Sperrung) das Verhindern weiterer Verarbeitung gespeicherter Daten,
6. Löschen (Löschung) das Unkenntlichmachen gespeicherter Daten,
7. Nutzen (Nutzung) jede sonstige Verwendung personenbezogener Daten,

ungeachtet der dabei angewendeten Verfahren.

(3) Verantwortliche Stelle ist die Stelle im Sinne des § 2 Abs. 1, die personenbezogene Daten in eigener Verantwortung selbst verarbeitet oder in ihrem Auftrag von einer anderen Stelle verarbeiten lässt.

(4) Empfänger ist jede Person oder Stelle, die Daten erhält. Dritter ist jede Person oder Stelle außerhalb der verantwortlichen Stelle. Dritte sind nicht die betroffene Person sowie diejenigen Personen oder Stellen, die im Inland oder im übrigen Geltungsbereich der Rechtsvorschriften zum Schutz personenbezogener Daten der Mitgliedstaaten der Europäischen Union personenbezogene Daten im Auftrag verarbeiten.

(5) Automatisiert ist eine Datenverarbeitung, wenn sie durch Einsatz eines gesteuerten technischen Verfahrens selbsttätig abläuft.

(6) Eine Akte ist jede der Aufgabenerfüllung dienende Unterlage, die nicht Teil der automatisierten Datenverarbeitung ist.

(7) Anonymisieren ist das Verändern personenbezogener Daten derart, dass die Einzelangaben über persönliche oder sachliche Verhältnisse nicht mehr oder nur mit einem unverhältnismäßigen Aufwand einer bestimmten oder bestimmbaren natürlichen Person zugeordnet werden können.

(8) Pseudonymisieren ist das Verändern personenbezogener Daten derart, dass die Einzelangaben über persönliche oder sachliche Verhältnisse ohne Nutzung der Zuordnungsfunktion nicht oder nur mit einem unverhältnismäßigen Aufwand einer bestimmten oder bestimmbaren natürlichen Person zugeordnet werden können. Die Daten verarbeitende Stelle darf keinen Zugriff auf die Zuordnungsfunktion haben; diese ist an dritter Stelle zu verwahren.

§ 4 Zulässigkeit der Datenverarbeitung

(1) Die Verarbeitung personenbezogener Daten ist nur zulässig, wenn
a) dieses Gesetz oder eine andere Rechtsvorschrift sie erlaubt oder
b) die betroffene Person eingewilligt hat.

Die Einwilligung ist die widerrufliche, freiwillige und eindeutige Willenserklärung der betroffenen Person, einer bestimmten Datenverarbeitung zuzustimmen. Sie bedarf der Schriftform, soweit nicht wegen besonderer Umstände eine andere Form angemessen ist. Soll die Einwilligung zusammen mit anderen Erklärungen schriftlich erteilt werden, ist die betroffene Person auf die Einwilligung schriftlich besonders hinzuweisen. Sie ist in geeigneter Weise über die Bedeutung der Einwilligung, insbesondere über den Verwendungszweck der Daten, bei einer beabsichtigten Übermittlung über die Empfänger der Daten aufzuklären; sie ist unter Darlegung der Rechtsfolgen darauf hinzuweisen, dass sie die Einwilligung verweigern und mit Wirkung für die Zukunft widerrufen kann. Die Einwilligung kann auch elektronisch erklärt werden, wenn sichergestellt ist, dass

1. sie nur durch eine eindeutige und bewusste Handlung der handelnden Person erfolgen kann,
2. sie nicht unerkennbar verändert werden kann,
3. ihr Urheber erkannt werden kann,
4. die Einwilligung bei der verarbeitenden Stelle protokolliert wird und
5. der betroffenen Person jederzeit Auskunft über den Inhalt ihrer Einwilligung gegeben werden kann.

(2) Die Planung, Gestaltung und Auswahl informationstechnischer Produkte und Verfahren haben sich an dem Ziel auszurichten, so wenig personenbezogene Daten wie möglich zu erheben und weiterzuverarbeiten (Datenvermeidung). Produkte und Verfahren, deren Vereinbarkeit mit den Vorschriften über den Datenschutz und die Datensicherheit in einem förmlichen Verfahren (Datenschutzaudit) festgestellt wurde, sollen vorrangig berücksichtigt werden.

(3) Die Verarbeitung personenbezogener Daten über die rassische oder ethnische Herkunft, politische Meinungen, religiöse oder weltanschauliche Überzeugungen, die Gewerkschaftszugehörigkeit, die Gesundheit oder das Sexualleben ist nur zulässig, wenn sie in einer Rechtsvorschrift geregelt ist, die den Zweck der Verarbeitung bestimmt sowie angemessene Garantien zum Schutz des Rechtes auf informationelle Selbstbestimmung vorsieht. Darüber hinaus ist die Verarbeitung dieser Daten zulässig, wenn

1. die betroffene Person eingewilligt hat,
2. sie ausschließlich im Interesse der betroffenen Person liegt,
3. sie sich auf Daten bezieht, die die betroffene Person selbst öffentlich gemacht hat,
4. sie
   a) auf der Grundlage der §§ 15, 28 und 29,
   b) zur Geltendmachung rechtlicher Ansprüche vor Gericht oder
   c) für die Abwehr von Gefahren für die öffentliche Sicherheit, für Zwecke der Strafrechtspflege oder zum Schutz vergleichbarer Rechtsgüter

   erforderlich ist.

(4) Soweit gesetzlich unter Wahrung der berechtigten Interessen der betroffenen Person nichts anderes bestimmt ist, dürfen Entscheidungen, die für die betroffene Person eine rechtliche Folge nach sich ziehen oder sie erheblich beeinträchtigen, nicht ausschließlich auf eine automatisierte Verarbeitung personenbezogener Daten zum Zweck der Bewertung einzelner Persönlichkeitsmerkmale gestützt werden, ohne dass der betroffenen Person die Geltendmachung der eigenen Interessen möglich gemacht worden ist.

(5) Wenn die betroffene Person schriftlich begründet, dass der im Übrigen rechtmäßigen Verarbeitung ihrer Daten oder einer bestimmten Datenverarbeitungsform ein schutzwürdiges besonderes persönliches Interesse entgegensteht, erfolgt die Verarbeitung ihrer personenbezogenen Daten nur, wenn eine Abwägung im Einzelfall ergibt, dass das Interesse der datenverarbeitenden Stelle gegenüber dem Interesse der betroffenen Person überwiegt. Die betroffene Person ist über das Ergebnis zu unterrichten.

(6) Die Datenverarbeitung soll so organisiert sein, dass bei der Verarbeitung, insbesondere der Übermittlung, der Kenntnisnahme im Rahmen der Aufgabenerfüllung und der Einsichtnahme, die Trennung der Daten nach den jeweils verfolgten Zwecken und nach unterschiedlichen Betroffenen möglich ist. Sind personenbezogene Daten in Akten derart verbunden, dass ihre Trennung nach erforderlichen und nicht erforderlichen Daten auch durch Vervielfältigung und Unkenntlichmachung nicht oder nur mit unverhältnismäßigem Aufwand möglich ist, sind auch die Kenntnisnahme, die Weitergabe innerhalb der datenverarbeitenden Stelle und die Übermittlung der Daten, die nicht zur Erfüllung der jeweiligen Aufgaben erforderlich sind, zulässig, soweit nicht schutzwürdige Belange der betroffenen Person oder Dritter überwiegen. Die nicht erforderlichen Daten unterliegen insoweit einem Verwertungsverbot.

§ 4a Verbunddateien

(1) Die Einrichtung gemeinsamer oder verbundener automatisierter Verfahren, in und aus denen mehrere öffentliche Stellen personenbezogene Daten verarbeiten sollen, ist nur zulässig, wenn dies unter Berücksichtigung der schutzwürdigen Belange der betroffenen Personen und der Aufgaben der beteiligten Stellen angemessen ist. Die Vorschriften über die Zulässigkeit des einzelnen Abrufs bleiben unberührt. Die beteiligten Stellen haben die Datenart, die Aufgaben jeder beteiligten Stelle, den Zweck und den Umfang ihrer Verarbeitungsbefugnis sowie diejenige Stelle festzulegen, welche die datenschutzrechtliche Verantwortung gegenüber den betroffenen Personen trägt. Der Landesbeauftragte für den Datenschutz ist vorab zu unterrichten.

(2) Innerhalb einer öffentlichen Stelle bedarf die Einrichtung gemeinsamer oder verbundener automatisierter Verfahren, mit denen personenbezogene Daten aus unterschiedlichen Aufgabengebieten verarbeitet werden sollen, der Zulassung durch die Leitung der Stelle. Für die Zulässigkeit gilt Absatz 1 Satz 1 und 2 entsprechend.

§ 5 Rechte der betroffenen Person

Jeder hat nach Maßgabe dieses Gesetzes ein Recht auf

1. Auskunft, Einsichtnahme (§ 18),
2. Widerspruch aus besonderem Grund (§ 4 Abs. 5),
3. Unterrichtung (§§ 12 Abs. 2, 13 Abs. 2 Satz 2, 16 Abs. 1 Satz 2 und 3),
4. Berichtigung, Sperrung oder Löschung (§ 19),
5. Schadensersatz (§ 20),
6. Anrufung des Landesbeauftragten für den Datenschutz (§ 25 Abs. 1),
7. Auskunft aus dem beim zuständigen behördlichen Datenschutzbeauftragten geführten Verfahrensverzeichnis (§ 8).

Diese Rechte können auch durch die Einwilligung der betroffenen Person nicht ausgeschlossen oder beschränkt werden.

§ 6 Datengeheimnis

Denjenigen Personen, die bei öffentlichen Stellen oder ihren Auftragnehmern dienstlichen Zugang zu personenbezogenen Daten haben, ist es untersagt, solche Daten unbefugt zu einem anderen als dem zur jeweiligen rechtmäßigen Aufgabenerfüllung gehörenden Zweck zu verarbeiten oder zu offenbaren; dies gilt auch nach Beendigung ihrer Tätigkeit.

§ 7 Sicherstellung des Datenschutzes

Die obersten Landesbehörden, die Gemeinden und Gemeindeverbände sowie die sonstigen der Aufsicht des Landes unterstehenden juristischen Personen des öffentlichen Rechts und deren Vereinigungen ungeachtet ihrer Rechtsform haben jeweils für ihren Bereich die Ausführung dieses Gesetzes sowie anderer Rechtsvorschriften über den Datenschutz sicherzustellen.

§ 8 Verfahrensverzeichnis

(1) Jede datenverarbeitende Stelle, die für den Einsatz eines Verfahrens zur automatisierten Verarbeitung personenbezogener Daten verantwortlich ist, hat in einem für den behördlichen Datenschutzbeauftragten bestimmten Verzeichnis festzulegen:

1. Name und Anschrift der datenverarbeitenden Stelle,
2. die Zweckbestimmung und die Rechtsgrundlage der Datenverarbeitung,
3. die Art der gespeicherten Daten,
4. den Kreis der Betroffenen,
5. die Art regelmäßig zu übermittelnder Daten, deren Empfänger sowie die Art und Herkunft regelmäßig empfangener Daten,
6. die zugriffsberechtigten Personen oder Personengruppen,
7. die technischen und organisatorischen Maßnahmen nach § 10,
8. die Technik des Verfahrens, einschließlich der eingesetzten Hard- und Software,
9. Fristen für die Sperrung und Löschung nach § 19 Abs. 2 und Abs. 3,
10. eine beabsichtigte Datenübermittlung an Drittstaaten nach § 17 Abs. 2 und Abs. 3,
11. die begründeten Ergebnisse der Vorabkontrollen nach § 10 Abs. 3 Satz 1.

(2) Die Angaben des Verfahrensverzeichnisses können bei der datenverarbeitenden Stelle von jeder Person eingesehen werden; dies gilt

für die Angaben zu den Nummern 7, 8 und 11 nur, soweit dadurch die Sicherheit des technischen Verfahrens nicht beeinträchtigt wird. Satz 1 gilt nicht für

1. Verfahren nach dem Verfassungsschutzgesetz Nordrhein-Westfalen,
2. Verfahren, die der Gefahrenabwehr oder der Strafrechtspflege dienen,
3. Verfahren der Steuerfahndung,

soweit die datenverarbeitende Stelle eine Einsichtnahme im Einzelfall mit der Erfüllung ihrer Aufgaben für unvereinbar erklärt. Die Gründe dafür sind aktenkundig zu machen und die antragstellende Person ist darauf hinzuweisen, dass sie sich an den Landesbeauftragten für den Datenschutz wenden kann. Dem Landesbeauftragten für den Datenschutz ist auf sein Verlangen Einsicht zu gewähren.

§ 9 Automatisiertes Abrufverfahren und regelmäßige Datenübermittlung

(1) Die Einrichtung eines automatisierten Verfahrens, das die Übermittlung personenbezogener Daten durch Abruf ermöglicht, ist nur zulässig, soweit dies durch Bundes- oder Landesrecht bestimmt ist.

(2) Die Ministerien werden ermächtigt, für die Behörden und Einrichtungen ihres Geschäftsbereichs sowie für die der Rechtsaufsicht des Landes unterliegenden sonstigen öffentlichen Stellen die Einrichtung automatisierter Abrufverfahren durch Rechtsverordnung zuzulassen. Ein solches Verfahren darf nur eingerichtet werden, soweit dies unter Berücksichtigung des informationellen Selbstbestimmungsrechts des betroffenen Personenkreises und der Aufgaben der beteiligten Stellen angemessen ist. Die Vorschriften über die Zulässigkeit des einzelnen Abrufs bleiben unberührt. Die Datenempfänger, die Datenart und der Zweck des Abrufs sind festzulegen. Der Landesbeauftragte für den Datenschutz ist zu unterrichten.

(3) Die am Abrufverfahren beteiligten Stellen haben die nach § 10 erforderlichen Maßnahmen zu treffen.

(4) Für die Einrichtung automatisierter Abrufverfahren innerhalb einer öffentlichen Stelle gelten nur Absatz 2 Satz 2 bis 4 sowie Absatz 3 entsprechend.

(5) Personenbezogene Daten dürfen für Stellen außerhalb des öffentlichen Bereichs zum automatisierten Abruf nicht bereitgehalten werden; dies gilt nicht für die betroffene Person.

(6) Die Absätze 1 bis 5 gelten nicht für Datenbestände, die jedermann ohne oder nach besonderer Zulassung zur Benutzung offenstehen oder deren Veröffentlichung zulässig wäre.

(7) Absatz 1 und Absatz 2 Satz 1 und 5 sowie Absatz 5 finden keine Anwendung, soweit die zur Übermittlung vorgesehenen Daten mit schriftlicher Einwilligung der betroffenen Personen zum Zwecke der Übermittlung im automatisierten Abrufverfahren gespeichert sind. § 4 Abs. 1 Satz 4 und 5 gilt entsprechend.

(8) Die Absätze 1 bis 7 sind auf die Zulassung regelmäßiger Datenübermittlungen entsprechend anzuwenden.

§ 10 Technische und organisatorische Maßnahmen

(1) Die Ausführung der Vorschriften dieses Gesetzes sowie anderer Vorschriften über den Datenschutz ist durch technische und organisatorische Maßnahmen sicherzustellen.

(2) Dabei sind Maßnahmen zu treffen, die geeignet sind zu gewährleisten, dass

1. nur Befugte personenbezogene Daten zur Kenntnis nehmen können (Vertraulichkeit),
2. personenbezogene Daten während der Verarbeitung unversehrt, vollständig und aktuell bleiben (Integrität),
3. personenbezogene Daten zeitgerecht zur Verfügung stehen und ordnungsgemäß verarbeitet werden können (Verfügbarkeit),
4. jederzeit personenbezogene Daten ihrem Ursprung zugeordnet werden können (Authentizität),
5. festgestellt werden kann, wer wann welche personenbezogenen Daten in welcher Weise verarbeitet hat (Revisionsfähigkeit),
6. die Verfahrensweisen bei der Verarbeitung personenbezogener Daten vollständig, aktuell und in einer Weise dokumentiert sind, dass sie in zumutbarer Zeit nachvollzogen werden können (Transparenz).

(3) Die zu treffenden technischen und organisatorischen Maßnahmen sind auf der Grundlage eines zu dokumentierenden Sicherheitskonzepts zu ermitteln, zu dessen Bestandteilen die Vorabkontrolle hinsichtlich möglicher Gefahren für das in § 1 geschützte Recht auf informationelle Selbstbestimmung gehört, die vor der Entscheidung über den Einsatz oder einer wesentlichen Änderung eines automatisierten Verfahrens durchzuführen ist. Das Verfahren darf nur eingesetzt werden, wenn diese Gefahren nicht bestehen oder durch Maßnahmen nach den Absätzen 1 und 2 verhindert werden können. Das Ergebnis der Vorabkontrolle ist aufzuzeichnen. Die Wirksamkeit der Maßnahmen ist unter Berücksichtigung sich verändernder Rahmenbedingungen und Entwicklungen der Technik zu überprüfen. Die sich daraus ergebenden notwendigen Anpassungen sind zeitnah umzusetzen.

(4) Der Landesrechnungshof kann von der zu prüfenden Stelle verlangen, dass für ein konkretes Prüfungsverfahren die notwendigen Maßnahmen nach den Absätzen 1 bis 3 zeitnah geschaffen werden.

§ 10a Datenschutzaudit

Die öffentlichen Stellen können zur Verbesserung von Datenschutz und Datensicherheit sowie zum Erreichen größtmöglicher Datensparsamkeit ihr Datenschutzkonzept sowie ihre technischen Einrichtungen durch unabhängige und zugelassene Gutachter prüfen und bewerten sowie das Ergebnis der Prüfung veröffentlichen lassen. Sie können auch bereits geprüfte und bewertete Datenschutzkonzepte und Programme zum Einsatz bringen. Die näheren Anforderungen an die Prüfung und Bewertung, das Verfahren sowie die Auswahl und Zulassung der Gutachter werden durch besonderes Gesetz geregelt.

§ 11 Verarbeitung personenbezogener Daten im Auftrag

(1) Werden personenbezogene Daten im Auftrag einer öffentlichen Stelle verarbeitet, bleibt der Auftraggeber für die Einhaltung der Vorschriften dieses Gesetzes und anderer Vorschriften über den Datenschutz verantwortlich. Der Auftraggeber ist verantwortliche Stelle im Sinne dieses Gesetzes; die in § 5 genannten Rechte sind ihm gegenüber geltend zu machen. Der Auftragnehmer darf personenbezogene Daten nur im Rahmen der Weisungen des Auftraggebers verarbeiten. Der Auftraggeber hat den Auftragnehmer unter besonderer Berücksichtigung seiner Eignung für die Gewährleistung der nach § 10 notwendigen technischen und organisatorischen Maßnahmen sorgfältig auszuwählen. Der Auftrag ist schriftlich zu erteilen, wobei erforderlichenfalls ergänzende Weisungen zu technischen und organisatorischen Maßnahmen und etwaige Unterauftragsverhältnisse festzulegen sind.

(2) Soweit das Landesamt für Datenverarbeitung und Statistik (Landesdatenverarbeitungszentrale), die Gemeinsamen Gebietsrechenzentren, die Fachrechenzentren, die Hochschulrechenzentren und die kommunalen Datenverarbeitungseinrichtungen personenbezogene Daten im Auftrag öffentlicher Stellen verarbeiten, gelten für sie außer §§ 6 und 10 auch § 22 sowie §§ 24 und 25 dieses Gesetzes unmittelbar.

(3) Sofern die Vorschriften dieses Gesetzes auf den Auftragnehmer keine Anwendung finden, ist der Auftraggeber verpflichtet sicherzustellen, dass der Auftragnehmer die Bestimmungen dieses Gesetzes befolgt und sich, sofern die Datenverarbeitung im Geltungsbereich dieses Gesetzes durchgeführt wird, der Kontrolle des Landesbeauftragten für den Datenschutz unterwirft. Bei einer Auftragsdurchführung außerhalb des Geltungsbereichs dieses Gesetzes ist die zuständige Datenschutzkontrollbehörde zu unterrichten.

(4) Externe Personen und Stellen, die mit der Wartung und Systembetreuung von Einrichtungen zur automatisierten Datenverarbeitung beauftragt sind, unterliegen den Regelungen der Datenverarbeitung im Auftrag. Sie müssen die notwendige fachliche Qualifikation und Zuverlässigkeit aufweisen. Der Auftraggeber hat vor Beginn der Arbeiten sicherzustellen, dass der Auftragnehmer personenbezogene Daten nur zur Kenntnis nehmen kann, soweit dies unvermeidlich ist. Dies gilt auch für die Kenntnisnahme von Daten, die Berufs- oder besonderen Amtsgeheimnissen unterliegen. Der Auftragnehmer hat dem Auftraggeber zuzuordnende personenbezogene Daten unverzüglich nach Erledigung des Auftrages zu löschen. Die Dokumentation der Maßnahmen ist zum Zweck der Datenschutzkontrolle drei Jahre aufzubewahren.

Zweiter Abschnitt
Rechtsgrundlagen der Datenverarbeitung

§ 12 Erhebung

(1) Das Erheben personenbezogener Daten ist nur insoweit zulässig, als ihre Kenntnis zur rechtmäßigen Erfüllung der Aufgaben der erhebenden Stelle erforderlich ist. Durch die Art und Weise der Erhebung darf das allgemeine Persönlichkeitsrecht der betroffenen Person nicht beeinträchtigt werden. Personenbezogene Daten sind bei der betroffenen Person mit ihrer Kenntnis zu erheben; bei anderen Stellen oder Personen dürfen sie ohne ihre Kenntnis nur unter den Voraussetzungen des § 13 Abs. 2 Satz 1 Buchstabe a und c bis g oder i erhoben werden.

(2) Werden Daten bei der betroffenen Person erhoben, so ist sie über den Verwendungszweck und eine etwaige beabsichtigte Übermittlung aufzuklären. Werden Daten aufgrund einer Rechtsvorschrift erhoben, so ist die betroffene Person in geeigneter Weise über diese aufzuklären. Soweit eine Auskunftspflicht besteht oder die Angaben Voraussetzung für die Gewährung von Rechtsvorteilen sind, ist die betroffene Person hierauf, sonst auf die Freiwilligkeit ihrer Angaben hinzuweisen. Werden Daten ohne Kenntnis der betroffenen Person erstmals erhoben, so ist sie bei Beginn der Speicherung oder im Fall einer vorgesehenen Übermittlung bei der ersten Übermittlung davon zu benachrichtigen, wenn die Erfüllung der Aufgaben dadurch nicht wesentlich beeinträchtigt wird. Satz 4 gilt nicht, wenn die betroffene Person auf andere Weise Kenntnis erhält, die Übermittlung durch Gesetz oder eine andere Rechtsvorschrift ausdrücklich vorgesehen ist oder die Daten für Zwecke von Statistiken, die durch Gesetz oder eine andere Rechtsvorschrift vorgeschrieben sind, verarbeitet werden. Mitzuteilen ist, welche Daten von welcher Stelle zu welchem Zweck

auf welcher Rechtsgrundlage erhoben oder an wen sie übermittelt worden sind.

(3) Werden Daten bei einer dritten Person oder einer nicht-öffentlichen Stelle erhoben, so ist diese auf Verlangen über den Verwendungszweck aufzuklären. Soweit eine Auskunftspflicht besteht, ist sie hierauf, sonst auf die Freiwilligkeit ihrer Angaben hinzuweisen.

§ 13 Zweckbindung bei Speicherung, Veränderung und Nutzung

(1) Das Speichern, Verändern und Nutzen personenbezogener Daten ist zulässig, wenn es zur rechtmäßigen Erfüllung der Aufgaben der öffentlichen Stelle erforderlich ist. Die Daten dürfen nur für Zwecke weiterverarbeitet werden, für die sie erhoben worden sind. Daten, von denen die Stelle ohne Erhebung Kenntnis erlangt hat, dürfen nur für Zwecke genutzt werden, für die sie erstmals gespeichert worden sind.

(2) Sollen personenbezogene Daten zu Zwecken weiterverarbeitet werden, für die sie nicht erhoben oder erstmals gespeichert worden sind, ist dies nur zulässig, wenn

a) eine Rechtsvorschrift dies erlaubt oder die Wahrnehmung einer durch Gesetz oder Rechtsverordnung zugewiesenen einzelnen Aufgabe die Verarbeitung dieser Daten zwingend voraussetzt,
b) die betroffene Person eingewilligt hat,
c) Angaben der betroffenen Person überprüft werden müssen, weil tatsächliche Anhaltspunkte für deren Unrichtigkeit bestehen,
d) es zur Abwehr erheblicher Nachteile für das Gemeinwohl oder einer sonst unmittelbar drohenden Gefahr für die öffentliche Sicherheit oder zur Abwehr einer schwerwiegenden Beeinträchtigung der Rechte einer anderen Person erforderlich ist,
e) die Einholung der Einwilligung der betroffenen Person nicht möglich ist oder mit unverhältnismäßig hohem Aufwand verbunden wäre, aber offensichtlich ist, dass es in ihrem Interesse liegt und sie in Kenntnis des anderen Zwecks ihre Einwilligung erteilen würde,
f) sie aus allgemein zugänglichen Quellen entnommen werden können oder die speichernde Stelle sie veröffentlichen dürfte, es sei denn, dass das Interesse der betroffenen Person an dem Ausschluss der Speicherung oder einer Veröffentlichung der gespeicherten Daten offensichtlich überwiegt,
g) es zu Zwecken einer öffentlichen Auszeichnung oder Ehrung der betroffenen Person erforderlich ist,
h) sich bei Gelegenheit der rechtmäßigen Aufgabenerfüllung Anhaltspunkte für Straftaten oder Ordnungswidrigkeiten ergeben und

die Unterrichtung der für die Verfolgung oder Vollstreckung zuständigen Behörden geboten erscheint oder

i) zur Durchsetzung öffentlich-rechtlicher Geldforderungen ein rechtliches Interesse an der Kenntnis der zu verarbeitenden Daten vorliegt und kein Grund zu der Annahme besteht, dass das schutzwürdige Interesse der betroffenen Person an der Geheimhaltung überwiegt.

Die betroffene Person ist außer im Fall des Buchstaben b davon in geeigneter Weise zu unterrichten, sofern nicht die Aufgabenerfüllung wesentlich beeinträchtigt wird. Unterliegen die personenbezogenen Daten einem Berufs- oder besonderen Amtsgeheimnis und sind sie der verantwortlichen Stelle von der zur Verschwiegenheit verpflichteten Person in Ausübung ihrer Berufs- oder Amtspflicht übermittelt worden, findet Satz 1 Buchstabe c bis i keine Anwendung.

(3) Eine Verarbeitung zu anderen Zwecken liegt nicht vor, wenn sie der Wahrnehmung von Aufsichts- und Kontrollbefugnissen, der Rechnungsprüfung oder der Durchführung von Organisationsuntersuchungen dient. Zulässig ist auch die Verarbeitung zu Ausbildungs- und Prüfungszwecken, soweit nicht berechtigte Interessen der betroffenen Person an der Geheimhaltung der Daten offensichtlich überwiegen.

§ 14 Übermittlung innerhalb des öffentlichen Bereichs

(1) Die Übermittlung personenbezogener Daten an öffentliche Stellen ist zulässig, wenn sie zur rechtmäßigen Erfüllung der Aufgaben der übermittelnden Stelle oder des Empfängers erforderlich ist und die Voraussetzungen des § 13 Abs. 1 Satz 2 oder Satz 3 oder des Absatzes 2 Satz 1 vorliegen, sowie zur Wahrnehmung von Aufgaben nach § 13 Abs. 3. Die Übermittlung ist ferner zulässig, soweit es zur Entscheidung in einem Verwaltungsverfahren der Beteiligung mehrerer öffentlicher Stellen bedarf.

(2) Die Verantwortung für die Übermittlung trägt die übermittelnde Stelle. Erfolgt die Übermittlung auf Grund eines Ersuchens des Empfängers, hat die übermittelnde Stelle lediglich zu prüfen, ob das Übermittlungsersuchen im Rahmen der Aufgaben des Empfängers liegt. Die Rechtmäßigkeit des Ersuchens prüft sie nur, wenn im Einzelfall hierzu Anlass besteht; der Empfänger hat der übermittelnden Stelle die für diese Prüfung erforderlichen Angaben zu machen. Erfolgt die Übermittlung durch automatisierten Abruf (§ 9), so trägt die Verantwortung für die Rechtmäßigkeit des Abrufs der Empfänger.

(3) Der Empfänger darf die übermittelten Daten nur für die Zwecke verarbeiten, zu deren Erfüllung sie ihm übermittelt worden sind; § 13 Abs. 2 findet entsprechende Anwendung.

(4) Die Absätze 1 bis 3 gelten entsprechend, wenn personenbezogene Daten innerhalb einer öffentlichen Stelle weitergegeben werden.

§ 15 Übermittlung an öffentlich-rechtliche Religionsgesellschaften

Die Übermittlung personenbezogener Daten an Stellen der öffentlich-rechtlichen Religionsgesellschaften ist in entsprechender Anwendung der Vorschriften über die Datenübermittlung an öffentliche Stellen zulässig, sofern sichergestellt ist, dass bei dem Empfänger ausreichende Datenschutzmaßnahmen getroffen sind.

§ 16 Übermittlung an Personen oder Stellen außerhalb des öffentlichen Bereichs

(1) Die Übermittlung personenbezogener Daten an Personen oder Stellen außerhalb des öffentlichen Bereichs ist zulässig, wenn
a) sie zur rechtmäßigen Erfüllung der in der Zuständigkeit der übermittelnden Stelle liegenden Aufgaben erforderlich ist und die Voraussetzungen des § 13 Abs. 1 vorliegen,
b) die Voraussetzungen des § 13 Abs. 2 Satz 1 Buchstabe a, b, d, f oder i vorliegen,
c) der Auskunftsbegehrende ein rechtliches Interesse an der Kenntnis der zu übermittelnden Daten glaubhaft macht und kein Grund zu der Annahme besteht, dass das Geheimhaltungsinteresse der betroffenen Person überwiegt, oder
d) sie im öffentlichen Interesse liegt oder hierfür ein berechtigtes Interesse geltend gemacht wird und die betroffene Person in diesen Fällen der Datenübermittlung nicht widersprochen hat.

Bei Übermittlungen nach Satz 1 Buchstabe b, soweit sie unter den Voraussetzungen des § 13 Abs. 2 Satz 1 Buchstabe i erfolgen, sowie in den Fällen des Satzes 1 Buchstabe c wird die betroffene Person vor der Mitteilung gehört, es sei denn, es ist zu besorgen, dass dadurch die Verfolgung des Interesses vereitelt oder wesentlich erschwert würde, und eine Abwägung ergibt, dass dieses Interesse das Interesse der betroffenen Person an ihrer vorherigen Anhörung überwiegt; ist die Anhörung unterblieben, wird die betroffene Person nachträglich unterrichtet. In den übrigen Fällen des Satzes 1 ist die betroffene Person über die beabsichtigte Übermittlung, die Art der zu übermittelnden Daten und den Verwendungszweck in geeigneter Weise zu unterrichten, sofern nicht die Aufgabenerfüllung wesentlich beeinträchtigt wird.

(2) Der Empfänger darf die übermittelten Daten nur für die Zwecke verarbeiten, zu denen sie ihm übermittelt wurden. Hierauf ist er bei der Übermittlung hinzuweisen.

§ 17 Übermittlung an ausländische Stellen

(1) Die Zulässigkeit der Übermittlung an öffentliche und nichtöffentliche Stellen außerhalb des Geltungsbereichs des Grundgesetzes richtet sich nach den §§ 14 und 16. Die Übermittlung an Stellen außerhalb der Mitgliedstaaten der Europäischen Union ist nur zulässig, wenn dort ein angemessenes Datenschutzniveau gewährleistet ist. Vor der Entscheidung über die Angemessenheit des Datenschutzniveaus ist der Landesbeauftragte für den Datenschutz zu hören.

(2) Fehlt es an einem angemessenen Datenschutzniveau, so ist die Übermittlung nur zulässig, wenn
1. die betroffene Person in die Übermittlung eingewilligt hat,
2. die Übermittlung zur Wahrung eines überwiegenden öffentlichen Interesses oder zur Geltendmachung, Ausübung oder Verteidigung eines rechtlichen Interesses erforderlich ist,
3. die Übermittlung zur Wahrung lebenswichtiger Interessen der betroffenen Person erforderlich ist,
4. die Übermittlung aus einem für die Öffentlichkeit bestimmten Register erfolgt oder
5. die Übermittlung genehmigt wird, wenn die empfangende Stelle ausreichende Garantien hinsichtlich des Schutzes der informationellen Selbstbestimmung bietet. Die für die Genehmigungserteilung zuständige Stelle oder zuständigen Stellen bestimmt die Landesregierung durch Rechtsverordnung.

(3) Die empfangende Stelle ist darauf hinzuweisen, dass die Daten nur zu den Zwecken verarbeitet werden dürfen, für die sie übermittelt wurden.

Dritter Abschnitt
Rechte der betroffenen Person

§ 18 Auskunft, Einsichtnahme

(1) Der betroffenen Person ist von der verantwortlichen Stelle auf Antrag Auskunft zu erteilen über
1. die zu ihrer Person verarbeiteten Daten,
2. den Zweck und die Rechtsgrundlage der Verarbeitung,
3. die Herkunft der Daten und die Empfänger von Übermittlungen sowie
4. die allgemeinen technischen Bedingungen der automatisierten Verarbeitung der zur eigenen Person verarbeiteten Daten.

Dies gilt nicht für personenbezogene Daten, die ausschließlich zu Zwecken der Datensicherung oder der Datenschutzkontrolle gespeichert sind.

(2) Auskunft oder Einsichtnahme sind zu gewähren, soweit die betroffene Person Angaben macht, die das Auffinden der Daten mit angemessenem Aufwand ermöglichen. Auskunftserteilungen und Einsichtnahme sind gebührenfrei, die Erstattung von Auslagen kann verlangt werden.

(3) Die Verpflichtung zur Auskunftserteilung oder zur Gewährung der Einsichtnahme entfällt, soweit

a) dies die ordnungsgemäße Erfüllung der Aufgaben der verantwortlichen Stelle erheblich gefährden würde,
b) dies die öffentliche Sicherheit gefährden oder sonst dem Wohle des Bundes oder eines Landes Nachteile bereiten würde,
c) die personenbezogenen Daten oder die Tatsache ihrer Speicherung nach einer Rechtsvorschrift oder wegen der berechtigten Interessen einer dritten Person geheimgehalten werden müssen.

(4) Einer Begründung für die Auskunftsverweigerung bedarf es nur dann nicht, wenn durch die Mitteilung der Gründe der mit der Auskunftsverweigerung verfolgte Zweck gefährdet würde. In diesem Fall sind die wesentlichen Gründe für die Entscheidung aufzuzeichnen.

(5) Bezieht sich die Auskunftserteilung oder die Einsichtnahme auf die Herkunft personenbezogener Daten von Behörden des Verfassungsschutzes, der Staatsanwaltschaft und der Polizei, von Landesfinanzbehörden, soweit diese personenbezogene Daten in Erfüllung ihrer gesetzlichen Aufgaben im Anwendungsbereich der Abgabenordnung zur Überwachung und Prüfung speichern, sowie von den in § 19 Abs. 3 Bundesdatenschutzgesetz genannten Behörden, ist sie nur mit Zustimmung dieser Stellen zulässig. Gleiches gilt für die Übermittlung personenbezogener Daten an diese Behörden. Für die Versagung der Zustimmung gelten, soweit dieses Gesetz auf die genannten Behörden Anwendung findet, die Absätze 3 und 4 entsprechend.

(6) Werden Auskunft oder Einsichtnahme nicht gewährt, ist die betroffene Person darauf hinzuweisen, dass sie sich an den Landesbeauftragten für den Datenschutz wenden kann.

§ 19 Berichtigung, Sperrung und Löschung

(1) Personenbezogene Daten sind zu berichtigen, wenn sie unrichtig sind. Sind personenbezogene Daten zu berichtigen, so ist in geeigneter Weise kenntlich zu machen, zu welchem Zeitpunkt und aus welchem Grund diese Daten unrichtig waren oder geworden sind.

(2) Personenbezogene Daten sind zu sperren, wenn

a) ihre Richtigkeit von der betroffenen Person bestritten wird und sich weder die Richtigkeit noch die Unrichtigkeit feststellen lässt,

b) die betroffene Person an Stelle der Löschung nach Absatz 3 Satz 1 Buchstabe a die Sperrung verlangt,
c) die weitere Speicherung im Interesse der betroffenen Person geboten ist,
d) sie nur zu Zwecken der Datensicherung oder der Datenschutzkontrolle gespeichert sind.

In den Fällen nach Satz 1 Buchstabe c und d sind die Gründe aufzuzeichnen. Bei automatisierten Dateien ist die Sperrung grundsätzlich durch technische Maßnahmen sicherzustellen; im Übrigen ist ein entsprechender Vermerk anzubringen. Gesperrte Daten dürfen über die Speicherung hinaus nicht mehr weiterverarbeitet werden, es sei denn, dass dies zur Behebung einer bestehenden Beweisnot oder aus sonstigen im überwiegenden Interesse der verantwortlichen Stelle oder eines Dritten liegenden Gründen unerlässlich ist oder die betroffene Person eingewilligt hat.

(3) Personenbezogene Daten sind zu löschen, wenn
a) ihre Speicherung unzulässig ist oder
b) ihre Kenntnis für die speichernde Stelle zur Aufgabenerfüllung nicht mehr erforderlich ist.

Sind personenbezogene Daten in Akten gespeichert und ist die nach § 4 Abs. 6 vorgesehene Abtrennung nicht möglich, ist die Löschung nach Satz 1 Buchstabe b nur durchzuführen, wenn die gesamte Akte zur Aufgabenerfüllung nicht mehr erforderlich ist, es sei denn, dass die betroffene Person die Löschung verlangt und die weitere Speicherung sie in unangemessener Weise beeinträchtigen würde. Soweit hiernach eine Löschung nicht in Betracht kommt, sind die personenbezogenen Daten auf Antrag der betroffenen Person zu sperren.

(4) Abgesehen von den Fällen des Absatzes 3 Satz 1 Buchstabe a ist von einer Löschung abzusehen, soweit die gespeicherten Daten auf Grund von Rechtsvorschriften einem Archiv zur Übernahme anzubieten oder von einem Archiv zu übernehmen sind.

(5) Über die Berichtigung unrichtiger Daten, die Sperrung bestrittener Daten und die Löschung oder Sperrung unzulässig gespeicherter Daten sind unverzüglich die betroffene Person und die Stellen zu unterrichten, denen die Daten übermittelt worden sind. Die Unterrichtung kann unterbleiben, wenn sie einen erheblichen Aufwand erfordern würde und nachteilige Folgen für die betroffene Person nicht zu befürchten sind.

§ 20 Schadensersatz

(1) Wird der betroffenen Person durch eine nach den Vorschriften dieses Gesetzes oder nach anderen Vorschriften über den Datenschutz

unzulässige oder unrichtige Verarbeitung ihrer personenbezogenen Daten ein Schaden zugefügt, so ist ihr der Träger der verantwortlichen Stelle zum Schadensersatz verpflichtet. In schweren Fällen kann die betroffene Person auch wegen des Schadens, der nicht Vermögensschaden ist, eine angemessene Entschädigung in Geld verlangen.

(2) Ist der Schaden durch Verarbeitung der Daten in einer automatisierten Datei entstanden, besteht die Entschädigungspflicht unabhängig von einem Verschulden der verantwortlichen Stelle. In diesem Fall haftet der Ersatzpflichtige gegenüber der betroffenen Person für jedes schädigende Ereignis bis zu einem Betrag von 500.000 Deutsche Mark oder 250.000 Euro. Im Übrigen setzt die Verpflichtung zum Schadensersatz Verschulden voraus. Der verantwortlichen Stelle obliegt in Fällen des Satzes 3 die Beweislast, dass sie die unzulässige oder unrichtige Verarbeitung der Daten nicht zu vertreten hat. Mehrere Ersatzpflichtige haften als Gesamtschuldner.

(3) Auf eine schuldhafte Mitverursachung des Schadens durch die betroffene Person und die Verjährung des Entschädigungsanspruchs sind die §§ 254, 839 Abs. 3 und § 852 des Bürgerlichen Gesetzbuches entsprechend anzuwenden.

(4) Weitergehende sonstige Schadensersatzansprüche bleiben unberührt.

Zweiter Teil
Landesbeauftragter für den Datenschutz

§ 21 Berufung und Rechtsstellung

(1) Der Landtag wählt auf Vorschlag der Landesregierung einen Landesbeauftragten für den Datenschutz mit mehr als der Hälfte der gesetzlichen Zahl seiner Mitglieder. Dieser muss die Befähigung zum Richteramt oder zum höheren Dienst haben und die zur Erfüllung seiner Aufgaben erforderliche Fachkunde besitzen. Die Amts- und Funktionsbezeichnung »Der Landesbeauftragte für den Datenschutz« wird in männlicher oder weiblicher Form geführt.

(2) Der Landesbeauftragte für den Datenschutz wird jeweils für die Dauer von acht Jahren in ein Beamtenverhältnis auf Zeit berufen. Nach Ende der Amtszeit bleibt er bis zur Ernennung eines Nachfolgers im Amt. Die Wiederwahl ist zulässig. Der Landesbeauftragte für den Datenschutz ist in Ausübung seines Amtes unabhängig und nur dem Gesetz unterworfen. Der Landesbeauftragte für den Datenschutz bestellt eine Mitarbeiterin oder einen Mitarbeiter zur Stellvertreterin oder zum Stellvertreter. Diese oder dieser führt die Geschäfte im Verhinderungsfall.

(3) Der Landesbeauftragte für den Datenschutz ist dem Innenministerium angegliedert. Er ist oberste Dienstbehörde im Sinne des § 96 der Strafprozessordnung und trifft Entscheidungen nach §§ 64 und 65 des Landesbeamtengesetzes für das Land Nordrhein-Westfalen für sich und seine Bediensteten in eigener Verantwortung. Im Übrigen untersteht er der Dienstaufsicht des Innenministeriums.

(4) Dem Landesbeauftragten für den Datenschutz ist die für die Erfüllung seiner Aufgaben notwendige Personal- und Sachausstattung zur Verfügung zu stellen; sie ist im Einzelplan des Innenministeriums in einem eigenen Kapitel auszuweisen.

(5) In Personalangelegenheiten hat der Landesbeauftragte für den Datenschutz ein Vorschlagsrecht. Die Stellen sind im Einvernehmen mit ihm zu besetzen. Die Bediensteten können nur im Einvernehmen mit ihm versetzt oder abgeordnet werden; sie unterstehen seinen Weisungen.

(6) Der Landesbeauftragte für den Datenschutz kann sich jederzeit an den Landtag wenden.

§ 22 Aufgaben und Befugnisse

(1) Der Landesbeauftragte für den Datenschutz überwacht die Einhaltung der Vorschriften dieses Gesetzes sowie anderer Vorschriften über den Datenschutz bei den öffentlichen Stellen. Den Stellen kann der Landesbeauftragte für den Datenschutz auch Empfehlungen zur Verbesserung des Datenschutzes geben, insbesondere die Landesregierung und einzelne Ministerien, Gemeinden und Gemeindeverbände sowie die übrigen öffentlichen Stellen in Fragen des Datenschutzes beraten.

(2) Die öffentlichen Stellen sind verpflichtet, den Landesbeauftragten für den Datenschutz bei der Aufgabenerfüllung zu unterstützen und Amtshilfe zu leisten. Gesetzliche Geheimhaltungsvorschriften können einem Auskunfts- oder Einsichtsverlangen nicht entgegengehalten werden. Dem Landesbeauftragten für den Datenschutz sind insbesondere

1. Auskunft über die Fragen zu erteilen sowie Einsicht in alle Datenverarbeitungsvorgänge, Dokumentationen und Aufzeichnungen zu gewähren, die im Zusammenhang mit der Verarbeitung personenbezogener Daten stehen, namentlich auch in die gespeicherten Daten,
2. jederzeit Zutritt zu allen Diensträumen und Zugriff auf elektronische Dienste zu gewähren und
3. Kopien von Unterlagen, von automatisierten Dateien, von deren Verfahren und von organisatorischen Regelungen zur Mitnahme zur Verfügung zu stellen, soweit nicht die Aufgabenerfüllung der

verantwortlichen Stelle wesentlich gefährdet wird. Die Gefährdung ist schriftlich zu begründen.

Die Rechte nach Satz 3 dürfen nur vom Landesbeauftragten für den Datenschutz persönlich ausgeübt werden, wenn die oberste Landesbehörde im Einzelfall feststellt, dass die Sicherheit des Bundes oder eines Landes dies gebietet. In diesem Fall müssen personenbezogene Daten einer betroffenen Person, der von der datenverarbeitenden Stelle Vertraulichkeit besonders zugesichert worden ist, auch ihm gegenüber nicht offenbart werden.

(3) Der Landesbeauftragte für den Datenschutz ist frühzeitig über Planungen zur Entwicklung, zum Aufbau oder zur wesentlichen Veränderung automatisierter Datenverarbeitungs- und Informationssysteme zu unterrichten, sofern in dem jeweiligen System personenbezogene Daten verarbeitet werden sollen. Dasselbe gilt bei Entwürfen für Rechts- oder Verwaltungsvorschriften des Landes, wenn sie eine Verarbeitung personenbezogener Daten vorsehen.

(4) Der Landtag und die Landesregierung können den Landesbeauftragten für den Datenschutz mit der Erstattung von Gutachten und Stellungnahmen oder der Durchführung von Untersuchungen in Datenschutzfragen betrauen.

(5) Der Landesbeauftragte für den Datenschutz ist befugt, personenbezogene Daten, die ihm durch Beschwerden, Anfragen, Hinweise und Beratungswünsche bekannt werden, zu verarbeiten, soweit dies zur Erfüllung seiner Aufgaben erforderlich ist. Er darf im Rahmen von Kontrollmaßnahmen personenbezogene Daten auch ohne Kenntnis der betroffenen Person erheben. Von einer Benachrichtigung der betroffenen Person kann nach pflichtgemäßem Ermessen abgesehen werden. Die nach den Sätzen 1 und 2 erhobenen und verarbeiteten Daten dürfen nicht zu anderen Zwecken weiterverarbeitet werden.

(6) Der Landesbeauftragte für den Datenschutz arbeitet mit den Behörden und sonstigen Stellen zusammen, die für die Kontrolle der Einhaltung der Vorschriften über den Datenschutz in der Europäischen Union, im Bund und in den Ländern zuständig sind. Aufsichtsbehörde im Sinne des § 38 Bundesdatenschutzgesetz ist der Landesbeauftragte für den Datenschutz. Insofern untersteht er der Aufsicht des Innenministeriums. Führt er die Weisungen nicht aus, kann ihn das Innenministerium erneut anweisen. Kommt er der neuerlichen Weisung nicht binnen einer Woche nach, steht zur Prüfung der Rechtmäßigkeit der Weisung der Rechtsweg vor dem Verwaltungsgericht offen. Kommt der Landesbeauftragte für den Datenschutz der Weisung auch nach Bestätigung ihrer Rechtmäßigkeit durch das Verwaltungsgericht nicht nach, kann das Innenministerium den Vertreter anweisen; entgegenstehende Weisungen des Landesbeauftragten für den Datenschutz sind

unbeachtlich. Das Innenministerium und der Landesbeauftragte für den Datenschutz werden ermächtigt, Regelungen zum weiteren Verfahren der Aufsicht im nicht-öffentlichen Bereich zu vereinbaren.

§ 23 (aufgehoben)

§ 24 Beanstandungen durch den Landesbeauftragten

(1) Stellt der Landesbeauftragte für den Datenschutz Verstöße gegen die Vorschriften dieses Gesetzes, gegen andere Vorschriften über den Datenschutz oder sonstige Mängel bei der Verarbeitung personenbezogener Daten fest, so beanstandet er diese

1. bei der Landesverwaltung gegenüber der zuständigen obersten Landesbehörde, beim Landesrechnungshof gegenüber der Präsidentin oder dem Präsidenten,
2. bei der Kommunalverwaltung gegenüber der jeweils verantwortlichen Gemeinde oder dem verantwortlichen Gemeindeverband,
3. bei den wissenschaftlichen Hochschulen, Gesamthochschulen und Fachhochschulen gegenüber dem Hochschulpräsidenten oder dem Rektor, bei öffentlichen Schulen gegenüber dem Leiter der Schule,
4. bei den sonstigen Körperschaften, Anstalten und Stiftungen des öffentlichen Rechts gegenüber dem Vorstand oder dem sonst vertretungsberechtigten Organ

und fordert zur Stellungnahme innerhalb einer von ihm zu bestimmenden Frist auf. In den Fällen von Satz 1 Nr. 2 bis 4 unterrichtet der Landesbeauftragte für den Datenschutz gleichzeitig auch die zuständige Aufsichtsbehörde.

(2) Der Landesbeauftragte für den Datenschutz kann von einer Beanstandung absehen oder auf eine Stellungnahme der betroffenen Stelle verzichten, wenn es sich um unerhebliche Mängel handelt oder wenn ihre Behebung sichergestellt ist.

(3) Mit der Beanstandung kann der Landesbeauftragte für den Datenschutz Vorschläge zur Beseitigung der Mängel und zur sonstigen Verbesserung des Datenschutzes verbinden.

(4) Die gemäß Absatz 1 abzugebende Stellungnahme soll auch eine Darstellung der Maßnahmen enthalten, die auf Grund der Beanstandung des Landesbeauftragten für den Datenschutz getroffen worden sind. Die in Absatz 1 Nr. 2 bis 4 genannten Stellen leiten der zuständigen Aufsichtsbehörde eine Abschrift ihrer Stellungnahme an den Landesbeauftragten für den Datenschutz zu.

§ 25 Anrufungsrecht der betroffenen Person

(1) Wer der Ansicht ist, dass gegen Vorschriften dieses Gesetzes oder gegen andere Datenschutzvorschriften verstoßen worden ist oder ein

solcher Verstoß bevorsteht, hat das Recht, sich unmittelbar an den Landesbeauftragten für den Datenschutz zu wenden; dies gilt auch für Bedienstete öffentlicher Stellen, ohne dass der Dienstweg eingehalten werden muss.

(2) Niemand darf deswegen benachteiligt oder gemaßregelt werden, weil er sich an den Landesbeauftragten für den Datenschutz wendet.

§ 26 (aufgehoben)

§ 27 Datenschutzbericht

Der Landesbeauftragte für den Datenschutz legt dem Landtag und der Landesregierung jeweils für zwei Kalenderjahre einen Bericht über seine Tätigkeit vor (Datenschutzbericht). Die Landesregierung nimmt hierzu gegenüber dem Landtag schriftlich Stellung. Der Landesbeauftragte für den Datenschutz berät und informiert mit dem Bericht und auf andere Weise die Bürger sowie die Öffentlichkeit zu Fragen des Datenschutzes.

Dritter Teil
Besonderer Datenschutz

§ 28 Datenverarbeitung für wissenschaftliche Zwecke

(1) Die Verarbeitung personenbezogener Daten zu wissenschaftlichen Zwecken soll in anonymisierter Form erfolgen. Stehen einer Anonymisierung wissenschaftliche Gründe entgegen, dürfen die Daten auch verarbeitet werden, wenn sie pseudonymisiert werden und der mit der Forschung befasste Personenkreis oder die empfangende Stelle oder Person keinen Zugriff auf die Zuordnungsfunktion hat. Datenerfassung, Anonymisierung oder Pseudonymisierung kann auch durch die mit der Forschung befassten Personen erfolgen, wenn sie zuvor nach dem Verpflichtungsgesetz zur Verschwiegenheit verpflichtet worden sind und unter der Aufsicht der übermittelnden Stelle stehen.

(2) Ist eine Anonymisierung oder Pseudonymisierung nicht möglich, so dürfen personenbezogene Daten für ein bestimmtes Forschungsvorhaben verarbeitet werden, wenn
1. die betroffene Person eingewilligt hat,
2. schutzwürdige Belange der betroffenen Person wegen der Art der Daten oder der Art der Verwendung nicht beeinträchtigt werden oder
3. der Zweck der Forschung auf andere Weise nicht oder nur mit unverhältnismäßig großem Aufwand erreicht werden kann und

das öffentliche Interesse an der Durchführung des Forschungsvorhabens die schutzwürdigen Belange der betroffenen Person überwiegt.

(3) Sobald es der Forschungszweck gestattet, sind die Daten zu anonymisieren, hilfsweise zu pseudonymisieren. Die Merkmale, mit deren Hilfe ein Personenbezug wiederhergestellt werden kann, sind gesondert zu speichern; sie müssen gelöscht werden, sobald der Forschungszweck dies zulässt. Sollen personenbezogene Daten für einen anderen als den ursprünglichen Forschungszweck verarbeitet werden, ist dies nur nach Maßgabe der Absätze 1 und 2 zulässig.

(4) Die zu wissenschaftlichen Zwecken verarbeiteten Daten dürfen nur veröffentlicht werden, wenn
1. die betroffene Person eingewilligt hat oder
2. das öffentliche Interesse an der Darstellung des Forschungsergebnisses die schutzwürdigen Belange der betroffenen Person erheblich überwiegt.

(5) Soweit öffentliche Stellen personenbezogene Daten übermitteln, haben sie diejenigen empfangenden Stellen, auf die dieses Gesetz keine Anwendung findet, darauf zu verpflichten, die Vorschriften der Absätze 1 bis 4 einzuhalten und jederzeit Kontrollen durch den Landesbeauftragten für den Datenschutz zu ermöglichen. Bei einer Datenübermittlung an Stellen außerhalb des Geltungsbereichs dieses Gesetzes hat die übermittelnde Stelle die für den Empfänger zuständige Datenschutzkontrollbehörde zu unterrichten.

§ 29 Datenverarbeitung bei Dienst- und Arbeitsverhältnissen

(1) Daten von Bewerbern und Beschäftigten dürfen nur verarbeitet werden, wenn dies zur Eingehung, Durchführung, Beendigung oder Abwicklung des Dienst- oder Arbeitsverhältnisses oder zur Durchführung organisatorischer, personeller und sozialer Maßnahmen, insbesondere auch zu Zwecken der Personalplanung und des Personaleinsatzes, erforderlich ist oder eine Rechtsvorschrift, ein Tarifvertrag oder eine Dienstvereinbarung dies vorsieht. Abweichend von § 16 Abs. 1 ist eine Übermittlung der Daten von Beschäftigten an Personen und Stellen außerhalb des öffentlichen Bereichs nur zulässig, wenn der Empfänger ein rechtliches Interesse darlegt, der Dienstverkehr es erfordert oder die betroffene Person eingewilligt hat. Die Datenübermittlung an einen künftigen Dienstherrn oder Arbeitgeber ist nur mit Einwilligung der betroffenen Person zulässig.

(2) Die beamtenrechtlichen Vorschriften über die Führung von Personalakten (§§ 102 ff. Landesbeamtengesetz) sind für alle nicht beamteten Beschäftigten einer öffentlichen Stelle entsprechend anzuwenden,

soweit nicht die Besonderheiten des Tarif- und Arbeitsrechts hinsichtlich der Aufnahme und Entfernung von bestimmten Vorgängen und Vermerken eine abweichende Behandlung erfordern.

(3) Die Weiterverarbeitung der bei ärztlichen oder psychologischen Untersuchungen und Tests zum Zwecke der Eingehung eines Dienst- oder Arbeitsverhältnisses erhobenen Daten ist nur mit schriftlicher Einwilligung der betroffenen Person zulässig. Die Einstellungsbehörde darf vom untersuchenden Arzt in der Regel nur die Übermittlung des Ergebnisses der Eignungsuntersuchung und dabei festgestellter Risikofaktoren verlangen.

(4) Personenbezogene Daten, die vor der Eingehung eines Dienst- oder Arbeitsverhältnisses erhoben wurden, sind unverzüglich zu löschen, sobald feststeht, dass ein Dienst- oder Arbeitsverhältnis nicht zustande kommt, es sei denn, dass die betroffene Person in die weitere Speicherung eingewilligt hat. Nach Beendigung eines Dienst- oder Arbeitsverhältnisses sind personenbezogene Daten zu löschen, wenn diese Daten nicht mehr benötigt werden, es sei denn, dass Rechtsvorschriften entgegenstehen; § 19 Abs. 3 Satz 2 und 3 sowie Abs. 4 finden Anwendung.

(5) Die Ergebnisse medizinischer oder psychologischer Untersuchungen und Tests der Beschäftigten dürfen automatisiert nur verarbeitet werden, wenn dies dem Schutz der Beschäftigten dient.

(6) Soweit Daten der Beschäftigten im Rahmen der Durchführung der technischen und organisatorischen Maßnahmen nach § 10 gespeichert werden, dürfen sie nicht zu Zwecken der Verhaltens- oder Leistungskontrolle genutzt werden.

(7) Beurteilungen dürfen nicht allein auf Informationen gestützt werden, die unmittelbar durch automatisierte Datenverarbeitung gewonnen werden.

§ 29a Mobile personenbezogene Datenverarbeitungssysteme

(1) Informationstechnische Systeme zum Einsatz in automatisierten Verfahren, die an die Betroffenen ausgegeben werden und die über eine von der ausgebenden Stelle oder Dritten bereitgestellte Schnittstelle Daten automatisiert austauschen können (mobile Datenverarbeitungssysteme, z. B. Chipkarten), dürfen nur mit Einwilligung der betroffenen Person nach ihrer vorherigen umfassenden Aufklärung eingesetzt werden.

(2) Für die Betroffenen muss jederzeit erkennbar sein,

1. ob und durch wen Datenverarbeitungsvorgänge auf dem mobilen Datenverarbeitungssystem oder durch dieses veranlasst stattfinden,

2. welche personenbezogenen Daten der betroffenen Person verarbeitet werden und
3. welcher Verarbeitungsvorgang im Einzelnen abläuft oder angestoßen wird.

Den Betroffenen müssen die Informationen nach Nummer 2 und 3 auf ihren Wunsch auch schriftlich in Papierform mitgeteilt werden.

(3) Die Betroffenen sind bei der Ausgabe des mobilen Datenverarbeitungssystems über die ihnen nach § 5 zustehenden Rechte aufzuklären. Sofern zur Wahrnehmung der Informationsrechte besondere Geräte oder Einrichtungen erforderlich sind, hat die ausgebende Stelle dafür Sorge zu tragen, dass diese in angemessenem Umfang zur Verfügung stehen.

§ 29b Optisch-elektronische Überwachung

(1) Die nicht mit einer Speicherung verbundene Beobachtung öffentlich zugänglicher Bereiche mit optisch-elektronischen Einrichtungen ist zulässig, soweit dies der Wahrnehmung des Hausrechts dient und keine Anhaltspunkte dafür bestehen, dass schutzwürdige Interessen betroffener Personen überwiegen. Die Tatsache der Beobachtung ist, soweit nicht offenkundig, den Betroffenen durch geeignete Maßnahmen erkennbar zu machen.

(2) Die Speicherung von nach Absatz 1 Satz 1 erhobenen Daten ist nur bei einer konkreten Gefahr zu Beweiszwecken zulässig, wenn dies zum Erreichen der verfolgten Zwecke unverzichtbar ist. Die Daten sind unverzüglich zu löschen, wenn sie hierzu nicht mehr erforderlich sind; dies ist in angemessenen Zeitabständen zu prüfen.

(3) Werden die gespeicherten Daten einer bestimmten Person zugeordnet und verarbeitet, so ist diese jeweils davon zu benachrichtigen. Von einer Benachrichtigung kann abgesehen werden, solange das öffentliche Interesse an einer Strafverfolgung das Benachrichtigungsrecht der betroffenen Person erheblich überwiegt.

§ 30 Fernmessen und Fernwirken

(1) Öffentliche Stellen dürfen ferngesteuerte Messungen oder Beobachtungen (Fernmessdienste) in Wohnungen oder Geschäftsräumen nur vornehmen, wenn die betroffene Person zuvor über den Verwendungszweck sowie über Art, Umfang und Zeitraum des Einsatzes unterrichtet worden ist und nach der Unterrichtung schriftlich eingewilligt hat. Entsprechendes gilt, soweit eine Übertragungseinrichtung dazu dienen soll, in Wohnungen oder Geschäftsräumen andere Wirkungen auszulösen (Fernwirkdienste). Die Einrichtung von Fernmess- und Fernwirkdiensten ist nur zulässig, wenn die betroffene Person erkennen

kann, wann ein Dienst in Anspruch genommen wird und welcher Art dieser Dienst ist; dies gilt nicht für Fernmess- und Fernwirkdienste der Versorgungsunternehmen. Die betroffene Person kann ihre Einwilligung jederzeit widerrufen, soweit dies mit der Zweckbestimmung des Dienstes vereinbar ist. Das Abschalten eines Dienstes gilt im Zweifel als Widerruf der Einwilligung.

(2) Eine Leistung, der Abschluss oder die Abwicklung eines Vertragsverhältnisses dürfen nicht davon abhängig gemacht werden, dass die betroffene Person nach Absatz 1 Satz 1 oder 2 einwilligt. Verweigert oder widerruft sie ihre Einwilligung, so dürfen ihr keine Nachteile entstehen, die über die unmittelbaren Folgekosten hinausgehen.

(3) Soweit im Rahmen von Fernmess- oder Fernwirkdiensten personenbezogene Daten erhoben werden, dürfen diese nur zu den vereinbarten Zwecken verarbeitet werden. Sie sind zu löschen, sobald sie zur Erfüllung dieser Zwecke nicht mehr erforderlich sind.

§ 31 Nutzung von Verwaltungsdaten für die Erstellung von Statistiken

Für die Erstellung von Statistiken dürfen öffentliche Stellen personenbezogene Daten weiterverarbeiten, soweit diese bei der rechtmäßigen Erfüllung der in ihrer Zuständigkeit liegenden Aufgaben angefallen sind. Die Veröffentlichungen dürfen keine Angaben enthalten, die den Bezug auf eine bestimmte Person zulassen.

§ 32 Nutzung von Einzelangaben aus der amtlichen Statistik durch Gemeinden und Gemeindeverbände

(1) Dürfen den Gemeinden und Gemeindeverbänden auf Grund gesetzlicher Ermächtigungen zur Durchführung eigener statistischer Aufgaben Einzelangaben aus der amtlichen Statistik (Datensätze) für ihren Zuständigkeitsbereich übermittelt werden, so ist dies nur zulässig auf Datenträgern, die zur maschinellen Weiterverarbeitung bestimmt sind.

(2) Datenträger dürfen nur den für die Durchführung statistischer Aufgaben zuständigen Stellen der Gemeinden und Gemeindeverbände übermittelt werden, die organisatorisch und räumlich von den anderen Verwaltungsstellen der Körperschaft getrennt, gegen den Zutritt unbefugter Personen hinreichend geschützt und mit eigenem Personal ausgestattet sind, das die Gewähr für Zuverlässigkeit und Verschwiegenheit bietet, schriftlich auf das Statistikgeheimnis verpflichtet worden und während der Tätigkeit in der Statistikdienststelle nicht mit anderen Aufgaben des Verwaltungsvollzuges betraut ist.

(3) Die in den Statistikdienststellen der Gemeinden und Gemeindeverbände tätigen Personen dürfen die aus den nach Absatz 1 übermittelten Einzelangaben gewonnenen personenbezogenen Erkenntnisse während und nach ihrer Tätigkeit in der Statistikdienststelle nicht in anderen Verfahren oder für andere Zwecke verarbeiten oder offenbaren.

(4) Eine Durchführung eigener statistischer Aufgaben im Sinne des Absatzes 1 liegt nur vor, wenn aus den übermittelten Einzelangaben auf Grund vorgegebener sachlicher Kriterien Zahlensummen (Tabellen) erstellt werden, aus denen kein Bezug auf eine bestimmte Person hergestellt werden kann. Die Speicherung der übermittelten Einzelangaben in Dateien für andere als statistische Nutzungen und ihre Zusammenführung mit anderen Einzelangaben, aus denen ein Bezug zu personenbezogenen Daten hergestellt werden kann, sind unzulässig.

(5) Die Übermittlung nach Absatz 1 ist nach Zeitpunkt, Art der übermittelten Daten, Zweck der Übermittlung und Empfänger von der übermittelnden Dienststelle, nach Art und Zeitpunkt der Nutzung von der Dienststelle, die die Daten erhalten hat, aufzuzeichnen. Die Aufzeichnungen sind fünf Jahre aufzubewahren.

§ 32a Behördliche Datenschutzbeauftragte

(1) Öffentliche Stellen, die personenbezogene Daten verarbeiten, haben einen internen Beauftragten für den Datenschutz sowie einen Vertreter zu bestellen. Der Beauftragte muss die erforderliche Sachkenntnis und Zuverlässigkeit besitzen. Mehrere Stellen können gemeinsam einen Beauftragten für den Datenschutz bestellen, wenn dadurch die Erfüllung seiner Aufgabe nicht beeinträchtigt wird. Bei Bedarf kann eine Stelle auch mehrere Beauftragte sowie mehrere Vertreter bestellen. Der Beauftragte unterstützt die Stelle bei der Sicherstellung des Datenschutzes. Er berät die datenverarbeitende Stelle bei der Gestaltung und Auswahl von Verfahren zur Verarbeitung personenbezogener Daten und überwacht bei der Einführung neuer Verfahren oder der Änderung bestehender Verfahren die Einhaltung der einschlägigen Vorschriften. Er ist bei der Erarbeitung behördeninterner Regelungen und Maßnahmen zur Verarbeitung personenbezogener Daten frühzeitig zu beteiligen und hat die Einhaltung der datenschutzrechtlichen Vorschriften zu überwachen, die mit der Verarbeitung personenbezogener Daten befassten Personen mit den Bestimmungen dieses Gesetzes sowie den sonstigen Vorschriften über den Datenschutz vertraut zu machen und die Vorabkontrolle durchzuführen. Satz 5 findet auch Anwendung auf die Tätigkeit von Personalvertretungen, soweit bei diesen personenbezogene Daten verarbeitet werden.

(2) Der Beauftragte ist in seiner Eigenschaft als behördlicher Datenschutzbeauftragter der Leitung der öffentlichen Stelle unmittelbar zu unterstellen und in dieser Funktion weisungsfrei. Er darf wegen der Erfüllung seiner Aufgaben nicht benachteiligt werden. Während seiner Tätigkeit darf er mit keiner Aufgabe betraut sein, deren Wahrnehmung zu Interessenkollision führen könnte.

(3) Die verantwortliche Stelle ist verpflichtet, dem Beauftragten die Beschreibung aller automatisiert geführten Verfahren, in denen personenbezogene Daten verarbeitet werden, mit den nach § 8 Abs. 1 vorgesehenen Angaben vorzulegen. Der Beauftragte führt das Verfahrensverzeichnis. Er gewährt jeder Person unentgeltlich nach Maßgabe des § 8 Abs. 2 Einsicht in das Verfahrensverzeichnis. Das Einsichtsrecht in die Verfahrensverzeichnisse, die bei den in § 2 Abs. 2 Satz 1 genannten Stellen geführt werden, kann verwehrt werden, soweit damit Betriebs- oder Geschäftsgeheimnisse offenbart würden. Wird keine Einsicht gewährt, ist in geeigneter Weise Auskunft zu erteilen; die Gründe für die Verweigerung der Einsichtnahme sind aktenkundig zu machen und die einsichtverlangende Person ist darauf hinzuweisen, dass sie sich an den Landesbeauftragten für den Datenschutz wenden kann. Dem Landesbeauftragten für den Datenschutz ist auf sein Verlangen Einsicht in das Verfahrensverzeichnis zu gewähren.

(4) Bedienstete der öffentlichen Stellen können sich jederzeit in Angelegenheiten des Datenschutzes unmittelbar an den Beauftragten wenden. Der Beauftragte ist zur Verschwiegenheit über die Identität der betroffenen Person sowie über Umstände, die Rückschlüsse auf diese zulassen, verpflichtet, soweit er von der betroffenen Person davon nicht befreit wurde.

Vierter Teil
Straf- und Bußgeldvorschriften; Übergangsvorschriften

§ 33 Straftaten

(1) Wer gegen Entgelt oder in der Absicht, sich oder einen anderen zu bereichern oder einen anderen zu schädigen, entgegen den Vorschriften über den Datenschutz in diesem Gesetz oder in anderen Rechtsvorschriften des Landes Nordrhein-Westfalen personenbezogene Daten, die nicht offenkundig sind,

1. erhebt, speichert, zweckwidrig verwendet, verändert, weitergibt, zum Abruf bereithält oder löscht,
2. abruft, einsieht, sich verschafft oder durch Vortäuschung falscher Tatsachen ihre Weitergabe an sich oder andere veranlasst,

wird mit Freiheitsstrafe bis zu zwei Jahren oder mit Geldstrafe bestraft. Ebenso wird bestraft, wer unter den in Satz 1 genannten Voraussetzungen Einzelangaben über persönliche oder sachliche Verhältnisse einer nicht mehr bestimmbaren Person mit anderen Informationen zusammenführt und dadurch die betroffene Person wieder bestimmbar macht. Der Versuch ist strafbar.

(2) Absatz 1 findet nur Anwendung, soweit die Tat nicht nach anderen Vorschriften mit Strafe bedroht ist.

§ 34 Ordnungswidrigkeiten

(1) Ordnungswidrig handelt, wer entgegen den Vorschriften über den Datenschutz in diesem Gesetz oder in anderen Rechtsvorschriften des Landes Nordrhein-Westfalen personenbezogene Daten, die nicht offenkundig sind,

1. erhebt, speichert, zweckwidrig verwendet, verändert, weitergibt, zum Abruf bereithält oder löscht,
2. abruft, einsieht, sich verschafft oder durch Vortäuschung falscher Tatsachen ihre Weitergabe an sich oder andere veranlasst.

Ordnungswidrig handelt auch, wer unter den in Satz 1 genannten Voraussetzungen Einzelangaben über persönliche oder sachliche Verhältnisse einer nicht mehr bestimmbaren Person mit anderen Informationen zusammenführt und dadurch die betroffene Person wieder bestimmbar macht.

(2) Die Ordnungswidrigkeit kann mit einer Geldbuße bis zu 100.000 Deutschen Mark oder 50.000 Euro geahndet werden.

(3) Verwaltungsbehörde im Sinne des § 36 Abs. 1 Nr. 1 des Gesetzes über Ordnungswidrigkeiten ist für die Verfolgung und Ahndung von Ordnungswidrigkeiten

a) nach den Absätzen 1 und 2 die Bezirksregierung,
b) nach § 44 des Bundesdatenschutzgesetzes der Landesbeauftragte für den Datenschutz.

§ 35 Übergangsvorschriften

(1) Verarbeitungen personenbezogener Daten, die zum Zeitpunkt des In-Kraft-Tretens dieses Gesetzes[1] bereits begonnen wurden, sind innerhalb von drei Jahren nach diesem Zeitpunkt mit den Vorschriften dieses Gesetzes in Übereinstimmung zu bringen.

(2) Für Behörden des Justizvollzuges gilt § 18 mit der Maßgabe, dass die betroffene Person Auskunft oder Akteneinsicht erhält, soweit sie zur Wahrnehmung ihrer Rechte oder berechtigten Interessen

---

1 Dies bezieht sich auf das Gesetz zur Änderung des Datenschutzgesetzes Nordrhein-Westfalen (DSG NW) vom 9. Mai 2000 (GV. NRW. S. 452), in Kraft getreten am 31. Mai 2000.

auf die Kenntnis gespeicherter Daten angewiesen ist. § 185 des Strafvollzugsgesetzes bleibt unberührt.

(3) Für Dateien, die bereits zum Register des Landesbeauftragten für den Datenschutz gemeldet sind, finden die Vorschriften des § 8 Abs. 1 und des § 32a Abs. 3 erstmals in Fällen eintretender Veränderungen Anwendung. Im Übrigen wird die Dateienregisterverordnung vom 11. April 1989 (GV. NRW. S. 226) aufgehoben.

Landesdatenschutzgesetz (LDSG)

Vom 5. Juli 1994 (GVBl S. 293)
geändert durch Gesetz vom 18. Juli 1996 (GVBl S. 270)

Inhaltsübersicht

Vierter Abschnitt
Landesbeauftragter für den Datenschutz

Fünfter Abschnitt
Besonderer Datenschutz

Sechster Abschnitt
Informationsrechte

Siebter Abschnitt
Strafbestimmungen

Achter Abschnitt
Übergangs- und Schlußbestimmungen

Erster Abschnitt
Allgemeine Bestimmungen

§ 1 Zweck

(1) Zweck dieses Gesetzes ist es, das Recht einer jeden Person zu schützen, grundsätzlich selbst über die Preisgabe und Verwendung ihrer personenbezogenen Daten zu bestimmen.

(2) Dieses Gesetz soll auch sicherstellen, daß die verfassungsmäßige Stellung des Landtags und der Landesregierung zueinander sowie die kommunale Selbstverwaltung und die Stellung ihrer Organe durch die automatisierte Datenverarbeitung nicht beeinträchtigt werden.

§ 2 Geltungsbereich

(1) Dieses Gesetz gilt für die Verarbeitung personenbezogener Daten durch

1. die Behörden,
2. die Organe der Rechtspflege,
3. die sonstigen öffentlich-rechtlich organisierten Einrichtungen des Landes,
4. die kommunalen Gebietskörperschaften,
5. die sonstigen der Aufsicht des Landes unterstehenden juristischen Personen des öffentlichen Rechts und
6. die Vereinigungen der in den Nummern 1 bis 5 genannten Stellen ungeachtet ihrer Rechtsform

(öffentliche Stellen). Als öffentliche Stellen gelten auch juristische Personen und sonstige Vereinigungen des privaten Rechts der in Satz 1 genannten öffentlichen Stellen, soweit diesen die absolute Mehrheit der Anteile gehört oder die absolute Mehrheit der Stimmen zusteht, ungeachtet der Beteiligung nicht-öffentlicher Stellen. Nimmt eine nicht-öffentliche Stelle hoheitliche Aufgaben wahr, ist sie insoweit öffentliche Stelle im Sinne dieses Gesetzes.

(2) Der Landtag, seine Gremien, seine Mitglieder, die Fraktionen sowie deren Verwaltungen und deren Beschäftigte unterliegen nicht den Bestimmungen dieses Gesetzes, soweit sie in Wahrnehmung parlamentarischer Aufgaben personenbezogene Daten verarbeiten. Der Landtag erläßt insoweit unter Berücksichtigung seiner verfassungsrechtlichen Stellung und der Grundsätze dieses Gesetzes eine Datenschutzordnung.

(3) Auf öffentliche Stellen, die als Unternehmen mit eigener Rechtspersönlichkeit am Wettbewerb teilnehmen und deren Vereinigungen sind mit Ausnahme des § 27 der Vierte Abschnitt sowie § 31 anzuwenden. Im übrigen gelten für diese Stellen die Bestimmungen

des Bundesdatenschutzgesetzes (BDSG) mit Ausnahme des Zweiten Abschnitts entsprechend.

(4) Für öffentlich-rechtliche Kreditinstitute gelten abweichend von Absatz 3 die Bestimmungen des Bundesdatenschutzgesetzes, die auf privatrechtliche Kreditinstitute anzuwenden sind. Die Aufgaben nach § 38 BDSG werden bei öffentlich-rechtlichen Kreditinstituten durch den Landesbeauftragten für den Datenschutz wahrgenommen.

(5) Dieses Gesetz gilt nicht für personenbezogene Daten, solange diese in allgemein zugänglichen Quellen gespeichert sind, sowie für Daten der Betroffenen, die diese zur Veröffentlichung bestimmt haben.

(6) Werden personenbezogene Daten im Rahmen einer durch Rechtsvorschrift angeordneten statistischen Erhebung verarbeitet, sind nur § 9 und der Vierte Abschnitt mit Ausnahme des § 27 anzuwenden. Soweit einer Trennung der Hilfsmerkmale von den Erhebungsmerkmalen nach § 12 Abs. 1 Satz 2 des Bundesstatistikgesetzes noch nicht erfolgt ist oder personenbezogene Daten in Adreßdateien nach § 13 des Bundesstatistikgesetzes gespeichert sind, gilt außerdem § 18.

(7) Soweit besondere Rechtsvorschriften des Bundes oder des Landes die Verarbeitung personenbezogener Daten regeln, gehen sie den Bestimmungen dieses Gesetzes vor. Die Verpflichtung zur Wahrung gesetzlicher Geheimhaltungspflichten oder von Berufs- oder besonderen Amtsgeheimnissen, die nicht auf gesetzlichen Vorschriften beruhen, bleibt unberührt.

(8) Die Bestimmungen dieses Gesetzes gehen denen des Landesverwaltungsverfahrensgesetzes vor, soweit bei der Ermittlung des Sachverhalts personenbezogene Daten verarbeitet werden.

§ 3 Begriffsbestimmungen

(1) Personenbezogene Daten sind Einzelangaben über persönliche oder sachliche Verhältnisse bestimmter oder bestimmbarer natürlicher Personen (Betroffene).

(2) Datenverarbeitung ist das Erheben, Speichern, Nutzen, Übermitteln, Sperren und Löschen personenbezogener Daten. Im einzelnen ist, ungeachtet der dabei angewendeten Verfahren,
1. Erheben das Beschaffen personenbezogener Daten,
2. Speichern das Erfassen, Aufnehmen oder Aufbewahren personenbezogener Daten auf einem Datenträger zum Zwecke ihrer weiteren Verwendung,
3. Nutzen jede sonstige Verwendung personenbezogener Daten innerhalb der datenverarbeitenden Stelle,

4. Übermitteln das Bekanntgeben oder sonstige Offenbaren personenbezogener Daten an Dritte, insbesondere in der Weise, daß
   a) die Daten durch die datenverarbeitende Stelle weitergegeben werden oder
   b) Dritte die zur Einsicht oder zum Abruf bereitgehaltenen Daten einsehen oder abrufen,
5. Sperren das Kennzeichnen personenbezogener Daten, um ihre weitere Verarbeitung einzuschränken,
6. Löschen das Unkenntlichmachen gespeicherter personenbezogener Daten.

(3) Datenverarbeitende Stelle ist jede öffentliche Stelle, die personenbezogene Daten für sich selbst verarbeitet oder durch andere im Auftrag verarbeiten läßt.

(4) Dritte sind Personen oder Stellen außerhalb der datenverarbeitenden Stelle, ausgenommen die Betroffenen sowie diejenigen Personen oder Stellen, die im Geltungsbereich dieses Gesetzes personenbezogene Daten im Auftrag der datenverarbeitenden Stelle verarbeiten.

(5) Eine Datei ist
1. eine Sammlung personenbezogener Daten, die durch automatisierte Verfahren personenbezogen ausgewertet werden kann (automatisierte Datei), oder
2. eine gleichartig aufgebaute Sammlung personenbezogener Daten, die nach bestimmten Merkmalen personenbezogen geordnet, umgeordnet und ausgewertet werden kann (nicht-automatisierte Datei).

(6) Eine Akte ist jede sonstige amtlichen oder dienstlichen Zwecken dienende Unterlage; dazu zählen auch Bild- und Tonträger. Nicht hierunter fallen Vorentwürfe und Notizen, die nicht Bestandteil eines Vorgangs werden sollen und alsbald vernichtet werden.

(7) Anonymisieren ist das Verändern personenbezogener Daten in der Weise, daß Einzelangaben über persönliche oder sachliche Verhältnisse nicht mehr oder nur mit einem unverhältnismäßig großen Aufwand an Zeit, Kosten und Arbeitskraft einer bestimmten oder bestimmbaren natürlichen Person zugeordnet werden können.

§ 4 Verarbeitung personenbezogener Daten im Auftrag

(1) Werden personenbezogene Daten im Auftrag einer datenverarbeitenden Stelle durch andere Personen oder Stellen verarbeitet, bleibt die auftraggebende Stelle für die Einhaltung der Bestimmungen dieses Gesetzes und anderer Vorschriften über den Datenschutz verantwortlich. Die in § 6 Abs. 1 Nr. 1 bis 4 genannten Rechte sind ihr gegenüber geltend zu machen. Sofern die Bestimmungen dieses Gesetzes auf die

auftragnehmende Person oder Stelle keine Anwendung finden, ist die auftraggebende Stelle verpflichtet, sicherzustellen, daß die auftragnehmende Person oder Stelle die Bestimmungen dieses Gesetzes beachtet und sich der Kontrolle des Landesbeauftragten für den Datenschutz unterwirft.

(2) Die auftragnehmende Person oder Stelle ist unter besonderer Berücksichtigung der Eignung der von ihr getroffenen technischen und organisatorischen Maßnahmen sorgfältig auszuwählen. Der Auftrag ist unter Festlegung des Gegenstands und des Umfangs der Datenverarbeitung, der technischen und organisatorischen Maßnahmen und etwaiger Unterauftragsverhältnisse schriftlich zu erteilen. Für ergänzende Weisungen gilt Satz 2 entsprechend. Der Auftrag kann auch durch die Fachaufsichtsbehörde mit Wirkung für die ihrer Aufsicht unterliegenden öffentlichen Stellen des Landes erteilt werden; diese sind hiervon zu unterrichten.

(3) Die auftragnehmende Person oder Stelle darf die personenbezogenen Daten nur im Rahmen der Weisungen der auftraggebenden Stelle verarbeiten. Ist sie der Ansicht, daß eine Weisung der auftraggebenden Stelle gegen dieses Gesetz oder andere Vorschriften über den Datenschutz verstößt, hat sie diese unverzüglich darauf hinzuweisen.

(4) Ist die auftragnehmende Person oder Stelle eine öffentliche Stelle, gelten für sie neben Absatz 3 nur die §§ 8, 9 und 35 sowie die Bestimmungen über die Datenschutzkontrolle. An nicht-öffentliche Stellen soll ein Auftrag nur vergeben werden, wenn überwiegende schutzwürdige Interessen, insbesondere Berufs- oder besondere Amtsgeheimnisse, nicht entgegenstehen.

(5) Die Absätze 1 bis 4 gelten auch für Personen und Stellen, die im Auftrag Hilfstätigkeiten bei der Datenverarbeitung erledigen.

§ 5 Zulässigkeit der Datenverarbeitung, Einwilligung

(1) Die Verarbeitung personenbezogener Daten ist zulässig, soweit

1. die Betroffenen eingewilligt haben oder
2. dieses Gesetz oder eine andere Rechtsvorschrift sie erlaubt

und die Verarbeitung nach Maßgabe der Bestimmungen dieses Gesetzes erfolgt. § 2 Abs. 7 Satz 1 bleibt unberührt.

(2) Die Einwilligung bedarf der Schriftform, soweit nicht wegen besonderer Umstände eine andere Form angemessen ist. Soll die Einwilligung zusammen mit anderen Erklärungen schriftlich erteilt werden, ist die Einwilligungserklärung im äußeren Erscheinungsbild der Erklärung hervorzuheben.

(3) Die Betroffenen sind in geeigneter Weise über die Bedeutung der Einwilligung, den Verwendungszweck der Daten und den möglichen

Empfängerkreis aufzuklären. Dabei sind die Betroffenen unter Darlegung der Rechtsfolgen darauf hinzuweisen, daß sie die Einwilligung verweigern oder mit Wirkung für die Zukunft widerrufen können.

(4) Im Bereich der wissenschaftlichen Forschung liegen besondere Umstände im Sinne des Absatzes 2 Satz 1 auch dann vor, wenn durch die Schriftform der bestimmte Forschungszweck erheblich beeinträchtigt würde. In diesem Fall sind die Hinweise nach Absatz 3 und die Gründe, aus denen sich die erhebliche Beeinträchtigung des bestimmten Forschungszweckes ergibt, schriftlich festzuhalten.

§ 6 Rechte der Betroffenen

(1) Die Betroffenen haben nach Maßgabe dieses Gesetzes ein Recht auf

1. Auskunft über die zu ihrer Person gespeicherten Daten (§ 18),
2. Berichtigung, Sperrung und Löschung der zu ihrer Person gespeicherten Daten (§ 19),
3. Unterlassung und Beseitigung (§ 20),
4. Schadensersatz (§ 21),
5. Einsicht in das Datenschutzregister oder Auskunft aus diesem (§ 27 Abs. 4) und
6. Anrufung des Landesbeauftragten für den Datenschutz (§ 29 Abs. 1).

(2) Die Rechte der Betroffenen nach Absatz 1 können nicht durch Rechtsgeschäft ausgeschlossen oder beschränkt werden. Vereinbarungen über die Höhe des eingetretenen Schadens und seine Abwicklung bleiben unberührt.

(3) Sind die personenbezogenen Daten der Betroffenen in einer Datei gespeichert, bei der mehrere Stellen verarbeitungsberechtigt sind, und sind die Betroffenen nicht in der Lage, die datenverarbeitende Stelle festzustellen, so können sie sich an jede dieser Stellen wenden. Diese ist verpflichtet, das Vorbringen der Betroffenen an die zuständige datenverarbeitende Stelle weiterzuleiten. Die Betroffenen sind über die Weiterleitung zu unterrichten.

§ 7 Automatisiertes Übermittlungsverfahren

(1) Die Einrichtung eines automatisierten Verfahrens, das die Übermittlung personenbezogener Daten durch Abruf ohne vorherige Prüfung des Einzelfalls durch die übermittelnde Stelle ermöglicht (automatisiertes Übermittlungsverfahren), ist zulässig, soweit dieses Verfahren unter Berücksichtigung der schutzwürdigen Belange der Betroffenen, des Schutzes besonderer Berufs- oder Amtsgeheimnisse und der Aufgaben der beteiligten öffentlichen Stellen angemessen ist. Die Bestim-

mungen über die Zulässigkeit der Übermittlung personenbezogener Daten durch Abruf im Einzelfall bleiben unberührt.

(2) Die beteiligten Stellen haben zu gewährleisten, daß die Zulässigkeit des automatisierten Übermittlungsverfahrens kontrolliert werden kann. Hierzu haben sie schriftlich festzulegen:
1. den Anlaß und den Zweck des Übermittlungsverfahrens,
2. die Stellen, denen die Übermittlung personenbezogener Daten durch Abruf ermöglicht wird,
3. die Art der zu übermittelnden Daten sowie
4. die nach § 9 erforderlichen technischen und organisatorischen Maßnahmen.

Die erforderlichen Festlegungen können auch durch die Fachaufsichtsbehörde mit Wirkung für die ihrer Aufsicht unterliegenden öffentlichen Stellen des Landes getroffen werden; diese sind hiervon zu unterrichten.

(3) Vor der Einrichtung eines automatisierten Übermittlungsverfahrens ist der Landesbeauftragte für den Datenschutz zu hören. Die Einrichtung eines automatisierten Übermittlungsverfahrens, an dem öffentliche Stellen des Landes beteiligt sind, bedarf der Zustimmung der für die übermittelnde und die abrufende Stelle jeweils zuständigen obersten Landesbehörde.

(4) Die Verantwortung für die Zulässigkeit der Übermittlung im Einzelfall trägt die abrufende Stelle. Die übermittelnde Stelle prüft die Zulässigkeit des Abrufs nur, wenn dazu Anlaß besteht. Die übermittelnde Stelle hat zu gewährleisten, daß die Zulässigkeit der Übermittlung personenbezogener Daten zumindest stichprobenweise überprüft werden kann.

(5) Die Absätze 1 bis 4 gelten entsprechend, wenn innerhalb einer öffentlichen Stelle ein automatisiertes Verfahren eingerichtet wird, das den Abruf personenbezogener Daten für einen anderen Zweck ermöglicht als den, für den sie gespeichert worden sind. Die Einrichtung des Verfahrens bedarf der Zulassung durch die Leitung der öffentlichen Stelle.

(6) Die Absätze 1 bis 5 gelten nicht für die Übermittlung personenbezogener Daten durch Abruf aus Datenbeständen, die allgemein zur Nutzung offenstehen oder deren Veröffentlichung zulässig wäre.

§ 8 Datengeheimnis

(1) Den bei der datenverarbeitenden Stelle oder in deren Auftrag beschäftigten Personen, die dienstlichen Zugang zu personenbezogenen Daten haben, ist es untersagt, diese Daten zu einem anderen als dem zur jeweiligen Aufgabenerfüllung gehörenden Zweck zu verarbeiten

oder unbefugt zu offenbaren (Datengeheimnis). Das Datengeheimnis besteht auch nach Beendigung der Tätigkeit fort.

(2) Die in Absatz 1 Satz 1 genannten Personen sind bei der Aufnahme ihrer Tätigkeit über ihre Pflichten nach Absatz 1 sowie die sonstigen bei ihrer Tätigkeit zu beachtenden Vorschriften über den Datenschutz zu unterrichten und auf deren Einhaltung zu verpflichten.

§ 9 Technische und organisatorische Maßnahmen

(1) Die öffentlichen Stellen haben die technischen und organisatorischen Maßnahmen zu treffen, die erforderlich sind, um die Ausführung der Bestimmungen dieses Gesetzes sowie anderer Vorschriften über den Datenschutz zu gewährleisten. Erforderlich sind Maßnahmen nur, wenn ihr Aufwand unter Berücksichtigung der Art der zu schützenden personenbezogenen Daten und ihrer Verwendung in einem angemessenen Verhältnis zu dem angestrebten Schutzzweck steht.

(2) Werden personenbezogene Daten automatisiert verarbeitet, sind je nach Art der zu schützenden personenbezogenen Daten und unter Berücksichtigung des jeweiligen Standes der Technik Maßnahmen zu treffen, die geeignet sind,

1. Unbefugten den Zugang zu Datenverarbeitungsanlagen zu verwehren (Zugangskontrolle),
2. zu verhindern, daß Datenträger unbefugt gelesen, kopiert, verändert, gelöscht oder entfernt werden können (Datenträgerkontrolle),
3. die unbefugte Speicherung sowie die unbefugte Kenntnisnahme, Veränderung oder Löschung gespeicherter personenbezogener Daten zu verhindern (Speicherkontrolle),
4. zu verhindern, daß Datenverarbeitungssysteme mit Hilfe von Einrichtungen zur Datenübertragung von Unbefugten benutzt werden können (Benutzerkontrolle),
5. zu gewährleisten, daß die zur Benutzung eines Datenverarbeitungssystems Berechtigten ausschließlich auf die ihrer Zugriffsberechtigung unterliegenden personenbezogenen Daten zugreifen können (Zugriffskontrolle),
6. zu gewährleisten, daß festgestellt werden kann, an wen welche personenbezogenen Daten durch Einrichtungen zur Datenübertragung übermittelt oder innerhalb einer datenverarbeitenden Stelle für einen anderen Zweck weitergegeben werden können und dieses einschließlich des Zeitpunktes stichprobenweise überprüft werden kann (Übermittlungskontrolle),
7. zu gewährleisten, daß überprüft und festgestellt werden kann, welche personenbezogene Daten zu welcher Zeit von wem in Datenverarbeitungssysteme eingegeben worden sind (Eingabekontrolle),

8. zu gewährleisten, daß personenbezogene Daten, die im Auftrag verarbeitet werden, nur entsprechend den Weisungen der auftraggebenden Stelle verarbeitet werden können (Auftragskontrolle),
9. zu gewährleisten, daß bei der Übertragung personenbezogener Daten sowie beim Transport von Datenträgern diese nicht unbefugt gelesen, kopiert, verändert, gelöscht oder entwendet werden können (Transportkontrolle), und
10. zu gewährleisten, daß die innerbehördliche oder innerbetriebliche Organisation den besonderen Anforderungen des Datenschutzes gerecht wird (Organisationskontrolle).

(3) Die Landesregierung wird ermächtigt, nach Anhörung des Landesbeauftragten für den Datenschutz die in Absatz 2 genannten Anforderungen nach dem jeweiligen Stand der Technik durch Rechtsverordnung fortzuschreiben.

(4) Werden personenbezogene Daten in nicht-automatisierten Dateien oder in Akten verarbeitet, sind insbesondere Maßnahmen zu treffen, die verhindern, daß Unbefugte bei der Aufbewahrung, der Verarbeitung, dem Transport oder der Vernichtung auf diese Daten zugreifen können.

(5) Die technischen und organisatorischen Maßnahmen nach den Absätzen 1, 2 und 4 sind durch Dienstanweisung im einzelnen festzulegen. § 10 Abs. 2 Satz 2 Nr. 10 bleibt unberührt.

§ 10 Durchführung des Datenschutzes, Verzeichnisse

(1) Die öffentlichen Stellen haben in ihrem Geschäftsbereich die Ausführung dieses Gesetzes sowie anderer Rechtsvorschriften über den Datenschutz sicherzustellen.

(2) Die datenverarbeitenden Stellen sind verpflichtet, ein Verzeichnis der Verfahren zu führen, in denen personenbezogene Daten automatisiert gespeichert werden. Für jedes Verfahren ist in einer Verfahrensbeschreibung im einzelnen festzulegen:
1. die Bezeichnung des Verfahrens,
2. die Rechtsgrundlage und der Zweck der Datenverarbeitung,
3. die Art der gespeicherten Daten,
4. der Kreis der Betroffenen,
5. die Herkunft regelmäßig übermittelter Daten,
6. die Art der für die regelmäßige Datenübermittlung vorgesehenen Daten und der mögliche Empfängerkreis,
7. die Fristen für die Sperrung und Löschung sowie deren Prüfung,
8. die zugriffsberechtigten Personengruppen oder Personen, die allein zugriffsberechtigt sind,

9. die Verarbeitung personenbezogener Daten im Auftrag sowie
10. die ergänzenden technischen und organisatorischen Maßnahmen nach § 9.

Satz 2 Nr. 5 und 6 gilt auch für Daten, die innerhalb einer datenverarbeitenden Stelle für einen anderen Zweck weitergegeben werden. Die Sätze 1 bis 3 gelten nicht für Verfahren, die aus verarbeitungstechnischen Gründen für einen Zeitraum von nicht mehr als drei Monaten eingerichtet werden.

(3) Die datenverarbeitenden Stellen, die personenbezogene Daten automatisiert verarbeiten, sind verpflichtet, in einem Geräteverzeichnis zu dokumentieren:

1. den Typ und die Art der Geräte,
2. die Herstellerfirma der Geräte,
3. den Standort der Geräte,
4. das eingesetzte Betriebssystem,
5. die Einrichtungen zur Datenfernverarbeitung und zur Datenübertragung sowie
6. die eingesetzten Programme.

Das Verzeichnis ist laufend auf dem neuesten Stand zu halten. Erfolgt die Verarbeitung personenbezogener Daten im Auftrag, kann das Geräteverzeichnis bei der auftragnehmenden Person oder Stelle geführt werden.

(4) Die Gerichte und der Rechnungshof führen die Verzeichnisse nach den Absätzen 2 und 3 nur, soweit sie in Verwaltungsangelegenheiten tätig werden.

§ 11 Behördlicher Datenschutzbeauftragter

(1) Öffentliche Stellen, bei denen mindestens zehn Beschäftigte regelmäßig personenbezogene Daten verarbeiten, haben schriftlich einen behördlichen Datenschutzbeauftragten zu bestellen. Dieser ist insoweit unmittelbar der Behördenleitung zu unterstellen. Bestellt werden darf nur, wer die zur Erfüllung seiner Aufgaben erforderliche Fachkunde und Zuverlässigkeit besitzt. Der behördliche Datenschutzbeauftragte ist bei Anwendung seiner Fachkunde auf dem Gebiet des Datenschutzes weisungsfrei und darf wegen der Erfüllung seiner Aufgaben nicht benachteiligt werden.

(2) Der behördliche Datenschutzbeauftragte ist zur Verschwiegenheit über die Identität der Betroffenen verpflichtet.

(3) Der behördliche Datenschutzbeauftragte hat die Aufgabe, die öffentlichen Stellen bei der Ausführung dieses Gesetzes sowie anderer Vorschriften über den Datenschutz zu unterstützen. Zu seinen Aufgaben gehört es insbesondere

1. auf die Einhaltung der Datenschutzvorschriften bei der Einführung und Anwendung von Verfahren, in denen personenbezogene Daten automatisiert verarbeitet werden, hinzuwirken; zu diesem Zweck ist er über Vorhaben der automatisierten Verarbeitung personenbezogener Daten rechtzeitig zu unterrichten,
2. die bei der Verarbeitung personenbezogener Daten tätigen Personen durch geeignete Maßnahmen mit den Bestimmungen dieses Gesetzes sowie den sonstigen Vorschriften über den Datenschutz vertraut zu machen,
3. die öffentlichen Stellen bei der Umsetzung der nach den §§ 9, 10 und 27 erforderlichen Maßnahmen zu unterstützen sowie
4. Hinweise zur Einhaltung der sonstigen Bestimmungen dieses Gesetzes und anderer Vorschriften über den Datenschutz zu geben.

(4) Soweit die Voraussetzungen für die Bestellung eines behördlichen Datenschutzbeauftragten nach Absatz 1 Satz 1 nicht vorliegen, haben die öffentlichen Stellen die Anforderungen des Absatzes 3 in anderer Weise sicherzustellen.

(5) Für die Gerichte und den Rechnungshof gelten die Absätze 1 bis 4 nur, soweit sie in Verwaltungsangelegenheiten tätig werden.

Zweiter Abschnitt
Rechtsgrundlagen der Datenverarbeitung

§ 12 Erhebung

(1) Das Erheben personenbezogener Daten ist zulässig, wenn ihre Kenntnis zur rechtmäßigen Erfüllung der Aufgaben der erhebenden Stelle erforderlich ist.

(2) Personenbezogene Daten sind grundsätzlich bei den Betroffenen durch Befragen zu erheben. Dabei ist ihnen gegenüber der Erhebungszweck anzugeben. Werden die personenbezogenen Daten auf Grund einer Rechtsvorschrift erhoben, die zur Auskunft verpflichtet, oder ist die Erteilung der Auskunft Voraussetzung für die Gewährung von Rechtsvorteilen, sind die Betroffenen hierauf, sonst auf die Freiwilligkeit ihrer Angaben hinzuweisen. Sind die Angaben für die Gewährung einer Leistung erforderlich, sind die Betroffenen über die möglichen Folgen einer Nichtbeantwortung aufzuklären.

(3) Personenbezogene Daten dürfen bei den Betroffenen ohne deren Mitwirkung erhoben werden, wenn
1. eine Rechtsvorschrift dies vorsieht oder zwingend voraussetzt oder
2. die zu erfüllende Aufgabe ihrer Art nach eine solche Erhebung erforderlich macht und keine Anhaltspunkte vorliegen, daß ihr

überwiegende schutzwürdige Interessen der Betroffenen entgegenstehen.

(4) Eine Erhebung personenbezogener Daten bei Dritten ist nur zulässig, wenn
1. eine Rechtsvorschrift dies vorsieht oder zwingend voraussetzt,
2. die Betroffenen eingewilligt haben,
3. Angaben der Betroffenen überprüft werden müssen, weil tatsächliche Anhaltspunkte für deren Unrichtigkeit bestehen,
4. dies zur Abwehr erheblicher Nachteile für das Gemeinwohl oder einer sonst unmittelbar drohenden Gefahr für die öffentliche Sicherheit erforderlich ist,
5. dies zur Abwehr einer schwerwiegenden Beeinträchtigung der Rechte einer anderen Person erforderlich ist,
6. offensichtlich ist, daß dies im Interesse der Betroffenen liegt, und kein Grund zu der Annahme besteht, daß sie in Kenntnis des Zwecks ihre Einwilligung verweigern würden,
7. die Betroffenen einer durch Rechtsvorschrift festgelegten Auskunftspflicht nicht nachgekommen und über die beabsichtigte Erhebung bei Dritten unterrichtet worden sind,
8. die Erhebung bei den Betroffenen einen unverhältnismäßigen Aufwand erfordern würde oder
9. die Daten unmittelbar aus allgemein zugänglichen Quellen entnommen werden können oder die datenverarbeitende Stelle sie veröffentlichen dürfte.

In den Fällen des Satzes 1 Nr. 7 bis 9 ist eine Erhebung bei Dritten nur zulässig, wenn keine Anhaltspunkte vorliegen, daß ihr überwiegende schutzwürdige Interessen der Betroffenen entgegenstehen.

(5) Sollen personenbezogene Daten nach Absatz 4 erhoben werden, dürfen die für die Erfüllung des Übermittlungsersuchens erforderlichen Angaben mitgeteilt werden.

(6) Die Absätze 1, 4 und 5 gelten entsprechend, wenn personenbezogene Daten innerhalb einer datenverarbeitenden Stelle erhoben werden.

(7) Werden personenbezogene Daten nach Absatz 4 bei einer nichtöffentlichen Stelle erhoben, so ist diese auf die Rechtsvorschrift, die zur Auskunft verpflichtet, sonst auf die Freiwilligkeit ihrer Angaben hinzuweisen.

(8) § 13 Abs. 3 bis 6 gilt entsprechend.

§ 13 Speicherung und Nutzung

(1) Das Speichern oder Nutzen personenbezogener Daten ist zulässig, wenn dies

1. zur rechtmäßigen Erfüllung der in der Zuständigkeit der datenverarbeitenden Stelle liegenden Aufgaben erforderlich ist und
2. für Zwecke erfolgt, für die die Daten erhoben worden sind; ist keine Erhebung vorausgegangen, dürfen die personenbezogenen Daten nur für die Zwecke genutzt werden, für die sie erstmals gespeichert worden sind.

(2) Das Speichern oder Nutzen personenbezogener Daten für andere Zwecke ist nur zulässig, wenn
1. die Voraussetzungen vorliegen, die nach § 12 Abs. 4 eine Erhebung bei Dritten zulassen würden,
2. es zur Bekämpfung von Straftaten oder Ordnungswidrigkeiten, zur Vollstreckung oder zum Vollzug von Strafen oder Maßnahmen im Sinne des § 11 Abs. 1 Nr. 8 des Strafgesetzbuches oder von Erziehungsmaßregeln oder Zuchtmitteln im Sinne des Jugendgerichtsgesetzes oder zur Vollstreckung von Bußgeldentscheidungen erforderlich ist, oder
3. es zur Durchführung wissenschaftlicher Forschung erforderlich ist, das wissenschaftliche Interesse an der Durchführung des Forschungsvorhabens das Interesse der Betroffenen an dem Ausschluß der Zweckänderung erheblich überwiegt und der Zweck der Forschung auf andere Weise nicht oder nur mit unverhältnismäßigem Aufwand erreicht werden kann.

(3) Eine Speicherung oder Nutzung personenbezogener Daten für andere Zwecke liegt nicht vor, wenn sie der Wahrnehmung von Aufsichts- und Kontrollbefugnissen, der Rechnungsprüfung, der Durchführung von Organisationsuntersuchungen oder statistischen Zwecken der datenverarbeitenden Stelle dient. Dies gilt auch für die Speicherung oder Nutzung personenbezogener Daten zu Ausbildungs- und Prüfungszwecken, soweit nicht überwiegende schutzwürdige Interessen der Betroffenen entgegenstehen.

(4) Sind mit personenbezogenen Daten, die nach den Absätzen 1 und 2 gespeichert oder genutzt werden dürfen, weiter personenbezogene Daten der Betroffenen oder Dritter in Akten so verbunden, daß eine Trennung nicht oder nur mit unverhältnismäßigem Aufwand möglich ist, ist die Speicherung auch dieser Daten zulässig, soweit nicht überwiegende schutzwürdige Interessen der Betroffenen oder Dritter entgegenstehen; die Nutzung dieser Daten ist unzulässig.

(5) Personenbezogene Daten, die ausschließlich zu Zwecken der Datenschutzkontrolle, der Datensicherung oder zur Sicherstellung eines ordnungsgemäßen Betriebs einer Datenverarbeitungsanlage gespeichert oder genutzt werden, dürfen für andere Zwecke nur insoweit genutzt werden, als dies zur Abwehr erheblicher Gefährdungen der

öffentlichen Sicherheit, insbesondere für Leben, Gesundheit oder Freiheit, erforderlich ist.

(6) Personenbezogene Daten, die einem Berufs- oder besonderen Amtsgeheimnis unterliegen und die von der zur Verschwiegenheit verpflichteten Stelle in Ausübung ihrer Berufs- oder Amtspflicht zur Verfügung gestellt worden sind, dürfen nur für den Zweck gespeichert oder genutzt werden, für den die datenverarbeitende Stelle sie erhalten hat. Eine darüber hinausgehende Speicherung oder Nutzung der Daten ist nur zulässig, wenn ein Gesetz dies vorsieht oder zwingend voraussetzt.

§ 14 Datenübermittlung an öffentliche Stellen

(1) Die Übermittlung personenbezogener Daten an öffentliche Stellen ist zulässig, wenn

1. sie zur rechtmäßigen Erfüllung der in der Zuständigkeit der übermittelnden oder der empfangenden Stelle liegenden Aufgaben erforderlich ist und
2. die Voraussetzungen vorliegen, die eine Verarbeitung nach § 12 Abs. 4 oder § 13 Abs. 2 Nr. 2 oder 3 zulassen würden.

(2) Die Verantwortung für die Zulässigkeit der Übermittlung trägt die übermittelnde Stelle. Erfolgt die Übermittlung auf Ersuchen der empfangenden Stelle, trägt diese die Verantwortung. In diesem Fall prüft die übermittelnde Stelle nur, ob das Übermittlungsersuchen im Rahmen der Aufgaben der empfangenden Stelle liegt, es sei denn, daß besonderer Anlaß zur Prüfung der Zulässigkeit der Übermittlung besteht. In diesem Fall hat die erhebende Stelle der um Übermittlung ersuchten Stelle die für ihre Prüfung erforderlichen Angaben mitzuteilen. § 7 Abs. 4 bleibt unberührt.

(3) Die empfangende Stelle darf die übermittelten Daten nur für den Zweck verarbeiten, zu dessen Erfüllung sie ihr übermittelt worden sind. Eine Verarbeitung für andere Zwecke ist nur unter den Voraussetzungen des § 12 Abs. 4 oder des § 13 Abs. 2 Nr. 2 oder 3 zulässig.

(4) Sollen personenbezogene Daten zur Erfüllung von Aufgaben der empfangenden Stelle ohne Vorliegen eines Übermittlungsersuchens übermittelt werden, hat die übermittelnde Stelle zu prüfen, ob Anhaltspunkte vorliegen, die einer Erhebung der personenbezogenen Daten durch die empfangende Stelle entgegenstehen würden.

(5) Die Absätze 1 bis 4 gelten entsprechend, wenn personenbezogene Daten innerhalb einer datenverarbeitenden Stelle weitergegeben werden.

(6) § 13 Abs. 3 bis 6 gilt entsprechend.

§ 15 Datenübermittlung an Stellen der öffentlich-rechtlichen Religionsgesellschaften

Für die Übermittlung personenbezogener Daten an Stellen der öffentlich-rechtlichen Religionsgesellschaften gilt § 14 Abs. 1 bis 4 entsprechend, sofern sichergestellt ist, daß bei der empfangenden Stelle der Datenschutz gewährleistet ist.

§ 16 Datenübermittlung an nicht-öffentliche Stellen

(1) Die Übermittlung personenbezogener Daten an nicht-öffentliche Stellen ist zulässig, wenn

1. sie zur rechtmäßigen Erfüllung der in der Zuständigkeit der übermittlenden Stelle liegenden Aufgaben erforderlich ist und die Voraussetzungen vorliegen, die eine Verarbeitung nach § 12 Abs. 4 oder § 13 Abs. 2 Nr. 3 zulassen würden,
2. die Voraussetzungen vorliegen, die eine Verarbeitung nach § 12 Abs. 4 Satz 1 Nr. 1, 2, 4, 5 oder 9 und Satz 2 zulassen würden,
3. die empfangende Stelle ein rechtliches Interesse an der Kenntnis der zu übermittelnden Daten glaubhaft macht und kein Grund zu der Annahme besteht, daß überwiegende schutzwürdige Interessen der Betroffenen entgegenstehen, oder
4. dies im öffentlichen Interesse liegt oder hierfür ein berechtigtes Interesse geltend gemacht wird und die Betroffenen nach Unterrichtung über die beabsichtigte Übermittlung, die Art der zu übermittelnden Daten und den Verwendungszweck der Datenübermittlung nicht widersprochen haben.

(2) Die Verantwortung für die Zulässigkeit der Übermittlung trägt die übermittelnde Stelle.

(3) Die empfangende Stelle darf die übermittelten Daten nur für den Zweck verarbeiten, zu dessen Erfüllung sie ihr übermittelt worden sind. Die übermittelnde Stelle hat die empfangende Stelle darauf hinzuweisen.

(4) Die übermittelnde Stelle kann die Datenübermittlung mit Auflagen versehen, die den Datenschutz bei der empfangenden Stelle sicherstellen.

§ 17 Datenübermittlung an ausländische, über- und zwischenstaatliche Stellen

(1) Die Übermittlung personenbezogener Daten an ausländische sowie an über- und zwischenstaatliche Stellen ist nach Maßgabe der für diese Übermittlung geltenden Gesetze und Vereinbarungen zulässig.

(2) Die Übermittlung personenbezogener Daten an die in Absatz 1 genannten Stellen ist auch zulässig, wenn die Voraussetzungen des

§ 14 Abs. 1 oder des § 16 Abs. 1 vorliegen und im Empfängerland gleichwertige Datenschutzregelungen gelten. Eine Übermittlung nach Satz 1 ist unzulässig, soweit Grund zu der Annahme besteht, daß durch sie gegen den Zweck dieses Gesetzes oder eines anderen deutschen Gesetzes verstoßen würde.

(3) Die Verantwortung für die Zulässigkeit der Übermittlung trägt die übermittelnde Stelle.

(4) Die empfangende Stelle ist darauf hinzuweisen, daß die übermittelten Daten nur für den Zweck verarbeitet werden dürfen, zu dessen Erfüllung sie ihr übermittelt worden sind.

Dritter Abschnitt
Rechte der Betroffenen

§ 18 Auskunft

(1) Den Betroffenen ist auf Antrag unentgeltlich Auskunft zu erteilen über

1. die zu ihrer Person gespeicherten Daten, auch soweit sie sich auf die Herkunft oder die Personen oder Stellen beziehen, an die die Daten übermittelt worden sind, sowie
2. den Zweck und die Rechtsgrundlage der Speicherung.

In dem Antrag soll die Art der personenbezogenen Daten, über die Auskunft erteilt werden soll, näher bezeichnet werden. Sind die personenbezogenen Daten in Akten gespeichert, haben die Betroffenen einen Anspruch auf Auskunft nur, soweit sie Angaben machen, die das Auffinden der Daten ermöglichen, und der für die Erteilung der Auskunft erforderliche Aufwand nicht außer Verhältnis zu dem Informationsinteresse der Betroffenen steht. Die datenverarbeitende Stelle bestimmt das Verfahren, insbesondere die Form der Auskunftserteilung, nach pflichtgemäßem Ermessen; sind die Daten in Akten gespeichert, kann den Betroffenen auf Verlangen Einsicht gewährt werden.

(2) Für personenbezogene Daten, die nur deshalb gespeichert sind, weil sie auf Grund gesetzlicher, satzungsmäßiger oder vertraglicher Aufbewahrungsvorschriften nicht gelöscht werden dürfen, oder ausschließlich Zwecken der Datensicherung oder der Datenschutzkontrolle dienen, gilt Absatz 1 nur, wenn die Betroffenen ein berechtigtes Interesse an der Auskunft darlegen.

(3) Die Auskunftserteilung unterbleibt, soweit

1. die Auskunft die ordnungsgemäße Erfüllung der in der Zuständigkeit der datenverarbeitenden Stelle liegenden Aufgaben gefährdet würde,

2. die Auskunft die öffentliche Sicherheit gefährden oder sonst dem Wohl des Bundes oder eines Landes Nachteile bereiten würde oder
3. die personenbezogenen Daten oder die Tatsache ihrer Speicherung nach einer Rechtsvorschrift oder ihrem Wesen nach, insbesondere wegen überwiegender schutzwürdiger Interessen Dritter, geheimgehalten werden müssen.

(4) Die Ablehnung der Auskunftserteilung bedarf einer Begründung nicht, soweit durch die Mitteilung der tatsächlichen und rechtlichen Gründe, auf die die Entscheidung gestützt wird, der mit der Auskunftsverweigerung verfolgte Zweck gefährdet würde. In diesem Fall sind die Betroffenen darauf hinzuweisen, daß sie sich an den Landesbeauftragten für den Datenschutz wenden können.

(5) Wird den Betroffenen eine Auskunft nicht erteilt, so ist sie auf deren Verlangen dem Landesbeauftragten für den Datenschutz zu erteilen. Die Mitteilung des Landesbeauftragten für den Datenschutz an die Betroffenen darf keine Rückschlüsse auf den Erkenntnisstand der datenverarbeitenden Stelle zulassen, sofern diese nicht einer weitergehenden Auskunft zustimmt.

(6) Die Absätze 1 bis 6 gelten nicht für die Gerichte, soweit sie nicht in Verwaltungsangelegenheiten tätig werden, und die Behörden der Staatsanwaltschaft, soweit sie strafverfolgend oder strafvollstreckend tätig werden, sowie für Vorgänge im Zusammenhang mit der Ausübung des Gnadenrechts.

§ 19 Berichtigung, Sperrung und Löschung

(1) Personenbezogene Daten sind zu berichtigen, wenn sie unrichtig sind. Sind personenbezogene Daten in nicht-automatisierten Dateien oder in Akten zu berichtigen, ist es ausreichend, in geeigneter Weise kenntlich zu machen, zu welchem Zeitpunkt oder aus welchem Grund diese Daten unrichtig waren oder unrichtig geworden sind. Die personenbezogenen Daten sind zu ergänzen, wenn der Zweck der Speicherung oder berechtigte Interessen der Betroffenen dies erfordern.

(2) Personenbezogene Daten sind zu löschen, wenn
1. ihre Speicherung unzulässig ist oder
2. ihre Kenntnis für die datenverarbeitende Stelle zur Erfüllung der in ihrer Zuständigkeit liegenden Aufgaben nicht mehr erforderlich ist; die Erforderlichkeit richtet sich nach den für die datenverarbeitenden Stellen getroffenen allgemeinen Regelungen über die Dauer der Aufbewahrung von personenbezogenen Daten einschließlich der Erfordernisse einer ordnungsgemäßen Dokumentation.

(3) An die Stelle einer Löschung tritt eine Sperrung der personenbezogenen Daten, wenn

1. die Richtigkeit personenbezogener Daten von den Betroffenen bestritten wird und sich weder die Richtigkeit noch die Unrichtigkeit feststellen läßt,
2. einer Löschung gesetzliche, satzungsmäßige oder vertragliche Aufbewahrungsfristen entgegenstehen,
3. Grund zu der Annahme besteht, daß durch die Löschung schutzwürdige Interessen der Betroffenen oder Dritter beeinträchtigt werden können,
4. eine Löschung wegen der besonderen Art der Speicherung nicht oder nur mit unverhältnismäßig hohem Aufwand möglich ist oder
5. die Daten nur zu Zwecken der Datensicherung oder Datenschutzkontrolle gespeichert sind.

Gesperrte personenbezogene Daten sind gesondert aufzubewahren. Ist dies mit einem vertretbaren Aufwand nicht möglich, sind die gesperrten Daten besonders zu kennzeichnen.

(4) Gesperrte personenbezogene Daten dürfen ohne Einwilligung der Betroffenen nur genutzt oder übermittelt werden, wenn dies zur Behebung einer bestehenden Beweisnot oder aus sonstigen im überwiegenden Interesse der datenverarbeitenden Stelle oder Dritter liegenden Gründen unerläßlich ist und die Daten hierfür verarbeitet werden dürften, wenn sie nicht gesperrt wären. Die Gründe für die Nutzung oder Übermittlung gesperrter personenbezogener Daten sind zu dokumentieren.

(5) Von der Berichtigung unrichtiger Daten, der Sperrung bestrittener Daten sowie der Löschung oder Sperrung wegen Unzulässigkeit der Speicherung sind die Stellen zu unterrichten, denen diese Daten übermittelt oder innerhalb der datenverarbeitenden Stelle weitergegeben worden sind. Die Unterrichtung kann unterbleiben, wenn sie einen unverhältnismäßigen Aufwand erfordern würde und kein Grund zu der Annahme besteht, daß dadurch schutzwürdige Interessen der Betroffenen beeinträchtigt werden. Sind personenbezogene Daten nicht regelmäßig übermittelt worden, erfolgt eine Unterrichtung nach Satz 1 nur, soweit die Angaben über die empfangende Stelle und die übermittelten Daten bekannt sind.

§ 20 Unterlassungs- und Beseitigungsanspruch

(1) Die Betroffenen können verlangen, daß eine Beeinträchtigung ihrer schutzwürdigen Interessen unterlassen oder beseitigt wird, wenn diese nach der Berichtigung, Sperrung oder Löschung ihrer personenbezogenen Daten andauert.

(2) Unterlassungs- und Beseitigungsansprüche auf Grund anderer Rechtsvorschriften bleiben unberührt.

§ 21 Schadensersatz

(1) Fügt eine öffentliche Stelle den Betroffenen durch eine nach den Bestimmungen dieses Gesetzes oder nach anderen Vorschriften über den Datenschutz unzulässige oder unrichtige automatisierte Verarbeitung ihrer personenbezogenen Daten einen Schaden zu, ist sie diesen gegenüber unabhängig von einem Verschulden zum Ersatz des daraus entstehenden Schadens verpflichtet.

(2) Bei einer schweren Beeinträchtigung des Persönlichkeitsrechts ist den Betroffenen auch der Schaden, der nicht Vermögensschaden ist, angemessen in Geld zu ersetzen.

(3) Die Ansprüche nach den Absätzen 1 und 2 sind insgesamt bis zu einem Betrag in Höhe von 250 000 DM begrenzt. Ist auf Grund desselben Ereignisses an mehrere Personen Schadensersatz zu leisten, der insgesamt den Höchstbetrag von 250 000 DM übersteigt, so verringern sich die einzelnen Schadensersatzleistungen in dem Verhältnis, in dem ihr Gesamtbetrag zu dem Höchstbetrag steht.

(4) Sind bei einer automatisierten Datei mehrere Stellen verarbeitungsberechtigt und sind die Geschädigten nicht in der Lage, die datenverarbeitende Stelle festzustellen, so haftet jede dieser Stellen.

(5) Mehrere Ersatzpflichtige haften gesamtschuldnerisch.

(6) Auf das Mitverschulden der Betroffenen und die Verjährung sind die §§ 254 und 852 des Bürgerlichen Gesetzbuches entsprechend anzuwenden.

(7) Die Geltendmachung weitergehender Schadensersatzansprüche auf Grund anderer Rechtsvorschriften bleibt unberührt.

(8) Der Rechtsweg vor den ordentlichen Gerichten steht offen.

Vierter Abschnitt
Landesbeauftragter für den Datenschutz

§ 22 Wahl und Amtszeit

(1) Der Landtag wählt den Landesbeauftragten für den Datenschutz in geheimer Wahl mit der Mehrheit seiner Mitglieder auf Vorschlag einer Fraktion; eine Aussprache findet nicht statt.

(2) Die Amtszeit des Landesbeauftragten für den Datenschutz beträgt acht Jahre. Wiederwahl ist zulässig. Der Landesbeauftragte für den Datenschutz bleibt solange im Amt, bis ein Nachfolger gewählt ist. Der Landtag kann den Landesbeauftragten für den Datenschutz

mit einer Mehrheit von zwei Dritteln seiner Mitglieder abwählen. Der Landesbeauftragte für den Datenschutz kann jederzeit vom Amt zurücktreten.

§ 23 Rechtsstellung

(1) Der Landesbeauftragte für den Datenschutz steht in einem öffentlich-rechtlichen Amtsverhältnis und ist in Ausübung seines Amtes unabhängig und nur dem Gesetz unterworfen.

(2) Die Vergütung des Landesbeauftragten für den Datenschutz ist durch Vertrag zu regeln. Sie unterliegt abweichend von § 71 a Abs. 5 des Landesbeamtengesetzes Rheinland-Pfalz nicht der nebentätigkeitsrechtlichen Ablieferungspflicht. Das Amt kann auch einem Beamten im Nebenamt oder im Ruhestand übertragen werden.

(3) Der Landesbeauftragte für den Datenschutz wird beim Präsidenten des Landtags eingerichtet, hat die Stellung einer diesem gegenüber unabhängigen obersten Landesbehörde und unterliegt keiner Dienst- und Rechtsaufsicht.

(4) Dem Landesbeauftragten für den Datenschutz ist das zur Aufgabenerfüllung notwendige Personal zur Verfügung zu stellen. Es untersteht seiner Dienstaufsicht. Die Beamten werden auf Vorschlag des Landesbeauftragten für den Datenschutz vom Präsidenten des Landtags ernannt und entlassen. Sie können nur im Einvernehmen mit dem Landesbeauftragten für den Datenschutz versetzt oder abgeordnet werden; dies gilt auch für Beamte, die zum Landesbeauftragten für den Datenschutz versetzt oder abgeordnet werden. Für die sonstigen Bediensteten gelten die Sätze 3 und 4 entsprechend.

(5) Der Landesbeauftragte für den Datenschutz darf neben diesem Amt kein Gewerbe ausüben und weder der Leitung oder dem Aufsichtsrat oder Verwaltungsrat eines auf Erwerb gerichteten Unternehmens noch einer Regierung oder einer gesetzgebenden Körperschaft des Bundes oder eines Landes angehören.

(6) Der Landesbeauftragte für den Datenschutz ist, auch nach Beendigung des Amtsverhältnisses, verpflichtet, über amtlich bekannt gewordene Angelegenheiten Verschwiegenheit zu wahren. Dies gilt nicht für Mitteilungen im dienstlichen Verkehr oder über Tatsachen, die offenkundig sind oder ihrer Bedeutung nach keiner Geheimhaltung bedürfen.

(7) Der Landesbeauftragte für den Datenschutz bestellt einen Stellvertreter für die Führung der Geschäfte im Falle seiner Verhinderung.

(8) Der Landesbeauftragte für den Datenschutz kann an den Sitzungen des Landtags und seiner Ausschüsse nach Maßgabe der Geschäftsordnung des Landtags teilnehmen. Der Landtag und seine Ausschüsse

können seine Anwesenheit verlangen. Der Landes-beauftragte für den Datenschutz kann sich in Ausschußsitzungen zu Fragen äußern, die für den Datenschutz von Bedeutung sind.

§ 24 Aufgaben des Landesbeauftragten für den Datenschutz

(1) Der Landesbeauftragte für den Datenschutz kontrolliert die Einhaltung der Bestimmungen dieses Gesetzes sowie anderer Vorschriften über den Datenschutz.

(2) Die Gerichte und der Rechnungshof unterliegen der Kontrolle des Landesbeauftragten für den Datenschutz nur, soweit sie in Verwaltungsangelegenheiten tätig werden.

(3) Der Landesbeauftragte für den Datenschutz teilt das Ergebnis seiner Kontrolle der datenverarbeitenden Stelle mit. Damit können Vorschläge zur Verbesserung des Datenschutzes, insbesondere zur Beseitigung von festgestellten Mängeln bei der Verarbeitung personenbezogener Daten, verbunden werden. § 25 bleibt unberührt.

(4) Zu den Aufgaben des Landesbeauftragten für den Datenschutz gehört auch, den Landtag, die Landesregierung und ihre Mitglieder sowie die übrigen öffentlichen Stellen zu beraten.

(5) Der Landtag und seine Ausschüsse sowie die Landesregierung können den Landesbeauftragten für den Datenschutz mit der Erstattung von Gutachten und Berichten zu Fragen des Datenschutzes betrauen. Auf Ersuchen der in Satz 1 genannten Stellen geht der Landesbeauftragte für den Datenschutz Hinweisen auf Angelegenheiten und Vorgänge, die den Datenschutz betreffen, nach.

(6) Der Landesbeauftragte für den Datenschutz beobachtet die Auswirkungen der Datenverarbeitung auf die Arbeitsweise und die Entscheidungsbefugnisse der öffentlichen Stellen. Er kann insoweit Maßnahmen anregen, die geeignet erscheinen, eine Beeinträchtigung der Wirkungsmöglichkeiten der Verfassungsorgane des Landes und der Organe der kommunalen Selbstverwaltung zu verhindern.

(7) Der Landesbeauftragte für den Datenschutz hält mit den für die Überwachung des Datenschutzes im öffentlichen und nichtöffentlichen Bereich zuständigen Behörden und Stellen des Landes, der übrigen Länder und des Bundes Verbindung und wirkt darauf hin, daß die Aufgabe des Datenschutzes nach einheitlichen Grundsätzen verwirklicht wird.

§ 25 Beanstandungen durch den Landesbeauftragten für den Datenschutz

(1) Stellt der Landesbeauftragte für den Datenschutz Verstöße gegen die Bestimmungen dieses Gesetzes oder gegen andere Vorschriften

über den Datenschutz oder sonstige Mängel bei der Verarbeitung personenbezogener Daten fest, so beanstandet er dies

1. bei Stellen der Landesverwaltung gegenüber der zuständigen obersten Landesbehörde,
2. bei den kommunalen Gebietskörperschaften gegenüber den verantwortlichen Organen der Gemeinde oder des Gemeindeverbandes,
3. bei den wissenschaftlichen Hochschulen und Fachhochschulen gegenüber dem Präsidenten oder dem Rektor sowie
4. bei den sonstigen öffentlichen Stellen gegenüber dem Vorstand oder dem sonst vertretungsberechtigten Organ

und fordert zur Stellungnahme innerhalb einer angemessenen Frist auf. In den Fällen des Satzes 1 Nr. 2 bis 4 unterrichtet der Landesbeauftragte für den Datenschutz gleichzeitig die zuständige Aufsichtsbehörde.

(2) Der Landesbeauftragte für den Datenschutz kann von einer Beanstandung absehen oder auf eine Stellungnahme der betroffenen Stelle verzichten, wenn es sich um unerhebliche oder inzwischen beseitigte Mängel handelt.

(3) Die nach Absatz 1 Satz 1 abzugebende Stellungnahme soll auch eine Darstellung der Maßnahmen enthalten, die auf Grund der Beanstandung getroffen worden sind. Die in Absatz 1 Satz 1 Nr. 2 bis 4 genannten Stellen leiten eine Abschrift ihrer Stellungnahme gegenüber dem Landesbeauftragten für den Datenschutz gleichzeitig der zuständigen Aufsichtsbehörde zu.

(4) Bleiben die Vorschläge des Landesbeauftragten für den Datenschutz unbeachtet, kann er die Landesregierung und den Landtag verständigen.

§ 26 Kommission bei dem Landesbeauftragten für den Datenschutz

(1) Bei dem Landesbeauftragten für den Datenschutz wird eine Kommission gebildet, die aus acht Mitgliedern besteht. In die Kommission entsenden der Landtag sieben Mitglieder und die Landesregierung ein Mitglied. Die vom Landtag zu entsendenden Mitglieder verteilen sich auf die Fraktionen nach dem d'Hondtschen Höchstzahlverfahren, jedoch stellt jede Fraktion mindestens ein Mitglied.

(2) Die Mitglieder der Kommission werden vom Landtag aus seiner Mitte für die Dauer der Wahlperiode des Landtags, von der Landesregierung für die Dauer von fünf Jahren entsandt.

(3) Die Kommission unterstützt den Landesbeauftragten für den Datenschutz bei der Wahrnehmung seiner Aufgaben. Der Landesbeauftragte für den Datenschutz nimmt an den Sitzungen der Kommission

teil. Über Maßnahmen nach § 24 Abs. 6 Satz 2 und § 25 Abs. 4 ist die Kommission zu unterrichten. Der Tätigkeitsbericht des Landesbeauftragten für den Datenschutz ist in der Kommission vorzuberaten.

(4) Die Kommission tritt auf Antrag eines ihrer Mitglieder oder des Landesbeauftragten für den Datenschutz zusammen.

(5) Die Kommission wählt aus dem Kreis der vom Landtag entsandten Mitglieder einen Vorsitzenden und einen Stellvertreter. Sie gibt sich eine Geschäftsordnung.

(6) Die Mitglieder der Kommission sind verpflichtet, auch nach ihrem Ausscheiden über die ihnen bei ihrer amtlichen Tätigkeit bekanntgewordenen Angelegenheiten Verschwiegenheit zu wahren. Dies gilt nicht für Mitteilungen im dienstlichen Verkehr oder für Tatsachen, die offenkundig sind oder ihrer Bedeutung nach keiner Geheimhaltung bedürfen.

(7) Der Vorsitzende der Kommission erhält eine monatliche Aufwandsentschädigung in gleicher Höhe wie der Vorsitzende eines Ausschusses des Landtags.

(8) Die Mitglieder der Kommission erhalten Reisekostenvergütung nach der höchsten Reisekostenstufe des Landesreisekostengesetzes.

§ 27 Anmeldepflicht, Datenschutzregister

(1) Die öffentlichen Stellen sind verpflichtet, dem Landesbeauftragten für den Datenschutz Verfahren, in denen personenbezogene Daten automatisiert verarbeitet werden, anzumelden. Mit der Anmeldung ist die Beschreibung des Verfahrens nach § 10 Abs. 2 vorzulegen. Wesentliche Änderungen des Verfahrens sind fortlaufend mitzuteilen. Für die Gerichte besteht eine Anmeldepflicht nur, soweit sie in Verwaltungsangelegenheiten tätig werden, für den Rechnungshof nur außerhalb seiner Prüfungstätigkeit. § 10 Abs. 2 Satz 3 gilt entsprechend. Die Anmeldung ist so rechtzeitig vorzunehmen, daß der Lan-desbeauftragte für den Datenschutz vor der erstmaligen Speicherung personenbezogener Daten seiner Überwachungspflicht nach § 24 nachkommen kann.

(2) Wird ein Verfahren bei mehreren öffentlichen Stellen eingesetzt, können nach der erstmaligen Anmeldung des Verfahrens durch die Fachaufsichtsbehörde oder eine der beteiligten öffentlichen Stellen die übrigen öffentlichen Stellen mit Zustimmung des Landesbeauftragten für den Datenschutz eine verkürzte Anmeldung vornehmen.

(3) Der Landesbeauftragte für den Datenschutz führt ein Register der nach Absatz 1 angemeldeten automatisierten Verfahren, in denen personenbezogene Daten verarbeitet werden (Datenschutzregister). Verfahren der Verfassungsschutzbehörde werden nicht in das Datenschutzregister aufgenommen.

(4) Der Landesbeauftragte für den Datenschutz gewährt auf Antrag Einsicht in das Datenschutzregister oder erteilt unentgeltlich Auskunft aus diesem. Dies gilt nicht, soweit besondere Rechtsvorschriften entgegenstehen oder die Geheimhaltung der Verfahren im überwiegenden öffentlichen Interesse geboten ist.

§ 28 Verpflichtungen der datenverarbeitenden Stellen

(1) Die datenverarbeitenden Stellen haben den Landesbeauftragten für den Datenschutz und seine Beauftragten bei der Erfüllung ihrer Aufgaben zu unterstützen. Sie sind insbesondere verpflichtet,

1. Auskunft zu ihren Fragen sowie Einsicht in allen Unterlagen und Akten, insbesondere in die gespeicherten Daten und in die Datenverarbeitungsprogramme sowie in die nach § 10 Abs. 2 und 3 zu führenden Verzeichnisse zu gewähren, die im Zusammenhang mit der Verarbeitung personenbezogener Daten stehen, sowie
2. jederzeit Zutritt zu allen Diensträumen zu gewähren.

(2) Für die Gerichte und den Rechnungshof gelten die Verpflichtungen nach Absatz 1 nur, soweit sie in Verwaltungsangelegenheiten tätig werden.

§ 29 Anrufung des Landesbeauftragten für den Datenschutz, Berichtspflicht

(1) Die Betroffenen können sich jederzeit unmittelbar an den Landesbeauftragten für den Datenschutz wenden, wenn sie der Ansicht sind, bei der Verarbeitung ihrer personenbezogenen Daten in ihren Rechten verletzt worden zu sein.

(2) Der Landesbeauftragte für den Datenschutz erstattet dem Landtag alle zwei Jahre jeweils zum 1. Oktober einen Tätigkeitsbericht.

Fünfter Abschnitt
Besonderer Datenschutz

§ 30 Verarbeitung personenbezogener Daten durch Forschungseinrichtungen

(1) Für Zwecke der wissenschaftlichen Forschung erhobene oder gespeicherte personenbezogene Daten dürfen nur für Zwecke der wissenschaftlichen Forschung verarbeitet werden.

(2) Die Übermittlung personenbezogener Daten an andere als öffentliche Stellen für Zwecke der wissenschaftlichen Forschung ist nur zulässig, wenn diese sich verpflichten, die übermittelten Daten nicht für andere Zwecke zu verarbeiten und die Bestimmungen der Absätze 3 und 4 einzuhalten.

(3) Die personenbezogenen Daten sind zu anonymisieren, sobald dies nach dem Forschungszweck möglich ist. Bis dahin sind die Merkmale gesondert zu speichern, mit denen Einzelangaben über persönliche oder sachliche Verhältnisse einer bestimmten oder bestimmbaren Person zugeordnet werden können. Sie dürfen mit den Einzelangaben nur zusammengeführt werden, soweit der Forschungszweck dies erfordert.

(4) Die wissenschaftliche Forschung betreibenden Stellen dürfen personenbezogene Daten nur veröffentlichen, wenn

1. die Betroffenen eingewilligt haben oder
2. dies für die Darstellung von Forschungsergebnissen über Ereignisse der Zeitgeschichte unerläßlich ist und überwiegende schutzwürdige Interessen der Betroffenen nicht entgegenstehen.

§ 31 Datenverarbeitung bei Dienst- und Arbeitsverhältnissen

(1) Die öffentlichen Stellen dürfen personenbezogene Daten von Beschäftigten nur verarbeiten, soweit dies zur Begründung, Durchführung, Beendigung oder Abwicklung des Dienst- oder Arbeitsverhältnisses oder zur Durchführung organisatorischer, personeller und sozialer Maßnahmen erforderlich ist oder eine Rechtsvorschrift dies erlaubt.

(2) Die Übermittlung personenbezogener Daten von Beschäftigten an andere als öffentliche Stellen ist nur zulässig, soweit

1. eine Rechtsvorschrift dies vorsieht oder zwingend voraussetzt,
2. die Betroffenen eingewilligt haben,
3. dies aus dienstlichen Gründen geboten ist,
4. dies zur Abwehr erheblicher Nachteile für das Gemeinwohl oder Rechte Dritter erforderlich ist oder
5. die empfangende Stelle ein rechtliches Interesse darlegt und überwiegende schutzwürdige Interessen der Betroffenen nicht entgegenstehen.

(3) Im Zusammenhang mit der Begründung von Dienst- oder Arbeitsverhältnissen ist die Erhebung personenbezogener Daten von Beschäftigten bei der bisherigen Beschäftigungsstelle nur zulässig, wenn die Betroffenen eingewilligt haben. Satz 1 gilt entsprechend für die Übermittlung personenbezogener Daten an zukünftige Beschäftigungsstellen.

(4) Entscheidungen im Rahmen von Dienst- und Arbeitsverhältnissen dürfen nicht ausschließlich auf Informationen und Erkenntnisse gestützt werden, die durch die automatisierte Verarbeitung personenbezogener Daten gewonnen wurden.

(5) Personenbezogene Daten der Beschäftigten, die im Rahmen der Durchführung der technischen und organisatorischen Maßnahmen nach

§ 9 gespeichert wurden, dürfen nicht zu Zwecken der Verhaltens- oder Leistungskontrolle genutzt werden.

(6) Personenbezogene Daten von Personen, die sich um eine Einstellung bewerben, dürfen nur verarbeitet werden, soweit dies im Rahmen des Einstellungs- und Auswahlverfahrens erforderlich ist. Steht fest, daß ein Dienst- oder Arbeitsverhältnis nicht zustande kommt, sind die von den Betroffenen vorgelegten Unterlagen diesen unverzüglich zurückzusenden. Haben die Betroffenen in die weitere Verarbeitung der von ihnen vorgelegten Unterlagen eingewilligt oder ist dies wegen eines bereits anhängigen oder wahrscheinlich zu erwartenden Rechtsstreits erforderlich, ist eine weitere Verarbeitung auch insoweit zulässig.

(7) Besondere Rechtsvorschriften über die Verarbeitung personenbezogener Daten bei Dienst- und Arbeitsverhältnissen bleiben unberührt.

§ 32 Datenverarbeitung für Planungszwecke

(1) Für Zwecke der öffentlichen Planung dürfen personenbezogene Daten verarbeitet werden, wenn ein besonderes öffentliches Interesse an der Planung besteht, der Planungszweck auf andere Weise nicht oder nur mit unverhältnismäßigem Aufwand erreicht werden kann und überwiegende schutzwürdige Interessen der Betroffenen nicht entgegenstehen.

(2) Die für Planungszwecke gespeicherten personenbezogenen Daten dürfen für andere Zwecke nicht genutzt oder übermittelt werden. Sobald dies nach dem Planungszweck möglich ist, sind die personenbezogenen Daten zu anonymisieren.

(3) Für Zwecke der öffentlichen Planung verarbeitete personenbezogene Daten dürfen nur veröffentlicht oder in sonstiger Weise offenbart werden, wenn

1. die Betroffenen eingewilligt haben oder
2. dies für die Darstellung der Planungsergebnisse unerläßlich ist und überwiegende schutzwürdige Interessen der Betroffenen nicht entgegenstehen.

§ 33 Allgemeine Verwaltungstätigkeit

(1) Öffentliche Stellen dürfen personenbezogene Daten bei der Wahrnehmung ihrer Aufgaben verarbeiten, soweit dies für die allgemeine Verwaltungstätigkeit erforderlich ist und überwiegende schutzwürdige Interessen der Betroffenen wegen der Art der Daten, ihrer Verwendung oder ihrer Offenkundigkeit nicht entgegenstehen.

(2) Die allgemeine Verwaltungstätigkeit nach Absatz 1 umfaßt die Vorgangsverwaltung, die Dokumentation der Verwaltungsvorgänge einschließlich der Verfahrensbeteiligten, die Bürokommunikation sowie die sonstigen zur ordnungsgemäßen Erledigung der behördlichen Aufgaben erforderlichen organisatorischen Tätigkeiten. Als allgemeine Verwaltungstätigkeit gilt auch die Bearbeitung von Anträgen und Vorgängen, die einem gesetzlich geregelten Sachgebiet nicht zugeordnet werden können, sowie die Durchführung von Rechtsstreitigkeiten.

Sechster Abschnitt
Informationsrechte

§ 34 Informationsrechte des Landtags und der kommunalen Gebietskörperschaften

(1) Die öffentlichen Stellen sind verpflichtet, dem Landtag, dem Präsidenten des Landtags und den Fraktionen des Landtags sowie den Gemeinden und Gemeindeverbänden die von diesen im Rahmen ihrer Zuständigkeiten verlangten Auskünfte aus Datenbanken und anderen automatisierten Informationssystemen zu erteilen, soweit Programme zur Auswertung vorhanden sind.

(2) Den Auskünften nach Absatz 1 darf ein gesetzliches Verbot, ein wichtiges öffentliches Interesse oder ein überwiegendes schutzwürdiges Interesse der Betroffenen oder Dritter nicht entgegenstehen; dem Auskunftsrecht des Landtags steht ein solches Interesse in der Regel nicht entgegen.

Siebter Abschnitt
Strafbestimmungen

§ 35 Strafbestimmungen

(1) Wer gegen Entgelt oder in der Absicht, sich oder einen anderen zu bereichern oder einen anderen zu schädigen, entgegen den Bestimmungen dieses Gesetzes personenbezogene Daten, die nicht offenkundig sind,

1. erhebt, speichert, nutzt, sperrt, löscht, zum Abruf bereithält oder übermittelt, oder
2. abruft, einsieht, sich verschafft oder durch Vortäuschung falscher Tatsachen ihre Weitergabe an sich oder einen anderen veranlaßt,

wird mit Freiheitsstrafe bis zu einem Jahr oder mit Geldstrafe bestraft.

(2) Der Versuch ist strafbar.

Achter Abschnitt
Übergangs- und Schlußbestimmungen

§ 36 Verwaltungsvorschriften

Der Minister des Innern und für Sport erläßt die zur Durchführung dieses Gesetzes erforderlichen Verwaltungsvorschriften im Einvernehmen mit den Ministern, deren Geschäftsbereich berührt ist, und nach Anhörung des Landesbeauftragten für den Datenschutz.

§ 37 Übergangsbestimmungen

(1) Werden im Zeitpunkt des Inkrafttretens dieses Gesetzes personenbezogene Daten im Auftrag verarbeitet, ist das Auftragsverhältnis innerhalb eines Jahres den Bestimmungen des § 4 anzupassen. Satz 1 gilt entsprechend für die Anpassung eines automatisierten Übermittlungsverfahrens an die Erfordernisse des § 7.

(2) Innerhalb eines Jahres nach Inkrafttreten dieses Gesetzes haben die öffentlichen Stellen

1. die nach § 10 Abs. 2 und 3 zu führenden Verzeichnisse zu erstellen,
2. nach § 11 Abs. 1 Satz 1 behördliche Datenschutzbeauftragte zu bestellen und
3. die Anmeldung der Verfahren, in denen personenbezogene Daten automatisiert verarbeitet werden, nach § 27 Abs. 1 vorzunehmen.

(3) Vordrucke, die den Anforderungen des § 5 Abs. 2 und 3 nicht entsprechen, dürfen bis zum Ablauf eines Jahres nach Inkrafttreten dieses Gesetzes aufgebraucht werden.

§ 38 Verweisungen und Bezeichnungen in anderen Vorschriften

Soweit in anderen Vorschriften auf Bestimmungen verwiesen wird, die durch dieses Gesetz außer Kraft gesetzt werden, oder Bezeichnungen verwendet werden, die durch dieses Gesetz aufgehoben oder geändert werden, treten an deren Stelle die entsprechenden Bestimmungen und Bezeichnungen dieses Gesetzes.

§ 39[1] Inkrafttreten

(1) Dieses Gesetz tritt am Tage nach der Verkündung in Kraft.

(2) (Aufhebungsbestimmung)

---

1 § 39 Abs. 1: Verkündet am 18. 7. 1994

Saarländisches Gesetz zum Schutz personenbezogener Daten (Saarländisches Datenschutzgesetz – SDSG –)[1]

vom 24. März 1993 (GVBl S. 286)
zuletzt geändert durch Gesetz vom 22. August 2001

Inhaltsübersicht

---

1 Nicht-amtliche Fassung des SDSG aufgrund des am 22. 08. 2001 beschlossenen, bei Drucklegung noch nicht veröffentlichten Änderungsgesetzes, abgedruckt mit freundlicher Genehmigung des Saarländischen Landesbeauftragten für den Datenschutz. Nach Art. 4 dieses Gesetzes ist eine amtliche Neubekanntmachung durch das Ministerium für Inneres und Sport vorgesehen.

Erster Teil
Allgemeiner Datenschutz

Erster Abschnitt
Allgemeine Bestimmungen

§ 1 Aufgabe

Aufgabe dieses Gesetzes ist es, den einzelnen davor zu schützen, dass er durch die Verarbeitung personenbezogener Daten durch öffentliche Stellen in unzulässiger Weise in seinem Recht beeinträchtigt wird, selbst über die Preisgabe und Verwendung seiner Daten zu bestimmen (informationelles Selbstbestimmungsrecht).

§ 2 Anwendungsbereich

(1) Dieses Gesetz gilt für die Verarbeitung personenbezogener Daten durch die Behörden und sonstigen öffentlichen Stellen des Landes, der Gemeinden und Gemeindeverbände sowie der sonstigen der Aufsicht des Landes unterstehenden juristischen Personen des öffentlichen Rechts (öffentliche Stellen). Als öffentliche Stellen gelten auch Vereinigungen ungeachtet ihrer Rechtsform, die Aufgaben öffentlicher Verwaltung wahrnehmen und an denen eine oder mehrere der in Satz 1 genannten Stellen mit absoluter Mehrheit der Anteile oder absoluter Mehrheit der Stimmen beteiligt sind; gleiches gilt für weitere Beteiligungen dieser Vereinigungen. Nehmen nicht-öffentliche Stellen hoheitliche Aufgaben der öffentlichen Verwaltung wahr, sind sie insoweit öffentliche Stellen im Sinne dieses Gesetzes. Für den Landtag und für die Gerichte, den Rechnungshof sowie für die Behörden der Staatsanwaltschaft gilt dieses Gesetz nur, soweit sie Verwaltungsaufgaben wahrnehmen; darüber hinaus gelten für die Behörden der Staatsanwaltschaft, soweit sie keine Verwaltungsaufgaben wahrnehmen, nur die Vorschriften des Zweiten Teils.

(2) Soweit öffentlich-rechtliche Unternehmen am Wettbewerb teilnehmen, gelten für sie nur der Zweite Teil sowie der § 7 Abs. 1 und die §§ 9, 30 bis 32. Mit Ausnahme der Vorschriften über die Aufsichtsbehörde sind im übrigen die für nicht öffentliche Stellen geltenden Vorschriften des Bundesdatenschutzgesetzes einschließlich der Straf- und Bußgeldvorschriften anwendbar.

(3) Die Vorschriften dieses Gesetzes gehen denen des Verwaltungsverfahrensgesetzes vor. Im übrigen gehen besondere Rechtsvorschriften, soweit sie auf die Verarbeitung personenbezogener Daten anzuwenden sind, den Vorschriften dieses Gesetzes vor.

(4) Amts- und Funktionsbezeichnungen dieses Gesetzes werden in weiblicher oder männlicher Form geführt.

§ 3 Begriffsbestimmungen

(1) Personenbezogene Daten sind Einzelangaben über persönliche oder sachliche Verhältnisse einer bestimmten oder bestimmbaren natürlichen Person (Betroffener).

(2) Datenverarbeitung ist das Erheben, Speichern, Verändern, Übermitteln, Sperren, Löschen sowie Nutzen personenbezogener Daten.

Im Einzelnen ist

1. Erheben das Beschaffen von Daten über den Betroffenen,
2. Speichern das Erfassen, Aufnehmen oder Aufbewahren von Daten auf einem Datenträger zum Zwecke ihrer weiteren Verarbeitung,
3. Verändern das inhaltliche Umgestalten gespeicherter Daten,
4. Übermitteln das Bekanntgeben gespeicherter oder durch Datenverarbeitung gewonnener Daten an einen Dritten in der Weise, dass die Daten durch die verantwortliche Stelle weitergegeben oder zur Einsichtnahme bereitgehalten werden oder dass der Dritte zum Abruf in einem automatisierten Verfahren bereitgehaltene Daten abruft,
5. Sperren das Kennzeichnen gespeicherter Daten, um ihre weitere Verarbeitung einzuschränken,
6. Löschen das Unkenntlichmachen gespeicherter Daten,
7. Nutzen jede sonstige Verwendung von Daten, ungeachtet der dabei angewendeten Verfahren.

(3) Verantwortliche Stelle ist jede der in § 2 Abs. 1 genannten Stellen, die personenbezogene Daten für sich selbst verarbeitet oder durch andere verarbeiten lässt.

(4) Empfänger ist jede Person oder Stelle, die personenbezogene Daten erhält.

(5) Dritter ist jede Person oder Stelle außerhalb der verantwortlichen Stelle, es sei denn, es handelt sich hierbei um den Betroffenen oder Stellen, die im Geltungsbereich der Rechtsvorschriften zum Schutz personenbezogener Daten der Mitgliedstaaten der Europäischen Union personenbezogene Daten im Auftrag verarbeiten (§ 5).

(6) Automatisiert ist eine Datenverarbeitung, wenn sie durch Einsatz eines gesteuerten technischen Verfahrens selbsttätig abläuft.

(7) Eine Akte ist jede amtlichen oder dienstlichen Zwecken dienende Unterlage.

(8) Anonymisieren ist das Verändern personenbezogener Daten derart, dass die Einzelangaben über persönliche oder sachliche Verhältnisse nicht mehr oder nur mit einem unverhältnismäßig großen Aufwand an Zeit, Kosten und Arbeitskraft einer bestimmten oder bestimmbaren

natürlichen Person zugeordnet werden können. Pseudonymisieren ist das Ersetzen des Namens und anderer Identifikationsmerkmale durch ein Kennzeichen zu dem Zweck, die Bestimmung des Betroffenen auszuschließen oder wesentlich zu erschweren.

(9) Mobile personenbezogene Speicher- und Verarbeitungsmedien sind Datenträger,
1. die an den Betroffenen ausgegeben werden,
2. auf denen personenbezogene Daten über die Speicherung hinaus durch die ausgebende oder eine andere Stelle automatisiert verarbeitet werden können und
3. bei denen der Betroffene diese Verarbeitung nur durch den Gebrauch des Mediums beeinflussen kann.

§ 4 Zulässigkeit der Datenverarbeitung; Datenvermeidung und Datensparsamkeit

(1) Die Verarbeitung personenbezogener Daten ist nur zulässig, wenn

a) dieses Gesetz oder eine andere Rechtsvorschrift sie erlaubt oder

b) der Betroffene eingewilligt hat.

Die Einwilligung bedarf der Schriftform, soweit nicht wegen besonderer Umstände eine andere Form angemessen ist. Soll die Einwilligung zusammen mit anderen Erklärungen schriftlich erteilt werden, ist der Betroffene auf die Einwilligungserklärung schriftlich besonders hinzuweisen. Der Betroffene ist in geeigneter Weise über die Bedeutung der Einwilligung, insbesondere über den Verwendungszweck der Daten, bei einer beabsichtigten Übermittlung an Dritte über diese aufzuklären; er ist unter Darlegung der Rechtsfolgen darauf hinzuweisen, dass er die Einwilligung verweigern und mit Wirkung für die Zukunft widerrufen kann.

(2) Die Verarbeitung personenbezogener Daten über die rassische oder ethnische Herkunft, politische Meinungen, religiöse oder weltanschauliche Überzeugungen, Gewerkschaftszugehörigkeit, Gesundheit oder Sexualleben ist nur auf Grund einer besonderen Rechtsvorschrift zulässig. Dies gilt nicht, wenn
1. der Betroffene eingewilligt hat,
2. die Datenverarbeitung ausschließlich in seinem lebenswichtigen Interesse liegt und eine Einwilligung nicht oder nicht rechtzeitig eingeholt werden konnte,
3. die Angaben aus allgemein zugänglichen Quellen stammen und vom Betroffenen selbst offenbart wurden,
4. die Datenverarbeitung im Rahmen der Vorschriften der §§ 30, 31, 32 oder 33 dieses Gesetzes erforderlich ist,

5. ein rechtliches Interesse an der Verarbeitung der Daten besteht oder
6. die Datenverarbeitung zur Abwehr von Gefahren für die öffentliche Sicherheit oder zur Strafverfolgung erforderlich ist.

(3) Entscheidungen die für den Betroffenen eine rechtliche Folge nach sich ziehen oder ihn erheblich beeinträchtigen, dürfen nicht ausschließlich auf eine automatisierte Verarbeitung seiner personenbezogenen Daten gestützt werden, die der Bewertung einzelner Persönlichkeitsmerkmale dienen. Dies gilt nicht, wenn
1. eine Rechtsvorschrift dies ausdrücklich vorsieht,
2. damit dem Begehren des Betroffenen stattgegeben wird oder
3. dem Betroffenen die Tatsache einer Entscheidung nach Satz 1 mitgeteilt und ihm Gelegenheit gegeben wird, hierzu Stellung zu nehmen. Die verantwortliche Stelle ist verpflichtet, nach Eingang der Stellungnahme ihre Entscheidung erneut zu prüfen.

(4) Bei der Verarbeitung personenbezogener Daten haben sich die Art der Datenverarbeitung sowie die Auswahl und Gestaltung hierzu bestimmter technischer Einrichtungen an dem Ziel auszurichten, so wenig personenbezogene Daten wie möglich zu verarbeiten.

§ 5 Verarbeitung personenbezogener Daten im Auftrag

(1) Werden personenbezogene Daten im Auftrag einer öffentlichen Stelle verarbeitet, so bleibt sie verantwortliche Stelle im Sinne dieses Gesetzes. Der Auftragnehmer ist unter besonderer Berücksichtigung seiner Eignung sorgfältig auszuwählen. Der Auftrag ist schriftlich unter Festlegung von Gegenstand und Umfang der Datenverarbeitung zu erteilen. Er muss Weisungen zur Umsetzung der Vorgaben des § 11 enthalten. Der Auftragnehmer darf personenbezogene Daten nur im Rahmen des vertraglich Festgelegten verarbeiten. Unterauftragsverhältnisse bedürfen ausdrücklicher Zustimmung. Der Auftraggeber hat darauf zu achten, dass beim Auftragnehmer die nach § 11 Abs. 2 erforderlichen Maßnahmen getroffen sind.

(2) Soweit öffentliche Stellen personenbezogene Daten im Auftrag verarbeiten, gelten für sie nur die §§ 6, 7 Abs. 1, §§ 8, 11, 23, 26 bis 29, 35 und 36.

(3) Sofern die Vorschriften dieses Gesetzes auf den Auftragnehmer keine Anwendung finden, ist der Auftraggeber verpflichtet, vertraglich sicherzustellen, dass der Auftragnehmer die Bestimmungen dieses Gesetzes befolgt und sich der Kontrolle des Landesbeauftragten für Datenschutz unterwirft. Der Auftraggeber hat den Landesbeauftragten für Datenschutz über die Beauftragung zu unterrichten.

(4) Die Absätze 1 bis 3 gelten entsprechend für Personen und Stellen, die im Auftrag die Wartung und Betreuung von Anlagen und Verfahren zur automatisierten Datenverarbeitung wahrnehmen.

§ 6 Datengeheimnis

Denjenigen Personen, die bei öffentlichen Stellen oder ihren Auftragnehmern dienstlichen Zugang zu personenbezogenen Daten haben, ist es untersagt, solche Daten unbefugt zu verarbeiten; dies gilt auch nach Beendigung ihrer Tätigkeit. Diese Personen sind über die bei ihrer Tätigkeit zu beachtenden Vorschriften über den Datenschutz zu unterrichten.

§ 7 Sicherstellung des Datenschutzes

(1) Die obersten Landesbehörden, die Gemeinden und Gemeindeverbände sowie die sonstigen der Aufsicht des Landes unterstehenden juristischen Personen des öffentlichen Rechts und deren Vereinigungen haben jeweils für ihren Geschäftsbereich die Ausführung der Rechtsvorschriften über den Datenschutz sicherzustellen. Verwaltungsvorschriften ergehen nach Anhörung des Landesbeauftragten für Datenschutz. Die Zuständigkeit der Fach- und Rechtsaufsichtsbehörden bleibt unberührt.

(2) Der erstmalige Einsatz von automatisierten Verfahren, mit denen personenbezogene Daten verarbeitet werden, bedarf hinsichtlich der in der Verfahrensbeschreibung festzulegenden Angaben (§ 9 Abs. 1) der schriftlichen Freigabe. In der Landesverwaltung ist die Freigabe durch diejenige oberste Landesbehörde zu erklären, die für die dem automatisierten Verfahren zugrundeliegende Rechtsmaterie federführend ist. Im Übrigen erfolgt die Freigabe durch die verantwortliche Stelle. Entsprechendes gilt für wesentliche Änderungen des Verfahrens. Vor der Entscheidung ist der Landesbeauftragte für Datenschutz zu hören.

§ 8 Behördlicher Datenschutzbeauftragter

(1) Öffentliche Stellen, die personenbezogene Daten verarbeiten, können einen behördlichen Datenschutzbeauftragten und einen Vertreter schriftlich bestellen. Diese müssen für ihre Tätigkeit geeignet sein, insbesondere über die erforderliche Zuverlässigkeit und Sachkunde verfügen. Die Bestellung externer Datenschutzbeauftragter ist zulässig, auch können mehrere öffentliche Stellen gemeinsam einen behördlichen Datenschutzbeauftragten bestellen, sofern die Aufgabenerfüllung hierdurch nicht beeinträchtigt wird. Der behördliche Datenschutzbeauftragte ist im Rahmen seiner Aufgabenerfüllung unmittelbar der Leitung der öffentlichen Stelle unterstellt. In Gemeinden und Gemeindeverbänden kann er auch einem hauptamtlichen Beigeordneten unterstellt

werden. In seiner Funktion ist der behördliche Datenschutzbeauftragte weisungsfrei. Er kann sich unmittelbar an den Landesbeauftragten für Datenschutz wenden. Der behördliche Datenschutzbeauftragte darf wegen der Erfüllung seiner Aufgaben nicht benachteiligt werden. Soweit erforderlich, ist er von anderen Tätigkeiten frei zu stellen und mit räumlichen, sachlichen und personellen Mitteln auszustatten.

(2) Der behördliche Datenschutzbeauftragte hat die verantwortliche Stelle bei der Ausführung datenschutzrechtlicher Vorschriften zu unterstützen und auf deren Einhaltung hinzuwirken. Zu den Aufgaben des behördlichen Datenschutzbeauftragten zählen insbesondere:

1. die nach § 9 zu erstellenden Verzeichnisse zu führen,
2. die Vorabkontrolle nach § 11 Abs. 1 in Zusammenarbeit mit der verantwortlichen Stelle durchzuführen,
3. die verantwortliche Stelle bei dem Erarbeiten technischer und organisatorischer Maßnahmen nach § 11 Abs. 2 und 3 zu unterstützen und
4. die mit der Verarbeitung personenbezogener Daten befassten Personen mit den Bestimmungen dieses Gesetzes und anderer datenschutzrechtlicher Vorschriften vertraut zu machen.

Er kann zu seiner Aufgabenerfüllung jederzeit Einsicht in Datenbestände der verantwortlichen Stelle nehmen, soweit dem nicht gesetzliche Regelungen entgegen stehen. Soweit kein behördlicher Datenschutzbeauftragter bestellt ist, obliegt die Wahrnehmung von dessen Aufgaben der öffentlichen Stelle mit Ausnahme der Führung der Verfahrensverzeichnisse (Nummer 1) und der Durchführung der Vorabkontrolle (Nummer 2). Die Führung des Verfahrensverzeichnisses und die Durchführung der Vorabkontrolle obliegen dem Landesbeauftragten für Datenschutz.

(3) Bedienstete der öffentlichen Stelle können sich in datenschutzrechtlichen Fragen jederzeit an den behördlichen Datenschutzbeauftragten wenden. Dieser ist verpflichtet, über die ihm bekannt gewordenen Angelegenheiten Verschwiegenheit zu bewahren. Dies gilt nicht für Mitteilungen im dienstlichen Verkehr oder von Tatsachen, die offenkundig sind oder ihrer Bedeutung nach keiner Geheimhaltung bedürfen. Der behördliche Datenschutzbeauftragte ist zur Verschwiegenheit über die Identität des Betroffenen sowie über Umstände, die Rückschlüsse auf den Betroffenen zulassen, verpflichtet, soweit er nicht durch den Betroffenen hiervon befreit wird.

§ 9 Verfahrensbeschreibung

(1) Die speichernde Stelle, die für den Einsatz eines automatisierten Verfahrens zuständig ist, ist verpflichtet, in einer Verfahrensbeschreibung folgende Angaben schriftlich festzulegen:

1. Name und Anschrift der verantwortlichen Stelle
2. die Bezeichnung des Verfahrens und seine Zweckbestimmungen, sowie die jeweiligen Rechtsgrundlagen,
3. die Art der verarbeiteten personenbezogenen Daten,
4. den Kreis der Betroffenen,
5. die Art regelmäßig zu übermittelnder personenbezogener Daten, deren Empfänger sowie Art und Herkunft regelmäßig empfangener Daten,
6. eine geplante Datenübermittlung in Drittländer,
7. Fristen für die Sperrung und Löschung der Daten,
8. die Ergebnisse der Vorabkontrolle nach § 11 Abs. 1,
9. die technischen und organisatorischen Maßnahmen nach § 11 Abs. 2,
10. die Technik der Verfahren, einschließlich Hard- und Software und
11. die zugriffsberechtigten Personen oder Personengruppen.

Änderungen sind dem behördlichen Datenschutzbeauftragten mitzuteilen. Soweit speichernde und verantwortliche Stelle nicht identisch sind, ist diese Verfahrensbeschreibung und deren Änderungen auch dem behördlichen Datenschutzbeauftragten der verantwortlichen Stelle zur Verfügung zu stellen.

(2) Die Angaben der Verfahrensbeschreibung können bei dem behördlichen Datenschutzbeauftragten der verantwortlichen Stelle von jedermann eingesehen werden. Dies gilt jedoch insbesondere für die Angaben zu den Nummern 8, 9 und 10 nur, soweit hierdurch die Sicherheit des Verfahrens nicht beeinträchtigt wird. Satz 1 gilt nicht für

1. Verfahren des Landesamtes für Verfassungsschutz,
2. Verfahren zum Zwecke der Gefahrenabwehr und der Strafverfolgung,
3. Verfahren der Steuerfahndung,
4. Verfahren der öffentlich-rechtlichen Unternehmen, die am Wettbewerb teilnehmen,

soweit die verantwortliche Stelle eine Einsichtnahme im Einzelfall mit der Erfüllung ihrer Aufgaben für unvereinbar erklärt.

(3) Soweit eine verantwortliche Stelle keinen behördlichen Datenschutzbeauftragten bestellt hat, tritt an dessen Stelle der Landesbeauftragte für Datenschutz.

§ 10 Automatisiertes Abrufverfahren

(1) Die Einrichtung eines automatisierten Verfahrens, das die Übermittlung personenbezogener Daten durch Abruf ermöglicht, ist nur zulässig, soweit dies durch Bundes- oder Landesrecht bestimmt ist.

(2) Die Staatskanzlei und die Ministerien werden ermächtigt, für ihren Geschäftsbereich automatisierte Abrufverfahren durch Rechtsverordnung zuzulassen, soweit dies unter Berücksichtigung des informationellen Selbstbestimmungsrechts des betroffenen Personenkreises und der Aufgaben der beteiligten Stellen angemessen ist. Die Datenempfänger, die Datenart und der Zweck des Abrufs sind festzulegen. Der Landesbeauftragte für Datenschutz ist vorher zu hören.

(3) Die am Abrufverfahren beteiligten Stellen haben die nach § 11 Abs. 2 erforderlichen Maßnahmen zu treffen.

(4) Für die Einrichtung automatisierter Abrufverfahren innerhalb einer öffentlichen Stelle gelten Absatz 2 Satz 1 letzter Halbsatz und Satz 2 sowie Absatz 3 entsprechend.

(5) Personenbezogene Daten dürfen für Stellen außerhalb des öffentlichen Bereichs zum automatisierten Abruf nicht bereitgehalten werden.

(6) Die Absätze 1 bis 5 gelten nicht für Datenbestände, die jedermann ohne oder nach besonderer Zulassung zur Benutzung offen stehen oder deren Veröffentlichung zulässig wäre.

(7) Die Absätze 1 bis 6 gelten entsprechend für die Einrichtung gemeinsamer oder verbundener automatisierter Verfahren, in und aus denen mehrere öffentliche Stellen personenbezogene Daten verarbeiten sollen. Die Beteiligten bestimmen eine nach diesem Gesetz verantwortliche Stelle und legen schriftlich den jeweiligen Verantwortungsbereich fest.

§ 11 Vorabkontrolle; technische und organisatorische Maßnahmen

(1) Vor dem erstmaligen Einsatz automatisierter Verfahren ist zu prüfen, welche Gefahren hierdurch für das informationelle Selbstbestimmungsrecht erwachsen können (Vorabkontrolle). Automatisierte Verfahren dürfen nur dann eingesetzt werden, wenn sichergestellt ist, dass keine Gefahren bestehen oder diese durch Maßnahmen nach Absatz 2 verhindert werden können. Diese Maßnahmen müssen unter Berücksichtigung des Standes der Technik und der bei ihrer Durchführung entstehenden Kosten ein Schutzniveau gewährleisten, das den von der Verarbeitung ausgehenden Risiken und der Art der zu schützenden personenbezogenen Daten angemessen ist.

(2) Werden personenbezogene Daten automatisiert verarbeitet, ist die innerbehördliche Organisation so zu gestalten, dass sie den besonderen Anforderungen des Datenschutzes gerecht wird. Dabei sind insbesondere Maßnahmen zu treffen, die je nach der Art der zu

schützenden personenbezogenen Daten oder Datenkategorien geeignet sind,

1. Unbefugten den Zutritt zu Datenverarbeitungsanlagen, mit denen personenbezogene Daten verarbeitet oder genutzt werden, zu verwehren (Zutrittskontrolle),
2. zu verhindern, dass Datenverarbeitungssysteme von Unbefugten genutzt werden können (Zugangskontrolle),
3. zu gewährleisten, dass die zur Benutzung eines Datenverarbeitungssystems Berechtigen ausschließlich auf die ihrer Zugriffsberechtigung unterliegenden personenbezogenen Daten zugreifen können, und dass diese Daten bei der Verarbeitung nicht unbefugt gelesen, kopiert, verändert oder entfernt werden können (Zugriffskontrolle),
4. zu gewährleisten, dass personenbezogene Daten bei der elektronischen Übertragung oder während ihres Transports oder ihrer Speicherung auf Datenträger nicht unbefugt gelesen, kopiert, verändert oder entfernt werden können, und dass überprüft und festgestellt werden kann, an welche Stellen eine Übermittlung personenbezogener Daten durch Einrichtungen zur Datenübertragung vorgesehen ist (Weitergabekontrolle),
5. zu gewährleisten, dass nachträglich überprüft und festgestellt werden kann, ob und von wem personenbezogene Daten in Datenverarbeitungssysteme eingegeben, verändert oder entfernt worden sind (Eingabekontrolle),
6. zu gewährleisten, dass personenbezogene Daten, die im Auftrag verarbeitet werden, nur entsprechend den Weisungen des Auftraggebers verarbeitet werden können (Auftragskontrolle),
7. zu gewährleisten, dass personenbezogene Daten gegen zufällige Zerstörung oder Verlust geschützt sind (Verfügbarkeitskontrolle),
8. zu gewährleisten, dass zu unterschiedlichen Zwecken erhobene Daten getrennt verarbeitet werden können.

(3) Werden personenbezogene Daten nicht automatisiert verarbeitet, sind Maßnahmen zu treffen, um insbesondere den Zugriff Unbefugter bei der Bearbeitung, der Aufbewahrung, dem Transport und der Vernichtung zu verhindern.

Zweiter Abschnitt
Rechtsgrundlagen der Datenverarbeitung

§ 12 Erhebung; Benachrichtigung

(1) Das Erheben personenbezogener Daten ist zulässig, wenn ihre Kenntnis zur Erfüllung der Aufgaben der verantwortlichen Stelle

erforderlich ist. Personenbezogene Daten sind grundsätzlich bei dem Betroffenen mit dessen Kenntnis zu erheben. Dieser ist über den Verwendungszweck aufzuklären. Werden personenbezogene Daten auf Grund einer Rechtsvorschrift erhoben, ist diese anzugeben und zu erläutern. Soweit eine Auskunftspflicht besteht oder die Angaben Voraussetzung für die Gewährung von Rechtsvorteilen sind, ist der Betroffene hierauf, ansonsten auf die Freiwilligkeit seiner Angaben, hinzuweisen.

(2) Das Erheben personenbezogener Daten bei dem Betroffenen ohne dessen Kenntnis ist nur zulässig, wenn Bundes- oder Landesrecht dies erlaubt oder der Schutz von Leben und Gesundheit dies gebietet.

(3) Bei öffentlichen Stellen dürfen personenbezogene Daten ohne Kenntnis des Betroffenen nur unter den in § 13 Abs. 2 Satz 1 Buchstaben b bis g genannten Voraussetzungen erhoben werden. Im Falle des § 13 Abs. 2 Satz 1 Buchstabe d ist der Betroffene darauf hinzuweisen, wo die Daten erhoben werden können.

(4) Bei Dritten außerhalb des öffentlichen Bereichs dürfen personenbezogene Daten ohne Kenntnis des Betroffenen nur unter den Voraussetzungen des § 13 Abs. 2 Satz 1 Buchstaben c, e und g erhoben werden. Auf Verlangen des Dritten ist dieser über den Verwendungszweck aufzuklären. Auf eine Auskunftsverpflichtung, ansonsten auf die Freiwilligkeit der Angaben, ist hinzuweisen.

(5) Werden personenbezogene Daten ohne Kenntnis des Betroffenen erhoben, ist dieser von der Datenerhebung zu benachrichtigen, sofern die Aufgabenerfüllung hierdurch nicht beeinträchtigt ist. Im Falle einer beabsichtigten Übermittlung hat die Benachrichtigung spätestens mit deren Durchführung zu erfolgen, sofern die Aufgabenerfüllung hierdurch nicht beeinträchtigt ist. Die Benachrichtigung umfasst zumindest die Angabe des Verwendungszwecks und der Rechtsgrundlage sowie einen Hinweis auf die Rechte des Betroffenen nach dem dritten Abschnitt. Eine Pflicht zur Benachrichtigung besteht nicht, wenn

1. die Verarbeitung ausdrücklich durch Rechtsvorschrift vorgesehen ist,
2. Betroffene auf andere Weise Kenntnis von der Verarbeitung ihrer Daten erlangt haben oder
3. die Benachrichtigung nicht möglich ist oder mit einen unverhältnismäßig hohem Aufwand verbunden wäre.

§ 13 Speicherung, Veränderung und Nutzung; Zweckbindung

(1) Das Speichern, Verändern und Nutzen personenbezogener Daten ist zulässig, wenn es zur Erfüllung der Aufgaben der öffentlichen Stelle erforderlich ist. Die Daten dürfen nur für Zwecke verarbeitet

werden, für die sie erhoben worden sind. Daten, von denen die Stelle ohne Erhebung Kenntnis erlangt hat, dürfen nur für Zwecke verarbeitet werden, für die sie erstmals gespeichert worden sind.

(2) Sollen personenbezogene Daten zu Zwecken verarbeitet werden, für die sie nicht erhoben oder erstmals gespeichert worden sind, ist dies nur zulässig, wenn

a) der Betroffene eingewilligt hat,

b) die Einholung der Einwilligung des Betroffenen nicht möglich ist oder mit unverhältnismäßig hohem Aufwand verbunden wäre, aber offensichtlich ist, dass es in seinem Interesse liegt und er in Kenntnis des anderen Zwecks seine Einwilligung erteilen würde,

c) eine Rechtsvorschrift dies erlaubt oder zwingend voraussetzt,

d) Angaben des Betroffenen überprüft werden müssen, weil tatsächliche Anhaltspunkte für deren Unrichtigkeit bestehen,

e) es zur Abwehr erheblicher Nachteile für das Gemeinwohl oder unmittelbar drohender Gefahren für Leben, Gesundheit oder persönliche Freiheit anderer erforderlich ist,

f) sie aus allgemein zugänglichen Quellen entnommen werden können oder die speichernde Stelle sie veröffentlichen dürfte, es sei denn, dass das berechtigte Interesse des Betroffenen an dem Ausschluss der Zweckänderung der gespeicherten Daten offensichtlich überwiegt,

g) es zu Zwecken einer öffentlichen Auszeichnung oder Ehrung des Betroffenen erforderlich ist oder

h) sich bei Gelegenheit der Aufgabenerfüllung Anhaltspunkte für Straftaten oder Ordnungswidrigkeiten ergeben und die Unterrichtung der für die Verfolgung oder Vollstreckung zuständigen Behörden geboten erscheint.

Berufs- oder besondere Amtsgeheimnisse bleiben unberührt.

(3) Eine Verarbeitung zu anderen Zwecken liegt nicht vor, wenn sie der Wahrnehmung von Aufsichts- und Kontrollbefugnissen, der Rechnungsprüfung oder der Durchführung von Organisationsuntersuchungen dient. Zulässig ist auch die Verarbeitung zu Ausbildungs- und Prüfungszwecken, soweit nicht berechtigte Interessen des Betroffenen an der Geheimhaltung der Daten überwiegen.

§ 14 Übermittlung innerhalb des öffentlichen Bereichs

(1) Die Übermittlung personenbezogener Daten an öffentliche Stellen ist zulässig, wenn sie zur Erfüllung der Aufgaben der übermittelnden

Stelle oder des Empfängers erforderlich ist und die Voraussetzungen des § 13 Abs. 1 Satz 2 oder Satz 3 oder des Absatzes 2 vorliegen sowie zur Wahrnehmung von Aufgaben nach § 13 Abs. 3.

(2) Sind mit personenbezogenen Daten, die nach Absatz 1 übermittelt werden dürfen, weitere personenbezogene Daten des Betroffenen oder eines Dritten in Akten so verbunden, dass eine Trennung nicht oder nur mit unvertretbarem Aufwand möglich ist, so ist die Übermittlung auch dieser Daten zulässig, soweit nicht berechtigte Interessen des Betroffenen oder eines Dritten an deren Geheimhaltung offensichtlich überwiegen; eine Nutzung dieser Daten ist unzulässig.

(3) Die Verantwortung für die Übermittlung trägt die übermittelnde Stelle. Erfolgt die Übermittlung auf Grund eines Ersuchens des Empfängers, hat die übermittelnde Stelle lediglich zu prüfen, ob das Übermittlungsersuchen im Rahmen der Aufgaben des Empfängers liegt. Die Rechtmäßigkeit des Ersuchens prüft sie nur, wenn im Einzelfall hierzu Anlass besteht; der Empfänger hat der übermittelnden Stelle die für diese Prüfung erforderlichen Angaben zu machen. Erfolgt die Übermittlung durch automatisierten Abruf (§ 10), so trägt die Verantwortung für die Rechtmäßigkeit des Abrufs der Empfänger.

(4) Der Empfänger darf die übermittelten Daten nur für die Zwecke verarbeiten, zu deren Erfüllung sie ihm übermittelt worden sind; § 13 Abs. 2 findet entsprechende Anwendung.

(5) Die Absätze 1 bis 4 gelten entsprechend, wenn personenbezogene Daten innerhalb einer öffentlichen Stelle weitergegeben werden.

§ 15 Zugriffs- und Informationsrecht des Landtages

(1) Der Landtag hat das Recht des unmittelbaren Zugriffs auf die Daten, die von den in § 2 Abs. 1 genannten Behörden automatisiert verarbeitet werden. Das Zugriffsrecht kann auch für den Präsidenten des Landtages, die Fraktionen und die einzelnen Mitglieder des Landtages in Anspruch genommen werden.

(2) Personenbezogene Daten unterliegen nicht dem Zugriffsrecht. Das Zugriffsrecht ist ausgeschlossen, wenn dem Zugriff ein gesetzliches Verbot oder zwingende Geheimhaltungsgründe entgegenstehen.

(3) Die Behörden des Landes sind verpflichtet, in den Grenzen des Absatzes 2 dem Landtag, dem Präsidenten des Landtages, den Fraktionen und einzelnen Mitgliedern des Landtages die von diesen verlangten Auskünfte aufgrund automatisierter Verfahren zu geben, soweit Programme zur Verwertung vorhanden sind.

(4) Der Landtag kann durch seinen Präsidenten von der Landesregierung Auskünfte über die Verfahren zur automatisierten Datenverar-

beitung verlangen, auf die sich das Zugriffsrecht des Absatzes 1 und das Auskunftsrecht des Absatzes 3 erstreckt. Das Auskunftsrecht kann umfassen:

1. Name des Verfahrens mit kurzer Funktionsbeschreibung,
2. Aufbau der Datensätze mit Angaben über den Inhalt und die Ordnungskriterien,
3. vorhandene Auswertungsprogramme,
4. zuständige Behörde.

§ 16 Übermittlung an Personen oder Stellen außerhalb des öffentlichen Bereichs

(1) Die Übermittlung personenbezogener Daten an Personen oder Stellen außerhalb des öffentlichen Bereichs ist zulässig, wenn

a) die zur Erfüllung der Aufgaben der übermittelnden Stelle erforderlich ist und die Voraussetzungen des § 13 Abs. 1 Satz 2 oder Satz 3 vorliegen,

b) die Voraussetzungen des § 13 Abs. 2 Satz 1 Buchstaben a, c, e, f oder g vorliegen, wobei § 13 Abs. 2 Satz 2 unberührt bleibt,

c) der Auskunftsbegehrende ein rechtliches Interesse an der Kenntnis der zu übermittelnden Daten glaubhaft macht und kein Grund zu der Annahme besteht, dass das Geheimhaltungsinteresse des Betroffenen überwiegt oder

d) sie im öffentlichen Interesse liegt oder hierfür ein berechtigtes Interesse geltend gemacht wird und der Betroffene in diesen Fällen der Datenübermittlung nicht widersprochen hat.

In den Fällen des Satzes 1 Buchstabe d ist der Betroffene über die beabsichtigte Übermittlung, die Art der zu übermittelnden Daten und den Verwendungszweck in geeigneter Weise zu unterrichten.

(2) Der Empfänger darf die übermittelten Daten nur für die Zwecke verarbeiten, zu denen sie ihm übermittelt wurden.

(3) Die übermittelnde Stelle kann die Datenübermittlung mit Auflagen versehen, die den Datenschutz beim Empfänger sicherstellen.

§ 17 Übermittlung an Stellen außerhalb der Bundesrepublik Deutschland

(1) Für die Übermittlung personenbezogener Daten an öffentliche Stellen der Mitgliedstaaten der Europäischen Union sowie anderer Vertragsstaaten des Abkommens über den Europäischen Wirtschaftsraum oder an Organe und Einrichtungen der Europäischen Union gelten die §§ 14 und 30; für die Übermittlung an nicht öffentliche Stellen gilt § 16 entsprechend.

(2) Die Übermittlung personenbezogener Daten an Stellen außerhalb der Mitgliedstaaten der Europäischen Union ist nur zulässig, wenn beim Empfänger ein angemessenes Datenschutzniveau gewährleistet ist. Zu der Frage, ob das Datenschutzniveau angemessen ist, muss der Landesbeauftragte für Datenschutz gehört werden.

(3) Ist ein angemessenes Datenschutzniveau nicht gewährleistet, dürfen personenbezogene Daten nur übermittelt werden, wenn
1. der Betroffene eingewilligt hat,
2. die Übermittlung zur Wahrung lebenswichtiger Interessen des Betroffenen erforderlich ist,
3. die Übermittlung zur Wahrung eines überwiegenden öffentlichen Interesses oder zur Geltendmachung, Ausübung oder Verteidigung von Rechtsansprüchen vor Gericht erforderlich ist,
4. die Übermittlung für die Erfüllung eines Vertrages zwischen dem Betroffenen und der verantwortlichen Stelle oder zur Durchführung von vorvertraglichen Maßnahmen, die auf Veranlassung des Betroffenen getroffen worden sind, erforderlich ist,
5. die Übermittlung zum Abschluss oder zur Erfüllung eines Vertrages erforderlich ist, der im Interesse des Betroffenen von der verantwortlichen Stelle geschlossen wurde oder geschlossen werden soll oder
6. die Daten aus einem Register entnommen wurden, das zur Information der Öffentlichkeit bestimmt ist und entweder der gesamten Öffentlichkeit oder allen Personen, die ein berechtigtes Interesse nachweisen können, offen steht, soweit die gesetzlichen Voraussetzungen zur Einsichtnahme im Einzelfall gegeben sind.

(4) Datenempfänger sind darauf hinzuweisen, dass die Daten nur zu den Zwecken verarbeitet werden dürfen, für die sie übermittelt wurden.

(5) Die Verantwortung für die Zulässigkeit von Datenübermittlungen nach den Absätzen 2 und 3 trägt die übermittelnde Stelle.

§ 18 Mobile Speicher- und Verarbeitungsmedien

(1) Die Stelle, die ein mobiles personenbezogenes Speicher- und Verarbeitungsmedium ausgibt oder ein Verfahren zur automatisierten Verarbeitung personenbezogener Daten, das ganz oder teilweise auf einem solchen Medium abläuft, auf das Medium aufbringt, ändert oder hierzu bereithält, muss den Betroffenen
1. über ihre Identität und Anschrift,
2. in allgemein verständlicher Form über die Funktionsweise des Mediums einschließlich der Art der zu verarbeitenden personenbezogenen Daten,

3. darüber, wie er seine Rechte nach den §§ 20 bis 24 ausüben kann, und
4. über die bei Verlust oder Zerstörung des Mediums zu treffenden Maßnahmen

unterrichten, soweit der Betroffene nicht bereits Kenntnis erlangt hat.

(2) Die nach Absatz 1 verpflichtete Stelle hat dafür Sorge zu tragen, dass die zur Wahrnehmung des Auskunftsrechts erforderlichen Geräte oder Einrichtungen in angemessenem Umfang zum unentgeltlichen Gebrauch zur Verfügung stehen.

(3) Kommunikationsvorgänge, die auf dem Medium eine Datenverarbeitung auslösen, müssen für den Betroffenen eindeutig erkennbar sein.

Dritter Abschnitt
Rechte des Betroffenen

§ 19 Unabdingbarkeit der Rechte des Betroffenen

Die in den §§ 20 bis 24 aufgeführten Rechte können durch Rechtsgeschäft weder ausgeschlossen noch beschränkt werden.

§ 20 Auskunft

(1) Dem Betroffenen ist von der verantwortlichen Stelle auf Antrag unentgeltlich Auskunft zu erteilen über
1. die zu seiner Person gespeicherten Daten,
2. den Zweck und die Rechtsgrundlage der Verarbeitung sowie
3. die Herkunft der Daten und die Empfänger von Übermittlungen, soweit dies gespeichert ist.

Dies gilt nicht für Daten, die gesperrt sind, weil sie aufgrund gesetzlicher Aufbewahrungsvorschriften nicht gelöscht werden dürfen oder ausschließlich zu Zwecken der Datensicherung oder der Datenschutzkontrolle gespeichert sind.

(2) In dem Antrag soll die Art der Daten, über die Auskunft erteilt werden soll, näher bezeichnet werden. Die verantwortliche Stelle bestimmt das Verfahren, insbesondere die Form der Auskunftserteilung nach pflichtgemäßem Ermessen; sind die Daten in Akten gespeichert, ist dem Betroffenen auf Verlangen Einsicht zu gewähren. Auskunft aus Akten oder Akteneinsicht sind zu gewähren, soweit der Betroffene Angaben macht, die das Auffinden der Daten mit angemessenem Aufwand ermöglichen, und soweit sich aus § 29 Saarländisches Verwaltungsverfahrensgesetz nichts anderes ergibt.

(3) Die Verpflichtung zur Auskunftserteilung oder zur Gewährung der Akteneinsicht entfällt, soweit

a) dies die ordnungsgemäße Erfüllung der Aufgaben der verantwortlichen Stelle gefährden würde,

b) dies die öffentliche Sicherheit gefährden oder sonst dem Wohle des Bundes oder eines Landes Nachteile bereiten würde oder

c) die Daten oder die Tatsache ihrer Speicherung nach einer Rechtsvorschrift oder ihrem Wesen nach, namentlich wegen der berechtigten Interessen eines Dritten, geheimgehalten werden müssen.

(4) Einer Begründung für die Verweigerung der Auskunft oder Akteneinsicht bedarf es nur dann nicht, wenn durch die Mitteilung der Gründe der mit der Auskunftsverweigerung verfolgte Zweck gefährdet würde. In diesem Fall sind die wesentlichen Gründe für die Entscheidung aufzuzeichnen. Der Betroffene ist in jedem Fall darauf hinzuweisen, dass er sich an den Landesbeauftragten für Datenschutz wenden kann.

(5) Bezieht sich die Auskunftserteilung oder die Akteneinsicht auf die Herkunft personenbezogener Daten von Behörden des Verfassungsschutzes, der Staatsanwaltschaft und der Polizei, von Finanzbehörden, soweit diese personenbezogene Daten in Erfüllung ihrer gesetzlichen Aufgaben im Anwendungsbereich der Abgabenordnung zur Überwachung und Prüfung speichern, sowie von den in § 19 Abs. 3 Bundesdatenschutzgesetz genannten Behörden, ist sie nur mit Zustimmung dieser Stellen zulässig. Gleiches gilt für die Übermittlung personenbezogener Daten an diese Behörden. Für die Versagung der Zustimmung gelten, soweit dieses Gesetz auf die genannten Behörden Anwendung findet, die Absätze 3 und 4 entsprechend.

§ 21 Berichtigung, Sperrung und Löschung

(1) Personenbezogene Daten sind zu berichtigen, wenn sie unrichtig sind. Sind personenbezogene Daten, die nicht automatisiert verarbeitet werden, zu berichtigen so ist in geeigneter Weise kenntlich zu machen, zu welchem Zeitpunkt und aus welchem Grund diese Daten unrichtig waren oder geworden sind.

(2) Personenbezogene Daten sind zu sperren, wenn

a) ihre Richtigkeit vom Betroffenen bestritten wird und sich weder die Richtigkeit noch die Unrichtigkeit feststellen lässt,

b) eine Löschung nach Absatz 3 Satz 2 nicht in Betracht kommt und der Betroffene die Sperrung beantragt,

c) der Betroffene an Stelle der Löschung nach Absatz 3 Satz 1 Buchstabe a die Sperrung beantragt,

d) wenn Grund zu der Annahme besteht, dass durch die Löschung der Daten berechtigte Interessen des Betroffenen beeinträchtigt werden,

e) sie nur zu Zwecken der Datensicherung oder der Datenschutzkontrolle gespeichert sind oder

f) sie auf Grund gesetzlicher Aufbewahrungsvorschriften nicht gelöscht werden dürfen.

In den Fällen nach Satz 1 Buchstabe d sind die Gründe aufzuzeichnen. Bei automatisierten Verfahren ist die Sperrung grundsätzlich durch technische Maßnahmen sicherzustellen; im übrigen ist ein entsprechender Vermerk anzubringen. Gesperrte Daten dürfen über die Speicherung hinaus nicht mehr weiterverarbeitet werden, es sei denn, dass dies zur Behebung einer bestehenden Beweisnot oder aus sonstigen im überwiegenden Interesse der verantwortlichen Stelle oder eines Dritten liegenden Gründen unerlässlich ist oder der Betroffene eingewilligt hat.

(3) Personenbezogene Daten sind zu löschen, wenn

a) ihre Speicherung unzulässig ist oder

b) ihre Kenntnis für die verantwortliche Stelle zur Aufgabenerfüllung nicht mehr erforderlich ist.

Sind personenbezogene Daten in Akten gespeichert, ist die Löschung nach Satz 1 Buchstabe b nur durchzuführen, wenn die gesamte Akte zur Aufgabenerfüllung nicht mehr erforderlich ist; soweit hiernach eine Löschung nicht in Betracht kommt, sind die Daten auf Antrag des Betroffenen zu sperren.

(4) Abgesehen von den Fällen des Absatzes 3 Satz 1 Buchstabe a ist von einer Löschung abzusehen, soweit die gespeicherten Daten aufgrund von Rechtsvorschriften einem Archiv zur Übernahme anzubieten oder von einem Archiv zu übernehmen sind.

(5) Über die Berichtigung unrichtiger Daten, die Sperrung bestrittener Daten und die Löschung oder Sperrung unzulässig gespeicherter Daten sind unverzüglich die Stellen zu unterrichten, denen die Daten übermittelt worden sind. Die Unterrichtung kann unterbleiben, wenn sie einen erheblichen Aufwand erfordern würde und nachteilige Folgen für den Betroffenen nicht zu befürchten sind.

§ 22 Einwendungsrecht des Betroffenen

Betroffene können gegenüber der verantwortlichen Stelle auch gegen eine durch Rechtsvorschrift erlaubte Verarbeitung ihrer personenbezogenen Daten unter Hinweis auf ein schutzwürdiges besonderes persönliches Interesse im Einzelfall schriftlich Einwände vorbringen. In diesen Fällen bleibt die Verarbeitung nur dann zulässig, wenn eine Prüfung ergibt, dass das öffentliche Interesse an der Verarbeitung überwiegt. Betroffene sind über das Ergebnis der Prüfung schriftlich zu unterrichten. Wird dem Einwand nicht entsprochen, ist der Betroffenen darauf hinzuweisen, dass er sich an den Landesbeauftragten für Datenschutz wenden kann. Das Einwendungsrecht besteht nicht, wenn eine Rechtsvorschrift zur Verarbeitung verpflichtet.

§ 23 Anrufungsrecht des Betroffenen

(1) Jedermann hat das Recht, sich unmittelbar an den Landesbeauftragten für Datenschutz zu wenden, wenn er der Ansicht ist, bei der Verarbeitung seiner personenbezogenen Daten durch eine der Kontrolle des Landesbeauftragten unterliegende Stelle in seinen Rechten verletzt zu sein; dies gilt auch für Bedienstete der öffentlichen Stellen.

(2) Niemand darf deswegen benachteiligt oder gemaßregelt werden, weil er sich an den Landesbeauftragten für Datenschutz wendet.

§ 24 Schadensersatz

(1) Wird dem Betroffenen durch eine nach den Vorschriften über den Datenschutz unzulässige oder unrichtige automatisierte Verarbeitung seiner personenbezogenen Daten ein Schaden zugefügt, so ist die verantwortliche Stelle unabhängig von einem Verschulden zum Schadensersatz verpflichtet. In schweren Fällen kann der Betroffene auch wegen des Schadens, der nicht Vermögensschaden ist, eine billige Entschädigung in Geld verlangen. Der Ersatzpflichtige haftet jedem Betroffenen nach den Sätzen 1 und 2 für jedes schädigende Ereignis bis zu einem Betrag von 125.000 Euro.

(2) Soweit die unzulässige oder unrichtige Verarbeitung personenbezogener Daten nicht automatisiert erfolgt, haftet die verantwortliche Stelle nur bei Verschulden. Die verantwortliche Stelle haftet nicht, wenn sie nachweist, dass der Umstand, durch den der Schaden eingetreten ist, ihr nicht zur Last gelegt werden kann.

(3) Auf das Mitverschulden des Betroffenen und auf die Verjährung des Entschädigungsanspruchs sind die §§ 254, 839 Abs. 3 und 852 des Bürgerlichen Gesetzbuches entsprechend anzuwenden.

(4) Weitergehende sonstige Schadensersatzansprüche bleiben unberührt.

Zweiter Teil
Landesbeauftragter für Datenschutz

§ 25 Berufung und Rechtsstellung

(1) Der Landtag wählt auf Vorschlag der Landesregierung einen Landesbeauftragten für Datenschutz. Dieser muss die Befähigung zum Richteramt oder zum höheren Verwaltungsdienst haben.

(2) Der Landesbeauftragte für Datenschutz wird auf die Dauer von sechs Jahren in ein Beamtenverhältnis auf Zeit berufen. Er wird vom Präsidenten des Landtages ernannt. Nach Beendigung seiner Amtszeit führt der Landesbeauftragte für Datenschutz die Amtsgeschäfte bis zur Ernennung seines Nachfolgers fort, längstens jedoch für sechs Monate nach Ablauf seiner Amtszeit.

(3) Der Landesbeauftragte für Datenschutz wird dem Landtag angegliedert. Er ist in Erfüllung seines Auftrages nach diesem Gesetz an Weisungen nicht gebunden. Der Landesbeauftragte für Datenschutz untersteht der Dienstaufsicht des Präsidenten des Landtages nur, soweit seine Unabhängigkeit nicht beeinträchtigt wird.

(4) Dem Landesbeauftragten für Datenschutz sind das zur Erfüllung seiner Aufgaben notwendige Personal und die notwendigen Sachmittel zur Verfügung zu stellen. Das ihm zur Erfüllung seiner Aufgaben zugewiesene Personal ist nur an seine Weisungen gebunden. Die Zuweisung des Personals erfolgt im Benehmen mit dem Landesbeauftragten für Datenschutz.

(5) Der Landesbeauftragte für Datenschutz bestellt einen Mitarbeiter zum Stellvertreter. Der Stellvertreter führt die Geschäfte, wenn der Landesbeauftragte für Datenschutz an der Ausübung des Amtes verhindert ist. Absatz 1 Satz 2 gilt entsprechend.

(6) Der Landesbeauftragte für Datenschutz ist verpflichtet, über die ihm amtlich bekannt gewordenen Angelegenheiten Verschwiegenheit zu bewahren. Dies gilt nicht für Mitteilungen im dienstlichen Verkehr oder über Tatsachen, die offenkundig sind oder ihrer Bedeutung nach keiner Geheimhaltung bedürfen.

(7) Der Landesbeauftragte für Datenschutz kann sich jederzeit an den Landtag wenden.

§ 26 Aufgaben

(1) Der Landesbeauftragte für Datenschutz überwacht bei den in § 2 Abs. 1 genannten Stellen und den Stellen, die sich gemäß § 5 Abs. 3 oder § 30 Abs. 7 seiner Kontrolle unterworfen haben, die Einhaltung der Vorschriften über den Datenschutz.

(2) Der Landesbeauftragte für Datenschutz kann Empfehlungen zur Verbesserung des Datenschutzes geben, insbesondere kann er die für die Sicherstellung des Datenschutzes zuständigen Stellen (§ 7 Abs. 1) in Fragen des Datenschutzes beraten. Er ist über Planungen des Landes zum Aufbau automatisierter Informationssysteme rechtzeitig zu unterrichten, sofern in den Systemen personenbezogene Daten verarbeitet werden sollen.

(3) Auf Ersuchen des Landtages, des Petitionsausschusses des Landtages oder des für den Datenschutz zuständigen Landtagsausschusses kann der Landesbeauftragte für Datenschutz ferner Hinweisen auf Angelegenheiten und Vorgänge, die seinen Aufgabenbereich unmittelbar betreffen, nachgehen.

(4) Der Landtag und die Landesregierung können den Landesbeauftragten für Datenschutz mit der Erstattung von Gutachten und Stellungnahmen oder der Durchführung von Untersuchungen in Datenschutzfragen betrauen.

(5) Der Landesbeauftragte für Datenschutz arbeitet mit den Behörden und sonstigen Stellen, die für die Kontrolle der Einhaltung der Vorschriften über den Datenschutz im Bund und in den Ländern zuständig sind, zusammen.

§ 27 Beanstandungen durch den Landesbeauftragten

(1) Stellt der Landesbeauftragte für Datenschutz Verstöße gegen Vorschriften über den Datenschutz oder sonstige Mängel bei der Verarbeitung personenbezogener Daten fest, teilt er der verantwortlichen Stelle das Ergebnis seiner Kontrolle mit. Mit der Mitteilung kann er Vorschläge zur Beseitigung festgestellter Mängel und zur sonstigen Verbesserung des Datenschutzes verbinden. Erhebliche Verstöße beanstandet er

1. bei der Landesverwaltung gegenüber der zuständigen obersten Landesbehörde,
2. bei den Gemeinden und Gemeindeverbänden sowie den sonstigen der Aufsicht des Landes unterstehenden juristischen Personen des öffentlichen Rechts und deren Vereinigungen gegenüber dem vertretungsberechtigten Organ

und fordert zur Stellungnahme innerhalb einer von ihm zu bestimmenden Frist auf. Im Falle von Satz 3 Nr. 2 unterrichtet der Landesbeauftragte für Datenschutz gleichzeitig auch die zuständige Aufsichtsbehörde.

(2) Der Landesbeauftragte für Datenschutz kann von einer Beanstandung absehen oder auf eine Stellungnahme der betroffenen Stelle

verzichten, wenn es sich um unerhebliche Mängel handelt oder wenn ihre Behebung sichergestellt ist.

(3) Die gemäß Absatz 1 abzugebende Stellungnahme soll auch eine Darstellung der Maßnahmen enthalten, die aufgrund der Beanstandung des Landesbeauftragten für Datenschutz getroffen worden sind. Die in Absatz 1 Nr. 2 genannten Stellen leiten der zuständigen Aufsichtsbehörde eine Abschrift ihrer Stellungnahme an den Landesbeauftragten für Datenschutz zu.

§ 28 Durchführung der Kontrolle

(1) Die öffentlichen Stellen sind verpflichtet, den Landesbeauftragten für Datenschutz und seine Beauftragten bei der Erfüllung ihrer Aufgaben zu unterstützen. Ihnen ist dabei insbesondere

1. Auskunft auf die Fragen zu erteilen sowie Einsicht in alle Vorgänge und Aufzeichnungen zu gewähren, die im Zusammenhang mit der Verarbeitung personenbezogener Daten stehen,
2. jederzeit – auch unangemeldet – ungehinderten Zutritt zu allen Diensträumen zu gewähren.

(2) Die Rechte nach Absatz 1 dürfen nur von dem Landesbeauftragten für Datenschutz persönlich ausgeübt werden, wenn die oberste Landesbehörde im Einzelfall feststellt, dass die Sicherheit des Bundes oder eines Landes dies gebietet. In diesem Fall müssen personenbezogene Daten eines Betroffenen, dem von der datenverarbeitenden Stelle Vertraulichkeit besonders zugesichert worden ist, auch ihm gegenüber nicht offenbart werden.

§ 29 Tätigkeitsberichte

Der Landesbeauftragte für Datenschutz legt dem Landtag und der Landesregierung jeweils für zwei Kalenderjahre einen Bericht über seine Tätigkeit vor. Die Landesregierung legt hierzu ihre Stellungnahme dem Landtag vor. Diese soll innerhalb von sechs Monaten nach Vorlage des Tätigkeitsberichts dem Landtag zugeleitet werden. § 25 Abs. 7 bleibt unberührt.

Dritter Teil
Besonderer Datenschutz

§ 30 Datenverarbeitung zum Zwecke wissenschaftlicher Forschung

(1) Öffentliche Stellen dürfen personenbezogene Daten zu wissenschaftlichen Zwecken verarbeiten, wenn der Betroffene eingewilligt hat.

(2) Öffentliche Stellen dürfen personenbezogene Daten ohne Einwilligung des Betroffenen für ein bestimmtes Forschungsvorhaben verarbeiten, wenn dessen schutzwürdige Belange wegen der Art der Daten und ihrer Verwendung oder wegen ihrer Offenkundigkeit nicht beeinträchtigt werden. Der Einwilligung des Betroffenen bedarf es auch nicht, wenn das öffentliche Interesse an der Durchführung des Forschungsvorhabens die schutzwürdigen Belange des Betroffenen erheblich überwiegt und der Zweck der Forschung auf andere Weise nicht oder nur mit unverhältnismäßigem Aufwand erreicht werden kann.

(3) Soweit Stellen des Landes personenbezogene Daten übermitteln, bedarf die Übermittlung der vorherigen Genehmigung der obersten Landesbehörde oder einer von dieser bestimmten Stelle. Im übrigen entscheidet der Behördenleiter. Die Genehmigung muss den Empfänger, die Art der zu übermittelnden personenbezogenen Daten, den Kreis der Betroffenen und das Forschungsvorhaben bezeichnen und ist dem Landesbeauftragten für Datenschutz mitzuteilen.

(4) Die Daten sind, sobald der Forschungszweck es gestattet, zu anonymisieren. Ist dies nicht möglich, sind sie zu pseudonymisieren. Die Merkmale, mit deren Hilfe der Personenbezug wieder hergestellt werden kann, sind gesondert zu speichern; sie sind zu löschen, sobald der Forschungszweck dies gestattet.

(5) Soweit nach Absatz 2 Daten übermittelt wurden, dürfen diese nur mit Einwilligung des Betroffenen weiter übermittelt oder für einen anderen als den ursprünglichen Zweck verarbeitet werden.

(6) Die wissenschaftliche Forschung betreibenden öffentlichen Stellen dürfen personenbezogene Daten nur veröffentlichen, wenn

a) der Betroffene eingewilligt hat oder

b) dies für die Darstellung von Forschungsergebnissen über Ereignisse der Zeitgeschichte unerlässlich ist.

(7) Soweit die Vorschriften dieses Gesetzes auf den Empfänger keine Anwendung finden, dürfen diesem personenbezogene Daten nur übermittelt werden, wenn er sich verpflichtet, die Vorschriften der Absätze 4-6 einzuhalten und sich der Kontrolle des Landesbeauftragten für Datenschutz unterwirft. Die übermittelnde Stelle unterrichtet den Landesbeauftragten für Datenschutz.

§ 31 Datenverarbeitung bei Dienst- und Arbeitsverhältnissen

(1) Daten von Bewerbern und Beschäftigten dürfen nur verarbeitet werden, wenn dies zur Eingehung, Durchführung, Beendigung oder

Abwicklung des Dienst- oder Arbeitsverhältnisses oder zur Durchführung organisatorischer, personeller und sozialer Maßnahmen, insbesondere auch zu Zwecken der Personalplanung und des Personaleinsatzes, erforderlich ist oder eine Rechtsvorschrift, ein Tarifvertrag oder eine Dienstvereinbarung dies vorsieht. Abweichend von § 16 Abs. 1 ist eine Übermittlung der Daten von Beschäftigten an Personen und Stellen außerhalb des öffentlichen Bereichs nur zulässig, wenn der Betroffene eingewilligt hat, der Empfänger ein rechtliches Interesse glaubhaft macht oder der Dienstverkehr es erfordert. Die Datenübermittlung an einen künftigen Dienstherrn oder Arbeitgeber ist nur mit Einwilligung des Betroffenen zulässig.

(2) Die Verarbeitung der bei medizinischen oder psychologischen Untersuchungen und Tests zum Zwecke der Eingehung eines Dienst- oder Arbeitsverhältnisses erhobenen Daten ist nur mit schriftlicher Einwilligung des Bewerbers zulässig. Die Einstellungsbehörde darf vom untersuchenden Arzt in der Regel nur die Übermittlung des Ergebnisses der Eignungsuntersuchung und dabei festgestellter Risikofaktoren verlangen.

(3) Personenbezogene Daten, die vor der Eingehung eines Dienst- oder Arbeitsverhältnisses erhoben wurden, sind unverzüglich zu löschen, sobald feststeht, dass ein Dienst- oder Arbeitsverhältnis nicht zustande kommt, es sei denn, das der Betroffene in die weitere Speicherung eingewilligt hat. Nach Beendigung eines Dienst- oder Arbeitsverhältnisses sind personenbezogene Daten zu löschen, wenn diese Daten nicht mehr benötigt werden, es sei denn, dass Rechtsvorschriften entgegenstehen; § 21 Abs. 3 Satz 2 und Absatz 4 finden Anwendung.

(4) Die Ergebnisse medizinischer oder psychologischer Untersuchungen und Tests des Beschäftigten dürfen automatisiert nur verarbeitet werden, wenn dies dem Schutz des Beschäftigten dient.

(5) Soweit Daten der Beschäftigten im Rahmen der Durchführung der technischen und organisatorischen Maßnahmen nach § 11 Abs. 2 gespeichert werden, dürfen sie nicht zu Zwecken der Verhaltens- oder Leistungskontrolle genutzt werden.

(6) Beurteilungen dürfen nicht allein auf Informationen gestützt werden, die unmittelbar durch automatisierte Datenverarbeitung gewonnen werden.

§ 32 Fernmessen und Fernwirken

(1) Öffentliche Stellen dürfen ferngesteuerte Messungen oder Beobachtungen (Fernmessdienste) in Wohnungen oder Geschäftsräumen nur vornehmen, wenn der Betroffene zuvor über den Verwendungs-

zweck sowie über Art, Umfang und Zeitraum des Einsatzes unterrichtet worden ist und nach der Unterrichtung schriftlich eingewilligt hat. Entsprechendes gilt, soweit eine Übertragungseinrichtung dazu dienen soll, in Wohnungen oder Geschäftsräumen andere Wirkungen auszulösen (Fernwirkdienste). Die Einrichtung von Fernmess- und Fernwirkdiensten ist nur zulässig, wenn der Betroffene erkennen kann, wann ein Dienst in Anspruch genommen wird und welcher Art dieser Dienst ist; dies gilt nicht für Fernmess- und Fernwirkdienste der Versorgungsunternehmen. Der Betroffene kann seine Einwilligung jederzeit widerrufen, soweit dies mit der Zweckbestimmung des Dienstes vereinbar ist. Das Abschalten eines Dienstes gilt im Zweifel als Widerruf der Einwilligung.

(2) Eine Leistung, der Abschluss oder die Abwicklung eines Vertragsverhältnisses dürfen nicht davon abhängig gemacht werden, dass der Betroffene nach Absatz 1 Satz 1 oder 2 einwilligt. Verweigert oder widerruft er eine Einwilligung, so dürfen ihm keine Nachteile entstehen, die über die unmittelbaren Folgekosten hinausgehen.

(3) Soweit im Rahmen von Fernmess- oder Fernwirkdiensten personenbezogene Daten erhoben werden, dürfen diese nur zu den vereinbarten Zwecken verarbeitet werden. Dies gilt nicht, wenn ein Gesetz die anderweitige Verarbeitung dieser Daten zulässt oder wenn diese Daten zur Abwehr erheblicher Nachteile für das Gemeinwohl oder unmittelbar drohender Gefahren für Leben, Gesundheit oder persönliche Freiheit anderer erforderlich sind. Die Daten sind zu löschen, sobald sie zur Erfüllung dieser Zwecke nicht mehr benötigt werden.

§ 33 Öffentlich-rechtliche Religionsgesellschaften

Die Übermittlung personenbezogener Daten an Stellen der öffentlich-rechtlichen Religionsgesellschaften ist in entsprechender Anwendung des § 14 zulässig, sofern sichergestellt ist, dass bei dem Empfänger ausreichende Datenschutzmaßnahmen getroffen sind.

§ 34 Verarbeitung personenbezogener Daten durch die Medien, Saarländischer Rundfunk

(1) Soweit öffentliche Stellen – insbesondere Unternehmen oder Hilfsunternehmen der Presse, des Rundfunks oder des Films – personenbezogene Daten ausschließlich zu eigenen meinungsbildenden journalistisch-redaktionellen Zwecken verarbeiten, gilt von den Vorschriften dieses Gesetzes nur § 11.

(2) Im übrigen finden auf den Saarländischen Rundfunk die Vorschriften dieses Gesetzes mit Ausnahme der §§ 23, 25 bis 29 Anwen-

dung. § 7 gilt mit der Maßgabe des Absatzes 4 Satz 2. An die Stelle des behördlichen Datenschutzbeauftragten nach § 8 und des Landesbeauftragten für Datenschutz nach § 5 Abs. 3 tritt der Beauftragte der Anstalt für Datenschutz.

(3) Der Intendant des Saarländischen Rundfunks bestellt mit Zustimmung des Rundfunkrates für die Dauer von sechs Jahren einen Beauftragten der Anstalt für Datenschutz sowie einen Vertreter. Der Beauftragte der Anstalt für Datenschutz ist in der Ausübung seines Amtes unabhängig und nur dem Gesetz unterworfen; im übrigen untersteht er der Dienstaufsicht des Intendanten.

(4) Der Beauftragte der Anstalt für Datenschutz überwacht die Einhaltung der Vorschriften über den Datenschutz bei der gesamten Tätigkeit der Anstalt. Vor dem erstmaligen Einsatz von automatisierten Verfahren, mit denen personenbezogene Daten verarbeitet werden, sowie bei wesentlichen Änderungen dieser Verfahren ist er zu hören. Er kann auch weitere Aufgaben innerhalb der Anstalt übernehmen; Absatz 3 Satz 2 findet insoweit keine Anwendung.

(5) Der Beauftragte der Anstalt für Datenschutz kann Empfehlungen zur Verbesserung des Datenschutzes geben, insbesondere kann er die Anstalt in Fragen der Sicherstellung des Datenschutzes beraten. Er ist über Planungen zum Aufbau automatisierter Informationssysteme rechtzeitig zu unterrichten, sofern in den Systemen personenbezogene Daten verarbeitet werden sollen.

(6) Der Beauftragte der Anstalt für Datenschutz ist von allen Stellen der Anstalt in Erfüllung seiner Aufgaben zu unterstützen. Ihm sind alle zur Erfüllung seiner Aufgaben notwendigen Auskünfte zu geben und auf Anforderung alle Unterlagen über die Verarbeitung personenbezogener Daten zur Einsicht vorzulegen. Er hat in Erfüllung seiner Aufgaben jederzeit – auch unangemeldet – ungehinderten Zutritt zu allen Diensträumen, in denen personenbezogene Daten verarbeitet werden. Er führt die Verfahrensbeschreibung nach § 9 für den nicht zu meinungsbildenden journalistisch-redaktionellen Zwecken bestimmten Teil der Daten. Der Beauftragte der Anstalt für Datenschutz legt gleichzeitig dem Intendanten, dem Verwaltungsrat und dem Rundfunkrat jeweils für zwei Kalenderjahre einen Bericht über seine Tätigkeit vor; diesen Bericht übermittelt er auch dem Landesbeauftragten für Datenschutz.

(7) Der Beauftragte der Anstalt für Datenschutz hat festgestellte Verletzungen von Vorschriften über den Datenschutz zu beanstanden und ihre Behebung in angemessener Frist zu fordern. Der Intendant ist davon zu verständigen. Wird die Beanstandung von der zuständigen

Stelle nicht behoben, so fordert der Beauftragte der Anstalt für Datenschutz vom Intendanten binnen angemessener Frist geeignete Maßnahmen. Bleibt die Aufforderung nach Ablauf dieser Frist ohne Erfolg, verständigt der Beauftragte der Anstalt für Datenschutz den Verwaltungsrat.

(8) Der Beauftragte der Anstalt für Datenschutz ist verpflichtet, über die ihm amtlich bekannt gewordenen Angelegenheiten Verschwiegenheit zu bewahren. Dies gilt nicht für Mitteilungen im dienstlichen Verkehr oder über Tatsachen, die offenkundig sind oder ihrer Bedeutung nach keiner Geheimhaltung bedürfen.

Vierter Teil
Straf- und Bußgeldvorschriften; Übergangsvorschriften

§ 35 Straftaten

(1) Wer unbefugt von diesem Gesetz geschützte personenbezogene Daten, die nicht offenkundig sind, gegen Entgelt oder in der Absicht, sich oder einen anderen zu bereichern oder einen anderen zu schädigen,

1. erhebt, speichert, verändert, weitergibt, zur Einsichtnahme oder zum Abruf bereithält, löscht oder nutzt,
2. abruft, einsieht, sich verschafft oder durch Vortäuschung falscher Tatsachen ihre Weitergabe an sich oder andere veranlasst,

wird mit Freiheitsstrafe bis zu zwei Jahren oder mit Geldstrafe bestraft. Der Versuch ist strafbar.

(2) Absatz 1 findet nur Anwendung, soweit die Tat nicht nach anderen Vorschriften mit Strafe bedroht ist.

§ 36 Ordnungswidrigkeiten

(1) Ordnungswidrig handelt, wer unbefugt von diesem Gesetz geschützte personenbezogene Daten, die nicht offenkundig sind,

1. erhebt, speichert, verändert, weitergibt, zur Einsichtnahme oder zum Abruf bereithält, löscht oder nutzt,
2. abruft, einsieht, sich verschafft oder durch Vortäuschung falscher Tatsachen ihre Weitergabe an sich oder andere veranlasst.

(2) Die Ordnungswidrigkeit kann mit einer Geldbuße bis zu 50.000 Euro geahndet werden.

§ 37 Übergangsvorschriften

(1) In Akten, die bei Inkrafttreten des Gesetzes[1] vorhanden waren, ist die Berichtigung, Sperrung oder Löschung nur vorzunehmen, wenn die datenverarbeitende Stelle deren Voraussetzungen bei der Erfüllung ihrer laufenden Aufgaben oder auf Grund eines Überprüfungsersuchens des Betroffenen feststellt.

(2) Soweit landesrechtliche Vorschriften noch den Begriff »Datei« verwenden[2], ist Datei

1. eine Sammlung von Daten, die ohne Rücksicht auf die Art der Speicherung durch automatisierte Verfahren ausgewertet werden kann (automatisierte Datei) oder
2. eine gleichartig aufgebaute Sammlung von Daten, die nach bestimmten Merkmalen geordnet und ausgewertet werden kann (nicht automatisierte Datei).

§ 38 Inkrafttreten[3]

(1) Dieses Gesetz tritt am Tag nach seiner Verkündung in Kraft.

(2) Gleichzeitig werden das Saarländische Datenschutzgesetz vom 17. Mai 1978 (Amtsbl. S. 581), geändert durch Gesetz vom 14. Dezember 1982 (Amtsbl. 1983 S. 25) und die Datenschutzregisterverordnung vom 17. November 1978 (Amtsbl. S. 974) aufgehoben.

---

1 Betrifft das Inkrafttreten des Gesetzes vom 24. März 1993
2 Betrifft Vorschriften bei Inkrafttreten des Gesetzes vom 22. August 2001
3 Betrifft das Inkrafttreten des Gesetzes vom 24. März 1993

Gesetz zum Schutz der informationellen Selbstbestimmung im Freistaat Sachsen (Sächsisches Datenschutzgesetz – SächsDSG)

vom 11. Dezember 1991 (GVBl S. 401)

Inhaltsübersicht

Erster Abschnitt:
Allgemeine Vorschriften

Zweiter Abschnitt:
Rechtsgrundlagen der Datenverarbeitung

Dritter Abschnitt:
Rechte des Betroffenen

Erster Abschnitt
Allgemeine Vorschriften

§ 1 Zweck des Gesetzes

Zweck dieses Gesetzes ist es, den einzelnen davor zu schützen, daß er im Freistaat Sachsen durch Behörden und sonstige öffentliche Stellen in seinem Persönlichkeitsrecht, insbesondere seinem Recht auf informationelle Selbstbestimmung, beeinträchtigt wird.

§ 2 Anwendungsbereich

(1) Dieses Gesetz gilt für die Verarbeitung personenbezogener Daten durch Behörden und sonstige öffentliche Stellen des Freistaates Sachsen, der Gemeinden und Landkreise sowie der sonstigen der Aufsicht des Freistaates Sachsen unterstehenden juristischen Personen des öffentlichen Rechts (öffentliche Stellen).

(2) Natürliche und juristische Personen sowie Vereinigungen des privaten Rechts gelten als öffentliche Stellen im Sinne dieses Gesetzes, soweit sie Aufgaben der öffentlichen Verwaltung wahrnehmen. Dies

gilt nicht, sofern sie als öffentliche Stellen des Bundes im Sinne des § 2 Abs. 3 und 4 des Bundesdatenschutzgesetzes gelten.

(3) Soweit öffentlich-rechtliche Unternehmen mit eigener Rechtspersönlichkeit am Wettbewerb teilnehmen, gelten für sie und ihre Vereinigungen die Vorschriften des Bundesdatenschutzgesetzes mit Ausnahme des Zweiten Abschnitts.

(4) Soweit besondere Rechtsvorschriften des Freistaates Sachsen oder des Bundes den Schutz personenbezogener Daten regeln, gehen sie den Vorschriften dieses Gesetzes vor. Die Kontrollbefugnisse des Datenschutzbeauftragten bleiben unberührt.

§ 3 Begriffsbestimmungen

(1) Personenbezogene Daten sind Einzelangaben über persönliche oder sachliche Verhältnisse einer bestimmten oder bestimmbaren natürlichen Person (Betroffener).

(2) Verarbeiten ist das Erheben, Speichern, Verändern, Übermitteln, Nutzen, Sperren oder Löschen personenbezogener Daten. Im einzelnen ist, ungeachtet der dabei angewendeten Verfahren:

1. Erheben das Beschaffen von personenbezogenen Daten über den Betroffenen,
2. Speichern das Erfassen, Aufnehmen oder Aufbewahren von personenbezogenen Daten auf einem Datenträger zum Zwecke ihrer weiteren Verarbeitung,
3. Verändern das inhaltliche Umgestalten gespeicherter personenbezogener Daten,
4. Anonymisieren das Verändern personenbezogener Daten in der Weise, daß sie nicht mehr einer bestimmten oder bestimmbaren Person zugeordnet werden können,
5. Übermitteln das Bekanntgeben gespeicherter oder durch Datenverarbeitung gewonnener personenbezogener Daten an einen Dritten (Empfänger) in der Weise, daß
   a) die Daten durch die datenverarbeitende Stelle an den Empfänger weitergegeben werden oder
   b) der Dritte zur Einsicht oder zum Abruf bereitgehaltene Daten einsieht oder abruft,
6. Nutzen jede sonstige Verwendung personenbezogener Daten,
7. Sperren die Einschränkung der weiteren Verarbeitung personenbezogener Daten,
8. Löschen das Unkenntlichmachen gespeicherter personenbezogener Daten.

(3) Datenverarbeitende Stelle ist jede Stelle, die personenbezogene Daten für sich selbst oder für andere verarbeitet oder durch andere im Auftrag verarbeiten läßt.

(4) Dritter ist jede Person oder Stelle außerhalb der datenverarbeitenden Stelle, ausgenommen der Betroffene.

(5) Eine Datei ist
1. eine Sammlung personenbezogener Daten, die durch automatisierte Verfahren nach bestimmten Merkmalen ausgewertet werden kann (automatisierte Datei) oder
2. eine andere Sammlung personenbezogener Daten, die nach bestimmten Merkmalen geordnet, ungeordnet oder ausgewertet werden kann (nicht-automatisierte Datei).

(6) Eine Akte ist jeder sonstige, amtlichen oder dienstlichen Zwecken dienende Träger personenbezogener Daten; dazu zählen auch Bild- und Tonträger, soweit sie nicht Dateien im Sinne des Absatzes 5 sind.

§ 4 Zulässigkeit der Datenverarbeitung

(1) Die Verarbeitung personenbezogener Daten ist nur zulässig,
1. wenn dieses Gesetz oder eine andere Rechtsvorschrift sie erlaubt oder
2. soweit der Betroffene eingewilligt hat.

(2) Wer die Einwilligung des Betroffenen einholt, hat ihn zuvor auf den Zweck der Datenverarbeitung, die Empfänger einer vorgesehenen Datenübermittlung sowie auf sein Recht zur Verweigerung der Einwilligung und die etwaigen Folgen der Verweigerung hinzuweisen. Rechtsnachteile dürfen dem Betroffenen durch die Verweigerung der Einwilligung nicht entstehen.

(3) Die Einwilligung und die Hinweise bedürfen der Schriftform, soweit nicht im Einzelfall wegen besonderer Umstände eine andere Form angemessen ist. Soll die Einwilligung zusammen mit anderen Erklärungen schriftlich erteilt werden, ist die Einwilligungserklärung im äußeren Erscheinungsbild der Erklärung hervorzuheben.

§ 5 Rechte des Betroffenen

(1) Der Betroffene hat nach Maßgabe dieses Gesetzes ein Recht auf
1. Auskunft über die zu seiner Person gespeicherten Daten (§ 17),
2. Berichtigung, Löschung und Sperrung der zu seiner Person gespeicherten Daten (§§ 18 bis 20),
3. Schadensersatz (§ 21),
4. Anrufung des Datenschutzbeauftragten (§ 22).

(2) Die in Absatz 1 genannten Rechte können nicht durch Rechtsgeschäft ausgeschlossen oder beschränkt werden.

(3) Sind die Daten des Betroffenen in einer Datei gespeichert, an der mehrere Stellen beteiligt sind, so kann er sich an jede dieser Stellen wenden. Diese ist verpflichtet, das Vorbringen des Betroffenen an die zuständige Stelle weiterzuleiten. Der Betroffene ist über die Weiterleitung und die zuständige Stelle zu unterrichten.

§ 6 Datengeheimnis

(1) Den bei der Datenverarbeitung beschäftigten Personen ist es untersagt, personenbezogene Daten unbefugt zu verarbeiten oder sonst zu verwenden (Datengeheimnis). Das Datengeheimnis besteht auch nach Beendigung ihrer Tätigkeit fort.

(2) Die in Absatz 1 genannten Personen sind bei der Aufnahme ihrer Tätigkeit über ihre Pflichten nach Absatz 1 sowie die sonstigen bei ihrer Tätigkeit zu beachtenden Vorschriften über den Datenschutz zu unterrichten und auf deren Einhaltung schriftlich zu verpflichten.

§ 7 Datenverarbeitung im Auftrag

(1) Bei der Datenverarbeitung im Auftrag ist auch der Auftraggeber für die Einhaltung dieses Gesetzes und andere Vorschriften über den Datenschutz verantwortlich.

(2) Der Auftraggeber hat den Auftragnehmer unter besonderer Berücksichtigung der Eignung der von diesem getroffenen personellen, technischen und organisatorischen Maßnahmen sorgfältig auszuwählen. Der Auftrag ist schriftlich zu erteilen, wobei Gegenstand und Umfang der Datenverarbeitung, die notwendigen zusätzlichen personellen, technischen und organisatorischen Maßnahmen sowie etwaige Unterauftragsverhältnisse festzulegen sind. Der Auftraggeber hat dem Auftragnehmer die erforderlichen Weisungen zu erteilen. Die Datenverarbeitung ist nur im Rahmen des Auftrags und der Weisungen zulässig. Ist der Auftragnehmer der Ansicht, daß der Auftrag, eine einzelne Bestimmung des Auftrags oder eine Weisung des Auftraggebers gegen dieses Gesetz oder andere Vorschriften über den Datenschutz verstößt, hat er den Auftraggeber unverzüglich darauf hinzuweisen.

§ 8 Automatisiertes Abrufverfahren

(1) Ein automatisiertes Verfahren, das die Übermittlung personenbezogener Daten durch Abruf ermöglicht, darf nur eingerichtet werden, soweit ein Gesetz dies ausdrücklich zuläßt.

(2) Die Einrichtung eines automatisierten Verfahrens, das den Abruf personenbezogener Daten nur innerhalb einer öffentlichen Stelle er-

möglicht, ist zulässig, wenn dieses Verfahren unter Berücksichtigung der schutzwürdigen Interessen der Betroffenen und der Aufgaben der öffentlichen Stelle angemessen ist und eine mindestens stichprobenweise Abrufkontrolle gewährleistet ist. Vor Aufnahme des Abrufverfahrens sind schriftlich festzulegen:

1. der Anlaß und der Zweck des Abrufverfahrens,
2. die Datenempfänger,
3. die abrufbaren Daten und
4. die Maßnahmen zur Gewährleistung des Datenschutzes (§ 9).

(3) Vor der Einrichtung eines Abrufverfahrens im Sinne der Absätze 1 und 2 ist der Datenschutzbeauftragte zu unterrichten.

(4) Die Absätze 1 bis 3 gelten nicht für den Abruf aus Datenbeständen, die der Allgemeinheit zur Benutzung offenstehen oder deren Veröffentlichung zulässig wäre.

§ 9 Maßnahmen zur Gewährleistung des Datenschutzes

(1) Öffentliche Stellen, die personenbezogene Daten verarbeiten, haben alle personellen, technischen und organisatorischen Maßnahmen zu treffen, die erforderlich sind, um eine den Vorschriften dieses Gesetzes entsprechende Datenverarbeitung zu gewährleisten. Erforderlich sind Maßnahmen nur, wenn ihr Aufwand, insbesondere unter Berücksichtigung der Art der zu schützenden personenbezogenen Daten, in einem angemessenen Verhältnis zu dem angestrebten Schutzzweck steht.

(2) Werden personenbezogene Daten verarbeitet, sind nach dem jeweiligen Stand der Technik die Maßnahmen zu treffen, die geeignet sind,

1. Unbefugten den Zugang zu Datenverarbeitungsanlagen zu verwehren (Zugangskontrolle),
2. zu verhindern, daß Datenträger unbefugt gelesen, kopiert, verändert oder entfernt werden können (Datenträgerkontrolle),
3. die unbefugte Eingabe in den Speicher sowie die unbefugte Kenntnisnahme oder Löschung gespeicherter Daten zu verhindern (Speicherkontrolle),
4. zu verhindern, daß Datenverarbeitungssysteme mit Hilfe von Einrichtungen zur Datenübertragung von Unbefugten genutzt werden können (Benutzerkontrolle),
5. zu gewährleisten, daß die zur Benutzung eines Datenverarbeitungssystems Berechtigten ausschließlich auf die ihrer Zugriffsberechtigung unterliegenden Daten zugreifen können (Zugriffskontrolle),
6. zu gewährleisten, daß
   a) überprüft und festgestellt werden kann, an wen welche Daten

durch Einrichtung zur Datenübertragung übermittelt werden können,
b) mindestens stichprobenweise überprüft und festgestellt werden kann, wann und an wen welche personenbezogenen Daten übermittelt worden sind

(Übermittlungskontrolle),

7. zu gewährleisten, daß nachträglich überprüft und festgestellt werden kann, welche Daten zu welcher Zeit von wem in Datenverarbeitungssysteme eingegeben worden sind (Eingabekontrolle),
8. zu gewährleisten, daß Daten, die im Auftrag verarbeitet werden, nur entsprechend den Weisungen des Auftraggebers verarbeitet werden können (Auftragskontrolle),
9. zu gewährleisten, daß bei der Übertragung von Daten sowie beim Transport von Datenträgern die Daten nicht unbefugt gelesen, kopiert, verändert oder gelöscht werden können (Transportkontrolle),
10. die innere Organisation so zu gestalten, daß sie den besonderen Anforderungen des Datenschutzes gerecht wird (Organisationskontrolle).

(3) Die Staatsregierung wird ermächtigt, im Einvernehmen mit dem Datenschutzbeauftragten durch Rechtsverordnung die in Absatz 1 und 2 genannten Anforderungen und Maßnahmen nach dem jeweiligen Stand der Technik näher zu bestimmen und fortzuschreiben.

(4) Werden personenbezogene Daten in nicht-automatisierten Dateien oder in Akten verarbeitet, sind besondere Maßnahmen zu treffen, um zu verhindern, daß Unbefugte bei der Bearbeitung, der Aufbewahrung, dem Transport und der Vernichtung auf die Daten zugreifen können.

§ 10 Dateien- und Geräteverzeichnis

(1) Jede öffentliche Stelle führt ein Verzeichnis ihrer Dateien und der eingesetzten Datenverarbeitungsanlagen. In dem Verzeichnis sind schriftlich festzuhalten:

1. die Bezeichnung der Datei und ihre Zweckbestimmung,
2. die Aufgabe, zu deren Erfüllung personenbezogener Daten verarbeitet werden und die Rechtsgrundlage der Verarbeitung,
3. die Art der gespeicherten Daten,
4. der Kreis der Betroffenen,
5. die Art der regelmäßig zu übermittelnden Daten und deren Empfänger sowie die Art und Herkunft der regelmäßig zu empfangenden Daten,
6. die Fristen für die Prüfung der Sperrung und Löschung der Daten sowie für die Sperrung und Löschung,

7. die zugriffsberechtigten Personen oder Personengruppen,
8. die personellen, technischen und organisatorischen Maßnahmen gemäß § 9,
9. bei automatisierten Verfahren die Betriebsart des Verfahrens, die Art der Geräte sowie die Verfahren zur Übermittlung, Sperrung, Löschung und Auskunftserteilung,
10. Typ, Art, Hersteller und Gerätenummern der bei der automatisierten Datenverarbeitung eingesetzten Geräte, das verwendete Betriebssystem sowie die Möglichkeiten zur Datenfernverarbeitung und Datenübertragung.

(2) Die Gerichte führen Verzeichnisse nach Absatz 1 nur, soweit sie in Justizverwaltungsangelegenheiten tätig werden.

Zweiter Abschnitt
Rechtsgrundlagen der Datenverarbeitung

§ 11 Erhebung

(1) Das Erheben personenbezogener Daten ist nur zulässig, wenn ihre Kenntnisse zur Erfüllung der Aufgaben der erhebenden Stelle erforderlich ist.

(2) Personenbezogene Daten, die nicht allgemein zugänglich sind, sind beim Betroffenen mit seiner Kenntnis zu erheben. Dabei ist ihm der Erhebungszweck mitzuteilen. Werden die Daten aufgrund einer Rechtsvorschrift erhoben, die zur Auskunft verpflichtet, oder ist die Erteilung der Auskunft Voraussetzung für die Gewährung von Rechtsvorteilen, so ist der Betroffene hierauf, sonst auf die Freiwilligkeit seiner Angaben hinzuweisen. Über die Folgen der Verweigerung von Angaben ist der Betroffene aufzuklären.

(3) Personenbezogene Daten, die nicht allgemein zugänglich sind, dürfen beim Betroffenen ohne seine Kenntnis nur erhoben werden, wenn ein Gesetz oder eine Rechtsverordnung dies vorsieht oder zwingend voraussetzt.

(4) Bei Dritten dürfen personenbezogene Daten nur erhoben werden, wenn

1. ein Gesetz oder eine Rechtsverordnung dies vorsieht oder zwingend voraussetzt,
2. der Betroffene eingewilligt hat,
3. offensichtlich ist, daß dies im Interesse des Betroffenen liegt, dieser nicht erreichbar ist und kein Grund zu der Annahme besteht, daß er seine Einwilligung hierzu verweigern würde,
4. der Betroffene einer durch Rechtsvorschrift festgelegten Auskunftspflicht nicht nachgekommen oder über die beabsichtigte Erhebung bei Dritten unterrichtet worden ist,

5. Angaben des Betroffenen überprüft werden müssen, weil tatsächliche Anhaltspunkte für deren Unrichtigkeit bestehen,
6. es zur Abwehr erheblicher Nachteile für das Gemeinwohl oder einer sonst unmittelbar drohenden Gefahr für die öffentliche Sicherheit erforderlich ist,
7. es zur Abwehr einer schwerwiegenden Beeinträchtigung der Rechte einer anderen Person erforderlich ist oder
8. die Erhebung beim Betroffenen einen unverhältnismäßigen Aufwand erfordern würde und keine Anhaltspunkte dafür vorliegen, daß überwiegende schutzwürdige Interessen des Betroffenen entgegenstehen.

(5) Werden personenbezogene Daten bei einem Dritten außerhalb des öffentlichen Bereichs erhoben, so ist dieser auf Verlangen auf den Erhebungszweck hinzuweisen, soweit dadurch schutzwürdige Interessen des Betroffenen nicht beeinträchtigt werden. Werden die Daten aufgrund einer Rechtsvorschrift erhoben, die zur Auskunft verpflichtet, ist er auf die Auskunftspflicht, sonst auf die Freiwilligkeit seiner Angaben hinzuweisen. Über die Folgen der Verweigerung von Angaben ist er aufzuklären.

§ 12 Speicherung, Veränderung und Nutzung

(1) Das Speichern, Verändern und Nutzen personenbezogener Daten ist zulässig, wenn es
1. zur Erfüllung der Aufgaben der öffentlichen Stelle erforderlich ist und die Daten nicht in unzulässiger Weise erhoben worden sind und
2. für Zwecke erfolgt, für die die Daten erhoben worden sind: ist keine Erhebung vorausgegangen, so sind die Zwecke maßgebend, für die die Daten erstmals gespeichert worden sind.

(2) Das Speichern, Verändern und Nutzen personenbezogener Daten für andere Zwecke ist nur zulässig, wenn
1. die Voraussetzungen vorliegen, unter denen nach § 11 Abs. 4 eine Erhebung bei Dritten zulässig wäre,
2. die Daten allgemein zugänglich sind oder die datenverarbeitende Stelle sie veröffentlichen dürfte, es sei denn, daß überwiegende schutzwürdige Interessen des Betroffenen entgegenstehen,
3. es zur Verfolgung von Straftaten oder Ordnungswidrigkeiten, zur Vollstreckung oder zum Vollzug von Strafen oder Maßnahmen im Sinne des § 11 Abs. 1 Nr. 8 des Strafgesetzbuches oder von Erziehungsmaßregeln oder Zuchtmitteln im Sinne des Jugendgerichtsgesetzes oder zur Vollstreckung von Bußgeldentscheidungen erforderlich ist oder
4. es zur Durchführung wissenschaftlicher Forschung erforderlich ist und das wissenschaftliche Interesse an der Durchführung des For-

schungsvorhabens das Interesse des Betroffenen am Unterbleiben der Zweckänderung erheblich überwiegt; dies gilt nicht, wenn der Zweck der Forschung durch die Verwendung anonymisierter Daten erreicht werden kann.

(3) Eine Speicherung oder Nutzung für andere Zwecke liegt nicht vor, wenn sie der Wahrnehmung von Aufsichts- und Kontrollbefugnissen, der Rechnungsprüfung, der Durchführung von Organisationsuntersuchungen, der Prüfung und Wartung von automatisierten Verfahren der Datenverarbeitung sowie statistischen Zwecken der speichernden Stelle dient. Dies gilt auch für die Speicherung und Nutzung zu Ausbildungs- und Prüfungszwecken, soweit nicht überwiegende schutzwürdige Interessen des Betroffenen entgegenstehen.

(4) Personenbezogene Daten, die ausschließlich zum Zweck der Datenschutzkontrolle, der Datensicherung oder zur Sicherstellung eines ordnungsgemäßen Betriebs einer Datenverarbeitungsanlage gespeichert werden, dürfen nur für diesen Zweck und hiermit in Zusammenhang stehende Maßnahmen gegenüber Bediensteten genutzt werden.

(5) Sind mit personenbezogenen Daten, die nach Absatz 1 bis 3 gespeichert werden dürfen, weitere personenbezogene Daten des Betroffenen oder eines Dritten in Akten so verbunden, daß eine Trennung nicht oder nur mit unverhältnismäßigem Aufwand möglich ist, so ist die Speicherung auch dieser Daten zulässig, soweit nicht schutzwürdige Interessen des Betroffenen oder eines Dritten an deren Geheimhaltung offensichtlich überwiegen. Unter denselben Voraussetzungen dürfen die für die Aufgabenerfüllung nicht erforderlichen Daten innerhalb der gespeicherten Stelle weitergegeben werden; eine darüber hinausgehende Nutzung dieser Daten ist unzulässig.

(6) Die Zusammenführung von Daten zu Persönlichkeitsprofilen ist unzulässig.

§ 13 Übermittlung an öffentliche Stellen

(1) Die Übermittlung personenbezogener Daten an öffentliche Stellen im Sinne dieses Gesetzes sowie an öffentliche Stellen anderer Länder und des Bundes ist zulässig, wenn sie

1. zur Erfüllung der Aufgaben der übermittelnden Stelle oder des Empfängers erforderlich ist und
2. für Zwecke erfolgt, für die eine Nutzung nach § 12 Abs. 1 bis 4 zulässig wäre.

(2) Die Verantwortung für die Zulässigkeit der Übermittlung trägt die übermittelnde Stelle. Erfolgt die Übermittlung auf Ersuchen des Empfängers, trägt dieser die Verantwortung. In diesem Fall prüft die übermittelnde Stelle nur, ob das Übermittlungsersuchen im Rahmen

der Aufgaben des Empfängers liegt, es sei denn, daß besonderer Anlaß zur Prüfung der Zulässigkeit der Übermittlung besteht.

(3) Der Empfänger darf die übermittelnden Daten nur für den Zweck verarbeiten, zu dessen Erfüllung sie ihm übermittelt worden sind. Eine Verarbeitung für andere Zwecke ist nur unter den Voraussetzungen des § 12 Abs. 2 zulässig. Unterliegen die übermittelten Daten einem Berufs- oder besonderen Amtsgeheimnis, so ist ihre Verarbeitung für andere Zwecke nur zulässig, wenn die zur Verschwiegenheit verpflichtete Person oder Stelle eingewilligt hat.

(4) Für die Übermittlung verbundener Daten gilt § 12 Abs. 5 entsprechend.

§ 14 Übermittlung an öffentlich-rechtliche Religionsgesellschaften

Für die Übermittlung personenbezogener Daten an öffentlich-rechtliche Religionsgesellschaften gilt § 13 entsprechend, sofern für den Empfänger ausreichende Datenschutzregelungen gelten. Die Feststellung hierüber trifft das Staatsministerium für Kultus im Einvernehmen mit dem Datenschutzbeauftragten.

§ 15 Übermittlung an nicht-öffentliche Stellen

(1) Die Übermittlung personenbezogener Daten an andere als die in §§ 13, 14 und 16 genannten Personen oder Stellen ist zulässig, wenn

1. sie zur Erfüllung der Aufgaben der übermittelnden Stellen erforderlich ist und für Zwecke erfolgt, für die eine Nutzung nach § 12 Abs. 1 bis 4 zulässig wäre, oder
2. der Empfänger ein berechtigtes Interesse an der Kenntnis der zu übermittelnden Daten glaubhaft darlegt und der Betroffene kein schutzwürdiges Interesse am Unterbleiben der Übermittlung hat.

(2) Verantwortung für die Zulässigkeit der Übermittlung trägt die übermittelnde Stelle.

(3) In den Fällen des Absatzes 1 Nr. 2 ist der Betroffene vor der Übermittlung zu hören und im Falle der Übermittlung zu unterrichten; dies gilt nicht, wenn dem schwerwiegende öffentliche oder private Belange entgegenstehen.

(4) Der Empfänger darf die übermittelten Daten nur für den Zweck verarbeiten, zu dessen Erfüllung sie ihm übermittelt worden sind. Die übermittelnde Stelle hat den Empfänger hierauf hinzuweisen. Eine Verarbeitung für andere Zwecke ist nur zulässig, wenn eine Übermittlung nach Absatz 1 zulässig wäre und die übermittelnde Stelle eingewilligt hat.

(5) Die übermittelnde Stelle kann die Übermittlung mit Auflagen versehen, die den Datenschutz beim Empfänger sicherstellen.

§ 16 Übermittlung an Stellen im Ausland

(1) Die Übermittlung personenbezogener Daten an Personen oder Stellen außerhalb der Bundesrepublik Deutschland sowie an über- und zwischenstaatliche Stellen ist zulässig, soweit sie in einer Rechtsvorschrift oder einem Rechtsakt der Europäischen Gemeinschaften geregelt ist. Im übrigen ist die Übermittlung unter den Voraussetzungen des § 15 Abs. 1 zulässig, soweit keine Anhaltspunkte dafür vorliegen, daß ihr überwiegende schutzwürdige Interessen des Betroffenen entgegenstehen.

(2) Eine Übermittlung unterbleibt, soweit Grund zu der Annahme besteht, daß durch sie gegen den Zweck eines deutschen Gesetzes verstoßen würde.

(3) Der Empfänger ist darauf hinzuweisen, daß die übermittelten Daten nur für den Zweck verarbeitet werden dürfen, zu dessen Erfüllung sie ihm übermittelt wurden.

(4) § 15 Abs. 2 und 3 gilt entsprechend.

Dritter Abschnitt
Rechte des Betroffenen

§ 17 Auskunft

(1) Dem Betroffenen ist von der speichernden Stelle auf Antrag kostenfrei Auskunft zu erteilen über
1. die zu seiner Person gespeicherten Daten,
2. den Zweck der Speicherung sowie
3. die Herkunft der Daten und die Empfänger von Übermittlungen sowie die übermittelten Daten, soweit dies gespeichert oder sonst bekannt ist.

(2) In dem Antrag soll die Art der personenbezogenen Daten näher bezeichnet werden, über die Auskunft erteilt werden soll.

(3) Sind die personenbezogenen Daten in Akten gespeichert, die zur Person des Betroffenen geführt werden, so hat ihm die speichernde Stelle auf Verlangen Einsicht in die Akten zu gewähren. Werden die Akten nicht zur Person des Betroffenen geführt, so wird Auskunft erteilt, soweit der Betroffene Angaben macht, die das Auffinden der Akten ermöglichen, und der für die Erteilung der Auskunft erforderliche Aufwand nicht außer Verhältnis zu dem vom Betroffenen geltend

gemachten Informationsinteresse steht. Satz 2 findet auf personenbezogene Daten in nichtautomatisierten Dateien, die nicht zur Übermittlung an Dritte bestimmt sind, entsprechende Anwendung.

(4) Die speichernde Stelle bestimmt das Verfahren, insbesondere die Form der Auskunftserteilung und Einsichtnahme nach pflichtgemäßem Ermessen; dabei dürfen berechtigte Interessen Dritter nicht beeinträchtigt werden.

(5) Die Auskunftserteilung unterbleibt, soweit die personenbezogenen Daten oder die Tatsache ihrer Speicherung nach einer Rechtsvorschrift oder wegen überwiegender Geheimhaltungsinteressen der speichernden Stelle oder eines Dritten geheimgehalten werden müssen und deswegen das Interesse des Betroffenen an der Auskunftserteilung zurücktreten muß. Satz 1 gilt für die Gewährung von Akteneinsicht entsprechend.

(6) Die ablehnende Entscheidung bedarf keiner Begründung, soweit durch die Mitteilung der tatsächlichen oder rechtlichen Gründe der mit der Ablehnung verfolgte Zweck gefährdet würde. In diesem Fall ist der Betroffene darauf hinzuweisen, daß er den Datenschutzbeauftragten anrufen kann. Diesem ist auf Verlangen des Betroffenen die Auskunft zu erteilen. Die Mitteilung des Datenschutzbeauftragten an den Betroffenen darf keine Rückschlüsse auf den Erkenntnisstand der speichernden Stelle zulassen, sofern diese nicht einer weitergehenden Auskunft zustimmt.

(7) Bezieht sich die Auskunft auf die Übermittlung personenbezogener Daten an

1. Staatsanwaltschaften, Polizeidienststellen und andere für die Verfolgung von Straftaten zuständigen Stellen oder
2. Verfassungsschutzbehörden, den Bundesnachrichtendienst oder den Militärischen Abschirmdienst,

so darf die Auskunft nur erteilt werden, wenn der Empfänger erklärt, daß die Voraussetzungen für eine ablehnende Entscheidung nach Absatz 5 nicht vorliegen.

§ 18 Berichtigung

(1) Personenbezogene Daten sind zu berichtigen, wenn sie unrichtig sind. Wird bei personenbezogenen Daten in Akten festgestellt, daß sie unrichtig sind, oder wird ihre Richtigkeit vom Betroffenen bestritten, so ist dies in der Akte zu vermerken oder auf sonstige Weise festzuhalten.

(2) Von der Berichtigung unrichtiger Daten ist der Empfänger übermittelter Daten zu benachrichtigen, soweit dies zur Wahrung schutz-

würdiger Interessen des Betroffenen oder zur Erfüllung der Aufgaben der übermittelnden Stelle oder des Empfängers erforderlich erscheint. Sind die unrichtigen Daten nicht im Rahmen regelmäßiger Datenübermittlung übermittelt worden, erfolgt eine Benachrichtigung nach Satz 1 nur, soweit Angaben über die Empfänger und die übermittelten Daten gespeichert oder sonst bekannt sind.

§ 19 Löschung

(1) Personenbezogene Daten in Dateien sind zu löschen, wenn
1. ihre Speicherung unzulässig ist oder
2. ihre Kenntnis für die speichernde Stelle zur Erfüllung ihrer Aufgaben nicht mehr erforderlich ist.

(2) Personenbezogene Daten in Akten sind zu löschen, wenn die speichernde Stelle im Einzelfall feststellt, daß die gesamte Akte zur Aufgabenerfüllung nicht mehr erforderlich ist.

(3) Soweit öffentliche Stellen verpflichtet sind, Unterlagen einem staatlichen Archiv zur Übernahme anzubieten, darf eine Löschung erst erfolgen, wenn das zuständige staatliche Archiv die Übernahme abgelehnt oder über sie nicht fristgemäß entschieden hat.

(4) Die Löschung unterbleibt, wenn
1. Grund zu der Annahme besteht, daß durch sie schutzwürdige Interessen des Betroffenen beeinträchtigt würden, oder
2. sie wegen der besonderen Art der Speicherung nicht oder nur mit unverhältnismäßig hohem Aufwand möglich ist.

(5) Von einer Löschung nach Absatz 1 Nr. 1 sind die Empfänger übermittelter Daten nach Maßgabe des § 18 Abs. 2 zu verständigen.

§ 20 Sperrung

(1) Personenbezogene Daten in Dateien sind zu sperren, wenn
1. ihre Richtigkeit vom Betroffenen bestritten wird und sich weder die Richtigkeit noch die Unrichtigkeit feststellen läßt oder
2. in den Fällen des § 19 Abs. 4 eine Löschung unterbleibt.

(2) Personenbezogene Daten in Akten sind zu sperren, wenn die speichernde Stelle im Einzelfall feststellt, daß die Daten unzulässig gespeichert sind. Sie sind ferner zu sperren, wenn sie zur Aufgabenerfüllung nicht mehr erforderlich sind, eine Löschung nach § 19 Abs. 2 nicht in Betracht kommt und ohne die Sperrung schutzwürdige Interessen des Betroffenen beeinträchtigt würden.

(3) Gesperrte personenbezogene Daten sind gesondert aufzubewahren; bei automatisierten Verfahren kann die Sperrung statt dessen auch durch zusätzliche technische Maßnahmen gewährleistet werden.

Lassen sich aufgrund der Art der Verarbeitung Maßnahmen nach Satz 1 nicht oder nur mit unverhältnismäßig hohem Aufwand durchführen, sind die Daten mit einem Sperrvermerk zu versehen.

(4) Ohne Einwilligung des Betroffenen dürfen gesperrte personenbezogene Daten nur verarbeitet werden, wenn

1. es zur Behebung einer dringenden Beweisnot in einem gerichtlichen oder Verwaltungsverfahren oder zu Aufsichts- oder Kontrollzwecken unerläßlich ist und
2. die Daten hierfür übermittelt oder genutzt werden dürften, wenn sie nicht gesperrt wären.

Personenbezogene Daten, die unzulässig in Akten gespeichert sind oder deren Löschung gemäß § 19 Abs. 4 unterblieben ist, dürfen ohne Einwilligung des Betroffenen nicht mehr genutzt werden.

(5) Von einer Sperrung sind die Empfänger übermittelter Daten nach Maßgabe des § 18 Abs. 2 zu verständigen.

§ 21 Schadensersatz

(1) Fügt eine öffentliche Stelle dem Betroffenen durch eine nach den Vorschriften dieses Gesetzes oder nach anderen Vorschriften über den Datenschutz unzulässige oder unrichtige automatisierte Verarbeitung seiner personenbezogenen Daten einen Schaden zu, ist sie dem Betroffenen unabhängig von einem Verschulden zum Ersatz des daraus entstehenden Schadens verpflichtet.

(2) Bei einer schweren Verletzung des Persönlichkeitsrechts ist dem Betroffenen der Schaden, der nicht Vermögensschaden ist, angemessen in Geld zu ersetzen.

(3) Die Ansprüche nach den Absätzen 1 und 2 sind insgesamt auf einen Betrag von 250 000 DM begrenzt. Ist aufgrund desselben Ereignisses an mehrere Personen Schadensersatz zu leisten, der insgesamt den Höchstbetrag von 250 000 DM übersteigt, so verringern sich die einzelnen Schadensersatzleistungen in dem Verhältnis, in dem ihr Gesamtbetrag zu dem Höchstbetrag steht.

(4) Sind bei einer Datei mehrere Stellen speicherungsberechtigt und ist der Geschädigte nicht in der Lage, die speichernde Stelle festzustellen, so haftet jede dieser Stellen.

(5) Mehrere Ersatzpflichtige haften als Gesamtschuldner.

(6) Auf das Mitverschulden des Betroffenen, den Ausgleich unter Gesamtschuldnern und die Verjährung sind die §§ 254, 426 und 852 des Bürgerlichen Gesetzbuches entsprechend anzuwenden.

(7) Vorschriften, nach denen ein Ersatzpflichtiger in weiterem Umfang haftet oder nach denen auch ein anderer für den Schaden verantwortlich ist, bleiben unberührt.

(8) Über Ansprüche nach den Absätzen 1 bis 6 entscheiden die ordentlichen Gerichte.

§ 22 Anrufung des Datenschutzbeauftragten

Jeder kann sich an den Datenschutzbeauftragten wenden, wenn er der Ansicht ist, bei der Verarbeitung seiner personenbezogenen Daten durch eine öffentliche Stelle in seinen Rechten verletzt worden zu sein. Für die Verarbeitung personenbezogener Daten durch die Gerichte gilt dies nur, soweit sie der Kontrolle nach § 24 Abs. 2 unterliegen. Niemand darf benachteiligt oder gemaßregelt werden, weil er von seinem Recht nach Satz 1 Gebrauch gemacht hat.

Vierter Abschnitt
Sächsischer Datenschutzbeauftragter

§ 23 Berufung und Rechtsstellung

(1) Zum Schutz des Rechts auf informationelle Selbstbestimmung und zur Unterstützung bei der Ausübung der parlamentarischen Kontrolle wird beim Sächsischen Landtag der Sächsische Datenschutzbeauftragte (Datenschutzbeauftragter) berufen. Er wird vom Sächsischen Landtag mit der Mehrheit seiner Mitglieder auf sechs Jahre gewählt. Der Präsident des Landtages kann die Staatsregierung um Vorschläge ersuchen.

(2) Der Präsident des Landtages ernennt den Datenschutzbeauftragten zum Beamten auf Zeit.

(3) Vor Ablauf der Amtszeit kann der Datenschutzbeauftragte nur mit einer Mehrheit von zwei Dritteln der Mitglieder des Landtages abberufen werden. Die Vorschriften des Beamtenrechts bleiben unberührt.

(4) Der Datenschutzbeauftragte ist in der Ausübung seines Amtes unabhängig, weisungsfrei und nur dem Gesetz unterworfen. Er untersteht der Dienstaufsicht des Präsidenten des Landtages, soweit seine Unabhängigkeit dadurch nicht beeinträchtigt wird. Für die Erfüllung seiner Aufgaben ist ihm die notwendige Personal- und Sachausstattung zur Verfügung zu stellen. Die Besetzung der Personalstellen erfolgt im Einvernehmen mit dem Datenschutzbeauftragten. Die Mitarbeiter können, falls sie mit der beabsichtigten Maßnahme nicht einverstanden sind, nur im Einvernehmen mit dem Datenschutzbeauftragten versetzt oder abgeordnet werden. Der Datenschutzbeauftragte ist Vorgesetzter seiner Mitarbeiter.

(5) Der Präsident des Landtages bestimmt im Einvernehmen mit dem Datenschutzbeauftragten dessen Stellvertreter.

(6) Der Datenschutzbeauftragte und seine Mitarbeiter sind verpflichtet, über die ihnen bei ihrer Tätigkeit bekanntgewordenen personenbezogenen Daten Verschwiegenheit zu wahren. Dies gilt nicht für Mitteilungen im dienstlichen Verkehr und für allgemein zugängliche Daten. Die Verschwiegenheitspflicht besteht auch nach der Beendigung der Tätigkeit fort.

(7) Der Datenschutzbeauftragte und seine Mitarbeiter dürfen, soweit sie zur Verschwiegenheit verpflichtet sind, nur mit Genehmigung des Präsidenten des Landtages als Zeugen aussagen. Ihr Zeugnisverweigerungsrecht nach § 12 Abs. 3 in Verbindung mit § 23 Abs. 4 des Bundesdatenschutzgesetzes bleibt unberührt.

§ 24 Kontrolle durch den Datenschutzbeauftragten

(1) Der Datenschutzbeauftragte kontrolliert bei den öffentlichen Stellen die Einhaltung dieses Gesetzes und anderer Vorschriften über den Datenschutz. Seine Kontrolle erstreckt sich auch auf personenbezogene Daten, die einem Berufs- oder besonderen Amtgeheimnis unterliegen.

(2) Die Gerichte unterliegen der Kontrolle des Datenschutzbeauftragten nur, soweit sie in Justizverwaltungsangelegenheiten tätig werden.

§ 25 Pflicht zur Unterstützung

Die öffentlichen Stellen sind verpflichtet, den Datenschutzbeauftragten und seine Beauftragten bei der Erfüllung ihrer Aufgaben zu unterstützen. Ihnen ist im Rahmen der Kontrollbefugnis nach § 24 insbesondere

1. Auskunft zu ihren Fragen sowie Einsicht in alle Unterlagen und Akten, insbesondere in die gespeicherten Daten und die Datenverarbeitungsprogramme, zu gewähren, die im Zusammenhang mit der Verarbeitung personenbezogener Daten stehen,
2. jederzeit Zutritt zu den Diensträumen zu gewähren.

§ 26 Beanstandungen

(1) Stellt der Datenschutzbeauftragte Verstöße gegen dieses Gesetz oder gegen andere Vorschriften über den Datenschutz oder sonstige Mängel bei der Verarbeitung personenbezogener Daten fest, so beanstandet er dies

1. bei den öffentlichen Stellen des Freistaates Sachsen gegenüber der zuständigen obersten Landesbehörde,

2. bei den Gemeinden, Landkreisen und sonstigen der Aufsicht des Freistaates Sachsen unterstehenden juristischen Personen des öffentlichen Rechts sowie bei öffentlichen Stellen im Sinne des § 2 Abs. 2 gegenüber dem vertretungsberechtigten Organ

nach deren Anhörung und fordert zur Mängelbeseitigung innerhalb einer von ihm zu bestimmenden angemessenen Frist auf. In den Fällen des Satzes 1 Nr. 2 unterrichtet der Datenschutzbeauftragte gleichzeitig die zuständige Aufsichtsbehörde.

(2) Der Datenschutzbeauftragte kann von einer Beanstandung absehen oder auf eine Stellungnahme der betroffenen Stelle verzichten, insbesondere wenn es sich um unerhebliche oder inzwischen beseitigte Mängel handelt.

(3) Die Stellungnahme soll auch eine Darstellung der Maßnahmen enthalten, die aufgrund der Beanstandung des Datenschutzbeauftragten getroffen worden oder beabsichtigt sind. Die in Absatz 1 Satz 1 Nr. 2 genannten Stellen leiten der zuständigen Aufsichtsbehörde eine Abschrift ihrer Stellungnahme an den Datenschutzbeauftragten zu.

§ 27 Jahresbericht und weitere Aufgaben

(1) Der Datenschutzbeauftragte erstattet dem Landtag jährlich zum 31. März einen Tätigkeitsbericht für das abgelaufene Jahr.

(2) Der Datenschutzbeauftragte kann sich jederzeit an den Landtag wenden.

(3) Der Datenschutzbeauftragte hat auf Anordnung des Landtages oder der Staatsregierung Gutachten zu erstellen und besondere Berichte zu erstatten. Auf Ersuchen des Landtages oder der Staatsregierung geht der Datenschutzbeauftragte Hinweisen auf Angelegenheiten nach, die den Datenschutz in dem seiner Kontrolle unterliegenden Bereich betreffen.

(4) Der Datenschutzbeauftragte kann der Staatsregierung und einzelnen Staatsministerien sowie anderen öffentlichen Stellen Empfehlungen zur Verbesserung des Datenschutzes geben und sie in Fragen des Datenschutzes beraten.

§ 28 Mitteilungen aus dem Dateien- und Geräteverzeichnis

(1) Die öffentlichen Stellen im Sinne des § 2 sind verpflichtet, die nach § 10 zu führenden Dateien- und Geräteverzeichnisse dem Datenschutzbeauftragten auf dessen Anforderung zuzuleiten.

(2) Der Datenschutzbeauftragte erteilt auf Antrag im Einzelfall jedermann Auskunft über die Angaben nach § 10 Abs. 1 Nr. 1 bis 6. Hiervon sind ausgenommen die Verzeichnisse der in § 17 Abs. 7 genannten Stellen. § 17 bleibt unberührt.

Fünfter Abschnitt
Sonstige Vorschriften

§ 29 Fernmessen und Fernwirken

(1) Öffentliche Stellen dürfen ferngesteuerte Messungen und Beobachtungen (Fernmeßdienste) in Wohnungen oder Geschäftsräumen nur vornehmen, wenn der Betroffene zuvor über den Verwendungszweck sowie über Art, Umfang und Zeitraum des Einsatzes unterrichtet worden ist und danach schriftlich eingewilligt hat. Entsprechendes gilt, soweit eine Übertragungseinrichtung dazu dienen soll, in Wohnungen oder Geschäftsräumen ferngesteuerte Wirkungen auszulösen (Fernwirkdienste). Die Einrichtung von Fernmeß- oder Fernwirkdiensten ist nur zulässig, wenn der Betroffene erkennen kann, wann ein Dienst in Anspruch genommen wird. Der Betroffene kann seine Einwilligung jederzeit widerrufen, soweit dies mit der Zweckbestimmung des Dienstes vereinbar ist.

(2) Eine Leistung, der Abschluß oder die Abwicklung eines Vertragsverhältnisses dürfen nicht davon abhängig gemacht werden, daß der Betroffene nach Absatz 1 Satz 1 oder 2 einwilligt. Verweigert oder widerruft er seine Einwilligung, so dürfen ihm keine Nachteile entstehen, die über die nachweisbaren Mehrkosten einer anderen Art der Datenerhebung hinausgehen.

§ 30 Verarbeitung personenbezogener Daten durch Forschungseinrichtungen

(1) Für Zwecke der wissenschaftlichen Forschung erhobene oder gespeicherte personenbezogene Daten dürfen nur für Zwecke der wissenschaftlichen Forschung verarbeitet werden.

(2) Die Übermittlung personenbezogener Daten an andere als öffentliche Stellen für Zwecke der wissenschaftlichen Forschung ist nur zulässig, wenn diese sich verpflichten, die übermittelten Daten nicht für andere Zwecke zu verarbeiten und die Vorschriften der Absätze 3 und 4 einzuhalten.

(3) Die personenbezogenen Daten sind zu anonymisieren, sobald dies nach dem Forschungszweck möglich ist. Bis dahin sind die Merkmale gesondert zu speichern, mit denen Einzelangaben einer bestimmten oder bestimmbaren Person zugeordnet werden können. Sie dürfen mit den Einzelangaben nur zusammengeführt werden, soweit der Forschungszweck dies erfordert.

(4) Die wissenschaftliche Forschung betreibenden Stellen dürfen personenbezogene Daten nur veröffentlichen, soweit
1. der Betroffene eingewilligt hat oder

2. dies für die Darstellung von Forschungsergebnissen über Ereignisse der Zeitgeschichte unerläßlich ist und überwiegende schutzwürdige Interessen des Betroffenen nicht entgegenstehen.

(5) Bei der Mitteilung nach § 28 Abs. 2 darf die Beschreibung der Aufgabe, zu deren Erfüllung personenbezogene Daten verarbeitet werden, auf die Angabe »Forschungsvorhaben« beschränkt werden.

§ 31 Datenschutz im öffentlichen Dienst

(1) Öffentliche Stellen dürfen Daten von Bewerbern oder Beschäftigten nur verarbeiten, soweit dies zur Eingehung, Durchführung oder Beendigung des Dienst- oder Arbeitsverhältnisses erforderlich ist oder ein Gesetz, ein Tarifvertrag oder eine Dienstvereinbarung dies vorsieht. Dies gilt auch für Daten Dritter, denen Rechte aus dem Dienst- und Arbeitsverhältnis zustehen.

(2) Abweichend von § 15 ist eine Übermittlung der Daten von Beschäftigten an Personen oder Stellen außerhalb des öffentlichen Bereiches nur auf gesetzlicher Grundlage oder mit Einwilligung des Betroffenen zulässig. Dies gilt auch für Datenübermittlungen an einen künftigen Dienstherrn oder Arbeitgeber des Betroffenen. Ausgenommen sind die im Dienstverkehr zwingend erforderlichen Auskünfte.

(3) Das Auskunftsrecht nach § 17 umfaßt auch die Art der automatisierten Auswertung der Daten des Beschäftigten. § 17 Abs. 5 findet keine Anwendung.

(4) Daten, die vor Beginn eines Dienst- oder Arbeitsverhältnisses erhoben wurden, sind unverzüglich zu löschen, sobald feststeht, daß ein Dienst- oder Arbeitsverhältnis nicht zustande kommt. Dies gilt nicht, wenn Grund zu der Annahme besteht, daß durch die Löschung schutzwürdige Belange des Betroffenen beeinträchtigt werden. Der Betroffene ist hiervon zu verständigen.

(5) Daten, die zur Verhaltens- oder Leistungskontrolle erhoben werden, dürfen nur zu diesem Zweck genutzt werden.

(6) Die Ergebnisse medizinischer oder psychologischer Untersuchungen und Tests der Beschäftigten dürfen automatisiert nur verarbeitet werden, wenn dies dem Schutz der Beschäftigten dient.

(7) Eine automatisierte Verarbeitung von Daten der Beschäftigten darf nur im Benehmen mit dem Datenschutzbeauftragten eingeführt, angewendet, geändert oder erweitert werden. Die Stellungnahme des Datenschutzbeauftragten ist den zuständigen Personalvertretungen im Rahmen des personalvertretungsrechtlichen Beteiligungsverfahrens zuzuleiten.

§ 32 Ordnungswidrigkeiten

(1) Ordnungswidrig handelt, wer

1. unbefugt von diesem Gesetz geschützte personenbezogene Daten, die nicht offenkundig sind,
   a) speichert, verändert oder ermittelt,
   b) zum Abruf mittels automatisierten Verfahrens bereithält oder
   c) abruft oder sich oder einem anderen aus Dateien verschafft,
2. die Übermittlung von personenbezogenen Daten, die durch dieses Gesetz geschützt werden und nicht offenkundig sind, durch unrichtige Angaben erschleicht,
3. personenbezogene Daten ohne die nach § 13 Abs. 3 Satz 3 oder nach § 15 Abs. 4 Satz 3 erforderliche Einwilligung oder entgegen § 30 Abs. 1 für einen anderen Zweck nutzt,
4. entgegen § 30 Abs. 3 Satz 3 die in § 30 Abs. 3 Satz 2 bezeichneten Merkmale mit den Einzelangaben zusammenführt oder
5. entgegen § 15 Abs. 5 eine vollziehbare Auflage nicht, nicht rechtzeitig oder nicht vollständig erfüllt.

(2) Die Ordnungswidrigkeit kann mit einer Geldbuße bis zu 50 000 DM geahndet werden.

(3) Verwaltungsbehörden im Sinne von § 36 Abs. 1 Nr. 1 des Gesetzes über Ordnungswidrigkeiten sind die Regierungspräsidien.

§ 33 Straftaten

Wer eine der in § 32 Abs. 1 Nr. 1 bis 4 bezeichneten Handlungen gegen Entgelt oder in der Absicht begeht, sich oder einen anderen zu bereichern oder einen anderen zu schädigen, wird mit Freiheitsstrafe bis zu zwei Jahren oder mit Geldstrafe bestraft. Der Versuch ist strafbar.

§ 34 Übergangsregelung

(1) Bis zum 31. März 1992 sind vorzunehmen

1. die Verpflichtung nach § 6 Abs. 2 für Personen, die bei Inkrafttreten dieses Gesetzes mit der Datenverarbeitung öffentlicher Stellen beschäftigt sind,
2. die Unterrichtung nach § 8 Abs. 3 für die bei Inkrafttreten dieses Gesetzes eingerichteten Abrufverfahren,
3. die Erstellung der Verzeichnisse nach § 10 für die bei Inkrafttreten dieses Gesetzes eingesetzten Dateien und Datenverarbeitungsanlagen.

(2) Im übrigen sind die bei Inkrafttreten dieses Gesetzes vorhandenen Dateien und automatisierten Verfahren bis spätestens 31. Dezember 1992 den Vorschriften dieses Gesetzes anzupassen.

§ 35 Altdatenbestände

(1) Wer die tatsächliche Gewalt über personenbezogene Daten in Akten oder Dateien innehat, die von ehemaligen staatlichen oder wirtschaftsleitenden Organen, Kombinaten, Betrieben oder Einrichtungen sowie gesellschaftlichen Organisationen der Deutschen Demokratischen Republik auf dem Gebiet des Freistaates Sachsen für Zwecke der öffentlichen Verwaltung erhoben oder in anderer Weise verarbeitet wurden, gilt als öffentliche Stelle im Sinne dieses Gesetzes.

(2) Die in Absatz 1 genannten Personen und Stellen sind verpflichtet, bis zum 31. März 1992 über die in ihrer tatsächlichen Gewalt befindlichen Akten oder Dateien ein Verzeichnis in sinngemäßer Anwendung des § 10 dem Datenschutzbeauftragten zur Auswertung zuzuleiten und darzulegen, welche Akten, Dateien und Geräte zur rechtmäßigen Aufgabenerfüllung noch erforderlich sind. Sie sind ferner verpflichtet, die in ihrer tatsächlichen Gewalt befindlichen Akten oder Dateien unverzüglich unter Verschluß zu nehmen.

(3) Jedermann ist verpflichtet, sich an den Datenschutzbeauftragten zu wenden und über nicht mehr vorhandene Akten und Dateien die in § 10 vorgeschriebenen Angaben zu machen, soweit dies den Umständen und seiner Kenntnis nach noch möglich ist.

(4) Die in Absatz 1 genannten Personen und Stellen haben Akten und Dateien im Sinne des Absatzes 1 sowie die zu ihrer Ordnung, Auffindung oder Auswertung dienenden Materialien und Träger sowie sämtliches Zubehör dem Sächsischen Staatsministerium des Innern oder einer von diesem genannten Behörde im Original und mit sämtlichen Ausfertigungen auf Verlangen zur Einsicht vorzulegen und zu übergeben. Kopien dürfen weder angefertigt noch behalten werden. §§ 24 und 25 bleiben unberührt.

(5) Mit Freiheitsstrafe bis zu zwei Jahren oder mit Geldstrafe wird bestraft, wer
1. Datenbestände im Sinne des Absatzes 1 oder 3 verheimlicht,
2. die Vorlage eines Verzeichnisses nach Absatz 2 unterläßt,
3. Akten oder Dateien entgegen Absatz 4 nicht vorlegt, nicht übergibt oder Kopien anfertigt oder zurückbehält.

§ 36 Inkrafttreten

Dieses Gesetz tritt am Tage nach seiner Verkündung in Kraft.

Gesetz zum Schutz personenbezogener Daten der Bürger (DSG-LSA)[1]

vom 12. März 1992 (GVBl. LSA S. 152), zuletzt geändert durch Artikel 1 des Gesetzes zur Änderung datenschutzrechtlicher Vorschriften vom 21. August 2001 (GVBl. LSA S. 348)

Die gesetzlichen Änderungen sind in die folgende nicht amtliche Textfassung eingearbeitet.

Inhaltsübersicht

1 Inoffizielle Fassung – die vorgesehene Bekanntmachung war bei Drucklegung noch nicht erschienen.

(5) Verarbeiten ist das Speichern, Verändern, Übermitteln, Sperren und Löschen personenbezogener Daten. Im einzelnen ist, ungeachtet der dabei angewendeten Verfahren:

1. Speichern das Erfassen, Aufnehmen oder Aufbewahren personenbezogener Daten auf einem Datenträger zum Zwecke ihrer weiteren Verarbeitung oder Nutzung,
2. Verändern das inhaltliche Umgestalten gespeicherter personenbezogener Daten,
3. Übermitteln das Bekanntgeben gespeicherter oder durch Datenverarbeitung gewonnener personenbezogener Daten
   a) an einen Dritten in der Weise, dass
      aa) die Daten an den Dritten weitergegeben werden oder
      bb) der Dritte zur Einsicht oder zum Abruf bereitgehaltene Daten einsieht oder abruft oder
   b) durch Veröffentlichen,
4. Sperren das Kennzeichnen gespeicherter personenbezogener Daten, um ihre weitere Verarbeitung oder Nutzung einzuschränken,
5. Löschen das Unkenntlichmachen gespeicherter personenbezogener Daten.

(6) Nutzen ist jede Verwendung personenbezogener Daten, soweit es sich nicht um Verarbeitung handelt.

(7) Anonymisieren ist das Verändern personenbezogener Daten derart, dass die Einzelangaben über persönliche oder sachliche Verhältnisse nicht mehr oder nur mit einem unverhältnismäßig großen Aufwand an Zeit, Kosten und Arbeitskraft einer bestimmten oder bestimmbaren natürlichen Person zugeordnet werden können.

(7a) Pseudonymisieren ist das Verändern personenbezogener Daten derart, dass die Einzelangaben über persönliche oder sachliche Verhältnisse ohne Nutzung der verwendeten Zuordnungsfunktion nicht oder nur mit einem unverhältnismäßig großen Aufwand an Zeit, Kosten und Arbeitskraft einer bestimmten oder bestimmbaren natürlichen Person zugeordnet werden können.

(8) Verantwortliche Stelle ist jede Person oder Stelle, die personenbezogene Daten für sich selbst erhebt, verarbeitet oder nutzt oder dies durch andere im Auftrag vornehmen lässt.

(9) Dritter ist jede Person oder Stelle außerhalb der verantwortlichen Stelle. Dritte sind nicht der Betroffene sowie diejenigen Personen und Stellen, die im Inland, in einem anderen Mitgliedsstaat der Europäischen Union oder in einem anderen Vertragsstaat des Abkommens über den Europäischen Wirtschaftsraum personenbezogene Daten im Auftrag erheben, verarbeiten oder nutzen.

(10) Empfänger ist mit Ausnahme des Betroffenen jeder, der Daten erhält; Empfänger ist auch eine andere Organisationseinheit der

verantwortlichen Stelle, die Daten zur Erfüllung eines anderen Zwecks erhält.

(11) Ein mobiler personenbezogener Datenträger im Sinne dieses Gesetzes ist ein Speicher- oder Verarbeitungsmedium,
1. das zur Verfügung durch den Betroffenen bestimmt ist,
2. auf dem über die erstmalige Speicherung hinaus personenbezogene Daten automatisiert verarbeitet oder durch das personenbezogene Daten automatisiert erhoben, verarbeitet oder genutzt werden können und
3. bei dem die Erhebung, Verarbeitung oder Nutzung nach Nummer 2 durch andere als den Betroffenen erfolgt und der Betroffene dies nur durch den Gebrauch des Mediums beeinflussen kann.

§ 3 Anwendungsbereich

(1) Dieses Gesetz gilt für die Erhebung, Verarbeitung und Nutzung personenbezogener Daten durch Behörden, Organe der Rechtspflege und andere öffentlich-rechtlich organisierte Einrichtungen des Landes, der Gemeinden, der Landkreise und sonstiger der Aufsicht des Landes unterstehender juristischer Personen des öffentlichen Rechts sowie deren Vereinigungen, ungeachtet ihrer Rechtsform (öffentliche Stellen). Nimmt eine nicht-öffentliche Stelle hoheitliche Aufgaben der öffentlichen Verwaltung wahr, ist sie insoweit öffentliche Stelle im Sinne dieses Gesetzes.

(2) Bei der Anwendung dieses Gesetzes gelten folgende Einschränkungen:
1. Soweit öffentliche Stellen als öffentlich-rechtliche Unternehmen am Wettbewerb teilnehmen, gelten für sie und ihre Vereinigungen die §§ 14, 14 a, 19, 22 bis 24, 28 und 29. Im Übrigen gelten mit Ausnahme der §§ 4 d bis 4 g und 38 die für nicht-öffentliche Stellen geltenden Vorschriften des Bundesdatenschutzgesetzes, einschließlich der Straf- und Bußgeldvorschriften.
2. Für öffentlich-rechtliche Kreditinstitute und öffentlich-rechtliche Versicherungsanstalten sowie deren Vereinigungen gilt § 28, im Übrigen gelten anstelle dieses Gesetzes alle Vorschriften des Bundesdatenschutzgesetzes, die auf privatrechtliche Unternehmen anzuwenden sind.
3. Dieses Gesetz gilt nicht für die Ausübung des Gnadenrechts.

(3) Soweit andere Rechtsvorschriften auf personenbezogene Daten anzuwenden sind, gehen sie den Vorschriften dieses Gesetzes vor. Die Verpflichtung zur Wahrung gesetzlicher Geheimhaltungspflichten oder von Berufs- oder besonderen Amtsgeheimnissen, die nicht auf gesetzlichen Vorschriften beruhen, bleibt unberührt.

(4) Die Vorschriften dieses Gesetzes gehen denen des Verwaltungsverfahrensgesetzes für das Land Sachsen-Anhalt vor, soweit bei der Ermittlung des Sachverhalts personenbezogene Daten erhoben, verarbeitet oder genutzt werden.

§ 4 Zulässigkeit der Datenerhebung, -verarbeitung und -nutzung

(1) Die Erhebung und Verarbeitung personenbezogener Daten sowie deren Nutzung sind nur zulässig, wenn dieses Gesetz oder eine andere Rechtsvorschrift sie erlaubt oder anordnet oder soweit der Betroffene eingewilligt hat.

(2) Wird die Einwilligung bei dem Betroffenen eingeholt, ist er auf die Bedeutung der Einwilligung, den Zweck der Erhebung, Verarbeitung und Nutzung sowie auf sein Recht und die Folgen der Verweigerung der Einwilligung hinzuweisen. Die Einwilligung bedarf der Schriftform und muss die Art der Daten, die Form ihrer Verarbeitung und die Dritten, an die Übermittlungen vorgesehen sind, bestimmen, soweit nicht wegen besonderer Umstände eine andere Form oder ein anderer Inhalt angemessen ist. Soll die Einwilligung zusammen mit anderen Erklärungen schriftlich erteilt werden, ist die Einwilligungserklärung im äußeren Erscheinungsbild der Erklärung hervorzuheben. Der Betroffene kann die Einwilligung jederzeit mit Wirkung für die Zukunft widerrufen.

(3) Die Einwilligung kann auch elektronisch erklärt werden, wenn sichergestellt ist, dass
1. sie nur durch eine eindeutige und bewusste Handlung des Betroffenen erfolgen kann,
2. sie nicht unerkennbar verändert werden kann,
3. der Urheber erkannt werden kann,
4. die Einwilligung protokolliert wird und
5. der Inhalt der Einwilligung jederzeit vom Betroffenen abgerufen werden kann.

Satz 1 gilt für den Widerruf der Einwilligung entsprechend.

(4) Auch wenn die rechtlichen Voraussetzungen vorliegen, dürfen personenbezogene Daten nicht erhoben, verarbeitet oder genutzt werden, soweit sich der Betroffene hiergegen wegen einer besonderen persönlichen Situation wendet und eine Prüfung ergibt, dass das schutzwürdige Interesse des Betroffenen gegenüber dem Interesse der verantwortlichen Stelle oder eines Dritten an der Erhebung, Verarbeitung oder Nutzung überwiegt. Satz 1 gilt nicht
1. für die Verfassungsschutzbehörde im Rahmen ihrer Aufgabenstellung nach § 4 des Gesetzes über den Verfassungsschutz im Land Sachsen-Anhalt,

2. für öffentliche Stellen der Polizei im Rahmen der Gefahrenabwehr oder Strafverfolgung,
3. für die Strafverfolgungsorgane im Rahmen der Strafverfolgung und
4. für die Finanzverwaltung, soweit sie personenbezogene Daten in Erfüllung ihrer gesetzlichen Aufgaben im Anwendungsbereich der Abgabenordnung zur Überwachung und Prüfung speichert.

§ 4a Automatisierte Einzelentscheidungen

(1) Entscheidungen, die zu einer rechtlichen Beschwer des Betroffenen führen oder ihn erheblich beeinträchtigen, dürfen nicht ausschließlich auf eine automatisierte Verarbeitung oder Nutzung personenbezogener Daten gestützt werden, die der Bewertung einzelner Persönlichkeitsmerkmale dienen.

(2) Dies gilt nicht, wenn
1. ein Gesetz dies vorsieht oder
2. es dem Betroffenen vor der Entscheidung ermöglicht wird, seine Interessen geltend zu machen.

§ 5 Datengeheimnis

Den bei der Erhebung, Verarbeitung und Nutzung personenbezogener Daten beschäftigten Personen ist untersagt, personenbezogene Daten unbefugt zu erheben, zu verarbeiten oder zu nutzen (Datengeheimnis). Das Datengeheimnis besteht auch nach Beendigung der Tätigkeit fort.

§ 6 Technische und organisatorische Maßnahmen

(1) Öffentliche Stellen, die selbst oder im Auftrag personenbezogene Daten erheben, verarbeiten oder nutzen, haben die technischen und organisatorischen Maßnahmen zu treffen, die nach den Absätzen 2 und 3 erforderlich sind, um die Ausführung der Vorschriften dieses Gesetzes zu gewährleisten. Erforderlich sind Maßnahmen nur, wenn ihr Aufwand in einem angemessenen Verhältnis zu dem angestrebten Schutzzweck steht. Die Art und Weise der Maßnahmen richtet sich nach dem jeweiligen Stand der Technik.

(2) Werden personenbezogene Daten automatisiert erhoben, verarbeitet oder genutzt, sind Maßnahmen zu treffen, die je nach Art der zu schützenden Daten geeignet sind, zu gewährleisten, dass
1. diese nur Befugte zur Kenntnis nehmen können (Vertraulichkeit),
2. diese während der Erhebung, Verarbeitung oder Nutzung unversehrt, vollständig und aktuell bleiben (Integrität),

3. diese zeitgerecht zur Verfügung stehen und ordnungsgemäß verarbeitet oder genutzt werden können (Verfügbarkeit),
4. diese ihrem Ursprung zugeordnet werden können (Authentizität),
5. festgestellt werden kann, wer wann welche Daten in welcher Weise erhoben, verarbeitet oder genutzt hat (Revisionsfähigkeit),
6. die Verfahren zur Erhebung, Verarbeitung oder Nutzung nachvollziehbar und aktuell dokumentiert sind (Transparenz).

(3) Werden personenbezogene Daten nicht automatisiert erhoben, verarbeitet oder genutzt, sind Maßnahmen zu treffen, um insbesondere den Zugriff Unbefugter bei der Bearbeitung, der Aufbewahrung, dem Transport oder der Vernichtung zu verhindern.

§ 7 Einrichtung automatisierter Abrufverfahren

(1) Ein automatisiertes Verfahren, das die Übermittlung personenbezogener Daten durch Abruf ermöglicht, darf nur eingerichtet werden, soweit dieses Verfahren unter Berücksichtigung der schutzwürdigen Interessen der Betroffenen und der Aufgaben oder Geschäftszwecke der beteiligten Stellen angemessen ist. Eine Vorabkontrolle nach § 14 Abs. 2 muss erfolgt sein. Die Vorschriften über die Zulässigkeit des einzelnen Abrufs bleiben unberührt.

(2) Die beteiligten Stellen haben zu gewährleisten, dass die Zulässigkeit des Abrufverfahrens kontrolliert werden kann. Hierzu haben sie schriftlich festzulegen:
1. Anlass und Zweck des Abrufverfahrens,
2. Dritte, an die übermittelt wird,
3. Art der zu übermittelnden Daten,
4. nach § 6 erforderliche technische und organisatorische Maßnahmen.

Die erforderlichen Festlegungen können auch durch die Fachaufsichtsbehörden getroffen werden.

(3) Vor der Einrichtung von Abrufverfahren ist der Landesbeauftragte für den Datenschutz unter Mitteilung der vorgesehenen Festlegungen nach Absatz 2 zu unterrichten.

(4) Die Verantwortung für die Zulässigkeit des einzelnen Abrufs trägt der Dritte, an den übermittelt wird. Die übermittelnde Stelle prüft die Zulässigkeit der Abrufe, wenn dazu Anlass besteht. Die übermittelnde Stelle hat zu gewährleisten, dass die Übermittlung personenbezogener Daten zumindest durch geeignete Stichprobenverfahren festgestellt und überprüft werden kann. Wird ein Gesamtbestand personenbezogener Daten abgerufen oder übermittelt (Stapelverarbeitung), so bezieht sich die Gewährleistung der Feststellung und Überprüfung nur auf die Zulässigkeit des Abrufes oder der Übermittlung des Gesamtbestandes.

(5) Die Absätze 1 bis 4 gelten nicht für den Abruf allgemein zugänglicher Daten.

(6) Absatz 1 Satz 1 und 3 sowie Absatz 4 gelten entsprechend, wenn innerhalb einer öffentlichen Stelle ein automatisiertes Abrufverfahren eingerichtet wird.

§ 8 Erhebung, Verarbeitung oder Nutzung personenbezogener Daten im Auftrag

(1) Werden personenbezogene Daten im Auftrag durch andere Stellen erhoben, verarbeitet oder genutzt, ist der Auftraggeber für die Einhaltung der Vorschriften dieses Gesetzes und anderer Vorschriften über den Datenschutz verantwortlich. Die in den §§ 17 und 18 genannten Rechte sind ihm gegenüber geltend zu machen.

(2) Der Auftragnehmer ist unter besonderer Berücksichtigung der Eignung der von ihm getroffenen technischen und organisatorischen Maßnahmen sorgfältig auszuwählen. Der Auftrag ist schriftlich zu erteilen, wobei die Datenerhebung, -verarbeitung oder -nutzung, die technischen und organisatorischen Maßnahmen und etwaige Unterauftragsverhältnisse festzulegen sind. Er kann auch durch die Fachaufsichtsbehörde erteilt werden. Der Auftraggeber hat sich in geeigneter Weise von der Einhaltung der beim Auftragnehmer getroffenen technischen und organisatorischen Maßnahmen zu überzeugen.

(3) Der Auftragnehmer darf die Daten nur im Rahmen der Weisungen des Auftraggebers erheben, verarbeiten oder nutzen. Ist er der Ansicht, dass eine Weisung des Auftraggebers gegen dieses Gesetz oder andere Vorschriften über den Datenschutz verstößt, hat er den Auftraggeber unverzüglich darauf hinzuweisen. Hält der Auftraggeber trotz der Bedenken an der Weisung fest, so hat der Auftragnehmer den Landesbeauftragten für den Datenschutz zu informieren.

(4) Für den öffentlichen Auftragnehmer gelten nur die Absätze 1 bis 3 sowie die §§ 5, 6, 14 Abs. 1, §§ 14a, 22 bis 24, 31 bis 32.

(5) Ist der Auftragnehmer eine juristische Person, Gesellschaft oder andere Personenvereinigung des privaten Rechts, bei der dem Land, den Gemeinden, den Landkreisen oder den sonstigen der Aufsicht des Landes unterstehenden Körperschaften, Anstalten und Stiftungen des öffentlichen Rechts die Mehrheit der Anteile gehört oder die Mehrheit der Stimmen zusteht, gelten § 14 Abs. 1, §§ 19 sowie 22 bis 24 entsprechend, soweit diese Personen oder Personenvereinigungen personenbezogene Daten im Auftrag der in § 3 Abs. 1 genannten Stellen erheben, verarbeiten oder nutzen. Sofern kein Beauftragter für den Datenschutz nach den Bestimmungen des Bundesdatenschutzgesetzes bestellt ist, findet § 14 a entsprechend Anwendung.

(6) Sind auf den Auftragnehmer die Vorschriften dieses Gesetzes nicht anwendbar, ist der Auftraggeber verpflichtet, vertraglich sicherzustellen, dass der Auftragnehmer die Bestimmungen dieses Gesetzes befolgt und sich der Kontrolle durch den Landesbeauftragten für den Datenschutz entsprechend den §§ 22 bis 25 unterwirft. Der Auftraggeber hat den Landesbeauftragten für den Datenschutz über die Beauftragung zu unterrichten.

(7) Werden Datenverarbeitungsanlagen oder -verfahren durch Dritte gewartet, gelten, soweit bei diesen Tätigkeiten ein Zugriff auf personenbezogene Daten nicht vermieden werden kann, die Absätze 1 und 2 sowie Absatz 3 Satz 1 entsprechend.

Zweiter Abschnitt
Rechtsgrundlagen der Datenerhebung, -verarbeitung und -nutzung

§ 9 Datenerhebung

(1) Das Erheben personenbezogener Daten ist zulässig, wenn ihre Kenntnis zur Erfüllung der Aufgaben der verantwortlichen Stelle erforderlich ist.

(2) Personenbezogene Daten sind beim Betroffenen mit seiner Kenntnis zu erheben. Ohne seine Mitwirkung dürfen sie nur erhoben werden, wenn

1. eine Rechtsvorschrift dies vorsieht oder zwingend voraussetzt oder
2. keine Anhaltspunkte dafür bestehen, dass überwiegende schutzwürdige Interessen des Betroffenen beeinträchtigt werden und
   a) die zu erfüllende Aufgabe ihrer Art nach eine Erhebung bei anderen Personen oder Stellen erforderlich macht, insbesondere in den Fällen des § 10 Abs. 2 Nrn. 4, 6 bis 8, oder
   b) die Erhebung beim Betroffenen einen unverhältnismäßigen Aufwand erfordern würde, insbesondere in den Fällen des § 10 Abs. 2 Nrn. 3 und 5.

(3) Werden personenbezogene Daten beim Betroffenen aufgrund einer Rechtsvorschrift erhoben, die zur Auskunft verpflichtet, oder ist die Erteilung der Auskunft Voraussetzung für die Gewährung von Rechtsvorteilen, so ist der Betroffene hierauf, sonst auf die Freiwilligkeit seiner Angaben hinzuweisen. Er ist über die Rechtsvorschriften und über die Folgen der Verweigerung von Angaben aufzuklären. Ferner sind ihm gegenüber anzugeben:

1. die verantwortliche Stelle,
2. der Zweck der Erhebung, Verarbeitung und Nutzung sowie

3. die Dritten, an die Übermittlungen vorgesehen sind, soweit der Betroffene nicht aufgrund einer Rechtsvorschrift oder nach den Umständen des Einzelfalls mit der Übermittlung rechnen muss.

Ist eine Übermittlung an eine der in § 15 Abs. 3 genannten Stellen vorgesehen und soll der Betroffene hierüber unterrichtet werden, ist die Unterrichtung nur mit Zustimmung der genannten Stellen zulässig.

(4) Werden personenbezogene Daten statt beim Betroffenen bei einer nicht-öffentlichen Stelle erhoben, so ist die Stelle auf die Rechtsvorschrift, die zur Auskunft verpflichtet, sonst auf die Freiwilligkeit ihrer Angaben hinzuweisen.

(5) Werden personenbezogene Daten nicht beim Betroffenen erhoben, so ist dieser bei der Speicherung, im Falle einer vorgesehenen Übermittlung spätestens bei der ersten Übermittlung der Daten entsprechend Absatz 3 Satz 3 zu benachrichtigen. Wurden die Daten beim Betroffenen ohne seine Kenntnis erhoben, soll er nach Satz 1 benachrichtigt werden, sobald die Erfüllung der Aufgaben dadurch nicht mehr gefährdet wird. Satz 1 gilt nicht, wenn

1. der Betroffene auf andere Weise Kenntnis von der Verarbeitung seiner Daten erlangt,
2. die Unterrichtung im Verhältnis zum Informationswert für den Betroffenen einen unverhältnismäßigen Aufwand erfordern würde,
3. die Verarbeitung oder Nutzung der Daten durch Gesetz ausdrücklich vorgesehen ist oder
4. eine Auskunft nach § 15 Abs. 2 nicht erfolgt oder nach § 15 Abs. 4 unterbleiben würde.

§ 10 Datenspeicherung, -veränderung und -nutzung

(1) Das Speichern, Verändern oder Nutzen personenbezogener Daten ist zulässig, wenn es zur Erfüllung der in der Zuständigkeit der verantwortlichen Stelle liegenden Aufgaben erforderlich ist und es für die Zwecke erfolgt, für die die Daten erhoben worden sind. Ist keine Erhebung vorausgegangen, dürfen die Daten nur für die Zwecke verändert oder genutzt werden, für die sie gespeichert worden sind.

(2) Das Speichern, Verändern oder Nutzen für andere Zwecke ist nur zulässig, wenn

1. eine Rechtsvorschrift dies vorsieht oder zwingend voraussetzt,
2. der Betroffene eingewilligt hat,
3. offensichtlich ist, dass es im Interesse des Betroffenen liegt, und kein Grund zu der Annahme besteht, dass er in Kenntnis des anderen Zwecks seine Einwilligung verweigern würde,
4. Angaben des Betroffenen überprüft werden müssen, weil tatsächliche Anhaltspunkte für deren Unrichtigkeit bestehen,

5. die Daten aus allgemein zugänglichen Quellen entnommen werden können oder die verantwortliche Stelle sie veröffentlichen dürfte, es sei denn, dass das schutzwürdige Interesse des Betroffenen an dem Ausschluss der Zweckänderung offensichtlich überwiegt,
6. es zur Abwehr erheblicher Nachteile für das Gemeinwohl oder einer sonstigen gegenwärtigen erheblichen Gefahr für die öffentliche Sicherheit erforderlich ist,
7. es zur Verfolgung von Straftaten oder Ordnungswidrigkeiten, zur Vollstreckung oder zum Vollzug von Strafen oder Maßnahmen im Sinne des § 11 Abs. 1 Nr. 8 des Strafgesetzbuches oder von Erziehungsmaßregeln oder Zuchtmitteln im Sinne des Jugendgerichtsgesetzes oder zur Vollstreckung von Bußgeldentscheidungen erforderlich ist,
8. es zur Abwehr einer schwerwiegenden Beeinträchtigung der Rechte einer anderen Person erforderlich ist oder
9. es zur Durchführung wissenschaftlicher Forschung erforderlich ist, das wissenschaftliche Interesse an der Durchführung des Forschungsvorhabens das Interesse des Betroffenen an dem Ausschluss der Zweckänderung erheblich überwiegt und der Zweck der Forschung auf andere Weise nicht oder nur mit unverhältnismäßigem Aufwand erreicht werden kann.

(3) Eine Verarbeitung oder Nutzung für andere Zwecke liegt nicht vor, wenn sie der Wahrnehmung von Aufsichts- und Kontrollbefugnissen, der Rechnungsprüfung oder der Durchführung von Organisationsuntersuchungen für die verantwortliche Stelle dient. Das gilt auch für die Verarbeitung oder Nutzung zu Ausbildungs- und Prüfungszwecken durch die verantwortliche Stelle, soweit nicht überwiegende schutzwürdige Interessen des Betroffenen entgegenstehen.

(4) Personenbezogene Daten, die ausschließlich zu Zwecken der Datenschutzkontrolle, der Datensicherung oder zur Sicherstellung eines ordnungsgemäßen Betriebes einer Datenverarbeitungsanlage gespeichert werden, dürfen nur für diese Zwecke verwendet werden.

§ 11 Datenübermittlung an öffentliche Stellen

(1) Die Übermittlung personenbezogener Daten an öffentliche Stellen ist zulässig, wenn
1. sie zur Erfüllung der in der Zuständigkeit der übermittelnden Stelle oder des Dritten, an den die Daten übermittelt werden, liegenden Aufgaben erforderlich ist und
2. die Voraussetzungen vorliegen, die eine Nutzung nach § 10 zulassen würden.

(2) Die Verantwortung für die Zulässigkeit der Übermittlung trägt die übermittelnde Stelle. Erfolgt die Übermittlung auf Ersuchen

des Dritten, an den die Daten übermittelt werden, trägt dieser die Verantwortung. In diesem Falle prüft die übermittelnde Stelle nur, ob das Übermittlungsersuchen im Rahmen der Aufgaben des Dritten, an den die Daten übermittelt werden, liegt, es sei denn, dass besonderer Anlass zur Prüfung der Zulässigkeit der Übermittlung besteht. § 7 Abs. 4 bleibt unberührt.

(3) Der Dritte, an den die Daten übermittelt werden, darf die übermittelten Daten für den Zweck (§ 9 Abs. 1 und 2) verarbeiten oder nutzen, zu dessen Erfüllung sie ihm übermittelt werden. Eine Verarbeitung oder Nutzung für andere Zwecke ist nur unter den Voraussetzungen des § 10 Abs. 2 zulässig.

(4) Für die Übermittlung personenbezogener Daten an Stellen der öffentlich-rechtlichen Religionsgesellschaften gelten die Absätze 1 bis 3 entsprechend, sofern sichergestellt ist, dass bei diesen ausreichende Datenschutzmaßnahmen getroffen werden. Die Feststellung hierüber trifft, soweit sie nicht durch das Ministerium des Innern generell erfolgt ist, die übermittelnde Stelle.

(5) Sind mit personenbezogenen Daten, die nach Absatz 1 übermittelt werden dürfen, weitere personenbezogene Daten des Betroffenen oder eines Dritten in Akten so verbunden, dass eine Trennung nicht oder nur mit unvertretbarem Aufwand möglich ist, so ist die Übermittlung auch dieser Daten zulässig, soweit nicht berechtigte Interessen des Betroffenen oder eines Dritten an deren Geheimhaltung offensichtlich überwiegen; eine Verarbeitung oder Nutzung dieser Daten ist unzulässig. § 34 Abs. 3 bleibt unberührt.

(6) Absatz 5 Satz 1 gilt entsprechend, wenn personenbezogene Daten innerhalb einer öffentlichen Stelle weitergegeben werden.

§ 12 Datenübermittlung an nicht-öffentliche Stellen

(1) Die Übermittlung personenbezogener Daten an nicht-öffentliche Stellen ist zulässig, wenn

1. sie zur Erfüllung der in der Zuständigkeit der übermittelnden Stelle liegenden Aufgaben erforderlich ist und die Voraussetzungen vorliegen, die eine Nutzung nach § 10 zulassen würden,

oder

2. der Dritte, an den die Daten übermittelt werden, ein berechtigtes Interesse an der Kenntnis der zu übermittelnden Daten glaubhaft darlegt und der Betroffene kein schutzwürdiges Interesse an dem Ausschluss der Übermittlung hat.

(2) Die Verantwortung für die Zulässigkeit der Übermittlung trägt die übermittelnde Stelle.

(3) In den Fällen der Übermittlung nach Absatz 1 Nr. 2 unterrichtet die übermittelnde Stelle den Betroffenen vorher von der Übermittlung seiner Daten, soweit nicht die Vereitelung von Rechtsansprüchen zu befürchten wäre. Dies gilt nicht, wenn damit zu rechnen ist, dass er davon auf andere Weise Kenntnis erlangt, oder wenn die Unterrichtung die öffentliche Sicherheit gefährden oder sonst dem Wohle des Bundes oder eines Landes Nachteile bereiten würde.

(4) Der Dritte, an den die Daten übermittelt werden, darf die übermittelten Daten nur für den Zweck verarbeiten oder nutzen, zu dessen Erfüllung sie ihm übermittelt werden. Die übermittelnde Stelle hat ihn darauf hinzuweisen. Eine Verarbeitung oder Nutzung für andere Zwecke ist zulässig, wenn eine Übermittlung nach Absatz 1 zulässig wäre und die übermittelnde Stelle zugestimmt hat.

§ 13 Datenübermittlung ins Ausland sowie an über- oder zwischenstaatliche Stellen

(1) Für die Übermittlung personenbezogener Daten an öffentliche Stellen anderer Mitgliedsstaaten der Europäischen Union und der Vertragsstaaten des Abkommens über den Europäischen Wirtschaftsraum sowie an Organe und Einrichtungen der Europäischen Gemeinschaften gilt § 11 Abs. 1. Für die Übermittlung an nicht-öffentliche Stellen in Mitgliedsstaaten der Europäischen Union und in Vertragsstaaten des Abkommens über den Europäischen Wirtschaftsraum gilt § 12 Abs. 1 und 3.

(2) Für die Übermittlung an andere als in Absatz 1 genannte ausländische oder über- oder zwischenstaatliche Stellen gilt § 12 Abs. 1 und 3. Die Übermittlung ist nur zulässig, wenn bei den in Satz 1 genannten Stellen ein angemessenes Datenschutzniveau gewährleistet ist. Fehlt es an einem angemessenen Datenschutzniveau ist die Übermittlung zulässig, wenn

1. der Betroffene eingewilligt hat,
2. sie für die Erfüllung eines Vertrages zwischen dem Betroffenen und der verantwortlichen Stelle oder zur Durchführung von vorvertraglichen Maßnahmen, die auf Veranlassung des Betroffenen getroffen sind, erforderlich ist,
3. sie für die Wahrung eines überwiegenden öffentlichen Interesses oder zur Geltendmachung, Ausübung oder Verteidigung von Rechtsansprüchen vor Gericht erforderlich ist,
4. sie für die Wahrung lebenswichtiger Interessen des Betroffenen erforderlich ist, oder
5. sie aus einem durch Rechtsvorschrift vorgeschriebenen Register erfolgt, das zur Information der Öffentlichkeit bestimmt ist oder allen Personen, die ein berechtigtes Interesse nachweisen können,

zur Einsichtnahme offen steht, soweit die gesetzlichen Voraussetzungen im Einzelfall gegeben sind.

(2a) Übermittlungsbeschränkungen, die sich aus dem Fünften Abschnitt des Gesetzes ergeben, sind zu beachten.

(3) Die Verantwortung für die Zulässigkeit der Übermittlung trägt die übermittelnde Stelle.

(4) Die Stelle, an die die Daten übermittelt werden, ist darauf hinzuweisen, dass die übermittelten Daten nur zu dem Zweck verarbeitet oder genutzt werden dürfen, zu dessen Erfüllung sie ihm übermittelt werden.

§ 14 Durchführung des Datenschutzes

(1) Die obersten Landesbehörden, die Gemeinden, die Landkreise und die sonstigen der Aufsicht des Landes unterstehenden Körperschaften, Anstalten und Stiftungen des öffentlichen Rechts haben jeweils für ihren Organisationsbereich die Ausführung dieses Gesetzes sowie anderer Rechtsvorschriften über den Datenschutz sicherzustellen.

(2) Ein automatisiertes Verfahren ist, soweit
1. es sich um ein Abrufverfahren nach § 7 Abs. 1 Satz 1 handelt,
2. personenbezogene Daten besonderer Art (§ 2 Abs. 1 Satz 2) erhoben, verarbeitet oder genutzt werden,
3. das Erheben, Verarbeiten oder Nutzen dazu bestimmt ist, die Persönlichkeit des Betroffenen zu bewerten, einschließlich seiner Kompetenz, seiner Leistung oder seines Verhaltens, oder
4. mobile personenbezogene Datenträger (§ 2 Abs. 11) eingesetzt werden,

vor seiner Freigabe oder wesentlichen Änderung zu überprüfen, ob es datenschutzrechtlich zulässig ist und die nach § 6 Abs. 2 vorgesehenen technischen und organisatorischen Maßnahmen ausreichend sind. Die Vorabkontrolle ist bei der Stelle vorzunehmen, die über die Freigabe oder wesentliche Änderung des Verfahrens entscheidet.

(3) Die verantwortlichen Stellen haben für automatisierte Verfahren, mit deren Hilfe personenbezogene Daten erhoben, verarbeitet oder genutzt werden, in einem Verfahrensverzeichnis schriftlich festzulegen
1. die Bezeichnung des Verfahrens,
2. die Zweckbestimmung und die Rechtsgrundlage der Erhebung, Verarbeitung oder Nutzung,
3. den Kreis der Betroffenen,
4. die Art der Daten,
5. die vorgesehenen Übermittlungen,

6. die vorgesehene Weitergabe personenbezogener Daten innerhalb der speichernden Stelle zu Zwecken außerhalb des Speicherungszwecks sowie an Stellen, die personenbezogene Daten im Auftrag verarbeiten oder nutzen,
7. Regelfristen für die Löschung oder für die Prüfung, ob die weitere Speicherung der Daten noch erforderlich ist,
8. die zugriffsberechtigten Personengruppen oder Personen, die allein zugriffsberechtigt sind und
9. die technischen und organisatorischen Maßnahmen nach § 6, die Art der Geräte und die eingesetzte Software.

Die Festlegungen können auch durch die in Absatz 1 genannten oder durch von diesen bestimmte Stellen getroffen werden.

(4) Absatz 3 gilt nicht für Verfahren,
1. deren einziger Zweck das Führen eines durch Rechtsvorschrift vorgeschriebenen Registers ist, das zur Information der Öffentlichkeit bestimmt ist oder allen Personen, die ein berechtigtes Interesse nachweisen können, zur Einsichtnahme offen steht, oder
2. die ausschließlich der Unterstützung der allgemeinen Bürotätigkeit dienen, insbesondere Verfahren der Textverarbeitung, Vorgangsverwaltung, Terminüberwachung und der Führung von Adress-, Telefon- und vergleichbaren Verzeichnissen, soweit sie keine Beeinträchtigung der Rechte Betroffener erwarten lassen.

(5) Das Verfahrensverzeichnis kann von jedermann eingesehen werden. Die Einsicht ist gebühren- und auslagenfrei. Ausgenommen von der Einsicht sind die Angaben nach Absatz 3 Satz 1 Nrn. 8 und 9. Satz 1 gilt nicht für Verfahren, die die in § 4 Abs. 4 Satz 2 genannten Stellen zu den dort angeführten Zwecken betreiben.

§ 14a Beauftragter für den Datenschutz

(1) Öffentliche Stellen haben bei Einsatz automatisierter Verfahren zur Erhebung, Verarbeitung oder Nutzung personenbezogener Daten, soweit es sich nicht ausschließlich um Verfahren im Sinne des § 14 Abs. 4 Nr. 2 handelt, einen Beauftragten für den Datenschutz schriftlich einzusetzen. Soweit die öffentliche Stelle einer Dienstaufsicht unterliegt, kann die Einsetzung des Beauftragten auch durch die Dienstaufsichtsbehörde erfolgen. Notare und die in § 3 Abs. 1 Satz 2 genannten Stellen haben einen Beauftragten erst dann einzusetzen, wenn mindestens fünf Personen bei der automatisierten Erhebung, Verarbeitung oder Nutzung personenbezogener Daten beschäftigt werden.

(2) Der Beauftragte für den Datenschutz muss die erforderliche Fachkunde und Zuverlässigkeit besitzen; er ist in seiner Funktion weisungsfrei. Er kann sich unmittelbar an die Leitung der öffentlichen Stelle und bei der Erledigung seiner Aufgabe nach Absatz 4 Satz 2

Nr. 2 in Zweifelsfällen unmittelbar an den Landesbeauftragten für den Datenschutz wenden. Er darf wegen der Erfüllung seiner Aufgaben nicht benachteiligt werden. Er ist im erforderlichen Umfang von anderen Aufgaben freizustellen.

(3) Der Beauftragte für den Datenschutz darf zur Aufgabenerfüllung Einsicht in personenbezogene Datenverarbeitungsvorgänge nehmen. Dies gilt nicht, soweit Berufs- oder besondere Amtsgeheimnisse entgegenstehen. Im Übrigen gilt § 23 Abs. 1 entsprechend. Der Beauftragte für den Datenschutz ist zur Verschwiegenheit über die Identität des Betroffenen sowie über Umstände, die Rückschlüsse auf den Betroffenen zulassen, verpflichtet, soweit er davon nicht durch den Betroffenen befreit wird.

(4) Der Beauftragte für den Datenschutz führt das Verfahrensverzeichnis nach § 14 Abs. 3 Satz 1. Er hat die öffentliche Stelle, für die er eingesetzt ist, bei der Ausführung dieses Gesetzes und anderer Vorschriften über den Datenschutz zu unterstützen, indem er insbesondere
1. auf die Beachtung dieser Vorschriften hinwirkt,
2. die Vorabkontrolle nach § 14 Abs. 2 vornimmt und
3. die bei der Erhebung, Verarbeitung oder Nutzung personenbezogener Daten beschäftigten Personen mit diesen Vorschriften vertraut macht.

Dritter Abschnitt
Rechte des Betroffenen

§ 15 Auskunft

(1) Dem Betroffenen ist auf Antrag Auskunft zu erteilen über
1. die zu seiner Person gespeicherten Daten, einschließlich ihrer Herkunft,
2. den Zweck und die Rechtsgrundlage der Verarbeitung oder Nutzung,
3. die vorgesehenen Übermittlungen und
4. den strukturierten Ablauf der automatisierten Verarbeitung oder Nutzung der Daten und die dabei herangezogenen Entscheidungskriterien im Falle des § 4a.

In dem Antrag soll die Art der personenbezogenen Daten, über die Auskunft erteilt werden soll, näher bezeichnet werden. Sind die personenbezogenen Daten in Akten gespeichert, wird die Auskunft nur erteilt, soweit der Betroffene Angaben macht, die das Auffinden der Daten ermöglichen, und der für die Erteilung der Auskunft erforderliche Aufwand nicht außer Verhältnis zu dem vom Betroffenen geltend gemachten Informationsinteresse steht. Die verantwortliche Stelle bestimmt das Verfahren, insbesondere die Form der Auskunftserteilung, nach pflichtgemäßem Ermessen.

(1a) Die Auskunft über Daten, die nur deshalb gespeichert sind, weil sie auf Grund gesetzlicher, satzungsmäßiger oder vertraglicher Aufbewahrungsvorschriften nicht gelöscht werden dürfen, wird nur auf besonderen Antrag, den der Betroffene in Kenntnis der Kostenpflicht nach Absatz 7 Satz 2 gestellt hat, erteilt.

(2) Absatz 1 gilt nicht für personenbezogene Daten,
1. die ausschließlich Zwecken der Datensicherung oder der Datenschutzkontrolle dienen oder
2. die für Zwecke der amtlichen Statistik verarbeitet oder genutzt werden.

(3) Bezieht sich die Auskunftserteilung auf die Übermittlung personenbezogener Daten an Verfassungsschutzbehörden, den Bundesnachrichtendienst, den Militärischen Abschirmdienst und, soweit die Sicherheit des Bundes berührt wird, andere Behörden des Bundesministeriums der Verteidigung, ist sie nur mit Zustimmung dieser Stellen zulässig. Wird die Zustimmung nicht erteilt, ist hierüber der Landesbeauftragte für den Datenschutz zu unterrichten.

(4) Die Auskunftserteilung unterbleibt, soweit
1. die Auskunft die ordnungsgemäße Erfüllung der in der Zuständigkeit der verantwortlichen Stelle liegenden Aufgaben gefährden würde,
2. die Auskunft die öffentliche Sicherheit gefährden oder sonst dem Wohle des Bundes oder eines Landes Nachteile bereiten würde oder
3. die Daten oder die Tatsache ihrer Speicherung nach einer Rechtsvorschrift oder ihrem Wesen nach, insbesondere wegen der überwiegenden berechtigten Interessen eines Dritten, sofern dieser der Auskunftserteilung nicht zustimmt, geheimgehalten werden müssen

und deswegen das Interesse des Betroffenen an der Auskunftserteilung zurücktreten muss.

(5) Die Ablehnung der Auskunftserteilung bedarf einer Begründung nicht, soweit durch die Mitteilung der tatsächlichen und rechtlichen Gründe, auf die die Entscheidung gestützt wird, der mit der Auskunftsverweigerung verfolgte Zweck gefährdet würde. In diesem Falle ist der Betroffene darauf hinzuweisen, dass er sich an den Landesbeauftragten für den Datenschutz wenden kann.

(6) Wird dem Betroffenen keine Auskunft erteilt, so ist sie auf sein Verlangen dem Landesbeauftragten für den Datenschutz zu erteilen,

soweit nicht die jeweils zuständige oberste Landesbehörde im Einzelfall feststellt, dass dadurch die Sicherheit des Bundes oder eines Landes gefährdet würde. Die Mitteilung des Landesbeauftragten an den Betroffenen darf keine Rückschlüsse auf den Erkenntnisstand der verantwortlichen Stelle zulassen, sofern diese nicht einer weitergehenden Auskunft zustimmt.

(7) Die Auskunft ist kostenfrei. Satz 1 gilt nicht, soweit die Auskunft über Daten im Sinne des Absatzes 1 a begehrt wird und mit der Auskunftserteilung besonderer Verwaltungsaufwand verbunden ist.

§ 16 Berichtigung, Löschung und Sperrung von Daten

(1) Personenbezogene Daten sind zu berichtigen, wenn sie unrichtig sind. Wird festgestellt, dass personenbezogene Daten in Akten unrichtig sind, so ist dies in der Akte zu vermerken oder auf sonstige Weise festzuhalten.

(2) Personenbezogene Daten sind zu löschen, wenn
1. ihre Speicherung unzulässig ist oder
2. ihre Kenntnis für die verantwortliche Stelle zur Erfüllung der in ihrer Zuständigkeit liegenden Aufgaben nicht mehr erforderlich ist.

Sind personenbezogene Daten in Akten gespeichert, ist die Löschung nach Satz 1 Nr. 2 nur durchzuführen, wenn die gesamte Akte zur Aufgabenerfüllung nicht mehr erforderlich ist. Soweit eine Löschung nach Satz 2 unterbleibt, sind die personenbezogenen Daten zu sperren.

(3) An die Stelle einer Löschung tritt eine Sperrung, soweit
1. einer Löschung gesetzliche, satzungsmäßige oder vertragliche Aufbewahrungsfristen entgegenstehen,
2. Grund zu der Annahme besteht, dass durch eine Löschung schutzwürdige Interessen des Betroffenen beeinträchtigt würden, oder
3. eine Löschung wegen der besonderen Art der Speicherung nicht oder bei Akten nur mit unverhältnismäßig hohem Aufwand möglich ist.

Im Fall des Satzes 1 Nr. 2 sind die Gründe aufzuzeichnen.

(4) Personenbezogene Daten sind ferner zu sperren, soweit ihre Richtigkeit vom Betroffenen bestritten wird und sich weder die Richtigkeit noch die Unrichtigkeit feststellen lässt.

(5) Gesperrte Daten dürfen ohne Einwilligung des Betroffenen nur übermittelt oder genutzt werden, wenn
1. es zur Behebung einer bestehenden Beweisnot oder aus sonstigen im überwiegenden Interesse der verantwortlichen Stelle oder eines Dritten liegenden Gründen unerlässlich ist und

2. die Daten hierfür übermittelt oder genutzt werden dürften, wenn sie nicht gesperrt wären.

(6) Von der Berichtigung unrichtiger Daten, der Sperrung bestrittener Daten sowie der Löschung oder Sperrung wegen Unzulässigkeit der Speicherung sind die Stellen zu verständigen, denen die Daten übermittelt wurden; dies gilt nicht, wenn die Verständigung zur Wahrung schutzwürdiger Interessen des Betroffenen nicht erforderlich ist, sich als unmöglich erweist oder mit einem unverhältnismäßigen Aufwand verbunden wäre. Satz 1 gilt entsprechend, wenn personenbezogene Daten innerhalb der verantwortlichen Stelle weitergegeben werden.

(7) Vor der Löschung (nach Absatz 2 Satz 1 Nr. 2) ist die Übermittlung personenbezogener Daten an das zuständige Archiv zulässig, wenn dieses die Aufbewahrung im Interesse der historischen Forschung oder der Rechtssicherung für geboten hält.

§ 17 Unabdingbare Rechte des Betroffenen

(1) Die Rechte des Betroffenen auf Auskunft (§ 15) und auf Berichtigung, Löschung oder Sperrung (§ 16) können nicht durch Rechtsgeschäft ausgeschlossen oder beschränkt werden.

(2) Sind die Daten des Betroffenen in einer Datei gespeichert, bei der mehrere Stellen speicherungsberechtigt sind, und ist der Betroffene nicht in der Lage, die verantwortliche Stelle festzustellen, so kann er sich an jede dieser Stellen wenden. Diese ist verpflichtet, das Vorbringen des Betroffenen an die verantwortliche Stelle weiterzuleiten. Der Betroffene ist über die Weiterleitung und die verantwortliche Stelle zu unterrichten. Die Verfassungsschutzbehörde, die Behörden der Staatsanwaltschaft und der Polizei sowie öffentliche Stellen der Finanzverwaltung, soweit sie personenbezogene Daten in Erfüllung ihrer gesetzlichen Aufgaben im Anwendungsbereich der Abgabenordnung zur Überwachung und Prüfung speichern, können statt des Betroffenen den Landesbeauftragten für den Datenschutz unterrichten. In diesem Fall richtet sich das weitere Verfahren nach § 15 Abs. 6.

§ 18 Schadenersatz

(1) Fügt eine verantwortliche Stelle dem Betroffenen durch eine nach diesem Gesetz oder nach anderen Vorschriften über den Datenschutz unzulässige oder unrichtige Erhebung, Verarbeitung oder Nutzung seiner personenbezogenen Daten einen Schaden zu, ist sie dem Betroffenen zum Ersatz des daraus entstehenden Schadens verpflichtet. Die Ersatzpflicht tritt nicht ein, soweit die verantwortliche Stelle den Umstand, durch den der Schaden entstanden ist, nicht zu vertreten hat.

(2) Tritt ein Schaden nach Absatz 1 Satz 1 bei automatisierter Erhebung, Verarbeitung oder Nutzung personenbezogener Daten ein, ist die verantwortliche Stelle dem Betroffenen unabhängig von einem Verschulden zum Ersatz des daraus entstehenden Schadens verpflichtet. Bei einer Verletzung des Persönlichkeitsrechts ist dem Betroffenen der Schaden, der nicht Vermögensschaden ist, angemessen in Geld zu ersetzen. Der Anspruch ist insgesamt auf einen Betrag in Höhe von 125 000 Euro begrenzt. Ist auf Grund desselben Ereignisses an mehrere Personen Schadensersatz zu leisten, der insgesamt den Betrag von 250 000 Euro übersteigt, so verringern sich die einzelnen Schadensersatzleistungen in dem Verhältnis, in dem ihr Gesamtbetrag zum Höchstbetrag steht. Sind für ein automatisiertes Verfahren mehrere Stellen verantwortlich und ist der Geschädigte nicht in der Lage, die schädigende Stelle festzustellen, so haften die Stellen als Gesamtschuldner. Auf das Mitverschulden des Betroffenen und die Verjährung sind die §§ 254 und 852 des Bürgerlichen Gesetzbuches entsprechend anzuwenden.

§ 19 Anrufung des Landesbeauftragten für den Datenschutz

Jedermann kann sich an den Landesbeauftragten für den Datenschutz wenden, wenn er der Ansicht ist, bei der Erhebung, Verarbeitung oder Nutzung seiner personenbezogenen Daten durch öffentliche Stellen in seinen Rechten verletzt worden zu sein; niemand darf deshalb benachteiligt oder gemaßregelt werden. Für die Erhebung, Verarbeitung oder Nutzung von personenbezogenen Daten durch die Gerichte gilt dies nur, soweit sie in Verwaltungsangelegenheiten tätig werden.

Vierter Abschnitt
Landesbeauftragter für den Datenschutz

§ 20 Berufung des Landesbeauftragten für den Datenschutz

(1) Der Landtag wählt auf Vorschlag der Landesregierung den Landesbeauftragten für den Datenschutz mit der Mehrheit von zwei Dritteln der anwesenden Abgeordneten, mindestens mit der Mehrheit seiner Mitglieder; die einmalige Wiederwahl ist zulässig. Der Landesbeauftragte muss bei seiner Wahl das 35. Lebensjahr vollendet haben, die Befähigung zum Richteramt oder zum höheren Verwaltungsdienst haben und die zur Erfüllung seiner Aufgaben erforderliche Fachkunde besitzen.

(2) Der Landesbeauftragte für den Datenschutz ist Beamter auf Zeit und wird vom Präsidenten des Landtages auf die Dauer von

sechs Jahren berufen. Er ist verpflichtet, das Amt bis zur Bestellung eines Nachfolgers weiterzuführen; die Amtszeit gilt als entsprechend verlängert. Kommt er der Verpflichtung nach Satz 2 nicht nach, ist er zu entlassen.

§ 21 Rechtsstellung

(1) Der Landesbeauftragte für den Datenschutz ist in Ausübung seines Amtes unabhängig und nur dem Gesetz unterworfen. Er gilt für den Bereich seiner Geschäftsstelle als oberste Dienstbehörde im Sinne des § 96 der Strafprozessordnung und als oberste Aufsichtsbehörde im Sinne des § 99 der Verwaltungsgerichtsordnung; er trifft die Entscheidungen nach §§ 61 und 62 des Beamtengesetzes Sachsen-Anhalt für sich, seine Vorgänger im Amt und seine Bediensteten in eigener Verantwortung. Im Übrigen untersteht er der Dienstaufsicht des Präsidenten des Landtages.

(1a) Für personenbezogene Daten, die dem Landesbeauftragten für den Datenschutz und seinen Bediensteten im Rahmen ihrer Aufgabenstellung nach diesem Gesetz bekannt werden, gilt § 10 Abs. 4 entsprechend.

(2) Der Landesbeauftragte für den Datenschutz kann sich jederzeit an den Landtag wenden.

(3) Die Geschäftsstelle des Landesbeauftragten für den Datenschutz wird beim Präsidenten des Landtages eingerichtet. Dem Landesbeauftragten ist die für die Erfüllung seiner Aufgaben notwendige Personal- und Sachausstattung zur Verfügung zu stellen; sie ist im Haushalt des Landes im Einzelplan des Landtages in einem eigenen Kapitel auszuweisen. Die Stellen werden durch den Landesbeauftragten besetzt.

(4) Ist der Landesbeauftragte für den Datenschutz länger als zwei Monate an der Ausübung seines Amtes verhindert, so kann der Präsident des Landtages einen Vertreter mit der Wahrnehmung der Geschäfte beauftragen. Der Landesbeauftragte soll dazu gehört werden. Bei kürzerer Verhinderung oder bis zu einer Regelung nach Satz 1 wird der Landesbeauftragte für den Datenschutz durch den leitenden Beamten der Geschäftsstelle vertreten. Für die Dauer der Vertretung hat dieser alle Befugnisse des Landesbeauftragten.

§ 22 Aufgaben und Befugnisse

(1) Der Landesbeauftragte für den Datenschutz kontrolliert bei den öffentlichen Stellen die Einhaltung der Vorschriften dieses Gesetzes und anderer Vorschriften über den Datenschutz. Die Gerichte unterlie-

gen der Kontrolle durch den Landesbeauftragten für den Datenschutz nur, soweit sie in Verwaltungsangelegenheiten tätig werden.

(2) (aufgehoben)

(3) Eine Kontrolle durch den Landesbeauftragten für den Datenschutz findet nicht statt, wenn sie sich auf personenbezogene Daten erstreckt, die sich in Akten über die Sicherheitsüberprüfung befinden und der Betroffene generell oder im Einzelfall der Kontrolle der auf ihn bezogenen Daten widersprochen hat. Der Widerspruch ist gegenüber dem Landesbeauftragten für den Datenschutz zu erklären. Unbeschadet des Kontrollrechts des Landesbeauftragten unterrichtet die öffentliche Stelle die Betroffenen über das Widerspruchsrecht in allgemeiner Form.

(4) Der Landesbeauftragte für den Datenschutz kann Empfehlungen zur Verbesserung des Datenschutzes geben, insbesondere kann er den Landtag, die Landesregierung und die sonstigen öffentlichen Stellen in Fragen des Datenschutzes beraten. Er ist über die Planungen des Landes zum Aufbau automatisierter Informationssysteme rechtzeitig zu unterrichten, sofern in ihnen personenbezogene Daten verarbeitet oder genutzt werden sollen.

(4a) Der Landesbeauftragte erstattet dem Landtag alle zwei Jahre einen Tätigkeitsbericht. Die Landesregierung legt hierzu dem Landtag ihre Stellungnahme vor. Der Landesbeauftragte informiert mit dem Bericht oder auf andere Weise die Öffentlichkeit zu Fragen des Datenschutzes in seinem Kontrollbereich.

(5) Auf Ersuchen des Landtages, seiner Ausschüsse oder der Landesregierung kann der Landesbeauftragte für den Datenschutz Hinweisen auf Angelegenheiten und Vorgänge, die seinen Aufgabenbereich unmittelbar betreffen, nachgehen.

(6) Der Landtag und die Landesregierung können den Landesbeauftragten für den Datenschutz mit der Erstattung von Gutachten und Stellungnahmen betrauen. § 21 Abs. 1 Satz 1 bleibt unberührt.

(7) Der Landesbeauftragte für den Datenschutz arbeitet mit den öffentlichen Stellen, die für die Kontrolle der Einhaltung der Vorschriften über den Datenschutz im Bund und in den Ländern zuständig sind, sowie mit den Aufsichtsbehörden nach § 38 des Bundesdatenschutzgesetzes zusammen. Er leistet den anderen Kontrollstellen in den Mitgliedstaaten der Europäischen Union auf Ersuchen ergänzende Hilfe (Amtshilfe).

(8) Stellt der Landesbeauftragte für den Datenschutz einen Verstoß gegen dieses Gesetz oder andere Rechtsvorschriften über den Datenschutz fest, so ist er befugt, diesen bei den für die Verfolgung oder Ahndung zuständigen Stellen anzuzeigen.

§ 23 Durchführung der Aufgaben

(1) Die öffentlichen Stellen sind verpflichtet, den Landesbeauftragten für den Datenschutz und seine Beauftragten bei der Erfüllung ihrer Aufgaben zu unterstützen. Ihnen ist dabei insbesondere

1. Auskunft zu ihren Fragen sowie Einsicht in alle Unterlagen und Akten, insbesondere in die gespeicherten Daten und in die Datenverarbeitungsprogramme, zu gewähren,
2. jederzeit Zutritt in alle Diensträume zu gewähren.

(2) Die in § 17 Abs. 2 genannten öffentlichen Stellen gewähren die Unterstützung nur dem Landesbeauftragten für den Datenschutz selbst und den von ihm schriftlich besonders Beauftragten. Absatz 1 Satz 2 gilt für die in Satz 1 genannten öffentlichen Stellen nicht, soweit die oberste Landesbehörde im Einzelfall feststellt, dass die Auskunft oder Einsicht die Sicherheit des Bundes oder eines Landes gefährden würde.

(3) Der Landesbeauftragte für den Datenschutz teilt das Ergebnis seiner Kontrolle der öffentlichen Stelle mit. Damit kann er Vorschläge zur Verbesserung des Datenschutzes, insbesondere zur Beseitigung festgestellter Mängel bei der Erhebung, Verarbeitung oder Nutzung personenbezogener Daten, verbinden. § 24 bleibt unberührt.

§ 24 Beanstandungen durch den Landesbeauftragten

(1) Stellt der Landesbeauftragte für den Datenschutz Verstöße gegen die Vorschriften dieses Gesetzes oder gegen andere Vorschriften über den Datenschutz oder sonstige Mängel der Erhebung, Verarbeitung oder Nutzung personenbezogener Daten fest, so beanstandet er dies

1. bei der Landesverwaltung gegenüber der zuständigen obersten Landesbehörde,
2. bei den Gemeinden, Landkreisen und den sonstigen der Aufsicht des Landes unterstehenden Körperschaften, Anstalten und Stiftungen des öffentlichen Rechts sowie bei Vereinigungen solcher Körperschaften, Anstalten und Stiftungen gegenüber dem vertretungsberechtigten Organ

und fordert zur Stellungnahme innerhalb einer von ihm zu bestimmenden Frist auf. In den Fällen des Satzes 1 Nr. 2 unterrichtet der Landesbeauftragte für den Datenschutz gleichzeitig die zuständige Aufsichtsbehörde.

(2) Die Stellungnahme soll auch eine Darstellung der Maßnahmen enthalten, die auf Grund der Beanstandung des Landesbeauftragten für den Datenschutz getroffen worden sind. Die in Absatz 1 Satz 1 Nr. 2 genannten Stellen leiten der zuständigen Aufsichtsbehörde gleichzeitig eine Abschrift ihrer Stellungnahme an den Landesbeauftragten für den Datenschutz zu.

(3) Der Landesbeauftragte für den Datenschutz kann von einer Beanstandung absehen oder auf eine Stellungnahme der betroffenen Stelle verzichten, insbesondere wenn es sich um unerhebliche oder inzwischen beseitigte Mängel handelt.

Fünfter Abschnitt
Sondervorschriften

§ 25 Automatisierte Verfahren mittels mobiler personenbezogener Datenträger

(1) Automatisierte Verfahren, soweit sie auf oder durch mobile personenbezogene Datenträger ablaufen, dürfen von öffentlichen Stellen nur eingesetzt werden, wenn
1. dies durch eine oder aufgrund einer Rechtsvorschrift vorgesehen ist,
2. der Betroffene eingewilligt hat oder
3. dies zur Kontrolle von Zugangs- oder Zugriffsberechtigungen erfolgt, insbesondere in Durchführung technischer und organisatorischer Maßnahmen nach § 6.

(2) In solchen Verfahren dürfen nicht mehr personenbezogene Daten erhoben, verarbeitet oder genutzt werden, als für die nach Absatz 1 genannten Zwecke erforderlich sind.

(3) Die Stelle, die ein Verfahren nach Absatz 1 einsetzt oder ändert, muss den Betroffenen
1. über ihre Identität und Anschrift,
2. in allgemein verständlicher Form über die Funktionsweise des Datenträgers einschließlich der Art der zu verarbeitenden personenbezogenen Daten,
3. darüber, wie er seine Rechte nach den §§ 15 und 16 ausüben kann und
4. über die bei Verlust oder Zerstörung des Datenträgers zu treffenden Maßnahmen

unterrichten, soweit er nicht bereits Kenntnis erlangt hat.

(4) Der Vorgang des Erhebens, Verarbeitens oder Nutzens muss für den Betroffenen erkennbar sein.

§ 26 Erhebung, Verarbeitung oder Nutzung besonders geschützter personenbezogener Daten

(1) Zur Erfüllung der in der Zuständigkeit der verantwortlichen Stelle liegenden Aufgaben ist das Erheben, Verarbeiten oder Nutzen personenbezogener Daten besonderer Art nur zulässig, wenn
1. eine Rechtsvorschrift dies vorsieht oder zwingend voraussetzt,

2. der Betroffene eingewilligt hat, wobei sich die Einwilligung ausdrücklich auf diese Daten beziehen muss,
3. dies zum Schutz lebenswichtiger Interessen des Betroffenen oder eines Dritten erforderlich ist, sofern der Betroffene aus physischen oder rechtlichen Gründen außerstande ist, seine Einwilligung zu geben,
4. es sich um Daten handelt, die der Betroffene offenkundig öffentlich gemacht hat,
5. es zur Abwehr erheblicher Nachteile für das Gemeinwohl oder einer sonstigen gegenwärtigen erheblichen Gefahr für die öffentliche Sicherheit erforderlich ist,
6. dies gemäß § 27 oder einer vergleichbaren gesetzlichen Regelung für Forschungszwecke erfolgt,
7. dies zum Zwecke öffentlicher Auszeichnungen erforderlich ist oder
8. es zum Zweck der Gesundheitsvorsorge, der medizinischen Diagnostik, der Gesundheitsversorgung oder Behandlung des Betroffenen oder für die Verwaltung von Gesundheitsdiensten erforderlich ist und die Verarbeitung dieser Daten durch ärztliches Personal oder durch sonstige Personen erfolgt, die einer entsprechenden Geheimhaltungspflicht unterliegen.

Satz 1 gilt nicht für die Erhebung, Verarbeitung oder Nutzung personenbezogener Daten zur Wahrnehmung von Aufgaben der Gefahrenabwehr oder der Verfolgung von Straftaten oder Ordnungswidrigkeiten.

(2) Personenbezogene Daten, die einem Berufs- oder besonderen Amtsgeheimnis unterliegen und die von der zur Verschwiegenheit verpflichteten Stelle in Ausübung ihrer Berufs- oder Amtspflicht zur Verfügung gestellt worden sind, dürfen von der verantwortlichen Stelle nur für den Zweck verarbeitet oder genutzt werden, für den sie sie erhalten hat. In die Übermittlung an eine nicht-öffentliche Stelle muss die zur Verschwiegenheit verpflichtete Stelle einwilligen. Für einen anderen Zweck dürfen die Daten nur verarbeitet oder genutzt werden, wenn die Änderung des Zwecks durch besonderes Gesetz zugelassen ist.

§ 27 Verarbeitung und Nutzung personenbezogener Daten durch Forschungseinrichtungen

(1) Für Zwecke der wissenschaftlichen Forschung erhobene oder gespeicherte personenbezogene Daten dürfen nur für Zwecke der wissenschaftlichen Forschung verarbeitet oder genutzt werden.

(2) Die Übermittlung personenbezogener Daten an andere als öffentliche Stellen für Zwecke der wissenschaftlichen Forschung ist nur

zulässig, wenn diese sich verpflichten, die übermittelten Daten nicht für andere Zwecke zu verarbeiten oder zu nutzen und die Vorschriften der Absätze 3 und 4 einzuhalten.

(3) Die personenbezogenen Daten sind zu anonymisieren, sobald dies nach dem Forschungszweck möglich ist. Bis dahin sind die Merkmale gesondert zu speichern, mit denen Einzelangaben über persönliche oder sachliche Verhältnisse einer bestimmten oder bestimmbaren Person zugeordnet werden können. Sie dürfen mit den Einzelangaben nur zusammengeführt werden, soweit der Forschungszweck dies erfordert.

(4) Die wissenschaftliche Forschung betreibenden Stellen dürfen personenbezogene Daten nur übermitteln, wenn
1. der Betroffene eingewilligt hat oder
2. dies für die Darstellung von Forschungsergebnissen über Ereignisse der Zeitgeschichte unerlässlich ist.

§ 28 Erhebung, Verarbeitung oder Nutzung von Personal- und Bewerberdaten

(1) Für das Erheben, Verarbeiten oder Nutzen von Personaldaten über Angestellte, Arbeiter und Auszubildende, die in einem privatrechtlich ausgestalteten Ausbildungsverhältnis stehen, gelten die §§ 90 bis 90 g des Beamtengesetzes Sachsen-Anhalt entsprechend, soweit nicht die Besonderheiten des Arbeits- und Tarifrechts hinsichtlich der Aufnahme und Entfernung bestimmter Unterlagen eine abweichende Behandlung erfordern.

(2) Die Einstellungsbehörde darf vom untersuchenden Arzt oder Psychologen in der Regel nur die Übermittlung des Ergebnisses der Eignungsuntersuchung und dabei festgestellte Risikofaktoren verlangen.

(3) Personenbezogene Daten, die vor der Eingehung eines Dienst- oder Arbeitsverhältnisses erhoben wurden, sind unverzüglich zu löschen, sobald feststeht, dass ein Dienst- oder Arbeitsverhältnis nicht zustande kommt, es sei denn, dass der Betroffene in die weitere Speicherung eingewilligt hat.

(4) Soweit Daten der Beschäftigten im Rahmen der Durchführung der technischen und organisatorischen Maßnahmen des § 6 Abs. 2 gespeichert werden, dürfen sie nicht zu Zwecken der Verhaltens- oder Leistungskontrolle genutzt werden.

§ 29 Fernmessen und Fernwirken

(1) Öffentliche Stellen dürfen ferngesteuerte Messungen oder Beobachtungen (Fernmessdienste) in Wohnungen oder Geschäftsräumen nur

vornehmen, wenn der Betroffene zuvor über den Verwendungszweck sowie über Art, Umfang und Zeitraum des Einsatzes unterrichtet worden ist und nach der Unterrichtung schriftlich eingewilligt hat. Entsprechendes gilt, soweit eine Übertragungseinrichtung dazu dienen soll, in Wohnungen oder Geschäftsräumen andere Wirkungen auszulösen (Fernwirkdienste). Die Einrichtung von Fernmess- und Fernwirkdiensten ist nur zulässig, wenn der Betroffene erkennen kann, wann ein Dienst in Anspruch genommen wird und welcher Art dieser Dienst ist; dies gilt nicht für Fernmess- und Fernwirkdienste der Versorgungsunternehmen. Der Betroffene kann seine Einwilligung jederzeit widerrufen, soweit dies mit der Zweckbestimmung des Dienstes vereinbar ist. Das Abschalten eines Dienstes gilt im Zweifel als Widerruf der Einwilligung.

(2) Eine Leistung, der Abschluss oder die Abwicklung eines Vertragsverhältnisses dürfen nicht davon abhängig gemacht werden, dass der Betroffene nach Absatz 1 Satz 1 oder 2 einwilligt. Verweigert oder widerruft er seine Einwilligung, so dürfen ihm keine Nachteile entstehen, die über die unmittelbaren Folgekosten hinausgehen.

(3) Soweit im Rahmen von Femmess- oder Fernwirkdiensten personenbezogene Daten erhoben werden, dürfen diese nur zu den vereinbarten Zwecken verarbeitet oder genutzt werden. Sie sind zu löschen, sobald sie zur Erfüllung dieser Zwecke nicht mehr erforderlich sind.

§ 30 Optisch-elektronische Beobachtung

(1) Öffentliche Stellen dürfen öffentlich zugängliche Bereiche durch optisch-elektronische Einrichtungen beobachten, soweit dies
1. zur Wahrnehmung des Hausrechts,
2. zum Schutz des Eigentums oder Besitzes oder
3. zur Kontrolle von Zugangsberechtigungen, insbesondere in Durchführung technischer und organisatorischer Maßnahmen nach § 6,

erforderlich ist und keine Anhaltspunkte bestehen, dass schutzwürdige Interessen der Personen, die sich im Aufnahmebereich der Einrichtung befinden, überwiegen.

(2) Die Möglichkeit der Beobachtung muss für Betroffene, die sich im Aufnahmebereich der optisch-elektronischen Einrichtung befinden, erkennbar sein.

(3) Personenbezogene Daten dürfen nur erhoben oder gespeichert werden, wenn dies zur Erreichung der in Absatz 1 genannten Zwecke erforderlich oder unvermeidlich ist. Die Daten dürfen für einen anderen Zweck nur nach Maßgabe von § 10 Abs. 2 Nrn. 1 bis 3 und 6 bis 8 gespeichert, verändert, übermittelt oder genutzt werden.

(4) Die Daten sind unverzüglich zu löschen, wenn sie zur Erreichung des Zwecks nicht mehr erforderlich sind oder schutzwürdige Interessen der Betroffenen einer weiteren Speicherung entgegenstehen.

§ 30a Öffentliche Auszeichnungen

(1) Zur Vorbereitung öffentlicher Auszeichnungen dürfen personenbezogene Daten auch ohne Kenntnis des Betroffenen erhoben, verarbeitet oder genutzt werden. Eine Verarbeitung oder Nutzung dieser Daten für andere Zwecke ist nur mit Einwilligung des Betroffenen zulässig.

(2) Auf Ersuchen der zuständigen Stellen dürfen andere öffentliche Stellen die für die Vorbereitung der Auszeichnung erforderlichen Daten übermitteln.

(3) § 15 findet keine Anwendung.

Sechster Abschnitt
Schlussvorschriften

§ 31 Strafvorschriften

(1) Wer gegen Entgelt oder in der Absicht, sich oder einen anderen zu bereichern oder einen anderen zu schädigen, unbefugt von diesem Gesetz oder einer anderen Rechtsvorschrift über den Datenschutz geschützte personenbezogene Daten, die nicht allgemein zugänglich sind,

1. erhebt, verarbeitet oder nutzt,
2. zum Abruf durch Dritte mittels automatisierten Verfahrens bereithält oder
3. abruft oder sich oder einem anderen aus Dateien verschafft,

wird mit Freiheitsstrafe bis zu zwei Jahren oder mit Geldstrafe bestraft.

(2) Ebenso wird bestraft, wer gegen Entgelt oder in der Absicht, sich oder einen anderen zu bereichern oder einen anderen zu schädigen,

1. die Übermittlung von durch dieses Gesetz oder eine andere Rechtsvorschrift über den Datenschutz geschützten personenbezogenen Daten, die nicht allgemein zugänglich sind, durch unrichtige Angaben erschleicht,
2. entgegen § 12 Abs. 4 Satz 1, § 26 Abs. 2 Satz 1 oder § 27 Abs. 1 die übermittelten Daten für andere Zwecke nutzt, indem er sie an Dritte weitergibt,
3. entgegen § 27 Abs. 3 Satz 3 die in § 27 Abs. 3 Satz 2 bezeichneten Merkmale mit den Einzelangaben zusammenführt, oder

4. entgegen § 18 Abs. 4 Satz 3 des Gesetzes über den Verfassungsschutz im Land Sachsen-Anhalt personenbezogene Daten zu einem Zweck verwendet, zu dem ihm die Daten nicht übermittelt worden sind.

(3) Die Tat wird nur auf Antrag verfolgt, es sei denn, dass die Strafverfolgungsbehörde wegen des besonderen öffentlichen Interesses an der Strafverfolgung ein Einschreiten von Amts wegen für geboten hält.

§ 31a Bußgeldvorschriften

(1) Ordnungswidrig handelt, wer vorsätzlich die Übermittlung von durch dieses Gesetz oder eine andere Rechtsvorschrift über den Datenschutz geschützten personenbezogenen Daten, die nicht allgemein zugänglich sind, durch unrichtige Angaben erschleicht.

(2) Ordnungswidrig handelt auch, wer vorsätzlich oder fahrlässig
1. entgegen § 12 Abs. 4 Satz 1, § 26 Abs. 2 Satz 1 oder § 27 Abs. 1 die übermittelten Daten für andere Zwecke nutzt, indem er sie an Dritte weitergibt,
2. entgegen § 27 Abs. 3 Satz 3 die in § 27 Abs. 3 Satz 2 bezeichneten Merkmale mit den Einzelangaben zusammenführt oder
3. entgegen § 18 Abs. 4 Satz 3 des Gesetzes über den Verfassungsschutz im Land Sachsen-Anhalt personenbezogene Daten zu einem Zweck verwendet, zu dem ihm die Daten nicht übermittelt worden sind.

(3) Die Ordnungswidrigkeit kann im Falle des Absatzes 2 Nr. 2 mit einer Geldbuße bis zu 25 000 Euro und in den übrigen Fällen der Absätze 1 und 2 mit einer Geldbuße bis zu 250 000 Euro geahndet werden.

§ 32 Übergangsvorschriften

(1) Nach bisherigem Recht erstellte Dateifestlegungen nach § 14 Abs. 2 Satz 2, Errichtungsanordnungen nach § 33 Abs. 1 des Gesetzes über die öffentliche Sicherheit und Ordnung des Landes Sachsen-Anhalt in der vor dem In-Kraft-Treten des Zweiten Gesetzes zur Änderung des Gesetzes über die öffentliche Sicherheit und Ordnung des Landes Sachsen-Anhalt vom 20. Juli 2000 (GVBl. LSA S. 444) geltenden Fassung und Dateianordnungen nach § 13 Abs. 1 des Gesetzes über den Verfassungsschutz im Land Sachsen-Anhalt gelten als Verfahrensverzeichnisse im Sinne des § 14 Abs. 3 Satz 1. Die Einsicht in diese Verzeichnisse ist nur in dem nach § 14 Abs. 5 vorgesehenen Umfang möglich. Fehlen in den Verzeichnissen nach Satz 1 einzelne Festlegungen nach § 14 Abs. 3 Satz 1 Nrn. 1 bis 9,

sind diese gelegentlich der nächsten Fortschreibung oder im Fall der ersten Einsichtnahme nach § 14 Abs. 5 nachzuholen.

(2) Beauftragte für den Datenschutz nach § 14a sind spätestens am 31. Januar 2002 einzusetzen.

(3) Erhebungen, Verarbeitungen oder Nutzungen personenbezogener Daten, die am 28. Juni 2001 bereits begonnen haben, sind binnen drei Jahren nach diesem Zeitpunkt mit den Vorschriften dieses Gesetzes in Übereinstimmung zu bringen.

(4) Soweit in diesem Gesetz Beträge in Euro genannt werden, gelten diese bis zum 31. Dezember 2001 auch als Beträge in DM; der Umrechnungskurs für einen Euro beträgt 1,95583 DM.

§ 33 Personenbezogene Daten aus ehemaligen Einrichtungen

(1) Personenbezogene Daten aus ehemaligen Einrichtungen, die vor dem 3. Oktober 1990 nach ihrer Zweckbestimmung überwiegend für Verwaltungsaufgaben gespeichert waren, die nach dem Grundgesetz von Ländern, Gemeinden, Gemeindeverbänden oder sonstigen Trägern öffentlicher Verwaltung wahrzunehmen sind, stehen demjenigen Träger öffentlicher Verwaltung zu, der nach dem Grundgesetz für die Verwaltungsaufgabe zuständig ist. Dieser bestimmt die verantwortliche speichernde Stelle. In Zweifelsfällen wird die speichernde Stelle durch die Landesregierung bestimmt.

(2) Ehemalige Einrichtungen im Sinne des Absatzes 1 sind ehemalige staatliche oder wirtschaftsleitende Organe, Kombinate, Betriebe oder Einrichtungen sowie gesellschaftliche Organisationen der Deutschen Demokratischen Republik.

§ 34 Verarbeitung personenbezogener Daten aus ehemaligen Einrichtungen

(1) Abweichend von § 10 Abs. 1 ist das Speichern, Verändern oder Nutzen personenbezogener Daten aus ehemaligen Einrichtungen durch die nach § 33 Abs. 1 bestimmten speichernden Stellen zulässig, soweit

1. die Kenntnis der Daten zur Erfüllung einer in der Zuständigkeit dieser Stellen liegenden Aufgabe erforderlich ist,
2. die erneute Erhebung dieser Daten einen unverhältnismäßig hohen Aufwand darstellt,
3. der Betroffene der Verarbeitung oder Nutzung nicht nach § 35 widersprochen hat und
4. die Zuständigkeit und Verantwortlichkeit der speichernden Stellen eindeutig bestimmt ist.

Satz 1 gilt nicht für eine Verwendung der Daten zum Nachteil des Betroffenen, wenn anzunehmen ist, dass sie unter Verstoß gegen die Menschenwürde erhoben worden sind.

(2) Personenbezogene Daten, deren Verarbeitung und Nutzung nach Absatz 1 zulässig ist, gelten als für den nach Absatz 1 Satz 1 Nr. 1 bestimmten Zweck erstmalig eingespeichert.

(3) Sind mit personenbezogenen Daten aus ehemaligen Einrichtungen, die nach § 11 Abs. 1 übermittelt werden dürfen, weitere personenbezogene Daten des Betroffenen oder eines Dritten in Akten verbunden, so ist die Übermittlung abweichend von § 11 Abs. 5 nur nach vorheriger Trennung oder Unkenntlichmachung dieser Daten zulässig.

§ 35 Widerspruchsrecht

(1) Der Betroffene kann der Verarbeitung und Nutzung seiner personenbezogenen Daten widersprechen, wenn die Daten ohne seine Mitwirkung durch eine ehemalige Einrichtung erhoben oder gespeichert wurden und die Daten nach geltendem Recht nicht ohne seine Mitwirkung erhoben werden dürfen oder wenn anzunehmen ist, dass sie unter Verstoß gegen die Menschenwürde erhoben worden sind.

(2) Der Betroffene ist in geeigneter Weise über
1. die Herkunft solcher Daten,
2. die Art der ursprünglichen Verwendung,
3. die Art und den Umfang der beabsichtigten Verarbeitung oder Nutzung,
4. die nunmehr zuständige speichernde Stelle und
5. die bestehende Widerspruchsmöglichkeit

zu unterrichten. Die Unterrichtung kann auch in allgemeiner Form erfolgen, soweit eine Einzelunterrichtung wegen des damit verbundenen unverhältnismäßigen Aufwands nicht geboten erscheint und schutzwürdige Belange der Betroffenen nicht überwiegen.

§ 36 Sprachliche Gleichstellung

Personen- und Funktionsbezeichnungen in diesem Gesetz gelten jeweils in weiblicher und männlicher Form.

§ 36a Einschränkung von Grundrechten

Durch dieses Gesetz wird das Recht auf Schutz personenbezogener Daten im Sinne des Artikels 6 Abs. 1 Satz 1 der Verfassung des Landes Sachsen-Anhalt eingeschränkt.

§ 37 Inkrafttreten

Dieses Gesetz tritt vierzehn Tage nach seiner Verkündung in Kraft. Abweichend hiervon tritt

1. § 3 Abs. 4 am 24. August 1993,
2. § 7 Abs. 5 Satz 3 und 4 am 1. Dezember 1992,
3. § 34 Abs. 3 am 1. März 1993

in Kraft.

Schleswig-Holsteinisches Gesetz zum Schutz personenbezogener Informationen (Landesdatenschutzgesetz – LDSG –)

vom 9. Februar 2000 (GVBl S. 169)

Inhaltsübersicht

Abschnitt IV
Besondere Zwecke der Datenverarbeitung

Abschnitt V
Rechte der Betroffenen

Abschnitt VI
Das Unabhängige Landeszentrum für Datenschutz

Abschnitt VII
Schlußvorschriften

Abschnitt I
Allgemeine Grundsätze

§ 1 Gesetzeszweck

Zweck dieses Gesetzes ist es, bei der Verarbeitung personenbezogener Daten durch öffentliche Stellen das Recht auf informationelle Selbstbestimmung zu wahren.

§ 2 Begriffsbestimmungen

(1) Personenbezogene Daten sind Einzelangaben über persönliche oder sachliche Verhältnisse einer bestimmten oder bestimmbaren natürlichen Person (Betroffene oder Betroffener).

(2) Datenverarbeitung ist die Verwendung personenbezogener Daten. Dabei ist

1. Erheben das Beschaffen von Daten,
2. Speichern das Aufbewahren von Daten auf Datenträgern,
3. Übermitteln das Weitergeben von Daten an Dritte oder der Abruf von zum Abruf bereitgehaltenen Daten durch Dritte,
4. Sperren das Untersagen weiterer Verarbeitung gespeicherter Daten,
5. Löschen das Unkenntlichmachen gespeicherter Daten,
6. Anonymisieren das Verändern personenbezogener Daten derart, daß die Einzelangaben über persönliche oder sachliche Verhältnisse nicht mehr oder nur mit einem unverhältnismäßigen Aufwand einer bestimmten oder bestimmbaren natürlichen Person zugeordnet werden können,
7. Pseudonymisieren das Verändern personenbezogener Daten derart, daß die Einzelangaben über persönliche oder sachliche Verhältnisse ohne Nutzung der Zuordnungsfunktion nicht oder nur mit einem unverhältnismäßigen Aufwand einer bestimmten oder bestimmbaren natürlichen Person zugeordnet werden können,
8. Verschlüsseln das Verändern personenbezogener Daten derart, daß ohne Nutzung des Geheimnisses die Kenntnisnahme vom Inhalt der Daten nicht oder nur mit einem unverhältnismäßigen Aufwand möglich ist.

(3) Datenverarbeitende Stelle ist jede öffentliche Stelle im Sinne von § 3 Abs. 1, die personenbezogene Daten für sich selbst verarbeitet oder durch andere verarbeiten läßt.

(4) Empfänger ist jede natürliche oder juristische Person, öffentliche oder nichtöffentliche Stelle, die Daten erhält.

(5) Dritte oder Dritter ist jede natürliche oder juristische Person und öffentliche oder nichtöffentliche Stelle außer

1. der datenverarbeitenden Stelle selbst,
2. der betroffenen Person,
3. der Auftragsdatenverarbeiterin oder dem Auftragsdatenverarbeiter und
4. den Personen, die unter der unmittelbaren Verantwortung der datenverarbeitenden Stelle oder der Auftragsdatenverarbeiterin oder des Auftragsdatenverarbeiters befugt sind, die Daten zu verarbeiten.

§ 3 Anwendungsbereich

(1) Dieses Gesetz gilt für öffentliche Stellen. Öffentliche Stellen im Sinne dieses Gesetzes sind
1. Behörden und sonstige öffentliche Stellen der im Landesverwaltungsgesetz genannten Träger der öffentlichen Verwaltung,
2. Vereinigungen des privaten Rechts, soweit sie Aufgaben der öffentlichen Verwaltung wahrnehmen und an der Vereinigung einem oder mehreren der im Landesverwaltungsgesetz genannten Träger der öffentlichen Verwaltung die absolute Mehrheit der Anteile gehört oder die absolute Mehrheit der Stimmen zusteht.

(2) Soweit öffentlich-rechtliche, der Aufsicht des Landes unterstehende Unternehmen mit eigener Rechtspersönlichkeit am Wettbewerb teilnehmen, gilt für sie von diesem Gesetz nur § 23; im übrigen gelten für sie die Vorschriften des Bundesdatenschutzgesetzes für nichtöffentliche Stellen. Für die Datenzentrale Schleswig-Holstein gelten die Vorschriften dieses Gesetzes.

(3) Soweit besondere Rechtsvorschriften den Umgang mit personenbezogenen Daten regeln, gehen sie den Vorschriften dieses Gesetzes vor.

§ 4 Datenvermeidung und Datensparsamkeit, Datenschutzaudit

(1) Die datenverarbeitende Stelle hat den Grundsatz der Datenvermeidung und Datensparsamkeit zu beachten.

(2) Produkte, deren Vereinbarkeit mit den Vorschriften über den Datenschutz und die Datensicherheit in einem förmlichen Verfahren festgestellt wurde, sollen vorrangig eingesetzt werden. Die Landesregierung regelt durch Verordnung Inhalt, Ausgestaltung und die Berechtigung zur Durchführung des Verfahrens.

§ 5 Allgemeine Maßnahmen zur Datensicherheit

(1) Die Ausführung der Vorschriften dieses Gesetzes sowie anderer Vorschriften über den Datenschutz ist durch technische und organisatorische Maßnahmen sicherzustellen. Dabei ist insbesondere

1. Unbefugten der Zugang zu Datenträgern, auf denen personenbezogene Daten gespeichert sind, zu verwehren,
2. zu verhindern, daß personenbezogene Daten unbefugt verarbeitet werden oder Unbefugten zur Kenntnis gelangen können,
3. zu gewährleisten, daß die datenverarbeitende Person, der Zeitpunkt und Umfang der Datenverarbeitung festgestellt werden kann.

(2) Es sind die technischen und organisatorischen Maßnahmen zu treffen, die nach dem Stand der Technik und der Schutzbedürftigkeit der Daten erforderlich und angemessen sind. Automatisierte Verfahren sind vor ihrem erstmaligen Einsatz und nach Änderungen durch die Leiterin oder den Leiter der datenverarbeitenden Stelle oder eine befugte Person freizugeben.

(3) Die Landesregierung regelt durch Verordnung die Anforderungen an das Sicherheitskonzept sowie die Freigabe automatisierter Verfahren und weitere Einzelheiten einer ordnungsgemäßen Datenverarbeitung der öffentlichen Stellen. Das Unabhängige Landeszentrum für Datenschutz ist anzuhören.

§ 6 Besondere Maßnahmen zur Datensicherheit bei Einsatz automatisierter Verfahren

(1) Automatisierte Verfahren sind so zu gestalten, daß eine Verarbeitung personenbezogener Daten erst möglich ist, nachdem die Berechtigung der Benutzerin oder des Benutzers festgestellt worden ist.

(2) Zugriffe, mit denen Änderungen an automatisierten Verfahren bewirkt werden können, dürfen nur den dazu ausdrücklich berechtigten Personen möglich sein. Die Zugriffe dieser Personen sind zu protokollieren und zu kontrollieren.

(3) Werden personenbezogene Daten mit Hilfe informationstechnischer Geräte von der datenverarbeitenden Stelle außerhalb ihrer Räumlichkeiten verarbeitet, sind die Datenbestände zu verschlüsseln. Die datenverarbeitende Stelle hat sicherzustellen, daß sie die Daten entschlüsseln kann.

(4) Sollen personenbezogene Daten ausschließlich automatisiert gespeichert werden, ist zu protokollieren, wann, durch wen und in welcher Weise die Daten gespeichert wurden. Entsprechendes gilt für die Veränderung und Übermittlung der Daten. Die Protokolldatenbestände sind ein Jahr zu speichern. Es ist sicherzustellen, daß die Verfahren und Geräte, mit denen die gespeicherten Daten lesbar gemacht werden können, verfügbar sind.

(5) Die datenverarbeitenden Stellen haben die ordnungsgemäße Anwendung der automatisierten Verfahren zu überwachen.

§ 7 Verfahrensverzeichnis, Meldung

(1) Die datenverarbeitende Stelle erstellt für jedes von ihr betriebene automatisierte Verfahren ein Verfahrensverzeichnis. Dieses Verzeichnis kann auch von einer Stelle für andere geführt werden. Es enthält Angaben über

1. Name und Anschrift der datenverarbeitenden Stelle,
2. Zweckbestimmung und Rechtsgrundlage des Verfahrens,
3. den Kreis der Betroffenen,
4. die Kategorien der verarbeiteten Daten,
5. die Personen und Stellen, die Daten erhalten oder erhalten dürfen einschließlich der Auftragnehmenden,
6. geplante Datenübermittlungen an Stellen außerhalb der Mitgliedstaaten der Europäischen Union,
7. die datenschutzrechtliche Beurteilung der oder des behördlichen Datenschutzbeauftragten, soweit eine solche vorliegt,
8. eine allgemeine Beschreibung der nach den zur Einhaltung der Datensicherheit getroffenen Maßnahmen.

(2) Absatz 1 gilt nicht für Register, die zur Information der Öffentlichkeit bestimmt sind oder die allen Personen, die mindestens ein berechtigtes Interesse nachweisen können, zur Einsichtnahme offenstehen, soweit die gesetzlichen Voraussetzungen im Einzelfall gegeben sind.

(3) Die datenverarbeitenden Stellen, die keine behördliche Datenschutzbeauftragte oder keinen behördlichen Datenschutzbeauftragten nach § 10 bestellt haben, melden dem Unabhängigen Landeszentrum für Datenschutz den Einsatz oder die wesentliche Änderung eines automatisierten Verfahrens. Ausgenommen sind die in den Absätzen 2 und 4 genannten Verfahren. Die meldepflichtigen Stellen haben spätestens bei der ersten Einspeicherung die Angaben nach Absatz 1 mitzuteilen. Bei Verfahren, die von öffentlichen Stellen entwickelt worden sind, können diese Stellen mit der Abgabe der Meldung beauftragt werden.

(4) Das Unabhängige Landeszentrum für Datenschutz führt ein Verzeichnis der Meldungen nach Absatz 3. Es enthält die Angaben nach Absatz 1. Das Verzeichnis kann von jeder Person eingesehen werden. Satz 3 gilt nicht für Verfahren, die

1. nach dem Landesverfassungsschutzgesetz geführt werden,
2. der Gefahrenabwehr dienen,
3. der Strafverfolgung dienen oder
4. der Steuerfahndung dienen,

soweit die datenverarbeitende Stelle eine Einsichtnahme mit der Erfüllung ihrer Aufgaben für unvereinbar erklärt.

(5) Bei Bestellung einer oder eines behördlichen Datenschutzbeauftragten nach § 10 kann das Verfahrensverzeichnis von jeder Person bei der datenverarbeitenden Stelle eingesehen werden. Die Ausnahmen von der Einsichtnahme nach Absatz 4 Satz 4 gelten entsprechend.

§ 8 Gemeinsame Verfahren und Abrufverfahren

(1) Ein automatisiertes Verfahren, das mehreren datenverarbeitenden Stellen gemeinsam die Verarbeitung personenbezogener Daten (gemeinsames Verfahren) oder die Übermittlung personenbezogener Daten durch Abruf (Abrufverfahren) ermöglicht, darf nur eingerichtet werden, soweit dieses Verfahren unter Berücksichtigung der schutzwürdigen Interessen der Betroffenen und der Aufgaben der beteiligten Stellen angemessen ist.

(2) Die beteiligten Stellen haben zu gewährleisten, daß die Zulässigkeit des Verfahrens kontrolliert werden kann. Hierzu ist das Verfahrensverzeichnis nach § 7 Abs. 1 um die Feststellung zu ergänzen, für welchen Bereich der Datenverarbeitung jede der beteiligten Stellen verantwortlich ist. Die Betroffenen können die ihnen nach Abschnitt V dieses Gesetzes zustehenden Rechte gegenüber jeder der beteiligten Stellen geltend machen. Diese leiten die Anliegen der Betroffenen an die nach Satz 2 als verantwortlich festgestellte Stelle weiter.

(3) Werden bei gemeinsamen Verfahren personenbezogene Daten übermittelt, so sind die Empfänger, der Zeitpunkt der Übermittlung und die jeweils übermittelten Daten zu protokollieren. Die Protokolldatenbestände sind ein Jahr zu speichern.

(4) Bei Abrufverfahren trägt die Verantwortung für die Zulässigkeit des einzelnen Abrufs die abrufende Stelle. Die speichernde Stelle prüft die Zulässigkeit des Abrufs nur, wenn dazu Anlaß besteht. Die speichernde Stelle hat zu gewährleisten, daß die Zulässigkeit der Übermittlung personenbezogener Daten zumindest durch geeignete Stichprobenverfahren festgestellt und überprüft werden kann.

(5) Die Absätze 1 bis 4 gelten nicht für den Abruf aus Datenbeständen, die jedermann ohne oder nach besonderer Zulassung zur Benutzung offenstehen oder deren Veröffentlichung zulässig wäre.

§ 9 Vorabkontrolle

(1) Vor der Einrichtung oder wesentlichen Änderung
1. eines Verfahrens nach § 8 Abs. 1 oder
2. eines automatisierten Verfahrens, in dem Daten im Sinne des § 11 Abs. 3 verarbeitet werden,

ist der oder dem behördlichen Datenschutzbeauftragten oder, wenn eine solche oder ein solcher nicht bestellt ist, dem Unabhängigen

Landeszentrum für Datenschutz Gelegenheit zur Prüfung innerhalb einer angemessenen Frist zu geben, ob die Datenverarbeitung zulässig und die vorgesehenen Maßnahmen nach den §§ 5 und 6 ausreichend sind (Vorabkontrolle).

(2) Absatz 1 gilt nicht für den Abruf aus Datenbeständen, die jedermann ohne oder nach besonderer Zulassung zur Benutzung offenstehen oder deren Veröffentlichung zulässig wäre.

§ 10 Behördliche Datenschutzbeauftragte

(1) Die datenverarbeitende Stelle kann schriftlich eine behördliche Datenschutzbeauftragte oder einen behördlichen Datenschutzbeauftragten bestellen. Mehrere datenverarbeitende Stellen können gemeinsam eine behördliche Datenschutzbeauftragte oder einen behördlichen Datenschutzbeauftragten bestellen.

(2) Die oder der behördliche Datenschutzbeauftragte muß die erforderliche Sachkunde und Zuverlässigkeit besitzen. Sie oder er darf durch die Bestellung keinem Konflikt mit anderen dienstlichen Aufgaben ausgesetzt sein.

(3) Die oder der behördliche Datenschutzbeauftragte ist unmittelbar der Leiterin oder dem Leiter der datenverarbeitenden Stelle zu unterstellen. Sie oder er ist bei der Ausübung des Amtes weisungsfrei und darf wegen der Wahrnehmung des Amtes nicht benachteiligt werden. Sie oder er ist zur Erfüllung der Aufgaben des Amtes im erforderlichen Umfang freizustellen und mit den notwendigen Mitteln auszustatten. Beschäftigte und Betroffene können sich ohne Einhaltung des Dienstweges in allen Angelegenheiten des Datenschutzes an sie oder ihn wenden. Die oder der behördliche Datenschutzbeauftragte darf zur Aufgabenerfüllung Einsicht in personenbezogene Datenverarbeitungsvorgänge nehmen. Dies gilt nicht, soweit besondere Amts- und Berufsgeheimnisse dem entgegenstehen. Im übrigen gilt § 41 Abs. 1 entsprechend.

(4) Die oder der behördliche Datenschutzbeauftragte überwacht und unterstützt die Einhaltung der datenschutzrechtlichen Vorschriften bei der datenverarbeitenden Stelle. Sie oder er hat insbesondere

1. auf die Einhaltung der Datenschutzvorschriften bei der Einführung von Datenverarbeitungsmaßnahmen hinzuwirken,
2. die Beschäftigten der datenverarbeitenden Stellen mit den Bestimmungen dieses Gesetzes sowie den sonstigen Vorschriften über den Datenschutz vertraut zu machen,
3. die datenverarbeitende Stelle bei der Gestaltung und Auswahl von Verfahren zur Verarbeitung personenbezogener Daten zu beraten und bei der Einführung neuer Verfahren oder der Änderung beste-

hender Verfahren auf die Einhaltung der einschlägigen Vorschriften hinzuwirken,
4. das Verzeichnis nach § 7 Abs. 1 zu führen und zur Einsicht bereitzuhalten,
5. die Vorabkontrolle nach § 9 Abs. 1 durchzuführen.

In Zweifelsfällen hat sie oder er das Unabhängige Landeszentrum für Datenschutz zu hören.

Abschnitt II
Zulässigkeit der Datenverarbeitung

§ 11 Zulässigkeit der Datenverarbeitung

(1) Die Verarbeitung personenbezogener Daten ist zulässig, wenn
1. die oder der Betroffene eingewilligt hat,
2. dieses Gesetz oder eine andere Rechtsvorschrift sie erlaubt,
3. sie zur rechtmäßigen Erfüllung der durch Rechtsvorschrift zugewiesenen Aufgaben der datenverarbeitenden Stelle erforderlich ist oder
4. sie zur Wahrung lebenswichtiger Interessen der betroffenen Person erforderlich ist.

(2) Die Verarbeitung personenbezogener Daten, die allgemein zugänglichen Quellen entnommen werden können, sowie von Daten, die die Betroffenen selbst zur Veröffentlichung bestimmt haben, ist über die Fälle von Absatz 1 hinaus zulässig, soweit schutzwürdige Belange der Betroffenen nicht beeinträchtigt sind.

(3) Die Verarbeitung personenbezogener Daten über die rassische oder ethnische Herkunft, politische Meinungen, religiöse oder weltanschauliche Überzeugungen, die Gewerkschaftszugehörigkeit, die Gesundheit oder das Sexualleben sowie von Daten, die einem besonderen Berufs- oder Amtsgeheimnis unterliegen, ist nur zulässig, soweit
1. die oder der Betroffene eingewilligt hat,
2. die Voraussetzungen des § 17 Abs. 5 oder der §§ 22 bis 25 vorliegen,
3. andere Rechtsvorschriften sie erlauben,
4. sie ausschließlich im Interesse der oder des Betroffenen liegt,
5. sie sich auf Daten bezieht, die die oder der Betroffene selbst öffentlich gemacht hat,
6. sie zur Geltendmachung rechtlicher Ansprüche vor Gericht erforderlich ist oder
7. sie für die Abwehr von Gefahren für Leben, Gesundheit, persönliche Freiheit oder vergleichbare Rechtsgüter erforderlich ist.

Satz 1 gilt entsprechend für Daten über strafbare Handlungen und Entscheidungen in Strafsachen.

(4) Die Datenverarbeitung soll so organisiert sein, daß bei der Verarbeitung, insbesondere der Übermittlung, der Kenntnisnahme im Rahmen der Aufgabenerfüllung und der Einsichtnahme, die Trennung der Daten nach den jeweils verfolgten Zwecken und nach unterschiedlichen Betroffenen möglich ist. Sind personenbezogene Daten in Akten derart verbunden, daß ihre Trennung nach erforderlichen und nicht erforderlichen Daten auch durch Vervielfältigung und Unkenntlichmachung nicht oder nur mit unverhältnismäßigem Aufwand möglich ist, so sind auch die Kenntnisnahme, die Weitergabe innerhalb der datenverarbeitenden Stelle und die Übermittlung der Daten, die nicht zur Erfüllung der jeweiligen Aufgabe erforderlich sind, zulässig, soweit nicht schutzwürdige Belange der oder des Betroffenen überwiegen. Die nicht erforderlichen Daten unterliegen insoweit einem Verwertungsverbot.

(5) Die Absätze 3 und 4 finden keine Anwendung, wenn die Datenverarbeitung

1. durch die Verfassungsschutzbehörde zur Erfüllung ihrer Aufgaben erfolgt,
2. der Gefahrenabwehr dient,
3. der Strafverfolgung dient oder
4. der Steuerfahndung dient.

Absatz 3 Satz 1 findet keine Anwendung, wenn die Datenverarbeitung der Gesundheitsvorsorge, der medizinischen Diagnostik, der Gesundheitsversorgung oder Behandlung oder der Verwaltung von Gesundheitsdiensten dient und die Verarbeitung der Daten durch ärztliches Personal oder sonstige Personen, die einer der ärztlichen Schweigepflicht entsprechenden Geheimhaltungspflicht unterliegen, erfolgt.

(6) Pseudonymisierte Daten dürfen nur von solchen Stellen verarbeitet werden, die keinen Zugriff auf die Zuordnungsfunktion haben. Die Übermittlung pseudonymisierter Daten ist zulässig, wenn die Zuordnungsfunktion im alleinigen Zugriff der übermittelnden Stelle verbleibt.

§ 12 Form der Einwilligung

(1) Die Einwilligung bedarf der Schriftform, soweit nicht wegen besonderer Umstände eine andere Form angemessen ist. In den Fällen des § 11 Abs. 3 muß sich die Einwilligung ausdrücklich auf die dort aufgeführten Daten beziehen. Soll die Einwilligung zusammen mit anderen Erklärungen erteilt werden, ist die oder der Betroffene auf die Einwilligungserklärung schriftlich besonders hinzuweisen.

(2) Die oder der Betroffene ist in geeigneter Weise über die Bedeutung der Einwilligung aufzuklären. Dabei ist unter Darlegung der Rechtsfolgen darauf hinzuweisen, daß die Einwilligung verweigert und mit Wirkung für die Zukunft widerrufen werden kann.

(3) Die Einwilligung kann auch elektronisch erklärt werden, wenn sichergestellt ist, daß
1. sie nur durch eine eindeutige und bewußte Handlung der oder des Betroffenen erfolgen kann,
2. sie nicht unerkennbar verändert werden kann,
3. ihre Urheberin oder ihr Urheber erkannt werden kann und
4. die Einwilligung bei der verarbeitenden Stelle protokolliert wird.

§ 13 Erhebung, Zweckbindung

(1) Personenbezogene Daten sind bei den Betroffenen mit ihrer Kenntnis zu erheben. Ohne Kenntnis der Betroffenen dürfen personenbezogene Daten nur erhoben werden, wenn die Voraussetzungen von Absatz 3 Nr. 1, 2 oder 4 vorliegen. Die Herkunft der Daten ist zu dokumentieren.

(2) Personenbezogene Daten dürfen nur für den Zweck weiterverarbeitet werden, für den sie rechtmäßig erhoben worden sind. Daten, von denen die öffentliche Stelle ohne Erhebung Kenntnis erlangt hat, dürfen nur für die Zwecke weiterverarbeitet werden, für die sie erstmals rechtmäßig gespeichert worden sind.

(3) Die Verarbeitung für andere Zwecke ist ohne Einwilligung der oder des Betroffenen nur zulässig, wenn
1. eine Rechtsvorschrift dies erlaubt,
2. die Abwehr erheblicher Nachteile für das Allgemeinwohl oder von Gefahren für Leben, Gesundheit, persönliche Freiheit oder sonstiger schwerwiegender Beeinträchtigungen der Rechte einzelner dies gebietet,
3. sich bei Gelegenheit der rechtmäßigen Aufgabenerfüllung Anhaltspunkte für Straftaten oder Ordnungswidrigkeiten ergeben oder
4. die Einholung der Einwilligung nicht oder nur mit unverhältnismäßigem Aufwand möglich wäre und offensichtlich ist, daß die Verarbeitung im Interesse der oder des Betroffenen liegt und sie oder er in Kenntnis des anderen Zwecks die Einwilligung erteilen würde.

(4) Daten im Sinne von § 11 Abs. 3 Satz 1 dürfen ohne Einwilligung der oder des Betroffenen für andere Zwecke nur verarbeitet werden, wenn die Voraussetzungen des Absatzes 3 Nr. 1 oder 2 vorliegen. Dies gilt nicht in den Fällen des § 11 Abs. 5.

(5) Die Verarbeitung der Daten zur Ausübung von Aufsichts- und Kontrollbefugnissen sowie zur Rechnungsprüfung gilt nicht als Verarbeitung für andere Zwecke. Daten, die zu einem anderen Zweck erhoben oder erstmalig gespeichert wurden, sind für Ausbildungs- und Prüfungszwecke in anonymisierter oder pseudonymisierter Form zu

verarbeiten. Lassen sich die in Satz 2 genannten Zwecke durch anonymisierte oder pseudonymisierte Datenverarbeitung nicht erreichen, so ist die Zweckänderung zulässig, soweit berechtigte Interessen der oder des Betroffenen an der Geheimhaltung der Daten nicht überwiegen.

(6) Personenbezogene Daten, die ausschließlich zu Zwecken der Datenschutzkontrolle, der Datensicherheit oder zur Sicherstellung des ordnungsgemäßen Betriebes einer Datenverarbeitungsanlage gespeichert werden, dürfen nicht für andere Zwecke verwendet werden.

(7) Werden Daten innerhalb einer datenverarbeitenden Stelle zu einem anderen Zweck als dem nach Absatz 2 weiterverarbeitet, so ist dies zu dokumentieren.

§ 14 Datenübermittlung an andere öffentliche Stellen

(1) Die Übermittlung personenbezogener Daten an andere öffentliche Stellen ist zulässig, wenn die Voraussetzungen der §§ 11 und 13 Abs. 2 bis 6 vorliegen.

(2) Die Verantwortung für die Zulässigkeit der Übermittlung trägt die übermittelnde Stelle. Soll die Übermittlung auf Ersuchen einer Stelle erfolgen, so hat diese die hierfür erforderlichen Angaben zu machen, insbesondere die Rechtsgrundlage für die Übermittlung anzugeben. Die übermittelnde Stelle prüft die Schlüssigkeit der Anfrage. Bestehen im Einzelfall Zweifel, so prüft sie auch die Rechtmäßigkeit des Ersuchen

§ 15 Datenübermittlung an nichtöffentliche Stellen

(1) Die Übermittlung personenbezogener Daten an nichtöffentliche Stellen ist zulässig, wenn

1. von diesen ein rechtliches Interesse an der Kenntnis der zu übermittelnden Daten glaubhaft gemacht wird und schutzwürdige Belange der oder des Betroffenen nicht beeinträchtigt sind oder
2. die Voraussetzungen der §§ 11 und 13 Abs. 2 bis 6 vorliegen.

(2) Die übermittelnde Stelle hat die empfangende Stelle zu verpflichten, die Daten nur zu dem Zweck zu verwenden, zu dem sie ihr übermittelt wurden.

§ 16 Datenübermittlung an ausländische Stellen

(1) Die Zulässigkeit der Übermittlung an öffentliche und nichtöffentliche Stellen außerhalb des Geltungsbereichs des Grundgesetzes richtet sich nach den §§ 14 und 15.

(2) Die Übermittlung an Stellen außerhalb der Mitgliedstaaten der Europäischen Union ist nur zulässig, wenn dort ein angemessenes

Datenschutzniveau gewährleistet ist. Fehlt es an einem angemessenen Datenschutzniveau, so ist die Übermittlung nur zulässig, wenn

1. die oder der Betroffene eingewilligt hat,
2. die Übermittlung zur Wahrung eines überwiegenden öffentlichen Interesses oder zur Geltendmachung, Ausübung oder Verteidigung eines rechtlichen Interesses erforderlich ist,
3. die Übermittlung zur Wahrung lebenswichtiger Interessen der oder des Betroffenen erforderlich ist,
4. die Übermittlung aus einem für die Öffentlichkeit bestimmten Register erfolgt oder
5. die empfangende Stelle ausreichende Garantien hinsichtlich des Schutzes der Grundrechte bietet.

(3) Vor der Entscheidung über die Angemessenheit des Datenschutzniveaus und einer Entscheidung nach Absatz 2 Nr. 5 ist das Unabhängige Landeszentrum für Datenschutz zu hören.

(4) Die empfangende Stelle ist darauf hinzuweisen, daß die Daten nur zu den Zwecken verarbeitet werden dürfen, für die sie übermittelt wurden.

Abschnitt III
Besondere Formen der Datenverarbeitung

§ 17 Verarbeitung personenbezogener Daten im Auftrag, Wartung

(1) Läßt eine datenverarbeitende Stelle personenbezogene Daten in ihrem Auftrag verarbeiten, bleibt sie für die Einhaltung der Vorschriften dieses Gesetzes und anderer Vorschriften über den Datenschutz verantwortlich. Rechte der Betroffenen sind ihr gegenüber geltend zu machen. Die Weitergabe der Daten von der datenverarbeitenden Stelle an die Auftragnehmenden gilt nicht als Übermittlung im Sinne von § 2 Abs. 2 Nr. 3.

(2) Die datenverarbeitende Stelle hat dafür Sorge zu tragen, daß personenbezogene Daten nur im Rahmen ihrer Weisungen verarbeitet werden. Sie hat die erforderlichen technischen und organisatorischen Maßnahmen zu treffen, um dies sicherzustellen. Sie hat Auftragnehmende unter besonderer Berücksichtigung ihrer Eignung für die Gewährleistung der nach den §§ 5 und 6 notwendigen technischen und organisatorischen Maßnahmen sorgfältig auszuwählen. Aufträge, ergänzende Weisungen zu technischen und organisatorischen Maßnahmen und die etwaige Zulässigkeit von Unterauftragsverhältnissen sind schriftlich festzulegen.

(3) Sofern die Vorschriften dieses Gesetzes auf Auftragnehmende keine Anwendung finden, hat die datenverarbeitende Stelle diese zu verpflichten, jederzeit von ihr veranlaßte Kontrollen zu ermöglichen.

(4) Bei der Erbringung von Wartungsarbeiten oder von vergleichbaren Unterstützungstätigkeiten bei der Datenverarbeitung durch Stellen oder Personen außerhalb der datenverarbeitenden Stelle gelten die Absätze 1 bis 3 entsprechend.

(5) Zur Durchführung von beratenden oder begutachtenden Tätigkeiten im Auftrag der datenverarbeitenden Stelle ist die Übermittlung personenbezogener Daten zulässig, wenn die übermittelnde Stelle die beauftragten Personen verpflichtet,

1. die Daten nur zu dem Zweck zu verarbeiten, zu dem sie ihnen überlassen worden sind und
2. nach Erledigung des Auftrags die ihnen von der datenverarbeitenden Stelle überlassenen Datenträger zurückzugeben und die bei ihnen gespeicherten Daten zu löschen, soweit nicht besondere Rechtsvorschriften entgegenstehen.

Die Absätze 1 bis 3 gelten entsprechend.

§ 18 Mobile personenbezogene Datenverarbeitungssysteme

(1) Mobile personenbezogene Speicher- und Verarbeitungsmedien zum Einsatz in automatisierten Verfahren, die an die Betroffenen ausgegeben werden und die über eine von der ausgebenden Stelle oder Dritten bereitgestellte Schnittstelle Daten der Betroffenen automatisiert austauschen können (mobile Datenverarbeitungssysteme, z. B. Chipkarten), dürfen nur mit der Einwilligung der oder des Betroffenen oder aufgrund einer Rechtsvorschrift eingesetzt werden.

(2) Für die Betroffenen muß jederzeit erkennbar sein,

1. ob Datenverarbeitungsvorgänge auf dem mobilen Datenverarbeitungssystem oder durch dieses veranlaßt stattfinden,
2. welche personenbezogenen Daten der oder des Betroffenen verarbeitet werden und
3. welcher Verarbeitungsvorgang im einzelnen abläuft oder angestoßen wird.

(3) Die Betroffenen sind bei der Ausgabe des mobilen Datenverarbeitungssystems über die ihnen nach den §§ 26 ff. zustehenden Rechte aufzuklären.

§ 19 Automatisierte Einzelentscheidungen

Entscheidungen, die zu einer tatsächlichen oder rechtlichen Beschwer der Betroffenen führen, dürfen nicht ausschließlich auf die Ergebnisse automatisierter Verfahren, die einzelne Aspekte der Person der Betroffenen bewerten, gestützt werden. Ergebnisse automatisierter Verfahren dürfen abweichend von Satz 1 für Entscheidungen verwendet werden, wenn

1. ein Gesetz dies vorsieht oder
2. der oder dem Betroffenen vor der Entscheidung ermöglicht wird, ihre oder seine besonderen persönlichen Interessen geltend zu machen.

§ 20 Video-Überwachung und -Aufzeichnung

(1) Öffentliche Stellen dürfen mit optisch-elektronischen Einrichtungen öffentlich zugängliche Räume beobachten (Video-Überwachung), soweit dies zur Erfüllung ihrer Aufgaben oder zur Wahrnehmung eines Hausrechts erforderlich ist und schutzwürdige Belange Betroffener nicht überwiegen.

(2) Das Bildmaterial darf gespeichert werden (Video-Aufzeichnung), wenn die Tatsache der Aufzeichnung für die Betroffenen durch geeignete Maßnahmen erkennbar gemacht ist. Die Aufzeichnungen sind spätestens nach sieben Tagen zu löschen, es sei denn, sie dokumentieren Vorkommnisse, zu deren Aufklärung die weitere Speicherung erforderlich ist.

§ 21 Fernmessen und Fernwirken

(1) Wer eine Datenverarbeitungs- oder Übertragungseinrichtung zu dem Zweck nutzt, bei einem Betroffenen, insbesondere in der Wohnung oder in den Geschäftsräumen ferngesteuert Messungen vorzunehmen oder andere Wirkungen auszulösen, bedarf dessen Einwilligung.

(2) Eine Leistung, der Abschluß oder die Abwicklung eines Vertragsverhältnisses darf nicht von der Einwilligung der oder des Betroffenen nach Absatz 1 abhängig gemacht werden. Verweigert oder widerruft die oder der Betroffene ihre oder seine Einwilligung, so dürfen ihr oder ihm keine Nachteile entstehen, die über die unmittelbaren Folgekosten hinausgehen.

Abschnitt IV
Besondere Zwecke der Datenverarbeitung

§ 22 Datenverarbeitung für wissenschaftliche Zwecke

(1) Die Verarbeitung personenbezogener Daten zu wissenschaftlichen Zwecken durch öffentliche Stellen und die Übermittlung personenbezogener Daten durch öffentliche Stellen an Dritte, die die Daten

zu wissenschaftlichen Zwecken nutzen wollen (Datenverarbeitung für wissenschaftliche Zwecke), soll in anonymisierter Form erfolgen. Ist eine Anonymisierung nicht möglich, sollen die Daten pseudonymisiert werden. § 11 Abs. 6 gilt entsprechend.

(2) Steht bei der übermittelnden Stelle zur Erfassung der Daten, zur Anonymisierung oder Pseudonymisierung nicht ausreichend Personal zur Verfügung, so können die mit der Forschung befaßten Personen diese Aufgaben wahrnehmen, wenn sie zuvor zur Verschwiegenheit verpflichtet worden sind.

(3) Ist weder eine Anonymisierung noch eine Pseudonymisierung möglich, ist die Datenverarbeitung für wissenschaftliche Zwecke zulässig, wenn

1. die oder der Betroffene in die Datenverarbeitung eingewilligt hat,
2. es sich nicht um Daten nach § 11 Abs. 3 handelt und schutzwürdige Belange der oder des Betroffenen wegen der Art der Daten oder wegen der Art der Verwendung für das jeweilige Forschungsvorhaben nicht beeinträchtigt sind oder
3. die Genehmigung der für die datenverarbeitende Stelle zuständigen obersten Aufsichtsbehörde vorliegt.

(4) Die Genehmigung nach Absatz 3 Nr. 3 wird erteilt, wenn das öffentliche Interesse an der Durchführung des jeweiligen Forschungsvorhabens die schutzwürdigen Belange der oder des Betroffenen erheblich überwiegt und der Zweck der Forschung auf andere Weise nicht oder nur mit unverhältnismäßigem Aufwand erreicht werden kann. Die Genehmigung muß den Forschungszweck, die Art der zu verarbeitenden Daten, den Kreis der Betroffenen sowie bei Übermittlungen den Empfängerkreis bezeichnen und ist dem Unabhängigen Landeszentrum für Datenschutz mitzuteilen.

(5) Sobald der Forschungszweck es gestattet, sind die Daten zu anonymisieren, hilfsweise zu pseudonymisieren. Nach Maßgabe der Absätze 1 bis 3 dürfen die personenbezogenen Daten auch für einen anderen als den ursprünglichen Forschungszweck weiterverarbeitet werden.

(6) Die wissenschaftliche Forschung betreibenden Stellen dürfen personenbezogene Daten nur veröffentlichen, wenn

1. die oder der Betroffene eingewilligt hat oder
2. dies für die Darstellung von Forschungsergebnissen über Personen der Zeitgeschichte unerläßlich ist.

(7) Die übermittelnde Stelle hat empfangende Stellen, auf die dieses Gesetz keine Anwendung findet, zu verpflichten, die Vorschriften der Absätze 5 und 6 einzuhalten und jederzeit Kontrollen durch das Unabhängige Landeszentrum für Datenschutz zu ermöglichen.

§ 23 Datenverarbeitung bei Dienst- und Arbeitsverhältnissen

(1) Öffentliche Stellen dürfen Daten der Beschäftigten vorbehaltlich besonderer gesetzlicher oder tarifvertraglicher Regelungen nur nach Maßgabe der §§ 106 bis 106 h des Landesbeamtengesetzes verarbeiten.

(2) Daten von Beschäftigten, die im Rahmen der Durchführung der technischen und organisatorischen Maßnahmen nach den §§ 5 und 6 gespeichert oder in einem automatisierten Verfahren gewonnen werden, dürfen nicht zu Zwecken der Verhaltens- oder Leistungskontrolle ausgewertet werden.

§ 24 Öffentliche Auszeichnungen

(1) Zur Vorbereitung öffentlicher Auszeichnungen dürfen die Ministerpräsidentin oder der Ministerpräsident, das Innenministerium sowie die von der Ministerpräsidentin oder dem Ministerpräsidenten besonders beauftragten Stellen die dazu erforderlichen personenbezogenen Daten auch ohne Kenntnis der Betroffenen erheben und weiterverarbeiten. Eine Verarbeitung dieser Daten für andere Zwecke ist nur mit Einwilligung der Betroffenen zulässig.

(2) Auf Anforderung der in Absatz 1 Satz 1 genannten Stellen dürfen andere öffentliche Stellen die zur Vorbereitung der Auszeichnung erforderlichen Daten übermitteln.

(3) § 27 findet keine Anwendung.

§ 25 Besondere Dokumentationsstelle für Sekten

(1) Die Ministerpräsidentin oder der Ministerpräsident oder eine von ihr oder von ihm besonders beauftragte Stelle (Dokumentationsstelle) kann zum Zweck der Aufklärung oder Warnung die Betätigungen von Sekten oder sektenähnlichen Vereinigungen einschließlich der mit ihnen rechtlich, wirtschaftlich oder in ihrer religiösen oder weltanschaulichen Zielsetzung verbundenen Organisationen oder Vereinigungen in Schleswig-Holstein dokumentieren und über sie informieren, sofern tatsächliche Anhaltspunkte den Verdacht begründen, daß von deren Wirken Gefahren für die Menschenwürde, die freie Entfaltung der Persönlichkeit, das Leben, die Gesundheit oder das Eigentum ausgehen, insbesondere daß Personen in ihrer Willensfreiheit eingeschränkt werden.

(2) Soweit ein begründeter Verdacht im Sinne des Absatz 1 besteht, kann die Dokumentationsstelle über Personen, die in einer derartigen Sekte, Vereinigung oder Organisation aktiv mitwirken, bei anderen öffentlichen Stellen vorhandene oder öffentlich zugängliche personenbezogene Daten erheben und weiterverarbeiten. Hiervon ausgenommen

sind Daten, die besonderen Berufs- oder Amtsgeheimnissen unterliegen, sowie Daten, für die besondere Verwendungsvorschriften in anderen Gesetzen bestehen.

(3) Die Speicherung der erhobenen personenbezogenen Daten ist spätestens nach zwei Jahren auf ihre Erforderlichkeit zu prüfen. Spätestens fünf Jahre nach der letzten Tätigkeit im Sinne von Absatz 2 sind die personenbezogenen Daten zu löschen.

(4) An Stellen außerhalb des öffentlichen Bereichs dürfen personenbezogene Daten übermittelt werden, wenn
1. es zur Erfüllung der Aufgabe nach Absatz 1 erforderlich ist oder
2. ein Dritter ein rechtliches Interesse daran hat und schutzwürdige Belange der oder des Betroffenen nicht beeinträchtigt sind.

Abschnitt V
Rechte der Betroffenen

§ 26 Aufklärung, Benachrichtigung

(1) Werden personenbezogene Daten bei den Betroffenen mit ihrer Kenntnis erhoben, so sind sie in geeigneter Weise über die datenverarbeitende Stelle und den Zweck der Datenverarbeitung aufzuklären. Die Betroffenen sind darüber hinaus aufzuklären über
1. die Rechtsvorschrift, die die Datenverarbeitung gestattet; liegt eine solche nicht vor, die Freiwilligkeit der Datenangabe,
2. die Folgen einer Nichtbeantwortung, wenn die Angaben für die Gewährung einer Leistung erforderlich sind,
3. ihre Rechte nach diesem Gesetz,
4. den Empfängerkreis bei beabsichtigten Übermittlungen sowie
5. die Auftragnehmenden bei beabsichtigter Datenverarbeitung im Auftrag,

soweit es nach den Umständen des Einzelfalles angemessen erscheint. Die Pflicht zur Benachrichtigung nach den Sätzen 1 und 2 entfällt, wenn den Betroffenen die Informationen bereits vorliegen.

(2) Absatz 1 gilt nicht für
1. die Verfassungsschutzbehörden,
2. die Behörden der Staatsanwaltschaft,
3. die Behörden der Polizei,
4. die Gefahrenabwehrbehörden und
5. die Landesfinanzverwaltungen.

(3) Werden die Daten ohne Kenntnis der Betroffenen erhoben, so sind diese in angemessener Weise über die verarbeiteten Daten und über die in Absatz 1 Satz 1 und Satz 2 Nr. 1 und 3 bis 5 genannten Umstände zu unterrichten. Eine Pflicht zur Aufklärung besteht nicht,

wenn die Benachrichtigung der Betroffenen unmöglich ist oder einen unverhältnismäßigen Aufwand erfordert. Sollen die Daten übermittelt werden, so hat die Benachrichtigung spätestens zeitgleich mit der Übermittlung zu erfolgen. Satz 1 und 3 finden keine Anwendung, wenn die Betroffenen auf andere Weise Kenntnis von der Verarbeitung ihrer Daten erlangt haben.

§ 27 Auskunft an Betroffene

(1) Den Betroffenen ist von der datenverarbeitenden Stelle auf Antrag Auskunft zu erteilen über

1. die zu ihrer Person gespeicherten Daten,
2. den Zweck und die Rechtsgrundlage der Speicherung,
3. die Herkunft der Daten und den Empfängerkreis von Übermittlungen,
4. die Auftragnehmenden bei Datenverarbeitung im Auftrag,
5. die Berichtigung, Löschung oder Sperrung von Daten, deren Verarbeitung nicht den gesetzlichen Bestimmungen entspricht, insbesondere wenn diese Daten unvollständig oder unrichtig sind, sowie
6. die Funktionsweise von automatisierten Verfahren.

Die Betroffenen sollen die Art der personenbezogenen Daten, über die Auskunft verlangt wird, näher bezeichnen.

(2) Den Betroffenen kann statt der Auskunft Einsicht in die zu ihrer Person gespeicherten Daten gewährt werden. Die Einsicht wird nicht gewährt, soweit diese mit personenbezogenen Daten Dritter oder geheimhaltungsbedürftigen nicht personenbezogenen Daten derart verbunden sind, daß ihre Trennung nicht oder nur mit unverhältnismäßigem Aufwand möglich ist. Rechtsvorschriften über die Akteneinsicht im Verwaltungsverfahren bleiben unberührt.

(3) Die Auskunftserteilung oder die Gewährung von Einsicht unterbleibt, soweit eine Prüfung ergibt, daß

1. dadurch die Erfüllung der Aufgaben der datenverarbeitenden Stelle, einer übermittelnden Stelle oder einer empfangenden Stelle gefährdet würde,
2. dadurch die öffentliche Sicherheit gefährdet würde oder sonst dem Wohle des Bundes oder eines Landes schwere Nachteile entstehen würden oder
3. die personenbezogenen Daten oder die Tatsache ihrer Speicherung nach einer Rechtsvorschrift oder wegen der berechtigten Interessen einer dritten Person geheimgehalten werden müssen.

(4) Werden Auskunft oder Einsicht nicht gewährt, ist die oder der Betroffene unter Mitteilung der wesentlichen Gründe darauf hinzuweisen,

daß sie oder er sich an das Unabhängige Landeszentrum für Datenschutz wenden kann. Eine Begründung für die Auskunftsverweigerung erfolgt nicht, soweit dadurch der mit der Auskunftsverweigerung verfolgte Zweck gefährdet würde.

§ 28 Berichtigung, Löschung, Sperrung

(1) Personenbezogene Daten sind zu berichtigen, wenn sie unrichtig sind.

(2) Personenbezogene Daten sind zu löschen, wenn
1. ihre Speicherung unzulässig ist oder
2. ihre Kenntnis für die datenverarbeitende Stelle zur Aufgabenerfüllung nicht mehr erforderlich ist.

Die datenverarbeitende Stelle legt in allgemeinen Regelungen über die Aufbewahrung von Daten den Zeitraum fest, innerhalb dessen die Daten als zur Aufgabenerfüllung erforderlich gelten. Sind personenbezogene Daten in Akten untrennbar im Sinne von § 11 Abs. 4 Satz 2 gespeichert, ist die Löschung nur durchzuführen, wenn die gesamte Akte zur Aufgabenerfüllung nicht mehr erforderlich ist.

(3) Personenbezogene Daten sind zu sperren, wenn
1. ihre Richtigkeit von der oder dem Betroffenen bestritten wird und sich weder die Richtigkeit noch die Unrichtigkeit nachweisen läßt,
2. sie zur Aufgabenerfüllung nicht mehr erforderlich sind, Rechtsvorschriften jedoch die weitere Aufbewahrung anordnen,
3. die oder der Betroffene anstelle der Löschung die Sperrung verlangt,
4. die Löschung die Betroffene oder den Betroffenen in der Verfolgung ihrer oder seiner Rechte oder in sonstigen schutzwürdigen Belangen beeinträchtigen würde oder
5. eine Löschung gemäß Absatz 2 Satz 3 nicht erfolgt.

(4) Gesperrte Daten dürfen über die Speicherung hinaus ohne Einwilligung der oder des Betroffenen nicht mehr weiterverarbeitet werden, es sei denn, daß Rechtsvorschriften die Verarbeitung zulassen oder die Nutzung durch die datenverarbeitende Stelle zur Behebung einer bestehenden Beweisnot oder aus sonstigen im überwiegenden Interesse der datenverarbeitenden Stelle oder von Dritten liegenden Gründen unerläßlich ist. Die Gründe für die Nutzung gesperrter Daten sind zu dokumentieren.

(5) Von der Berichtigung, Sperrung oder Löschung nach Absatz 2 Nr. 1 sind unverzüglich die Stellen zu unterrichten, denen die Daten übermittelt wurden. Die Unterrichtung kann unterbleiben, wenn sie einen unverhältnismäßigen Aufwand erfordern würde und schutzwürdige Belange der oder des Betroffenen nicht beeinträchtigt werden.

§ 29 Einwand gegen die Verarbeitung

(1) Die Betroffenen haben das Recht, schriftlich unter Hinweis auf besondere persönliche Gründe Einwand gegen die Verarbeitung ihrer Daten allgemein oder gegen bestimmte Formen der Verarbeitung zu erheben. Der Einwand ist begründet, wenn ein schutzwürdiges Interesse der oder des Betroffenen das öffentliche Interesse an der Datenverarbeitung im Einzelfall überwiegt. In diesem Fall ist die Datenverarbeitung insgesamt oder in bestimmten Formen unzulässig.

(2) Absatz 1 findet keine Anwendung bei Verfahren, die
1. nach dem Landesverfassungsschutzgesetz geführt werden,
2. der Gefahrenabwehr dienen,
3. der Strafverfolgung dienen oder
4. der Steuerfahndung dienen.

§ 30 Schadensersatz

(1) Entsteht der oder dem Betroffenen durch eine unzulässige oder unrichtige Verarbeitung ihrer oder seiner personenbezogenen Daten in einem automatisierten Verfahren ein Schaden, so ist ihr oder ihm der Träger jeder für die Verarbeitung verantwortlichen Stelle unabhängig von einem Verschulden zum Schadensersatz verpflichtet.

(2) In Fällen einer schweren Verletzung des Persönlichkeitsrechts kann die oder der Betroffene auch wegen des Schadens, der nicht Vermögensschaden ist, eine billige Entschädigung in Geld verlangen.

(3) Die ersatzpflichtige Stelle haftet jeder oder jedem Betroffenen für jedes schädigende Ereignis bis zu einem Betrag von 125.000 Euro. Mehrere Ersatzpflichtige haften gesamtschuldnerisch.

(4) Auf das Mitverschulden der oder des Betroffenen und die Verjährung des Entschädigungsanspruchs sind die §§ 254, 839 Abs. 3 und § 852 des Bürgerlichen Gesetzbuches entsprechend anzuwenden.

(5) Die Geltendmachung weitergehender Schadensersatzansprüche aufgrund anderer Vorschriften bleibt unberührt.

§ 31 Unabdingbarkeit

Die Rechte der Betroffenen aus diesem Gesetz können nicht durch Rechtsgeschäft ausgeschlossen oder beschränkt werden.

Abschnitt VI
Das Unabhängige Landeszentrum für Datenschutz

§ 32 Errichtung und Rechtsform

(1) Das Land Schleswig-Holstein errichtet unter dem Namen »Unabhängiges Landeszentrum für Datenschutz« eine rechtsfähige Anstalt

des öffentlichen Rechts. Sitz der Anstalt ist die Landeshauptstadt Kiel.

(2) Die Anstalt besitzt Dienstherrnfähigkeit und führt das kleine Landessiegel.

§ 33 Trägerschaft, Anstaltslast und Gewährträgerhaftung

(1) Träger der Anstalt ist das Land Schleswig-Holstein.

(2) Für Verbindlichkeiten der Anstalt haftet der Anstaltsträger Dritten gegenüber, soweit nicht eine Befriedigung aus dem Vermögen der Anstalt möglich ist.

(3) Der Anstaltsträger stellt sicher, daß die Anstalt ihre gesetzlichen Aufgaben erfüllen kann.

§ 34 Organ

(1) Organ der Anstalt ist der Vorstand.

(2) Der Vorstand besteht aus der Leiterin oder dem Leiter der Anstalt. Sie oder er führt die Bezeichnung »Landesbeauftragte für Datenschutz« oder »Landesbeauftragter für Datenschutz«.

(3) Die Landesbeauftragte oder der Landesbeauftragte für Datenschutz führt die Geschäfte der Anstalt und vertritt sie gerichtlich und außergerichtlich. In ihrem oder seinem Verhinderungsfalle vertritt die oder der stellvertretende Landesbeauftragte für Datenschutz die Anstalt und führt deren Geschäfte.

§ 35 Rechtsstellung der oder des Landesbeauftragten für Datenschutz

(1) Der Landtag wählt ohne Aussprache die Landesbeauftragte oder den Landesbeauftragten für Datenschutz mit mehr als der Hälfte seiner Mitglieder für die Dauer von fünf Jahren. Die Wiederwahl ist nur einmal zulässig.

(2) Vorschlagsberechtigt sind die Fraktionen des Schleswig-Holsteinischen Landtages. Kommt vor Ablauf der Amtszeit eine Neuwahl nicht zustande, führt die oder der Landesbeauftragte für Datenschutz das Amt bis zur Neuwahl weiter.

(3) Die Ministerpräsidentin oder der Ministerpräsident ernennt die Landesbeauftragte oder den Landesbeauftragten zur Beamtin oder zum Beamten auf Zeit.

(4) Die oder der Landesbeauftragte für Datenschutz kann jederzeit die Entlassung verlangen.

(5) Die Ministerpräsidentin oder der Ministerpräsident ist Dienstvorgesetzte oder Dienstvorgesetzter der oder des Landesbeauftragten für Datenschutz. Die oder der Landesbeauftragte für Datenschutz ist Dienstvorgesetzte oder Dienstvorgesetzter und oberste Dienstbehörde der in der Anstalt beschäftigten Beamtinnen und Beamten.

(6) Die oder der Landesbeauftragte für Datenschutz bestellt eine Mitarbeiterin zur Stellvertreterin oder einen Mitarbeiter zum Stellvertreter und ernennt die Beamtinnen oder Beamten der Anstalt.

§ 36 Satzung

Der Vorstand ist zum Erlaß und zur Änderung der Satzung befugt.

§ 37 Beirat

Der Vorstand kann einen Beirat berufen, der den Vorstand der Anstalt berät. Das Nähere regelt die Satzung.

§ 38 Aufsicht

Das Unabhängige Landeszentrum für Datenschutz nimmt die ihm zugewiesenen Aufgaben in Unabhängigkeit wahr. Es unterliegt der Rechtsaufsicht des Innenministeriums nur, soweit es die Datenschutzkontrolle im nichtöffentlichen Bereich durchführt. § 127 der Gemeindeordnung ist nicht anwendbar.

§ 39 Aufgaben des Unabhängigen Landeszentrums für Datenschutz

(1) Das Unabhängige Landeszentrum für Datenschutz überwacht die Einhaltung der Vorschriften dieses Gesetzes sowie anderer Vorschriften über den Datenschutz bei den öffentlichen Stellen, auf die dieses Gesetz Anwendung findet. Die Gerichte und der Landesrechnungshof unterliegen seiner Kontrolle, soweit sie nicht in richterlicher Unabhängigkeit tätig werden.

(2) Das Unabhängige Landeszentrum für Datenschutz ist die zuständige Aufsichtsbehörde nach § 38 des Bundesdatenschutzgesetzes über nichtöffentliche Stellen im Anwendungsbereich des Dritten Abschnitts des Bundesdatenschutzgesetzes.

(3) Das Unabhängige Landeszentrum für Datenschutz berät die obersten Landesbehörden sowie die sonstigen öffentlichen Stellen in Fragen des Datenschutzes, der Datensicherheit und der damit zusammenhängenden Datenverarbeitungstechniken sowie deren Sozialverträglichkeit. Zu diesem Zweck können Empfehlungen zur Verbesserung des Datenschutzes gegeben werden. Auf Anforderungen des Landtages, des Eingabenausschusses des Landtages oder einer obersten Landes-

behörde soll das Unabhängige Landeszentrum für Datenschutz ferner Hinweisen auf Angelegenheiten und Vorgänge, die seinen Aufgabenbereich unmittelbar betreffen, nachgehen. (4) Auf Anforderung des Landtages, einzelner Fraktionen des Landtages oder der Landesregierung hat das Unabhängige Landeszentrum für Datenschutz Gutachten zu erstellen und Berichte zu erstatten. Es legt dem Landtag jährlich einen Tätigkeitsbericht vor.

(5) Für die Erfüllung der Aufgaben ist die notwendige Personal- und Sachausstattung zur Verfügung zu stellen; die Mittel sind im Einzelplan des Landtages in einem gesonderten Kapitel auszuweisen.

§ 40 Anrufung des Unabhängigen Landeszentums für Datenschutz

Jede oder jeder hat das Recht, sich unmittelbar an das Unabhängige Landeszentrum für Datenschutz zu wenden, wenn sie oder er annimmt, daß bei der Verarbeitung personenbezogener Daten durch öffentliche Stellen datenschutzrechtliche Vorschriften verletzt wurden. Dies gilt auch für Beschäftigte der öffentlichen Stellen, ohne daß der Dienstweg einzuhalten ist.

§ 41 Kontrollaufgaben

(1) Die öffentlichen Stellen sind verpflichtet, das Unabhängige Landeszentrum für Datenschutz bei der Erfüllung seiner Aufgaben zu unterstützen. Ihm ist dabei insbesondere

1. Auskunft zu erteilen sowie Einsicht in Unterlagen und Dateien zu gewähren, die im Zusammenhang mit der Verarbeitung personenbezogener Daten stehen, besondere Amts- und Berufsgeheimnisse stehen dem nicht entgegen;
2. Zutritt zu Diensträumen zu gewähren. Das Unabhängige Landeszentrum für Datenschutz darf im Rahmen von Kontrollen personenbezogene Daten auch ohne Kenntnis der Betroffenen erheben. Die Benachrichtigung der Betroffenen richtet sich nach §§ 42 Abs. 4.

(2) Stellt die jeweils zuständige oberste Landesbehörde im Einzelfall fest, daß durch eine mit der Einsicht verbundene Bekanntgabe personenbezogener Daten die Sicherheit des Bundes oder eines Landes gefährdet wird, dürfen die Rechte nach Absatz 1 nur von der oder dem Landesbeauftragten für Datenschutz persönlich oder den von ihr oder ihm schriftlich besonders damit betrauten Beauftragten ausgeübt werden.

§ 42 Beanstandungen

(1) Stellt das Unabhängige Landeszentrum für Datenschutz Verstöße

gegen die Vorschriften dieses Gesetzes oder gegen andere Datenschutzbestimmungen oder sonstige Mängel bei der Verarbeitung personenbezogener Daten bei öffentlichen Stellen fest, so fordert es diese zur Mängelbeseitigung auf.

(2) Bei erheblichen Verstößen oder sonstigen erheblichen Mängeln spricht das Unabhängige Landeszentrum für Datenschutz gegenüber der öffentlichen Stelle eine Beanstandung aus. Es soll zuvor die öffentliche Stelle zur Stellungnahme innerhalb einer von ihm zu bestimmenden Frist auffordern und die zuständige Aufsichtsbehörde über die Beanstandung unterrichten.

(3) Mit der Feststellung von Mängeln und der Beanstandung sollen Vorschläge zur Beseitigung der Mängel und zur sonstigen Verbesserung des Datenschutzes verbunden werden.

(4) Die Betroffenen können mit Kenntnis der datenverarbeitenden Stelle nach pflichtgemäßem Ermessen von Verstößen gegen die Vorschriften dieses Gesetzes oder andere Datenschutzvorschriften unterrichtet werden.

§ 43 Serviceaufgaben

(1) Das Unabhängige Landeszentrum für Datenschutz berät und informiert die Bürgerinnen und Bürger über alle Fragen des Datenschutzes und der Datensicherheit, insbesondere über die ihnen bei der Verarbeitung ihrer Daten zustehenden Rechte sowie über geeignete technische Maßnahmen zum Selbstdatenschutz.

(2) Öffentliche Stellen können ihr Datenschutzkonzept durch das Unabhängige Landeszentrum für Datenschutz prüfen und beurteilen lassen.

(3) Das Unabhängige Landeszentrum für Datenschutz führt Fortbildungsveranstaltungen zu den Themen Datenschutz und Datensicherheit durch. Es berät nichtöffentliche Stellen auf Anfrage in Fragen von Datenschutz und Datensicherheit.

(4) Das Unabhängige Landeszentrum für Datenschutz kann für die Wahrnehmung der Aufgaben nach den Absätzen 1 bis 3 Entgelte erheben.

Abschnitt VII
Schlußvorschriften

§ 44 Ordnungswidrigkeiten

(1) Ordnungswidrig handelt, wer entgegen den Vorschriften dieses Gesetzes personenbezogene Daten, die nicht offenkundig sind,

1. erhebt, speichert, zweckwidrig verarbeitet, verändert, übermittelt, zum Abruf bereithält oder löscht,
2. abruft, einsieht, sich verschafft oder durch Vortäuschung falscher Tatsachen ihre Übermittlung an sich oder andere veranlaßt.

Ordnungswidrig handelt auch, wer anonymisierte oder pseudonymisierte Daten mit anderen Informationen zusammenführt und dadurch die Betroffene oder den Betroffenen wieder bestimmbar macht oder wer sich bei pseudonymisierten Daten entgegen den Vorschriften dieses Gesetzes Zugriff auf die Zuordnungsfunktion verschafft.

(2) Die Ordnungswidrigkeit kann mit einer Geldbuße bis zu 50.000 Euro geahndet werden.

§ 45 Aufgabenübergang

(1) Die am 30. Juni 2000 dem bei dem Präsidenten des Schleswig-Holsteinischen Landtages eingerichteten Landesbeauftragten für den Datenschutz sowie der Datenschutzaufsichtsbehörde im Innenministerium obliegenden Aufgaben gehen am 1. Juli 2000 auf die Anstalt über.

(2) Die Dienststelle im Sinne des Mitbestimmungsgesetzes Schleswig-Holstein (MBG Schl.-H.) »Landesbeauftragter für den Datenschutz bei dem Präsidenten des Schleswig-Holsteinischen Landtages« wird aufgelöst.

§ 46 Personalübergang

(1) Mit Wirkung vom 1. Juli 2000 gehen die Arbeits- und Ausbildungsverhältnisse der am 30. Juni 2000 beim Landesbeauftragten für den Datenschutz tätigen Arbeitnehmerinnen und Arbeitnehmer sowie der zu ihrer Ausbildung Beschäftigten vom Land Schleswig-Holstein auf das Unabhängige Landeszentrum für Datenschutz über.

(2) Für die Beschäftigten nach Absatz 1 gelten die bis zum Zeitpunkt der Errichtung der Anstalt maßgeblichen arbeitsvertraglichen Vereinbarungen und Tarifverträge in der jeweils geltenden Fassung weiter. Es gelten ferner die diese Tarifverträge künftig ändernden und ergänzenden Tarifverträge. Das Recht des Unabhängigen Landeszentrums für Datenschutz, für seine Beschäftigen Tarifverträge abzuschließen, bleibt hiervon unberührt. Bis zum Inkrafttreten neuer Tarifverträge sind für die ab 1. Juli 2000 eingestellten Arbeitnehmerinnen und Arbeitnehmer sowie zu ihrer Ausbildung Beschäftigen die nach Satz 1 und 2 maßgeblichen Tarifverträge anzuwenden.

(3) Für die Beschäftigen nach Absatz 1 werden die beim Land Schleswig-Holstein in einem Arbeits- oder Ausbildungsverhältnis zurückgelegten Zeiten einer Beschäftigung so angerechnet, wie wenn sie

bei dem Unabhängigen Landeszentrum für Datenschutz zurückgelegt worden wären.

(4) Zur Sicherung der Ansprüche auf eine zusätzliche Alters- und Hinterbliebenenversorgung der Beschäftigten stellt die Anstalt sicher, daß die nach der Satzung der Versorgungsanstalt des Bundes und der Länder für eine Beteiligungsvereinbarung geforderten tatsächlichen und rechtlichen Voraussetzungen geschaffen werden.

(5) Die Beamtinnen und Beamten des Landes Schleswig-Holstein, die am 30. Juni 2000 beim Landesbeauftragten für den Datenschutz ihren Dienst ausgeübt haben, werden mit Wirkung vom 1. Juli 2000 nach § 36 Abs. 4 in Verbindung mit Abs. 3 des Landesbeamtengesetzes in den Dienst des Unabhängigen Landeszentrums für Datenschutz nach § 32 übernommen.

§ 47 Übergangsregelungen

(1) Der bisherige Landesbeauftragte für den Datenschutz wird bis zum Ablauf seiner Wahlzeit im Jahre 2004 Landesbeauftragter für Datenschutz nach diesem Gesetz. Eine erneute Wiederwahl ist ausgeschlossen.

(2) Der beim Landesbeauftragten für den Datenschutz gewählte Personalrat bleibt vorbehaltlich der §§ 20 und 21 MBG Schl.-H. über den 30. Juni 2000 bis zum Ablauf seiner regelmäßigen Amtszeit nach § 19 Abs. 1 MBG Schl.-H. bestehen. Die bis zum Ablauf des 30. Juni 2000 abgeschlossenen Dienstvereinbarungen und Vereinbarungen nach § 59 MBG Schl.-H. gelten ab 1. Juli 2000 bis zum Abschluss neuer Dienstvereinbarungen in dem Unabhängigen Landeszentrum für Datenschutz fort.

(3) Die beim Landesbeauftragten für den Datenschutz bestellte Gleichstellungsbeauftragte und gewählte Schwerbehindertenvertretung bleiben über den 30. Juni 2000 hinaus bis zur Neubestellung oder Neuwahl im Amt. Die Gleichstellungsbeauftragte der Anstalt ist unverzüglich, spätestens bis zum 31. Juli 2000, zu bestellen.

(4) Soweit in diesem Gesetz Beträge in Euro genannt werden, gelten diese bis zum 31. Dezember 2001 auch als Beträge in DM; der Umrechnungskurs beträgt 1 Euro = 1,95583 DM.

§ 48 Inkrafttreten, Außerkrafttreten

(1) Dieses Gesetz tritt am 1. Juli 2000 in Kraft.

(2) Gleichzeitig treten

1. das Landesdatenschutzgesetz vom 30. Oktober 1991 (GVOBl. Schl.-H. S. 555)[1], zuletzt geändert durch Gesetz vom 25. November 1999 (GVOBl. Schl.-H. S. 414)[2],
2. das Gesetz zur Errichtung des Unabhängigen Landeszentrums für Datenschutz vom 25. November 1999 (GVOBl. Schl.-H. S. 414) und
3. die Landesverordnung über die zuständige Aufsichtsbehörde nach dem Bundesdatenschutzgesetz vom 8. Dezember 1992 (GVOBl. Schl.-H. S 533)[3], geändert gemäß Verordnung vom 24. Oktober 1996 (GVOBl. Schl.-H. S. 652), außer Kraft.

---

1 GS Schl.-H. II, Gl.Nr. 204–2
2 GS Schl.-H. II, Gl.Nr. 204–3
3 GS Schl.-H. II, Gl.Nr. 204–0–227

Landesverordnung über die Sicherheit und Ordnungsmäßigkeit automatisierter Verarbeitung personenbezogener Daten (Datenschutzverordnung – DSVO –)

vom 12. September 1994 (GVBl S. 473)

Aufgrund des § 7 Abs. 4 des Landesdatenschutzgesetzes (LDSG) vom 30. Oktober 1991 (GVOBl. Schl.-H. S. 555), geändert durch Gesetz vom 1. Juli 1993 (GVOBl. Schl.-H. S. 256), verordnet die Landesregierung:

§ 1 Anwendungsbereich

(1) Diese Verordnung regelt die automatisierte Verarbeitung personenbezogener Daten durch öffentliche Stellen (§ 3 Abs. 1 LDSG).

(2) Soweit besondere Rechtsvorschriften die Einzelheiten einer automatisierten Verarbeitung personenbezogener Daten regeln, finden die Vorschriften dieser Verordnung keine Anwendung.

§ 2 Begriffsbestimmungen

Im Sinne dieser Verordnung sind

automatisierte Verfahren	Arbeitsabläufe mit Hilfe automatisierter Datenverarbeitung;
informationstechnische Geräte	die apparative Ausstattung von Datenverarbeitungssystemen (Hardware);
Programme	Arbeitsanweisungen an informationstechnische Geräte (Software);
Programmversionen	eingesetzte Fassungen von Programmen.

§ 3 Grundsatz

Eine ordnungsgemäße automatisierte Verarbeitung personenbezogener Daten liegt nur vor, wenn die in § 5 LDSG genannten allgemeinen rechtlichen Voraussetzungen erfüllt sind und

1. das Verfahren dokumentiert ist,
2. die für die Verarbeitung eingesetzten Verfahren und Programme getestet und von der datenverarbeitenden Stelle freigegeben wurden und
3. ein Sicherheitskonzept vorliegt.

§ 4 Dokumentation

(1) Die Dokumentation muß mindestens eine Beschreibung enthalten

1. der jeweiligen Aufgabe, die mit Hilfe des automatisierten Verfahrens erfüllt werden soll (§ 5),
2. des Verfahrensablaufs einschließlich der eingesetzten Programme (§ 6),
3. der Programm- und Verfahrenstests (§ 7).

Die Beschreibung muß für sachkundige, nicht am automatisierten Verfahren beteiligte Personen nachvollziehbar sein.

(2) Die Dokumentation ist nach jeder Änderung von Programmen und Verfahren fortzuschreiben und mindestens solange aufzubewahren, wie mit den dokumentierten Programmen und Verfahren auf Dateien mit personenbezogenen Daten zugegriffen werden kann. Sind die Daten ausschließlich in automatisierten Dateien gespeichert (§ 11 Abs. 2 LDSG), ist die Dokumentation so lange aufzubewahren, wie die durch die entsprechenden Programme und Verfahren erzeugten Daten gespeichert sind.

(3) Die Dokumentation von Programmen, die der Übermittlung von personenbezogenen Daten dienen, ist sechs Jahre seit der letzten Datenübermittlung aufzubewahren, bei einer kürzeren gesetzlichen Aufbewahrungspflicht für die übermittelten personenbezogenen Daten jedoch nur für die Dauer dieser Frist. Eine Aufbewahrungspflicht für die Dokumentation besteht nicht, wenn die übermittelten Daten in lesbarer Form vorhanden sind.

§ 5 Aufgabenbeschreibung

In der Aufgabenbeschreibung sind die zu verarbeitenden personenbezogenen Daten sowie die Rechtsgrundlage und die rechtlichen und sonstigen Vorgaben für die mit Hilfe automatisierter Verfahren durchgeführte Verarbeitung aufzuführen. Das erwartete Ergebnis und die eventuelle weitere Verarbeitung sind zu beschreiben. Sind die Daten bereits das Ergebnis anderer automatisierter Verfahren oder erfolgt die weitere Verarbeitung durch automatisierte Verfahren, ist auf diese hinzuweisen.

§ 6 Verfahrensbeschreibung

(1) Das Verfahren muß so bezeichnet sein, daß eine eindeutige Abgrenzung zu anderen Verfahren gewährleistet ist. Darzustellen ist der Weg der Daten von der Eingabe bzw. Übernahme aus anderen automatisierten Verfahren bis zum erwarteten Ergebnis. Die dabei eingesetzten Programme und deren Zweck sowie die informationstechnischen Geräte und Betriebssysteme (Systemsteuerungsprogramme)

sind zu bezeichnen und die Beziehungen untereinander darzustellen. Der erstmalige Einsatz eines Verfahrens sowie spätere Änderungen am Verfahren oder an Programmen sowie der Zweck der Änderung sind unter Angabe des Datums zu dokumentieren.

(2) Die eingesetzten Programme sind grundsätzlich in der Ausgangsprogrammiersprache (Quell-Code) zu dokumentieren. Besteht nur ein Nutzungsrecht an Programmen, kann anstelle dieser Darstellungsform auf die Herstellerfirma und den Namen des Programms einschließlich der Versions-Nummer verwiesen werden. Jede Änderung an einem Programm führt zu einer neuen Programmversion.

(3) Werden die Daten ganz oder teilweise durch Auftragnehmende verarbeitet, muß diese Art der Verarbeitung unter Hinweis auf die schriftlichen Aufträge (§ 4 Abs. 2 LDSG) kenntlich gemacht werden.

§ 7 Tests und Freigabe

(1) Die im automatisierten Verfahren eingesetzten Programme sowie das gesamte nach § 6 beschriebene Verfahren sind vor Aufnahme der Verarbeitung personenbezogener Daten anhand von Testfällen zu testen. Die Testfälle sollen alle in der Aufgabenbeschreibung (§ 5) aufgeführten Daten und Vorgaben berücksichtigen. Die jeweils erwarteten Ergebnisse sind vor einem Testlauf aufzuzeichnen. Besteht nur ein Nutzungsrecht an Verfahren, kann auf einen Einzeltest der darin eingesetzten Programme verzichtet werden.

(2) Das getestete Programm oder Verfahren muß bei gleichen Fällen immer das festgelegte Ergebnis ausweisen. Die Testfälle und -ergebnisse sowie die eingesetzten informationstechnischen Geräte sind zu protokollieren.

(3) Personenbezogene Daten dürfen durch ein automatisiertes Verfahren erst verarbeitet werden, wenn das Verfahren durch die datenverarbeitende Stelle freigegeben wurde. Mit der Freigabe übernimmt die datenverarbeitende Stelle die Verantwortung für die Ordnungsmäßigkeit des Verfahrens. Die Freigabe ist zu protokollieren.

(4) Neue Programmversionen in freigegebenen Verfahren sind vor dem Einsatz entsprechend den Absätzen 1 und 2 in dem Umfang zu testen, der die Änderung des Verfahrens angemessen berücksichtigt. Sie sind von der datenverarbeitenden Stelle für das Verfahren freizugeben.

§ 8 Sicherheitskonzept

(1) Aufgrund der nach § 7 Abs. 1 und 2 LDSG zu treffenden technischen und organisatorischen Maßnahmen und der Sicherheitsanforderungen nach § 9 hat die datenverarbeitende Stelle für alle automati-

sierten Verfahren, die der Verarbeitung personenbezogener Daten dienen, darzustellen, welche Schutzmaßnahmen unter Berücksichtigung der tatsächlichen örtlichen und personellen Gegebenheiten getroffen wurden. Sie hat festzulegen, in welchem Umfang Verfahrensabläufe zur Durchführung von Kontrollen zu protokollieren sind.

(2) Werden personenbezogene Daten, die einem besonderen Amts- oder Berufsgeheimnis unterliegen oder die sonst als besonders schutzwürdig gelten, automatisiert verarbeitet, ist neben der Darstellung nach Absatz 1 in einer Risikoanalyse zu beschreiben, welche Sicherheitsrisiken aus welchen Gründen nicht oder nur zum Teil durch getroffene Schutzmaßnahmen ausgeschlossen werden können. Die Risikoanalyse ist als Verschlußsache »VS – Nur für den Dienstgebrauch« einzustufen.

(3) Die Darstellung der Schutzmaßnahmen und die Risikoanalyse können für Bereiche, mehrere Verfahren oder Gruppen zusammengefaßt werden. In dem Geräteverzeichnis nach § 8 Abs. 2 LDSG kann unter Nummer 5 auf das Sicherheitskonzept verwiesen werden.

(4) Das Sicherheitskonzept ist bei jeder Änderung der aktuellen örtlichen und personellen Gegebenheiten und aus sonstigen Anlässen, die Auswirkungen auf das Sicherheitskonzept haben, fortzuschreiben und spätestens nach drei Jahren zu überprüfen.

§ 9 Sicherheitsanforderungen

(1) Durch technische und organisatorische Maßnahmen ist sicherzustellen, daß verändernde Zugriffe auf Programme zur Systemsteuerung und auf freigegebene Anwendungsprogramme und Verfahren nur durch dazu ausdrücklich befugte Personen erfolgen können und diese durch weisungsbefugte Mitarbeiterinnen oder Mitarbeiter oder deren Beauftragte kontrolliert werden. Dies gilt nicht für Personen, die informationstechnische Geräte ausschließlich in eigener Verantwortung betreiben.

(2) Die personenbezogenen Daten sind gegen Verlust, Mißbrauch und Zerstörung so zu sichern, daß die Verpflichtungen nach den Bestimmungen des Landesdatenschutzgesetzes (Berichtigung nach § 19 Abs. 1, Nachberichtspflicht nach § 20) erfüllt werden können. Sicherungskopien müssen als solche gekennzeichnet und mit dem Datum des Datenstandes versehen sein.

(3) Datenträger mit personenbezogen Daten sind so zu sichern, daß Unbefugte die darauf gespeicherten Daten nicht zur Kenntnis nehmen, verändern oder löschen oder Daten hinzufügen können. Dies gilt insbesondere für Datenträger in mobilen Geräten, die von der datenverarbeitenden Stelle außerhalb ihrer Räumlichkeiten

eingesetzt werden. In diesen Fällen sind die personenbezogenen Daten verschlüsselt zu speichern. Die verwendeten Schlüssel sind von der datenverarbeitenden Stelle zu dokumentieren und besonders zu sichern.

§ 10 Übergangsregelungen

(1) Bereits eingesetzte Verfahren und Programme müssen die Anforderungen dieser Verordnung spätestens fünf Jahre nach Inkrafttreten erfüllen.

(2) Für später als sechs Monate nach Inkrafttreten dieser Verordnung vorgenommene Änderungen an bereits eingesetzten Verfahren oder Programmen gelten § 3 Nr. 1 und 2 für die von der Änderung betroffenen Verfahrensteile und Programme.

§ 11 Inkrafttreten

Diese Verordnung tritt am Tage nach ihrer Verkündung in Kraft.

Thüringer Datenschutzgesetz (ThürDSG)

vom 29. Oktober 1991 (GVBl S. 516)

Inhaltsübersicht

Erster Abschnitt
Allgemeine Bestimmungen

§ 1 Zweck des Gesetzes

Zweck dieses Gesetzes ist es, den einzelnen davor zu schützen, daß er durch den Umgang mit seinen personenbezogenen Daten durch öffentliche Stellen (§ 2 Abs. 1) in seinem Persönlichkeitsrecht beeinträchtigt wird.

§ 2 Anwendungsbereich

(1) Die Vorschriften dieses Gesetzes gelten für die Erhebung, Verarbeitung und Nutzung personenbezogener Daten durch die Behörden, die Gerichte und die sonstigen öffentlichen Stellen des Landes, der Gemeinden und Gemeindeverbände und die sonstigen der Aufsicht des Landes unterstehenden juristischen Personen des öffentlichen Rechts und deren Vereinigungen ungeachtet ihrer Rechtsform (öffentliche Stellen).

(2) Für personenbezogene Daten in automatisierten Dateien, die vorübergehend und ausschließlich aus verarbeitungstechnischen Gründen erstellt und nach ihrer ordnungsgemäßen Nutzung automatisch gelöscht oder zur Herstellung von Texten vorübergehend erstellt werden, gelten von den Vorschriften dieses Gesetzes nur die §§ 6, 9, 20 Abs. 4 sowie in Verbindung damit § 34 Abs. 1 und die §§ 37 bis 40.

(3) Soweit besondere Rechtsvorschriften des Bundes oder des Landes auf personenbezogene Daten anzuwenden sind, gehen sie den Vorschriften dieses Gesetzes vor. Die Verpflichtung zur Wahrung gesetzlicher Geheimhaltungspflichten und von Berufs- oder besonderen Amtsgeheimnissen, die nicht auf gesetzlichen Vorschriften beruhen, bleibt unberührt.

(4) Die Vorschriften dieses Gesetzes gehen denen des Verwaltungsverfahrensgesetzes vor, soweit bei der Ermittlung des Sachverhalts personenbezogene Daten verarbeitet werden.

§ 3 Begriffsbestimmungen

(1) Personenbezogene Daten sind Einzelangaben über persönliche oder sachliche Verhältnisse einer bestimmten oder bestimmbaren natürlichen Person (Betroffener).

(2) Erheben ist das Beschaffen von Daten über den Betroffenen.

(3) Verarbeiten ist das Speichern, Verändern, Übermitteln, Sperren und Löschen personenbezogener Daten. Im einzelnen ist, ungeachtet der dabei angewendeten Verfahren:

1. Speichern das Erfassen, Aufnehmen oder Aufbewahren personenbezogener Daten auf einem Datenträger zum Zwecke ihrer weiteren Verarbeitung oder Nutzung;
2. Verändern das inhaltliche Umgestalten gespeicherter personenbezogener Daten;
3. Übermitteln das Bekanntgeben gespeicherter oder durch Datenverarbeitung gewonnener personenbezogener Daten an einen Dritten (Empfänger) in der Weise, daß
   a) die Daten durch die speichernde Stelle an den Empfänger weitergegeben werden oder
   b) der Dritte von der speichernden Stelle zur Einsicht oder zum Abruf bereitgehaltene Daten einsieht oder abruft;
4. Sperren das Kennzeichnen gespeicherter personenbezogener Daten, um ihre weitere Verarbeitung oder Nutzung einzuschränken;
5. Löschen das Unkenntlichmachen gespeicherter personenbezogener Daten.

(4) Nutzen ist jede Verwendung personenbezogener Daten, soweit es sich nicht um Verarbeitung handelt.

(5) Speichernde Stelle ist jede öffentliche Stelle, die Daten für sich selbst speichert oder durch andere speichern läßt.

(6) Dritter ist jede Person oder Stelle außerhalb der speichernden Stelle. Dritte sind nicht der Betroffene sowie diejenigen Personen oder Stellen, die im Geltungsbereich des Grundgesetzes personenbezogene Daten im Auftrag erheben, verarbeiten oder nutzen.

(7) Eine Datei ist:
1. eine Sammlung personenbezogener Daten, die durch automatisierte Verfahren nach bestimmten Merkmalen ausgewertet werden kann (automatisierte Datei), oder
2. jede sonstige Sammlung personenbezogener Daten, die gleichartig aufgebaut ist und nach bestimmten Merkmalen geordnet, umgeordnet und ausgewertet werden kann (nichtautomatisierte Datei).

Nicht hierzu gehören Akten und Aktensammlungen, es sei denn, daß sie durch automatisierte Verfahren umgeordnet und ausgewertet werden können.

(8) Eine Akte ist jede sonstige amtlichen oder dienstlichen Zwecken dienende Unterlage; dazu zählen auch Bild- und Tonträger. Nicht hierunter fallen Vorentwürfe und Notizen, die nicht Bestandteil eines Vorgangs werden sollen.

(9) Anonymisieren ist das Verändern personenbezogener Daten derart, daß die Einzelangaben über persönliche oder sachliche Verhältnisse nicht mehr oder nur mit einem unverhältnismäßig großen Aufwand an Zeit, Kosten und Arbeitskraft einer bestimmten oder bestimmbaren natürlichen Person zugeordnet werden können.

§ 4 Zulässigkeit der Datenerhebung, -verarbeitung und -nutzung

(1) Die Erhebung, Verarbeitung und Nutzung personenbezogener Daten sind nur zulässig, wenn dieses Gesetz oder eine andere Rechtsvorschrift sie erlaubt oder anordnet oder soweit der Betroffene eingewilligt hat.

(2) Wird die Einwilligung bei dem Betroffenen eingeholt, ist er auf den Zweck der Speicherung und einer vorgesehenen Übermittlung sowie auf Verlangen auf die Folgen der Verweigerung der Einwilligung hinzuweisen. Die Einwilligung bedarf der Schriftform, soweit nicht wegen besonderer Umstände eine andere Form angemessen ist. Soll die Einwilligung zusammen mit anderen Erklärungen schriftlich erteilt werden, ist die Einwilligungserklärung im äußeren Erscheinungsbild der Erklärung hervorzuheben.

(3) Im Bereich der wissenschaftlichen Forschung liegt ein besonderer Umstand im Sinne von Absatz 2 Satz 2 auch dann vor, wenn durch die Schriftform der bestimmte Forschungszweck erheblich beeinträchtigt würde. In diesem Fall sind der Hinweis nach Absatz 2 Satz 1 und die Gründe, aus denen sich die erhebliche Beeinträchtigung des bestimmten Forschungszwecks ergibt, schriftlich festzuhalten.

§ 5 Rechte des Betroffenen

Der Betroffene hat nach Maßgabe dieses Gesetzes ein Recht auf:
1. Anrufung des Landesbeauftragten für den Datenschutz (§ 11),
2. Einsicht in das beim Landesbeauftragten für den Datenschutz geführte Datenschutzregister (§ 12),
3. Auskunft über die zu seiner Person gespeicherten Daten (§ 13),
4. Berichtigung, Sperrung und Löschung der zu seiner Person gespeicherten Daten (§§ 14 bis 16),
5. Benachrichtigung bei regelmäßigen Datenübermittlungen (§ 17),
6. Schadensersatz (§ 18).

Diese Rechte können nicht durch Rechtsgeschäft ausgeschlossen oder beschränkt werden.

§ 6 Datengeheimnis

Den bei öffentlichen Stellen beschäftigten Personen ist untersagt, personenbezogene Daten unbefugt zu erheben, zu verarbeiten oder zu nutzen (Datengeheimnis). Das Datengeheimnis besteht auch nach Beendigung ihrer Tätigkeit fort.

§ 7 Automatisiertes Abrufverfahren

(1) Ein automatisiertes Verfahren, das die Übermittlung personenbezogener Daten durch Abruf ermöglicht, darf nur eingerichtet werden,

soweit dieses Verfahren unter Berücksichtigung der schutzwürdigen Interessen der Betroffenen und der Aufgaben der beteiligten Stellen angemessen ist. Soll ein solches Verfahren die Übermittlung personenbezogener Daten ermöglichen, die einem besonderen Berufs- oder Amtsgeheimnis unterliegen und die von der zur Verschwiegenheit verpflichteten Stelle in Ausübung ihrer Berufs- oder Amtspflicht zur Verfügung gestellt worden sind, so darf es nur eingerichtet werden, soweit dies eine Rechtsvorschrift zuläßt.

(2) Die beteiligten Stellen haben zu gewährleisten, daß die Zulässigkeit des Abrufverfahrens kontrolliert werden kann. Hierzu haben sie schriftlich festzulegen:

1. Anlaß und Zweck des Abrufverfahrens,
2. Datenempfänger,
3. Art der abzurufenden Daten,
4. nach § 9 erforderliche technische und organisatorische Maßnahmen.

Die erforderlichen Festlegungen können auch durch die Fachaufsichtsbehörde mit Wirkung für ihrer Aufsicht unterliegenden Stellen des Landes getroffen werden.

(3) Über die Einrichtung eines Abrufverfahrens ist vorher der Landesbeauftragte für den Datenschutz unter Mitteilung der Festlegungen nach Absatz 2 zu unterrichten. Die Einrichtung eines Abrufverfahrens, an dem die in § 13 Abs. 4 genannten Stellen beteiligt sind, bedarf der Zustimmung des für die speichernde und die abrufende Stelle jeweils zuständigen Ministers oder seines Vertreters.

(4) Die Zulässigkeit des einzelnen Abrufs beurteilt sich nach den für die Erhebung und Übermittlung geltenden Vorschriften. Die Verantwortung für die Zulässigkeit des einzelnen Abrufs trägt der Empfänger. Die speichernde Stelle prüft die Zulässigkeit des Abrufs nur, wenn dazu Anlaß besteht. Die speichernde Stelle hat zu gewährleisten, daß die Übermittlung personenbezogener Daten zumindestens durch geeignete Stichprobenverfahren festgestellt und überprüft werden kann. Wird ein Gesamtbestand personenbezogener Daten abgerufen oder übermittelt (Stapelverarbeitung), so bezieht sich die Gewährleistung der Feststellung und Überprüfung nur auf die Zulässigkeit des Abrufes oder der Übermittlung des Gesamtbestandes.

(5) Die Absätze 1 bis 4 gelten nicht für den Abruf aus Datenbeständen, die jedermann ohne oder nach besonderer Zulassung zur Benutzung offenstehen oder deren Veröffentlichung zulässig wäre.

§ 8 Verarbeitung oder Nutzung personenbezogener Daten im Auftrag

(1) Werden personenbezogene Daten im Auftrag öffentlicher Stellen

durch andere Personen oder Stellen erhoben, verarbeitet oder genutzt, bleibt der Auftraggeber für die Einhaltung der Vorschriften dieses Gesetzes und anderer Vorschriften über den Datenschutz verantwortlich. Die in den §§ 13 bis 18 genannten Rechte sind ihm gegenüber geltend zu machen.

(2) Der Auftraggeber hat den Auftragnehmer unter besonderer Berücksichtigung der Eignung der von diesem getroffenen technischen und organisatorischen Maßnahmen sorgfältig auszuwählen. Der Auftrag ist schriftlich zu erteilen, wobei die Datenverarbeitung oder -nutzung, die technischen und organisatorischen Maßnahmen und etwaige Unterauftragsverhältnisse festzulegen sind. Der Auftrag kann auch durch die Fachaufsichtsbehörde mit Wirkung für ihrer Aufsicht unterliegenden Stellen des Landes erteilt werden; diese sind von der Auftragserteilung zu unterrichten.

(3) Der Auftragnehmer darf die Daten nur im Rahmen der Weisungen des Auftraggebers erheben, verarbeiten oder nutzen. Ist er der Ansicht, daß eine Weisung des Auftraggebers gegen dieses Gesetz oder andere Vorschriften über den Datenschutz verstößt, hat er den Auftraggeber unverzüglich darauf hinzuweisen.

(4) Ist der Auftragnehmer eine öffentliche Stelle, gelten für ihn nur die §§ 6, 9, 10, 34, 37 bis 40 und 43.

(5) Soweit juristische Personen, Gesellschaften und andere Personenvereinigungen des privaten Rechts, bei denen dem Land oder einer der Aufsicht des Landes unterstehenden Körperschaft, Anstalt oder Stiftung des öffentlichen Rechts die Mehrheit der Anteile gehört oder die Mehrheit der Stimmen zusteht, für eine öffentliche Stelle Daten im Auftrag zu verarbeiten, gelten die §§ 10, 34 und 37 bis 40 entsprechend.

(6) Sind auf den Auftragnehmer die Vorschriften dieses Gesetzes nicht anwendbar, ist der Auftraggeber verpflichtet, vertraglich sicherzustellen, daß der Auftragnehmer die Bestimmungen dieses Gesetzes befolgt und sich der Kontrolle durch den Landesbeauftragten für den Datenschutz entsprechend der §§ 37 bis 40 unterwirft. Der Auftraggeber hat den Landesbeauftragten für den Datenschutz über die Beauftragung zu unterrichten.

§ 9 Technische und organisatorische Maßnahmen

(1) Öffentliche Stellen, die selbst oder im Auftrag personenbezogene Daten verarbeiten, haben die technischen und organisatorischen Maßnahmen zu treffen, die erforderlich sind, um die Ausführung der Vorschriften dieses Gesetzes zu gewährleisten. Erforderlich sind Maßnahmen nur, wenn ihr Aufwand in einem angemessenen Verhältnis zu dem angestrebten Schutzzweck steht.

(2) Werden personenbezogene Daten automatisiert verarbeitet, sind zur Ausführung der Vorschriften dieses Gesetzes Maßnahmen zu treffen, die je nach der Art der zu schützenden personenbezogenen Daten geeignet sind:

1. Unbefugten den Zugang zu Datenverarbeitungsanlagen, mit denen personenbezogene Daten verarbeitet werden, zu verwehren (Zugangskontrolle);
2. zu verhindern, daß Datenträger unbefugt gelesen, kopiert, verändert oder entfernt werden können (Datenträgerkontrolle);
3. die unbefugte Eingabe in den Speicher sowie die unbefugte Kenntnisnahme, Veränderung oder Löschung gespeicherter personenbezogener Daten zu verhindern (Speicherkontrolle);
4. zu verhindern, daß Datenverarbeitungssysteme mit Hilfe von Einrichtungen zur Datenübertragung von Unbefugten genutzt werden können (Benutzerkontrolle);
5. zu gewährleisten, daß die zur Benutzung eines Datenverarbeitungssystems Berechtigten ausschließlich auf die ihrer Zugriffsberechtigung unterliegenden Daten zugreifen können (Zugriffskontrolle);
6. zu gewährleisten, daß überprüft und festgestellt werden kann, an welche Stellen personenbezogene Daten durch Einrichtungen zur Datenübertragung übermittelt werden können (Übermittlungskontrolle);
7. zu gewährleisten, daß nachträglich überprüft und festgestellt werden kann, welche personenbezogenen Daten zu welcher Zeit von wem in Datenverarbeitungssysteme eingegeben worden sind (Eingabekontrolle);
8. zu gewährleisten, daß personenbezogene Daten, die im Auftrag verarbeitet werden, nur entsprechend den Weisungen des Auftraggebers verarbeitet werden können (Auftragskontrolle);
9. zu verhindern, daß bei der Übertragung personenbezogener Daten sowie beim Transport von Datenträgern die Daten nicht unbefugt gelesen, kopiert, verändert oder gelöscht werden können (Transportkontrolle);
10. die innerbehördliche oder innerbetriebliche Organisation so zu gestalten, daß sie den besonderen Anforderungen des Datenschutzes gerecht wird (Organisationskontrolle).

(3) Werden personenbezogene Daten in nichtautomatisierten Dateien oder in Akten verarbeitet, sind insbesondere Maßnahmen zu treffen, die verhindern, daß Unbefugte bei der Bearbeitung, der Aufbewahrung, dem Transport und der Vernichtung auf die Daten zugreifen können.

§ 10 Anlagen- und Verfahrensverzeichnis

(1) Die öffentlichen Stellen führen ein Verzeichnis der eingesetzten

Datenverarbeitungsanlagen und automatisierten Verfahren, mit denen personenbezogene Daten verarbeitet werden. Das Verzeichnis kann auch bei einer datenverarbeitenden Stelle für andere Stellen geführt werden.

(2) In dem Verzeichnis ist für jedes automatisierte Verfahren schriftlich festzulegen:
1. die Bezeichnung des Verfahrens;
2. die Aufgabe, zu deren Erfüllung personenbezogene Daten verarbeitet werden und die Rechtsgrundlage der Verarbeitung;
3. die Art der gespeicherten Daten;
4. der Kreis der Betroffenen;
5. die Art der regelmäßig zu übermittelnden Daten und deren Empfänger;
6. die Regelfristen für die Löschung der Daten oder für die Prüfung der Löschung;
7. die verarbeitungsberechtigten Personen oder Personengruppen. Die Gerichte und der Landtag führen Verzeichnisse nur, soweit sie in Verwaltungsangelegenheiten tätig werden.

(3) Absatz 1 gilt nicht für automatisierte Verfahren, die nur vorübergehend eingesetzt werden und bei denen die gespeicherten Daten innerhalb von drei Monaten nach der Speicherung gelöscht werden.

Zweiter Abschnitt
Schutzrechte

§ 11 Anrufung des Landesbeauftragten für den Datenschutz

(1) Jedermann kann sich – unbeschadet des allgemeinen Petitionsrechts oder anderer Rechte – an den Landesbeauftragten für den Datenschutz mit dem Vorbringen wenden, daß bei der Erhebung, Verarbeitung oder Nutzung seiner personenbezogenen Daten durch öffentliche Stellen seine schutzwürdigen Belange beeinträchtigt werden. Für die Erhebung, Verarbeitung oder Nutzung von personenbezogenen Daten durch Gerichte und den Landtag gilt dies nur, soweit sie in Verwaltungsangelegenheiten tätig werden.

(2) Niemand darf benachteiligt oder gemaßregelt werden, weil er von seinem Recht nach Absatz 1 Gebrauch gemacht hat.

(3) Wendet sich ein Betroffener an den Landesbeauftragten für den Datenschutz, weil ihm nach § 13 Abs. 5 oder besonderen gesetzlichen Vorschriften keine Auskunft erteilt worden ist, darf die Mitteilung des Landesbeauftragten an den Betroffenen keine Rückschlüsse auf den Erkenntnisstand der speichernden Stelle zulassen, sofern diese nicht einer weitergehenden Auskunft zustimmt. Das gleiche gilt, wenn ein

Betroffener unmittelbar den Landesbeauftragten anruft und die für die Erteilung der Auskunft zuständige Stelle diesem unter Angabe von Gründen darlegt, daß sie bei einem Auskunftsersuchen eine Auskunft nach den in Satz 1 genannten Vorschriften verweigern würde.

§ 12 Einsicht in das Datenschutzregister

(1) Jedermann kann in das vom Landesbeauftragten für den Datenschutz geführte Datenschutzregister Einsicht nehmen. Für die Einsichtnahme werden Kosten nicht erhoben.

(2) Das Datenschutzregister enthält die Angabe der öffentlichen Stellen, die personenbezogene Daten in automatisierten Verfahren verarbeiten, eine Darstellung des Dateiinhalts und die Angabe der Stellen, denen Daten regelmäßig übermittelt werden.

(3) Wer ein berechtigtes Interesse glaubhaft macht, kann sich Auszüge aus dem Datenschutzregister anfertigen lassen.

(4) Das Nähere zur Ausführung der Absätze 1 bis 3, insbesondere Inhalt und Aufbau des Registers, die Art und Weise der Registerführung sowie die Form der Auskunftserteilung regelt die Landesregierung durch Rechtsverordnung. Dabei können aus Gründen des Gemeinwohls der Inhalt des Datenschutzregisters und der Anspruch auf Einsicht beschränkt werden, insbesondere hinsichtlich solcher Stellen, gegenüber denen nach § 13 Abs. 5 kein Auskunftsanspruch besteht.

§ 13 Auskunft an den Betroffenen

(1) Die speichernde Stelle hat dem Betroffenen auf Antrag Auskunft zu erteilen über:

1. die zu seiner Person gespeicherten Daten,
2. den Zweck und die Rechtsgrundlage der Speicherung sowie
3. die Herkunft der Daten und deren Empfänger, soweit diese Angaben gespeichert sind.

Dies gilt nicht für personenbezogene Daten, die ausschließlich zu Zwecken der Datensicherung oder der Datenschutzkontrolle gespeichert sind.

(2) Für die Auskunft werden Kosten nicht erhoben.

(3) In dem Antrag soll die Art der personenbezogenen Daten, über die Auskunft erteilt werden soll, näher bezeichnet werden. Sind die personenbezogenen Daten nur in Akten gespeichert, wird die Auskunft nur erteilt, soweit der Betroffene Angaben macht, die das Auffinden der Daten ermöglichen, und der für die Erteilung der Auskunft erforderliche Aufwand nicht außer Verhältnis zu dem vom Betroffenen geltend gemachten Informationsinteresse steht. Die speichernde Stelle

bestimmt das Verfahren, insbesondere die Form der Auskunftserteilung, nach pflichtgemäßem Ermessen; dabei dürfen berechtigte Interessen Dritter nicht beeinträchtigt werden.

(4) Bezieht sich die Auskunftserteilung auf die Übermittlung personenbezogener Daten an Behörden der Staatsanwaltschaften, Polizeibehörden, an Verfassungsschutzbehörden, den Bundesnachrichtendienst, den Militärischen Abschirmdienst und, soweit die Sicherheit des Bundes berührt wird, andere Behörden des Bundesministers der Verteidigung, so ist sie nur mit Zustimmung dieser Stellen zulässig.

(5) Die Auskunftserteilung unterbleibt, soweit

1. die Auskunft die ordnungsgemäße Erfüllung der in der Zuständigkeit der speichernden Stelle liegenden Aufgaben gefährden würde,
2. die Auskunft die öffentliche Sicherheit oder Ordnung gefährden oder sonst dem Wohle des Bundes oder eines Landes Nachteile bereiten würde,
3. die personenbezogenen Daten oder die Tatsache ihrer Speicherung nach einer Rechtsvorschrift oder ihrem Wesen nach, namentlich wegen den überwiegenden berechtigten Interessen eines Dritten, geheimgehalten werden müssen,
4. die personenbezogenen Daten zur Entscheidung in Gnadensachen oder zur Entscheidung über die Verleihung von staatlichen Orden oder Ehrenzeichen gespeichert sind

und deswegen das Interesse des Betroffenen an der Auskunftserteilung zurücktreten muß.

(6) Die Ablehnung der Auskunftserteilung bedarf einer Begründung nicht, soweit durch die Mitteilung der tatsächlichen und rechtlichen Gründe, auf die die Entscheidung gestützt wird, der mit der Auskunftsverweigerung verfolgte Zweck gefährdet würde. In diesem Fall ist der Betroffene darauf hinzuweisen, daß er sich an den Landesbeauftragten für den Datenschutz wenden kann.

(7) Wird dem Betroffenen keine Auskunft erteilt, so ist sie auf sein Verlangen dem Landesbeauftragten für den Datenschutz zu erteilen, soweit nicht das zuständige Landesministerium im Einzelfall feststellt, daß dadurch die Sicherheit des Bundes oder eines Landes gefährdet würde.

§ 14 Berichtigungsanspruch

Personenbezogene Daten sind zu berichtigen, wenn sie unrichtig sind. Wird bei personenbezogenen Daten in Akten festgestellt, daß sie unrichtig sind, oder wird ihre Richtigkeit vom Betroffenen bestritten, so ist dies in der Akte zu vermerken oder auf sonstige Weise festzuhalten.

§ 15 Anspruch auf Sperrung

(1) Personenbezogene Daten in Dateien sind zu sperren, wenn:
1. ihre Richtigkeit vom Betroffenen bestritten wird und sich weder die Richtigkeit noch die Unrichtigkeit feststellen läßt oder
2. eine Löschung aus den in § 16 Abs. 4 genannten Gründen unterblieben ist.

(2) Personenbezogene Daten in Akten sind zu sperren, wenn die speichernde Stelle im Einzelfall feststellt, daß ohne die Sperrung schutzwürdige Interessen des Betroffenen beeinträchtigt würden und die Daten für die Aufgabenerfüllung der Behörden nicht mehr erforderlich sind.

(3) Ohne Einwilligung des Betroffenen dürfen gesperrte personenbezogene Daten nur übermittelt oder genutzt werden, wenn:
1. es zu wissenschaftlichen Zwecken, zur Behebung einer bestehenden Beweisnot, zu Aufsichts- und Kontrollzwecken, zur Rechnungsprüfung oder aus sonstigen im überwiegenden Interesse der speichernden Stelle oder eines Dritten liegenden Gründen unerläßlich ist und
2. die Daten hierfür übermittelt oder genutzt werden dürften, wenn sie nicht gesperrt wären.

Personenbezogene Daten, die unzulässig in Akten gespeichert sind oder deren Löschung aus der Datei nur gemäß § 16 Abs. 4 unterblieben ist, dürfen ohne Einwilligung des Betroffenen nicht mehr übermittelt oder genutzt werden.

§ 16 Anspruch auf Löschung

(1) Personenbezogene Daten in Dateien sind zu löschen, wenn:
1. ihre Speicherung unzulässig ist oder
2. ihre Kenntnis für die speichernde Stelle zur Erfüllung ihrer Aufgaben nicht mehr erforderlich ist.

(2) Personenbezogene Daten in Akten sind zu löschen, wenn die speichernde Stelle im Einzelfall feststellt, daß die gesamte Akte zur Aufgabenerfüllung nicht mehr erforderlich ist.

(3) Vor einer Löschung sind die Daten dem zuständigen Archiv zur Übernahme anzubieten. Das Nähere wird durch Rechtsvorschriften über öffentliche Archive geregelt.

(4) Die Löschung unterbleibt, wenn:
1. Grund zu der Annahme besteht, daß durch sie schutzwürdige Interessen des Betroffenen beeinträchtigt würden,
2. eine Löschung wegen der besonderen Art der Speicherung nicht oder nur mit unverhältnismäßig hohem Aufwand möglich ist, oder

3. einer Löschung gesetzliche, satzungsmäßige oder vertragliche Aufbewahrungsfristen entgegenstehen.

§ 17 Benachrichtigung bei regelmäßigen Datenübermittlungen

Von einer Berichtigung unrichtiger Daten (§ 14), der Sperrung bestrittener Daten (§ 15 Abs. 1 Nr. 1) sowie der Löschung oder Sperrung wegen Unzulässigkeit der Speicherung (§ 16 Abs. 1 Nr. 1; § 15 Abs. 1 Nr. 2 in Verbindung mit § 16 Abs. 4 und Abs. 1 Nr. 1) sind die Stellen zu verständigen, denen im Rahmen einer regelmäßigen Datenübermittlung diese Daten zur Speicherung weitergegeben wurden, wenn dies zur Wahrung schutzwürdiger Interessen des Betroffenen erforderlich ist.

§ 18 Anspruch auf Schadensersatz

(1) Fügt eine öffentliche Stelle dem Betroffenen durch eine nach den Vorschriften dieses Gesetzes oder nach anderen Vorschriften über den Datenschutz unzulässige oder unrichtige automatisierte Verarbeitung seiner personenbezogenen Daten einen Schaden zu, ist sie dem Betroffenen unabhängig von einem Verschulden zum Ersatz des daraus entstehenden Schadens verpflichtet.

(2) Bei einer schweren Verletzung des Persönlichkeitsrechts ist dem Betroffenen der Schaden, der nicht Vermögensschaden ist, angemessen in Geld zu ersetzen.

(3) Die Ansprüche nach den Absätzen 1 und 2 sind insgesamt bis zu einem Betrag in Höhe von 250 000 DM begrenzt.

(4) Sind bei einer Datei mehrere Stellen speicherungsberechtigt und ist der Geschädigte nicht in der Lage, die speichernde Stelle festzustellen, so haftet jede dieser Stellen.

(5) Mehrere Ersatzpflichtige haften als Gesamtschuldner.

(6) Auf das Mitverschulden des Betroffenen und die Verjährung sind die §§ 254 und 852 des Bürgerlichen Gesetzbuches entsprechend anzuwenden.

(7) Vorschriften, nach denen ein Ersatzpflichtiger in weiterem Umfang als nach dieser Vorschrift haftet oder nach denen ein anderer für den Schaden verantwortlich ist, bleiben unberührt.

(8) Der Rechtsweg vor den ordentlichen Gerichten steht offen.

Dritter Abschnitt
Rechtsgrundlagen der Datenverarbeitung

§ 19 Datenerhebung

(1) Das Erheben personenbezogener Daten ist zulässig, wenn ihre

Kenntnis zur Erfüllung der Aufgaben der erhebenden Stellen erforderlich ist.

(2) Personenbezogene Daten sind beim Betroffenen zu erheben. Ohne seine Mitwirkung dürfen sie nur erhoben werden, wenn:
1. eine Rechtsvorschrift dies vorsieht oder zwingend voraussetzt oder
2. die zu erfüllende Verwaltungsaufgabe ihrer Art nach eine Erhebung bei anderen Personen oder Stellen erforderlich macht oder
3. die Erhebung beim Betroffenen einen unverhältnismäßigen Aufwand erfordern würde.

In den Fällen der Nummern 2 und 3 ist eine Erhebung bei Dritten nur zulässig, wenn keine Anhaltspunkte dafür vorliegen, daß überwiegende schutzwürdige Interessen des Betroffenen beeinträchtigt werden.

(3) Werden personenbezogene Daten beim Betroffenen mit seiner Kenntnis erhoben, so ist der Erhebungszweck ihm gegenüber anzugeben. Werden sie beim Betroffenen aufgrund einer Rechtsvorschrift erhoben, die zur Auskunft verpflichtet, oder ist die Erteilung der Auskunft Voraussetzung für die Gewährung von Rechtsvorteilen, so ist der Betroffene hierauf, sonst auf die Freiwilligkeit seiner Angaben hinzuweisen. Auf Verlangen ist er über die Rechtsvorschrift und über die Folgen der Verweigerung von Angaben aufzuklären.

(4) Werden personenbezogene Daten statt beim Betroffenen bei einer nichtöffentlichen Stelle erhoben, so ist die Stelle auf die Rechtsvorschrift, die zur Auskunft verpflichtet, sonst auf die Freiwilligkeit ihrer Angaben hinzuweisen.

§ 20 Datenspeicherung, -veränderung und -nutzung

(1) Das Speichern, Verändern oder Nutzen personenbezogener Daten ist zulässig, wenn es zur Erfüllung der in der Zuständigkeit der speichernden Stelle liegenden Aufgabe erforderlich ist und es für die Zwecke erfolgt, für die die Daten erhoben worden sind. Ist keine Erhebung vorausgegangen, dürfen die Daten nur für die Zwecke geändert oder genutzt werden, für die sie gespeichert worden sind.

(2) Das Speichern, Verändern oder Nutzen für andere Zwecke ist nur zulässig, wenn:
1. eine Rechtsvorschrift dies vorsieht oder zwingend voraussetzt;
2. der Betroffene eingewilligt hat;
3. offensichtlich ist, daß es im Interesse des Betroffenen liegt, und kein Grund zu der Annahme besteht, daß er in Kenntnis der anderen Zwecke seine Einwilligung verweigern würde;
4. Angaben des Betroffenen überprüft werden müssen, weil tatsächliche Anhaltspunkte für deren Unrichtigkeit bestehen;

5. die Daten aus allgemein zugänglichen Quellen entnommen werden können oder die speichernde Stelle sie veröffentlichen dürfte, es sei denn, daß das schutzwürdige Interesse des Betroffenen an dem Ausschluß der Zweckänderung überwiegt;
6. es zur Abwehr erheblicher Nachteile für das Gemeinwohl oder einer sonst unmittelbar drohenden Gefahr für die öffentliche Sicherheit erforderlich ist;
7. es zur Verfolgung von Straftaten oder Ordnungswidrigkeiten, zur Vollstreckung oder zum Vollzug von Strafen oder Maßnahmen im Sinne des § 11 Abs. 1 Nr. 8 des Strafgesetzbuches oder von Erziehungsmaßregeln oder Zuchtmitteln im Sinne des Jugendgerichtsgesetzes oder zur Vollstreckung von Bußgeldentscheidungen erforderlich ist;
8. es zur Abwehr einer schwerwiegenden Beeinträchtigung der Rechte einer anderen Person erforderlich ist oder
9. es zur Durchführung wissenschaftlicher Forschung erforderlich ist, das wissenschaftliche Interesse an der Durchführung des Forschungsvorhabens das Interesse des Betroffenen an dem Ausschluß der Zweckänderung erheblich überwiegt und der Zweck der Forschung auf andere Weise nicht oder nur mit unverhältnismäßigem Aufwand erreicht werden kann.

(3) Eine Verarbeitung oder Nutzung für andere Zwecke liegt nicht vor, wenn sie der Wahrnehmung von Aufsichts- und Kontrollbefugnissen, der Rechnungsprüfung, der Durchführung von Organisationsuntersuchungen, der Prüfung und Wartung von automatisierten Verfahren der Datenverarbeitung oder der Erstellung von Geschäftsstatistiken für die speichernde Stelle dient. Dies gilt auch für die Verarbeitung und Nutzung zu Ausbildungs- und Prüfungszwecken durch die speichernde Stelle, soweit nicht überwiegende schutzwürdige Interessen des Betroffenen entgegenstehen.

(4) Personenbezogene Daten, die ausschließlich zu Zwecken der Datenschutzkontrolle, der Datensicherung oder zur Sicherstellung eines ordnungsgemäßen Betriebes einer Datenverarbeitungsanlage gespeichert werden, dürfen nur für diese Zwecke verwendet werden.

§ 21 Datenübermittlung innerhalb des öffentlichen Bereichs

(1) Die Übermittlung personenbezogener Daten an andere öffentliche Stellen ist zulässig, wenn:
1. sie zur Erfüllung der in der Zuständigkeit der übermittelnden Stelle oder des Empfängers liegenden Aufgaben erforderlich ist und
2. die Voraussetzungen vorliegen, die eine Nutzung nach § 20 zulassen würden.

(2) Die Verantwortung für die Zulässigkeit der Übermittlung trägt

die übermittelnde Stelle. Erfolgt die Übermittlung auf Ersuchen des Empfängers, trägt dieser die Verantwortung. In diesem Falle prüft die übermittelnde Stelle nur, ob das Übermittlungsersuchen im Rahmen der Aufgaben des Empfängers liegt, es sei denn, daß besonderer Anlaß zur Prüfung der Zulässigkeit der Übermittlung besteht. § 7 Abs. 4 bleibt unberührt.

(3) Der Empfänger darf die übermittelten Daten nur für den Zweck verarbeiten oder nutzen, zu dessen Erfüllung sie ihm übermittelt worden sind. Eine Verarbeitung oder Nutzung für andere Zwecke ist nur unter den Voraussetzungen des § 20 Abs. 2 zulässig.

(4) Sind mit personenbezogenen Daten, die nach Absatz 1 übermittelt werden dürfen, weitere personenbezogene Daten des Betroffenen oder eines Dritten in Akten so verbunden, daß eine Trennung nicht oder nur mit unvertretbarem Aufwand möglich ist, so ist die Übermittlung auch dieser Daten zulässig, soweit nicht berechtigte Interessen des Betroffenen oder eines Dritten an deren Geheimhaltung überwiegen; eine Nutzung dieser Daten ist unzulässig.

§ 22 Datenübermittlung an Stellen außerhalb des öffentlichen Bereichs

(1) Die Übermittlung personenbezogener Daten an nichtöffentliche Stellen ist zulässig, wenn:
1. sie zur Erfüllung der in der Zuständigkeit der übermittelnden Stelle liegenden Aufgaben erforderlich ist und die Voraussetzungen vorliegen, die eine Nutzung nach § 20 zulassen würden, oder
2. der Empfänger ein berechtigtes Interesse an der Kenntnis der zu übermittelnden Daten glaubhaft darlegt und der Betroffene kein schutzwürdiges Interesse an dem Ausschluß der Übermittlung hat.

(2) Die Verantwortung für die Zulässigkeit der Übermittlung trägt die übermittelnde Stelle.

(3) In den Fällen der Übermittlung nach Absatz 1 Nr. 2 unterrichtet die übermittelnde Stelle den Betroffenen von der Übermittlung seiner Daten. Dies gilt nicht, wenn damit zu rechnen ist, daß er davon auf andere Weise Kenntnis erlangt, wenn die Unterrichtung wegen der Art der personenbezogenen Daten unter Berücksichtigung der schutzwürdigen Interessen des Betroffenen nicht geboten erscheint oder wenn die Unterrichtung die öffentliche Sicherheit gefährden oder sonst dem Wohle des Bundes oder eines Landes Nachteile bereiten würde.

(4) Der Empfänger darf die übermittelten Daten nur für den Zweck verarbeiten oder nutzen, zu dessen Erfüllung sie ihm übermittelt worden sind. Die übermittelnde Stelle hat den Empfänger darauf

hinzuweisen. Eine Verarbeitung oder Nutzung für andere Zwecke ist zulässig, wenn eine Übermittlung nach Absatz 1 zulässig wäre und die übermittelnde Stelle zugestimmt hat.

§ 23 Datenübermittlung an Stellen außerhalb des Geltungsbereichs des Grundgesetzes

(1) Die Übermittlung personenbezogener Daten an Stellen außerhalb des Geltungsbereichs des Grundgesetzes sowie an über- und zwischenstaatliche Stellen ist zulässig, soweit sie in einer Rechtsvorschrift oder einem Rechtsakt der Europäischen Gemeinschaften geregelt ist. Im übrigen ist die Übermittlung unter den Voraussetzungen des § 22 Abs. 1 zulässig, soweit keine Anhaltspunkte dafür vorliegen, daß ihr überwiegende schutzwürdige Interessen des Betroffenen entgegenstehen; § 22 Abs. 3 gilt entsprechend.

(2) Eine Übermittlung unterbleibt, soweit Grund zu der Annahme besteht, daß durch sie gegen den Zweck eines deutschen Gesetzes verstoßen würde.

(3) Die Verantwortung für die Zulässigkeit der Übermittlung trägt die übermittelnde Stelle.

(4) Der Empfänger ist darauf hinzuweisen, daß die übermittelten Daten nur zu dem Zweck verarbeitet oder genutzt werden dürfen, zu dessen Erfüllung sie ihm übermittelt werden.

§ 24 Zweckbindung bei personenbezogenen Daten, die einem Berufs- oder besonderen Amtsgeheimnis unterliegen

(1) Personenbezogene Daten, die einem Berufs- oder besonderen Amtsgeheimnis unterliegen und die von der zur Verschwiegenheit verpflichteten Person oder Stelle in Ausübung ihrer Berufs- oder Amtspflicht zur Verfügung gestellt worden sind, dürfen von der speichernden Stelle nur für den Zweck verarbeitet oder genutzt werden, für den sie sie erhalten hat.

(2) Für einen anderen Zweck dürfen die Daten nur verarbeitet oder genutzt werden, wenn die Änderung des Zwecks durch ein besonderes Gesetz zugelassen ist.

§ 25 Verarbeitung und Nutzung personenbezogener Daten durch Forschungseinrichtungen

(1) Für Zwecke der wissenschaftlichen Forschung erhobene oder gespeicherte personenbezogene Daten dürfen nur für Zwecke der wissenschaftlichen Forschung verarbeitet oder genutzt werden.

(2) Die Übermittlung personenbezogener Daten an andere als öffentliche Stellen für Zwecke der wissenschaftlichen Forschung ist nur zulässig, wenn diese sich verpflichten, die übermittelten Daten nicht für andere Zwecke zu verarbeiten oder zu nutzen und die Vorschrift des Absatzes 3 einzuhalten.

(3) Die personenbezogenen Daten sind zu anonymisieren, sobald dies nach dem Forschungszweck möglich ist. Bis dahin sind die Merkmale gesondert zu speichern, mit denen Einzelangaben einer bestimmten oder bestimmbaren Person zugeordnet werden können. Sie dürfen mit den Einzelangaben nur zusammengeführt werden, soweit der Forschungszweck dies erfordert.

(4) Die wissenschaftliche Forschung betreibenden Stellen dürfen personenbezogene Daten nur veröffentlichen, soweit:
1. der Betroffene eingewilligt hat oder
2. dies für die Darstellung von Forschungsergebnissen über Ereignisse der Zeitgeschichte unerläßlich ist.

Vierter Abschnitt
Besondere Bestimmungen

§ 26 Öffentliche Stellen, die am Wettbewerb teilnehmen

Soweit öffentliche Stellen am Wettbewerb teilnehmen, sind auf sie, auf ihre Zusammenschlüsse und Verbände von den Vorschriften dieses Gesetzes nur der Fünfte Abschnitt – ausgenommen § 34 Abs. 2 – anzuwenden. Im übrigen gelten für sie die Vorschriften des Bundesdatenschutzgesetzes mit Ausnahme des Zweiten Abschnitts und des § 38.

§ 27 Öffentlich-rechtliche Religionsgesellschaften

Personenbezogene Daten dürfen in entsprechender Anwendung des § 21 von der speichernden Stelle an Stellen der öffentlich-rechtlichen Religionsgesellschaften übermittelt werden, wenn sichergestellt ist, daß beim Empfänger ausreichende Datenschutzmaßnahmen getroffen sind.

§ 28 Verarbeitung personenbezogener Daten durch den Rundfunk

(1) Soweit eine öffentlich-rechtliche Rundfunkanstalt des Landes personenbezogene Daten ausschließlich zu eigenen journalistisch-redaktionellen Zwecken erhebt, verarbeitet oder nutzt, gelten von den Vorschriften dieses Gesetzes nur die §§ 6 und 9. Für die Verarbeitung personenbezogener Daten zu anderen Zwecken gelten neben § 29 die

Vorschriften dieses Gesetzes entsprechend mit Ausnahme des Fünften Abschnitts.

(2) Führt die journalistisch-redaktionelle Verarbeitung oder Nutzung personenbezogener Daten durch die Rundfunkanstalt zur Verbreitung einer Gegendarstellung des Betroffenen, so ist diese zu den gespeicherten Daten zu nehmen und für dieselbe Zeitdauer aufzubewahren wie die Daten selbst.

(3) Wird jemand durch eine Berichterstattung der Rundfunkanstalt in seinem Persönlichkeitsrecht beeinträchtigt, so kann er Auskunft über die der Berichterstattung zugrunde liegenden, zu seiner Person gespeicherten Daten verlangen. Die Auskunft kann verweigert werden, soweit aus den Daten auf die Person des Verfassers, Einsenders oder Gewährmannes von Beiträgen, Unterlagen und Mitteilungen für den redaktionellen Teil geschlossen werden kann. Der Betroffene kann die Berichtigung unrichtiger Daten verlangen.

§ 29 Beauftragter für den Datenschutz im Rundfunk

(1) Der Intendant der Rundfunkanstalt beruft mit Zustimmung des Verwaltungsrates einen Beauftragten für den Datenschutz im Rundfunk.

(2) Der Beauftragte für den Datenschutz kontrolliert die Einhaltung der Vorschriften dieses Gesetzes sowie anderer Vorschriften über den Datenschutz. Er ist in Erfüllung seiner Aufgaben nach diesem Gesetz an Weisungen nicht gebunden; im übrigen untersteht er der Dienstaufsicht des Intendanten.

(3) Jedermann kann sich entsprechend § 11 Abs. 1 Satz 1 an den Beauftragten für den Datenschutz wenden.

(4) Bei Beanstandungen verständigt der Beauftragte für den Datenschutz den Intendanten und den Verwaltungsrat. Er erstattet den Organen des Rundfunks alle zwei Jahre einen Bericht über seine Tätigkeit; diesen übermittelt er auch dem Landesbeauftragten für den Datenschutz.

(5) Der Beauftragte für den Datenschutz hat, auch nach seinem Ausscheiden, über die ihm bei seiner Tätigkeit bekanntgewordenen Angelegenheiten Verschwiegenheit zu bewahren. Dies gilt nicht für Tatsachen, die offenkundig sind oder ihrer Bedeutung nach keiner Geheimhaltung bedürfen.

§ 30 Personenbezogene Daten aus ehemaligen Einrichtungen

(1) Personenbezogene Daten aus ehemaligen Einrichtungen, die vor dem 3. Oktober 1990 nach ihrer Zweckbestimmung überwiegend für

Verwaltungsaufgaben gespeichert waren, die nach dem Grundgesetz von Ländern, Gemeinden, Gemeindeverbänden oder sonstigen Trägern öffentlicher Verwaltung wahrzunehmen sind, stehen demjenigen Träger öffentlicher Verwaltung zu, der nach dem Grundgesetz für die Verwaltungsaufgabe zuständig ist. Dieser bestimmt die verantwortliche speichernde Stelle. In Zweifelsfällen wird die speichernde Stelle durch die Landesregierung bestimmt.

(2) Ehemalige Einrichtungen im Sinne des Absatzes 1 sind ehemalige staatliche oder wirtschaftsleitende Organe, Kombinate, Betriebe oder Einrichtungen sowie gesellschaftliche Organisationen der Deutschen Demokratischen Republik.

§ 31 Verarbeitung personenbezogener Daten aus ehemaligen Einrichtungen

(1) Abweichend von § 20 Abs. 1 ist das Speichern, Verändern oder Nutzen personenbezogener Daten aus ehemaligen Einrichtungen durch die in § 30 Abs. 1 Satz 3 genannten speichernden Stellen zulässig, soweit:
1. die Kenntnis der Daten zur rechtmäßigen Erfüllung einer in der Zuständigkeit dieser Stellen liegenden Aufgabe erforderlich ist,
2. die erneute Erhebung dieser Daten einen unverhältnismäßig hohen Aufwand darstellt,
3. der Betroffene der Verarbeitung oder Nutzung nicht nach § 32 widersprochen hat und
4. die Zuständigkeit und Verantwortlichkeit der speichernden Stellen eindeutig bestimmt ist.

Satz 1 gilt nicht für eine Verwendung der Daten zum Nachteil des Betroffenen, wenn anzunehmen ist, daß sie unter Verstoß gegen die Menschenwürde erhoben worden sind.

(2) Personenbezogene Daten, deren Verarbeitung und Nutzung nach Absatz 1 zulässig ist, gelten als für den nach Absatz 1 Nr. 1 bestimmten Zweck erstmalig eingespeichert.

§ 32 Widerspruchsrecht

(1) Der Betroffene kann der Verarbeitung und Nutzung seiner personenbezogenen Daten widersprechen, wenn die Daten ohne seine Mitwirkung durch eine ehemalige Einrichtung erhoben oder gespeichert wurden und die Daten nach geltendem Recht nicht ohne seine Mitwirkung erhoben werden dürfen oder wenn anzunehmen ist, daß sie unter Verstoß gegen die Menschenwürde erhoben worden sind.

(2) Der Betroffene ist in geeigneter Weise über:
1. die Herkunft solcher Daten,

2. die Art der ursprünglichen Verwendung,
3. die Art und den Umfang der beabsichtigten Verarbeitung oder Nutzung,
4. die nunmehr zuständige speichernde Stelle und
5. die bestehende Widerspruchsmöglichkeit

zu unterrichten. Die Unterrichtung kann auch in allgemeiner Form erfolgen, soweit eine Einzelunterrichtung wegen des damit verbundenen unverhältnismäßigen Aufwands nicht geboten erscheint und schutzwürdige Belange der Betroffenen nicht überwiegen.

§ 33 Sperrung personenbezogener Daten aus ehemaligen Einrichtungen

Ist die Verarbeitung oder Nutzung personenbezogener Daten aus ehemaligen Einrichtungen nach § 31 Abs. 1 nicht zulässig, sind diese Daten abweichend von § 16 bis zum Inkrafttreten eines Gesetzes über öffentliche Archive zu sperren.

Fünfter Abschnitt
Überwachung des Datenschutzes bei öffentlichen Stellen

§ 34 Sicherstellung des Datenschutzes

(1) Die Landesministerien, die Gemeinden und Gemeindeverbände sowie die sonstigen der Aufsicht des Landes unterstehenden juristischen Personen des öffentlichen Rechts und deren Vereinigungen haben für ihren Bereich die Ausführung dieses Gesetzes sowie anderer Rechtsvorschriften über den Datenschutz sicherzustellen.

(2) Der erstmalige Einsatz von automatisierten Verfahren, mit denen personenbezogene Daten verarbeitet werden, bedarf hinsichtlich der Datenarten und der regelmäßigen Datenübermittlung der vorherigen schriftlichen Freigabe durch die Stelle, die nach Absatz 1 den Datenschutz sicherzustellen hat. Entsprechendes gilt für wesentliche Änderungen der Verfahren.

(3) Sollen in einem Verfahren personenbezogene Daten aus verschiedenen Verwaltungszweigen verarbeitet werden, dann bedarf es der Zustimmung der beteiligten Stellen, die den Datenschutz sicherzustellen haben.

§ 35 Bestellung des Landesbeauftragten für den Datenschutz

(1) Der Landtag wählt auf Vorschlag der Landesregierung den Landesbeauftragten für den Datenschutz mit mehr als der Hälfte der gesetzlichen Zahl seiner Mitglieder. Der Gewählte ist von der Landesregierung zu ernennen.

(2) Die Amtszeit des Landesbeauftragten für den Datenschutz beträgt sechs Jahre. Einmalige Widerwahl ist zulässig.

(3) Der Präsident des Landtags verpflichtet den Landesbeauftragten für den Datenschutz vor dem Landtag, sein Amt gerecht und unparteiisch zu führen, das Grundgesetz und die Verfassung des Landes sowie die Gesetze zu wahren und zu verteidigen.

(4) Auf Vorschlag des Landesbeauftragten für den Datenschutz ernennt die Landesregierung einen Vertreter im Amt. Dieser soll die Befähigung zum Richteramt haben.

(5) Dienstsitz des Landesbeauftragten für den Datenschutz ist Erfurt.

(6) Die Landesregierung entläßt den Landesbeauftragten für den Datenschutz, wenn dieser es verlangt oder auf Vorschlag des Präsidenten des Landtags, wenn Gründe vorliegen, die bei einem Richter auf Lebenszeit die Entlassung aus dem Dienst rechtfertigen. Im Falle der Beendigung des Amtsverhältnisses erhält der Landesbeauftragte eine vom Ministerpräsidenten vollzogene Urkunde. Eine Entlassung wird mit der Aushändigung der Urkunde wirksam.

(7) Der Landesbeauftragte für den Datenschutz erhält Amtsbezüge nach der Besoldungsgruppe B 6.

§ 36 Rechtsstellung und Verschwiegenheitspflicht

(1) Der Landesbeauftragte für den Datenschutz ist in der Ausübung seines Amtes unabhängig und nur dem Gesetz unterworfen. Er steht zum Land nach Maßgabe dieses Gesetzes in einem öffentlich-rechtlichen Amtsverhältnis. Der Präsident des Landtags führt die Dienstaufsicht.

(2) Der Landesbeauftragte für den Datenschutz darf neben seinem Amt kein anderes besoldetes Amt, kein Gewerbe und keinen Beruf ausüben und weder der Leitung oder dem Aufsichtsrat oder Verwaltungsrat eines auf Erwerb gerichteten Unternehmens noch einer Regierung oder einer gesetzgebenden Körperschaft des Bundes oder eines Landes angehören. Er darf nicht gegen Entgelt außergerichtliche Gutachten abgeben.

(3) Der Landesbeauftragte für den Datenschutz ist, auch nach Beendigung seines Amtsverhältnisses, verpflichtet, über die ihm bei seiner amtlichen Tätigkeit bekannt gewordenen Angelegenheiten Verschwiegenheit zu bewahren. Dies gilt nicht für Mitteilungen im dienstlichen Verkehr oder über Tatsachen, die offenkundig sind oder ihrer Bedeutung nach keiner Geheimhaltung bedürfen.

(4) Der Landesbeauftragte für den Datenschutz ist oberste Dienstbehörde im Sinne von § 96 Strafprozeßordnung. Er trifft die Entscheidungen über Aussagegenehmigungen für sich und seine Mitarbeiter in eigener Verantwortung. Der Nachfolger im Amt entscheidet über die Aussagegenehmigung seiner Vorgänger.

(5) Dem Landesbeauftragten für den Datenschutz ist die für die Erfüllung seiner Aufgaben notwendige Personal- und Sachausstattung zur Verfügung zu stellen; sie ist im Einzelplan des Landtags in einem eigenen Kapitel auszuweisen. Für bestimmte Einzelfragen kann der Landesbeauftragte für den Datenschutz auch Dritte zur Mitarbeit heranziehen.

(6) Die Besetzung der Personalstellen erfolgt auf Vorschlag des Landesbeauftragten für den Datenschutz. Die Mitarbeiter können, falls sie mit der beabsichtigten Maßnahme nicht einverstanden sind, nur im Einvernehmen mit ihm versetzt, abgeordnet oder umgesetzt werden; er ist ihr Dienstvorgesetzter, sie sind in ihrer Tätigkeit nach diesem Gesetz nur an seine Weisungen gebunden.

§ 37 Kontrolle durch den Landesbeauftragten für den Datenschutz

(1) Der Landesbeauftragte für den Datenschutz kontrolliert bei allen öffentlichen Stellen die Einhaltung der Vorschriften dieses Gesetzes und anderer Rechtsvorschriften über den Datenschutz.

(2) Die Kontrolle des Landesbeauftragten für den Datenschutz erstreckt sich auch auf personenbezogene Daten, die einem Berufs- oder besonderen Amtsgeheimnis unterliegen. Für personenbezogene Daten, die dem Arztgeheimnis unterliegen und personenbezogene Daten in Personalakten oder Akten über die Sicherheitsüberprüfung gilt dies jedoch nur, wenn der Betroffene der Kontrolle der auf ihn bezogenen Daten nicht widersprochen hat. Unbeschadet des Kontrollrechts des Landesbeauftragten unterrichtet die speichernde Stelle die Betroffenen in allgemeiner Form über das ihnen zustehende Widerspruchsrecht. Der Widerspruch ist schriftlich gegenüber der speichernden Stelle zu erklären.

(3) Die Kontrolle des Landesbeauftragten für den Datenschutz erstreckt sich nicht auf personenbezogene Daten, die der Kontrolle durch die Kommission nach § 3 des Gesetzes zur Ausführung des Gesetzes zu Artikel 10 Grundgesetz unterliegen, es sei denn, die Kommission ersucht den Landesbeauftragten, die Einhaltung der Vorschriften über den Datenschutz bei bestimmten Vorgängen oder in bestimmten Bereichen zu kontrollieren und ausschließlich ihr darüber zu berichten.

(4) Die Gerichte und der Landtag unterliegen der Kontrolle des

Landesbeauftragten für den Datenschutz nur, soweit sie in Verwaltungsangelegenheiten tätig werden.

§ 38 Pflicht zur Unterstützung

(1) Der Landesbeauftragte für den Datenschutz und seine Beauftragten sind von allen öffentlichen Stellen in der Erfüllung ihrer Aufgaben zu unterstützen. Ihnen ist im Rahmen der Kontrollbefugnis nach § 37 insbesondere:

1. Auskunft zu ihren Fragen sowie Einsicht in alle Unterlagen und Akten, insbesondere in die gespeicherten Daten und in die Datenverarbeitungsprogramme, zu gewähren, die im Zusammenhang mit der Kontrolle nach § 37 stehen,
2. jederzeit Zutritt in alle Diensträume zu gewähren.

(2) Für die in § 13 Abs. 4 genannten öffentlichen Stellen gilt Absatz 1 nur gegenüber dem Landesbeauftragten selbst und den von ihm schriftlich besonders damit Beauftragten. Absatz 1 Satz 2 findet für diese Stellung keine Anwendung, soweit das zuständige Landesministerium im Einzelfall feststellt, daß die Auskunft oder Einsicht in Unterlagen und Akten die Sicherheit des Bundes oder eines Landes gefährden würde.

§ 39 Beanstandung durch den Landesbeauftragten für den Datenschutz

(1) Der Landesbeauftragte für den Datenschutz beanstandet festgestellte Verletzungen von Vorschriften über den Datenschutz oder sonstige Mängel bei der Verarbeitung oder Nutzung personenbezogener Daten und fordert ihre Behebung in angemessener Frist. Die für die Sicherstellung des Datenschutzes nach § 34 verantwortliche Stelle und die Aufsichtsbehörde sind davon zu verständigen.

(2) Wird die Beanstandung nicht behoben, so fordert der Landesbeauftragte von der für die Sicherstellung des Datenschutzes nach § 34 verantwortlichen Stelle und der Aufsichtsbehörde binnen angemessener Frist geeignete Maßnahmen. Hat das nach Ablauf dieser Frist keinen Erfolg, verständigt der Landesbeauftragte den Landtag und die Landesregierung.

(3) Der Landesbeauftragte kann von einer Beanstandung absehen, insbesondere wenn es sich um unerhebliche oder inzwischen beseitigte Mängel handelt.

§ 40 Weitere Aufgaben des Landesbeauftragten für den Datenschutz

(1) Der Landesbeauftragte für den Datenschutz erstattet dem Landtag und der Landesregierung mindestens alle zwei Jahre einen Bericht

über seine Tätigkeit. Er gibt dabei auch einen Überblick über die technischen und organisatorischen Maßnahmen nach § 9 und regt Verbesserungen des Datenschutzes an.

(2) Der Ministerpräsident führt eine Stellungnahme der Landesregierung zu dem Bericht des Landesbeauftragten für den Datenschutz herbei und legt diese innerhalb von drei Monaten dem Landtag vor.

(3) Der Landesbeauftragte für den Datenschutz unterstützt im Rahmen seiner Beratungsaufgabe den Landtag bei seinen Entscheidungen. Auf Anforderung des Landtags oder der Landesregierung hat der Landesbeauftragte für den Datenschutz Gutachten zu erstellen und Berichte zu erstatten. Der Landtag oder die Landesregierung können den Landesbeauftragten ersuchen, bestimmte Vorgänge aus seinem Aufgabenbereich zu überprüfen.

(4) Der Bericht nach Absatz 1 ist im Beirat beim Landesbeauftragten für den Datenschutz vorzuberaten.

(5) Der Landesbeauftragte für den Datenschutz beobachtet die Entwicklung und Nutzung der Informations- und Kommunikationstechnik, insbesondere der automatisierten Datenverarbeitung und ihre Auswirkungen auf die Arbeitsweise und die Entscheidungsbefugnisse der öffentlichen Stellen. Er hat insbesondere darauf zu achten, ob sie zu einer Verschiebung der Gewaltenteilung zwischen den Verfassungsorganen des Landes, zwischen den Organen der kommunalen Selbstverwaltung und zwischen der staatlichen und der kommunalen Selbstverwaltung führen. Er soll Maßnahmen anregen, die ihm geeignet erscheinen, derartige Auswirkungen zu verhindern.

(6) Der Landesbeauftragte für den Datenschutz kann sich jederzeit an den Landtag wenden.

(7) Der Landesbeauftragte für den Datenschutz führt das Datenschutzregister nach § 12.

§ 41 Beirat beim Landesbeauftragten für den Datenschutz

(1) Beim Landesbeauftragten für den Datenschutz wird ein Beirat gebildet. Er besteht aus neun Mitgliedern. Es bestellen sechs Mitglieder der Landtag, ein Mitglied die Landesregierung, ein Mitglied die kommunalen Spitzenverbände, ein Mitglied das Ministerium für Soziales und Gesundheit aus dem Bereich der gesetzlichen Sozialversicherungsträger. Für jedes Beiratsmitglied wird zugleich ein Stellvertreter bestellt.

(2) Die Mitglieder des Beirats werden für vier Jahre, die Mitglieder des Landtags für die Wahldauer des Landtags bestellt; sie sind in ihrer Tätigkeit an Aufträge und Weisungen nicht gebunden.

(3) Der Beirat unterstützt den Landesbeauftragten für den Datenschutz in seiner Arbeit. Die Unabhängigkeit des Landesbeauftragten für den Datenschutz nach § 36 Abs. 1 und die Berichtspflicht gegenüber dem Landtag werden dadurch nicht berührt.

(4) Der Beirat gibt sich eine Geschäftsordnung. Er tritt auf Antrag jedes seiner Mitglieder oder des Landesbeauftragten für den Datenschutz zusammen. Den Vorsitz führt ein Mitglied des Landtags.

(5) Der Landesbeauftragte für den Datenschutz nimmt an allen Sitzungen teil. Er verständigt den Beirat von Maßnahmen nach § 39 Abs. 1. Vor Maßnahmen nach § 39 Abs. 2 kann dem Beirat Gelegenheit zur Stellungnahme gegeben werden.

(6) Die Mitglieder des Beirats haben, auch nach ihrem Ausscheiden, über die ihnen bei ihrer Tätigkeit bekanntgewordenen Angelegenheiten Verschwiegenheit zu bewahren. Dies gilt nicht für Tatsachen, die offenkundig sind oder ihrer Bedeutung nach keiner Geheimhaltung bedürfen.

Sechster Abschnitt
Aufsichtsbehörden für die Datenverarbeitung nichtöffentlicher Stellen

§ 42 Aufsichtsbehörde

(1) Die Aufsichtsbehörde nach § 38 Abs. 6 des Bundesdatenschutzgesetzes und der Landesbeauftragte für den Datenschutz tauschen regelmäßig die in Erfüllung ihrer Aufgaben gewonnenen Erfahrungen aus. Die Aufsichtsbehörde kann im Einzelfall mit Zustimmung des Landesbeauftragten für den Datenschutz Bedienstete der Geschäftsstelle des Landesbeauftragten für Datenschutz mit der Vornahme von Handlungen nach § 38 Abs. 3 und 4 des Bundesdatenschutzgesetzes beauftragen, sofern die Aufgaben des Landesbeauftragten für den Datenschutz dadurch nicht beeinträchtigt werden.

(2) Das Innenministerium wird ermächtigt, durch Rechtsverordnung sachverständige Personen oder Stellen zu bestimmen, derer sich die Aufsichtsbehörde zur Erfüllung ihrer Aufgaben nach § 38 des Bundesdatenschutzgesetzes bedienen kann. Diese Stelle nimmt insoweit hoheitlich Aufgaben der öffentlichen Verwaltung wahr. Die Bediensteten dieser Stelle haben die in § 38 Abs. 4 des Bundesdatenschutzgesetzes genannten Rechte; auch ihnen gegenüber besteht die in § 38 Abs. 3 des Bundesdatenschutzgesetzes genannte Auskunftspflicht.

(3) Das Innenministerium wird ermächtigt, durch Rechtsverordnung im Einvernehmen mit dem Finanzministerium die Gebühren und Auslagen für die Tätigkeit der Aufsichtsbehörde nach § 38 Abs. 6 des

Bundesdatenschutzgesetzes festzusetzen. Die Höhe der Gebühren und Auslagen ist nach dem Aufwand und der Bedeutung der Leistung für den Schuldner zu bemessen.

(4) Schuldner ist in den Fällen des § 38 Abs. 1 des Bundesdatenschutzgesetzes der Überprüfte, wenn Mängel festgestellt werden, sonst derjenige, der die Tätigkeit veranlaßt. Für Unterstützungen des Beauftragten für den Datenschutz (§ 37 Abs. 1 Satz 2 des Bundesdatenschutzgesetzes) ist Schuldner die natürliche oder juristische Person, Gesellschaft oder andere Personenvereinigung des privaten Rechts, die den Beauftragten für den Datenschutz bestellt hat. Schuldner in den Fällen des § 38 Abs. 2 des Bundesdatenschutzgesetzes ist der Überwachte.

Siebter Abschnitt
Strafvorschrift, Schlußvorschriften

§ 43 Strafvorschrift

(1) Wer unbefugt von diesem Gesetz geschützte personenbezogene Daten, die nicht offenkundig sind,
1. speichert, verändert oder übermittelt,
2. zum Abruf mittels automatisierten Verfahrens bereithält oder
3. abruft oder sich oder einem anderen aus Dateien verschafft,

wird mit Freiheitsstrafe bis zu einem Jahr oder mit Geldstrafe bestraft.

(2) Ebenso wird bestraft, wer:
1. die Übermittlung von personenbezogenen Daten, die durch dieses Gesetz geschützt werden und nicht offenkundig sind, durch unrichtige Angaben erschleicht,
2. entgegen § 22 Abs. 4 Satz 1, § 24 Abs. 1 oder § 25 Abs. 1 die übermittelten Daten für einen anderen Zweck nutzt, indem er sie an Dritte weitergibt, oder
3. entgegen § 25 Abs. 3 Satz 3 die in § 25 Abs. 3 Satz 2 bezeichneten Merkmale mit den Einzelangaben zusammenführt.

(3) Handelt der Täter gegen Entgelt oder in der Absicht, sich oder einen anderen zu bereichern oder einen anderen zu schädigen, so ist die Strafe Freiheitsstrafe bis zu zwei Jahren oder Geldstrafe.

(4) Die Tat wird nur auf Antrag verfolgt.

§ 44 Inkrafttreten, Übergangsbestimmungen

(1) Dieses Gesetz tritt am Tage nach der Verkündung in Kraft.

(2) Das Datenschutzregister (§ 12) ist innerhalb eines Jahres nach Inkrafttreten dieses Gesetzes einzurichten.

(3) Vordrucke, die den Anforderungen dieses Gesetzes nicht entsprechen, dürfen bis zum Ablauf eines Jahres nach Inkrafttreten dieses Gesetzes aufgebraucht werden. Unzulässige Fragestellungen sind vorher zu streichen.

(4) Werden im Zeitpunkt des Inkrafttretens dieses Gesetzes personenbezogene Daten im Auftrag öffentlicher Stellen durch andere Stellen verarbeitet, ist das Auftragsverhältnis innerhalb eines Jahres den Vorschriften des § 8 anzupassen.

(5) Soweit bei öffentlichen Stellen im Zeitpunkt des Inkrafttretens dieses Gesetzes automatisierte Abrufverfahren eingerichtet sind, sind die nach § 7 erforderlichen Festlegungen innerhalb eines Jahres zu treffen.

(6) Die im Zeitpunkt des Inkrafttretens dieses Gesetzes eingesetzten Datenverarbeitungsanlagen und automatisierten Verfahren sind innerhalb von sechs Monaten in das nach § 10 zu führende Verzeichnis aufzunehmen.

Internationales

Europarat
Übereinkommen zum Schutz des Menschen bei der automatischen Verarbeitung personenbezogener Daten (Konvention 108)[1] [2]

vom 28. Jan. 1981
in der Fassung der vom Ministerkomitee am 15. 6. 1999 angenommenen Änderungen

Präambel

Die Mitgliedstaaten des Europarats, die dieses Übereinkommen unterzeichnen –

in der Erwägung, daß es das Ziel des Europarats ist, eine engere Verbindung zwischen seinen Mitgliedern herbeizuführen, die vor allem auf der Achtung des Vorranges des Rechts sowie der Menschenrechte und Grundfreiheiten beruht,

in der Erwägung, daß es angesichts des zunehmenden grenzüberschreitenden Verkehrs automatisch verarbeiteter personenbezogener Daten wünschenswert ist, den Schutz der Rechte und Grundfreiheiten jedes Menschen, vor allem das Recht auf Achtung des Persönlichkeitsbereichs zu erweitern,

unter gleichzeitiger Bekräftigung, für eine Informationsfreiheit ohne Rücksicht auf Staatsgrenzen einzutreten,

in Anerkennung der Notwendigkeit, die grundlegenden Werte der Achtung des Persönlichkeitsbereichs und des freien Informationsaustausches zwischen den Völkern in Einklang zu bringen –

sind wie folgt übereingekommen:

Kapitel I
Allgemeine Bestimmungen

Artikel 1. Gegenstand und Zweck

Zweck dieses Übereinkommens ist es, im Hoheitsgebiet jeder Vertragspartei für jedermann ungeachtet seiner Staatsangehörigkeit oder

1 Offizielle Übersetzung der deutschsprachigen Mitgliedstaaten.
2 Ratifiziert durch Belgien, Dänemark, Deutschland, Finnland, Frankreich, Großbritannien, Irland, Island, Luxemburg, Niederlande, Norwegen, Österreich, Portugal, Schweden, Slowenien, Spanien

seines Wohnorts sicherzustellen, daß seine Rechte und Grundfreiheiten, insbesondere sein Recht auf Achtung des Persönlichkeitsbereichs, bei der automatischen Verarbeitung personenbezogener Daten geschützt werden (»Datenschutz«).

Artikel 2. Begriffsbestimmungen

In diesem Übereinkommen

a) bedeutet »personenbezogene Daten« jede Information über eine bestimmte oder bestimmbare natürliche Person (»Betroffener«);
b) bedeutet »automatisierte Datei/Datensammlung« jede zur automatischen Verarbeitung erfaßte Gesamtheit von Informationen;
c) umfaßt »automatische Verarbeitung« die folgenden Tätigkeiten, wenn sie ganz oder teilweise mit Hilfe automatisierter Verfahren durchgeführt werden: das Speichern von Daten, das Durchführen logischer und/oder rechnerischer Operationen mit diesen Daten, das Verändern, Löschen, Wiedergewinnen oder Bekanntgeben von Daten;
d) bedeutet »Verantwortlicher für die Datei/Datensammlung«[1] die natürliche oder juristische Person, die Behörde, die Einrichtung oder jede andere Stelle, die nach dem innerstaatlichen Recht zuständig ist, darüber zu entscheiden, welchen Zweck die automatisierte Datei/Datensammlung haben soll, welche Arten personenbezogener Daten gespeichert und welche Verarbeitungsverfahren auf sie angewendet werden sollen.

Artikel 3. Geltungsbereich

(1) Die Vertragsparteien verpflichten sich, dieses Übereinkommen auf automatisierte Dateien/Datensammlungen und automatische Verarbeitungen von personenbezogenen Daten im öffentlichen und privaten Bereich anzuwenden.

(2) Jeder Staat oder die Europäischen Gemeinschaften können bei der Unterzeichnung oder bei der Hinterlegung ihrer Ratifikations-, Annahme-, Genehmigungs- oder Beitrittsurkunde oder jederzeit danach durch Erklärung an den Generalsekretär des Europarats bekannt geben:

a) dass sie dieses Übereinkommen auf bestimmte Arten von automatisierten Dateien/Datensammlungen mit personenbezogenen Daten nicht anwenden, und hinterlegen ein Verzeichnis dieser Arten. In das Verzeichnis dürfen sie jedoch Arten automatisierter Dateien/Datensammlungen nicht aufnehmen, die nach ihrem innerstaatlichen Recht Datenschutzvorschriften unterliegen. Sie ändern dieses

---

1 Diesem Ausdruck entspricht in der Bundesrepublik Deutschland der Begriff »speichernde Stelle«.

Verzeichnis durch eine neue Erklärung, wenn weitere Arten von automatisierten Dateien/Datensammlungen mit personenbezogenen Daten ihren innerstaatlichen Datenschutzvorschriften unterstellt werden;

b) dass sie dieses Übereinkommen auch auf Informationen über Personengruppen, Vereinigungen, Stiftungen, Gesellschaften, Körperschaften oder andere Stellen anwenden, die unmittelbar oder mittelbar aus natürlichen Personen bestehen, unabhängig davon, ob diese Stellen Rechtspersönlichkeit besitzen oder nicht;

c) dass sie dieses Übereinkommen auch auf Dateien/Datensammlungen mit personenbezogenen Daten anwenden, die nicht automatisch verarbeitet werden.

(3) Jeder Staat oder die Europäischen Gemeinschaften, die den Geltungsbereich dieses Übereinkommens durch eine Erklärung nach Absatz 2 Buchstabe b oder c erweitert haben, können in dieser Erklärung bekannt geben, dass die Erweiterung nur für bestimmte Arten von Dateien/Datensammlungen mit personenbezogenen Daten gilt; sie hinterlegen ein Verzeichnis dieser Arten.

(4) Hat eine Vertragspartei bestimmte Arten von automatisierten Dateien/Datensammlungen mit personenbezogenen Daten durch eine Erklärung nach Absatz 2 Buchstabe a ausgeschlossen, so kann sie nicht verlangen, daß eine Vertragspartei, die diese Arten nicht ausgeschlossen hat, das Übereinkommen auf diese Arten anwendet.

(5) Ebenso kann eine Vertragspartei, die keine Erweiterung nach Absatz 2 Buchstabe b oder c vorgenommen hat, in diesen Punkten die Anwendung dieses Übereinkommens nicht verlangen von einer Vertragspartei, die eine solche Erweiterung vorgenommen hat.

(6) Die Erklärungen nach Absatz 2 werden mit Inkrafttreten des Übereinkommens für den Staat oder die Europäischen Gemeinschaften wirksam, die sie abgegeben haben, wenn sie im Zeitpunkt der Unterzeichnung oder der Hinterlegung ihrer Ratifikations-, Annahme-, Genehmigungs- oder Beitrittsurkunde abgegeben worden sind, oder drei Monate nach ihrem Eingang beim Generalsekretär des Europarats, wenn sie später abgegeben worden sind. Diese Erklärungen können ganz oder teilweise durch Notifikation an den Generalsekretär zurückgenommen werden. Die Zurücknahme wird drei Monate nach Eingang der Notifikation wirksam.

Kapitel II
Grundsätze für den Datenschutz

Artikel 4. Pflichten der Vertragsparteien

(1) Jede Vertragspartei trifft in ihrem innerstaatlichen Recht die erforderlichen Maßnahmen, um die in diesem Kapitel aufgestellten Grundsätze für den Datenschutz zu verwirklichen.

(2) Jede Vertragspartei trifft diese Maßnahme spätestens zu dem Zeitpunkt, zu dem dieses Übereinkommen für sie in Kraft tritt.

Artikel 5. Qualität der Daten

Personenbezogene Daten, die automatisch verarbeitet werden,
a) müssen nach Treu und Glauben und auf rechtmäßige Weise beschafft sein und verarbeitet werden;
b) müssen für festgelegte und rechtmäßige Zwecke gespeichert sein und dürfen nicht so verwendet werden, daß es mit diesen Zwecken unvereinbar ist;
c) müssen den Zwecken, für die sie gespeichert sind, entsprechen, dafür erheblich sein und dürfen nicht darüber hinausgehen;
d) müssen sachlich richtig und wenn nötig auf den neuesten Stand gebracht sein;
e) müssen so aufbewahrt werden, daß der Betroffene nicht länger identifiziert werden kann, als es die Zwecke, für die sie gespeichert sind, erfordern.

Artikel 6. Besondere Arten von Daten

Personenbezogene Daten, welche die rassische Herkunft, politische Anschauungen oder religiöse oder andere Überzeugungen erkennen lassen, sowie personenbezogene Daten, welche die Gesundheit oder das Sexualleben betreffen, dürfen nur automatisch verarbeitet werden, wenn das innerstaatliche Recht einen geeigneten Schutz gewährleistet. Dasselbe gilt für personenbezogene Daten über Strafurteile.

Artikel 7. Datensicherung

Für den Schutz personenbezogener Daten, die in automatisierten Dateien/Datensammlungen gespeichert sind, werden geeignete Sicherungsmaßnahmen getroffen gegen die zufällige oder unbefugte Zerstörung, gegen zufälligen Verlust sowie unbefugten Zugang, unbefugte Veränderung oder unbefugtes Bekanntgeben.

Artikel 8. Zusätzlicher Schutz für den Betroffenen

Jedermann muß die Möglichkeit haben,

a) das Vorhandensein einer automatisierten Datei/Datensammlung mit personenbezogenen Daten, ihre Hauptzwecke sowie die Bezeichnung, den gewöhnlichen Aufenthaltsort oder den Sitz des Verantwortlichen für die Datei/Datensammlung[1] festzustellen;
b) in angemessenen Zeitabständen und ohne unzumutbare Verzögerung oder übermäßige Kosten die Bestätigung zu erhalten, ob Daten über ihn in einer automatisierten Datei/Datensammlung mit personenbezogenen Daten gespeichert sind, sowie zu erwirken, daß ihm diese Daten in verständlicher Form mitgeteilt werden;
c) gegebenenfalls diese Daten berichtigen oder löschen lassen, wenn sie entgegen den Vorschriften des innerstaatlichen Rechts verarbeitet worden sind, welche die Grundsätze der Artikel 5 und 6 verwirklichen;
d) über ein Rechtsmittel zu verfügen, wenn seiner Forderung nach Bestätigung oder gegebenenfalls nach Mitteilung, Berichtigung oder Löschung im Sinne der Buchstaben b und c nicht entsprochen wird.

Artikel 9. Ausnahmen und Einschränkungen

(1) Ausnahmen von den Artikeln 5, 6 und 8 sind nicht zulässig, abgesehen von den in diesem Artikel vorgesehenen.

(2) Eine Abweichung von den Artikeln 5, 6 und 8 ist zulässig, wenn sie durch das Recht der Vertragspartei vorgesehen und in einer demokratischen Gesellschaft eine notwendige Maßnahme ist

a) zum Schutz der Sicherheit des Staates, der öffentlichen Sicherheit sowie der Währungsinteressen des Staates oder zur Bekämpfung von Straftaten;
b) zum Schutz des Betroffenen oder der Rechte und Freiheiten Dritter.

(3) Die Ausübung der Rechte nach Artikel 8 Buchstabe b, c und d kann durch Gesetz für automatisierte Dateien/Datensammlungen mit personenbezogenen Daten eingeschränkt werden, die Zwecken der Statistik oder der wissenschaftlichen Forschung dienen, wenn offensichtlich keine Gefahr besteht, daß der Persönlichkeitsbereich der Betroffenen beeinträchtigt wird.

Artikel 10. Sanktionen und Rechtsmittel

Jede Vertragspartei verpflichtet sich, geeignete Sanktionen und Rechtsmittel für Verletzungen der Vorschriften des innerstaatlichen Rechts,

1 S. Fußnote zu Artikel 2.

welche die in diesem Kapitel aufgestellten Grundsätze für den Datenschutz verwirklichen, festzulegen.

Artikel 11. Weitergehender Schutz

Dieses Kapitel ist nicht so auszulegen, als ob es die Möglichkeit begrenze oder auf andere Weise beeinträchtige, daß eine Vertragspartei den Betroffenen ein größeres Maß an Schutz als das in diesem Übereinkommen vorgeschriebene gewährt.

Kapitel III
Grenzüberschreitender Datenverkehr

Artikel 12. Grenzüberschreitender Verkehr personenbezogener Daten und innerstaatliches Recht

(1) Werden personenbezogene Daten, die automatisch verarbeitet werden oder für eine solche Verarbeitung beschafft worden sind – mittels welcher Datenträger auch immer – über die Staatsgrenzen hinweg weitergegeben, so finden die folgenden Bestimmungen Anwendung.

(2) Eine Vertragspartei darf allein zum Zweck des Schutzes des Persönlichkeitsbereichs von Betroffenen den grenzüberschreitenden Verkehr personenbezogener Daten in das Hoheitsgebiet einer anderen Vertragspartei nicht verbieten oder von einer besonderen Genehmigung abhängig machen.

(3) Jede Vertragspartei ist jedoch berechtigt, von Absatz 2 abzuweichen,

a) soweit ihr Recht für bestimmte Arten von personenbezogenen Daten oder automatisierten Dateien/Datensammlungen mit personenbezogenen Daten wegen der Beschaffenheit dieser Arten besondere Vorschriften enthält, es sei denn, die Vorschriften der anderen Vertragspartei sehen einen gleichwertigen Schutz vor;
b) um zu verhindern, daß ihr Recht dadurch umgangen wird, daß eine Weitergabe aus ihrem Hoheitsgebiet in das Hoheitsgebiet einer Nichtvertragspartei auf dem Weg über das Hoheitsgebiet einer anderen Vertragspartei erfolgt.

Kapitel IV
Gegenseitige Hilfeleistung

Artikel 13. Zusammenarbeit zwischen den Vertragsparteien

(1) Die Vertragsparteien verpflichten sich, einander bei der Durchführung dieses Übereinkommens Hilfe zu leisten,

(2) Zu diesem Zweck

a) bezeichnet jede Vertragspartei eine oder mehrere Behörden und teilt deren amtliche Bezeichnung und Anschrift dem Generalsekretär des Europarats mit;

b) legt jede Vertragspartei, die mehrere Behörden bezeichnet hat, die Zuständigkeit jeder Behörde fest und gibt sie in ihrer Mitteilung nach Buchstabe a an.

(3) Eine bezeichnete Behörde einer Vertragspartei wird auf Ersuchen einer bezeichneten Behörde einer anderen Vertragspartei

a) Auskünfte über Recht und Verwaltungspraxis im Bereich des Datenschutzes erteilen;

b) in Übereinstimmung mit dem innerstaatlichen Recht und allein zum Zweck des Schutzes des Persönlichkeitsbereichs alle geeigneten Maßnahmen treffen, um Sachauskünfte über eine bestimmte automatische Verarbeitung, die in ihrem Hoheitsgebiet durchgeführt wird, zu erteilen, jedoch mit Ausnahme der dabei verarbeiteten personenbezogenen Daten.

Artikel 14. Unterstützung von Betroffenen, die im Ausland wohnen

(1) Jede Vertragspartei unterstützt Personen, die im Ausland wohnen, bei der Ausübung der Rechte, die ihnen nach dem innerstaatlichen Recht zustehen, das die in Artikel 8 aufgestellten Grundsätze verwirklicht.

(2) Eine im Hoheitsgebiet einer anderen Vertragspartei wohnende Person kann ihren Antrag über die bezeichnete Behörde dieser Vertragspartei stellen.

(3) Der Antrag auf Unterstützung muß alle erforderlichen Angaben enthalten, insbesondere über

a) den Namen, die Anschrift und alle anderen für die Identifizierung des Antragstellers erheblichen Einzelheiten;

b) die automatisierte Datei/Datensammlung mit personenbezogenen Daten oder den dafür Verantwortlichen[1], auf die sich der Antrag bezieht;

c) den Zweck des Antrags.

Artikel 15. Sicherheiten bei Hilfeleistung durch bezeichnete Behörden

(1) Hat eine bezeichnete Behörde einer Vertragspartei von einer bezeichneten Behörde einer anderen Vertragspartei Auskünfte erhalten,

---

1 s. Fußnote zu Artikel 2.

die einem Antrag auf Unterstützung dienen oder Antwort auf ein eigenes Ersuchen geben, so darf sie diese Auskünfte nur zu den Zwecken verwenden, die dem Antrag oder Ersuchen zugrunde liegen.

(2) Jede Vertragspartei sorgt dafür, daß die Personen, die der bezeichneten Behörde angehören oder in ihrem Namen handeln, durch entsprechende Verpflichtungen zur Geheimhaltung oder zur vertraulichen Behandlung dieser Auskünfte gebunden werden.

(3) Es ist einer bezeichneten Behörde in keinem Fall erlaubt, nach Artikel 14 Absatz 2 im Namen eines im Ausland wohnenden Betroffenen von sich aus und ohne seine ausdrückliche Zustimmung einen Antrag auf Unterstützung zu stellen.

Artikel 16. Ablehnung von Ersuchen und Anträgen

Eine bezeichnete Behörde, an die nach Artikel 13 ein Ersuchen oder nach Artikel 14 ein Antrag gerichtet wird, kann nur ablehnen, ihnen stattzugeben, wenn

a) sie mit den Befugnissen der für die Beantwortung zuständigen Behörden auf dem Gebiet des Datenschutzes nicht vereinbar sind;
b) sie den Bestimmungen dieses Übereinkommens nicht entsprechen;
c) ihre Erfüllung mit der Souveränität, der Sicherheit oder der öffentlichen Ordnung der Vertragspartei, die sie bezeichnet hat, oder mit den Rechten und Grundfreiheiten der Personen, die der Gerichtsbarkeit dieser Vertragspartei unterstehen, nicht vereinbar wäre.

Artikel 17. Kosten und Verfahren

(1) Für Hilfe, welche die Vertragsparteien einander nach Artikel 13 leisten, oder für Unterstützung, die sie Betroffenen im Ausland nach Artikel 14 leisten, werden keine Auslagen oder Gebühren außer für Sachverständige und Dolmetscher erhoben. Diese Auslagen oder Gebühren werden von der Vertragspartei getragen, welche die ersuchende Behörde bezeichnet hat.

(2) Der Betroffene kann nicht verpflichtet werden, für Schritte, die im Hoheitsgebiet einer anderen Vertragspartei für ihn unternommen werden, höhere Auslagen oder Gebühren zu zahlen, als von Personen erhoben werden können, die im Hoheitsgebiet der betreffenden Vertragspartei wohnen.

(3) Die sonstigen Einzelheiten im Zusammenhang mit der Hilfeleistung oder Unterstützung, insbesondere hinsichtlich der Form und der Verfahren sowie der zu verwendenden Sprachen, werden unmittelbar zwischen den beteiligten Vertragsparteien festgelegt.

Kapitel V
Beratender Ausschuß

Artikel 18. Zusammensetzung des Ausschusses

(1) Nach dem Inkrafttreten dieses Übereinkommens wird ein Beratender Ausschuß eingesetzt.

(2) Jede Vertragspartei ernennt einen Vertreter und einen Stellvertreter für diesen Ausschuß. Jeder Mitgliedstaat des Europarats, der nicht Vertragspartei des Übereinkommens ist, hat das Recht, sich im Ausschuß durch einen Beobachter vertreten zu lassen.

(3) Der Beratende Ausschuß kann durch einstimmigen Beschluß jeden Nichtmitgliedstaat des Europarats, der nicht Vertragspartei des Übereinkommens ist, einladen, sich durch einen Beobachter in einer seiner Sitzungen vertreten zu lassen.

Artikel 19. Aufgaben des Ausschusses

Der Beratende Ausschuß
a) kann Vorschläge zur Erleichterung oder Verbesserung der Anwendung des Übereinkommens machen;
b) kann in Übereinstimmung mit Artikel 21 Änderungen dieses Übereinkommens vorschlagen;
c) nimmt zu jeder vorgeschlagenen Änderung dieses Übereinkommens Stellung, die ihm nach Artikel 21 Absatz 3 unterbreitet wird;
d) kann auf Ersuchen einer Vertragspartei zu allen Fragen im Zusammenhang mit der Anwendung dieses Übereinkommens Stellung nehmen.

Artikel 20. Verfahren

(1) Der Beratende Ausschuß wird vom Generalsekretär des Europarats einberufen. Seine erste Sitzung findet innerhalb von zwölf Monaten nach Inkrafttreten dieses Übereinkommens statt. Danach tritt er mindestens alle zwei Jahre sowie immer dann zusammen, wenn ein Drittel der Vertreter der Vertragsparteien dies verlangt.

(2) Der Beratende Ausschuß ist in einer Sitzung beschlußfähig, wenn die Mehrheit der Vertreter der Vertragsparteien anwesend ist.

(3) Jede Vertragspartei ist stimmberechtigt. Jeder Vertragsstaat des Übereinkommens hat eine Stimme. Hinsichtlich der in ihren Zuständigkeitsbereich fallenden Fragen üben die Europäischen Gemeinschaften ihr Stimmrecht aus, und sie geben eine Zahl von Stimmen ab, die der Zahl ihrer Mitgliedstaaten entspricht, die Vertragsparteien des

Übereinkommens sind und die für den entsprechenden Bereich ihre Zuständigkeiten auf die Europäischen Gemeinschaften übertragen haben. In diesem Fall beteiligen sich diese Mitgliedstaaten der Gemeinschaften nicht an der Abstimmung, und die anderen Mitgliedstaaten der Gemeinschaften können an der Abstimmung teilnehmen. Die Europäischen Gemeinschaften stimmen nicht ab, wenn sich die Abstimmung auf eine Frage bezieht, die nicht in ihren Zuständigkeitsbereich fällt.

(4) Im Anschluß an jede Sitzung unterbreitet der Beratende Ausschuß dem Ministerkomitee des Europarats einen Bericht über seine Arbeit und die Wirksamkeit des Übereinkommens.

(5) In Übereinstimmung mit diesem Übereinkommen gibt sich der Beratende Ausschuß eine Geschäftsordnung.

Kapitel VI
Änderungen

Artikel 21. Änderungen

(1) Änderungen dieses Übereinkommens können von einer Vertragspartei, vom Ministerkomitee des Europarats oder vom Beratenden Ausschuß vorgeschlagen werden.

(2) Der Generalsekretär des Europarats teilt jeden Änderungsvorschlag den Mitgliedstaaten des Europarats, den Europäischen Gemeinschaften sowie jedem Nichtmitgliedstaat mit, der diesem Übereinkommen beigetreten ist oder der nach Artikel 23 eingeladen worden ist, ihm beizutreten.

(3) Darüber hinaus wird jede von einer Vertragspartei oder vom Ministerkomitee vorgeschlagene Änderung dem Beratenden Ausschuß übermittelt; dieser teilt dem Ministerkomitee seine Stellungnahme zu der vorgeschlagenen Änderung mit.

(4) Das Ministerkomitee prüft die vorgeschlagene Änderung und die Stellungnahme des Beratenden Ausschusses und kann die Änderung genehmigen.

(5) Der Wortlaut einer Änderung, die das Ministerkomitee nach Absatz 4 genehmigt hat, wird den Vertragsparteien zur Annahme zugeleitet.

(6) Eine nach Absatz 4 genehmigte Änderung tritt am dreißigsten Tag nach dem Zeitpunkt in Kraft, zu dem alle Vertragsparteien dem Generalsekretär ihre Annahme mitgeteilt haben.

Kapitel VII
Schlußklauseln

Artikel 22. Inkrafttreten

(1) Dieses Übereinkommen liegt für die Mitgliedstaaten des Europarats zur Unterzeichnung auf. Es bedarf der Ratifikation, Annahme oder Genehmigung. Die Ratifikations-, Annahme- oder Genehmigungsurkunden werden beim Generalsekretär des Europarats hinterlegt.

(2) Das Übereinkommen tritt am ersten Tag des Monats in Kraft, der auf einen Zeitabschnitt von drei Monaten nach dem Tag folgt, an dem fünf Mitgliedstaaten des Europarats nach Absatz 1 ihre Zustimmung ausgedrückt haben, durch das Übereinkommen gebunden zu sein.

(3) Für jeden Mitgliedstaat, der später seine Zustimmung ausdrückt, durch das Übereinkommen gebunden zu sein, tritt es am ersten Tag des Monats in Kraft, der auf einen Zeitabschnitt von drei Monaten nach Hinterlegung der Ratifikations-, Annahme- oder Genehmigungsurkunde folgt.

Artikel 23. Beitritt von Nichtmitgliedstaaten oder der Europäischen Gemeinschaften

(1) Nach Inkrafttreten dieses Übereinkommens kann das Ministerkomitee des Europarats durch einen mit der in Artikel 20 Buchstabe d der Satzung vorgesehenen Mehrheit und mit einhelliger Zustimmung der Vertreter der Vertragsstaaten, die Anspruch auf einen Sitz im Komitee haben, gefaßten Beschluß jeden Nichtmitgliedstaat des Rates einladen, dem Übereinkommen beizutreten.

(2) Die Europäischen Gemeinschaften können dem Übereinkommen beitreten.

(3) Für jeden beitretenden Staat oder für die beitretenden Europäischen Gemeinschaften tritt das Übereinkommen am ersten Tag des Monats in Kraft, der auf einen Zeitabschnitt von drei Monaten nach Hinterlegung der Beitrittsurkunde beim Generalsekretär des Europarats folgt.

Artikel 24. Räumliche Geltungsbereiche

(1) Jeder Staat oder die Europäischen Gemeinschaften können bei der Unterzeichnung oder bei der Hinterlegung ihrer Ratifikations-, Annahme-, Genehmigungs- oder Beitrittsurkunde einzelne oder mehrere Hoheitsgebiete bezeichnen, auf die dieses Übereinkommen Anwendung findet.

(2) Jeder Staat oder die Europäischen Gemeinschaften können jederzeit danach durch eine an den Generalsekretär des Europarats

gerichtete Erklärung die Anwendung dieses Übereinkommens auf jedes weitere in der Erklärung bezeichnete Hoheitsgebiet erstrecken. Das Übereinkommen tritt für dieses Hoheitsgebiet am ersten Tag des Monats in Kraft, der auf einen Zeitabschnitt von drei Monaten nach Eingang der Erklärung beim Generalsekretär folgt.

(3) Jede nach den Absätzen 1 und 2 abgegebene Erklärung kann in bezug auf jedes darin bezeichnete Hoheitsgebiet durch eine an den Generalsekretär des Europarats gerichtete Notifikation zurückgenommen werden. Die Zurücknahme wird am ersten Tag des Monats wirksam, der auf einen Zeitabschnitt von sechs Monaten nach Eingang der Notifikation beim Generalsekretär folgt.

Artikel 25. Vorbehalte

Vorbehalte zu diesem Übereinkommen sind nicht zulässig.

Artikel 26. Kündigung

(1) Jede Vertragspartei kann dieses Übereinkommen jederzeit durch eine an den Generalsekretär des Europarats gerichtete Notifikation kündigen.

(2) Die Kündigung wird am ersten Tag des Monats wirksam, der auf einen Zeitabschnitt von sechs Monaten nach Eingang der Notifikation beim Generalsekretär folgt.

Artikel 27. Notifikationen

Der Generalsekretär des Europarats notifiziert den Mitgliedstaaten des Rates, den Europäischen Gemeinschaften und jedem Staat, der diesem Übereinkommen beigetreten ist,

a) jede Unterzeichnung;
b) jede Hinterlegung einer Ratifikations-, Annahme-, Genehmigungs- oder Beitrittsurkunde;
c) jeden Zeitpunkt des Inkrafttretens dieses Übereinkommens nach den Artikeln 22, 23 und 24;
d) jede andere Handlung, Notifikation oder Mitteilung im Zusammenhang mit diesem Übereinkommen.

Zu Urkunde dessen haben die hierzu befugten Unterzeichneten dieses Übereinkommen unterschrieben.
Geschehen zu Straßburg am 28. Januar 1981 in englischer und französischer Sprache, wobei jeder Wortlaut gleichermaßen verbindlich ist, in einer Urschrift, die im Archiv des Europarats hinterlegt wird. Der Generalsekretär des Europarats übermittelt allen Mitgliedstaaten des Europarats und allen zum Beitritt zu diesem Übereinkommen eingeladenen Staaten beglaubigte Abschriften.

Zusatzprotokoll zum Übereinkommen zum Schutz des Menschen bei der automatischen Verarbeitung personenbezogener Daten (ETS Nr. 108) bezüglich Aufsichtsbehörden und grenzüberschreitende Datenübermittlung

vom 23. Mai 2001

Präambel

Die Vertragsparteien dieses Zusatzprotokolls zum Übereinkommen zum Schutz des Menschen bei der automatischen Verarbeitung personenbezogener Daten, das am 28. Januar 1981 in Straßburg zur Unterzeichnung aufgelegt wurde (im Folgenden »das Übereinkommen«).
in der Überzeugung, dass Aufsichtsbehörden, die ihre Aufgaben in vollständiger Unabhängigkeit wahrnehmen, ein Bestandteil eines wirksamen Schutzes des Menschen bei der Verarbeitung personenbezogener Daten sind;
in Anbetracht der Bedeutung, die der Informationsübermittlung zwischen den Völkern zukommt;
in der Erwägung, dass es angesichts des zunehmenden grenzüberschreitenden Austausches personenbezogener Daten erforderlich ist, im Zusammenhang mit einem solchen Austausch personenbezogener Daten den wirksamen Schutz der Menschenrechte und grundlegenden Freiheiten und insbesondere des Rechtes auf Schutz der Privatsphäre zu gewährleisten;
sind wie folgt übereingekommen:

Artikel 1 Aufsichtsbehörden

1. Jede Vertragspartei sieht mindestens eine Behörde vor, die dafür zuständig ist, die Einhaltung jener innerstaatlichen Rechtsvorschriften zu gewährleisten, durch die die in Kapitel II und III des Übereinkommens bzw. in diesem Protokoll festgelegten Grundsätze umgesetzt werden.
2. Zu diesem Zweck sind die besagten Behörden insbesondere befugt, Ermittlungen durchzuführen und einzuschreiten sowie Klagen anzustrengen bzw. den zuständigen Justizbehörden Verstöße gegen innerstaatliche Rechtsvorschriften, die der Umsetzung der Grundsätze gemäß Absatz 1 des Artikel 1 dieses Protokolls dienen, zur Kenntnis zu bringen.
   Jede Aufsichtsbehörde hört innerhalb ihres Zuständigkeitsbereiches die Beschwerden von Personen in Bezug auf den Schutz ihrer

Rechte und grundlegenden Freiheiten hinsichtlich der Verarbeitung personenbezogener Daten an.

3. Die Aufsichtsbehörden sind bei der Wahrnehmung ihrer Aufgaben völlig unabhängig.
4. Entscheidungen der Aufsichtsbehörden, die zu Beschwerden Anlass geben, können vor Gericht angefochten werden.
5. In Übereinstimmung mit den Bestimmungen gemäß Kapitel IV und vorbehaltlich der Bestimmungen gemäß Artikel 13 des Übereinkommens arbeiten die Aufsichtsbehörden in dem zur Wahrnehmung ihrer Aufgaben erforderlichen Maße zusammen, indem sie insbesondere alle sachdienlichen Informationen miteinander austauschen.

Artikel 2 Grenzüberschreitende Übermittlung personenbezogener Daten an Empfänger, die nicht der Rechtshoheit einer Vertragspartei unterliegen

1. Jede Vertragspartei stellt sicher, dass personenbezogene Daten nur dann an Empfänger, die der Rechtshoheit eines Staates bzw. einer Organisation unterliegen, der bzw. die nicht Vertragspartei des Übereinkommens ist, übermittelt werden, wenn dieser Staat bzw. diese Organisation einen angemessenen Schutz für die beabsichtigte Datenübermittlung gewährleistet.
2. Abweichend von den Bestimmungen gemäß Absatz 1 des Artikel 2 dieses Protokolls kann jede Vertragspartei die Übermittlung personenbezogener Daten zulassen,
   a. sofern dies im innerstaatlichen Recht vorgesehen ist,
      – um bestimmten Interessen des Betroffenen bzw.
      – legitimen vorherrschenden Interessen, insbesondere wichtigen öffentlichen Interessen, Rechnung zu tragen oder
   b. sofern Sicherheitsvorkehrungen, die sich insbesondere aus vertraglichen Klauseln ergeben können, von dem für die Übermittlung verantwortlichen Dateiverwalter getroffen werden und diese nach Auffassung der zuständigen Behörden und in Übereinstimmung mit dem innerstaatlichen Recht angemessen sind.

Artikel 3 Schlussbestimmungen

1. Die Vertragsparteien betrachten die Bestimmungen gemäß Artikel 1 und 2 dieses Protokolls als Zusatzartikel des Übereinkommens, und sämtliche Bestimmungen des Übereinkommens gelten entsprechend.
2. Dieses Protokoll liegt für alle Signatarstaaten des Übereinkommens zur Unterzeichnung auf. Nachdem die Europäischen Gemeinschaften dem Übereinkommen unter den darin vorgesehenen

Bedingungen beigetreten sind, können sie dieses Protokoll unterzeichnen. Dieses Protokoll bedarf der Ratifikation, Annahme oder Genehmigung. Kein Unterzeichner dieses Protokolls darf es ratifizieren, annehmen oder genehmigen, sofern er nicht zuvor oder gleichzeitig das Übereinkommen ratifiziert, angenommen oder genehmigt hat bzw. ihm beigetreten ist. Ratifikations-, Annahme- bzw. Genehmigungsurkunden zu diesem Protokoll werden beim Generalsekretär des Europarats hinterlegt.

3. Dieses Protokoll tritt am ersten Tag des Monats in Kraft, der auf eine Frist von drei Monaten nach dem Tag folgt, an dem fünf der Unterzeichner sich gemäß den Bestimmungen des Absatz 2 des Artikel 3 als an das Protokoll gebunden erklärt haben.
   Für jeden Unterzeichner dieses Protokolls, der sich zu einem späteren Zeitpunkt als an das Protokoll gebunden erklärt, tritt das Protokoll am ersten Tag des Monats in Kraft, der auf eine Frist von drei Monaten, gerechnet vom Tag der Hinterlegung der Ratifikations-, Annahme- bzw. Genehmigungsurkunde, folgt.
4. Nach Inkrafttreten dieses Protokolls kann jeder Staat, der dem Übereinkommen beigetreten ist, auch dem Protokoll beitreten.
   Der Beitritt erfolgt durch Hinterlegung einer Beitrittsurkunde beim Generalsekretär des Europarats, wobei die Beitrittsurkunde am ersten Tag des Monats wirksam wird, der auf eine Frist von drei Monaten, gerechnet vom Tag ihrer Hinterlegung, folgt.
5. Jede Vertragspartei kann dieses Protokoll jederzeit durch eine an den Generalsekretär des Europarats gerichtete Notifikation kündigen.
   Die Kündigung wird am ersten Tag des Monats wirksam, der auf den Ablauf einer Frist von drei Monaten, gerechnet vom Tag des Eingangs der Notifikation beim Generalsekretär, folgt.
6. Der Generalsekretär des Europarats notifiziert den Mitgliedsstaaten des Europarats, den Europäischen Gemeinschaften und jedem anderen Staat, der diesem Protokoll beigetreten ist,
   a. jede Unterzeichnung;
   b. jede Hinterlegung einer Ratifikations-, Annahme- oder Genehmigungsurkunde;
   c. jeden Zeitpunkt des Inkrafttretens dieses Protokolls gemäß Artikel 3;
   d. jede andere Handlung, Notifikation oder Mitteilung im Zusammenhang mit diesem Protokoll.

Zu Urkund dessen haben die hierzu gehörig befugten Unterzeichner dieses Protokoll unterschrieben.

Geschehen zu Straßburg am ... in englischer und französischer Sprache, wobei jeder Wortlaut gleichermaßen verbindlich ist, in einer Urschrift, die im Archiv des Europarats hinterlegt wird. Der Generalsekretär des Europarats übermittelt allen Mitgliedstaaten des Europarats, den Europäischen Gemeinschaften und allen zum Beitritt zu dem Übereinkommen eingeladenen Staaten beglaubigte Abschriften.

Europarat
Empfehlung Nr. R (83) 10
des Ministerkomitees an die Mitgliedstaaten zum Schutz personenbezogener Daten für Zwecke der wissenschaftlichen Forschung und Statistik

Das Ministerkomitee, kraft Artikel 15.b. der Satzung des Europarates,

in der Erwägung, daß das Ziel des Europarats darin besteht, eine größere Einheit unter seinen Mitgliedern herzustellen;

in dem Bewußtsein, daß es notwendig ist, den Persönlichkeitsbereich des einzelnen gegenüber der zunehmenden Anwendung der Datenverarbeitung in dem Bereich der wissenschaftlichen Forschung und der Statistik zu schützen;

in der Überzeugung, daß die Verwendung personenbezogener Daten oft eine notwendige Bedingung für den Fortschritt der Wissenschaft darstellt;

in Anbetracht der Bedeutung, die der wissenschaftlichen Forschung sowohl als Wert für sich wie als unerläßlicher Faktor für den Fortschritt in der Gesellschaft zukommt;

eingedenk der Ausnahmen, die zugunsten der Tätigkeiten auf dem Gebiet der wissenschaftlichen Forschung und der Statistik in dem Übereinkommen zum Schutz des Menschen bei der automatischen Verarbeitung personenbezogener Daten zugelassen sind;

in der Feststellung, daß Ausnahmen in diesem Sinn auch von mehreren Mitgliedsstaaten in den bestehenden oder in Ausarbeitung befindlichen Datenschutzgesetzen vorgesehen sind;

unter Berücksichtigung der Erklärung der European Science Foundation über den Schutz des Persönlichkeitsbereichs und die Verwendung personenbezogener Daten für Forschungszwecke;

eingedenk der Erfordernisse des Forschungsbereichs;

in der Erwägung, daß ein Ausgleich zwischen den Erfordernissen der Forschung und Statistik einerseits und dem unerläßlichen Schutz des einzelnen andererseits, besonders bei der automatisierten Datenverarbeitung geschaffen werden muß;

in dem Bewußtsein, daß es notwendig ist, geeignete Verfahren festzulegen, um die Interessen der verschiedenen betroffenen Parteien in Einklang zu bringen;

empfiehlt den Regierungen der Mitgliedstaaten,

- ihr innerstaatliches Recht und ihre innerstaatlichen Praktiken hinsichtlich der Verwendung personenbezogener Daten zu Zwecken der wissenschaftlichen Forschung und der Statistik an den Grundsätzen und Leitlinien zu orientieren, die in dem Anhang zu dieser Empfehlung aufgeführt sind;
- dafür zu sorgen, daß diese Empfehlung in den mit wissenschaftlicher Forschung und Statistik befaßten öffentlichen und privaten Kreisen weite Verbreitung findet.

Anhang zur Empfehlung Nr. R (83) 10

1. Anwendungsbereich und Begriffsbestimmungen

1.1. Die in diesem Anhang enthaltenen Grundsätze und Leitlinien gelten für die Verwendung personenbezogener Daten für Zwecke der wissenschaftlichen Forschung und der Statistik sowohl im öffentlichen als auch im privaten Bereich, unabhängig davon, ob diese Daten automatisch oder nach manuellen Methoden verarbeitet werden.

1.2. Im Sinne dieser Empfehlung:

bedeutet »personenbezogene Daten« jede Information über eine bestimmte oder bestimmbare natürliche Person. Eine natürliche Person gilt nicht als »bestimmbar«, wenn die Feststellung der Identität einen unverhältnismäßigen Aufwand an Zeit, Kosten und Arbeitskraft erfordert;

umfaßt »Forschung« auch die Sammlung und Verarbeitung personenbezogener Daten zu statistischen Zwecken;

1.3. Die Mitgliedstaaten können diese Grundsätze und Richtlinien auf Informationen über Personengruppen, Vereinigungen, Stiftungen, Gesellschaften, Körperschaften oder andere Stelle anwenden, die unmittelbar oder mittelbar aus natürlichen Personen bestehen, unabhängig davon, ob diese Stellen Rechtspersönlichkeit besitzen oder nicht.

2. Achtung des Persönlichkeitsbereichs

2.1. Die Achtung des Persönlichkeitsbereichs ist im Rahmen jedes Forschungsprojekts zu gewährleisten, das die Verwendung personenbezogener Daten erfordert.

2.2. Forschung soll soweit wie möglich anonymisierte Daten verwenden. Die wissenschaftlichen und fachlichen Organisationen sowie die öffentlichen Behörden sollen die Entwicklung von Techniken und Verfahren zur Wahrung der Anonymität fördern.

3. Einwilligung des Betroffenen

3.1. Jede Person, die Daten über sich mitteilt, soll ausreichend über die Art des Projekts, seine Ziele sowie über den Namen der Person oder der Stelle unterrichtet werden, für die die Forschungsarbeit durchgeführt wird.

3.2. Falls für den Betroffenen keine Verpflichtung besteht, die erbetenen Daten zur Verfügung zu stellen, soll er darüber unterrichtet werden, daß es ihm freisteht, mitzuarbeiten oder seine Mitwirkung abzulehnen. Der Betroffene soll das Recht haben, jederzeit seine Mitwirkung ohne Darlegung von Gründen abzubrechen.

3.3. Wenn in Anbetracht des verfolgten Ziels die in Absatz 3.1 erwähnte Information nicht ganz oder teilweise offenbart werden kann, bevor die Daten erfaßt sind, soll der Betroffene unmittelbar nach der Datenerfassung über diesen Inhalt vollständig unterrichtet werden, und es soll ihm freistehen, seine Mitwirkung fortzusetzen oder abzubrechen, und im letzteren Fall soll er die Löschung der erfaßten Daten verlangen können.

3.4. Besondere Schutzmaßnahmen sollen im Hinblick auf die Personen getroffen werden, deren Daten erfaßt werden und die unfähig sind, ihre eigenen Interessen zu wahren, oder die nicht in der Lage sind, ihre Einwilligung frei zu erteilen.

4. Verwendung der Daten

4.1. Die für Forschungszwecke beschafften personenbezogenen Daten dürfen für keinen anderen Zweck als die Forschung verwendet werden.

Insbesondere dürfen sie nicht verwendet werden, um Entscheidungen oder Maßnahmen zu treffen, die den einzelnen unmittelbar angehen, außer im Rahmen der Forschung oder mit ausdrücklicher Einwilligung des Betroffenen.

4.2. Die personenbezogenen Daten, die im Rahmen eines bestimmten Forschungsprojekts und mit Einwilligung der Betroffenen erhoben wurden, dürfen nur mit Einwilligung des Betroffenen für ein anderes Forschungsprojekt benutzt werden, das sich in seiner Art und seinem Ziel wesentlich von diesem unterscheidet. Wenn es jedoch nicht möglich ist, diese Einwilligung wegen der inzwischen verstrichenen Zeit oder der großen Anzahl von Betroffenen zu erlangen, können die früher erhobenen Daten im Einklang mit Sicherheitsbestimmungen des innerstaatlichen Rechts verwendet werden.

4.3. Die öffentlichen und privaten Stellen sollen berechtigt sein, die personenbezogenen Daten, die sie für Verwaltungszwecke haben, für eigene Forschungszwecke zu verwenden. Wenn im Verlauf derartiger Forschungsarbeiten personenbezogene Daten in Dateien eingefügt werden, die bei dem betreffenden Verwaltungsorgan bereits geführt werden, oder wenn dessen Dateien verändert werden, sollen diese neuen Dateien nicht dem Verwaltungspersonal zur Verfügung gestellt werden, das mit Einzelfällen beschäftigt ist, es sei denn, mit Einwilligung des Betroffenen.

4.4. Die Bekanntgabe personenbezogener Daten durch öffentliche oder private Stellen zu Forschungszwecken darf nur mit Einwilligung des Betroffenen oder gemäß sonstigen Sicherheitsbestimmungen des innerstaatlichen Rechts erfolgen.

5. Erstellung von Stichproben

Der Zugang zu Einwohnermelderegistern sollte Forschern erleichtert werden, damit sie die für die Erhebungen erforderlichen Stichproben zusammenstellen können. Vorbehaltlich der von den nationalen Behörden in bestimmten Fällen vorgesehenen Einschränkungen können die Stichproben über Namen, Anschrift, Geburtsdatum, Geschlecht und Beruf Aufschluß geben.

6. Zugang des Betroffenen zu den Daten

6.1. Das Recht des einzelnen auf Zugang und Berichtigung der ihn betreffenden Daten darf eingeschränkt werden, wenn die Daten zu rein statistischen Zwecken oder anderen Forschungszwecken erhoben und gespeichert werden und die erstellten Statistiken oder Forschungsergebnisse den einzelnen nicht leicht identifizieren, und wenn es angemessene Sicherheitsmaßnahmen gibt, um seinen Persönlichkeitsbereich in jedem Stadium des Forschungsprojekts zu schützen, einschließlich der Speicherung der Daten für eine spätere Verwendung.

6.2. Diese Bestimmung findet keine Anwendung, wenn in Anbetracht der Art der Forschung die natürliche Person ein besonders schutzwürdiges Interesse nachweisen kann.

7. Sicherung der Daten

7.1. Die Forschungsprojekte sollen ausdrücklich technische und organisatorische Maßnahmen vorsehen, um die Sicherung und Vertraulichkeit der Daten zu gewährleisten.

8. Veröffentlichung der Daten

8.1. Die für Forschungszwecke verwendeten personenbezogenen Daten dürfen nur dann in personenbezogener Form veröffentlicht werden, wenn die Betroffenen ihre Einwilligung gegeben haben, und in Einklang mit sonstigen Sicherheitsbestimmungen des innerstaatlichen Rechts.

9. Aufbewahrung der Daten

9.1. Bei jedem Forschungsprojekt soll, soweit wie möglich, angegeben werden, ob die erfaßten personenbezogenen Daten nach Beendigung des Projekts gelöscht, anonymisiert oder aufbewahrt werden, und im letzteren Fall unter welchen Bedingungen.

9.2. Wenn die Einwilligung des Betroffenen für die Durchführung eines Forschungsprojekts erforderlich ist, sollte sie auch die Frage der eventuellen Aufbewahrung der erfaßten personenbezogenen Daten nach Beendigung des Programms umfassen. War es nicht möglich, um die Einwilligung zur Aufbewahrung zu bitten, dürfen die Daten unter der Bedingung aufgehoben werden, daß die Aufbewahrung entsprechend den Sicherheitsbestimmungen des innerstaatlichen Rechts erfolgt.

9.3. Bevor über die Löschung personenbezogener Daten entschieden wird, die von öffentlichen Behörden in Besitz gehalten werden, sollte die mögliche zukünftige Verwendung solcher Daten für Forschungszwecke in Betracht gezogen werden, vorzugsweise nach Beratung mit für die Aufbewahrung öffentlicher Unterlagen zuständigen Institutionen.

9.4. Wenn nach Abschluß eines Projekts die verwendeten personenbezogenen Daten nicht gelöscht oder anonymisiert werden, wäre es angebracht, ihre Aufbewahrung in Institutionen zu fördern, die mit dieser Aufgabe betraut sind und in denen geeignete Sicherungsmaßnahmen ergriffen wurden.

10. Einrichtung von Kontrollgremien innerhalb des Forschungsbereichs

10.1. Die Einrichtung von Kontrollgremien innerhalb des Forschungsbereichs soll gefördert werden, um zur Entwicklung der in dieser Empfehlung enthaltenen Grundsätze und Leitlinien beizutragen.

Europarat
Empfehlung Nr. R (85) 20
des Ministerkomitees an die Mitgliedstaaten zum Schutz personenbezogener Daten bei der Verwendung für Zwecke der Direktwerbung

Das Ministerkomitee, gemäß Artikel 15.b. der Satzung des Europarats,

in der Erwägung, daß das Ziel des Europarats die Herbeiführung einer größeren Einheit unter seinen Mitgliedern ist;

in der Überzeugung, daß die Anwendung der Grundprinzipien des Übereinkommens zum Schutz des Menschen bei der automatischen Verarbeitung personenbezogener Daten unter Berücksichtigung der Anforderungen in besonderen Tätigkeitsbereichen wünschenswert ist;

im Bewußtsein der Notwendigkeit des Schutzes des Persönlichkeitsbereichs des einzelnen angesichts des zunehmenden Einsatzes der Datenverarbeitung in der Direktwerbung;

in der Überzeugung, daß die Verwendung personenbezogener Daten für die Erhaltung und Entwicklung der Direktwerbung von wesentlicher Bedeutung ist;

in der Erkenntnis, daß der Bereich der Direktwerbung seine eigenen Regeln entwickelt, um die Rechte und Interessen des einzelnen zu schützen;

in der Erwägung, daß es zweckmäßig ist, in diesem Bereich die Entwicklung von Regeln zu fördern, sei es, daß sie rechtlich bindend oder selbstregelnd sind;

empfiehlt den Regierungen der Mitgliedsstaaten

- in ihrem innerstaatlichen Recht und in der Praxis im Hinblick auf die Verwendung personenbezogener Daten für Zwecke der Direktwerbung die Leitlinien im Anhang zu dieser Empfehlung zu berücksichtigen;
- sicherzustellen, daß diese Empfehlung eine weite Verbreitung findet, und daß das Bewußtsein und das Wissen in Bezug auf den Datenschutz in diesem Bereich gefördert wird.

Anhang zur Empfehlung Nr. R (85) 20

Richtlinien

1. Anwendungsbereich und Definitionen

1.1

Die Leitlinien in diesem Anhang gelten für die Verwendung personenbezogener Daten für Zwecke der Direktwerbung, wenn diese Daten automatisch verarbeitet werden.

1.2

Im Sinne dieser Empfehlung bedeutet »personenbezogene Daten« jede Information, die sich auf eine bestimmte oder bestimmbare Person (den Betroffenen) bezieht. Eine Person gilt nicht als »bestimmbar«, wenn die Identifizierung einen unangemessen hohen Aufwand an Zeit, Geld und Arbeit erfordert;

umfaßt der Ausdruck »Direktwerbung« alle Aktivitäten, die es ermöglichen, einem Teil der Bevölkerung durch Post, Telefon oder andere Direktmedien Waren oder Dienstleistungen anzubieten oder sonstige Mitteilungen zu übersenden, die den Betroffenen informieren oder eine Reaktion bei ihm hervorrufen sollen, ebenso wie jegliche Hilfstätigkeit hierzu.

2. Das Sammeln von Daten für Zwecke der Direktwerbung

2.1

Jeder sollte bei der Erstellung von Listen für Werbezwecke, insbesondere Listen mit Namen und Adressen, für eigene Werbezwecke von Daten Gebrauch machen können, die er im Zuge vorheriger Geschäftsverbindungen mit tatsächlichen oder möglichen Kunden/Beitragszahlern zusammengestellt hat.

2.2

Personenbezogene Daten, die für die Direktwerbung verwendet werden sollen, sollten von jedermann aus allgemein zugänglichen Unterlagen oder anderen Veröffentlichungen gesammelt werden können, wenn dabei die durch das innerstaatliche Recht vorgesehenen Einschränkungen berücksichtigt werden.

2.3

Das Erheben der Namen und Anschriften von Privatpersonen bei anderen Privatpersonen mit dem Ziel, Listen für die Direktwerbung zu erweitern, sollte nur dann erlaubt sein, wenn es unter Wahrung der zum Schutz des Persönlichkeitsbereichs des Betroffenen vorgesehenen angemessenen Vorkehrungen erfolgt. Das innerstaatliche Recht kann dieses Verfahren verbieten oder strengeren Anforderungen unterwerfen.

2.4

Wenn das Erheben von Daten bei einer Privatperson einem anderen Ziel als dem der normalen Beziehungen zu Kunden/Beitragszahlern dient, sollte dies für Zwecke der Direktwerbung nur unter der Bedingung erlaubt sein, daß darauf bei der Datenerhebung ausdrücklich hingewiesen wurde.

Das Erheben von Daten bei einer Privatperson unter falschem Vorwand sollte nicht erlaubt sein.

2.5

In Fällen, in denen dies nach innerstaatlichem Recht zulässig ist, sollten personenbezogene Daten, die unter die besonderen in Artikel 6 des Übereinkommens zum Schutz des Menschen bei der automatischen Verarbeitung personenbezogener Daten genannten Arten fallen, nur unter Wahrung der jeweiligen nach innerstaatlichem Recht vorgesehenen Vorkehrungen und gegebenenfalls nur mit der ausdrücklichen Einwilligung des Betroffenen für Zwecke der Direktwerbung erhoben und verwendet werden.

3. Die Zur-Verfügung-Stellung von Marketinglisten an Dritte

3.1

Nach Maßgabe der in Abs. 2.5 enthaltenen Bestimmungen sollten Marketinglisten Dritten für Zwecke der Direktwerbung unter der Voraussetzung zur Verfügung gestellt werden dürfen, daß der Betroffene unmittelbar oder mit anderen geeigneten Mitteln bei der Erhebung oder zu einem späteren Zeitpunkt davon in Kenntnis gesetzt worden ist, daß die Daten Dritten übermittelt werden können, und unter der Voraussetzung, daß er keinen Widerspruch erhoben hat.

Die Listen sollten keine Informationen enthalten, die den Persönlichkeitsbereich des Betroffenen verletzen könnten, es sei denn, dieser habe seine Einwilligung gegeben.

3.2

Die Zur-Verfügung-Stellung von Marketinglisten an Dritte für deren Werbezwecke muß Gegenstand eines Vertrages sein, der die Bedingungen festlegt, unter denen sie verwendet werden dürfen.

3.3

Die Inhaber von Marketingdateien sollten über alle Benutzer ihrer Listen Buch führen, um die Ausübung der in Kapitel 4 aufgeführten Rechte zu erleichtern.

4. Rechte des Betroffenen

4.1

Jeder sollte in der Lage sein, soweit angemessen, entweder

i. die Aufnahme von Daten zu seiner Person in Marketinglisten zu untersagen oder

ii. die Übermittlung von Daten auf solchen Listen an Dritte zu untersagen oder

iii. uneingeschränkt und auf Verlangen die Löschung oder sonstige Entfernung solcher Daten aus einigen oder allen von Benutzern geführten Listen zu veranlassen.

Außerdem sollte jeder das Recht haben, Daten zu seiner Person, die auf einer Liste für Direktwerbung stehen oder in einer Marketingdatei gespeichert sind, zu erfahren und zu berichtigen.

4.2

Geeignete Maßnahmen sollten ergriffen werden, die es dem Betroffenen ermöglichen, die in Absatz 4.1 aufgeführten Rechte auszuüben und dem Inhaber der Marketingdatei zu übermitteln.
Der Inhaber der Marketingdatei sollte verpflichtet sein, alle Maßnahmen mit dem Ziel zu ergreifen, den aufgrund von Absatz 3.3 erfaßten Benutzern mitzuteilen, daß der Betroffene seine Rechte nach Absatz 4.1 ausgeübt hat, damit notwendige Änderungen an den Listen vorgenommen werden können.

5. Form der Werbemitteilungen und des Werbematerials

5.1

Die angebotenen Güter und Dienstleistungen sowie die Mitteilungen sollten in einer Art und Weise dargeboten werden, daß der Persönlichkeitsbereich der Empfänger nicht verletzt wird.

6. Datensicherheit

Bei der Zusammenstellung von Unterlagen mit personenbezogenen Daten für Zwecke der Direktwerbung sollten alle im Hinblick auf die Anforderungen dieses Bereichs angemessenen technischen und

organisatorischen Vorkehrungen zur Gewährleistung der Sicherheit und Vertraulichkeit der Daten getroffen werden.
Die Inhaber der Unterlagen und das bei der Verarbeitung der Daten beschäftigte Personal sollten von diesen Anordnungen und der Notwendigkeit, sie zu befolgen, fortlaufend unterrichtet werden.

7. Maßnahmen zur Anwendung der Empfehlung

7.1

Die Entwicklung von Maßnahmen zur Selbstregulierung im Bereich der Direktwerbung sollte gefördert werden, um die Lösung von Problemen im Zusammenhang mit den in dieser Empfehlung vorgesehenen Vorkehrungen, insbesondere der Entfernung von Namen aus Direktwerbungslisten, zu erleichtern.

7.2

Geeignete Maßnahmen sollten ergriffen werden, um die Einhaltung der Bestimmungen dieser Empfehlung durch Adressenmittler und -dienste sicherzustellen.

7.3

Den Betroffenen sollten geeignete Informationen über die in dieser Empfehlung niedergelegten Vorkehrungen zur Verfügung gestellt werden.

Council of Europe
Parliamentary Assembly
Recommendation 1037 (1986)[1] on data protection and freedom of information

Thirty-eighth ordinary session, 17–25 September 1986

The Assembly,

1. Bearing in mind that democracies are characterised by the distribution and circulation of a maximum amount of information within society;

2. Aware of the contribution made by the Committee of Ministers to the promotion of a free circulation of information within society in adopting Recommendation No. R (81) 19, on access to information held by public authorities, as well as its Declaration on the freedom of expression and information of 29 April 1982, which declared that the pursuit of an open information policy in the public sector, including access to information, is among the objectives of member states;

3. Having regard also to Recommendation 854 (1979), on access by the public to government records and freedom of information, and Recommendation 582 (1970), on mass communication media and human rights, of the Parliamentary Assembly, stating that the rights provided for by Article 10 of the European Convention on Human Rights should be extended »to include freedom to seek information ... (with) a corresponding duty on public authorities to make information available on matters of public interest subject to appropriate limitations«;

4. Recognising that the principle of freedom of information/access to official information has been introduced by many national, federal and state legislatures of member states of the Council of Europe as well as elsewhere;

5. Having particular regard to the legislation of Denmark, France, the Netherlands, Norway and Sweden, on access to official information, as well as of Australia, Canada and the United States;

6. Recalling that a right to have access to official information may be restricted in the interests of the protection of privacy;

---

1 *Text adopted by the Standing Committee,* acting on behalf of the Assembly, on 3 July 1986.
See Doc. 5572, report of the Legal Affairs Committee.

7. Believing therefore that the protection of privacy influences the amount of information which can circulate in society;

8. Recalling in this context the basic data protection principles set out in the Convention for the Protection of Individuals with regard to Automatic Processing of Personal Data, of 28 January 1981, with impose limitations on the collection, storage, use and communication of personal information;

9. Aware of the fact that the convention of 28 January 1981, which has now entered into force, confers a right of access to personal data only, and that this right is reflected in the data protection laws of Austria, Denmark, France, the Federal Republik of Germany, Iceland, Luxembourg, Norway, Sweden and the United Kingdom;

10. Convinced however that the coexistence of access to official information legislation and data protection legislation may come into conflict especially where they are administered separately by different organs and under different criteria;

11. Conscious of the fact that certain countries have sought to avoid conflicts by legislating for access to official information and data protection at the same time, and have therefore shown that the concepts are not mutually distinct but form part of the overall information policy in society, Canada, the province of Quebec (Canada) and the state of Hesse (Federal Republic of Germany) being cases in point;

12. Considering that new technological developments may render obsolete existing legislation, and that the Council of Europe should therefore continue to give a lead and provide guidelines for the national legislators concerning the problems raised by new technologies,

13. Recommends that the Committee of Ministers instruct the Committee of experts on data protection:

a. to identify criteria and principles according to which data protection and access to official information could be reconciled;

b. to prepare an appropriate legal instrument setting out such criteria and principles;

14. Invites the governments of member states which have not yet done so to ratify the Convention for the Protection of Individuals with regard to Automatic Processing of Personal Data.

Europarat
Empfehlung Nr. R (86) 1
des Ministerkomitees an die Mitgliedstaaten zum Schutz personenbezogener Daten, die für Zwecke der sozialen Sicherheit eingesetzt werden[1]

Das Ministerkomitee, gemäß Art. 15.b. des Statuts des Europarates;

in Anbetracht des Zieles des Europarates, eine größere Einheit unter den Mitgliedstaaten zu erreichen;

den Bestimmungen der Konvention zum Schutz des einzelnen im Hinblick auf die automatische Verarbeitung personenbezogener Daten vom 28. Januar 1981 Rechnung tragend;

in dem Bewußtsein der Notwendigkeit, das Persönlichkeitsrecht des einzelnen im Verhältnis zu dem gestiegenen Einsatz der Datenverarbeitung im Bereich der sozialen Sicherheit zu schützen;

im Hinblick auf den hohen Anteil der Bevölkerung der Mitgliedstaaten, der mit dem System der sozialen Sicherheit in Kontakt kommt, und der daraus folgenden Menge an Informationen, die den Institutionen der sozialen Sicherheit zur Verfügung stehen, von denen wiederum einige empfindliche Daten sind;

dem Umstand Rechnung tragend, daß die gestiegene Mobilität der Arbeitskräfte die Kooperation zwischen den Institutionen der sozialen Sicherheit in den verschiedenen Mitgliedstaaten und einen entsprechenden Austausch von Informationen im Bereich der sozialen Sicherheit über nationale Grenzen hinweg erfordert;

in der Erkenntnis, daß der Einsatz personenbezogener Daten für die effektive Verwaltung des Systems der sozialen Sicherheit unerläßlich ist;

in Anbetracht dessen, daß ein Gleichgewicht zwischen der Notwendigkeit des Einsatzes personenbezogener Daten im Bereich der sozialen

---

1 Bei Annahme dieser Empfehlung und in Anwendung des Art. 10.2 c der Geschäftsordnung für die Sitzungen der Stellvertretenden Minister
- behielt sich der Vertreter Frankreichs das Recht seiner Regierung vor, Absatz 8.1 des Anhangs zu dieser Empfehlung nicht anzuwenden, sofern nicht zusätzliche Sicherheitsmaßnahmen gemäß Absatz 8.2 vorgeschrieben würden;
- behielt sich der Vertreter des Vereinigten Königreichs das Recht seiner Regierung vor, über die Einhaltung des Absatzes 1.2, zweiter Unterabschnitt des Absatzes 3.3 Satz 2 und des Absatzes 5 des Anhangs zu dieser Empfehlung, von Fall zu Fall neu zu entscheiden.

Sicherheit einerseits und dem notwendigen Schutz des einzelnen, insbesondere, wenn es dabei um die automatische Datenverarbeitung geht, andererseits gefunden werden sollte;

empfiehlt den Regierungen der Mitgliedstaaten:

- die Prinzipien und Richtlinien, die im Anhang zu dieser Empfehlung erläutert sind, als Grundlage für ihre nationale Gesetzgebung und die nationale Handhabung in bezug auf den Einsatz personenbezogener Daten für Zwecke der sozialen Sicherheit zu nehmen;
- zu garantieren, daß diese Empfehlung weite Verbreitung bei den für die Verwaltung des sozialen Sicherheitssystems zuständigen Behörden findet.

Anhang zur Empfehlung Nr. R (86) 1

PRINZIPIEN UND RICHTLINIEN

1. Anwendungsbereich und Definitionen

1.1 Die Prinzipien und Richtlinien in diesem Anhang gelten für den Einsatz personenbezogener Daten für Zwecke der sozialen Sicherheit im Sinne des Absatzes 1.2, sowohl im öffentlichen als auch im privaten Bereich, wenn solche Daten automatisch verarbeitet werden.

1.2 Innerhalb dieser Empfehlung bedeuten »personenbezogene Daten« jede Information in bezug auf einen bestimmten oder bestimmbaren einzelnen. Ein einzelner wird nicht als »bestimmbar« angesehen, wenn seine Bestimmung unverhältnismäßig lange Zeit, unverhältnismäßig hohe Kosten und einen unverhältnismäßig hohen Personaleinsatz erfordern würde.

Der Ausdruck »Zwecke der sozialen Sicherheit« umfaßt alle Aufgaben, die Institutionen der sozialen Sicherheit in bezug auf die folgenden Leistungskategorien ausüben:

Leistungen bei Krankheit und Mutterschaft,
Leistungen bei Invalidität,
Altersruhegelder,
Hinterbliebenengelder,
Leistungen in bezug auf berufsbedingte Verletzungen und Krankheiten,
Sterbegelder,
Arbeitslosenunterstützung,
Familienbeihilfen.

1.3 Die Mitgliedstaaten können diese Empfehlung auch auf andere Leistungen, unabhängig davon, ob diese beitragspflichtig sind oder nicht, sowie auf Daten, die per Hand verarbeitet werden, ausdehnen.

2. Achtung des Persönlichkeitsrechts

2.1 Die Achtung des Persönlichkeitsrechts des einzelnen sollte bei der Erhebung, der Speicherung, dem Einsatz, der Übermittlung und der Aufbewahrung personenbezogener Daten, die für Zwecke der sozialen Sicherheit eingesetzt werden, garantiert werden.

2.2 Entsprechende Kontrollmaßnahmen, die ausreichen, um den Schutz der Daten zu garantieren, sollten in jeder Institution der sozialen Sicherheit angewandt werden.

3. Erhebung und Speicherung der Daten

3.1 Die Erhebung und Speicherung personenbezogener Daten für Zwecke der sozialen Sicherheit sollte auf das Maß beschränkt werden, das nötig ist, damit die betreffenden Institutionen der sozialen Sicherheit ihre Aufgaben erfüllen können.

Die Erhebung und Speicherung empfindlicher Daten sollte nur erfolgen, wenn dies durch nationale Gesetze auf ein bestimmtes Maß begrenzt ist. Außerdem sollte die Erhebung und Speicherung personenbezogener Daten über die rassische Herkunft, politische Einstellungen oder religiöse oder andere Überzeugungen nur dann erlaubt werden, wenn dies für den verwaltungstechnischen Ablauf bezüglich einer Leistung unbedingt nötig ist.

3.2 Wann immer möglich, sollten die Institutionen der sozialen Sicherheit versuchen, personenbezogene Daten von der betreffenden Person selbst zu erhalten.

3.3 Institutionen der sozialen Sicherheit dürfen, wenn dies angemessen ist und den Bestimmungen der nationalen Gesetzgebung entspricht, auch andere Quellen in Anspruch nehmen. Empfindliche personenbezogene Daten dürfen jedoch nur dann von anderen Quellen bezogen werden, wenn die betreffende Person informiert wurde und diese ihre ausdrückliche Zustimmung dazu gegeben hat oder wenn dies den hierfür in den nationalen Gesetzen festgelegten Sicherheitsbestimmungen entspricht.

3.4 Von jeder Institution der sozialen Sicherheit sollte verlangt werden, daß sie eine Liste erstellt, die in der Öffentlichkeit entsprechend bekanntgemacht wird und aus der folgendes hervorgeht:

die Kategorie der gespeicherten Daten,
die Kategorien der von den Daten beschriebenen Personen,
die Zwecke, für die diese Daten benötigt werden,
die Behörden, an die die Daten regelmäßig übermittelt werden und die Kategorien der so übermittelten Daten.

4. Einsatz von Daten

4.1 Personenbezogene Daten, die von einer Institution der sozialen Sicherheit für die Erfüllung einer bestimmten Aufgabe gesammelt wurden, können für andere Zwecke der sozialen Sicherheit innerhalb des Zuständigkeitsbereichs dieser Institution eingesetzt werden.

4.2 Der Austausch personenbezogener Daten zwischen Institutionen der sozialen Sicherheit sollte in dem Maße, in dem dies für die Erfüllung ihrer Aufgaben notwendig ist, erlaubt werden.

4.3 Personenbezogene Daten sollten nicht an Personen/Institutionen außerhalb des Rahmens der sozialen Sicherheit für andere Zwecke als die der sozialen Sicherheit übermittelt werden, es sei denn, die betreffende Person wurde informiert und hat hierzu ihre Zustimmung gegeben oder wenn dies in Übereinstimmung mit den hierfür in der nationalen Gesetzgebung festgelegten Sicherheitsbestimmungen geschieht.

5. Soziale Sicherheits-Nummern

5.1 Die Einführung oder der Gebrauch einer einzelnen einheitlichen sozialen Sicherheits-Nummer oder ähnlicher Identifikationsmittel sollte nur mit der Einführung entsprechender Sicherheitsbestimmungen durch die nationale Gesetzgebung erfolgen.

6. Zugang der betreffenden Person zu den Daten

6.1 Vorbehaltlich der Bestimmungen der nationalen Gesetzgebung über medizinische Daten oder Daten der wissenschaftlichen Forschung und der Statistik sollte das Recht des einzelnen auf Erhalt und Richtigstellung der ihn betreffenden Daten nicht eingeschränkt werden, es sei denn, daß dies für die Verhinderung von Betrug oder Mißbrauch des Systems der sozialen Sicherheit oder für den Schutz der Rechte und der Freiheiten anderer notwendig ist.

6.2 Die Mittel und Wege, dieses in Absatz 6.1 aufgeführte Recht auszuüben, sollten in der Öffentlichkeit entsprechend bekanntgemacht werden.

7. Datensicherheit

7.1 Jede Institution der sozialen Sicherheit sollte entsprechende technische und organisatorische Maßnahmen durchführen, um die Sicherheit und die Vertraulichkeit personenbezogener, für Zwecke der sozialen Sicherheit eingesetzter Daten zu gewährleisten.

7.2 Das Personal der Institutionen der sozialen Sicherheit und andere Personen, die an dem Prozeß der Datenverarbeitung beteiligt sind, sollten über solche Maßnahmen und die Notwendigkeit, diese zu beachten, informiert sein.

8. Grenzüberschreitende Übermittlung personenbezogener Daten die für Zwecke der sozialen Sicherheit eingesetzt werden

8.1 Die grenzüberschreitende Übermittlung personenbezogener Daten zwischen Institutionen der sozialen Sicherheit sollte in dem Maße erlaubt werden, in dem dies für die Erfüllung ihrer Aufgaben unter Beachtung internationaler, für den Bereich der sozialen Sicherheit geltender rechtlicher Bestimmungen notwendig ist.

8.2 Die Bestimmungen der Absätze 4.1, 4.2 und 4.3 gelten für personenbezogene Daten, die Teil des grenzüberschreitenden Datenverkehrs sind. Wann immer nötig, sollten zusätzliche Sicherheitsbestimmungen aufgestellt werden, so daß die Achtung des Persönlichkeitsrechts der betreffenden Person in dem Staat, an den die personenbezogenen Daten übermittelt werden, garantiert ist.

9. Aufbewahrung der Daten

9.1 Personenbezogene Daten sollten nicht länger im Besitz einer Institution der sozialen Sicherheit bleiben, als dies für die Erfüllung ihrer Aufgaben erforderlich oder im Interesse der betreffenden Person notwendig ist.

9.2 Die Aufbewahrungszeiten sollten für jede Leistungskategorie festgelegt werden. Dabei sollte den besonderen Merkmalen jeder Leistung, den Daten, die für die Bestimmung anderer Leistungsarten notwendig sind, und der Empfindlichkeit der betreffenden personenbezogenen Daten Rechnung getragen werden.

9.3 In den Fällen jedoch, in denen es im Interesse geschichtlicher oder wissenschaftlicher Forschung oder der Aufstellung von Statistiken wünschenswert ist, personenbezogene Daten, die nicht länger für Zwecke der sozialen Sicherheit eingesetzt werden, aufzubewahren, sollten diese Daten, wann immer möglich, anonymisiert werden.

Wenn es sich als notwendig erweisen sollte, die Daten in identifizierbarer Form aufzubewahren, sollten die Stellen, die letztendlich mit solchen Daten umgehen, entsprechende Sicherheitsmaßnahmen ergreifen.

Europarat
Empfehlung Nr. R (87) 15
des Ministerkomitees an die Mitgliedstaaten über die Nutzung personenbezogener Daten im Polizeibereich[1]

Das Ministerkomitee, gemäß den Bestimmungen von Art. 15.b. des Statuts des Europarats,

in Anbetracht dessen, daß es das Ziel des Europarats ist, eine größere Einheit unter seinen Mitgliedstaaten herbeizuführen;

in dem Bewußtsein der zunehmenden Nutzung automatisch verarbeiteter personenbezogener Daten im Polizeibereich und der möglichen Vorteile durch den Einsatz von Computern und anderen technischen Hilfsmitteln auf diesem Gebiet;

in Erkenntnis der Notwendigkeit, zwischen dem Interesse der Gesellschaft an der Verhütung und der Bekämpfung von Straftaten sowie der Aufrechterhaltung der öffentlichen Ordnung auf der einen Seite und dem Interesse des einzelnen und seinem Recht auf Schutz der Privatsphäre auf der anderen Seite abzuwägen;

eingedenk der Bestimmungen des Übereinkommens zum Schutz des Menschen bei der automatischen Verarbeitung personenbezogener Daten vom 28. Januar 1981, insbesondere der nach Art. 9 zulässigen Einschränkungen;

ferner in Kenntnis von Art. 8 des Übereinkommens zum Schutz der Menschenrechte und der Grundfreiheiten;

---

1 Bei der Annahme dieser Empfehlung:
- behielt sich der Vertreter Irlands in Übereinstimmung mit Art. 10.2.c der Verfahrensordnung für die Tagungen der Ministerbeauftragten das Recht seiner Regierung vor, die Grundsätze 2.2 und 2.4 der Empfehlung anzuwenden oder nicht, behielt sich die Vertreterin des Vereinigten Königreichs das Recht ihrer Regierung vor, die Grundsätze 2.2 und 2.4 der Empfehlung anzuwenden oder nicht, und behielt sich der Vertreter der Bundesrepublik Deutschland das Recht seiner Regierung vor, den Grundsatz 2.1 der Empfehlung anzuwenden oder nicht;
- enthielt sich der Vertreter der Schweiz in Übereinstimmung mit Art. 10.2.d der Verfahrensordnung der Stimme und erklärte, daß er sich das Recht seiner Regierung vorbehalte, zuzustimmen oder nicht, wobei er erklärte, daß seine Enthaltung nicht als ausdrückliche Ablehnung der Empfehlung als ganze ausgelegt werden solle.

empfiehlt den Regierungen der Mitgliedstaaten:

sich in ihren innerstaatlichen Rechtsvorschriften und ihrer Rechtspraxis von den Grundsätzen im Anhang zu dieser Empfehlung leiten zu lassen; und

sicherzustellen, daß die in dieser Empfehlung enthaltenen Bestimmungen bekanntgemacht werden, insbesondere die Rechte, die den einzelnen durch die Anwendung dieser Empfehlung gegeben werden.

Geltungsbereich und Definitionen

Die in dieser Empfehlung enthaltenen Grundsätze gelten für die Sammlung, Speicherung, Nutzung und Weitergabe von für polizeiliche Zwecke bestimmten personenbezogenen Daten, die automatisch verarbeitet werden.

Im Sinne dieser Empfehlung werden unter dem Begriff »*personenbezogene Daten*« alle Informationen verstanden, die sich auf eine identifizierte oder identifizierbare Person beziehen. Eine Person gilt nicht als »identifizierbar«, wenn die Identifizierung einen übermäßigen Aufwand an Zeit, Kosten und Personal erfordert.

Der Begriff »*für polizeiliche Zwecke*« umfaßt alle Aufgaben, die die Polizeibehörden zur Verhütung und Bekämpfung von Straftaten und zur Aufrechterhaltung der öffentlichen Ordnung erfüllen müssen.

Der Begriff »*verantwortliche Behörde*« (Kontrollinstanz über die Datei) bezeichnet die Behörde, die Dienststelle oder jede andere amtliche Stelle, die nach den innerstaatlichen Rechtsvorschriften zuständig ist, über den Zweck einer Datei, die Kategorien der zu speichernden personenbezogenen Daten und die Art ihrer Verarbeitung zu entscheiden.

Ein Mitgliedstaat kann die in dieser Empfehlung enthaltenen Grundsätze auch auf personenbezogene Daten ausweiten, die nicht automatisch verarbeitet werden.

Eine manuelle Bearbeitung von Daten sollte nicht erfolgen, wenn das Ziel darin besteht, die Bestimmungen dieser Empfehlung dadurch zu umgehen.

Ein Mitgliedstaat kann die in dieser Empfehlung enthaltenen Grundsätze auf Daten ausdehnen, die sich auf Personengruppen, Vereinigungen, Stiftungen, Firmen, Gesellschaften oder andere Organe beziehen, die direkt oder indirekt aus Einzelpersonen bestehen, ungeachtet dessen, ob diese Organe eine eigene Rechtspersönlichkeit besitzen oder nicht.

Die Bestimmungen dieser Empfehlung sollte nicht so ausgelegt werden, als beschränkten oder beeinträchtigten sie die Möglichkeit eines Mitgliedstaates, bestimmte Grundsätze ggf. auch auf die Sammlung,

Speicherung und Nutzung von personenbezogenen Daten zum Zwecke der Staatssicherheit auszudehnen.

Grundsätze

Grundsatz 1 – Kontrolle und Notifizierung

1.1 Jeder Mitgliedsstaat sollte eine unabhängige Datenschutzkontrollbehörde außerhalb des Polizeisektors einrichten, die dafür zuständig sein sollte, die Einhaltung der in dieser Empfehlung enthaltenen Grundsätze zu gewährleisten.

1.2 Neue technische Mittel für die Datenverarbeitung dürfen nur eingeführt werden, wenn alle angemessenen Maßnahmen getroffen wurden, um sicherzustellen, daß ihr Einsatz dem Geist der bestehenden Datenschutzbestimmungen entspricht.

1.3 Die verantwortliche Behörde sollte die Datenschutzkontrollbehörde in den Fällen vorab konsultieren, in denen die Einführung automatisierter Verarbeitungssysteme Fragen, die mit der Anwendung dieser Empfehlung im Zusammenhang stehen, aufwirft.

1.4 Ständige, automatisierte Dateien sollten bei der Datenschutzkontrollbehörde gemeldet werden. Darin sollten die Art der einzelnen aufgeführten Dateien angegeben werden, die für die Verarbeitung zuständige Stelle, der Zweck, die Art der darin gespeicherten Daten und der Empfänger der Daten.

Ad hoc-Dateien, die in einer Zeit besonderer Ermittlungen eingerichtet wurden, sollten der Datenschutzkontrollbehörde ebenfalls gemeldet werden, entweder gemäß den mit dieser Behörde abgestimmten Bedingungen, wobei dem speziellen Charakter dieser Dateien Rechnung getragen werden sollte, oder gemäß der nationalen Gesetzgebung.

Grundsatz 2 – Datensammlung

2.1 Die Sammlung personenbezogener Daten für polizeiliche Zwecke sollte auf solche Daten beschränkt werden, die für die Abwehr einer konkreten Gefahr oder die Verfolgung einer speziellen Straftat erforderlich sind. Jede Ausnahme von dieser Regelung sollte Gegenstand spezieller nationaler Gesetzgebung sein.

2.2 Werden personenbezogene Daten ohne Wissen des Betreffenden gesammelt und gespeichert, und sofern diese Daten nicht gelöscht werden, sollte der Betreffende, falls durchführbar, darüber informiert werden, daß Daten über ihn gespeichert werden, sobald der Gegenstand der polizeilichen Ermittlungen dadurch vermutlich nicht mehr beeinträchtigt wird.

2.3 Die Sammlung von Daten durch technische Überwachung oder durch andere automatisierte Mittel sollte durch gesonderte Bestimmungen geregelt werden.

2.4 Die Sammlung von Daten über Personen allein aufgrund ihrer Zugehörigkeit zu einer Rasse, einer bestimmten religiösen Anschauung, ihres Sexualverhaltens oder politischer Meinungen oder ihrer Zugehörigkeit zu bestimmten Bewegungen und Organisationen, die nicht gesetzlich verboten sind, sollte verboten werden. Eine Sammlung von Daten, die sich auf diese Faktoren beziehen, darf nur durchgeführt werden, wenn dies zum Zweck einer bestimmten Ermittlung absolut notwendig ist.

Grundsatz 3 – Speicherung von Daten

3.1 Die Speicherung personenbezogener Daten für polizeiliche Zwecke sollte soweit wie möglich auf genaue Daten begrenzt werden sowie auf Daten, die erforderlich sind, um den Polizeiorganen die Erfüllung ihrer gesetzlichen Aufgaben im Rahmen des innerstaatlichen Rechts und ihrer Verpflichtungen nach dem internationalen Recht zu ermöglichen.

3.2 Die verschiedenen Kategorien von Daten sollten möglichst nach dem Grad ihrer Genauigkeit oder Verläßlichkeit unterschieden werden, und insbesondere sollten Daten, die auf Fakten beruhen, von Daten unterschieden werden, die auf Meinungen oder persönlichen Einschätzungen basieren.

3.3 Sollen Daten, die zu administrativen Zwecken gesammelt wurden, permanent gespeichert werden, sollte dies in einer gesonderten Datei erfolgen. In jedem Fall sollten Maßnahmen getroffen werden, damit Daten, die zu administrativen Zwecken gesammelt wurden, nicht den für polizeiliche Daten geltenden Regeln unterliegen.

Grundsatz 4 – Verwendung der Daten durch die Polizei

4.1 Nach Maßgabe des Grundsatzes 5 sollten personenbezogene Daten, die von der Polizei für polizeiliche Zwecke gesammelt und gespeichert wurden, ausschließlich für diese Zwecke verwendet werden.

Grundsatz 5 – Weitergabe von Daten

5.1 *Weitergabe von Daten innerhalb des Polizeibereichs:* Die Weitergabe von Daten an eine andere Polizeidienststelle, die diese für polizeiliche Zwecke verwenden will, sollte nur zulässig sein, wenn der Empfänger im Rahmen seiner rechtlichen Befugnisse ein legitimes Interesse am Erhalt der Daten hat.

5.2 i. *Weitergabe von Daten an andere öffentliche Dienststellen*: Die Weitergabe von Daten an öffentliche Dienststellen sollte nur in besonderen Fällen zulässig sein:

a. wenn eine klare rechtliche Verpflichtung oder Ermächtigung vorliegt oder mit Genehmigung der Datenschutzkontrollbehörde, oder
b. wenn diese Daten für den Empfänger unerläßlich sind, um es ihm zu ermöglichen, seine rechtmäßige Aufgabe zu erfüllen, und unter der Voraussetzung, daß das Ziel der durch den Empfänger beabsichtigten Sammlung oder Verarbeitung der Daten mit der ursprünglich vorgenommenen Verarbeitung nicht unvereinbar ist und die Rechtsverpflichtungen der weitergebenden Behörde dem nicht zuwiderlaufen.

5.2 ii. Die Weitergabe an öffentliche Stellen ist ferner in besonderen Fällen ausnahmsweise zulässig:

a. wenn die Weitergabe zweifellos im Interesse des Betroffenen ist und der Betroffene entweder der Weitergabe zugestimmt hat oder aufgrund der Umstände eine solche Einwilligung eindeutig vorausgesetzt werden kann, oder
b. wenn eine Weitergabe notwendig ist, um eine ernsthafte und unmittelbar bevorstehende Gefahr abzuwehren.

5.3 i. *Weitergabe an private Stellen*: Die Weitergabe von Daten an private Stellen sollte nur zulässig sein, wenn in besonderen Fällen eine klare rechtliche Verpflichtung oder Ermächtigung bzw. eine Genehmigung der Datenschutzkontrollbehörde vorliegt.

5.3 ii. Die Weitergabe von Daten an private Stellen ist in besonderen Fällen ausnahmsweise zulässig:

a. wenn die Weitergabe der Daten eindeutig im Interesse des Betroffenen liegt und der Betroffene entweder der Weitergabe zugestimmt hat oder aufgrund der Umstände eine solche Einwilligung eindeutig vorausgesetzt werden kann, oder
b. wenn eine Weitergabe notwendig ist, um eine ernsthafte und unmittelbare Gefahr abzuwehren.

5.4 *Internationale Weitergabe*: Die Weitergabe von Daten an ausländische Behörden sollte auf Polizeibehörden beschränkt bleiben. Sie sollte nur zulässig sein:

a. wenn es nach innerstaatlichem oder internationalem Recht eine eindeutige Rechtsbestimmung gibt, oder
b. in Ermangelung einer solchen Bestimmung, wenn eine Weitergabe

notwendig ist, um eine ernsthafte und unmittelbar bevorstehende Gefahr abzuwehren oder um eine schwere, gewöhnliche Straftat zu verfolgen, und vorausgesetzt, innerstaatliche Bestimmungen zum Schutz der Person werden nicht beeinträchtigt.

5.5 i. *Ersuchen um Weitergabe*: Vorbehaltlich bestimmter in nationalen Rechtsvorschriften oder internationalen Übereinkommen enthaltenen Bestimmungen sollten Ersuchen um Weitergabe von Daten Hinweise auf die ersuchende Person bzw. Stelle sowie auf den Grund und das Ziel des Ersuchens geben.

5.5 ii. *Bedingungen für die Weitergabe*: Die Qualität der Daten sollte soweit wie möglich spätestens zum Zeitpunkt ihrer Weitergabe überprüft werden. Soweit es möglich ist, sollten in allen Fällen der Datenweitergabe Angaben über gerichtliche Entscheidungen einschließlich Entscheidungen darüber, eine strafrechtliche Verfolgung zu unterlassen, gemacht werden, und Daten, die auf Meinungen oder persönlichen Einschätzungen beruhen, sollten an der Quelle überprüft werden, bevor sie weitergegeben werden, und ihr Grad an Genauigkeit oder an Verläßlichkeit sollte angegeben werden.

Wenn sich herausstellt, daß die Daten nicht mehr genau und aktuell sind, sollten sie nicht weitergegeben werden. Wenn Daten, die nicht mehr genau und aktuell sind, weitergegeben wurde, sollte der Urheber alle Dienststellen, an die die Daten weitergegeben wurden, darüber informieren, daß die Daten nicht mehr zutreffen.

5.5 iii. *Schutzbestimmungen für die Weitergabe*: Die Daten, die an andere öffentliche Behörden, private Stellen und ausländische Behörden weitergegeben wurden, sollten für keine anderen als die im Ersuchen um Weitergabe enthaltenen Zwecke verwendet werden.

Die Verwendung der Daten für andere Zwecke sollte, ohne die Abschnitte 5.2 bis 5.4 dieses Grundsatzes zu beeinträchtigen, von der Zustimmung der Stelle abhängig gemacht werden, die die Daten zur Verfügung stellt.

5.6 *Verbund von Dateien und On-line Zugang zu Dateien:* Der Verbund von Dateien mit anderen Dateien, die für verschiedene Zwecke unterhalten werden, unterliegt wahlweise folgenden Bedingungen:

a. der Erteilung einer Genehmigung durch die Datenschutzkontrollbehörde, wenn Ermittlungen in einer Strafsache angestellt werden sollen, oder
b. der Übereinstimmung mit einer eindeutigen Rechtsvorschrift.

Direkter Zugang/On-line Zugang zu einer Datei sollte nur dann gestattet sein, wenn dies mit den innerstaatlichen Rechtsvorschriften, in denen die Grundsätze 3 bis 6 dieser Empfehlung berücksichtigt sein sollten, übereinstimmt.

Grundsatz 6 – Öffentliche Bekanntgabe, Recht auf Zugang zu Polizeidateien, Recht auf Berichtigung und Recht auf Einspruch

6.1 Die Datenschutzkontrollbehörde sollte Maßnahmen treffen, um sich davon zu überzeugen, daß die Öffentlichkeit über die Existenz von meldepflichtigen Dateien informiert ist sowie über die Rechte der Betroffenen in bezug auf solche Dateien.

Bei der Verwirklichung dieses Grundsatzes sollte der besondere Charakter von ad-hoc-Dateien berücksichtigt werden, insbesondere die Notwendigkeit, eine schwerwiegende Beeinträchtigung der Durchführung eines gesetzlichen Auftrages der Polizeiorgane zu vermeiden.

6.2 Der Betroffene sollte in der Lage sein, in vertretbaren Abständen und ohne übermäßige Verzögerungen gemäß den Bestimmungen des innerstaatlichen Rechts Zugang zu einer Polizeidatei zu erhalten.

6.3 Der Betroffene sollte in der Lage sein, ggf. eine Berichtigung seiner Daten, die in einer Datei enthalten sind, zu erwirken.

Personenbezogene Daten, die sich aufgrund der Ausübung des Rechts auf Zugang als unzutreffend herausstellen oder die sich unter dem Aspekt der Anwendung einer der Grundsätze dieser Empfehlung als zu ausführlich, unzutreffend oder irrelevant herausstellen, sollten gelöscht oder berichtigt werden oder auf sonstige Weise durch eine berichtigende Anmerkung in der Datei ergänzt werden.

Eine solche Löschung oder berichtigende Maßnahme sollte sich soweit wie möglich auf alle Begleitdokumente der Polizeidateien erstrecken und, wenn sie nicht sofort durchgeführt wird, spätestens zum Zeitpunkt der nächsten Bearbeitung oder der nächsten Weitergabe erfolgen.

6.4 Die Ausübung der Rechte auf Zugang zu Dateien, auf Berichtigung und auf Löschung sollten nur insoweit eingeschränkt werden, als dies für die Polizei zur Durchführung einer rechtmäßigen Aufgabe bzw. zum Schutz des Betroffenen oder der Rechte und Freiheiten Dritter notwendig ist.

Im Interesse des Betroffenen können schriftliche Erklärungen in einzelnen Fällen gesetzlich ausgeschlossen werden.

6.5 Eine Verweigerung oder Einschränkung dieser Rechte sollte schriftlich begründet werden. Eine Weigerung, die Gründung mitzuteilen, sollte nur insoweit möglich sein, als dies für die Polizei zur Durchführung einer rechtmäßigen Aufgabe bzw. zum Schutz der Rechte und Freiheiten Dritter notwendig ist.

6.6 Wird der Zugang verweigert, sollte der Betroffene die Möglichkeit haben, bei der Datenschutzkontrollbehörde oder bei einer anderen unabhängigen Stelle Einspruch einzulegen, die sich davon überzeugen muß, daß die Verweigerung begründet ist.

Grundsatz 7 – Speicherungsdauer und Aktualisierung der Daten

7.1 Es sollten Maßnahmen getroffen werden, um sicherzustellen, daß personenbezogene Daten, die zu polizeilichen Zwecken gespeichert werden, gelöscht werden, sobald sie nicht mehr für die Zwecke benötigt werden, für die sie gespeichert wurden.

Zu diesem Zweck sollten insbesondere die folgenden Kriterien berücksichtigt werden: die Notwendigkeit, die Daten weiterhin zu speichern, wenn die Ermittlungen in einem Fall abgeschlossen sind; der endgültige Richterspruch, insbesondere der Freispruch eines Angeklagten; seine Rehabilitierung; verbüßte Strafen; Amnestien; das Alter des Betroffenen; besondere Kategorien von Daten.

7.2 Regeln zur Festlegung der Speicherungsdauer für verschiedene Kategorien personenbezogener Daten sowie regelmäßige Überprüfungen ihrer Qualität sollten in Abstimmung mit der Datenschutzkontrollbehörde oder nach Maßgabe der innerstaatlichen Rechtsvorschriften festgelegt werden.

Grundsatz 8 – Datensicherheit

8.1 Die zuständige Behörde sollte alle erforderlichen Maßnahmen treffen, um die angemessene materielle und logische Sicherheit der Daten zu gewährleisten und Veränderung, unbefugten Zugang oder unbefugte Weitergabe zu verhindern.

In dieser Hinsicht sollten die verschiedenen Eigenschaften und der Inhalt der Dateien berücksichtigt werden.

Europarat
Empfehlung Nr. R (89) 2
des Ministerkomitees an die Mitgliedstaaten zum Schutz personenbezogener Daten für Beschäftigungszwecke

Das Ministerkomitee, gemäß dem Auftrag des Artikel 15.b. der Statuten des Europarates,

In Anbetracht dessen, daß es das Ziel des Europarats ist, eine größere Einheit unter seinen Mitgliedern herbeizuführen;

In dem Bewußtsein des zunehmenden Einsatzes automatischer Datenverarbeitung in den Beziehungen zwischen Arbeitgebern und Arbeitnehmern und der hieraus resultierenden Vorteile;

Jedoch in der Überzeugung, daß der Einsatz von Methoden der automatischen Datenverarbeitung durch den Arbeitgeber von Grundsätzen geleitet werden sollte, die darauf abzielen, die möglicherweise durch den Einsatz dieser Methoden für den Arbeitnehmer entstehende Gefährdung seiner Rechte und Grundfreiheiten, insbesondere des Rechts auf Privatsphäre, so gering wie möglich zu halten;

In diesem Zusammenhang eingedenk der Bestimmungen des Übereinkommens zum Schutz des Menschen bei der automatischen Verarbeitung personenbezogener Daten vom 28. Januar 1981 und im Hinblick darauf, daß es wünschenswert wäre, diese den speziellen Erfordernissen des Beschäftigungssektors anzupassen;

Darüber hinaus in der Erkenntnis, daß bei der Ausarbeitung von Grundsätzen für den Beschäftigungssektor sowohl die Interessen des einzelnen als auch die der Gemeinschaft zu berücksichtigen sind;

In dem Bewußtsein, daß es unterschiedliche Traditionen bei der Regelung des Verhältnisses zwischen Arbeitgebern und Arbeitnehmern in den Mitgliedstaaten gibt, und angesichts der Tatsache, daß die gesetzliche Regelung nur eine Möglichkeit darstellt;

Weiterhin unter Hinweis auf Artikel 6 der Europäischen Sozial-Charta vom 18. Oktober 1961;

Empfiehlt den Regierungen der Mitgliedstaaten:

– sicherzustellen, daß den in der Empfehlung enthaltenen Grundsätzen bei der Anwendung der innerstaatlichen Rechtsvorschriften über Datenschutz im Beschäftigungssektor wie auch in anderen Rechtsbereichen, die den Gebrauch personenbezogener Daten für Beschäftigungszwecke betreffen, Rechnung getragen wird;

- zu diesem Zweck dafür zu sorgen, daß diese Empfehlung den nach den jeweiligen innerstaatlichen Rechtsvorschriften zum Datenschutz eingerichteten und für die Überwachung der Anwendung dieser Vorschriften zuständigen Behörden zur Kenntnis gebracht wird;
- die Akzeptanz und praktische Umsetzung der in der Empfehlung enthaltenen Grundsätze durch deren Weiterverbreitung unter den Interessenvertretungen der Arbeitgeber und der Arbeitnehmer zu fördern.

1. Anwendungsbereich und Begriffsbestimmungen

1.1 Die in dieser Empfehlung dargelegten Grundsätze gelten für die Erhebung und Nutzung personenbezogener Daten für Beschäftigungszwecke im öffentlichen wie auch im privaten Bereich.

Diese Grundsätze gelten sowohl für automatisch verarbeitete Daten als auch für alle Informationen über Arbeitnehmer, die vom Arbeitgeber erfaßt werden, soweit diese Informationen notwendig sind, um automatisch verarbeitete Daten verständlich zu machen.

Manuelle Datenverarbeitung sollte vom Arbeitgeber nicht dazu benutzt werden, die in dieser Empfehlung enthaltenen Grundsätze zu umgehen.

1.2 Ungeachtet des in Absatz 1.1 Unterabsatz 2 dargelegten Grundsatzes kann ein Mitgliedstaat die Grundsätze dieser Empfehlung auf manuelle Datenverarbeitung im allgemeinen ausdehnen.

1.3 Im Sinne dieser Empfehlung

- bedeutet der Ausdruck »*personenbezogene Daten*« jede Information, die eine identifizierte oder identifizierbare Person betrifft. Eine Person gilt dann nicht als »identifizierbar«, wenn die Zuordnung eine unverhältnismäßig lange Zeit, unverhältnismäßig hohe Kosten oder einen unverhältnismäßig hohen Personaleinsatz erfordern würde.
- bedeutet der Ausdruck »Beschäftigungszwecke« die Arbeitgeber-Arbeitnehmer-Beziehungen im Hinblick auf die Einstellung von Arbeitnehmern, die Erfüllung des Arbeitsvertrages, Management, einschließlich der Erfüllung von gesetzlichen oder durch Tarifvertrag vereinbarten Verpflichtungen, sowie Arbeitsplanung und -organisation.

1.4 Soweit es keine anderslautenden Bestimmungen in den innerstaatlichen Rechtsvorschriften gibt, gelten die allgemeinen Grundsätze dieser Empfehlung ggfs. auch für Arbeitsämter und -vermittlungsstellen des öffentlichen und des privaten Sektors, die zur Vermittlung eines Arbeitsvertrages zwischen den bei ihnen registrierten Personen und möglichen Arbeitgebern personenbezogene Daten erheben und verwenden.

1.5 Soweit dies zum Schutz der Sicherheit des Staates, der öffentlichen Sicherheit oder der Bekämpfung von Straftaten erforderlich ist, gilt diese Empfehlung nicht für vertrauliche Informationen, die von Arbeitgebern zu Beschäftigungszwecken über Personen gesammelt oder gespeichert werden, die für Posten eingestellt wurden oder Aufgaben wahrnehmen, die eng mit diesen Bereichen verwandt sind.

2. Achtung der Privatsphäre und der Menschenwürde des Arbeitnehmers

2.1 Die Achtung der Privatsphäre und der Menschenwürde des Arbeitnehmers, insbesondere der Möglichkeit, soziale und persönliche Beziehungen am Arbeitsplatz zu pflegen, sollte bei der Nutzung personenbezogener Daten für Beschäftigungszwecke sichergestellt werden.

3. Informationen der Arbeitnehmer, Rücksprache mit den Arbeitnehmern

3.1 In Übereinstimmung mit der innerstaatlichen Gesetzgebung oder Praxis und ggfs. in Übereinstimmung mit den einschlägigen Tarifverträgen sollte der Arbeitgeber die Arbeitnehmer und deren Vertreter im voraus umfassend informieren oder Rücksprache mit diesen nehmen in bezug auf die Einführung oder Umstellung automatischer Systeme für die Erhebung und Nutzung personenbezogener Daten von Arbeitnehmern.

Dieser Grundsatz gilt ebenfalls für die Einführung und Umstellung technischer Einrichtungen, die der Überwachung der Bewegungen und der Produktivität von Arbeitnehmern dienen.

3.2 Wenn während der Phase der Rücksprache mit den Arbeitnehmern, auf die in Absatz 3.1 verwiesen wird, die Möglichkeit von Verstößen gegen das Recht der Arbeitnehmer auf Achtung ihrer Privatsphäre oder Menschenwürde erkennbar wird, sollte die Zustimmung der Arbeitnehmervertretungen vor der Einführung oder Umstellung solcher Systeme gesucht werden, soweit nicht die innerstaatliche Gesetzgebung oder Praxis andere geeignete Schutzmaßnahmen vorsieht.

4. Datenerhebung

4.1 Personenbezogene Daten sollten grundsätzlich unmittelbar von dem jeweiligen Arbeitnehmer bezogen werden. Falls es angezeigt ist, auf Quellen außerhalb der Beschäftigungsbeziehungen zurückzugreifen, sollte der Betroffene hierüber informiert werden.

4.2 Die vom Arbeitgeber für Beschäftigungszwecke erhobenen Daten sollten sachdienlich und nicht unangemessen umfangreich sein, wobei die Art der Beschäftigung und die sich hieraus ergebenden Informationsbedürfnisse des Arbeitgebers berücksichtigt werden sollten.

4.3 Im Laufe eines Einstellungsverfahrens sollten die erhobenen personenbezogenen Daten auf solche beschränkt sein, die zur Bewertung der Eignung zukünftiger Kandidaten und ihrer beruflichen Entwicklungsmöglichkeiten angemessen sind.

Im Laufe eines solchen Verfahrens sollten die personenbezogenen Daten ausschließlich von der betroffenen Person erfragt werden. Vorbehaltlich der Bestimmungen innerstaatlicher Rechtsvorschriften sollten andere Quellen als der Betroffene nur mit dessen Zustimmung hinzugezogen werden, oder nachdem der Betroffene über diese Möglichkeit informiert wurde.

4.4 Auf Tests, Analysen und ähnliche Verfahren zur Beurteilung des Charakters oder der Persönlichkeit des einzelnen sollte nicht ohne dessen Zustimmung zurückgegriffen werden, es sei denn, das innerstaatliche Recht sieht einen anderen angemessenen Schutz vor. Falls der Betroffene es wünscht, sollte ihm das Ergebnis dieser Tests mitgeteilt werden.

5. Datenspeicherung

5.1 Die Speicherung personenbezogener Daten ist nur dann zulässig, wenn die Datenerhebung in Übereinstimmung mit den in Absatz 4 dargelegten Grundsätzen erfolgt ist und wenn die Speicherung Beschäftigungszwecken dienen soll.

5.2 Die gespeicherten Daten sollten zutreffend und auf dem neuesten Stand sein und die Situation des Arbeitnehmers wahrheitsgetreu darstellen. Sie sollten nicht so gespeichert oder verschlüsselt werden, daß sie gegen die Rechte des Arbeitnehmers verstoßen, indem sie zulassen, daß ohne Wissen des Betroffenen ein Persönlichkeitsprofil von ihm erstellt wird.

5.3 Wo Beurteilungsdaten gespeichert werden, die die Leistung oder das Leistungsvermögen eines Arbeitnehmers bewerten, sollte diesen eine faire und gewissenhafte Einschätzung zugrunde liegen, in der Art ihrer Formulierung sollten sie nicht beleidigend sein.

6. Interne Nutzung von Daten

6.1 Für Beschäftigungszwecke erhobene Daten sollten vom Arbeitgeber ausschließlich für solche Zwecke verwendet werden.

6.2 Wo immer Daten für andere Beschäftigungszwecke verwendet werden als die, für die sie ursprünglich erhoben wurden, sollten Maßnahmen getroffen werden, um zu verhindern, daß die Daten in diesem anderen Zusammenhang falsch ausgelegt werden, und um sicherzustellen, daß sie nicht in einer Weise verwendet werden, die mit dem ursprünglichen Zweck unvereinbar ist. Sollten auf der Grundlage so verwandter Daten wichtige Entscheidungen mit Auswirkungen für den Arbeitnehmer getroffen werden, sollte dieser darüber informiert werden.

6.3 Die Vernetzung von Dateien, die für Beschäftigungszwecke erhobene und gespeicherte personenbezogene Daten enthalten, unterliegt den in Absatz 6.2 aufgeführten Bestimmungen.

7. Weitergabe von Daten an Arbeitnehmervertreter

In Übereinstimmung mit der innerstaatlichen Gesetzgebung und Praxis oder den Bestimmungen von Tarifverträgen können personenbezogene Daten an Arbeitnehmervertreter mitgeteilt werden, wenn sie von diesen zur Wahrnehmung der Interessen der Arbeitnehmer benötigt werden.

8. Weitergabe von Daten an Außenstehende

8.1 Für Beschäftigungszwecke erhobene personenbezogene Daten sollten an öffentliche Einrichtungen zum Zwecke der Wahrnehmung ihrer Funktionen nur innerhalb des Rahmens der rechtlichen Verpflichtungen des Arbeitgebers oder in Übereinstimmung mit anderen Bestimmungen der innerstaatlichen Rechtsvorschriften mitgeteilt werden.

8.2 Die Weitergabe personenbezogener Daten an öffentliche Einrichtungen für Zwecke, die nicht der Wahrnehmung ihrer Funktionen dienen oder an Stellen außerhalb der öffentlichen Verwaltung, eingeschlossen Unternehmen innerhalb derselben Unternehmensgruppe, sollte nur stattfinden:

a) sofern die Weitergabe für Beschäftigungszwecke, die nicht unvereinbar sind mit den Zwecken, für die die Daten ursprünglich erhoben worden sind, notwendig ist und die Arbeitnehmer oder ihre Vertretungen hierüber informiert sind oder
b) mit der ausdrücklichen und bewußten Zustimmung des einzelnen Arbeitnehmers oder
c) sofern die Weitergabe durch innerstaatliche Rechtsvorschriften erlaubt ist.

8.3 Die Weitergabe personenbezogener Daten für andere Zwecke als Beschäftigungszwecke darf nur mit der ausdrücklichen und bewußten Zustimmung des einzelnen Arbeitnehmers erfolgen, oder wenn die innerstaatlichen Rechtsvorschriften dies zulassen.

9. Grenzüberschreitender Datenverkehr

Die grenzüberschreitende Weitergabe personenbezogener Daten, die für Beschäftigungszwecke erhoben und gespeichert werden, sollte den Grundsätzen unterliegen, die in den Absätzen 6 und 8 aufgeführt sind.

10. Besondere Datenkategorien

10.1 Personenbezogene Daten über Rasse, politische Meinungen, religiöse oder sonstige Überzeugungen, das Sexualleben oder Vorstrafen, auf die in Artikel 6 des Übereinkommens zum Schutze des Menschen bei der automatischen Verarbeitung von personenbezogenen Daten Bezug genommen wird, sollten nur in besonderen Fällen im Rahmen der Vorschriften des innerstaatlichen Rechts und nach Maßgabe der darin vorgesehenen Schutzmaßnahmen gesammelt und gespeichert werden. Besteht ein solcher Schutz nicht, sollten derartige Daten nur mit der ausdrücklichen und bewußten Zustimmung der Arbeitnehmer gesammelt und gespeichert werden.

10.2 Ein Arbeitnehmer oder ein Bewerber darf nur nach seinem Gesundheitszustand gefragt und medizinisch untersucht werden, um

a. die Eignung eines Arbeitnehmers oder eines Bewerbers für seine gegenwärtige oder zukünftige Beschäftigung zu ermitteln;
b. die Erfordernisse der Präventivmedizin zu erfüllen oder
c. soziale Leistungen zu gewähren.

Gesundheitsdaten, die der ärztlichen Schweigepflicht unterliegen, dürfen nicht von anderen Quellen als dem betroffenen Arbeitnehmer erhoben werden, es sei denn, mit seiner ausdrücklichen und bewußten Zustimmung oder nach Maßgabe von Bestimmungen des innerstaatlichen Rechts.

10.3 Gesundheitsbezogene Daten, die der medizinischen Schweigepflicht unterliegen, sollten nur von Personal gespeichert werden, das durch die Regeln der medizinischen Schweigepflicht gebunden ist. Die Informationen sollten nur an andere Angehörige der Personalverwaltung weitergegeben werden, wenn dies für Entscheidungen der Personalverwaltung unerläßlich und mit den Bestimmungen des innerstaatlichen Rechts vereinbar ist.

10.4 Gesundheitsbezogene Daten sollten von anderen Kategorien personenbezogener Daten, über die der Arbeitgeber verfügt, getrennt gespeichert werden. Es sollte Vorsorge getroffen werden, um zu verhindern, daß nicht zum medizinischen Dienst gehörendes Personal Zugang zu diesen Daten hat.

10.5 Das Recht der betroffenen Person auf Zugang zu ihren gesundheitsbezogenen Daten sollte nicht eingeschränkt werden, es sei denn, der Zugang zu diesen Daten könnte dem Betroffenen schwerwiegenden Schaden zufügen; in diesem Fall können die Daten ihm durch einen Arzt seiner Wahl mitgeteilt werden.

11. Offenlegung personenbezogener Daten

11.1 Information über die vom Arbeitgeber gespeicherten personenbezogenen Daten sollten dem Arbeitnehmer entweder direkt oder indirekt durch seine Vertreter zugänglich gemacht oder durch andere geeignete Mittel zur Kenntnis gebracht werden.

Diese Information sollte im einzelnen den Hauptzweck beinhalten, dem die Speicherung dieser Daten dient, ferner die Art der gespeicherten Daten, die Kategorien der Personen oder Einrichtungen, an die die Daten regelmäßig weitergegeben werden, sowie die Zwecke und die rechtliche Grundlage einer solchen Weitergabe.

11.2 Die Information sollte sich ebenfalls auf die Rechte des Arbeitnehmers hinsichtlich seiner Daten beziehen, so wie sie in Absatz 12 dieser Empfehlung vorgesehen sind, ferner auf die Art und Weise, wie er sein Recht auf Zugang ausüben kann.

12. Recht auf Zugang und Berichtigung

12.1 Jeder Arbeitnehmer sollte auf Anfrage Zugang zu allen ihn betreffenden personenbezogenen Daten haben können, über die sein Arbeitgeber verfügt, und ggfs. deren Berichtigung oder Löschung veranlassen können, wenn sie im Widerspruch zu den Bestimmungen dieser Empfehlung gespeichert werden. Im Falle von Beurteilungsdaten sollte jeder Arbeitnehmer das Recht haben, in Übereinstimmung mit dem innerstaatlichen Recht diese Beurteilung anzufechten.

12.2 Die Ausübung der in Absatz 12.1 dargelegten Rechte kann im Falle von internen Ermittlungen seitens des Arbeitgebers bis zu deren Abschluß ausgesetzt werden, wenn das Ergebnis der Untersuchungen ansonsten in Frage gestellt würde.

12.3 Wenn eine Entscheidung über einen Arbeitnehmer gefällt wird, die auf der automatischen Verarbeitung von Daten beruht, die dem Arbeitgeber zur Verfügung stehen, sollte der Arbeitnehmer das Recht haben, sich davon zu überzeugen, daß die Daten rechtmäßig verarbeitet wurden.

12.4 Außer in den Fällen, in denen die innerstaatlichen Rechtsvorschriften etwas anderes besagen, sollte der Arbeitnehmer berechtigt sein, eine Person seiner Wahl zu benennen, die ihm bei der Ausübung seines Rechts auf Zugang behilflich ist oder dieses Recht in seinem Auftrag ausübt.

12.5 Wenn der Zugang zu den Daten verweigert wird oder ein Ersuchen um Berichtigung oder Löschung von Daten abgelehnt wird, sollten die innerstaatlichen Rechtsvorschriften Rechtsmittel vorsehen.

13. Sicherheit der Daten

13.1 Arbeitgeber oder Firmen, die in deren Auftrag Daten verarbeiten, sollten geeignete technische und organisatorische Maßnahmen treffen, die die Sicherheit und vertrauliche Behandlung von für Beschäftigungszwecke gespeicherten personenbezogenen Daten gewährleisten und Schutz gegen unbefugten Zugang und unbefugte Nutzung, Weitergabe oder Änderung bieten.

13.2 Die Personalverwaltung sowie jede andere Person, die mit der Verarbeitung der Daten befaßt ist, sollte über solche Maßnahmen und die Notwendigkeit ihrer Einhaltung informiert werden.

14. Aufbewahrung der Daten

14.1 Personenbezogene Daten sollten vom Arbeitgeber nicht länger gespeichert werden, als es durch die in Absatz 1.3 dargelegten Zwecke gerechtfertigt oder im Interesse eines gegenwärtigen oder früheren Arbeitnehmers erforderlich ist.

14.2 Personenbezogene Daten, die im Rahmen einer Bewerbung vorgelegt wurden, sollten im Normalfall gelöscht werden, sobald erkennbar wird, daß es nicht zu einer Einstellung kommt.

14.3 Wenn solche Daten im Hinblick auf eine weitere Bewerbung gespeichert werden, sollten sie auf Ersuchen des betroffenen Stellenbewerbers gelöscht werden.

14.4 Falls es erforderlich ist, in Zusammenhang mit einer Bewerbung vorgelegte Daten für ein Gerichtsverfahren zu speichern, sollte dies nur für einen angemessenen Zeitraum geschehen.

Europarat
Empfehlung Nr. R (90) 19
des Ministerkomitees an die Mitgliedstaaten zum Schutz personenbezogener Daten, die für Zahlungszwecke oder andere damit im Zusammenhang stehende Geschäfte verwendet werden

(vom Ministerkomitee am 13. September 1990 in der 443. Sitzung der Ministerbeauftragten angenommen)

Das Ministerkomitee, gemäß Art. 15. b. der Statuten des Europarats.

In Anbetracht dessen, daß es das Ziel des Europarats ist, eine größere Einheit unter den Mitgliedstaaten zu erreichen;

In dem Bewußtsein, daß die automatische Datenverarbeitung im Bereich der Zahlungsmittel und damit in Zusammenhang stehender Geschäfte verstärkt eingesetzt wird, und in Kenntnis der hierdurch entstehenden Vorteile;

In dem Bewußtsein dessen, daß die automatische Datenverarbeitung durch Finanzdienste anbietende Stellen, unter denen nicht unbedingt nur Banken zu verstehen sind, verstärkt eingesetzt wird;

In der Überzeugung, daß der Einsatz der automatischen Datenverarbeitung im Bereich der Zahlungsmittel und anderer damit in Zusammenhang stehender Geschäfte Gefahren für die Privatsphäre des einzelnen bedeuten kann;

Außerdem in der Überzeugung, daß trotz des verstärkten Einsatzes der automatischen Datenverarbeitung im Bereich der Zahlungsmittel und anderer damit in Zusammenhang stehender Geschäfte einzelne nicht dazu gezwungen werden sollten, elektronische Zahlungsmittel zu verwenden, damit sie so die Möglichkeit haben, die personenbezogenen Daten, die im Verlauf der Geschäfte anfallen, auf ein Minimum zu reduzieren;

In der Erkenntnis, daß die Bestimmung der Konvention zum Schutz von Einzelpersonen in bezug auf die automatische Verarbeitung personenbezogener Daten vom 28. Januar 1981 auch für die automatische Datenverarbeitung von den Stellen gilt, die Finanzdienste anbieten;

Jedoch in der Überzeugung, daß die allgemeinen Bestimmungen der Konvention spezifischer angewandt werden müssen, um sie den besonderen Erfordernissen der o.g. Geschäfte anzupassen;

Unter Berücksichtigung der Tatsache, daß bestimmte dieser Geschäfte international abgewickelt werden und somit einen grenzüberschreitenden Fluß personenbezogener Daten verursachen, wodurch ein entsprechendes Maß an Datenschutz in allen Mitgliedstaaten des Europarates gefördert werden muß;

Empfiehlt den Regierungen der Mitgliedstaaten:

- die Grundsätze und Richtlinien im Anhang dieser Empfehlung in ihren nationalen Gesetzen und in der nationalen Praxis in bezug auf Zahlungsmittel und andere damit in Zusammenhang stehende Geschäfte zu berücksichtigen;
- diese Empfehlung den zuständigen Behörden im Bereich des Datenschutzes sowie den Stellen, die Zahlungsmittel bereitstellen, Empfängern und Betreibern von Kommunikationsnetzen oder deren Vertretern vorzulegen.

Anhang zur Empfehlung

1. Geltungsbereich und Definitionen

1.1. Die in dieser Empfehlung enthaltenen Grundsätze finden Anwendung auf die automatische Verarbeitung personenbezogener Daten im Zusammenhang mit der Bereitstellung von Zahlungsmitteln und im Zusammenhang mit der Zahlung oder damit in Zusammenhang stehenden Geschäften.

Außerdem gelten diese Grundsätze für alle an solchen Geschäften beteiligten Seiten (Begünstigte, die Stellen, die Zahlungsmittel ausgeben, sowie Betreiber von Kommunikationsnetzen).

1.2. Im Sinne dieser Empfehlung bedeuten:

Der Ausdruck *»personenbezogene Daten«* jede Information in bezug auf eine Einzelperson, deren Identität feststeht oder feststellbar ist. Die Identität einer Einzelperson gilt nicht als »feststellbar«, wenn eine solche Feststellung einen unverhältnismäßig hohen Aufwand an Zeit, Kosten und Personal erfordert.

Der Ausdruck *»Zahlungsmittel«* alle Zahlungswege sowie andere Mittel für Zahlungsanweisungen, insbesondere Schecks, Überweisungsaufträge und Kreditkarten sowie alle anderen Arten von Abbuchungs- und Buchungsaufträgen, unabhängig davon, ob sie mittels eines elektronischen Signals gegeben wurden.

Der Ausdruck *»Begünstigter«* alle juristischen und natürlichen Personen, die aus einer Zahlung oder einem damit in Zusammenhang stehenden Geschäft Nutzen ziehen, insbesondere Geschäftsleute, Einzelhändler und Dienstanbieter, nicht jedoch den einzelnen Konsumenten.

Der Ausdruck *»Stellen, die Zahlungsmittel ausgeben«* alle Banken- und Nicht-Banken-Unternehmen, die Zahlungsmittel ausgeben und verwalten oder die gelegentlich oder regelmäßig nur eine dieser Funktionen ausüben und die andere Funktion auf einen Vertragsnehmer übertragen.

Hierunter fallen auch Unternehmungen, die von der Hauptstelle, die Zahlungsmittel ausgibt, Anweisungen erhalten, Zahlungsmittel auszugeben oder zu verwalten. Die Rechte und Pflichten der Vertragsnehmer werden von den nationalen Gesetzen über Vertretungen geregelt.

Der Ausdruck *»Betreiber von Kommunikationsnetzen«* die Stelle, die für die Übertragung zwecks Verarbeitung von Daten zur Durchführung der Zahlung oder damit in Zusammenhang stehenden Geschäften zur Verfügung steht.

2. Achtung der Privatsphäre

2.1. Die Achtung der Privatsphäre muß während der Erhebung, der Speicherung, der Verwendung, der Weitergabe und der Aufbewahrung personenbezogener Daten, die mit der Ausgabe oder Verwendung eines Zahlungsmittels in Zusammenhang stehen, gesichert sein. Zu diesem Zweck müssen die Stellen, die Zahlungsmittel zur Verfügung stellen, die Begünstigten und die Betreiber von Kommunikationsnetzen die notwendigen Maßnahmen ergreifen, damit die Vertraulichkeit dieser personenbezogenen Daten sichergestellt ist.

3. Datenerhebung und -speicherung

3.1. Personenbezogene Daten sollten von der Stelle, die Zahlungsmittel ausgibt, nur insoweit erhoben und gespeichert werden, als diese Daten für die Ausgabe der Zahlungsmittel sowie für die mit der Verwendung verbundenen Dienste, einschließlich Bestätigungen, notwendig sind.

3.2. Gemäß den Bestimmungen der nationalen Gesetze sollte die Stelle, die Zahlungsmittel ausgibt, in der Lage sein, einen Vertragsnehmer mit der Erhebung, der Speicherung und der Verarbeitung dieser Daten zu beauftragen, wobei der Vertragsnehmer angewiesen werden muß, die Daten nicht für andere Zwecke zu verwenden.

3.3. Grundsätzlich sollten personenbezogene Daten nur bei der betreffenden Person selbst eingeholt werden. In den Fällen, in denen auf andere Quellen zurückgegriffen werden muß, sollte der Betreffende vor einer Inanspruchnahme anderer Quellen voll und ganz über die Arten dieser Quellen informiert werden, und er sollte außerdem umfassend über die Folgen informiert sein, die mit einer Verweigerung oder Rücknahme der Zustimmung verbunden sind.

3.4. Personenbezogene Daten dürfen vom Begünstigten ausschließlich für die Überprüfung der Identität des Zahlungsmittelinhabers sowie zur Feststellung der Gültigkeit und der Rechtmäßigkeit der Zahlung bzw. damit in Zusammenhang stehender Geschäfte erhoben und gespeichert werden.

3.5. Wenn ein Geschäft mit einem Zahlungsmittel getätigt wird, sollten die in diesem Zusammenhang anfallenden personenbezogenen Daten von den Stellen, die Zahlungsmittel ausgeben, nur insoweit erhoben und gespeichert werden, als dies für die Bestätigung und den Nachweis des Geschäfts sowie für die Durchführung von Dienstleistungen und zur Einhaltung der per nationalem Gesetz im Zusammenhang mit dem Gebrauch des Zahlungsmittels festgelegten Verpflichtungen notwendig ist.

3.6. Zahlungssysteme sollten so konzipiert sein, daß personenbezogene Daten, die für die in den Grundsätzen 3.1 und 3.2 genannten Zwecke nicht notwendig sind, nicht im Verlauf des Zahlungsvorgangs oder anderer damit in Zusammenhang stehender Geschäfte an die Stellen, die Zahlungsmittel ausgeben, weitergegeben werden, und daß personenbezogene Daten, die für den Zweck gemäß Grundsatz 3.4 notwendig sind, nicht vom Begünstigten einbehalten werden.

3.7. Der Betreiber eines Kommunikationsnetzes sollte in der Lage sein, nur solche personenbezogenen Daten zu erheben und zu speichern, die für die Ausführung der von ihm angebotenen Dienste notwendig sind oder aber für den Nachweis und die Berechnung solcher Dienste erforderlich werden.

3.8. Personenbezogene Daten, die sich auf eine Straftat beziehen, sollten nur dann verarbeitet werden, wenn dies eindeutig dadurch gerechtfertigt ist, daß hierdurch festgestellt werden kann, ob diese Person für den Erhalt bzw. die weitere Verwendung eines Zahlungsmittels geeignet ist, und vorausgesetzt, daß der Betreffende nach vorheriger Informierung seine ausdrückliche Zustimmung gegeben hat oder die Verarbeitung gemäß den in den nationalen Gesetzen festgelegten Bestimmungen erfolgt.

Die Erhebung und Speicherung anderer Arten empfindlicher Daten, auf die sich Art. 6 der Konvention zum Schutz des Menschen bei der automatischen Verarbeitung personenbezogener Daten bezieht, sollte nicht gestattet sein.

4. Verwendung von Daten

4.1. Vorbehaltlich der Bestimmungen des Grundsatzes 4.2 sollten personenbezogene Daten, die gemäß Grundsatz 3 erhoben und gespeichert wurden, nur verwendet werden, um die Angaben des Antragstellers bei Bereitstellung eines Zahlungsmittels zu überprüfen, um die

Verwaltung des betreffenden Kontos, einschließlich Kontoauszügen, zu ermöglichen oder um Mißbrauch im Falle von Verlust oder Rücknahme des Zahlungsmittels zu verhindern.

4.2. Unter der Voraussetzung, daß der einzelne umfassend informiert ist, und sofern er nicht Einspruch erhoben hat, darf die Stelle, die Zahlungsmittel ausgibt, die erhobenen und gespeicherten Daten für Zwecke gemäß Grundsatz 3.1 im Zusammenhang mit der Vermarktung ihres Angebotes an Finanzdienstleistungen sowie Werbung mit diesen Leistungen in bezug auf diese Person einsetzen.

Personenbezogene Daten, die für Zwecke gemäß den Grundsätzen 3.1 und 3.4 erhoben und gespeichert wurden, dürfen für andere Vermarktungs- und Werbezwecke nur mit ausdrücklicher Zustimmung des Betroffenen verwendet werden.

Der Betroffene sollte über die Tatsache in Kenntnis gesetzt werden, daß Einwände gegen den Gebrauch seiner Daten für Vermarktungs- und Werbezwecke oder seine Weigerung, die Zustimmung hierzu zu geben, die Entscheidung darüber, ob ihm ein Zahlungsmittel zur Verfügung gestellt wird oder ob er die Erlaubnis zum weiteren Gebrauch eines bereits ausgegebenen Zahlungsmittel behält, nicht negativ beeinflussen wird.

4.3. Die Verknüpfung verschiedener Dateien mit personenbezogenen Daten, die aus den verschiedenen Verwendungszwecken von Zahlungsmitteln durch Einzelpersonen resultiert, sollte nur durch die Stelle, die Zahlungsmittel ausgibt, vorgenommen werden und ausschließlich für die Zwecke gemäß Grundsatz 4.1 oder für die Vermarktung und Bereitstellung von Finanzdiensten erfolgen, denen der Betroffene gemäß Grundsatz 4.2 zugestimmt hat.

Sofern nationale Gesetze nicht anderslautende Bestimmungen enthalten, sollte die Verknüpfung verschiedener Dateien mit personenbezogenen Daten für andere als in diesem Grundsatz genannte Zwecke nicht gestattet sein.

4.4. Insoweit als durch den Gebrauch eines Zahlungsmittels empfindliche Daten anfallen, dürfen solche Daten nicht für Vermarktungs-, Werbe- oder andere Zwecke verwendet werden.

4.5. Wenn eine multifunktionale Karte u.a. auch ein Zahlungsmittel darstellt und für andere als die in Grundsatz 1.2 Unterabsatz 2 genannten Zwecke eingesetzt wird, sollte sie so konzipiert sein, daß beim Einsatz dieser Karte für diese anderen Zwecke die Möglichkeit des Zugriffs auf solche personenbezogenen Daten, auf die sich die vorliegende Empfehlung bezieht, ausgeschlossen ist.

5. Weitergabe von Daten

5.1. Personenbezogene Daten, die für die in den Grundsätzen 3.1 und 4.1 genannten Zwecke erhoben und gespeichert wurden, dürfen nur in den folgenden Fällen weitergegeben werden:

(a) gemäß den Verpflichtungen, die sich aus nationalen Gesetzen ergeben;

(b) wenn dies zum Schutz wichtiger und legitimer Interessen der Stelle, die Zahlungsmittel ausgibt, notwendig ist;

(c) mit der ausdrücklichen Zustimmung des Betroffenen, der vorher darüber informiert wurde;

(d) bei einem Zahlungsverzug, wenn gemäß nationalem Recht zur Erhöhung der Zahlungssicherheit innerhalb des von dieser Empfehlung abgedeckten Bereichs ein System eingerichtet wurde, wonach solche Informationen eingehen und aufgezeichnet werden.

5.2. Die im Grundsatz 5.1 festgelegten Bedingungen dürfen die Weitergabe personenbezogener Daten von der Stelle, die Zahlungsmittel ausgibt, an die in ihrem Auftrag handelnden Vertragsnehmer oder an den Betreiber des Kommunikationsnetzes nicht einschränken, wenn diese Weitergabe für die Ausgabe und den Einsatz des Zahlungsmittels notwendig ist.

6. Information

Gemäß nationaler Gesetzgebung und nationaler Praxis sollten Stellen, die Zahlungsmittel ausgeben, sowie Begünstigte und Betreiber von Kommunikationsnetzen dafür sorgen, daß der Betroffene über die Art von Daten sowie den Zweck, für den sie gespeichert werden, sowie über die Art von Personen oder Stellen, an die Daten weitergegeben werden können, und über die rechtliche Grundlage einer solchen Weitergabe informiert ist.

7. Recht auf Zugang und Richtigstellung

7.1. Jede Einzelperson sollte auf ihr Ersuchen hin über alle sie betreffenden Daten, einschließlich solcher Daten, die sich auf einem Zahlungsmittel befinden, in verständlicher Form informiert werden.

7.2. Sie sollte die Möglichkeit haben, die Richtigstellung bzw. Löschung von Daten erwirken zu können, wenn es sich herausstellt, daß diese ungenau oder unerheblich oder über den erforderlichen Umfang hinausgehend vorhanden sind oder im Widerspruch zu den in dieser Empfehlung festgelegten Grundsätzen erhoben oder gespeichert wurden.

7.3. Stellen, die Zahlungsmittel ausgeben, sollten ausreichende Maßnahmen ergreifen, um sicherzustellen, daß der Betroffene seine Rechte gemäß Grundsatz 7.1 und 7.2 in bezug auf seine Daten sowie die verschiedenen Möglichkeiten, diese Rechte auszuüben, kennt.

7.4. Die Stelle, die Zahlungsmittel ausgibt, sollte gewährleisten, daß der Betroffene seine Zugangsrechte insbesondere dann, wenn es sich in einem System mit verteilten Datenverarbeitungsfunktionen um das Auffinden seiner Daten in verschiedenen Dateien handelt, ohne unverhältnismäßig hohen Aufwand ausüben kann.

8. Datensicherheit

8.1. Jede an einer Zahlung oder einem damit in Zusammenhang stehenden Geschäft beteiligte Seite sollte entsprechende organisatorische und technische Maßnahmen ergreifen, um die Sicherheit, Vollständigkeit und Vertraulichkeit personenbezogener Daten gegen unberechtigten Zugriff, Nutzung, Weitergabe, Änderung oder Entstellung zu gewährleisten.

8.2. Ausreichende Kontrollmaßnahmen, die den Schutz der Daten garantieren, sollten von den Begünstigten, den Stellen, die Zahlungsmittel ausgeben, und den Betreibern von Kommunikationsnetzen ergriffen werden.

Insbesondere sollten diese ihre Mitarbeiter über solche Maßnahmen und über die Notwendigkeit, diese einzuhalten, informieren. Auch innerhalb der Organisation sollten Maßnahmen ergriffen werden, d.h. diejenigen Mitarbeiter, die eine Zugriffsberechtigung auf die Daten haben, sollten namentlich bestimmt sein.

8.3. Stellen, die Zahlungsmittel ausgeben, sollten ihren Kunden Ratschläge in bezug auf die Sicherheit erteilen, einschließlich Ratschlägen dahingehend, wie Zahlungsmittel und -codes verwaltet und sicher aufbewahrt werden können, und darüber, welche Verfahren im Falle von Verlust oder Diebstahl eines Zahlungsmittels eingehalten werden müssen.

9. Rechtsmittel

Die nationale Gesetzgebung sollte Rechtsmittel für den Fall der Verletzung der in dieser Empfehlung festgesetzten Grundsätze und insbesondere für die Fälle enthalten, in denen Rechte gemäß Grundsatz 7 nicht beachtet werden.

10. Grenzüberschreitender Datenverkehr

10.1. In den Fällen, in denen es die Bereitstellung bzw. Verwendung eines Zahlungsmittels erfordert, daß personenbezogene Daten in zwei oder mehreren Unterzeichnerstaaten dieser Konvention zum Schutz des Menschen bei der automatischen Verarbeitung personenbezogener Daten erhoben, gespeichert und verarbeitet werden müssen, sollte der grenzüberschreitende Verkehr solcher Daten zwischen und unter den Mitgliedstaaten nicht behindert werden, vorausgesetzt, daß der Grundsatz gleichwertigen Schutzes gewahrt bleibt.

10.2. Wenn Daten in einem Staat übertragen werden sollen, der kein Unterzeichnerstaat der Konvention ist, so haben die zuständigen Behörden der Unterzeichnerstaaten die Einhaltung der in dieser Empfehlung enthaltenen Grundsätze in diesem Staat als berechtigten Grund für die Erlaubnis zur Übertragung personenbezogener Daten in diesem Staat zu werten.

11. Aufbewahrung von Daten

11.1. Wenn personenbezogene Daten für die in dieser Empfehlung genannten Zwecke nicht länger benötigt werden, sollten sie gelöscht werden.

11.2. Vertragsnehmer, die im Auftrag der Stellen, die Zahlungsmittel ausgeben, für die Datenverarbeitung zuständig sind, sollten Daten nicht über den Zeitraum hinaus aufbewahren, der zur Durchführung ihrer Aufgaben notwendig wird.

11.3. Der Wunsch, zeitliche Grenzen für die Aufbewahrung personenbezogener Daten vorzusehen, nach einer Weigerung zur Ausstellung eines Zahlungsmittels sollte überdacht werden, weil sich die Notwendigkeit ergeben kann, Daten während eines Zeitraums aufzubewahren, in dem gerichtliche Klagen abgewehrt oder in dem Nachweise für die von der Person durchgeführten Finanzgeschäfte erbracht werden müssen.

12. Sicherstellung der Beachtung der Grundsätze

12.1. Jeder Staat sollte ein Kontrollsystem einrichten, wodurch die Beachtung der in dieser Empfehlung enthaltenen Grundsätze garantiert ist.

12.2. Zu diesem Zweck sollte jeder Staat dafür sorgen, daß die Identität der Stelle, die Zahlungsmittel ausgibt, leicht ermittelt werden kann.

Europarat
Empfehlung Nr. R (91) 10
des Ministerkomitees an die Mitgliedstaaten für die Übermittlung der von öffentlichen Stellen gespeicherten personenbezogenen Daten an Dritte

(vom Ministerausschuß auf der 461. Sitzung der Ministerbeauftragten am 09. September 1991 angenommen)

Präambel

Der Ministerausschuß gemäß Art. 15.b. der Statuten des Europarates,

eingedenk des Zieles des Europarates, eine größere Einheit unter den Mitgliedstaaten zu erreichen;

in dem Bewußtsein, daß die automatisierte Datenverarbeitung öffentliche Stellen in die Lage versetzt, Daten, auch personenbezogene Daten, die sie bei der Wahrnehmung ihrer Aufgaben erheben, in elektronischen Dateien zu speichern;

in dem Bewußtsein, daß neue automatisierte Datenspeichertechniken Dritten den Zugang zu diesen Daten erheblich erleichtern und daß so zu der weiteren Verbreitung von Informationen innerhalb der Gesellschaft beigetragen wird, was der Ministerausschuß in seiner Empfehlung Nr. (81) 19 über den Zugang zu von öffentlichen Stellen gespeicherten Informationen und in seiner Erklärung vom 29. April 1982 zu der Meinungs- und Informationsfreiheit begrüßt;

jedoch in der Überzeugung, daß die Automatisierung durch öffentliche Stellen erhobener und gespeicherter Daten es notwendig macht, deren Einfluß auf personenbezogene Daten oder Dateien mit personenbezogenen Daten, die öffentliche Stellen zur Wahrnehmung ihrer Aufgaben speichern und erheben, anzusprechen;

insbesondere dem Umstand Rechnung tragend, daß die Automatisierung von personenbezogenen Daten oder Dateien mit personenbezogenen Daten das Risiko eines Eingriffs in die Privatsphäre erhöht, da sie aufgrund telematischer Mittel den Zugang zu personenbezogenen Daten oder Dateien mit personenbezogenen Daten, die von öffentlichen Stellen gespeichert werden, möglich macht und auch die Übermittlung eben dieser Daten oder von Dateien mit solchen Daten an Dritte erleichtert;

eingedenk der steigenden Tendenz seitens des privaten Sektors, die von öffentlichen Stellen gespeicherten personenbezogenen Daten oder Dateien mit personenbezogenen Daten für kommerzielle Zwecke zu nutzen wie auch der Tatsache, daß die Politik öffentlicher Stellen mehr und mehr dahin geht, personenbezogene Daten oder Dateien mit personenbezogenen Daten mit elektronischen Mitteln an Dritte auf einer kommerziellen Basis zu übermitteln;

entschlossen, die auf der Grundlage des Übereinkommens zum Schutz des Menschen bei der automatischen Verarbeitung von personenbezogenen Daten vom 28. Januar 1981 gestützten Datenschutzgrundsätze zu fördern, um sicherzustellen, daß die Übermittlung von personenbezogenen Daten oder Dateien mit personenbezogenen Daten an Dritte durch öffentliche Stellen, insbesondere mittels elektronischer Medien, eine gesetzliche Grundlage hat und mit Sicherheiten für den Betroffenen einhergeht;

insbesondere in der Erkenntnis, daß diese Datenschutzgrundsätze dem neuen automatischen Kontext angepaßt werden sollten, der inzwischen die Übermittlung von personenbezogenen Daten oder Dateien mit personenbezogenen Daten an Dritte gemäß den gesetzlichen Bestimmungen zur Zugänglichkeit von personenbezogenen Daten oder Dateien mit personenbezogener Daten durch Dritte kennzeichnet;

Empfiehlt den Regierungen der Mitgliedstaaten:

I. Die Grundsätze, die im Anhang zu dieser Empfehlung enthalten sind, zu berücksichtigen, wenn personenbezogene Daten oder Dateien mit personenbezogenen Daten, die von öffentlichen Stellen erhoben und gespeichert werden, für Dritte zugänglich gemacht werden;

II. die im Anhang zu dieser Empfehlung enthaltenen Grundsätze bei ihrer Gesetzgebung und ihrer praktischen Handhabung bezüglich der Automatisierung und Übermittlung von personenbezogenen Daten und Dateien mit personenbezogenen Daten an Dritte mittels elektronischer Medien gebührend zu berücksichtigen;

III. zu garantieren, daß die im Anhang zu dieser Empfehlung enthaltenen Grundsätze weite Verbreitung bei öffentlichen Stellen finden;

IV. die im Anhang zu dieser Empfehlung enthaltenen Grundsätze den Behörden, die gemäß der Datenschutzgesetze oder der Gesetze zum Zugang zu Informationen im öffentlichen Bereich eingerichtet wurden, zur Kenntnis zu bringen.

Anhang zur Empfehlung

1. Anwendungsbereich und Definitionen

1.1. Die in dieser Empfehlung enthaltenen Grundsätze beziehen sich auf die automatisierte Verarbeitung personenbezogener Daten, die von öffentlichen Stellen erhoben werden und an Dritte übermittelt werden dürfen.

1.2. Die Mitgliedstaaten können den Anwendungsbereich dieser Empfehlung erweitern, so daß auch Daten, die sich auf Gruppen, Gesellschaften, Verbände etc. beziehen, unabhängig davon, ob sie Rechtspersönlichkeit besitzen oder nicht, sowie nicht-automatisierte personenbezogene Daten miteinbezogen sind.

Für die Zwecke dieser Empfehlung

1.3. bedeutet »personenbezogene Datum« jede Information über eine bestimmte oder bestimmbare natürliche Person. Eine natürliche Person gilt nicht als »bestimmbar«, wenn die Feststellung der Identität einen unverhältnismäßig hohen Aufwand an Zeit, Kosten und Arbeitskraft erfordert;

Bedeuten »öffentliche Stellen« jede Verwaltung, Institution, Einrichtung oder andere Stelle, die öffentliche Dienstleistungen erbringen oder Aufgaben von öffentlichem Interesse wahrnehmen, als Folge ihrer Ausstattung mit öffentlichen Befugnissen.

Nationales Recht kann den Anwendungsbereich des Begriffs »öffentliche Stelle« ausweiten.

Bedeutet »für Dritte zugängliche Dateien« Dateien, die von öffentlichen Stellen geführt werden und personenbezogene Daten enthalten, die an die Öffentlichkeit oder an Dritte, die ein besonderes Interesse nachweisen können, übermittelt werden können, und die den allgemeinen Gesetzen über den Informationszugang im öffentlichen Bereich oder der Informationsfreiheit, Verfassungsbestimmungen sowie Spezialgesetzen, Verordnungen oder Richterrecht unterliegen, die Dritten Zugang zu von öffentlichen Stellen gespeicherten Informationen gewähren, auch auf dem Wege offizieller Veröffentlichungen.

»Übermittlung« bedeutet, Dateien oder personenbezogene Daten zugänglich zu machen, beispielsweise in dem die Einsichtnahme erlaubt wird oder indem sie übertragen, verbreitet bzw. verfügbar gemacht werden, unabhängig von den dabei verwendeten Mitteln oder Medien.

»Dritte« bedeutet juristische und natürliche Personen, denen von öffentlichen Stellen personenbezogene Daten übermittelt werden, wobei andere öffentliche Stellen ausgeschlossen sind.

Innerstaatliches Recht kann den Anwendungsbereich des Begriffs »Dritte« ausweiten.

2. Achtung der Privatsphäre und der Datenschutzgrundsätze

2.1. Die Übermittlung von personenbezogenen Daten oder Dateien mit personenbezogenen Daten durch öffentliche Stellen an Dritte, insbesondere durch elektronische Mittel, sollte mit Sicherheiten und Garantien einhergehen, die sicherstellen, daß die Privatsphäre des Betroffenen nicht unangemessen beeinträchtigt wird.

Die Übermittlung von personenbezogenen Daten oder Dateien mit personenbezogenen Daten an Dritte sollte grundsätzlich nicht stattfinden, es sei denn

a) ein besonderes Gesetz sieht dieses vor; oder

b) die Öffentlichkeit hat Zugang zu diesen Daten oder Dateien gemäß den gesetzlichen Bestimmungen zum Informationszugang im öffentlichen Bereich; oder

c) die Übermittlung entspricht der nationalen Datenschutzgesetzgebung; oder

d) der Betroffene hat freiwillig und nach Belehrung seine Zustimmung dazu gegeben.

2.2. Solange nationale Rechtsvorschriften keine angemessenen Sicherheiten und Garantien für den Betroffenen vorsehen, dürfen personenbezogene Daten oder Dateien mit personenbezogenen Daten nicht zu Zwecken, die unvereinbar sind mit denen, für die die Daten erhoben wurden, an Dritte übermittelt werden.

2.3. Die nationale Datenschutzgesetzgebung sollte anwendbar sein auf Dritte, die personenbezogene Daten verarbeiten, welche ihnen von öffentlichen Stellen übermittelt wurden.

3. Sensible Daten

3.1. Personenbezogene Daten, die zu einer in Art. 6 des »Übereinkommens zum Schutz des Menschen bei der automatischen Verarbeitung personenbezogener Daten« erwähnten Kategorie gehören, sollten nicht in einer Datei oder in einem Teil einer Datei gespeichert werden, die Dritten allgemein zugänglich sind.

Jegliche Ausnahme von diesem Grundsatz sollte genau durch ein Gesetz geregelt werden und mit geeigneten Sicherheiten und Garantien für den Betroffenen einhergehen.

3.2. Die Bestimmungen des Grundsatzes 3.1. lassen die Möglichkeit unberührt, in Dritten zugänglichen Dateien solche Daten zu speichern, die unter anderen Umständen als sensibel eingestuft würden, die aber solche Persönlichkeiten des öffentlichen Lebens betreffen, welche Aufgaben der Allgemeinheit wahrnehmen, aufgrund derer ihre Daten Dritten zugänglich sind.

4. Allgemein zugängliche Daten

4.1. Die Zwecke, für die die Daten in Dritten zugänglichen Dateien erhoben und verarbeitet werden wie auch das öffentliche Interesse, das ihre Zugänglichkeit rechtfertigt, sollten entsprechend den nationalen Rechtsvorschriften und Verfahrensweisen angegeben werden.

4.2. Vor oder während der Datenerhebung sollten die Betroffenen entsprechend den nationalen Rechtsvorschriften und Verfahrensweisen darüber belehrt werden, ob die Erhebung zwangsweise oder freiwillig erfolgt, sowie über die rechtliche Grundlage und die Zwecke der Erhebung und Verarbeitung der personenbezogenen Daten, wie auch über das öffentliche Interesse, das deren Zugänglichkeit rechtfertigt.

4.3. Öffentliche Stellen sollten in der Lage sein, die Übermittlung solcher personenbezogener Daten an Dritte zu verhindern, die in allgemein zugänglichen Dateien gespeichert sind und die sich auf Betroffene beziehen, deren Sicherheit und Privatsphäre besonders gefährdet sind.

5. Zugang zu und Übermittlung von personenbezogenen Daten durch elektronische Mittel

5.1. Die automatisierte Verarbeitung personenbezogener Daten, die in Dritten zugänglichen Dateien gespeichert sind, sollte entsprechend dem nationalen Recht ausgeführt werden.

Nationale Rechtsvorschriften sollten die Bedingungen festlegen, denen die Übermittlung von und der Zugang zu den Daten unterliegt, und die Bedingungen angeben, unter denen die automatisierte Übermittlung und der on-line Abruf dieser Daten stattfinden.

5.2. Während der automatisierten Übermittlung sollten technische Mittel eingesetzt werden, die die Zahl elektronischer Rückfragen und Suchläufe eingrenzen, mit dem Ziel, das unbefugte Einsehen oder das Fernladen von personenbezogenen Daten oder von Dateien, die solche Daten enthalten, zu verhindern.

6. Verarbeitung personenbezogener Daten, die aus Dateien stammen, die Dritten zugänglich sind, durch Dritte

6.1. In den Fällen, in denen der Betroffene gesetzlich verpflichtet ist, seine Daten für die Speicherung in Dritten zugänglichen Dateien verfügbar zu machen, sollte die Verarbeitung personenbezogener Daten durch Dritte entweder von der ausdrücklichen und nach Belehrung erfolgten Einwilligung des Betroffenen abhängig gemacht werden oder in Übereinstimmung mit gesetzlich festgelegten Anforderungen erfolgen.

In den Fällen, in denen ein Einwilligungserfordernis gilt, sollte der Betroffene seine Einwilligung jederzeit widerrufen können.

6.2. In den Fällen, in denen die Speicherung von personenbezogenen Daten in einer Dritten zugänglichen Datei nicht zwingend vorgeschrieben ist, sollte der Betroffene entweder vor oder während der Erhebung über folgende ihm zustehende Rechte belehrt werden:

a) seine Daten nicht in einer Dritten zugänglichen Datei speichern zu lassen; oder

b) seine Daten in einer solchen Datei speichern und übermitteln zu lassen, ohne daß diese jedoch durch Dritte verarbeitet werden; oder

c) sich einer ständigen Verarbeitung seiner Daten durch Dritte zu widersetzen; oder

d) seine Daten jederzeit löschen zu lassen.

6.3. Wenn Dritte Dateien anlegen, die personenbezogene Daten enthalten, die aus Dritten zugänglichen Dateien stammen, so sollten diese Dateien den Anforderungen der nationalen Datenschutzgesetzgebung unterliegen, einschließlich der Rechte des Betroffenen.

So sollte der Betroffene insbesondere in der Lage sein, zu wissen, daß es diese neue Datei gibt, welchen Zweck sie hat und daß er das Recht hat, seine Daten in der jeweiligen Datei löschen zu lassen.

7. Verbindung von Dateien, Dateiabgleich

7.1. Sofern dies nicht durch eine nationale Gesetzgebung, die angemessene Sicherheiten für den Betroffenen vorsieht, erlaubt ist, sollte die Verbindung – insbesondere durch das Verbinden, Zusammenfügen oder Fernladen – von Dateien mit personenbezogenen Daten, die aus Dritten zugänglichen Dateien stammen, verboten sein, wenn dabei der Zweck verfolgt wird, neue Dateien anzulegen. Ebenso sollte der Abgleich oder die Verbindung von Dateien mit personenbezogenen Daten, die von Dritten geführt werden, mit einer oder mehreren Dateien, die durch öffentliche Stellen geführt werden, verboten sein, wenn dies das Ziel verfolgt, bestehende Dateien oder Daten anzureichern.

8. Grenzüberschreitender Datenverkehr

8.1. Die Grundsätze dieser Empfehlung gelten auch für die grenzüberschreitende Übermittlung von personenbezogenen Daten, die von öffentlichen Stellen erhoben wurden und die an Dritte übermittelt werden können.

8.2. Die grenzüberschreitende Übermittlung von personenbezogenen Daten an Dritte, die in einem Staat ansässig sind, der die Konvention Nr. 108 ratifiziert hat und der dementsprechend ein Datenschutzgesetz hat, sollte nicht besonderen Bedingungen bezüglich des Schutzes der Privatsphäre unterstellt werden.

8.3. In den Fällen, in denen der Grundsatz eines gleichwertigen Schutzes eingehalten wird, sollten der grenzüberschreitenden Übermittlung von personenbezogenen Daten an Dritte, die in einem Staat ansässig sind, der die Konvention Nr. 108 nicht ratifiziert hat, der aber gesetzliche Bestimmungen erlassen hat, die in Einklang mit den Grundsätzen dieser Konvention und dieser Empfehlung stehen, keine Beschränkung auferlegt werden.

8.4. Sofern nicht durch innerstaatliche Rechtsvorschriften anderes vorgesehen wird, sollte eine grenzüberschreitende Übermittlung von personenbezogenen Daten an Dritte, die in einem Staat ansässig sind, dessen gesetzliche Bestimmungen nicht im Einklang mit der Konvention Nr. 108 oder mit dieser Empfehlung stehen, in der Regel nicht erfolgen, es sei denn:

a) notwendige Maßnahmen, einschließlich Maßnahmen vertraglicher Natur, sind zur Beachtung der Grundsätze der Konvention und dieser Empfehlung ergriffen worden und der Betroffene hat die Möglichkeit, sich der Übermittlung zu widersetzen, oder

b) der Betroffene hat freiwillig und nach entsprechender Belehrung sein schriftliches Einverständnis gegeben und hat die Möglichkeit, seine Zustimmung jederzeit zu widerrufen.

8.5. Es sollten Maßnahmen ergriffen werden um zu verhindern, daß personenbezogene Daten oder Dateien, die solche Daten enthalten, Gegenstand einer automatisierten grenzüberschreitenden Übermittlung an Dritte werden, ohne daß die Betroffenen davon Kenntnis haben.

9. Abstimmung/Zusammenarbeit

9.1. In den Fällen, in denen eine allgemeine Gesetzgebung den Zugang zu Informationen im öffentlichen Bereich regelt und vorsieht, daß eine Aufsichtsbehörde eingerichtet wird, um diese Gesetzgebung auszuführen und in denen gleichzeitig eine allgemeine Datenschutzgesetzgebung besteht, mit einer getrennten Behörde, die für die Ausführung dieser Gesetzgebung verantwortlich ist, so sollten eben diese Behörden eine Vereinbarung treffen, die den Austausch von Informationen bezüglich der Bedingungen, denen die Übermittlung von personenbezogenen Daten aus Dritten zugänglichen Dateien unterliegt, erleichtert.

Europarat
Mustervertrag zur Sicherstellung des gleichwertigen Datenschutzes im Zusammenhang mit grenzüberschreitendem Datenverkehr[1] mit erläuterndem Memorandum

vom Beratungsausschuß des Übereinkommens zum Schutz des Menschen bei der automatischen Verarbeitung personenbezogener Daten (ETS 108) angenommen am 02. November 1992

Musterklauseln für einen Mustervertrag

Der Lizenzgeber und der Lizenznehmer vereinbaren eine Lizenz, mit der das Recht verliehen wird, gegen eine Zahlung von ... personenbezogene Daten zu nutzen.

Die Vereinbarung zwischen den Parteien unterliegt den folgenden Bedingungen.

1. Verpflichtungen des Lizenzgebers

Der Lizenzgeber übernimmt gegenüber dem Lizenznehmer die Gewähr dafür, daß die Daten rechtmäßig an den Lizenznehmer übermittelt werden und daß die Daten in Übereinstimmung mit dem innerstaatlichen Recht

a) nach Treu und Glauben und auf rechtmäßige Weise beschafft und verarbeitet wurden;
b) für festgelegte und rechtmäßige Zwecke gespeichert wurden und nicht so verwendet werden, daß es mit diesen Zwecken unvereinbar ist;
c) den Zwecken, für die die Lizenz vergeben wird, entsprechen, dafür erheblich sind und nicht darüber hinaus gehen;
d) sachlich richtig und auf dem neuesten Stand sind;
e) für den Zeitraum von ... gespeichert werden dürfen.

2. Verpflichtungen des Lizenznehmers

Der Lizenznehmer seinerseits leistet Gewähr dafür, daß er bei der Verwendung der Daten die in den Gewährleistungen des Lizenzneh-

---

1 Diese Untersuchung wurde vom Europarat, der Kommission der Europäischen Gemeinschaften und der Internationalen Handelskammer gemeinsam angefertigt

mers aufgeführten Grundsätze in jeglicher Hinsicht einhalten wird und daß er eine nicht mit dem Vertrag in Einklang stehende Verarbeitung oder Verwendung der Daten verbieten wird. Zu diesem Zweck verpflichtet sich der Lizenznehmer insbesondere, die folgende nicht erschöpfende Liste von Verpflichtungen einzuhalten:

a) Der Lizenznehmer wird die Daten ausschließlich für die folgenden Zwecke, nämlich [Aufführung der fraglichen Zwecke] verwenden;
b) Der Lizenznehmer verarbeitet keine personenbezogene Daten, welche die rassische Herkunft, politische Anschauungen oder religiöse oder andere Überzeugungen erkennen lassen, sowie personenbezogene Daten, welche die Gesundheit oder das Sexualleben oder Strafurteile betreffen, es sei denn, die Verarbeitung unterliegt denselben Garantien, die auch nach dem innerstaatlichen Recht des Lizenzgebers anwendbar wären.
c) Der Lizenznehmer nutzt die Daten ausschließlich für seine eigene Verwendung und übermittelt die Daten weder kostenlos noch gegen Bezahlung an eine andere juristische oder natürliche Person, es sei denn, es liegt nach seinem innerstaatlichen Recht eine Verpflichtung vor, wobei diese anzugeben ist.
d) Der Lizenznehmer korrigiert, löscht und aktualisiert die Daten unmittelbar nach Erhalt entsprechender Anweisungen vom Lizenzgeber. Der Lizenznehmer verpflichtet sich insbesondere, die Daten ganz oder teilweise zu korrigieren, zu vervollständigen oder zu löschen, wenn offensichtlich wird, daß diese Maßnahmen nach dem Recht des Staates des Lizenzgebers erforderlich sind oder auf neue Umstände im Staat des Lizenzgebers beruhen. Der Lizenzgeber setzt den Lizenznehmer von den Umständen und deren Begründung in Kenntnis, sobald die Rechtsmitteilung im Staat des Lizenzgebers veröffentlicht wird.

Der Lizenznehmer verpflichtet sich, sicherzustellen, daß die Betroffenen im gleichen Maße das Recht auf Auskunft, Berichtigung und Löschung ihrer Daten haben wie sie es nach dem innerstaatlichen Recht des Lizenzgebers gehabt hätten.

Sollte der Lizenznehmer den Betroffenen die Erlaubnis verweigern, das Recht auf Auskunft auszuüben oder sollte er die vom Betroffenen erbetene Berichtigung oder Löschung verweigern, so hat der Lizenznehmer

- den Vertrag einfach zu kündigen, wobei die in Klausel 5 vorgesehenen Bedingungen gelten und die daraus resultierenden Folgen wirksam werden, oder
- das in Klausel 4 für die Benennung eines Schiedsrichters vorgesehene Verfahren in Gang zu setzen.

3. Haftung und Schadloshaltung

Der Lizenznehmer ist für die Verwendung der Daten, die vom Lizenzgeber übertragen wurden, haftbar.

Der Lizenznehmer verpflichtet sich, den Lizenzgeber für einen Verstoß gegen die aus diesem Vertrag entstehenden Verpflichtungen oder für mit der Ausführung des Vertrages in Zusammenhang stehende Fehler oder offensichtliche Nachlässigkeit schadlos zu halten.

4. Beilegung von Streitigkeiten

Siehe Absatz 37–39 »Beilegung von Streitigkeiten« im Erläuternden Memorandum.

5. Kündigung des Vertrages

Zeigt der Lizenznehmer bei der Umsetzung des Vertrages Unredlichkeit oder weigert er sich insbesondere, die Entscheidung der Schiedsrichter einzuhalten, so behält sich der Lizenzgeber das Recht vor, den Vertrag mit Einschreiben gegen Empfangsbestätigung oder durch andere gleichwertige Mittel und unbeschadet jeglicher Schadensersatz- und Interessensansprüche zu kündigen.

Mit der Kündigung des Vertrages hat der Lizenznehmer die Daten zu vernichten und den Lizenzgeber dementsprechend zu informieren.

Hält der Lizenznehmer sich nicht an die vorstehende Klausel, so verpflichtet er sich, dem Lizenzgeber eine Summe in Höhe von ... zu zahlen.

Erläuterndes Memorandum

Allgemeine Anmerkungen

Einführung

22. Die Verpflichtungen des Lizenzgebers und Lizenznehmers nach dem Mustervertrag richten sich nach den Garantien, die durch das Übereinkommen zum Schutz des Menschen bei der automatischen Verarbeitung personenbezogener Daten (Europarat) geschaffen wurden. Diese erscheinen ebenfalls in den OECD-Richtlinien zum Schutz der Privatsphäre und dem grenzüberschreitenden Verkehr personenbezogener Daten.

Zielsetzungen

23. Die Zielsetzungen des Mustervertrages zur Sicherstellung des gleichwertigen Datenschutzes im Zusammenhang mit grenzüberschreitenden Datenströmen sind wie folgt:

a. Es soll ein Beispiel für die Lösung der komplexen Probleme gegeben werden, die sich aus der Übertragung personenbezogener Daten ergeben, die unterschiedlichen Schutzregimes unterliegen;
b. Der freie Umlauf personenbezogener Daten soll bei Wahrung der Privatsphäre erleichtert werden;
c. Die Datenübermittlung soll im Interesse des internationalen Handels gestattet werden;
d. Die Atmosphäre der Sicherheit bei internationalen Transaktionen, die die Übermittlung personenbezogener Daten beinhalten, soll gefördert werden.

Anwendungsgebiet

24. Die Klauseln des Mustervertrages sollen die Übermittlung personenbezogener Daten zwischen unabhängigen Wirtschaftseinheiten erlauben. Es ist den Parteien überlassen, ob sie die Klauseln verwenden; die Klauseln sind optional. Die Parteien müssen die Klauseln an besondere Bedingungen anpassen. Sie können als Grundlage für die Schaffung und Weiterentwicklung angemessener Regeln dienen, so z. B. für Datenübermittlungen innerhalb derselben Unternehmensgruppe oder zwischen einem Verantwortlichen für die Datei/Datensammlung und einem Datenverarbeitungsdienst.

Anwendbares Recht

25. Es steht den Parteien frei, das Recht, das auf den Vertrag zwischen dem Lizenzgeber und dem Lizenznehmer anzuwenden ist,

auszusuchen. Sie sollten das Recht, für das sie sich entschieden haben, immer ausdrücklich festlegen. Wenn das anwendbare innerstaatliche Recht einen besseren Schutz der personenbezogenen Daten sicherstellt, wird dem Lizenzgeber empfohlen, zu überprüfen, ob er die Klauseln entsprechend erfüllen muß.

Detaillierte Anmerkungen

Verpflichtungen des Lizenzgebers

26. Die erste Verpflichtung des Lizenzgebers besteht darin, sicherzustellen, daß die Datenübermitlung in Einklang mit den im innerstaatlichen Recht seines Staates festgelegten Bedingungen steht. D. h. unter Umständen, daß die Datenschutzbehörde seines Staates informiert worden ist oder daß sie ggfs. den Transfer gestattet hat.

27. Die zweite Verpflichtung des Lizenzgebers besteht darin, vor dem Datentransfer sicherzustellen, daß die Bedingungen des Artikels 5 des Übereinkommens 108 erfüllt sind. Der Lizenzgeber sollte darüber hinaus den Zeitraum festlegen, während dessen der Lizenznehmer die Datenspeichern darf.

Verpflichtungen des Lizenznehmers

28. Zunächst einmal verpflichtet sich der Lizenznehmer, sich an dieselben Grundsätze zu halten wie der Lizenzgeber, die sich aus Artikel 5 des Übereinkommens 108 ergeben und die im Vertrag aufgeführt sind.

29. Zweitens verpflichtet sich der Lizenznehmer, eine Verwendung der Daten über die Bestimmungen des Vertrages hinaus zu verhindern. Zu diesem Zweck akzeptiert er ausdrücklich eine Reihe von Verpflichtungen, wobei diese Verpflichtungen nicht erschöpfend sind und die Einhaltung dieser Verpflichtungen den Lizenznehmer nicht automatisch entschuldigen, wenn die Daten dennoch nicht in Übereinstimmung mit dem Vertrag verwendet werden. Dies beinhaltet auch, daß er die Daten vernichten muß, sobald der Zweck der Übermittlung erreicht ist.

30. Die erste ausdrückliche Verpflichtung des Lizenznehmers besteht darin, sich an den Zweck oder die Zwecke zu halten, zu denen die Daten übermittelt werden und die im Vertrag festgelegt sein müssen.

31. In Bezug auf sensible Daten verpflichtet sich der Lizenznehmer, die Bestimmungen nach Artikel 6 des Übereinkommens 108 einzuhalten, d. h. solche Daten nicht zu verarbeiten, es sei denn, die entspre-

chenden vom innerstaatlichen Recht des Lizenzgebers vorgesehenen Sicherheitsvorkehrungen werden angewendet.

32. Der Lizenznehmer darf die Daten nicht an Dritte übermitteln, es sei denn, dies ist im Vertrag vorgesehen (Klausel 2.a) oder sein innerstaatliches Recht verpflichtet ihn zu dieser Übermittlung. Im letzteren Fall muß diese Verpflichtung im Vertrag erwähnt werden.

33. Der Linzenznehmer verpflichtet sich ebenso, auf Anweisung des Lizenzgebers Daten zu berichtigen, zu löschen oder zu aktualisieren, oder wenn dies aufgrund des Rechts des Staates des Lizenzgebers oder als Folge von Entwicklungen im Staat des Lizenzgebers erforderlich wird. Zu diesem Zweck muß der Lizenzgeber den Lizenznehmer von diesen rechtlichen Bestimmungen oder von neuen Entwicklungen in Kenntnis setzen. Die Verpflichtungen des Lizenznehmers nach Klausel 2.d müssen im Zusammenhang der ersten Klausel im Mustervertrag gesehen werden, worin festgelegt ist, daß es nicht um die Übertragung des Eigentumsrechtes an personenbezogenen Daten, sondern lediglich um ein Nutzungsrecht für diese Daten geht.

34. In Übereinstimmung mit Artikel 8 des Übereinkommens 108 muß der Lizenznehmer sicherstellen, daß der Betroffene dieselben Auskunfts-, Berichtigungs- und Löschungsrechte wie unter dem innerstaatlichen Recht des Lizenzgebers genießt.

35. Wenn der Lizenznehmer die Auskunfts- und Berichtigungsrechte verwehrt, so ist der Lizenzgeber verpflichtet, dem entgegen zu handeln, indem er entweder den Vertrag gemäß Klausel 5 kündigt oder indem er nach Klausel 4 ein Schiedsverfahren einleitet.

Haftung und Schadloshaltung

36. Der Lizenznehmer ist für jegliche Weiterverwendung der übermittelten Daten haftbar; in Schadensfällen aufgrund eines Vertragsverstoßes muß er den Lizenzgeber schadlos halten. Der dem Betroffenen entstandene Schaden sollte vom Lizenzgeber nach innerstaatlichem Recht oder nach internationalem Privatrecht wieder gut gemacht werden.

Beilegung von Streitigkeiten

37. Die Parteien des Mustervertrags oder eines Vertrages, der die Musterklauseln enthält, müssen ein angemessenes System zur Beilegung von Streitigkeiten errichten, die sich aus der Ausführung des Mustervertrages oder der Musterklauseln ergeben.

Sie haben die Möglichkeit, derartige Streitigkeiten einem Schiedsverfahren oder einer Begutachtung zu unterziehen.

Schiedsverfahren

38. Wenn die Parteien des Vertrages vereinbaren, Streitigkeiten durch Schiedsverfahren beizulegen, können sie sich auf die bestehende Schiedsordnung der UNCITRAL oder der IHK beziehen und die Musterregeln der UNCITRAL oder der IHK verwenden.[8]

Es wird empfohlen, die Musterschiedsklauseln um die folgenden Elemente zu ergänzen:

- Schiedssprache
- Schiedsort
- Anzahl der Schiedsrichter.

Befaßt sich der Vertrag jedoch nur mit grenzüberschreitenden Datenströmen, so können die Parteien das folgende Verfahren für die Benennung von Schiedsrichtern vorsehen:

»Jede Partei benennt einen Schiedsrichter und die so benannten Schiedsrichter einigen sich auf einen dritten Schiedsrichter, den sie aus einer Liste von Personen auswählen, die vom Beratungsausschuß des Übereinkommens zum Schutz des Menschen bei der automatischen Verarbeitung personenbezogener Daten ausgesucht wurden, der dem Schiedsgericht vorsitzen wird. Wenn sich die von den Parteien benannten Schiedsrichter nicht auf die Benennung des dritten Schiedsrichters einigen können, benennt die IHK (oder die von den mit dem Schiedsverfahren beauftragten Parteien ausgewählte Benennungsbehörde) innerhalb von 30 Tagen und in Übereinstimmung mit ihrer Schiedsgerichtsordnung den dritten Schiedsrichter.«[9]

Diese Klausel kann ggfs. auch in gemischten Verträgen verwendet werden.

Begutachtung

39. Wenn der Vertrag Bestimmungen zu grenzüberschreitenden Datenströmen enthält, darauf aber nicht beschränkt ist, so können die

---

8 UNCITRAL-Muster: Schiedsbestimmung
Musterschiedsklausel oder getrennte Schiedsvereinbarung
»Jeder Streitfall, jede Kontroverse und jeder Anspruch, der aus diesem Vertrag, dem Verstoß gegen den Vertrag, der Kündigung oder der Ungültigkeit dieses Vertrages entsteht oder sich darauf bezieht, wird durch das Schiedsverfahren in Übereinstimmung mit der gegenwärtig gültigen UNCITRAL-Schiedsgerichtsordnung beigelegt.«

IHK-Muster: Schiedsbestimmung
Standardschiedsklausel der IHK »Alle aus dem gegenwärtigen Vertrag sich ergebenden Streitigkeiten werden nach der Vergleichs- und Schiedsgerichtsordnung der Internationalen Handelskammer von einem oder mehreren gemäß dieser Ordnung ernannten Schiedsrichtern endgültig entschieden«.

9 Die Liste der vom Beratungsausschuß ausgewählten Personen wird erstellt.

Parteien während des Hauptschiedsverfahrens auf ein Gutachten zu diesem Sonderpunkt zurückgreifen. In einem solchen Fall können die Parteien vorsehen, daß der zu benennende Fachmann aus einer Personenliste ausgewählt wird, die vom Beratenden Ausschuß des Übereinkommens zum Schutz des Menschen bei der automatischen Verarbeitung personenbezogener Daten erstellt wurde – der somit ausgewählte Fachmann legt dem errichteten Schiedsgericht ein Gutachten vor.[9]

Kündigung

40. Ist der Lizenznehmer offensichtlich unredlich oder hält er sich nicht an das Ergebnis des Schiedsverfahrens, so kann der Lizenzgeber den Vertrag kündigen und Schadensersatz- oder Interessensansprüche anmelden.

41. In solchen Fällen muß der Lizenznehmer die Daten vernichten und den Lizenzgeber von der Vernichtung unterrichten. Der Vertrag sollte ein abschreckendes Bußgeld vorsehen, das zu zahlen ist, wenn der frühere Lizenznehmer diesen Grundsatz nicht einhält. Jeglicher Schaden, der dem Betroffenen entsteht, sollte zwischen ihm und dem Lizenzgeber nach innerstaatlichem Recht oder nach dem internationalen Privatrecht geregelt werden.

Empfehlung Nr. R (95) 4 des Ministerkomitees an die Mitgliedstaaten zum Schutz personenbezogener Daten auf dem Gebiet der Telekommunikationsdienste, unter besonderer Bezugnahme auf Telefondienste

(vom Ministerkomitee auf der 528. Sitzung der Ministerbeauftragten am 07. Februar 1995 angenommen)

Das Ministerkomitee, gemäß den Bestimmungen des Artikels 15 b des Statuts des Europarates,

In der Erwägung, daß das Ziel des Europarats darin liegt, eine größere Einheit unter seinen Mitgliedern zu schaffen;

In dem Bewußtsein des zunehmenden Einsatzes automatischer Datenverarbeitung auf dem Gebiet der Telekommunikationsdienste, wie auch der möglichen Vorteile technologischer Entwicklungen, die damit für den Benutzer einhergehen, insbesondere im Bereich der Telefondienste;

Eingedenk der zunehmenden Digitalisierung der Netze und der Vorteile, die diese für die Benutzer von Telekommunikationsdiensten mit sich bringt;

In der Überzeugung, daß jedoch die technische Entwicklung der Telekommunikation, insbesondere bei den Telefondiensten, möglicherweise Risiken für die Privatsphäre des Benutzers und Einschränkungen seiner Kommunikationsfreiheit mit sich bringt;

Bezugnehmend auf gewisse neue Merkmale, die besonders auf dem Gebiet der Telefondienste auftreten, so z. B. die Rufnummernanzeige, die Anrufweiterschaltung, Mobiltelefone, wie auch Fangschaltungen und automatische Wahlvorrichtungen;

In Anbetracht der Risiken für die Privatsphäre und die Kommunikationsfreiheit, die mit dem Aufstellen von Einzelentgeltnachweisen einhergehen;

In der Erkenntnis, daß das Übereinkommen zum Schutz des Menschen bei der automatischen Verarbeitung personenbezogener Daten (Straßburg 1981; ETS 108) auf die automatische Datenverarbeitung von Netzbetreibern und anderen Anbietern von Telekommunikationsdiensten anzuwenden ist;

In der Überzeugung, daß es jedoch angemessen ist, die allgemeinen Bestimmungen des Übereinkommens spezifischer anzuwenden, um sie der Erhebung und Verarbeitung personenbezogener Daten von Seiten der Netzbetreiber und anderer Anbieter von Telekommunikationsdiensten anzupassen;

In Anbetracht der Tatsache, daß neue Entwicklungen bei den Telekommunikationsdiensten die in Artikel 8 der Europäischen Menschenrechtskonvention garantierte Recht auf Achtung des Privatlebens und die Wahrung des Briefgeheimnisses achten müssen;

Empfiehlt den Regierungen der Mitgliedstaaten:

- in ihrer innerstaatlichen Gesetzgebung und Praxis die dieser Empfehlung beigefügten Grundsätze zu berücksichtigen;
- diese Empfehlung den Behörden zur Kenntis zu bringen, die an der Umsetzung nationaler politischer Maßnahmen in bezug auf den Datenschutz oder der Telekommunikation beteiligt sind;
- sicherzustellen, daß die Bestimmungen dieser Empfehlung den Netzbetreibern, Anbietern von Telekommunikationsdiensten, Geräte- und Softwareherstellern, den Organisationen, die mit fernmeldedienstlichen Mitteln Direkt-Marketing betreiben, wie auch Gremien, die die vorgenannten Gruppen vertreten, und Verbraucherorganisationen zur Kenntnis gebracht werden;
- die Bestimmungen der Empfehlung innerhalb der verschiedenen internationalen Gremien, die sich mit Telekommunikation befassen, voranzutreiben.

Anhang zur Empfehlung

1. Geltungsbereich und Begriffsbestimmungen

1.1 Die in dieser Empfehlung enthaltenen Grundsätze gelten für Netzbetreiber und Diensteanbieter, die für die Erfüllung ihrer Aufgaben personenbezogene Daten erheben und verarbeiten.

1.2 Diese Grundsätze gelten für personenbezogene Daten, die einer automatisierten Verarbeitung unterzogen werden.

Die Mitgliedstaaten können die in dieser Empfehlung enthaltenen Grundsätze auf personenbezogene Daten ausdehnen, die einer manuellen Verarbeitung unterzogen werden.

1.3 Die Mitgliedstaaten können die in dieser Empfehlung enthaltenen Grundsätze auf die Erhebung und Verarbeitung von personenbezogenen Daten ausdehnen, die sich auf juristische Personen beziehen.

1.4 Für die Zwecke dieser Empfehlung:

- deckt der Ausdruck »*personenbezogene Daten*« jegliche Information ab, die sich auf einen bestimmten oder bestimmbaren einzelnen

(*Betroffenen*) beziehen. Ein einzelner gilt nicht als »bestimmbar«, wenn die Bestimmung einen unverhältnismäßigen Aufwand an Zeit, Kosten oder Personaleinsatz erfordert.

- deckt der Ausdruck »*Telekommunikationsdienste*« die verschiedenen Dienste ab, die über Telekommunikationsnetze für Stimm-, Text-, Bild- und Datenübertragung zwischen Benutzern in den Bereichen Kommunikation oder Schriftverkehr angeboten werden.
- bezieht sich der Ausdruck »*Netzbetreiber*« auf öffentliche oder private Organisationen, die die Nutzung von Telekommunikationsnetzen ermöglichen.
- bezieht sich der Ausdruck »*Diensteanbieter*« auf öffentliche oder private Organisationen, die unter der Verwendung eines von einem Netzbetreiber bereitgestellten Netzes oder eines eigenen Netzes Telekommunikationsdienste anbieten und betreiben.

2. Achtung der Privatsphäre

2.1 Telekommunikationsdienste, und insbesondere in der Entwicklung befindliche Telefondienste sollten unter gebührender Achtung der Privatsphäre des Benutzers, des Briefgeheimnisses und der Kommunikationsfreiheit angeboten werden.

2.2 Netzbetreiber, Diensteanbieter sowie Geräte- und Softwarehersteller sollten sich die Informationstechnik zunutze machen, um Netze, Geräte und Software derartig zu gestalten und zu betreiben, daß die Privatsphäre der Benutzer gewährleistet ist.

Es sollte möglich sein, auf anonyme Art und Weise Zugang zu den Telekommunikationsnetzen und -diensten zu erhalten.

2.3 Eingriffe von Seiten der Netzbetreiber oder Diensteanbieter in den Inhalt von Mitteilungen sollten verboten werden, es sei denn, sie sind für die technische Speicherung oder die Übertragung von Mitteilungen oder zu anderen rechtmäßigen Zwecken oder für die Ausführung eines Servicevertrages mit dem Teilnehmer gestattet. Die Daten, die zu dem Inhalt einer Nachricht gehören, die bei einem derartigen Eingriff erhoben wurden, sollten nicht an Dritte weitergegeben werden.

2.4 Eingriffe von seiten öffentlicher Stellen in den Inhalt von Mitteilungen, worunter beispielsweise auch der Einsatz von Lausch- oder Abhöreinrichtungen oder von anderen Mitteln der Überwachung von Telekommunikationsverbindungen fällt, dürfen nur vorgenommen werden,

wenn dies gesetzlich vorgesehen ist und in einer demokratischen Gesellschaft eine notwendige Maßnahme ist

a) zum Schutz der Sicherheit des Staates, der öffentlichen Sicherheit, der Währungsinteressen des Staates oder zur Bekämpfung von Straftaten;
b) zum Schutz des Betroffenen oder der Rechte und Freiheiten anderer.

2.5 Bei Eingriffen von seiten öffentlicher Stellen in den Inhalt einer Mitteilung sollte das innerstaatliche Recht festlegen:

a) die Ausübung des Auskunfts- und Berichtigungsrechtes des Betroffenen;
b) die Umstände, unter denen die zuständigen Behörden berechtigt sind, der betroffenen Person die Auskunft zu verweigern oder eine Auskunft hinauszuzögern;
c) die Speicherung oder Vernichtung der Daten.

Wird ein Netzbetreiber oder ein Diensteanbieter von einer Behörde angewiesen, einen Eingriff vorzunehmen, so sollten die dabei erhobenen Daten nur an die in der Eingriffsermächtigung benannte Stelle weitergegeben werden.

2.6 Das innerstaatliche Recht sollte die Bedingungen und Sicherheitsmaßnahmen festlegen, gemäß denen die Netzbetreiber berechtigt sind, technische Mittel einzusetzen, um die Quelle beleidigender oder mißbräuchlicher Anrufe festzustellen.

3. Erhebung und Verarbeitung von Daten

3.1 Die Erhebung und Verarbeitung personenbezogener Daten im Bereich der Telekommunikationsdienste sollten im Rahmen datenschutzrechtlicher Maßnahmen stattfinden und sich entwickeln. Dabei sollten die Bestimmungen des Übereinkommens zum Schutz der Menschen bei der automatischen Verarbeitung personenbezogener Daten und insbesondere der Grundsatz der Zweckbestimmung berücksichtigt werden.

Unbeschadet anderer in dieser Empfehlung vorgesehener Zwecke sollten Netzbetreiber und Diensteanbieter personenbezogene Daten ausschließlich erheben und verarbeiten, um eine Verbindung eines Benutzers zum Netz herzustellen und ihm einen bestimmten Telekommunikationsdienst verfügbar zu machen. Desweiteren dürfen Netzbetreiber und Diensteanbieter Daten zu Rechnungs- und Überprüfungszwecken wie auch zur Sicherung des optimalen technischen Betriebs des Netzes und des Dienstes sowie deren Entwicklung erheben und verarbeiten.

3.2 Netzbetreiber und Diensteanbieter sollten die Teilnehmer verschiedener Telekommunikationsdienste in angemessener Weise über die Arten personenbezogener Daten informieren, die sie betreffen und die erhoben und verarbeitet werden. Darüber hinaus sollten sie diese über die gesetzliche Grundlage der Erhebung, die Erhebungs- und Verarbeitungszwecke, die Verwendung der Daten und die Speicherungsdauer in Kenntnis setzen.

4. Weitergabe von Daten

4.1 Personenbezogene Daten, die von Netzbetreibern bzw. Diensteanbietern erhoben und verarbeitet werden, sollten nicht weitergegeben werden, es sei denn, der betreffende Teilnehmer hat nach einer Belehrung eine schriftliche und ausdrückliche Zustimmung abgegeben und die weitergegebene Information ermöglicht nicht die Identifizierung angerufener Teilnehmer.

Der Teilnehmer kann seine Zustimmung jederzeit zurückziehen, jedoch nicht rückwirkend.

4.2 Personenbezogene Daten, die von Netzbetreibern bzw. Diensteanbietern erhoben und verarbeitet wurden, dürfen an öffentliche Behörden weitergegeben werden, wenn dies gesetzlich vorgesehen ist und in einer demokratischen Gesellschaft eine notwendige Maßnahme ist

a) zum Schutz der Sicherheit des Staates, der öffentlichen Sicherheit, der Währungsinteressen des Staates oder zur Bekämpfung von Straftaten;
b) zum Schutz des Betroffenen oder der Rechte und Freiheiten anderer.

4.3 Bei der Weitergabe personenbezogener Daten an öffentliche Stellen sollte das innerstaatliche Recht festlegen:

a) die Ausübung des Auskunfts- und Berichtigungsrechtes des Betroffenen;
b) die Umstände, unter denen die zuständigen Behörden berechtigt sind, der betroffenen Person die Auskunft zu verweigern oder eine Auskunft zu verzögern;
c) die Aufbewahrung oder Vernichtung der Daten.

4.4 Netzbetreiber und Diensteanbieter dürfen Teilnehmerlisten mit personenbezogenen Daten nur dann an Dritte weitergeben, wenn eine der folgenden Bedingungen erfüllt ist:

a. Der Teilnehmer hat nach einer Belehrung eine ausdrückliche und schriftliche Zustimmung gegeben, oder
b. der Teilnehmer wurde von der beabsichtigten Weitergabe in Kenntnis gesetzt und hatte keine Einwände, oder
c. die Datenschutzbehörde hat die Weitergabe genehmigt, oder
d. die Weitergabe ist durch innerstaatliches Recht vorgesehen.

Der Teilnehmer kann seine Zustimmung jederzeit zurückziehen, jedoch nicht rückwirkend.

4.5 Die Weitergabe personenbezogener Daten zwischen Netzbetreibern und Diensteanbietern ist zulässig, wenn die Weitergabe für betriebstechnische und für Rechnungszwecke notwendig ist.

5. Auskunfts- und Berichtigungsrecht

5.1 Jeder Teilnehmer sollte auf Wunsch, in angemessenen Abständen und ohne übermäßigen Aufschub oder Aufwand alle Daten erhalten können, die ihn betreffen und die von Netzbetreibern oder Diensteanbietern erhoben und verarbeitet wurden, und sollte sie berichtigen oder löschen lassen können, wenn sie unzutreffend, unwichtig oder übermäßig sind oder zu lange gespeichert wurden.

5.2 Die Erfüllung der unter Grundsatz 5.1 aufgeführten Ansprüche kann verweigert, eingeschränkt oder aufgeschoben werden, wenn dies gesetzlich vorgesehen ist und in einer demokratischen Gesellschaft eine notwendige Maßnahme ist

a) zum Schutz der Sicherheit des Staates, der öffentlichen Sicherheit, der Währungsinteressen des Staates oder der Bekämpfung von Straftaten;
b) zum Schutz des Betroffenen oder der Rechte und Freiheiten anderer.

6. Sicherheit

6.1 Netzbetreiber und Diensteanbieter sollten alle angemessenen technischen und organisatorischen Maßnahmen ergreifen, um die physische und logische Sicherheit des Netzes, der Dienste und der von ihnen erhobenen und verarbeiteten Daten sicherzustellen und den unerlaubten Eingriff in oder die Überwachung von Mitteilungen zu verhindern.

6.2 Teilnehmer an Telekommunikationsdiensten sollten in Kenntnis gesetzt werden über die Sicherheitsrisiken des Netzes und über Methoden, mit denen sie Sicherheitsrisiken ihrer Mitteilungen reduzieren können.

7. Anwendung der Grundsätze

a) Verzeichnisse

7.1 Die Teilnehmer sollten das Recht haben, die Aufnahme ihrer personenbezogenen Daten in ein Verzeichnis kostenlos und ohne Begründung zu verweigern.

Sollte jedoch innerstaatliches Recht die Aufnahme bestimmter Daten in ein Verzeichnis erforderlich machen, so sollte der Teilnehmer das Recht haben, den Ausschluß seiner Daten unter Angabe schlüssiger Gründe zu erwirken.

In den Fällen, in denen ein Teilnehmer nach innerstaatlichem Recht eine Gebühr für die Auslassung aus dem Verzeichnis bezahlen muß, sollte eine solche Gebühr einen angemessenen Betrag nicht übersteigen und in keinem Fall von der Ausübung des Rechtes, die Daten aus dem Verzeichnis auszuschließen, abschrecken.

7.2 Teilnehmer, die die in einem Verzeichnis enthaltenen Daten über die Mitbenutzer seines Endgerätes erhalten möchten, sollten zunächst die Zustimmung der Mitbenutzer einholen.

7.3 Sollte ein Teilnehmer die Aufnahme zusätzlicher Daten über ihn wünschen, so sollten sich die in einem Verzeichnis enthaltenen personenbezogenen Daten auf die Daten beschränken, die notwendig sind, um einen bestimmten Teilnehmer in angemessener Art und Weise zu identifizieren und um Verwechslungen zwischen verschiedenen, im Verzeichnis aufgeführten Teilnehmern zu verhindern.

7.4 Beim Einsehen elektronischer Verzeichnisse sollten technische Mittel vorgesehen werden, um einem Mißbrauch und insbesondere einem unbefugten Fernladen vorzubeugen.

Das Abgleichen von Daten, die in elektronischen Verzeichnissen enthalten sind, mit anderen Daten oder Dateien sollte verboten sein, es sei denn, dies ist durch innerstaatliches Recht vorgesehen oder für betriebstechnische Zwecke von seiten der Netzbetreiber oder Diensteanbieter von grundlegender Bedeutung.

7.5 Die in einem Verzeichnis enthaltenen Daten können vom Netzbetreiber oder Diensteanbieter verwendet werden, um einen Dienst zu betreiben, der darin besteht, konkrete Anfragen zum Verzeichnis zu beantworten. Die Antworten auf solche Anfragen zum Verzeichnis sollten sich auf die Weitergabe von Daten beschränken, die im Verzeichnis erscheinen. Es sollten Maßnahmen zur Vorbeugung von Mißbrauch getroffen werden. Dienste, bei denen Anfragen zu Verzeichnissen beantwortet werden, sollten keine Informationen zu Teilnehmern weitergeben, die nicht im Verzeichnis erscheinen, es sei denn, die Teilnehmer haben nach Belehrung eine schriftliche Zustimmung dazu abgegeben.

7.6 Die Verwendung von Daten, die im Verzeichnis erscheinen, unterliegen darüber hinaus den einschlägigen Grundsätzen der Empfehlung Nr. R (91) 10 zu der Weitergabe von bei öffentlichen Stellen gespeicherten personenbezogenen Daten an Dritte.

b) Verwendung von Daten für Zwecke des Direkt-Marketing

7.7 Die Grundsätze, die in der Empfehlung Nr. R (85) über den Schutz personenbezogener Daten, die für Zwecke des Direkt-Marketing verwendet werden, festgelegt worden sind, finden auch Anwendung auf die Verwendung von Teilnehmerdaten durch Dritte für Zwecke des Direkt-Marketing.

7.8 Das innerstaatliche Recht sollte angemessene Sicherheitsmaßnahmen vorsehen und die Bedingungen festlegen, gemäß denen Netzbetreiber, Diensteanbieter und Dritte Daten für Zwecke des Direkt-Marketing per Telefon oder mit anderen Mitteln der Telekommunikation verwenden dürfen.

7.9 Es sollte auf die Ausarbeitung von Verhaltensregeln hingewirkt werden, um sicherzustellen, daß die praktische Handhabung die Teilnehmer nicht in eine Notlage bringt bzw. ihnen Unannehmlichkeiten bereitet. Das innerstaatliche Recht bzw. die Verhaltensregeln sollten insbesondere die Zeiten betreffen, zu denen Anrufe gemacht werden dürfen, die Art der Mitteilung und die Art und Weise, in der die Mitteilung übermittelt wird.

7.10 Direkt-Marketing per Telefon oder anderer Telekommunikationsmittel darf nicht an Teilnehmer gerichtet werden, die den Wunsch geäußert haben, kein Werbematerial zu erhalten. Zu diesem Zweck sollten angemessene Mittel entwickelt werden, um die Teilnehmer zu bestimmen, die kein Werbematerial über Telefon erhalten möchten.

7.11 Automatische Anrufeinrichtungen für die Übermittlung bereits auf Band aufgenommener Mitteilungen mit Werbecharakter dürfen nur an die Teilnehmer gerichtet werden, die dem Anbieter eines solchen Dienstes nach einer Belehrung ihre ausdrückliche Zustimmung gegeben haben. Der Teilnehmer kann seine Zustimmung jederzeit zurückziehen.

c) Ausführliche Rechnungen

7.12 Nur auf Anfrage des Teilnehmers sollten die Netzbetreiber und die Diensteanbieter Einzelentgeltnachweise ausstellen. Die Privatsphäre von Mitbenutzern und Korrespondenzpartnern sollte berücksichtigt werden.

7.13 Die Netzbetreiber oder Diensteanbieter sollten die für die Rechnungserstellung benötigten Daten nur solange speichern, wie es für den Kontenausgleich zwingend erforderlich ist. Dabei sollten sie in Erwägung ziehen, daß die Daten unter Umständen über einen angemessenen Zeitraum gespeichert werden müssen, falls Beschwerden in bezug auf die Rechnungserstellung auftreten oder falls rechtliche Bestimmungen eine längere Speicherdauer erfordern.

d. Nebenstellensysteme

7.14 Der einzelne sollte grundsätzlich immer dann in angemessener Weise informiert werden, wenn Daten, die bei der Benutzung eines Telefons entstehen, vom Betreiber des Nebenstellensystems erhoben und verarbeitet werden. Die gespeicherten Daten sollten unverzüglich nach der Begleichung der Rechnung gelöscht werden.

7.15 Die in der Empfehlung R (89) 2 zum Schutz personenbezogener Daten, die für Beschäftigungszwecke verwendet werden, festgelegten Grundsätze finden auf die Betreibung von Gesprächsnachweissystemen von seiten der Arbeitgeber an den jeweiligen Arbeitsplätzen Anwendung.

e. Rufnummernanzeige

7.16 Die Einführung eines solchen Dienstemerkmals, das die Anzeige der Telefonnummer eines ankommenden Anrufes am Endgerät des angerufenen Teilnehmers ermöglicht, sollte mit der Information an alle Teilnehmer einhergehen, daß dieses Merkmal jetzt einigen Teilnehmern zur Verfügung steht und daß daher möglicherweise ihre Telefonnummer dem angerufenen Teilnehmer angezeigt wird.

Die Einführung eines solches Merkmals sollte mit der Möglichkeit des Anrufers einhergehen, die Anzeige der Telefonnummer beim angerufenen Teilnehmer auf einfache Art und Weise zu unterdrücken.

7.17 Das innerstaaliche Recht sollte die Bedingungen und Sicherheitsmaßnahmen festlegen, gemäß denen Netzbetreiber befugt bzw. verpflichtet sind, die Entscheidung eines Anrufers außer Kraft zu setzen, die Anzeige seiner Nummer auf dem Endgerät des angerufenen Teilnehmers zu unterdrücken.

f. Anrufweiterschaltung

7.18 Es sollten Mechanismen erwogen werden, gemäß denen ein dritter Teilnehmer in Streitfällen die Aufhebung der Anrufweiterschaltung erwirken kann.

7.19 In den Fällen, in denen die Überwachung eingehender und abgehender Anrufe eines Teilnehmers in Übereinstimmung mit den Bestimmungen des Grundsatzes 2.4 in bezug auf die Überwachung von Kommunikationsverbindungen gestattet wurde, sollten sich die Überwachungsmaßnahmen nicht auf alle Anrufe ausdehnen, die beim Endgerät eines dritten Teilnehmers eingehen, sondern nur auf solche, die vom zuerst genannten Teilnehmer weitergeleitet wurden.

g. Mobiltelefone

7.20 Bei der Bereitstellung und dem Betrieb von Mobiltelefondiensten sollten die Netzbetreiber und Diensteanbieter die Teilnehmer über die Risiken informieren, die mit der Benutzung von Mobiltelefonnetzen für die Vertraulichkeit des Gesprächs einhergehen, insbesondere in Anbetracht der Tatsache, daß Funkkommunikationen nicht verschlüsselt werden. Es sollten Mittel und Wege gefunden werden, den Teilnehmern von Mobiltelefonnetzen Verschlüsselungsmöglichkeiten oder entsprechende Sicherheitsmaßnahmen anzubieten.

7.21 Es sollte die Notwendigkeit berücksichtigt werden, sicherzustellen, daß die Rechnungserstellung für die Benutzung eines Mobiltelefons nicht die Speicherung von Daten erforderlich macht, aus denen mit allzu großer Genauigkeit Rückschlüsse auf den Aufenthaltsort des Teilnehmers bzw. des angerufenen Teilnehmers zur Zeit des Anrufes gezogen werden können.

Europarat
Empfehlung Nr. R (97) 5
des Ministerkomitees an die Mitgliedstaaten über den Schutz medizinischer Daten

angenommen vom Ministerkomitee am 13. Februar 1997

Das Ministerkomitee, gestützt auf Artikel 15.b der Satzung des Europarates;

in Erwägung, dass es das Ziel des Europarates ist, eine engere Verbindung zwischen seinen Mitgliedern herzustellen;

in Erinnerung an die hauptsächlichen Grundsätze des Übereinkommens des Europarates zum Schutz des Menschen bei der automatischen Verarbeitung personenbezogener Daten (Reihe Europäischer Staatsverträge Nr. 108), insbesondere dessen Artikel 6, der bestimmt, dass die personenbezogenen Daten, welche die Gesundheit betreffen, nur automatisch verarbeitet werden dürfen, wenn das innerstaatliche Recht geeignete Garantien vorsieht;

der Tatsache bewusst, dass die automatische Verarbeitung medizinischer Daten auf Informationssystemen nicht nur in der ärztlichen Behandlung, in der medizinischen Forschung, im Spitalbetrieb und im öffentlichen Gesundheitswesen, sondern auch ausserhalb der Gesundheitsversorgung zunimmt;

überzeugt davon, dass die Qualität, die Integrität und die Verfügbarkeit medizinischer Daten für die Gesundheit der betroffenen Person und ihrer nächsten Angehörigen wichtig sind;

der Tatsache bewusst, dass die Fortschritte der medizinischen Wissenschaften in weitem Masse von der Verfügbarkeit medizinischer Daten Einzelner abhängen;

überzeugt, dass es wünschenswert ist, die Erhebung und Verarbeitung medizinischer Daten zu regeln, den vertraulichen Charakter und die Sicherheit der personenbezogenen Daten, welche die Gesundheit betreffen, zu gewährleisten und dafür zu sorgen, dass davon mit Rücksicht auf die Rechte und Grundfreiheiten des Einzelnen, insbesondere das Recht auf einen Persönlichkeitsbereich, Gebrauch gemacht wird;

der Tatsache bewusst, dass aufgrund der Fortschritte der medizinischen Wissenschaften und der in der Informationstechnologie seit 1981 erfolgten Entwicklung eine Revision mehrerer Bestimmungen der Empfehlung Nr. R (81) 1 über die anwendbaren Bestimmungen für automatisierte medizinische Datenbanken nötig sind;

empfiehlt den Mitgliedstaaten:

- Massnahmen zu ergreifen, damit sich die im Anhang zu dieser Empfehlung enthaltenen Grundsätze in ihrem Recht und in ihrer Praxis widerspiegeln;
- eine weite Verbreitung der Grundsätze im Anhang zu dieser Empfehlung bei Personen, welche medizinische Daten zu beruflichen Zwecken erheben und verarbeiten;

beschliesst, dass diese Empfehlung die Empfehlung Nr. R (81) 1 über die Bestimmungen für automatisierte medizinische Datenbanken ersetzt.

Anhang zu Empfehlung Nr. R (97) 5

1. Begriffsbestimmungen

Im Sinne dieser Empfehlung bedeuten die Ausdrücke:

- »personenbezogene Daten« jede Information über eine bestimmte oder bestimmbare natürliche Person. Eine natürliche Person gilt nicht als »bestimmbar«, wenn die Feststellung ihrer Identität einen unverhältnismässig hohen Aufwand an Zeit und Arbeitskraft erfordert. Ist eine natürliche Person nicht bestimmbar, gelten die Daten als anonym;
- »medizinische Daten« alle die Gesundheit betreffenden personenbezogenen Daten. Dies bezieht sich auch auf Daten, die offensichtlich und eng mit der Gesundheit sowie den genetischen Daten verbunden sind;
- »genetische Daten« alle Daten, jeglicher Natur, in bezug auf die Erbeigenschaften eines Individuums oder mit solchen Eigenschaften verbundene Daten, die das Erbe einer Gruppe verwandter Individuen bilden.

Der Begriff bezieht sich ebenfalls auf Angaben über den Austausch jeglicher genetischer (Gen)Information, die ein Individuum oder eine genetische Linie betrifft, die mit jedwelchen Aspekten zur Gesundheit oder zu einer Krankheit, ob bestimmbar oder nicht, in Verbindung stehen.

Die genetische Linie entsteht durch genetische Ähnlichkeiten, die durch Zeugung entstehen und von zwei oder von mehreren Individuen geteilt werden.

2. Geltungsbereich

2.1. Diese Empfehlung gilt für die Erhebung und automatisierte Verarbeitung medizinischer Daten, sofern das innerstaatliche Recht in einem spezifischen Kontext ausserhalb der Gesundheitsversorgung andere geeignete Garantien nicht vorsieht.

2.2. Die Mitgliedstaaten können die in dieser Empfehlung erwähnten Grundsätze auf medizinische Daten erweitern, die nicht automatisiert verarbeitet werden.

3. Achtung des Persönlichkeitsbereichs

3.1. Die Achtung der Rechte und Grundfreiheiten, insbesondere des Rechts auf einen Persönlichkeitsbereich, muss bei der Erhebung und Verarbeitung medizinischer Daten gewährleistet werden.

3.2. Die medizinischen Daten können nur gemäss den angemessenen Garantien, die das innerstaatliche Recht vorsieht, erhoben oder verarbeitet werden.

Grundsätzlich sollte die Erhebung und Verarbeitung medizinischer Daten nur von Berufsleuten der Gesundheitsversorgung oder Personen oder Institutionen, die für Berufsleute der Gesundheitsversorgung arbeiten, ausgeführt werden. Personen oder Institutionen, die für Berufsleute der Gesundheitsversorgung arbeiten und die medizinische Daten verarbeiten, sollten den gleichen oder vergleichbaren Geheimhaltungsvorschriften, denen die Berufsleute der Gesundheitsversorgung unterstehen, unterstellt werden.

Die Verantwortlichen für die Datei/Datensammlung, die nicht Berufsleute der Gesundheitsversorgung sind, sollten medizinische Daten nur unter Beachtung der Geheimhaltungsvorschriften, die mit denjenigen des Berufspersonals der Gesundheitsversorgung vergleichbar sind, oder mit gleichen Wirksamkeitsgarantien, die das innerstaatliche Recht vorsieht, erheben und verarbeiten.

4. Erhebung und Verarbeitung medizinischer Daten

4.1. Die Erhebung und Verarbeitung medizinischer Daten muss nach Treu und Glauben, auf rechtmässige Weise und für festgelegte Zwecke erfolgen.

4.2. Die medizinischen Daten müssen grundsätzlich bei der betroffenen Person erhoben werden. Bei anderen Quellen können sie nur unter Einhaltung der Grundsätze 4., 6. und 7. dieser Empfehlung und unter der Bedingung, dass dies nötig ist, um den Zweck der Verarbeitung zu erfüllen, oder weil die betroffene Person nicht in der Lage ist, die Daten zu liefern, erhoben werden.

4.3. Die medizinischen Daten können erhoben und verarbeitet werden:

a. wenn es das Gesetz vorsieht,
   i. zum Zweck des öffentlichen Gesundheitswesens; oder
   ii. unter dem Vorbehalt von Grundsatz 4.8., zwecks Prävention

bei einer konkreten Gefahr oder zur Bekämpfung einer bestimmten Straftat; oder
   - iii. zum Zweck eines anderen wichtigen öffentlichen Interesses; oder
- b. soweit das Gesetz es zulässt:
   - i. zu präventiven medizinischen Zwecken oder zu diagnostischen oder therapeutischen Zwecken gegenüber der betroffenen Person oder eines Verwandten der genetischen Linie; oder
   - ii. zu Zwecken des Schutzes der vitalen Interessen der betroffenen Person oder eines Dritten; oder
   - iii. zu Zwecken der Einhaltung einer spezifischen vertraglichen Verpflichtung; oder
   - iv. zu Zwecken der Feststellung, der Ausübung oder der Verteidigung eines Rechtes vor Gericht;
- c. wenn die betroffene Person oder ihr gesetzlicher Vertreter, eine Behörde oder jede vom Gesetz bezeichnete Person oder Instanz für einen oder mehrere Zwecke die Zustimmung erteilt hat, und soweit das innerstaatliche Recht nicht dagegen spricht.

4.4. Wenn die medizinischen Daten zu präventiven medizinischen Zwecken oder zu diagnostischen oder therapeutischen Zwecken für die betroffene Person oder einen Verwandten der genetischen Linie erhoben worden sind, können sie von der Führung eines Gesundheitsdienstes, der im Interesse des Patienten handelt, verarbeitet werden, sofern die Führung durch die Berufsperson der Gesundheitsversorgung erfolgt, welche die Daten erhoben hat, oder wenn die Daten gemäss den Bestimmungen der Grundsätze 7.2. und 7.3. weitergegeben werden.

Ungeborenes Kind

4.5. Die medizinischen Daten über ein ungeborenes Kind müssen wie personenbezogene Daten betrachtet und wie die medizinischen Daten einer unmündigen Person geschützt werden.

4.6. Soweit das innerstaatliche Recht es nicht anders vorsieht, kann der Inhaber der elterlichen Gewalt als juristisch befugte Person für ein ungeborenes Kind handeln.

Genetische Daten

4.7. Die genetischen Daten, die zu präventiven, diagnostischen oder therapeutischen Zwecken für die betroffene Person oder für die wissenschaftliche Forschung erhoben und verarbeitet werden, sollten einzig für diese Zwecke verwendet werden oder um der betroffenen Person zu ermöglichen, dazu eine freie und klare Entscheidung zu treffen.

4.8. Die Verarbeitung genetischer Daten für eine Gerichtsverhandlung oder eine Strafuntersuchung bildet Gegenstand eines besonderen Gesetzes, das angemessene Garantien bietet.

Diese Daten dürfen ausschliesslich für die Abklärung einer genetischen Verbindung im Rahmen der Beweisführung, der Prävention bei einer konkreten Gefahr oder zur Bekämpfung einer bestimmten Straftat dienen. In keinem Fall sollten sie dazu verwendet werden, allfällige andere genetisch verbundene Eigenschaften zu bestimmen.

4.9. Grundsätzlich sollte die Erhebung und Verarbeitung genetischer Daten zu anderen als den in den Grundsätzen 4.7. und 4.8. vorgesehenen Zwecken nur aus gesundheitlichen Gründen zugelassen werden, insbesondere zur Vermeidung schwerwiegender Gesundheitsschädigungen der betroffenen Person oder eines Dritten.

Die Erhebung und Verarbeitung genetischer Daten zur Erkennung von Krankheiten kann jedoch zugelassen werden, wenn ein höheres Interesse vorliegt und unter der Bedingung, dass geeignete, gesetzlich festgelegte Garantien bestehen.

5. Information der betroffenen Person

5.1. Die betroffene Person muss über folgende Elemente informiert werden:

a. das Vorhandensein einer Datei / Datensammlung mit ihren medizinischen Daten und die Art der erhobenen oder zu erhebenden Daten;
b. der Zweck oder die Zwecke, für welchen/welche die Daten verarbeitet werden;
c. gegebenenfalls die Personen oder Institutionen, bei denen sie jetzt oder in Zukunft erhoben werden;
d. die Personen oder Institutionen, denen sie mitgeteilt werden können und zu welchen Zwecken;
e. gegebenenfalls die Möglichkeit für die betroffene Person, ihr Einverständnis zu verweigern, es zu widerrufen und die Folgen eines solchen Widerrufs;
f. die Identität des Verantwortlichen der Datei / Datensammlung und gegebenenfalls seines Vertreters sowie die Bedingungen für die Ausübung des Auskunfts- und Berichtigungsrechts.

5.2. Die betroffene Person sollte spätestens zum Zeitpunkt der Erhebung informiert werden. Wenn die medizinischen Daten nicht bei der betroffenen Person erhoben werden, sollte sie so schnell wie möglich über die Erhebung sowie in geeigneter Form über die in Grundsatz 5.1. erwähnten Elemente informiert werden, ausser wenn dies offensichtlich nicht sinnvoll oder nicht machbar ist oder wenn die betroffene Person die Information bereits erhalten hat.

5.3. Die Information der betroffenen Person sollte angepasst und den Umständen entsprechend sein. Jede betroffene Person sollte vorzugsweise einzeln informiert werden.

5.4. Bevor eine genetische Analyse erfolgt, sollte die betroffene Person über deren Zwecke und die Möglichkeit unerwarteter Entdeckungen informiert werden.

Nicht handlungsfähige Personen

5.5. Ist die betroffene Person nicht handlungsfähig und nicht in der Lage, sich frei zu äussern, und gestattet das innerstaatliche Recht ihr nicht, in ihrem eigenen Namen zu handeln, muss die Information an diejenige Person abgegeben werden, die vor dem Gesetz im Interesse der betroffenen Person handeln kann.

Ist die nicht handlungsfähige Person urteilsfähig, muss sie informiert werden, bevor die sie betreffenden Daten erhoben oder verarbeitet werden.

Ausnahmen

5.6. Ausnahmen von den Grundsätzen 5.1., 5.2. und 5.3. können in folgenden Fällen gemacht werden:

a. die Information der betroffenen Person kann eingeschränkt werden, wenn die Ausnahme vom Gesetz vorgesehen ist und in einer demokratischen Gesellschaft eine notwendige Massnahme darstellt:
   i. zur Prävention einer konkreten Gefahr oder zur Bekämpfung einer Straftat;
   ii. aus Gründen des öffentlichen Gesundheitswesens;
   iii. zum Schutz der betroffenen Person und der Rechte und Freiheiten Dritter.
b. bei einem medizinischen Notfall können die Daten, die als notwendig für die ärztliche Behandlung angesehen werden, erhoben werden, bevor informiert wird.

6. Einwilligung

6.1. Wenn die betroffene Person ihre Einwilligung erteilen soll, muss diese freiwillig, ausdrücklich und in Kenntnis der Sachlage erfolgen.

6.2. Die Ergebnisse jeder genetischen Analyse sollten in den Schranken der Zwecke der medizinischen Untersuchung, der Diagnose oder der Behandlung formuliert werden, für die die Einwilligung erteilt wurde.

6.3. Wenn eine Verarbeitung der medizinischen Daten einer nicht handlungsfähigen Person vorgesehen ist, die nicht in der Lage ist, sich frei zu äussern, und wenn das innerstaatliche Recht der betroffenen Person nicht erlaubt, in ihrem eigenen Namen zu handeln, ist die Einwilligung der Person, die vor dem Gesetz im Namen der betroffenen Person handeln kann, oder die Einwilligung einer Behörde, Person oder Instanz, die vom Gesetz dafür bezeichnet ist, erforderlich.

Wenn gemäss Grundsatz 5.5. weiter oben die nicht handlungsfähige Person über die Erhebung oder Verarbeitung ihrer medizinischen Daten informiert wurde, sollten ihre Wünsche berücksichtigt werden, zumindest insofern das innerstaatliche Recht nicht dagegen spricht.

7. Bekanntgabe

7.1. Die medizinischen Daten dürfen nicht bekanntgegeben werden, ausser unter den Bedingungen, die im Rahmen dieses Grundsatzes und des Grundsatzes 12. aufgeführt sind.

7.2. Insbesondere dürfen die medizinischen Daten, wenn das innerstaatliche Recht nicht andere geeignete Garantien vorsieht, nur bekanntgegeben werden, wenn der Empfänger den Geheimhaltungsvorschriften der Berufsleute der Gesundheitsversorgung oder vergleichbaren Geheimhaltungsvorschriften unterstellt ist, und nur wenn er die Bestimmungen dieser Empfehlung einhält.

7.3. Medizinische Daten können mitgeteilt werden, wenn sie erheblich sind und

a. wenn die Bekanntgabe gesetzlich vorgesehen ist und in einer demokratischen Gesellschaft eine notwendige Massnahme bildet zu den Zwecken
   i. des öffentlichen Gesundheitswesens; oder
   ii. der Prävention einer konkreten Gefahr oder zur Bekämpfung einer bestimmten Straftat; oder
   iii. eines anderen wichtigen öffentlichen Interesses; oder
   iv. des Schutzes der Rechte und Freiheiten Dritter; oder
b. wenn das Gesetz die Bekanntgabe erlaubt zu Zwecken
   i. des Schutzes der betroffenen Personen oder eines Verwandten der genetischen Linie; oder
   ii. der Erhaltung der vitalen Interessen der betroffenen Person oder eines Dritten; oder
   iii. der Einhaltung spezifischer vertraglicher Verpflichtungen; oder
   iv. der Feststellung, der Ausübung oder der Verteidigung eines Rechts vor Gericht; oder
c. wenn die betroffene Person oder ihr gesetzlicher Vertreter, eine Behörde oder jede Person oder Instanz, die vom Gesetz bezeichnet

wurde, dazu für einen oder mehrere Zwecke die Einwilligung erteilt hat und das innerstaatliche Recht dies nicht verbietet;

d. wenn die betroffene Person oder ihr gesetzlicher Vertreter oder jede Person oder Instanz, die vom Gesetz bezeichnet wurde, sich nicht ausdrücklich dagegen gestellt hat, sofern die Bekanntgabe nicht obligatorisch ist, wenn die Daten in einem frei gewählten präventiven, diagnostischen oder therapeutischen Zusammenhang erhoben wurden und der Zweck der Bekanntgabe mit dem Zweck der Verarbeitung vereinbar ist, für die diese Daten erhoben wurden, insbesondere zu Zwecken der Erfüllung der Patientenbetreuung oder der Führung eines Gesundheitsdienstes im Interesse des Patienten.

8. Rechte der betroffenen Person

Auskunfts- und Berichtigungsrechte

8.1. Jedermann muss entweder direkt oder über eine Berufsperson der Gesundheitsversorgung, oder wenn das innerstaatliche Recht dies zulässt, über eine von der betroffenen Person bezeichnete Person auf ihre medizinischen Daten zugreifen können. Die Informationen müssen in verständlicher Form zugänglich sein.

8.2. Die Auskunft über die medizinischen Daten kann nur verweigert, eingeschränkt oder verzögert werden, wenn dies vom Gesetz vorgesehen ist, und

a. wenn es eine in einer demokratischen Gesellschaft für den Schutz der Staatssicherheit, der öffentlichen Sicherheit oder zur Bekämpfung von Straftaten notwendige Massnahme bildet; oder

b. wenn die Kenntnis dieser Informationen geeignet ist, bei der betroffenen Person eine schwerwiegende Gesundheitsschädigung hervorzurufen; oder

c. wenn die Information über die betroffene Person auch Informationen über Dritte preisgibt, oder in bezug auf die genetischen Daten, wenn die Information geeignet ist, die Blutsverwandten väterlicher- oder mütterlicherseits oder eine Person, die mit dieser genetischen Linie in direkter Verbindung steht, schwerwiegend zu schädigen; oder

d. wenn die Daten zu Zwecken der Statistik oder der wissenschaftlichen Forschung verwendet werden, soweit offensichtlich keine Gefahr eines Eingriffs in die Privatsphäre der betroffenen Person besteht, insbesondere weil die Daten nicht für Entscheidungen oder Massnahmen gegenüber einer bestimmten Person verwendet werden.

8.3. Die betroffene Person kann verlangen, dass die sie betreffenden falschen Daten berichtigt werden, und muss im Ablehnungsfall ein Verfahren anstrengen können.

Unerwartete Entdeckungen

8.4. Die einer genetischen Analyse unterzogene Person sollte über unerwartete Entdeckungen informiert werden, wenn folgende Bedingungen erfüllt sind:

a. das innerstaatliche Recht untersagt eine solche Information nicht;
b. die Person hat ausdrücklich um diese Information ersucht;
c. die Information ist nicht geeignet, eine schwerwiegende Beeinträchtigung herbeizuführen, in bezug auf
    i. die Gesundheit der Person; oder
    ii. einen Blutsverwandten väterlicher- oder mütterlicherseits der Person, ein Mitglied ihrer sozialen Familie oder eine Person, die in direkter Verbindung zur genetischen Linie der Person steht, soweit das innerstaatliche Recht nicht andere geeignete Garantien vorsieht.

Unter dem Vorbehalt von Absatz a. sollte die Person auch informiert werden, wenn diese Entdeckungen für sie von direkter therapeutischer oder präventiver Bedeutung sind.

9. Sicherheit

9.1. Zum Schutz der personenbezogenen Daten, die im Sinne dieser Empfehlung verarbeitet werden, vor (zufälliger oder unbefugter) Vernichtung und zufälligem Verlust, gegen den Zugriff, die Änderung, die Bekanntgabe und jede andere Form unbefugter Verarbeitung sollten geeignete technische und organisatorische Massnahmen getroffen werden.

Diese Massnahmen müssen ein geeignetes Sicherheitsniveau gewährleisten, das einerseits den Stand der Technik und andererseits die sensible Natur der medizinischen Daten und die Evaluation potentieller Risiken berücksichtigt.

Diese Massnahmen müssen regelmässig überprüft werden.

9.2. Um insbesondere die Vertraulichkeit, die Integrität und die Genauigkeit der verarbeiteten Daten sowie den Patientenschutz sicherzustellen, müssen geeignete Massnahmen getroffen werden, um

a. jede unbefugte Person daran zu hindern, auf die für die Verarbeitung der personenbezogenen Daten verwendeten Einrichtungen zuzugreifen (Zugangskontrolle);

b. zu verhindern, dass Datenträger von einer unbefugten Person gelesen, kopiert, geändert oder entfernt werden können (Datenträgerkontrolle);
c. die unbefugte Dateneingabe in ein Informationssystem sowie jegliche Einsichtnahme, Änderung und unbefugte Löschung gespeicherter personenbezogener Daten zu verhindern (Speicherkontrolle);
d. zu verhindern, dass automatisierte Verarbeitungssysteme von unbefugten Personen mittels Datenübertragungseinrichtungen genutzt werden können (Benutzerkontrolle);
e. einerseits im Sinne eines selektiven Datenzugriffs und andererseits der Sicherheit der medizinischen Daten sicherzustellen, dass die Verarbeitung grundsätzlich so konzipiert wird, dass eine Trennung der folgenden Elemente möglich ist:
   - Identifikationsdaten und Daten über die Identität der Personen;
   - administrative Daten;
   - medizinische Daten;
   - soziale Daten;
   - genetische Daten (Zugriffskontrolle);
f. zu gewährleisten, dass nachträglich überprüft und festgestellt werden kann, an welche Personen oder Institutionen personenbezogene Daten mittels Einrichtungen bekanntgegeben werden können (Bekanntgabekontrolle);
g. zu gewährleisten, dass nachträglich überprüft und festgestellt werden kann, wer zum System Zugriff hatte und welche personenbezogenen Daten zu welchem Zeitpunkt und von welcher Person ins Informationssystem eingegeben wurden (Eingabekontrolle);
h. zu verhindern, dass bei der Bekanntgabe personenbezogener Daten sowie beim Transport von Datenträgern die Daten unbefugt gelesen, kopiert, geändert oder gelöscht werden können (Transportkontrolle);
i. die Daten durch die Erstellung von Sicherheitskopien zu sichern (Verfügbarkeitskontrolle).

9.3. Die Verantwortlichen für die medizinischen Dateien/Datensammlungen sollten in Übereinstimmung mit dem innerstaatlichen Recht und unter Berücksichtigung der erheblichen Grundsätze dieser Empfehlung ein geeignetes internes Reglement erstellen.

9.4. Wenn nötig sollten die Verantwortlichen der Dateien/Datensammlungen, in denen medizinische Daten verarbeitet werden, eine unabhängige Person bezeichnen, die für die Sicherheit der Informationssysteme und den Datenschutz verantwortlich ist und auf diesem Gebiet beraten kann.

10. Aufbewahrung

10.1. Grundsätzlich sollten die medizinischen Daten nur während der für die Erreichung des Zwecks ihrer Erhebung und Verarbeitung notwendigen Zeit aufbewahrt werden.

10.2. Sofern die Aufbewahrung der medizinischen Daten, die nicht mehr für den ursprünglichen Zweck ver-wendet werden, sich im rechtmässigen Interesse des öffentlichen Gesundheitswesens, der medizinischen Wissenschaft, des Verantwortlichen für die medizinische Behandlung oder des Verantwortlichen der Datei / Datensammlung als notwendig herausstellt zu Zwecken, die ihnen ermöglichen, ihre Rechte vor Gericht zu verteidigen oder zu historischen oder statistischen Zwecken, müssen zur Sicherstellung einer korrekten Archivierung und Sicherheit mit Rücksicht auf den Persönlichkeitsbereich des Patienten technische Vorkehrungen getroffen werden.

10.3. Auf Gesuch der betroffenen Person sollten diese medizinischen Daten gelöscht werden, ausser wenn sie anonymisiert worden sind oder wenn höhere und rechtmässige Interessen, insbesondere diejenigen unter Grundsatz 10.2., oder Archivierungspflichten dem entgegenstehen.

11. Grenzüberschreitender Verkehr

11.1. Die Grundsätze dieser Empfehlung gelten für den grenzüberschreitenden Verkehr medizinischer Daten.

11.2. Der grenzüberschreitende Verkehr medizinischer Daten mit einem Staat, der das Übereinkommen zum Schutz des Menschen bei der automatischen Verarbeitung personenbezogener Daten ratifiziert hat und über eine Gesetzgebung verfügt, die einen mindestens gleichwertigen Schutz der medizinischen Daten sicherstellt, sollte keinen besonderen Bedingungen zum Schutze des Persönlichkeitsbereichs unterstellt werden.

11.3. Sofern der Schutz medizinischer Daten als im Einklang mit dem Grundsatz des in jenem Übereinkommen erwähnten gleichwertigen Schutzes betrachtet werden kann, sollte es keine Begrenzung des grenzüberschreitenden Verkehrs medizinischer Daten mit einem Staat geben, der das Übereinkommen zwar nicht ratifiziert hat, jedoch einen den Grundsätzen jenes Übereinkommens und dieser Empfehlung entsprechenden Schutz sicherstellt.

11.4. Soweit das innerstaatliche Recht nichts anderes vorsieht, sollte der grenzüberschreitende Verkehr medizinischer Daten mit einem Staat, der nicht einen dem genannten Übereinkommen und dieser Empfehlung entsprechenden Schutz sicherstellt, grundsätzlich nicht stattfinden, ausser wenn

a. notwendige Massnahmen, einschliesslich solche vertraglicher Art zur Einhaltung des Übereinkommens und dieser Empfehlung, getroffen wurden und die betroffene Person die Möglichkeit hat, sich der Übermittlung entgegenzustellen; oder
b. die betroffene Person ihre Einwilligung gegeben hat.

11.5. Ausser in Notfällen oder bei von der betroffenen Person nach Information gutgeheissener Übermittlung, sollten bei der Übermittlung medizinischer Daten von einem Land ins andere geeignete Massnahmen ergriffen werden, um ihren Schutz sicherzustellen, insbesondere:

a. der für die Übermittlung Verantwortliche sollte dem Adressaten die festgelegten und rechtmässigen Zwecke angeben, für welche die Daten ursprünglich erhoben wurden, sowie die Personen oder Institutionen, denen sie mitgeteilt werden können;
b. ausser wenn das innerstaatliche Recht es anders vorsieht, sollte sich der Adressat gegenüber dem für die Übermittlung Verantwortlichen verpflichten, die anerkannten festgelegten und rechtmässigen Zwecke einzuhalten und diese Daten keiner anderen Person oder Institution als den vom Übermittlungsverantwortlichen angegebenen mitzuteilen.

12. Wissenschaftliche Forschung

12.1. Soweit möglich sollten die zu Zwecken der wissenschaftlichen Forschung verwendeten medizinischen Daten anonymisiert werden. Die beruflichen und wissenschaftlichen Organisationen sowie die öffentlichen Behörden sollten die Entwicklung von Techniken und Verfahren fördern, die die Anonymität sicherstellen.

12.2. Sollte die Anonymisierung jedoch ein wissenschaftliches Forschungsprojekt verunmöglichen oder dieses Projekt für einen rechtmässigen Zweck ausgeführt werden, so könnte die Forschung mit den personenbezogenen Daten durchgeführt werden, unter der Bedingung,

a. dass die betroffene Person, die über den Zweck der Forschung informiert wurde, ihre Einwilligung gegeben hat; oder
b. dass, sofern die betroffene Person nicht handlungsfähig und nicht in der Lage ist, frei zu entscheiden und sofern sie durch das innerstaatliche Recht nicht in ihrem eigenen Namen handeln kann, ihr gesetzlicher Vertreter, eine Behörde oder jede vom Gesetz bezeichnete Person oder Instanz im Rahmen eines Forschungsprojekts, das mit dem medizinischen Zustand oder einer Krankheit der betroffenen Person verbunden ist, eingewilligt hat; oder
c. dass die Bekanntgabe von Daten zu Zwecken eines bestimmten wissenschaftlichen Forschungsprojektes aus wichtigen Gründen

des öffentlichen Interesses von einer oder mehreren vom innerstaatlichen Recht bezeichneten Institutionen bewilligt wurde, aber nur

i. wenn sich die betroffene Person nicht ausdrücklich gegen die Bekanntgabe gestellt hat; und
ii. wenn es sich trotz verhältnismässiger Bemühungen als unmöglich herausgestellt hat, die betroffene Person zu kontaktieren, um ihre Einwilligung einzuholen; und
iii. wenn die Interessen des Forschungsprojekts diese Bewilligung rechtfertigen; oder

d. dass die wissenschaftliche Forschung vom Gesetz vorgesehen ist und eine für das öffentliche Gesundheitswesen notwendige Massnahme darstellt.

12.3. Unter dem Vorbehalt zusätzlicher Bedingungen, die das innerstaatliche Recht vorsieht, sollten die Berufsleute der Gesundheitsversorgung, die ermächtigt wurden, ihre eigene medizinische Forschung zu betreiben, die ihnen zur Verfügung stehenden medizinischen Daten verwenden können, insofern die betroffene Person über diese Möglichkeit informiert wurde und sich nicht dagegen gestellt hat.

12.4. In bezug auf jegliche wissenschaftliche Forschung, die sich auf personenbezogene Daten stützt, sollten Zwischenprobleme, die mit der Einhaltung der Bestimmungen des Übereinkommes zum Schutz des Menschen bei der automatischen Verarbeitung personenbezogener Daten aufgetreten sind, einschliesslich diejenigen ethischer und wissenschaftlicher Natur, auch im Lichte anderer erheblicher Instrumente untersucht werden.

12.5. Die zu wissenschaftlichen Zwecken verwendeten personenbezogenen Daten dürfen nicht in einer Form veröffentlicht werden, welche die Identifikation der betroffenen Personen erlaubt, ausser wenn diese Personen im Hinblick auf die Veröffentlichung ihre Einwilligung dazu erteilt haben und das innerstaatliche Recht diese Veröffentlichung erlaubt.

Europarat
Empfehlung Nr. R (97) 18 des Ministerkomitees an die Mitgliedstaaten über den Schutz der personenbezogenen Daten, die für statistische Zwecke erhoben und verarbeitet werden

angenommen vom Ministerkomitee am 30. September 1997

Das Ministerkomitee, gestützt auf Artikel 15.b der Statuten des Europarates,

in Erwägung, dass es das Ziel des Europarates ist, eine engere Verbindung zwischen seinen Mitgliedern herzustellen;

im Bewusstsein der Bedürfnisse sowohl im öffentlichen wie im privaten Sektor nach verlässlichen Statistiken für die Analyse und das Verständnis von Struktur und Entwicklung der heutigen Gesellschaft und zur Festlegung von Politiken und Strategien für die zu treffenden Massnahmen in praktisch allen Bereichen des täglichen Lebens;

in Anerkennung, dass die Bereitstellung verlässlicher Statistiken weitgehend von der Erhebung möglichst vollständiger Informationen und der Verarbeitung solcher Informationen mit immer leistungsfähigeren informatischen Hilfsmitteln abhängt;

im Bewusstsein der Tatsache, dass solche Informationen bestimmte oder bestimmbare natürliche Personen betreffen können (»personenbezogene Daten«);

im Bewusstsein der Notwendigkeit, Techniken zu entwickeln, womit die Anonymität der betreffenden Personen gewährleistet werden kann;

in Erwägung der Anliegen der internationalen Gemeinschaft der Statistiker bezüglich des Schutzes der personenbezogenen Daten sowie der Entwicklung internationaler Empfehlungen zur Berufsethik der Statistiker;

in Erwägung zudem der wesentlichen Grundsätze der offiziellen Statistik, die von der internationalen Gemeinschaft im Rahmen der Organisation der Vereinten Nationen angenommen wurden;

in der Feststellung der zunehmenden Entwicklung nationaler und supranationaler rechtlicher Vorschriften sowohl auf dem Gebiet der statistischen Tätigkeit wie demjenigen des Schutzes von personenbezogenen Daten;

in Erinnerung dazu an die allgemeinen Grundsätze bezüglich Datenschutz des Übereinkommens über den Schutz des Menschen bei der automatischen Verarbeitung personenbezogener Daten (Strassburg 1981, Reihe Europäischer Staatsverträge Nr. 108);

in Erinnerung zudem an die Abweichungen, die im Übereinkommen zugunsten der statistischen Tätigkeit anerkannt werden, unter Berücksichtigung bestimmter Rechte, die die betroffenen Personen ausüben können;

in der Feststellung, dass Abweichungen in diesem Sinne auch von verschiedenen Mitgliedstaaten in den bestehenden oder derzeit entstehenden Gesetzgebungen bezüglich Datenschutz vorgesehen sind;

in Erwägung, dass ein Gleichgewicht zwischen der Notwendigkeit der Bereitstellung von Statistiken einerseits und dem unerlässlichen Schutz des Menschen andererseits gefunden werden muss, insbesondere bei der Verwendung von automatischer Datenverarbeitung;

im Bewusstsein der Notwendigkeit, geeignete Verfahren einzurichten, welche die Interessen der verschiedenen betroffenen Parteien miteinander vereinbaren lassen;

im Bewusstsein der Tatsache, dass sich mit dem Fortschritt der statistischen Methoden und der seit 1983 erfolgten Entwicklung der Informationstechnologie eine Überarbeitung mehrerer Bestimmungen der Empfehlung Nr. R (83) 10 über den Schutz der personenbezogenen Daten, die für wissenschaftliche und statistische Zwecken verwendet werden, aufdrängt,

empfiehlt den Mitgliedstaaten:

1. Massnahmen zu treffen, damit sich die im Anhang zu dieser Empfehlung enthaltenen Grundsätze in ihrem Recht und in ihrer Praxis niederschlagen;
2. eine breite Verteilung der im Anhang zu dieser Empfehlung enthaltenen Grundsätze unter die Personen, öffentlichen Behörden und Institutionen zu gewährleisten, die im öffentlichen oder privaten Bereich personenbezogenen Daten für statistische Zwecke erheben und verarbeiten, sowie die für den Datenschutz verantwortlichen Stellen;
3. diese Personen, öffentlichen Behörden und Institutionen anzuregen, falls sie es noch nicht getan haben, ethische Verhaltensregeln einzuführen und sich dabei an den Anhang zu dieser Empfehlung zu halten;

beschliesst, dass diese Empfehlung die Empfehlung Nr. R (83) 10 über den Schutz der personenbezogenen Daten, die für wissenschaftliche und statistische Zwecke verwendet werden, ersetzt, wo jene Empfehlung sich auf die Erhebung und Verarbeitung von personenbezogenen Daten für statistische Zwecke bezieht.

Anhang zu Empfehlung Nr. R (97) 18

1. Definitionen

In dieser Empfehlung bedeuten die Ausdrücke:

»Personenbezogene Daten«: jede Information, die eine bestimmte oder bestimmbare natürliche Person betrifft (betroffene Person). Eine natürliche Person wird nicht als »bestimmbar« angesehen, wenn diese Bestimmung einen ausserordentlich hohen Aufwand an Zeit und Arbeit erfordert. Wenn eine natürliche Person nicht bestimmbar ist, werden die Daten als anonym bezeichnet.

»Bestimmungsdaten«: personenbezogene Daten, mit denen die direkte Bestimmung der betroffenen Person möglich ist und die für die Erhebung, die Kontrolle und den Vergleich der Daten erforderlich sind, jedoch anschliessend bei der Erstellung der statistischen Resultate nicht mehr verwendet werden.

»Sensible Daten«: personenbezogene Daten, welche über die rassische Herkunft, politische Meinungen, religiöse oder andere Überzeugungen Auskunft geben, sowie personenbezogene Daten in bezug auf Gesundheit, Geschlechtsleben oder Strafverfolgungen sowie andere vom innerstaatlichen Recht als sensibel bezeichnete Daten.

»Verarbeitung«: jede Handlung oder Gesamtheit von Handlungen, die teilweise oder ganz unterstützt von automatischen Verfahren ausgeführt und auf personenbezogene Daten angewendet wird: Registrierung, Aufbewahrung, Anpassung oder Veränderung, Auszug, Einsicht, Verwendung, Bekanntgabe, Vergleich oder Verbindung sowie Löschung oder Vernichtung.

»Bekanntgabe«: die Handlung, die zum Zugang für Dritte zu personenbezogenen Daten führt, unabhängig von Mitteln oder Geräten, die dazu verwendet werden.

»Zu statistischen Zwecken«: alle Handlungen der Erhebung oder Verarbeitung von personenbezogenen Daten, die bei statistischen Umfragen oder zur Erarbeitung statistischer Resultate erforderlich sind. Solche Handlungen schliessen jede Verwendung der gewonnenen Informationen für Entscheide oder Massnahmen aus, die eine bestimmten Person betreffen.

»Statistische Resultate«: eine durch die Verarbeitung von personenbezogenen Daten gewonnene Information, die dazu dient, das Wesen einer Gesamterscheinung in einer festgelegten Bevölkerungsgruppe festzustellen.

»Verarbeitungsverantwortlicher«: natürliche oder juristische Person der öffentlichen Behörde oder jeder anderen Institution, die allein oder in Zusammenarbeit mit anderen, Ziele und Mittel – insbesondere die Organisation – der Erhebung und der Verarbeitung von personenbezogenen Daten festlegt.

2. Geltungsbereich

2.1. Diese Empfehlung gilt für die Erhebung und die automatische Verarbeitung von personenbezogenen Daten für statistische Zwecke.

Sie gilt ebenfalls für die statistischen Resultate, soweit mit diesen die Bestimmung der betroffenen Personen möglich ist.

2.2. Die Mitgliedstaaten werden angeregt, den Geltungsbereich dieser Empfehlung auf die nicht automatische Verarbeitung von personenbezogenen Daten für statistische Zwecke auszudehnen.

2.3. Es darf keine Verarbeitung von personenbezogenen Daten auf nicht automatische Weise durchgeführt werden, um die Bestimmungen dieser Empfehlung zu umgehen.

2.4. Die Mitgliedstaaten können den Geltungsbereich der in dieser Empfehlung erwähnten Grundsätze auch auf die Erhebung und Verarbeitung von Daten erweitern, die Personengruppen, Vereine, Stiftungen, Gesellschaften, Korporationen oder jede andere Institution betreffen, die direkt oder indirekt natürliche Personen versammelt und Rechtspersönlichkeit hat oder nicht hat.

3. Achtung der Privatsphäre

3.1 Die Achtung der Grundfreiheiten und insbesondere des Rechtes auf ein Privatleben muss bei der Erhebung und Verarbeitung von personenbezogenen Daten für statistische Zwecke gewährleistet sein sowie

a. bei der Aufbewahrung dieser Daten für eine spätere Verwendung;
b. bei der Verbreitung der statistischen Resultate; und
c. bei der allfälligen Änderung der personenbezogenen Daten, wenn diese Änderung zur Verbesserung der Aussagekraft der statistischen Resultate oder aus Gründen der Vertraulichkeit erforderlich sind;

3.2. Innerstaatliches Recht und Praxis müssen Personen unter das Berufsgeheimnis stellen, die von personenbezogenen Daten Kenntnis haben.

3.3. Die für statistische Zwecke erhobenen und verarbeiteten personenbezogenen Daten müssen anonymisiert werden, sobald sie nicht mehr in bestimmbarer Form benötigt werden.

4. Allgemeine Bestimmungen der Erhebung und Verarbeitung für statistische Zwecke

Zweck

4.1. Die für statistische Zwecke erhobenen und verarbeiteten personenbezogenen Daten dürfen nur für diese Zwecke dienen. Sie dürfen nicht verwendet werden, um einen Entscheid oder eine Massnahme hinsichtlich einer betroffenen Person zu treffen, oder um eine Datei zu vervollständigen oder zu berichtigen, deren personenbezogene Daten für nichtstatistische Zwecke verwendet werden.

4.2. Die Verarbeitung für statistische Zwecke von personenbezogenen Daten, die für nichtstatistische Zwecke erhoben wurden, ist nicht unvereinbar mit dem/den Zweck(en), für die die Daten ursprünglich erhoben wurden, soweit geeignete Garantien, insbesondere zur Verhinderung der Verwendung der Daten zur Stützung von Entscheiden oder Massnahmen hinsichtlich der betroffenen Person, vorgesehen sind.

Gesetzlichkeit

4.3. Personenbezogene Daten können für statistische Zwecke erhoben und verarbeitet werden:

a. wenn das Gesetz es vorsieht; oder
b. soweit die Massnahme oder das Gesetz es erlaubt, und:
   i. wenn die betroffene Person oder ihr gesetzlicher Vertreter im Sinne von Grundsatz 6 eingewilligt hat; oder
   ii. wenn die betroffene Person über die Erhebung oder die Verarbeitung ihrer Daten informiert wurde und sich nicht dagegen gestellt hat und soweit diese Verarbeitung nicht sensible Daten betrifft; oder
   iii. wenn eine Person aufgrund der Umstände der Erhebung und des Ziels der Ermittlung im Namen und anstelle anderer Personen im Sinne von Grundsatz 6 antworten kann und soweit offensichtlich keine Gefahr der Beeinträchtigung des Privatlebens jener Personen besteht und insbesondere die Verarbeitung keine sensiblen Daten betrifft.

4.4. Um zu vermeiden, dass die gleichen Daten ein weiteres Mal erhoben werden, können die für nichtstatistische Zwecke erhobenen Daten auch für statistische Zwecke verarbeitet werden, wenn dies erforderlich ist:

a. für die Ausführung eines Auftrags im öffentlichen Interesse oder wenn dies zu den Aufgaben der öffentlichen Behörde gehört; oder
b. für die Realisierung des rechtmässigen Interesses, das vom Verarbeitungsverantwortlichen verfolgt wird, vorausgesetzt dass die

Rechte und Grundfreiheiten der betroffenen Person nicht gewichtiger sind.

Unter den gleichen Bedingungen können die für einen statistischen Zweck erhobenen Daten auch für andere statistische Zwecke verwendet werden.

4.5. Die personenbezogenen Daten können nur zwingend im Hinblick auf eine Verarbeitung für statistische Zwecke erhoben werden, wenn das innerstaatliche Recht dies verlangt.

4.6. Die personenbezogenen Daten oder Einheiten von personenbezogenen Daten können für statistische Zwecke verglichen oder verbunden werden, wenn das innerstaatliche Recht geeignete Garantien einrichtet, um ihre Verarbeitung und Bekanntgabe für nichtstatistische Zwecke zu verhindern.

Verhältnismässigkeit

4.7. Erhebung und Verarbeitung von personenbezogenen Daten müssen auf die für die verfolgten statistischen Zwecke erforderlichen Daten beschränkt bleiben. Insbesondere dürfen die Bestimmungsdaten nur erhoben und verarbeitet werden, wenn dies nötig ist.

Sensible Daten

4.8. Werden sensible Daten für statistische Zwecke verarbeitet, müssen diese Daten so erhoben werden, dass die betroffenen Personen nicht bestimmbar sind.

Wenn das rechtmässige und spezifische Ziel einer Verarbeitung sensibler Daten für statistische Zwecke die Tatsache, dass die betroffenen Personen bestimmbar sind, erforderlich macht, muss das innerstaatliche Recht geeignete Garantien, einschliesslich spezifische Massnahmen für die Trennung der Bestimmungsdaten von der Erhebung an vorsehen, ausser wenn dies offensichtlich nicht sinnvoll oder nicht machbar ist.

5. Die Information der Personen

Primäre Erhebung

5.1. Werden personenbezogene Daten für statistische Zwecke erhoben, müssen die befragten Personen über folgende Elemente informiert werden:

a. den obligatorischen oder freiwilligen Charakter der Antworten und die allfällige rechtliche Begründung der Erhebung;
b. das oder die Ziel(e) der Erhebung und der Verarbeitung;

c. Name und Status der Person oder der für die Erhebung und/oder Verarbeitung verantwortlichen Institution;
d. die Tatsache, dass diese Daten vertraulich behandelt und nur für statistische Zwecke verwendet werden;
e. die Möglichkeit, auf Verlangen weitere Informationen zu erhalten.

Auf ihr Verlangen und/oder nach den vom innerstaatlichen Recht festgelegten Modalitäten müssen die betroffenen Personen ebenfalls informiert werden:

f. im Falle einer freiwilligen Befragung: über die Modalitäten einer Verweigerung oder Zurücknahme der Einwilligung und im Falle einer obligatorischen Befragung über die allfälligen Straffolgen;
g. gegebenenfalls über die Bedingungen der Ausübung des Auskunfts- und Berichtigungsrechts;
h. über die Kategorien von Personen oder Institutionen, denen die personenbezogenen Daten mitgeteilt werden könnten;
i. über die Garantien zur Gewährleistung der Vertraulichkeit und den Schutz der personenbezogenen Daten;
j. über die Kategorien erhobener und verarbeiteter Daten.

5.2. Werden die betroffenen Personen nicht direkt befragt, müssen sie über die Existenz der Erhebung informiert werden, ausser wenn dies offensichtlich nicht sinnvoll oder nicht machbar ist. Sie müssen die Möglichkeit haben, sich in geeigneter Art und Weise über die unter Grundsatz 5.1 erwähnten Elemente zu informieren.

5.3. Ob betroffen oder nicht müssen die befragten Personen spätestens zum Zeitpunkt der Datenerhebung informiert werden. Modalitäten und Ausmass der Information müssen geeignet und den Umständen angepasst sein.

Wenn es aufgrund des Gegenstands und der Art der Befragung für ihr rechtmässiges Ziel nötig ist, kann die Information oder ein Teil der Information später erteilt werden. Sobald die Notwendigkeit nicht mehr besteht, muss sie erteilt werden werden, ausser wenn dies offensichtlich nicht sinnvoll oder nicht machbar ist. Wurden die Daten unter solchen Umständen bei der betroffenen Person erhoben, muss sie zu einem späteren Zeitpunkt informiert werden.

Sekundäre Erhebung

5.4. Die Verarbeitung und Bekanntgabe für statistische Zwecke von personenbezogenen Daten, die für nichtstatistische Zwecke erhoben wurden, ist Gegenstand einer geeigneten öffentlichen Verbreitung. Die betroffenen Personen müssen die Möglichkeit haben, sich angemessen über die unter Grundsatz 5.1 aufgeführten Elemente zu informieren, ausser wenn

a. die Erteilung der Information sich als unmöglich erweist oder einen unverhältnismässigen Aufwand erfordert; oder
b. die Verarbeitung oder Bekanntgabe von Daten für statistische Zwecke vom innerstaatlichen Recht nicht ausdrücklich vorgesehen ist.

In Fällen gemäss Buchstaben a und b müssen geeignete Garantien vorgesehen werden.

Nicht handlungsfähige Personen

5.5. Ist die betroffene Person nicht handlungsfähig und nicht in der Lage, sich frei zu äussern, und gestattet das innerstaatliche Recht ihr nicht, in ihrem eigenen Namen zu handeln, muss die Information an die Person abgegeben werden, die gesetzlich im Namen der betroffenen Person handeln kann.

Ist die nicht handlungsfähige Person urteilsfähig, muss sie informiert werden, bevor ihre Daten erhoben oder verarbeitet werden.

6. Einwilligung

6.1. Ist die Einwilligung der betroffenen Person erforderlich, muss sie freiwillig, eindeutig und unbezweifelbar sein.

Die betroffene Person muss die Möglichkeit haben, sowohl ihre Einwilligung für eine einzelne Befragung zurückzuziehen, bevor die Bestimmungsdaten von den anderen erhobenen Daten getrennt werden, wie auch ihre Mitarbeit an einer zeitlich gestaffelten Befragung jederzeit und ohne Rückwirkung zu unterbrechen.

6.2. Ist dies für die Erhebung oder Verarbeitung von sensiblen Daten erforderlich, muss die Einwilligung der betreffenden Person ausdrücklich, freiwillig und eindeutig sein. Das legitime Ziel der Befragung befreit nicht von dieser Einwilligung, ausser wenn eine solche Abweichung sich durch das öffentliche Interesse rechtfertigt.

6.3. Betreffen die für statistische Zwecke zu verarbeitenden personenbezogenen Daten eine nicht handlungsfähige Person, welche nicht in der Lage ist, sich frei zu äussern, und erlaubt das innerstaatliche Recht der betroffenen Person nicht, in ihrem eigenen Namen zu handeln, so ist die Einwilligung der Person erforderlich, die gesetzlich im Namen der betroffenen Person handeln kann, oder die Einwilligung einer vom Gesetz dafür bezeichneten Behörde, Person oder Instanz.

Wenn gemäss Grundsatz 5.5 weiter oben die nicht handlungsfähige Person darüber informiert wurde, dass ihre personenbezogenen Daten erhoben und verarbeitet werden sollen, könnte ihr Wille berücksichtigt werden, wenn das innerstaatliche Recht nicht dagegen spricht.

6.4. Die Antwortverweigerung darf keine Straffolgen haben, ausser wenn sie vom innerstaatlichen Recht vorgesehen sind.

7. Auskunfts- und Berichtigungsrechte

7.1. Jede Person kann die Bekanntgabe ihrer personenbezogenen Daten im Besitze des Verarbeitungsverantwortlichen und gegebenenfalls deren Berichtigung erreichen.

7.2. In den Fällen, in denen offensichtlich kein Risiko besteht, dass das Privatleben der betroffenen Person beeinträchtigt wird, kann dieses Recht jedoch gemäss innerstaatlichem Recht eingeschränkt werden, wenn die personenbezogenen Daten allein für statistische Zwecke verarbeitet werden und geeignete spezifische Massnahmen bestehen zur Verhinderung jeder Bestimmung durch Dritte aufgrund individueller Daten oder aufgrund statistischer Resultate.

8. Anonymität

8.1. Die für statistische Zwecke erhobenen personenbezogenen Daten, werden nach Abschluss der Erhebungs-, Kontroll- oder Vergleichsvorgänge anonymisiert, ausser wenn

a. die Bestimmungsdaten für statistische Zwecke erforderlich sind und die in Grundsatz 10.1 vorgesehenen Massnahmen getroffen wurden; oder
b. die Art der statistischen Verarbeitung selber weitere Verarbeitungsvorgänge erfordert, bevor die Daten anonymisiert werden, und soweit die in den Grundsätzen 15.1 bis 15.3 vorgesehenen Schutzmassnahmen getroffen wurden.

9. Primäre Erhebung der personenbezogenen Daten für statistische Zwecke

9.1. Die Erhebung von personenbezogenen Daten muss, insbesondere was die Information der Personen und ihre Antwortfreiheit betrifft, loyal erfolgen.

9.2. Die Erhebung von personenbezogenen Daten wird bei der betroffenen Person oder je nach Art der Befragung bei einem Mitglied ihres Haushalts durchgeführt. Die Erhebung von personenbezogenen Daten bei einer anderen als der betroffenen Person oder einem Mitglied ihres Haushalts sowie die Erhebung bei juristischen Personen wie Unternehmen oder öffentlichen Institutionen darf nur durchgeführt werden, wenn das innerstaatliche Recht dies und einen geeigneten Schutz vorsieht oder wenn offensichtlich kein Risiko besteht, dass die Rechte und Grundfreiheiten der betroffenen Personen beeinträchtigt werden.

9.3. Die Erhebung für statistische Zwecke von personenbezogenen Daten ohne Befragung darf weder Bestimmungsdaten umfassen noch mit Bestimmungsdaten verbunden werden, ausser wenn das innerstaatliche Recht für einen geeigneten Schutz sorgt und

a. die Verarbeitung mit den Bestimmungsdaten vorsieht, oder
b. gestattet, dass die erhobenen Daten mit den Bestimmungsdaten verbunden werden, um eine repräsentative Auswahl zu erstellen.

9.4. Die Daten der nichtantwortenden Personen, welche für die Planung oder die Ausführung der Befragung wesentlich sind, und Informationen über die Gründe des Fehlens einer Antwort dürfen nur verwendet werden, um den repräsentativen Charakter einer Befragung sicherzustellen.

9.5. Sofern die Erhebung von personenbezogenen Daten erfordert, dass auf Befrager oder andere Personen, welche die erteilten Antworten direkt kennen müssen, zurückgegriffen wird, muss sowohl der Wahl der Personen wie auch der Wahl der Organisation und der Befragungsmethoden besondere Aufmerksamkeit geschenkt werden, damit der Zweck der Befragung eingehalten wird sowie die Vertraulichkeit der Daten und der Schutz des Privatlebens gewährleistet sind.

9.6. Der Verarbeitungsverantwortliche muss geeignete Massnahmen treffen, damit die befragte Person die Rechtmässigkeit der Befrager überprüfen kann.

10. Bestimmungsdaten

10.1. Werden die Bestimmungsdaten für statistische Zwecke erhoben und verarbeitet, müssen sie getrennt werden und von anderen personenbezogenen Daten getrennt aufbewahrt werden, ausser wenn dies offensichtlich nicht sinnvoll oder nicht machbar ist.

10.2. Sieht das innerstaatliche Recht dies vor, können die Bestimmungsdaten zur Erstellung einer Adresskartei für statistische Zwecke verwendet werden, sofern die betroffene Person darüber informiert wurde und sich nicht dagegen gestellt hat oder die Daten aus einem öffentlich zugänglichen Verzeichnis stammen.

11. Erhaltung der Daten

11.1. Sofern die Daten nicht anonymisiert werden oder das innerstaatliche Recht nicht die Erhaltung der Daten für Aufbewahrungszwecke mittels geeigneter Garantien vorsieht, müssen die personenbezogenen Daten, die für statistische Zwecke erhoben und verarbeitet wurden, vernichtet oder gelöscht werden, sobald sie für diese Zwecke nicht mehr erforderlich sind.

Insbesondere müssen die Bestimmungsdaten vernichtet oder gelöscht werden, sobald sie nicht mehr gebraucht werden für

a. Verfahren der Erhebung, Kontrolle oder des Datenvergleichs,
b. die Gewährleistung des repräsentativen Charakters der Umfrage; oder
c. eine Wiederholung der Befragung mit den gleichen Personen.

12. Bekanntgabe

12.1. Die für statistische Zwecke erhobenen personenbezogenen Daten dürfen nicht für nichtstatistische Zwecke bekanntgegeben werden.

12.2. Personenbezogene Daten, die für einen besonderen statistischen Zweck erhoben wurden, können für andere statistische Zwecke bekannt gegeben werden, wenn diese genau festgelegt und zeitlich begrenzt sind.

12.3. Sofern das innerstaatliche Recht keine Sicherheiten hinsichtlich der Bekanntgabe vorsieht, muss sie nach dem Grundsatz 12.2 in einem schriftlichen Dokument über die Rechte und Pflichten der Parteien erfolgen. Bei der Bekanntgabe der Daten muss der Verarbeitungsverantwortliche insbesondere

a. festhalten, dass dieser Dritte die fraglichen Daten nur mit dem ausdrücklichen Einverständnis des genannten Verarbeitungsverantwortlichen selber bekanntgeben kann;
b. festhalten, dass dieser Dritte geeignete Sicherheitsmassnahmen gemäss den Grundsätzen 15.1 bis 15.3 dieser Empfehlung trifft;
c. sich vergewissern, dass jede Veröffentlichung der statistischen Resultate, die von diesem Dritten erhoben wurden, Kapitel 14 dieser Empfehlung entspricht;

12.4. Ausserdem können die sensiblen Daten, soweit das innerstaatliche Recht nicht dagegen spricht, nur bekanntgegeben werden, wenn das Gesetz dies vorsieht oder wenn die betroffene Person oder ihr gesetzlicher Vertreter dem ausdrücklich zugestimmt hat.

13. Grenzüberschreitender Datenverkehr

13.1. Die Grundsätze dieser Empfehlung gelten für die grenzüberschreitende Bekanntgabe von personenbezogenen Daten für statistische Zwecke.

13.2. Die grenzüberschreitende Bekanntgabe von personenbezogenen Daten an einen Staat, der das Übereinkommen Nr. 108[1] ratifiziert hat,

---

1 Übereinkommen zum Schutz des Menschen bei der automatischen Verarbeitung personenbezogener Daten, Strassburg, 28. Januar 1981 (Reihe Europäischer Staatsverträge Nr. 108).

muss keinen besonderen Bedingungen zum Schutz des Privatlebens und der Rechte und Grundfreiheiten des Menschen unterstellt werden, wenn dieser Staat ein Schutzniveau gewährleistet, das den Grundsätzen des Übereinkommens und dieser Empfehlung entspricht.

13.3. Bei der Bekanntgabe von personenbezogenen Daten für statistische Zwecke an einen Staat, der das Übereinkommen Nr. 108 nicht ratifiziert hat, sollte es keine Einschränkung der grenzüberschreitenden Bekanntgabe geben, wenn dieser Staat ein Schutzniveau gewährleistet, das den Grundsätzen des Übereinkommens und dieser Empfehlung entspricht.

13.4. Sofern das innerstaatliche Recht nichts anderes vorsieht, sollte eine grenzüberschreitende Bekanntgabe von personenbezogenen Daten für statistische Zwecke im allgemeinen nicht an Staaten erfolgen, die keinen Schutz entsprechend demjenigen der Grundsätze des Übereinkommens Nr. 108 und dieser Empfehlung garantieren, ausser wenn

a. nötige Massnahmen, einschliesslich jene vertraglicher Art, zur Einhaltung der Grundsätze des Übereinkommens und dieser Empfehlung getroffen wurden; oder
b. die betroffene Person dazu ausdrücklich ihr Einverständnis gegeben hat.

14. Statistische Resultate

14.1. Die statistischen Resultate dürfen nur veröffentlicht oder an Dritte weitergegeben werden, wenn die nötigen Massnahmen getroffen wurden, die gewährleisten, dass die betroffenen Personen nicht anhand dieser Resultate bestimmt werden können, und insofern die Verbreitung oder Veröffentlichung offensichtlich nicht das Risiko birgt, das Privatleben dieser Personen zu beeinträchtigen.

15. Sicherheit der Daten

15.1. Die für die Verarbeitung verantwortlichen Personen müssen dafür sorgen, dass die Vertraulichkeit der personenbezogenen Daten durch geeignete technische und organisatorische Massnahmen gewährleistet ist. Sie treffen insbesondere Massnahmen gegen den Zugriff, die Änderung, die Bekanntgabe oder jede andere Art nicht bewilligter Verarbeitung.

15.2. Müssen die Daten in einer bestimmbaren Form erhalten bleiben, so muss von organisatorischen und technischen (insbesondere den informatischen) Ressourcen Gebrauch gemacht werden, um eine unerlaubte Bestimmung der betroffenen Person zu verhindern.

15.3. Es müssen Massnahmen getroffen werden, um zu verhindern, dass die betroffenen Personen wiederbestimmt werden können und dass die für statistische Zwecke erhobenen personenbezogenen Daten für nichtstatistische Zwecke verwendet werden können.

15.4. Berufsleute, Unternehmen und Institutionen, die mit der Erstellung von Statistiken beauftragt sind, müssen Techniken und Verfahren bereitstellen, womit die Anonymität der betroffenen Personen gewährleistet werden kann.

16. Ethische Verhaltensregeln

16.1. Berufsleute, Unternehmen und Institutionen, die mit der Erstellung von Statistiken beauftragt sind, sollten dieser Empfehlung gemäss berufsethische Verhaltensregeln verabschieden und veröffentlichen mit beigefügten Informationen über insbesondere

a. die anderen Kategorien von Personen und Institutionen, welche Zugang zu den personenbezogenen Daten haben;
b. die Massnahmen zum Schutz, für die Vertraulichkeit und Sicherheit dieser Daten sowie der statistischen Ethik; und
c. die für die statistische Verarbeitung verantwortlichen Personen.

17. Technische Entwicklung, Zusammenarbeit und Unterstützung

Um einen breiten Zugang zu den informatischen Hilfsmitteln und den geeigneten technischen Kenntnissen zur Sicherstellung eines wirksamen Schutzes der personenbezogenen Daten für statistische Zwecke zu gewährleisten, sollten die zuständigen Regierungsstellen eng bei der Entwicklung dieser Hilfsmittel und dieser Kenntnisse mitarbeiten und internationale Programme für Zusammenarbeit, Erfahrungsaustausch, Wissenstransfer und technische Unterstützung aufbauen.

18. Aufsichtsbehörden

Die Mitgliedstaaten beauftragen eine oder mehrere unabhängige Behörden mit der Aufsicht über die Einhaltung des innerstaatlichen Rechts, das die Grundsätze dieser Empfehlung umsetzt.

Recommendation No. R (99) 5 of the Committee of Ministers to member states for the protection of privacy on the Internet

GUIDELINES for the protection of individuals with regard to the collection and processing of personal data on information highways

adopted by the Committee of Ministers on 23 February 1999

Preamble

The Committee of Ministers, under the terms of Article 15.*b* of the Statute of the Council of Europe,

Considering that the aim of the Council of Europe is to achieve greater unity among its members;

Noting the developments in new technologies and new communications and on-line information services;

Aware that these developments will influence the functioning of society in general and relations between individuals, in particular in offering increased possibilities for communication and exchange of information at national and international levels;

Aware of the advantages which users of new technologies can gain from these developments;

Considering, nevertheless, that technological development and the generalisation of collection and processing of personal data on information highways carries risks for the privacy of natural persons;

Considering that technological development also makes it possible to contribute towards the respect of fundamental rights and freedoms, and in particular the right to privacy, when personal data concerning natural persons are processed;

Aware of the need to develop techniques which permit the anonymity of data subjects and the confidentiality of the information exchanged on information highways while respecting the rights and freedoms of others and the values of a democratic society;

Aware that communications carried out with the aid of new information technologies must also respect the human rights and fundamental freedoms and, in particular, the right to privacy and to secrecy of correspondence, as guaranteed by Article 8 of the European Convention on Human Rights;

Recognising that the collection, processing and especially communication of personal data by means of new information technologies, particularly the information highways, are governed by the provisions of the Convention for the Protection of Individuals with regard to Automatic Processing of Personal Data (Strasbourg 1981, European Treaty Series No. 108) and by sectoral recommendations on data protection and notably Recommendation No. R (90) 19 on the protection of personal data used for payment and other related operations, Recommendation No. R (91) 10 on the communication to third parties of personal data held by public bodies, and Recommendation No. R (95) 4 on the protection of personal data in the area of telecommunications, with particular reference to telephone services;

Considering that it is appropriate to make users and Internet service providers aware of the general provisions of the above-mentioned convention with regard to the collection and processing of personal data on information highways;

Recommends that the governments of member States disseminate widely the Guidelines contained in the appendix to this recommendation, especially to users and service providers on the Internet as well as to any national authority responsible for supervising respect of data protection provisions.

Appendix
Guidelines for the protection of individuals with regard to the collection and processing of personal data on information highways which may be incorporated in or annexed to codes of conduct

I. Introduction

These guidelines set out principles of fair privacy practice for users and Internet service providers (ISP)[1]. These principles may be taken up in codes of conduct.

Users should be aware of the responsibilities of ISPs and vice versa. Therefore it is advisable that users and ISPs read the whole text, although for ease of use it is divided into several parts. You may be concerned by one or more parts of the guidelines.

Use of the Internet places responsibilities on each of your actions and poses risks to privacy. It is important to behave in a way that provides protection to yourself and promotes good relations with others. These guidelines suggest some practical ways to safeguard privacy, but you should also know your legal rights and obligations.

---

1 See part IV, paragraph 1.

Remember that respect for privacy is a fundamental right of each individual which may also be protected by data protection legislation. So it may be well worth checking your legal position.

II. For Users

1. Remember that the Internet is not secure. However, different means exist and are being developed enabling you to improve the protection of your data[2]. Therefore, use all available means to protect your data and communications, such as legally available encryption for confidential e-mail, as well as access codes to your own personal computer[3].

2. Remember that every transaction you make, every site you visit on the Internet leaves traces. These »electronic tracks« can be used, without your knowledge, to build a profile of what sort of person you are and your interests. If you do not wish to be profiled, you are encouraged to use the latest technical means which include the possibility of being informed every time you leave traces, and to reject such traces. You may also ask for information about the privacy policy of different programmes and sites and give preference to those which record few data or which can be accessed in an anonymous way.

3. Anonymous access to and use of services, and anonymous means of making payments, are the best protection of privacy. Find out about technical means to achieve anonymity, where appropriate[4].

4. Complete anonymity may not be appropriate because of legal constraints. In those cases, if it is permitted by law, you may use a pseudonym so that your personal identity is known only to your ISP.

5. Only give your ISP, or any other person, such data as are necessary in order to fulfil a specific purpose you have been informed about. Be especially careful with credit card and account numbers, which can be used and abused very easily in the context of the Internet.

6. Remember that your e-mail address is personal data, and that others may wish to use it for different purposes, such as inclusion in directories or user lists. Do not hesitate to ask about the purpose of the directory or other use. You can request to be omitted if you do not want to be listed.

---

2 The word »data« refers to »personal data« which concern you or other people.

3 For example, use passwords and change them regularly.

4 For example by using public Internet kiosks or pre-paid access and payment cards.

7. Be wary of sites which request more data than are necessary for accessing the site or for making a transaction, or which do not tell you why they want all these data from you.

8. Remember that you are legally responsible for the processing of data, for example, if you illicitly upload or download, and that everything may be traced back to you even if you use a pseudonym.

9. Do not send malicious mail. It can bounce back with legal consequences.

10. Your ISP is responsible for proper use of data. Ask your ISP what data he/she collects, processes and stores, in what way and for what purpose. Repeat this request from time to time. Insist that your ISP change them if they are wrong or delete them if they are excessive, out of date or no longer required. Ask the ISP to notify this modification to other parties to whom he or she has communicated your data[5].

11. If you are not satisfied with the way your current ISP collects, uses, stores or communicates data, and he or she refuses to change his or her ways, then consider moving to another ISP. If you believe that your ISP does not comply with data protection rules, you can inform the competent or take legal action.

12. Keep yourself informed of the privacy and security risks on the Internet as well as the methods available to reduce such risks.

13. If you intend to send data to another country, you should be aware that data may be less well protected there. If data about you are involved, you are free, of course, to communicate these data nevertheless. However, before you send data about others to another country, you should seek advice, for example from the authority of your country, on whether the transfer is permissible[6]. You might have to ask the recipient to provide safeguards[7] necessary to ensure protection of the data.

---

5 Data protection laws, following Article 5 of the Council of Europe Convention on the Protection of Individuals with regard to Automatic Processing of Personal Data (ETS No. 108), give responsibility for the accuracy and up-dating of data to the person who processes them.

6 The laws of numerous European countries forbid transfers to countries which do not ensure an adequate or equivalent level of protection to that of your country. Exceptions are nevertheless provided for, in particular if the person concerned has consented to the transfer of his or her data to such countries.

7 These safeguards may be developed and/or presented in particular in a contract on transborder data flows.

III. For Internet service providers

1. Use appropriate procedures and available technologies, preferably those which have been certified, to protect the privacy of the people concerned (even if they are not users of the Internet), especially by ensuring data integrity and confidentiality as well as physical and logical security of the network and of the services provided over the network.

2. Inform users of privacy risks presented by use of the Internet before they subscribe or start using services. Such risks may concern data integrity, confidentiality, the security of the network or other risks to privacy such as the hidden collection or recording of data.

3. Inform users about technical means which they may lawfully use to reduce security risks to data and communications, such as legally available encryption and digital signatures. Offer such technical means at a cost-oriented price, not a deterrent price.

4. Before accepting subscriptions and connecting users to the Internet, inform them about the possibilities of accessing the Internet anonymously, and using its services and paying for them in an anonymous way (for example, pre-paid access cards). Complete anonymity may not be appropriate because of legal constraints. In those cases, if it is permitted by law, offer the possibility of using pseudonyms. Inform users of programmes allowing them to search and browse anonymously on the Internet. Design your system in a way that avoids or minimises the use of personal data.

5. Do not read, modify or delete messages sent to others.

6. Do not allow any interference with the contents of communications, unless this interference is provided for by law and is carried out by a public authority.

7. Collect, process and store data about users only when necessary for explicit, specified and legitimate purposes.

8. Do not communicate data unless the communication is provided for by law[8].

---

8 In general, data protection laws permit communication to third parties under certain conditions, in particular:
- sensitive data and traffic data, on condition that the person concerned has given his or her explicit consent;
- other data, where communication is necessary to fulfil the legitimate purpose or where the person concerned, after having been informed, does not oppose it.

9. Do not store data for longer than is necessary to achieve the purpose of processing[9].

10. Do not use data for your own promotional or marketing purposes unless the person concerned, after having been informed, has not objected or, in the case of processing of traffic data or sensitive data, he or she has given his or her explicit consent.

11. You are responsible for proper use of data. On your introductory page highlight a clear statement about your privacy policy. This statement should be hyperlinked to a detailed explanation of your privacy practice. Before the user starts using services, when he or she visits your site, and whenever he or she asks, tell him or her who you are, what data you collect, process and store, in what way, for what purpose and for how long you keep them. If necessary, ask for his or her consent. At the request of the person concerned, correct inaccurate data immediately and delete them if they are excessive, out of date or no longer required and stop the processing carried out if the user objects to it. Notify the third parties to whom you have communicated the data of any modification. Avoid the hidden collection of data.

12. Information provided to the user must be accurate and kept up to date.

13. Think twice about publishing data on your site! Such publication may infringe other people's privacy and may also be prohibited by law.

14. Before you send data to another country seek advice, for example from the competent authoritie in your country, on whether the transfer is permissible[10]. You may have to ask the recipient to provide safeguards necessary to ensure protection of the data[11].

IV. Clarification and remedies

1. Where in this text the term ISP is used, the same applies, where appropriate, to other actors on the Internet, such as access providers, content providers, network providers, navigation software designers, bulletin board operators, and so on.

2. It is important to ensure that your rights are respected. Feedback mechanisms offered by Internet user groups, Internet service provider associations, data protection authorities or other bodies are important ways of ensuring that these guidelines are respected. Contact them if you need clarification or remedies.

3. These guidelines apply to all types of information highways.

---

9 For example, do not store billing data unless this is provided for by law.

10 See footnote 6.

11 See footnote 7.

Organisation für wirtschaftliche Zusammenarbeit und Entwicklung (OECD) Empfehlung des Rates über Leitlinien für den Schutz des Persönlichkeitsbereichs und den grenzüberschreitenden Verkehr personenbezogener Daten[1]

vom 23. September 1980
OECD-Dokument C (80) 58 (Final)
Bundesanzeiger Nr. 215 vom 14. Nov. 1981

Der Rat –

gestützt auf Artikel 1 Buchstabe c, Artikel 3 Buchstabe a und Artikel 5 Buchstabe b des Übereinkommens vom 14. Dezember 1960 über die Organisation für wirtschaftliche Zusammenarbeit und Entwicklung;

In Anerkennung der Tatsache,

daß die Mitgliedstaaten, obwohl ihr innerstaatliches Recht und ihre Politik unterschiedlich sein mögen, ein gemeinsames Interesse haben am Schutz des Persönlichkeitsbereichs und der Grundfreiheiten sowie an der Herstellung eines Ausgleichs zwischen grundlegenden, jedoch miteinander konkurrierenden Werten, wie der Achtung des Persönlichkeitsbereichs und dem freien Informationsaustausch;

daß die automatische Verarbeitung und der grenzüberschreitende Verkehr personenbezogener Daten neue Formen gegenseitiger Beziehungen zwischen den Ländern schaffen und die Einführung von Vorschriften und Praktiken erfordern, die miteinander vereinbar sind;

daß der grenzüberschreitende Verkehr personenbezogener Daten zur wirtschaftlichen und sozialen Entwicklung beiträgt;

daß innerstaatliche Rechtsvorschriften über den Schutz des Persönlichkeitsbereichs und den grenzüberschreitenden Verkehr personenbezogener Daten diesen grenzüberschreitenden Verkehr behindern könnten;

entschlossen, den freien Informationsaustausch zwischen den Mitgliedstaaten zu fördern und der Schaffung ungerechtfertigter Hindernisse für die Entwicklung wirtschaftlicher und sozialer Beziehungen unter den Mitgliedstaaten entgegenzuwirken –

---

1 Offizielle Übersetzung der deutschsprachigen Mitgliedstaaten

Empfiehlt den Mitgliedstaaten,

1. in ihrer innerstaatlichen Gesetzgebung die Grundsätze für den Schutz des Persönlichkeitsbereichs und der Grundfreiheiten zu berücksichtigen, wie sie in den Leitlinien in der Anlage zu dieser Empfehlung dargelegt sind, die Bestandteil der Empfehlung ist;
2. sich zu bemühen, bestehende ungerechtfertigte Hindernisse für den grenzüberschreitenden Verkehr personenbezogener Daten abzubauen und nicht im Namen des Schutzes des Persönlichkeitsbereichs neue solche Hindernisse zu schaffen;
3. bei der Verwirklichung der in der Anlage enthaltenen Leitlinien zusammenzuarbeiten;
4. sich so bald wie möglich auf spezifische Konsultations- und Kooperationsverfahren für die Anwendung dieser Leitlinien zu einigen.

Anlage
Leitlinien für den Schutz des Persönlichkeitsbereichs und den grenzüberschreitenden Verkehr personenbezogener Daten

TEIL 1
Allgemeines

Begriffsbestimmungen

1. In diesen Leitlinien bedeutet

a) »Verantwortlicher für die Datei/Datensammlung«[1] eine natürliche oder juristische Person, die nach dem innerstaatlichen Recht zuständig ist, über Auswahl und Verwendung personenbezogener Daten unabhängig davon zu entscheiden, ob solche Daten von dieser Person oder in ihrem Namen von einem Beauftragten erfaßt, gespeichert, verarbeitet oder bekanntgegeben werden;

b) »personenbezogene Daten« jede Information über eine bestimmte oder bestimmbare natürliche Person (»Betroffener«);

c) »grenzüberschreitender Verkehr personenbezogener Daten« die Bewegung personenbezogener Daten über Staatsgrenzen hinweg.

Geltungsbereich der Leitlinien

2. Diese Leitlinien gelten sowohl im öffentlichen als auch im privaten Bereich für personenbezogene Daten, die wegen der Art und Weise, in

1 Diesem Ausdruck entspricht in der Bundesrepublik Deutschland der Begriff »speichernde Stelle«.

der sie verarbeitet werden, oder wegen ihres Charakters oder wegen des Zusammenhangs, in dem sie verwendet werden, eine Gefahr für den Persönlichkeitsbereich und die Grundfreiheiten bedeuten.

3. Diese Leitlinien sollen nicht so ausgelegt werden, als verhinderten sie,

a) daß auf verschiedene Arten personenbezogener Daten je nach ihrem Charakter und dem Zusammenhang, in dem sie erfaßt, gespeichert, verarbeitet oder bekanntgegeben werden, unterschiedliche Schutzmaßnahmen angewendet werden;
b) daß personenbezogene Daten, die offensichtlich keine Gefahr für den Persönlichkeitsbereich und die Grundfreiheiten bedeuten, von der Anwendung der Leitlinien ausgeschlossen werden;
c) daß die Leitlinien ausschließlich auf die automatische Verarbeitung personenbezogener Daten angewendet werden.

4. Ausnahmen von den in den Teilen Zwei und Drei dieser Leitlinien enthaltenen Grundsätzen einschließlich der Ausnahmen in bezug auf die nationale Souveränität, die nationale Sicherheit und die öffentliche Ordnung sollen

a) zahlenmäßig möglichst gering sein und
b) der Öffentlichkeit bekanntgemacht werden.

5. Im besonderen Fall von Staaten mit föderativem Aufbau kann die Anwendung dieser Leitlinien von der Kompetenzverteilung im föderativen Staat beeinflußt werden.

6. Diese Leitlinien sollen als Mindestnorm angesehen werden, die durch zusätzliche Maßnahmen zum Schutz des Persönlichkeitsbereichs und der Grundfreiheiten ergänzt werden können.

TEIL 2
Grundsätze für die Anwendung im innerstaatlichen Bereich

Der Grundsatz der Beschränkung der Datenbeschaffung

7. Für die Beschaffung personenbezogener Daten sollen Beschränkungen festgelegt werden; solche Daten sollen mit rechtmäßigen Mitteln und nach Treu und Glauben sowie gegebenenfalls mit Wissen oder Zustimmung des Betroffenen erhoben werden.

Der Grundsatz der Qualität der Daten

8. Personenbezogene Daten sollen im Hinblick auf ihren Verwendungszweck erheblich und, soweit es der Verwendungszweck erfordert, sachlich richtig, vollständig und auf den neuesten Stand gebracht sein.

Der Grundsatz der Angabe des Zweckes

9. Die Zwecke, für die personenbezogene Daten beschafft werden, sollen spätestens bei der Datenbeschaffung im einzelnen angegeben werden, und die Daten sollen danach nur für diese Zwecke oder für solche anderen Zwecke verwendet werden, die mit den angegebenen nicht unvereinbar sind und die jeweils bei der Zweckänderung angegeben werden.

Der Grundsatz der Beschränkung der Verwendung

10. Personenbezogene Daten sollen nicht für andere als die nach Punkt 9 angegebenen Zwecke preisgegeben, zur Verfügung gestellt oder sonst verwendet werden, es sei denn
a) mit Zustimmung des Betroffenen oder
b) aufgrund gesetzlicher Ermächtigung.

Der Grundsatz der Sicherungsmaßnahmen

11. Personenbezogene Daten sollen durch angemessene Sicherungsmaßnahmen gegen Gefahren wie Verlust, unbefugten Zugang sowie unbefugte Zerstörung, Verwendung, Änderung oder Preisgabe geschützt werden.

Der Grundsatz der Transparenz

12. Es soll allgemein gewährleistet werden, daß Entwicklung, Praxis und Politik hinsichtlich personenbezogener Daten durchschaubar sind. Die Mittel sollen leicht zu beschaffen sein, mit denen das Vorhandensein personenbezogener Daten, ihr Charakter und ihre Hauptverwendungszwecke sowie die Identität und der gewöhnliche Aufenthaltsort des Verantwortlichen für die Datei/Datensammlung[1] festgestellt werden können.

Der Grundsatz der Beteiligung des einzelnen

13. Der einzelne soll das Recht haben,
a) von dem Verantwortlichen für eine Datei/Datensammlung[1] oder auf andere Weise die Bestätigung zu erhalten, ob dieser Daten über ihn hat oder nicht;
b) zu verlangen, daß ihm die Daten, die ihn betreffen,
   i) innerhalb einer angemessenen Frist;
   ii) kostenlos oder gegen eine nicht übermäßige Gebühr;
   iii) in angemessener Weise und
   iv) in einer für ihn leicht verständlichen Form mitgeteilt werden;

---

1 s. Fußnote zu Teil 1 Nr. 1a

c) über die Gründe einer Ablehnung eines Ersuchens nach den Buchstaben a und b unterrichtet zu werden eine solche Ablehnung anfechten zu können, und
d) ihn betreffende Daten anzufechten und, wenn die Anfechtung begründet ist, zu verlangen, daß diese Daten gelöscht, berichtigt, vervollständigt oder geändert werden.

Der Grundsatz der Verantwortlichkeit

14. Ein Verantwortlicher für eine Datei/Datensammlung[1] soll für die Beachtung der Maßnahmen verantwortlich sein, welche die oben genannten Grundsätze verwirklichen.

TEIL 3
Grundsätze für die Anwendung im internationalen Bereich – Freier Datenverkehr und rechtmäßige Beschränkungen

15. Die Mitgliedstaaten sollen die Folgen der inländischen Verarbeitung und der Wiederausfuhr personenbezogener Daten für andere Mitgliedstaaten berücksichtigen.
16. Die Mitgliedstaaten sollen alle zumutbaren und angemessenen Maßnahmen ergreifen, um zu gewährleisten, daß der grenzüberschreitende Verkehr personenbezogener Daten einschließlich der Durchfuhr durch einen Mitgliedstaat ohne Unterbrechung und sicher abläuft.
17. Ein Mitgliedstaat soll den grenzüberschreitenden Verkehr personenbezogener Daten zwischen seinem Hoheitsgebiet und dem eines anderen Mitgliedstaats nicht beschränken, es sei denn, daß der letztere diese Leitlinien in wesentlichen Punkten noch nicht einhält oder daß die Wiederausfuhr solcher Daten eine Umgehung seiner innerstaatlichen Rechtsvorschriften über den chutz des Persönlichkeitsbereichs und der Grundfreiheiten ermöglichen würde. Ein Mitgliedstaat kann auch Einschränkungen in bezug auf bestimmte Arten personenbezogener Daten einführen, für die seine innerstaatlichen Rechtsvorschriften über den Schutz des Persönlichkeitsbereichs und der Grundfreiheiten wegen des Charakters dieser Daten besondere Regelungen umfassen und für die der andere Mitgliedstaat keinen gleichwertigen Schutz vorsieht.
18. Die Mitgliedstaaten sollen nicht im Namen des Schutzes des Persönlichkeitsbereichs und der Grundfreiheiten Rechtsvorschriften, Grundsätze und Praktiken entwickeln, die für den grenzüberschreitenden Verkehr personenbezogener Daten Hindernisse schaffen würden, die über die Erfordernisse eines solchen Schutzes hinausgehen.

---

1 s. Fußnote zu Teil 1 Nr. 1a

TEIL 4
Verwirklichung im nationalen Bereich

19. Bei der Verwirklichung der in den Teilen Zwei und Drei dargelegten Grundsätze im innerstaatlichen Bereich sollen die Mitgliedstaaten Gerichts-, Verwaltungs- oder andere Verfahren oder Einrichtungen zum Schutz des Persönlichkeitsbereichs und der Grundfreiheiten im Zusammenhang mit personenbezogenen Daten schaffen. Die Mitgliedstaaten sollen sich insbesondere bemühen,
a) angemessene innerstaatliche Rechtsvorschriften einzuführen;
b) die Selbstregelung zu fördern und zu unterstützen, sei es in Form eines Verhaltenskodex oder in anderer Weise;
c) dem einzelnen angemessene Mittel zur Verfügung zu stellen, damit er seine Rechte ausüben kann;
d) ausreichende Sanktionen und Rechtsmittel für den Fall einzuführen, daß Maßnahmen, die der Verwirklichung der in den Teilen Zwei und Drei dargelegten Grundsätze dienen, nicht beachtet werden;
e) sicherzustellen, daß es zu keiner unbilligen Diskriminierung von Betroffenen kommt.

TEIL 5
Internationale Zusammenarbeit

20. Die Mitgliedstaaten sollen auf Ersuchen anderen Mitgliedstaaten Einzelheiten über die Anwendung der in diesen Leitlinien dargelegten Grundsätze zur Kenntnis bringen. Die Mitgliedstaaten sollen ferner dafür sorgen, daß die Verfahren, die auf den grenzüberschreitenden Verkehr personenbezogener Daten sowie auf den Schutz des Persönlichkeitsbereichs und der Grundfreiheiten Anwendung finden, einfach und mit denjenigen anderer Mitgliedstaaten, welche die Leitlinien einhalten, vereinbar sind.
21. Die Mitgliedstaaten sollen Verfahren festlegen, um
i) den mit diesen Leitlinien zusammenhängenden Informationsaustausch sowie
ii) die gegenseitige Hilfe in den dabei auftretenden Verfahrens- und Ermittlungsfragen

zu erleichtern.
22. Die Mitgliedstaaten sollen auf die Entwicklung sowohl innerstaatlicher als auch internationaler Grundsätze hinarbeiten, nach denen sich das anzuwendende Recht beim grenzüberschreitenden Verkehr personenbezogener Daten bestimmt.

Europäische Gemeinschaft
Richtlinie 95/46/EG des Europäischen Parlaments und des Rates vom 24. Oktober 1995 zum Schutz natürlicher Personen bei der Verarbeitung personenbezogener Daten und zum freien Datenverkehr

Amtsblatt der Europäischen Gemeinschaften Nr. L 281 vom 23. 11. 1995 S. 31)

Das Europäische Parlament und der Rat der Europäischen Union –

gestützt auf den Vertrag zur Gründung der Europäischen Gemeinschaft, insbesondere auf Artikel 100 a,

auf Vorschlag der Kommission[1],

nach Stellungnahme des Wirtschafts- und Sozialausschusses[2],

gemäß dem Verfahren des Artikels 189 b des Vertrags[3],

in Erwägung nachstehender Gründe:

(1) Die Ziele der Gemeinschaft, wie sie in dem durch den Vertrag über die Europäische Union geänderten Vertrag festgelegt sind, bestehen darin, einen immer engeren Zusammenschluß der europäischen Völker zu schaffen, engere Beziehungen zwischen den in der Gemeinschaft zusammengeschlossenen Staaten herzustellen, durch gemeinsames Handeln den wirtschaftlichen und sozialen Fortschritt zu sichern, indem die Europa trennenden Schranken beseitigt werden, die ständige Besserung der Lebensbedingungen ihrer Völker zu fördern, Frieden und Freiheit zu wahren und zu festigen und für die Demokratie einzutreten und sich dabei auf die in den Verfassungen und Gesetzen der Mitgliedstaaten sowie in der Europäischen Konvention zum Schutze der Menschenrechte und Grundfreiheiten anerkannten Grundrechte zu stützen.

---

1 ABl. Nr. C 277 vom 5. 11. 1990, S. 3, und ABl. Nr. C 311 vom 27. 11. 1992, S. 30.

2 ABl. Nr. C 159 vom 17. 6. 1991, S. 38.

3 Stellungnahme des Europäischen Parlaments vom 11. März 1992 (ABl. Nr. C 94 vom 13. 4. 1992, S. 198), bestätigt am 2. Dezember 1993 (ABl. Nr. C 342 vom 20. 12. 1993, S. 30). Gemeinsamer Standpunkt des Rates vom 20. Februar 1995 (ABl. Nr. C 93 vom 13. 4. 1995, S. 1) und Beschluß des Europäischen Parlaments vom 15. Juni 1995 (ABl. Nr. C 166 vom 3. 7. 1995).

(2) Die Datenverarbeitungssysteme stehen im Dienste des Menschen; sie haben, ungeachtet der Staatsangehörigkeit oder des Wohnorts der natürlichen Personen, deren Grundrechte und -freiheiten und insbesondere deren Privatsphäre zu achten und zum wirtschaftlichen und sozialen Fortschritt, zur Entwicklung des Handels sowie zum Wohlergehen der Menschen beizutragen.

(3) Für die Errichtung und das Funktionieren des Binnenmarktes, der gemäß Artikel 7 a des Vertrags den freien Verkehr von Waren, Personen, Dienstleistungen und Kapital gewährleisten soll, ist es nicht nur erforderlich, daß personenbezogene Daten von einem Mitgliedstaat in einen anderen Mitgliedstaat übermittelt werden können, sondern auch, daß die Grundrechte der Personen gewahrt werden.

(4) Immer häufiger werden personenbezogene Daten in der Gemeinschaft in den verschiedenen Bereichen wirtschaftlicher und sozialer Tätigkeiten verarbeitet. Die Fortschritte der Informationstechnik erleichtern die Verarbeitung und den Austausch dieser Daten beträchtlich.

(5) Die wirtschaftliche und soziale Integration, die sich aus der Errichtung und dem Funktionieren des Binnenmarktes im Sinne von Artikel 7 a des Vertrags ergibt, wird notwendigerweise zu einer spürbaren Zunahme der grenzüberschreitenden Strömepersonenbezogener Daten zwischen allen am wirtschaftlichen und sozialen Leben der Mitgliedstaaten Beteiligten im öffentlichen wie im privaten Bereich führen. Der Austausch personenbezogener Daten zwischen in verschiedenen Mitgliedstaaten niedergelassenen Unternehmen wird zunehmen. Die Verwaltungen der Mitgliedstaaten sind aufgrund des Gemeinschaftsrechts gehalten, zusammenzuarbeiten und untereinander personenbezogene Daten auszutauschen, und im Rahmen des Raums ohne Grenzen, wie er durch den Binnenmarkt hergestellt wird, ihren Auftrag erfüllen oder Aufgaben anstelle der Behörden eines anderen Mitgliedstaats durchführen zu können.

(6) Die verstärkte wissenschaftliche und technische Zusammenarbeit sowie die koordinierte Einführung neuer Telekommunikationsnetze in der Gemeinschaft erfordern und erleichtern den grenzüberschreitenden Verkehr personenbezogener Daten.

(7) Das unterschiedliche Niveau des Schutzes der Rechte und Freiheiten von Personen, insbesondere der Privatsphäre, bei der Verarbeitung personenbezogener Daten in den Mitgliedstaaten kann die Übermittlung dieser Daten aus dem Gebiet eines Mitgliedstaats in das Gebiet eines anderen Mitgliedstaats verhindern. Dieses unterschiedliche Schutzniveau kann somit ein Hemmnis für die Ausübung einer Reihe von Wirtschaftstätigkeiten auf Gemeinschaftsebene dar-

stellen, den Wettbewerb verfälschen und die Erfüllung des Auftrags der im Anwendungsbereich des Gemeinschaftsrechts tätigen Behörden verhindern. Dieses unterschiedliche Schutzniveau ergibt sich aus der Verschiedenartigkeit der einzelstaatlichen Rechts- und Verwaltungsvorschriften.

(8) Zur Beseitigung der Hemmnisse für den Verkehr personenbezogener Daten ist ein gleichwertiges Schutzniveau hinsichtlich der Rechte und Freiheiten von Personen bei der Verarbeitung dieser Daten in allen Mitgliedstaaten unerläßlich. Insbesondere unter Berücksichtigung der großen Unterschiede, die gegenwärtig zwischen den einschlägigen einzelstaatlichen Rechtsvorschriften bestehen, und der Notwendigkeit, die Rechtsvorschriften der Mitgliedstaaten zu koordinieren, damit der grenzüberschreitende Fluß personenbezogener Daten kohärent und in Übereinstimmung mit dem Ziel des Binnenmarktes im Sinne des Artikels 7 a des Vertrags geregelt wird, läßt sich dieses für den Binnenmarkt grundlegende Ziel nicht allein durch das Vorgehen der Mitgliedstaaten verwirklichen. Deshalb ist eine Maßnahme der Gemeinschaft zur Angleichung der Rechtsvorschriften erforderlich.

(9) Die Mitgliedstaaten dürfen aufgrund des gleichwertigen Schutzes, der sich aus der Angleichung der einzelstaatlichen Rechtsvorschriften ergibt, den freien Verkehr personenbezogener Daten zwischen ihnen nicht mehr aus Gründen behindern, die den Schutz der Rechte und Freiheiten natürlicher Personen und insbesondere das Recht auf die Privatsphäre betreffen. Die Mitgliedstaaten besitzen einen Spielraum, der im Rahmen der Durchführung der Richtlinie von den Wirtschafts- und Sozialpartnern genutzt werden kann. Sie können somit in ihrem einzelstaatlichen Recht allgemeine Bedingungen für die Rechtmäßigkeit der Verarbeitung festlegen. Hierbei streben sie eine Verbesserung des gegenwärtig durch ihre Rechtsvorschriften gewährten Schutzes an. Innerhalb dieses Spielraums können unter Beachtung des Gemeinschaftsrechts Unterschiede bei der Durchführung der Richtlinie auftreten, was Auswirkungen für den Datenverkehr sowohl innerhalb eines Mitgliedstaats als auch in der Gemeinschaft haben kann.

(10) Gegenstand der einzelstaatlichen Rechtsvorschriften über die Verarbeitung personenbezogener Daten ist die Gewährleistung der Achtung der Grundrechte und -freiheiten, insbesondere des auch in Artikel 8 der Europäischen Konvention zum Schutze der Menschenrechte und Grundfreiheiten und in den allgemeinen Grundsätzen des Gemeinschaftsrechts anerkannten Rechts auf die Privatsphäre. Die Angleichung dieser Rechtsvorschriften darf deshalb nicht zu einer Verringerung des durch diese Rechtsvorschriften garantierten Schutzes führen, sondern muß im Gegenteil darauf abzielen, in der Gemeinschaft ein hohes Schutzniveau sicherzustellen.

(11) Die in dieser Richtlinie enthaltenen Grundsätze zum Schutz der Rechte und Freiheiten der Personen, insbesondere der Achtung der Privatsphäre, konkretisieren und erweitern die in dem Übereinkommen des Europarats vom 28. Januar 1981 zum Schutze der Personen bei der automatischen Verarbeitung personenbezogener Daten enthaltenen Grundsätze.

(12) Die Schutzprinzipien müssen für alle Verarbeitungen personenbezogener Daten gelten, sobald die Tätigkeiten des für die Verarbeitung Verantwortlichen in den Anwendungsbereich des Gemeinschaftsrechts fallen. Auszunehmen ist die Datenverarbeitung, die von einer natürlichen Person in Ausübung ausschließlich persönlicher oder familiärer Tätigkeiten – wie zum Beispiel Schriftverkehr oder Führung von Anschriftenverzeichnissen – vorgenommen wird.

(13) Die in den Titeln V und VI des Vertrags über die Europäische Union genannten Tätigkeiten, die die öffentliche Sicherheit, die Landesverteidigung, die Sicherheit des Staates oder die Tätigkeiten des Staates im Bereich des Strafrechts betreffen, fallen unbeschadet der Verpflichtungen der Mitgliedstaaten gemäß Artikel 56 Absatz 2 sowie gemäß den Artikeln 57 und 100 a des Vertrags zur Gründung der Europäischen Gemeinschaft nicht in den Anwendungsbereich des Gemeinschaftsrechts. Die Verarbeitung personenbezogener Daten, die zum Schutz des wirtschaftlichen Wohls des Staates erforderlich ist, fällt nicht unter diese Richtlinie, wenn sie mit Fragen der Sicherheit des Staates zusammenhängt.

(14) In Anbetracht der Bedeutung der gegenwärtigen Entwicklung im Zusammenhang mit der Informationsgesellschaft bezüglich Techniken der Erfassung, Übermittlung, Veränderung, Speicherung, Aufbewahrung oder Weitergabe von personenbezogenen Ton- und Bilddaten muß diese Richtlinie auch auf die Verarbeitung dieser Daten Anwendung finden.

(15) Die Verarbeitung solcher Daten wird von dieser Richtlinie nur erfaßt, wenn sie automatisiert erfolgt oder wenn die Daten, auf die sich die Verarbeitung bezieht, in Dateien enthalten oder für solche bestimmt sind, die nach bestimmten personenbezogenen Kriterien strukturiert sind, um einen leichten Zugriff auf die Daten zu ermöglichen.

(16) Die Verarbeitung von Ton- und Bilddaten, wie bei der Videoüberwachung, fällt nicht unter diese Richtlinie, wenn sie für Zwecke der öffentlichen Sicherheit, der Landesverteilung, der Sicherheit des Staates oder der Tätigkeiten des Staates im Bereich des Strafrechts oder anderen Tätigkeiten erfolgt, die nicht unter das Gemeinschaftsrecht fallen.

(17) Bezüglich der Verarbeitung von Ton- und Bilddaten für journalistische, literarische oder künstlerische Zwecke, insbesondere im audiovisuellen Bereich, finden die Grundsätze dieser Richtlinie gemäß Artikel 9 eingeschränkt Anwendung.

(18) Um zu vermeiden, daß einer Person der gemäß dieser Richtlinie gewährleistete Schutz vorenthalten wird, müssen auf jede in der Gemeinschaft erfolgte Verarbeitung personenbezogener Daten die Rechtsvorschriften eines Mitgliedstaats angewandt werden. Es ist angebracht, auf die Verarbeitung, die von einer Person, die dem in dem Mitgliedstaat niedergelassenen für die Verarbeitung Verantwortlichen unterstellt ist, vorgenommen werden, die Rechtsvorschriften dieses Staates anzuwenden.

(19) Eine Niederlassung im Hoheitsgebiet eines Mitgliedstaats setzt die effektive und tatsächliche Ausübung einer Tätigkeit mittels einer festen Einrichtung voraus. Die Rechtsform einer solchen Niederlassung, die eine Agentur oder eine Zweigstelle sein kann, ist in dieser Hinsicht nicht maßgeblich. Wenn der Verantwortliche im Hoheitsgebiet mehrerer Mitgliedstaaten niedergelassen ist, insbesondere mit einer Filiale, muß er vor allem zu Vermeidung von Umgehungen sicherstellen, daß jede dieser Niederlassungen die Verpflichtungen einhält, die im jeweiligen einzelstaatlichen Recht vorgesehen sind, das auf ihre jeweiligen Tätigkeiten anwendbar ist.

(20) Die Niederlassung des für die Verarbeitung Verantwortlichen in einem Drittland darf dem Schutz der Personen gemäß dieser Richtlinie nicht entgegenstehen. In diesem Fall sind die Verarbeitungen dem Recht des Mitgliedstaats zu unterwerfen, in dem sich die für die betreffenden Verarbeitungen verwendeten Mittel befinden, und Vorkehrungen zu treffen, um sicherzustellen, daß die in dieser Richtlinie vorgesehenen Rechte und Pflichten tatsächlich eingehalten werden.

(21) Diese Richtlinie berührt nicht die im Strafrecht geltenden Territorialitätsregeln.

(22) Die Mitgliedstaaten können in ihren Rechtsvorschriften oder bei der Durchführung der Vorschriften zur Umsetzung dieser Richtlinie die allgemeinen Bedingungen präzisieren, unter denen die Verarbeitungen rechtmäßig sind. Insbesondere nach Artikel 5 in Verbindung mit den Artikeln 7 und 8 können die Mitgliedstaaten neben den allgemeinen Regeln besondere Bedingungen für die Datenverarbeitung in spezifischen Bereichen und für die verschiedenen Datenkategorien gemäß Artikel 8 vorsehen.

(23) Die Mitgliedstaaten können den Schutz von Personen sowohl durch ein allgemeines Gesetz zum Schutz von Personen bei der

Verarbeitung personenbezogener Daten als auch durch gesetzliche Regelungen für bestimmte Bereiche, wie zum Beispiel die statistischen Ämter, sicherstellen.

(24) Diese Richtlinie berührt nicht die Rechtsvorschriften zum Schutz juristischer Personen bei der Verarbeitung von Daten, die sich auf sie beziehen.

(25) Die Schutzprinzipien finden zum einen ihren Niederschlag in den Pflichten, die den Personen, Behörden, Unternehmen, Geschäftsstellen oder anderen für die Verarbeitung verantwortlichen Stellen obliegen; diese Pflichten betreffen insbesondere die Datenqualität, die technische Sicherheit, die Meldung bei der Kontrollstelle und die Voraussetzungen, unter denen eine Verarbeitung vorgenommen werden kann. Zum anderen kommen sie zum Ausdruck in den Rechten der Personen, deren Daten Gegenstand von Verarbeitungen sind, über diese informiert zu werden, Zugang zu den Daten zu erhalten, ihre Berichtigung verlangen bzw. unter gewissen Voraussetzungen Widerspruch gegen die Verarbeitung einlegen zu können.

(26) Die Schutzprinzipien müssen für alle Informationen über eine bestimmte oder unbestimmte Person gelten. Bei der Entscheidung, ob eine Person bestimmbar ist, sollten alle Mittel berücksichtigt werden, die vernünftigerweise entweder von dem Verantwortlichen für die Verarbeitung oder von einem Dritten eingesetzt werden könnten, um die betreffende Person zu bestimmen. Die Schutzprinzipien finden keine Anwendung auf Daten, die derart anonymisiert sind, daß die betroffene Person nicht mehr identifizierbar ist. Die Verhaltensregeln im Sinne des Artikels 27 können ein nützliches Instrument sein, mit dem angegeben wird, wie sich die Daten in einer Form anonymisieren und aufbewahren lassen, die die Identifizierung der betroffenen Person unmöglich macht.

(27) Datenschutz muß sowohl für automatisierte als auch für nicht automatisierte Verarbeitungen gelten. In der Tat darf der Schutz nicht von den verwendeten Techniken abhängen, da andernfalls ernsthafte Risiken der Umgehung entstehen würden. Bei manuellen Verarbeitungen erfaßt diese Richtlinie lediglich Dateien, nicht jedoch unstrukturierte Akten. Insbesondere muß der Inhalt einer Datei nach bestimmten personenbezogenen Kriterien strukturiert sein, die einen leichten Zugriff auf die Daten ermöglichen. Nach der Definition in Artikel 2 Buchstabe c) können die Mitgliedstaaten die Kriterien zur Bestimmung der Elemente einer strukturierten Sammlung personenbezogener Daten sowie die verschiedenen Kriterien zur Regelung des Zugriffs zu einer solchen Sammlung festlegen. Akten und Aktensammlungen sowie ihre Deckblätter, die nicht nach bestimmten Kriterien strukturiert sind,

fallen unter keinen Umständen in den Anwendungsbereich dieser Richtlinie.

(28) Die Verarbeitung personenbezogener Daten muß gegenüber den betroffenen Personen nach Treu und Glauben erfolgen. Sie hat den angestrebten Zweck zu entsprechen, dafür erheblich zu sein und nicht darüber hinauszugehen. Die Zwecke müssen eindeutig und rechtmäßig sein und bei der Datenerhebung festgelegt werden. Die Zweckbestimmungen der Weiterverarbeitung nach der Erhebung dürfen nicht mit den ursprünglich festgelegten Zwecken unvereinbar sein.

(29) Die Weiterverarbeitung personenbezogener Daten für historische, statistische oder wissenschaftliche Zwecke ist im allgemeinen nicht als unvereinbar mit den Zwecken der vorausgegangenen Datenerhebung anzusehen, wenn der Mitgliedstaat geeignete Garantien vorsieht. Diese Garantien müssen insbesondere ausschließen, daß die Daten für Maßnahmen oder Entscheidungen gegenüber einzelnen Betroffenen verwendet werden.

(30) Die Verarbeitung personenbezogener Daten ist nur dann rechtmäßig, wenn sie auf der Einwilligung der betroffenen Person beruht oder notwendig ist im Hinblick auf den Abschluß oder die Erfüllung eines für die betroffene Person bindenden Vertrags, zur Erfüllung einer gesetzlichen Verpflichtung, zur Wahrnehmung einer Aufgabe im öffentlichen Interesse, in Ausübung hoheitlicher Gewalt oder wenn sie im Interesse einer anderen Person erforderlich ist, vorausgesetzt, daß die Interessen oder die Rechte und Freiheiten der betroffenen Person nicht überwiegen. Um den Ausgleich der in Frage stehenden Interessen unter Gewährleistung eines effektiven Wettbewerbs sicherzustellen, können die Mitgliedstaaten insbesondere die Bedingungen näher bestimmen, unter denen personenbezogene Daten bei rechtmäßigen Tätigkeiten im Rahmen laufender Geschäfte von Unternehmen und anderen Einrichtungen an Dritte weitergegeben werden können. Ebenso können sie die Bedingungen festlegen, unter denen personenbezogene Daten an Dritte zum Zweck der kommerziellen Werbung oder der Werbung von Wohltätigkeitsverbänden oder anderen Vereinigungen oder Stiftungen, z. B. mit politischer Ausrichtung, weitergegeben werden können, und zwar unter Berücksichtigung der Bestimmungen dieser Richtlinie, nach denen betroffene Personen ohne Angabe von Gründen und ohne Kosten Widerspruch gegen die Verarbeitung von Daten, die sie betreffen, erheben können.

(31) Die Verarbeitung personenbezogener Daten ist ebenfalls als rechtmäßig anzusehen, wenn sie erfolgt, um ein für das Leben der betroffenen Person wesentliches Interesse zu schützen.

(32) Es ist nach einzelstaatlichem Recht festzulegen, ob es sich bei dem für die Verarbeitung Verantwortlichen, der mit der Wahrnehmung

einer Aufgabe betraut wurde, die im öffentlichen Interesse liegt oder in Ausübung hoheitlicher Gewalt erfolgt, um eine Behörde oder um eine andere unter das öffentliche Recht oder das Privatrecht fallende Person, wie beispielsweise eine Berufsvereinigung, handeln soll.

(33) Daten, die aufgrund ihrer Art geeignet sind, die Grundfreiheiten oder die Privatsphäre zu beeinträchtigen, dürfen nicht ohne ausdrückliche Einwilligung der betroffenen Person verarbeitet werden. Ausnahmen von diesem Verbot müssen ausdrücklich vorgesehen werden bei spezifischen Notwendigkeiten, insbesondere wenn die Verarbeitung dieser Daten für gewisse auf das Gesundheitswesen bezogene Zwecke von Personen vorgenommen wird, die nach dem einzelstaatlichen Recht dem Berufsgeheimnis unterliegen, oder wenn die Verarbeitung für berechtigte Tätigkeiten bestimmter Vereinigungen oder Stiftungen vorgenommen wird, deren Ziel es ist, die Ausübung von Grundfreiheiten zu ermöglichen.

(34) Die Mitgliedstaaten können, wenn dies durch wichtiges öffentliches Interesse gerechtfertigt ist, Ausnahmen vom Verbot der Verarbeitung sensibler Datenkategorien vorsehen in Bereichen wie dem öffentlichen Gesundheitswesen und der sozialen Sicherheit – insbesondere hinsichtlich der Sicherheit von Qualität und Wirtschaftlichkeit der Verfahren zur Abrechnung von Leistungen in den sozialen Krankenversicherungssystemen –, der wissenschaftlichen Forschung und der öffentlichen Statistik. Die Mitgliedstaaten müssen jedoch geeignete besondere Garantien zum Schutz der Grundrechte und der Privatsphäre von Personen vorsehen.

(35) Die Verarbeitung personenbezogener Daten durch staatliche Stellen für verfassungsrechtlich oder im Völkerrecht niedergelegte Zwecke von staatlich anerkannten Religionsgesellschaften erfolgt ebenfalls im Hinblick auf ein wichtiges öffentliches Interesse.

(36) Wenn es in bestimmten Mitgliedstaaten zum Funktionieren des demokratischen Systems gehört, daß die politischen Parteien im Zusammenhang mit Wahlen Daten über die politische Einstellung von Personen sammeln, kann die Verarbeitung derartiger Daten aus Gründen eines wichtigen öffentlichen Interesses zugelassen werden, sofern angemessene Garantien vorgesehen werden.

(37) Für die Verarbeitung personenbezogener Daten zu journalistischen, literarischen oder künstlerischen Zwecken, insbesondere im audiovisuellen Bereich, sind Ausnahmen von bestimmten Vorschriften dieser Richtlinie vorzusehen, soweit sie erforderlich sind, um die Grundrechte der Person mit der Freiheit der Meinungsäußerung und insbesondere der Freiheit, Informationen zu erhalten oder weiterzugeben, die insbesondere in Artikel 10 der Europäischen Konvention

zum Schutze der Menschenrechte und der Grundfreiheiten garantiert ist, in Einklang zu bringen. Es obliegt deshalb den Mitgliedstaaten, unter Abwägung der Grundrechte Ausnahmen und Einschränkungen festzulegen, die bei den allgemeinen Maßnahmen zur Rechtmäßigkeit der Verarbeitung von Daten, bei den Maßnahmen zur Übermittlung der Daten in Drittländer sowie hinsichtlich der Zuständigkeiten der Kontrollstellen erforderlich sind, ohne daß jedoch Ausnahmen bei den Maßnahmen zur Gewährleistung der Sicherheit der Verarbeitung vorzusehen sind. Ferner sollte mindestens die in diesem Bereich zuständige Kontrollstelle bestimmte nachträgliche Zuständigkeiten erhalten, beispielsweise zur regelmäßigen Veröffentlichung eines Berichts oder zur Befassung der Justizbehörden.

(38) Datenverarbeitung nach Treu und Glauben setzt voraus, daß die betroffenen Personen in der Lage sind, das Vorhandensein einer Verarbeitung zu erfahren und ordnungsgemäß und umfassend über die Bedingungen der Erhebung informiert zu werden, wenn Daten bei ihnen erhoben werden.

(39) Bestimmte Verarbeitungen betreffen Daten, die der Verantwortliche nicht unmittelbar bei der betroffenen Person erhoben hat. Des weiteren können Daten rechtmäßig an Dritte weitergegeben werden, auch wenn die Weitergabe bei der Erhebung der Daten bei der betroffenen Person nicht vorgesehen war. In diesen Fällen muß die betroffene Person zum Zeitpunkt der Speicherung der Daten oder spätestens bei der erstmaligen Weitergabe der Daten an Dritte unterrichtet werden.

(40) Diese Verpflichtung erübrigt sich jedoch, wenn die betroffene Person bereits unterrichtet ist. Sie besteht auch nicht, wenn die Speicherung oder Weitergabe durch Gesetz ausdrücklich vorgesehen ist oder wenn die Unterrichtung der betroffenen Person unmöglich ist oder unverhältnismäßigen Aufwand erfordert, was bei Verarbeitungen für historische, statistische oder wissenschaftliche Zwecke der Fall sein kann. Diesbezüglich können die Zahl der betroffenen Personen, das Alter der Daten und etwaige Ausgleichsmaßnahmen in Betracht gezogen werden.

(41) Jede Person muß ein Auskunftsrecht hinsichtlich der sie betreffenden Daten, die Gegenstand einer Verarbeitung sind, haben, damit sie sich insbesondere von der Richtigkeit der Daten und der Zulässigkeit ihrer Verarbeitung überzeugen kann. Aus denselben Gründen muß jede Person außerdem das Recht auf Auskunft über den logischen Aufbau der automatisierten Verarbeitung der sie betreffenden Daten, zumindest im Fall automatisierter Entscheidungen im Sinne des Artikels 15 Absatz 1, besitzen. Dieses Recht darf weder das Geschäftsgeheimnis noch das Recht an geistigem Eigentum, insbesondere das Urheberrecht zum

Schutz von Software, berühren. Dies darf allerdings nicht dazu führen, daß der betroffenen Person jegliche Auskunft verweigert wird.

(42) Die Mitgliedstaaten können die Auskunfts- und Informationsrechte im Interesse der betroffenen Person oder zum Schutz der Rechte und Freiheiten Dritter einschränken. Zum Beispiel können sie vorsehen, daß Auskunft über medizinische Daten nur über ärztliches Personal erhalten werden kann.

(43) Die Mitgliedstaaten können Beschränkungen des Auskunfts- und Informationsrechts sowie bestimmter Pflichten des für die Verarbeitung Verantwortlichen vorsehen, soweit dies beispielsweise für die Sicherheit des Staates, die Landesverteidigung, die öffentliche Sicherheit, für zwingende wirtschaftliche oder finanzielle Interessen eines Mitgliedstaats oder der Union oder für die Ermittlung und Verfolgung von Straftaten oder von Verstößen gegen Standesregeln bei reglementierten Berufen erforderlich ist. Als Ausnahmen und Beschränkungen sind Kontroll-, Überwachungs- und Ordnungsfunktionen zu nennen, die in den drei letztgenannten Bereichen in bezug auf öffentliche Sicherheit, wirtschaftliches oder finanzielles Interesse und Strafverfolgung erforderlich sind. Die Erwähnung der Aufgaben in diesen drei Bereichen läßt die Zulässigkeit von Ausnahmen und Einschränkungen aus Gründen der Sicherheit des Staates und der Landesverteidigung unberührt.

(44) Die Mitgliedstaaten können aufgrund gemeinschaftlicher Vorschriften gehalten sein, von den das Auskunftsrecht, die Information der Personen und die Qualität der Daten betreffenden Bestimmungen dieser Richtlinie abzuweichen, um bestimmte der obengenannten Zweckbestimmungen zu schützen.

(45) Auch wenn die Daten Gegenstand einer rechtmäßigen Verarbeitung aufgrund eines öffentlichen Interesses, der Ausübung hoheitlicher Gewalt oder der Interessen eines einzelnen sein können, sollte doch jede betroffene Person das Recht besitzen, aus überwiegenden, schutzwürdigen, sich aus ihrer besonderen Situation ergebenden Gründen Widerspruch dagegen einzulegen, daß die sie betreffenden Daten verarbeitet werden. Die Mitgliedstaaten können allerdings innerstaatliche Bestimmungen vorsehen, die dem entgegenstehen.

(46) Für den Schutz der Rechte und Freiheiten der betroffenen Personen bei der Verarbeitung personenbezogener Daten müssen geeignete technische und organisatorische Maßnahmen getroffen werden, und zwar sowohl zum Zeitpunkt der Planung des Verarbeitungssystems als auch zum Zeitpunkt der eigentlichen Verarbeitung, um insbesondere deren Sicherheit zu gewährleisten und somit jede unrechtmäßige Verarbeitung zu verhindern. Die Mitgliedstaaten haben dafür Sorge zu tragen, daß der für die Verarbeitung Verantwortliche diese Maßnahmen

einhält. Diese Maßnahmen müssen unter Berücksichtigung des Standes der Technik und der bei ihrer Durchführung entstehenden Kosten ein Schutzniveau gewährleisten, das den von der Verarbeitung ausgehenden Risiken und der Art des zu schützenden Daten angemessen ist.

(47) Wird eine Nachricht, die personenbezogene Daten enthält, über Telekommunikationsdienste oder durch elektronische Post übermittelt, deren einziger Zweck darin besteht, Nachrichten dieser Art zu übermitteln, so gilt in der Regel die Person, von der die Nachricht stammt, und nicht die Person, die den Übermittlungsdienst anbietet, als Verantwortlicher für die Verarbeitung der in der Nachricht enthaltenen personenbezogenen Daten. Jedoch gelten die Personen, die diese Dienste anbieten, in der Regel als Verantwortliche für die Verarbeitung der personenbezogenen Daten, die zusätzlich für den Betrieb des Dienstes erforderlich sind.

(48) Die Meldeverfahren dienen der Offenlegung der Zweckbestimmungen der Verarbeitungen sowie ihrer wichtigsten Merkmale mit dem Zweck der Überprüfung ihrer Vereinbarkeit mit den einzelstaatlichen Vorschriften zur Umsetzung dieser Richtlinie.

(49) Um unangemessene Verwaltungsformalitäten zu vermeiden, können die Mitgliedstaaten bei Verarbeitungen, bei denen eine Beeinträchtigung der Rechte und Freiheiten der Betroffenen nicht zu erwarten ist, von der Meldepflicht absehen oder sie vereinfachen, vorausgesetzt, daß diese Verarbeitungen den Bestimmungen entsprechen, mit denen der Mitgliedstaat die Grenzen solcher Verarbeitungen festgelegt hat. Eine Befreiung oder eine Vereinfachung kann ebenso vorgesehen werden, wenn ein vom für die Verarbeitung Verantwortlichen benannter Datenschutzbeauftragter sicherstellt, daß eine Beeinträchtigung der Rechte und Freiheiten der Betroffenen durch die Verarbeitung nicht zu erwarten ist. Ein solcher Beauftragter, ob Angestellter des für die Verarbeitung Verantwortlichen oder externer Beauftragter, muß seine Aufgaben in vollständiger Unabhängigkeit ausüben können.

(50) Die Befreiung oder Vereinfachung kann vorgesehen werden für Verarbeitungen, deren einziger Zweck das Führen eines Registers ist, das gemäß einzelstaatlichem Recht zur Information der Öffentlichkeit bestimmt ist und entweder der gesamten Öffentlichkeit oder allen Personen, die ein berechtigtes Interesse nachweisen können, zur Einsichtnahme offensteht.

(51) Die Vereinfachung oder Befreiung von der Meldepflicht entbindet jedoch den für die Verarbeitung Verantwortlichen von keiner der anderen sich aus dieser Richtlinie ergebenden Verpflichtungen.

(52) In diesem Zusammenhang ist die nachträgliche Kontrolle durch die zuständigen Stellen im allgemeinen als ausreichende Maßnahmen anzusehen.

(53) Bestimmte Verarbeitungen können jedoch aufgrund ihrer Art, ihrer Tragweite oder ihrer Zweckbestimmung – wie beispielsweise derjenigen, betroffene Personen von der Inanspruchnahme eines Rechts, einer Leistung oder eines Vertrags auszuschließen – oder aufgrund der besonderen Verwendung einer neuen Technologie besondere Risiken im Hinblick auf die Rechte und Freiheiten der betroffenen Personen aufweisen. Es obliegt den Mitgliedstaaten, derartige Risiken in ihren Rechtsvorschriften aufzuführen, wenn sie dies wünschen.

(54) Bei allen in der Gesellschaft durchgeführten Verarbeitungen sollte die Zahl der Verarbeitungen mit solchen besonderen Risiken sehr beschränkt sein. Die Mitgliedstaaten müssen für diese Verarbeitungen vorsehen, daß vor ihrer Durchführung eine Vorabprüfung durch die Kontrollstelle oder in Zusammenarbeit mit ihr durch den Datenschutzbeauftragten vorgenommen wird. Als Ergebnis dieser Vorabprüfung kann die Kontrollstelle gemäß einzelstaatlichem Recht eine Stellungnahme abgeben oder die Verarbeitung genehmigen. Diese Prüfung kann auch bei der Ausarbeitung einer gesetzgeberischen Maßnahme des nationalen Parlaments oder einer auf eine solche gesetzgeberische Maßnahme gestützten Maßnahme erfolgen, die die Art der Verarbeitung und geeignete Garantien festlegt.

(55) Für den Fall der Mißachtung der Rechte der betroffenen Personen durch den für die Verarbeitung Verantwortlichen ist im nationalen Recht eine gerichtliche Überprüfungsmöglichkeit vorzusehen. Mögliche Schäden, die den Personen aufgrund einer unzulässigen Verarbeitung entstehen, sind von dem für die Verarbeitung Verantwortlichen zu ersetzen, der von seiner Haftung befreit werden kann, wenn er nachweist, daß der Schaden ihm nicht angelastet werden kann, insbesondere weil ein Fehlverhalten der betroffenen Person oder ein Fall höherer Gewalt vorliegt. Unabhängig davon, ob es sich um eine Person des Privatrechts oder des öffentlichen Rechts handelt, müssen Sanktionen jede Person betreffen, die die einzelstaatlichen Vorschriften zur Umsetzung dieser Richtlinie nicht einhält.

(56) Grenzüberschreitender Verkehr von personenbezogenen Daten ist für die Entwicklung des internationalen Handels notwendig. Der in der Gemeinschaft durch diese Richtlinie gewährte Schutz von Personen steht der Übermittlung personenbezogener Daten in Drittländer, die ein angemessenes Schutzniveau aufweisen, nicht entgegen. Die Angemessenheit des Schutzniveaus, das ein Drittland bietet, ist unter Berücksichtigung aller Umstände im Hinblick auf eine Übermittlung oder eine Kategorie von Übermittlungen zu beurteilen.

(57) Bietet hingegen ein Drittland kein angemessenes Schutzniveau, so ist die Übermittlung personenbezogener Daten in dieses Land zu untersagen.

(58) Ausnahmen von diesem Verbot sind unter bestimmten Voraussetzungen vorzusehen, wenn die betroffene Person ihre Einwilligung erteilt hat oder die Übermittlung im Rahmen eines Vertrags oder Gerichtsverfahrens oder zur Wahrung eines wichtigen öffentlichen Interesses erforderlich ist, wie zum Beispiel bei internationalem Datenaustausch zwischen Steuer- oder Zollverwaltungen oder zwischen Diensten, die für Angelegenheiten der sozialen Sicherheit zuständig sind. Ebenso kann eine Übermittlung aus einem gesetzlich vorgesehenen Register erfolgen, das der öffentlichen Einsichtnahme oder der Einsichtnahme durch Personen mit berechtigtem Interesse dient. In diesem Fall sollte eine solche Übermittlung nicht die Gesamtheit oder ganze Kategorien der im Register enthaltenen Daten umfassen. Ist ein Register zur Einsichtnahme durch Personen mit berechtigtem Interesse bestimmt, so sollte die Übermittlung nur auf Antrag dieser Person oder nur dann erfolgen, wenn diese Person die Adressaten der Übermittlung sind.

(59) Besondere Maßnahmen können getroffen werden, um das unzureichende Schutzniveau in einem Drittland auszugleichen, wenn der für die Verarbeitung Verantwortliche geeignete Sicherheiten nachweist. Außerdem sind Verfahren für die Verhandlungen zwischen der Gemeinschaft und den betreffenden Drittländern vorzusehen.

(60) Übermittlungen in Drittstaaten dürfen auf jeden Fall nur unter voller Einhaltung der Rechtsvorschriften erfolgen, die die Mitgliedstaaten gemäß dieser Richtlinie, insbesondere gemäß Artikel 8, erlassen haben.

(61) Die Mitgliedstaaten und die Kommission müssen in ihren jeweiligen Zuständigkeitsbereichen die betroffenen Wirtschaftskreise ermutigen, Verhaltensregeln auszuarbeiten, um unter Berücksichtigung der Besonderheiten der Verarbeitung in bestimmten Bereichen die Durchführung dieser Richtlinie im Einklang mit den hierfür vorgesehenen einzelstaatlichen Bestimmungen zu fördern.

(62) Die Einrichtung unabhängiger Kontrollstellen in den Mitgliedstaaten ist ein wesentliches Element des Schutzes der Personen bei der Verarbeitung personenbezogener Daten.

(63) Diese Stellen sind mit den notwendigen Mitteln für die Erfüllung dieser Aufgabe auszustatten, d. h. Untersuchungs- und Einwirkungsbefugnissen, insbesondere bei Beschwerden, sowie Klagerecht. Die Kontrollstellen haben zur Transparenz der Verarbeitungen in dem Mitgliedstaat beizutragen, dem sie unterstehen.

(64) Die Behörden der verschiedenen Mitgliedstaaten werden einander bei der Wahrnehmung ihrer Aufgaben unterstützen müssen, um sicherzustellen, daß die Schutzregeln in der ganzen Europäischen Union beachtet werden.

(65) Auf Gemeinschaftsebene ist eine Arbeitsgruppe für den Schutz der Rechte von Personen bei der Verarbeitung personenbezogener Daten einzusetzen, die ihre Aufgaben in völliger Unabhängigkeit wahrzunehmen hat. Unter Berücksichtigung dieses besonderen Charakters hat sie die Kommission zu beraten und insbesondere zur einheitlichen Anwendung der zur Umsetzung dieser Richtlinie erlassenen einzelstaatlichen Vorschriften beizutragen.

(66) Für die Übermittlung von Daten in Drittländern ist es zur Anwendung dieser Richtlinie erforderlich, der Kommission Durchführungsbefugnisse zu übertragen und ein Verfahren gemäß den Bestimmungen des Beschlusses 87/373/EWG des Rates[1] festzulegen.

(67) Am 20. Dezember 1994 wurde zwischen dem Europäischen Parlament, dem Rat und der Kommission ein Modus vivendi betreffend die Maßnahmen zur Durchführung der nach dem Verfahren des Artikels 189 b des EG-Vertrags erlassenen Rechtsakte vereinbart.

(68) Die in dieser Richtlinie enthaltenen Grundsätze des Schutzes der Rechte und Freiheiten der Personen und insbesondere der Achtung der Privatsphäre bei der Verarbeitung personenbezogener Daten können – besonders für bestimmte Bereiche – durch spezifische Regeln ergänzt oder präzisiert werden, die mit diesen Grundsätzen in Einklang stehen.

(69) Den Mitgliedstaaten sollte eine Frist von längstens drei Jahren ab Inkrafttreten ihrer Vorschriften zur Umsetzung dieser Richtlinie eingeräumt werden, damit sie die neuen einzelstaatlichen Vorschriften fortschreitend auf alle bereits laufenden Verarbeitungen anwenden können. Um eine kosteneffiziente Durchführung dieser Vorschriften zu erleichtern, wird den Mitgliedstaaten eine weitere Frist von zwölf Jahren nach Annahme dieser Richtlinie eingeräumt, um die Anpassung bestehender manueller Dateien an bestimmte Vorschriften dieser Richtlinie sicherzustellen. Werden in solchen Dateien enthaltene Daten während dieser erweiterten Umsetzungsfrist manuell verarbeitet, so sollten die Dateien zum Zeitpunkt der Verarbeitung mit diesen Vorschriften in Einklang gebracht werden.

(70) Die betroffene Person braucht nicht erneut ihre Einwilligung zu geben, damit der Verantwortliche nach Inkrafttreten der einzelstaatlichen Vorschriften zur Umsetzung dieser Richtlinie eine Verarbeitung sensibler Daten fortführen kann, die für die Erfüllung eines in freier Willenserklärung geschlossenen Vertrags erforderlich ist und vor Inkrafttreten der genannten Vorschriften mitgeteilt wurde.

---

1 ABl. Nr. L 197 vom 18. 7. 1987, S. 33.

(71) Diese Richtlinie steht den gesetzlichen Regelungen eines Mitgliedstaats im Bereich der geschäftsmäßigen Werbung gegenüber in seinem Hoheitsgebiet ansässigen Verbrauchern nicht entgegen, sofern sich diese gesetzlichen Regelungen nicht auf den Schutz der Person bei der Verarbeitung personenbezogener Daten beziehen.

(72) Diese Richtlinie erlaubt bei der Umsetzung der mit ihr festgelegten Grundsätze die Berücksichtigung des Grundsatzes des öffentlichen Zugangs zu amtlichen Dokumenten –

haben folgende Richtlinie erlassen:

KAPITEL I
ALLGEMEINE BESTIMMUNGEN

Artikel 1 Gegenstand der Richtlinie

(1) Die Mitgliedstaaten gewährleisten nach den Bestimmungen dieser Richtlinie den Schutz der Grundrechte und Grundfreiheiten und insbesondere den Schutz der Privatsphäre natürlicher Personen bei der Verarbeitung personenbezogener Daten.

(2) Die Mitgliedstaaten beschränken oder untersagen nicht den freien Verkehr personenbezogener Daten zwischen Mitgliedstaaten aus Gründen des gemäß Absatz 1 gewährleisteten Schutzes.

Artikel 2 Begriffsbestimmungen

Im Sinne dieser Richtlinie bezeichnet der Ausdruck

a) »personenbezogene Daten« alle Informationen über eine bestimmte oder bestimmbare natürliche Person (»betroffene Person«); als bestimmbar wird eine Person angesehen, die direkt oder indirekt identifiziert werden kann, insbesondere durch Zuordnung zu einer Kennummer oder zu einem oder mehreren spezifischen Elementen, die Ausdruck ihrer physischen, physiologischen, psychischen, wirtschaftlichen, kulturellen oder sozialen Identität sind;

b) »Verarbeitung personenbezogener Daten« (»Verarbeitung«) jeden mit oder ohne Hilfe automatisierter Verfahren ausgeführten Vorgang oder jede Vorgangsreihe im Zusammenhang mit personenbezogenen Daten wie das Erheben, das Speichern, die Organisation, die Aufbewahrung, die Anpassung oder Veränderung, das Auslesen, das Abfragen, die Benutzung, die Weitergabe durch Übermittlung, Verbreitung oder jede andere Form der Bereitstellung, die Kombination oder die Verknüpfung sowie das Sperren, Löschen oder Vernichten;

c) »Datei mit personenbezogenen Daten« (»Datei«) jede strukturierte Sammlung personenbezogener Daten, die nach bestimmten Kriterien zugänglich sind, gleichgültig ob diese Sammlung zentral, dezentralisiert oder nach funktionalen oder geographischen Gesichtspunkten aufgeteilt geführt wird;

d) »für die Verarbeitung Verantwortlicher« die natürliche oder juristische Person, Behörde, Einrichtung oder jede andere Stelle, die allein oder gemeinsam mit anderen über die Zwecke und Mittel der Verarbeitung von personenbezogenen Daten entscheidet. Sind die Zwecke und Mittel der Verarbeitung von personenbezogenen Daten in einzelstaatlichen oder gemeinschaftlichen Rechts- und Verwaltungsvorschriften festgelegt, so können der für die Verarbeitung Verantwortliche bzw. die spezifischen Kriterien für seine Benennung durch einzelstaatliche oder gemeinschaftliche Rechtsvorschriften bestimmt werden;

e) »Auftragsverarbeiter« die natürliche oder juristische Person, Behörde, Einrichtung oder jede andere Stelle, die personenbezogene Daten im Auftrag des für die Verarbeitung Verantwortlichen verarbeitet;

f) »Dritter« die natürliche oder juristische Person, Behörde, Einrichtung oder jede andere Stelle, außer der betroffenen Person, dem für die Verarbeitung Verantwortlichen, dem Auftragsverarbeiter und den Personen, die unter der unmittelbaren Verantwortung des für die Verarbeitung Verantwortlichen oder des Auftragsverarbeiters befugt sind, die Daten zu verarbeiten;

g) »Empfänger« die natürliche oder juristische Person, Behörde, Einrichtung oder jede andere Stelle, die Daten erhält, gleichgültig, ob es sich bei ihr um einen Dritten handelt oder nicht. Behörden, die im Rahmen eines einzelnen Untersuchungsauftrags möglicherweise Daten erhalten, gelten jedoch nicht als Empfänger;

h) »Einwilligung der betroffenen Person« jede Willensbekundung, die ohne Zwang, für den konkreten Fall und in Kenntnis der Sachlage erfolgt und mit der die betroffene Person akzeptiert, daß personenbezogene Daten, die sie betreffen, verarbeitet werden.

Artikel 3 Anwendungsbereich

(1) Diese Richtlinie gilt für die ganz oder teilweise automatisierte Verarbeitung personenbezogener Daten sowie für die nicht automatisierte Verarbeitung personenbezogener Daten, die in einer Datei gespeichert sind oder gespeichert werden sollen.

(2) Diese Richtlinie findet keine Anwendung auf die Verarbeitung personenbezogener Daten,

- die für die Ausübung von Tätigkeiten erfolgt, die nicht in den Anwendungsbereich des Gemeinschaftsrechts fallen, beispielsweise Tätigkeiten gemäß den Titeln V und VI des Vertrags über die Europäische Union, und auf keinen Fall auf Verarbeitungen betreffend die öffentliche Sicherheit, die Landesverteidigung, die Sicherheit des Staates (einschließlich seines wirtschaftlichen Wohls, wenn die Verarbeitung die Sicherheit des Staates berührt) und die Tätigkeiten des Staates im strafrechtlichen Bereich;
- die von einer natürlichen Person zur Ausübung ausschließlich persönlicher oder familiärer Tätigkeiten vorgenommen wird.

Artikel 4 Anwendbares einzelstaatliches Recht

(1) Jeder Mitgliedstaat wendet die Vorschriften, die er zur Umsetzung dieser Richtlinie erläßt, auf alle Verarbeitungen personenbezogener Daten an,

a) die im Rahmen der Tätigkeiten einer Niederlassung ausgeführt werden, die der für die Verarbeitung Verantwortliche im Hoheitsgebiet dieses Mitgliedstaats besitzt. Wenn der Verantwortliche eine Niederlassung im Hoheitsgebiet mehrerer Mitgliedstaaten besitzt, ergreift er die notwendigen Maßnahmen, damit jede dieser Niederlassungen die im jeweils anwendbaren einzelstaatlichen Recht festgelegten Verpflichtungen einhält;

b) die von einem für die Verarbeitung Verantwortlichen ausgeführt werden, der nicht in seinem Hoheitsgebiet, aber an einem Ort niedergelassen ist, an dem das einzelstaatliche Recht dieses Mitgliedstaats gemäß dem internationalen öffentlichen Recht Anwendung findet;

c) die von einem für die Verarbeitung Verantwortlichen ausgeführt werden, der nicht im Gebiet der Gemeinschaft niedergelassen ist und zum Zweck der Verarbeitung personenbezogener Daten auf automatisierte oder nicht automatisierte Mittel zurückgreift, die im Hoheitsgebiet des betreffenden Mitgliedstaats belegen sind, es sei denn, daß diese Mittel nur zum Zweck der Durchfuhr durch das Gebiet der Europäischen Gemeinschaft verwendet werden.

(2) In dem in Absatz 1 Buchstabe c) genannten Fall hat der für die Verarbeitung Verantwortliche einen im Hoheitsgebiet des genannten Mitgliedstaats ansässigen Vertreter zu benennen, unbeschadet der Möglichkeit eines Vorgehens gegen den für die Verarbeitung Verantwortlichen selbst.

KAPITEL II
ALLGEMEINE BEDINGUNGEN FÜR DIE RECHTMÄSSIGKEIT DER VERARBEITUNG PERSONENBEZOGENER DATEN

Artikel 5

Die Mitgliedstaaten bestimmen nach Maßgabe dieses Kapitels die Voraussetzungen näher, unter denen die Verarbeitung personenbezogener Daten rechtmäßig ist.

ABSCHNITT I
GRUNDSÄTZE IN BEZUG AUF DIE QUALITÄT DER DATEN

Artikel 6

(1) Die Mitgliedstaaten sehen vor, daß personenbezogene Daten

a) nach Treu und Glauben und auf rechtmäßige Weise verarbeitet werden;

b) für festgelegte eindeutige und rechtmäßige Zwecke erhoben und nicht in einer mit diesen Zweckbestimmungen nicht zu vereinbarenden Weise weiterverarbeitet werden. Die Weiterverarbeitung von Daten zu historischen, statistischen oder wissenschaftlichen Zwecken ist im allgemeinen nicht als unvereinbar mit den Zwecken der vorausgegangen Datenerhebung anzusehen, sofern die Mitgliedstaaten geeignete Garantien vorsehen;

c) den Zwecken entsprechen, die für sie erhoben und/oder weiterverarbeitet werden, dafür erheblich sind und nicht darüber hinausgehen;

d) sachlich richtig und, wenn nötig, auf den neuesten Stand gebracht sind; es sind alle angemessenen Maßnahmen zu treffen, damit im Hinblick auf die Zwecke, für die sie erhoben oder weiterverarbeitet werden, nichtzutreffende oder unvollständige Daten gelöscht oder berichtigt werden;

e) nicht länger, als es für die Realisierung der Zwecke, für die sie erhoben oder weiterverarbeitet werden, erforderlich ist, in einer Form aufbewahrt werden, die die Identifizierung der betroffenen Personen ermöglicht. Die Mitgliedstaaten sehen geeignete Garantien für personenbezogene Daten vor, die über die vorgenannte Dauer hinaus für historische, statistische oder wissenschaftliche Zwecke aufbewahrt werden.

(2) Der für die Verarbeitung Verantwortliche hat für die Einhaltung des Absatzes 1 zu sorgen.

ABSCHNITT II
GRUNDSÄTZE IN BEZUG AUF DIE ZULÄSSIGKEIT DER VERARBEITUNG VON DATEN

Artikel 7

Die Mitgliedstaaten sehen vor, daß die Verarbeitung personenbezogener Daten lediglich erfolgen darf, wenn eine der folgenden Voraussetzungen erfüllt ist:

a) Die betroffene Person hat ohne jeden Zweifel ihre Einwilligung gegeben;

b) die Verarbeitung ist erforderlich für die Erfüllung eines Vertrags, dessen Vertragspartei die betroffene Person ist, oder für die Durchführung vorvertraglicher Maßnahmen, die auf Antrag der betroffenen Person erfolgen;

c) die Verarbeitung ist für die Erfüllung einer rechtlichen Verpflichtung erforderlich, der der für die Verarbeitung Verantwortliche unterliegt;

d) die Verarbeitung ist erforderlich für die Wahrung lebenswichtiger Interessen der betroffenen Person;

e) die Verarbeitung ist erforderlich für die Wahrnehmung einer Aufgabe, die im öffentlichen Interesse liegt oder in Ausübung öffentlicher Gewalt erfolgt und dem für die Verarbeitung Verantwortlichen oder dem Dritten, dem die Daten übermittelt werden, übertragen wurde;

f) die Verarbeitung ist erforderlich zur Verwirklichung des berechtigten Interesses, das von dem für die Verarbeitung Verantwortlichen oder von dem bzw. den Dritten wahrgenommen wird, denen die Daten übermittelt werden, sofern nicht das Interesse oder die Grundrechte und Grundfreiheiten der betroffenen Person, die gemäß Artikel 1 Absatz 1 geschützt sind, überwiesen.

ABSCHNITT III
BESONDERE KATEGORIEN DER VERARBEITUNG

Artikel 8 Verarbeitung besonderer Kategorien personenbezogener Daten

(1) Die Mitgliedstaaten untersagen die Verarbeitung personenbezogener Daten, aus denen die rassische und ethnische Herkunft, politische Meinungen, religiöse oder philosophische Überzeugungen oder die Gewerkschaftszugehörigkeit hervorgehen, sowie von Daten über Gesundheit oder Sexualleben.

(2) Absatz 1 findet in folgenden Fällen keine Anwendung:

a) Die betroffene Person hat ausdrücklich in die Verarbeitung der genannten Daten eingewilligt, es sei denn, nach den Rechtsvorschriften des Mitgliedstaats kann das Verbot nach Absatz 1 durch die Einwilligung der betroffenen Person nicht aufgehoben werden;

oder

b) die Verarbeitung ist erforderlich, um den Rechten und Pflichten des für die Verarbeitung Verantwortlichen auf dem Gebiet des Arbeitsrechts Rechnung zu tragen, sofern dies aufgrund von einzelstaatlichem Recht, das angemessene Garantien vorsieht, zulässig ist;

oder

c) die Verarbeitung ist zum Schutz lebenswichtiger Interessen der betroffenen Person oder eines Dritten erforderlich, sofern die Person aus physischen oder rechtlichen Gründen außerstande ist, ihre Einwilligung zu geben;

oder

d) die Verarbeitung erfolgt auf der Grundlage angemessener Garantien durch eine politisch, philosophisch, religiös oder gewerkschaftlich ausgerichtete Stiftung, Vereinigung oder sonstige Organisation, die keinen Erwerbszweck verfolgt, im Rahmen ihrer rechtmäßigen Tätigkeiten und unter der Voraussetzung, daß sich die Verarbeitung nur auf die Mitglieder der Organisation oder auf Personen, die im Zusammenhang mit deren Tätigkeitszweck regelmäßige Kontakte mit ihr unterhalten, bezieht und die Daten nicht ohne Einwilligung der betroffenen Personen an Dritte weitergegeben werden;

oder

e) die Verarbeitung bezieht sich auf Daten, die die betroffene Person offenkundig gemacht hat, oder ist zur Geltendmachung, Ausübung oder Verteidigung rechtlicher Ansprüche vor Gericht erforderlich.

(3) Absatz 1 gilt nicht, wenn die Verarbeitung der Daten zum Zweck der Gesundheitsvorsorge, der medizinischen Diagnostik, der Gesundheitsversorgung oder Behandlung oder für die Verwaltung von Gesundheitsdiensten erforderlich ist und die Verarbeitung dieser Daten durch ärztliches Personal erfolgt, das nach dem einzelstaatlichen Recht, einschließlich der von den zuständigen einzelstaatlichen Stellen erlassenen Regelungen, dem Berufsgeheimnis unterliegt, oder durch sonstige Personen, die einer entsprechenden Geheimhaltungspflicht unterliegen.

(4) Die Mitgliedstaaten können vorbehaltlich angemessener Garantien aus Gründen eines wichtigen öffentlichen Interesses entweder im Wege einer nationalen Rechtsvorschrift oder im Wege einer Entscheidung der Kontrollstelle andere als die in Absatz 2 genannten Ausnahmen vorsehen.

(5) Die Verarbeitung von Daten, die Straftaten, strafrechtliche Verurteilungen oder Sicherungsmaßregeln betreffen, darf nur unter behördlicher Aufsicht oder aufgrund von einzelstaatlichem Recht, das angemessene Garantien vorsieht, erfolgen, wobei ein Mitgliedstaat jedoch Ausnahmen aufgrund innerstaatlicher Rechtsvorschriften, die geeignete besondere Garantien vorsehen, festlegen kann. Ein vollständiges Register der strafrechtlichen Verurteilungen darf allerdings nur unter behördlicher Aufsicht geführt werden.

Die Mitgliedstaaten können vorsehen, daß Daten, die administrative Strafen oder zivilrechtliche Urteile betreffen, ebenfalls unter behördlicher Aufsicht verarbeitet werden müssen.

(6) Die in den Absätzen 4 und 5 vorgesehenen Abweichungen von Absatz 1 sind der Kommission mitzuteilen.

(7) Die Mitgliedstaaten bestimmen, unter welchen Bedingungen eine nationale Kennziffer oder andere Kennzeichen allgemeiner Bedeutung Gegenstand einer Verarbeitung sein dürfen.

Artikel 9 Verarbeitung personenbezogener Daten und Meinungsfreiheit

Die Mitgliedstaaten sehen für die Verarbeitung personenbezogener Daten, die allein zu journalistischen, künstlerischen oder literarischen Zwecken erfolgt, Abweichungen und Ausnahmen von diesem Kapitel sowie von den Kapiteln IV und VI nur insofern vor, als sich dies als notwendig erweist, um das Recht auf Privatsphäre mit den für die Freiheit der Meinungsäußerung geltenden Vorschriften in Einklang zu bringen.

ABSCHNITT IV
INFORMATION DER BETROFFENEN PERSON

Artikel 10 Information bei der Erhebung personenbezogener Daten bei der betroffenen Person

Die Mitgliedstaaten sehen vor, daß die Person, bei der die sie betreffenden Daten erhoben werden, vom für die Verarbeitung Verantwortlichen oder seinem Vertreter zumindest die nachstehenden Informationen erhält, sofern diese ihr noch nicht vorliegen:

a) Identität des für die Verarbeitung Verantwortlichen und gegebenenfalls seines Vertreters,

b) Zweckbestimmungen der Verarbeitung, für die die Daten bestimmt sind,

c) weitere Informationen, beispielsweise betreffend

- die Empfänger oder Kategorien der Empfänger der Daten,
- die Frage, ob die Beantwortung der Fragen obligatorisch oder freiwillig ist, sowie mögliche Folgen einer unterlassenen Beantwortung,
- das Bestehen von Auskunfts- und Berichtigungsrechten bezüglich sie betreffender Daten,

sofern sie unter Berücksichtigung der spezifischen Umstände, unter denen die Daten erhoben werden, notwendig sind, um gegenüber der betroffenen Person eine Verarbeitung nach Treu und Glauben zu gewährleisten.

Artikel 11 Informationen für den Fall, daß die Daten nicht bei der betroffenen Person erhoben wurden

(1) Für den Fall, daß die Daten nicht bei der betroffenen Person erhoben wurden, sehen die Mitgliedstaaten vor, daß die betroffene Person bei Beginn der Speicherung der Daten bzw. im Fall einer beabsichtigten Weitergabe der Daten an Dritte spätestens bei der ersten Übermittlung vom für die Verarbeitung Verantwortlichen oder seinem Vertreter zumindest die nachstehenden Informationen erhält, sofern diese ihr noch nicht vorliegen:

a) Identität des für die Verarbeitung Verantwortlichen und gegebenenfalls seines Vertreters,

b) Zweckbestimmungen der Verarbeitung,

c) weitere Informationen, beispielsweise betreffend

- die Datenkategorien, die verarbeitet werden,
- die Empfänger oder Kategorien der Empfänger der Daten,
- das Bestehen von Auskunfts- und Berichtigungsrechten bezüglich sie betreffender Daten,

sofern sie unter Berücksichtigung der spezifischen Umstände, unter denen die Daten erhoben werden, notwendig sind, um gegenüber der betroffenen Person eine Verarbeitung nach Treu und Glauben zu gewährleisten.

(2) Absatz 1 findet – insbesondere bei Verarbeitungen für Zwecke der Statistik oder der historischen oder wissenschaftlichen Forschung – keine Anwendung, wenn die Informationen der betroffenen Person

unmöglich ist, unverhältnismäßigen Aufwand erfordert oder die Speicherung oder Weitergabe durch Gesetz ausdrücklich vorgesehen ist. In diesen Fällen sehen die Mitgliedstaaten geeignete Garantien vor.

ABSCHNITT V
AUSKUNFTSRECHT DER BETROFFENEN PERSON

Artikel 12 Auskunftsrecht

Die Mitgliedstaaten garantieren jeder betroffenen Person das Recht, vom für die Verarbeitung Verantwortlichen folgendes zu erhalten:

a) frei und ungehindert in angemessenen Abständen ohne unzumutbare Verzögerung oder übermäßige Kosten

   – die Bestätigung, daß es Verarbeitungen sie betreffender Daten gibt oder sie nicht gibt, sowie zumindest Informationen über die Zweckbestimmungen dieser Verarbeitungen, die Kategorien der Daten, die Gegenstand der Verarbeitung sind, und die Empfänger oder Kategorien der Empfänger, an die die Daten übermittelt werden;
   – eine Mitteilung in verständlicher Form über die Daten, die Gegenstand der Verarbeitung sind, sowie die verfügbaren Informationen über die Herkunft der Daten;
   – Auskunft für den logischen Aufbau der automatisierten Verarbeitung der sie betreffenden Daten, zumindest im Fall automatisierter Entscheidungen im Sinne von Artikel 15 Absatz 1;

b) ja nach Fall die Berichtigung, Löschung oder Sperrung von Daten, deren Verarbeitung nicht den Bestimmungen dieser Richtlinie entspricht, insbesondere wenn diese Daten unvollständig oder unrichtig sind;

c) die Gewähr, daß jede Berichtigung, Löschung oder Sperrung, die entsprechend Buchstabe b) durchgeführt wurde, den Dritten, denen die Daten übermittelt wurden, mitgeteilt wird, sofern sich dies nicht als unmöglich erweist oder kein unverhältnismäßiger Aufwand damit verbunden ist.

ABSCHNITT VI
AUSNAHMEN UND EINSCHRÄNKUNGEN

Artikel 13 Ausnahmen und Einschränkungen

(1) Die Mitgliedstaaten können Rechtsvorschriften erlassen, die die Pflichten und Rechte gemäß Artikel 6 Absatz 1, Artikel 10, Artikel 11 Absatz 1, Artikel 12 und Artikel 21 beschränken, sofern eine solche Beschränkung notwendig ist für

a) die Sicherheit des Staates;

b) die Landesverteidigung;

c) die öffentliche Sicherheit;

d) die Verhütung, Ermittlung, Feststellung und Verfolgung von Straftaten oder Verstößen gegen die berufsständischen Regeln bei reglementierten Berufen;

e) ein wichtiges wirtschaftliches oder finanzielles Interesse eines Mitgliedstaats oder der Europäischen Union einschließlich Währungs-, Haushalts- und Steuerangelegenheiten;

f) Kontroll-, Überwachungs- und Ordnungsfunktionen, die dauernd oder zeitweise mit der Ausübung öffentlicher Gewalt für die unter den Buchstaben c), d) und e) genannten Zwecke verbunden sind;

g) den Schutz der betroffenen Person und der Rechte und Freiheiten anderer Personen.

(2) Vorbehaltlich angemessener rechtlicher Garantien, mit denen insbesondere ausgeschlossen wird, daß die Daten für Maßnahmen oder Entscheidungen gegenüber bestimmter Personen verwendet werden, können die Mitgliedstaaten in Fällen, in denen offensichtlich keine Gefahr eines Eingriffs in die Privatsphäre der betroffenen Person besteht, die in Artikel 12 vorgesehenen Rechte gesetzlich einschränken, wenn die Daten ausschließlich für Zwecke der wissenschaftlichen Forschung verarbeitet werden oder personenbezogen nicht länger als erforderlich lediglich zur Erstellung von Statistiken aufbewahrt werden.

ABSCHNITT VII
WIDERSPRUCHSRECHT DER BETROFFENEN PERSON

Artikel 14 Widerspruchsrecht der betroffenen Person

Die Mitgliedstaaten erkennen das Recht der betroffenen Person an,

a) zumindest in den Fällen von Artikel 7 Buchstaben e) und f) jederzeit aus überwiegenden, schutzwürdigen, sich aus ihrer besonderen Situation ergebenden Gründen dagegen Widerspruch einlegen zu können, daß sie betreffende Daten verarbeitet werden; dies gilt nicht bei einer im einzelstaatlichen Recht vorgesehenen entgegenstehenden Bestimmung. Im Fall eines berechtigten Widerspruchs kann sich die vom für die Verarbeitung Verantwortlichen vorgenommene Verarbeitung nicht mehr auf diese Daten beziehen;

b) auf Antrag kostenfrei gegen eine vom für die Verarbeitung Verantwortlichen beabsichtigte Verarbeitung sie betreffender Daten für Zwecke der Direktwerbung Widerspruch einzulegen oder vor der ersten Weitergabe personenbezogener Daten an Dritte oder vor deren erstmaliger Nutzung im Auftrag Dritter zu Zwecken der Direktwerbung informiert zu werden und ausdrücklich auf das Recht hingewiesen zu werden, kostenfrei gegen eine solche Weitergabe oder Nutzung Widerspruch einlegen zu können.

Die Mitgliedstaaten ergreifen die erforderlichen Maßnahmen, um sicherzustellen, daß die betroffenen Personen vom Bestehen des unter Buchstabe b) Unterabsatz 1 vorgesehenen Rechts Kenntnis haben.

Artikel 15 Automatisierte Einzelentscheidungen

(1) Die Mitgliedstaaten räumen jeder Person das Recht ein, keiner für sie rechtliche Folgen nach sich ziehenden und keiner sie erheblich beeinträchtigenden Entscheidung unterworfen zu werden, die ausschließlich aufgrund einer automatisierten Verarbeitung von Daten zum Zwecke der Bewertung einzelner Aspekte ihrer Person ergeht, wie beispielsweise ihrer beruflichen Leistungsfähigkeit, ihrer Kreditwürdigkeit, ihrer Zuverlässigkeit oder ihres Verhaltens.

(2) Die Mitgliedstaaten sehen unbeschadet der sonstigen Bestimmungen dieser Richtlinie vor, daß eine Person einer Entscheidung nach Absatz 1 unterworfen werden kann, sofern diese

a) im Rahmen des Abschlusses oder der Erfüllung eines Vertrags ergeht und dem Ersuchen der betroffenen Person auf Abschluß oder Erfüllung des Vertrags stattgegeben wurde oder die Wahrung ihrer berechtigten Interessen durch geeignete Maßnahmen – beispielsweise die Möglichkeit, ihren Standpunkt geltend zu machen – garantiert wird oder

b) durch ein Gesetz zugelassen ist, das Garantien zur Wahrung der berechtigten Interessen der betroffenen Person festlegt.

ABSCHNITT VIII
VERTRAULICHKEIT UND SICHERHEIT DER VERARBEITUNG

Artikel 16 Vertraulichkeit der Verarbeitung

Personen, die dem für die Verarbeitung Verantwortlichen oder dem Auftragsverarbeiter unterstellt sind und Zugang zu personenbezogenen Daten haben, sowie der Auftragsverarbeiter selbst dürfen personenbezogene Daten nur auf Weisung des für die Verarbeitung Verantwortlichen verarbeiten, es sei denn, es bestehen gesetzliche Verpflichtungen.

Artikel 17 Sicherheit der Verarbeitung

(1) Die Mitgliedstaaten sehen vor, daß der für die Verarbeitung Verantwortliche die geeigneten technischen und organisatorischen

Maßnahmen durchführen muß, die für den Schutz gegen die zufällige oder unrechtmäßige Zerstörung, den zufälligen Verlust, die unberechtigte Änderung, die unberechtigte Weitergabe oder den unberechtigten Zugang – insbesondere wenn im Rahmen der Verarbeitung Daten in einem Netz übertragen werden – und gegen jede andere Form der unrechtmäßigen Verarbeitung personenbezogener Daten erforderlich sind.

Diese Maßnahmen müssen unter Berücksichtigung des Standes der Technik und der bei ihrer Durchführung entstehenden Kosten ein Schutzniveau gewährleisten, das den von der Verarbeitung ausgehenden Risiken und der Art der zu schützenden Daten angemessen ist.

(2) Die Mitgliedstaaten sehen vor, daß der für die Verarbeitung Verantwortliche im Fall einer Verarbeitung in seinem Auftrag einen Auftragsverarbeiter auszuwählen hat, der hinsichtlich der für die Verarbeitung zu treffenden technischen Sicherheitsmaßnahmen und organisatorischen Vorkehrungen ausreichende Gewähr bietet; der für die Verarbeitung Verantwortliche überzeugt sich von der Einhaltung dieser Maßnahmen.

(3) Die Durchführung einer Verarbeitung im Auftrag erfolgt auf der Grundlage eines Vertrags oder Rechtsakts, durch den der Auftragsverarbeiter an den für die Verarbeitung Verantwortlichen gebunden ist und in dem insbesondere folgendes vorgesehen ist:

- Der Auftragsverarbeiter handelt nur auf Weisung des für die Verarbeitung Verantwortlichen;
- die in Absatz 1 genannten Verpflichtungen gelten auch für den Auftragsverarbeiter, und zwar nach Maßgabe der Rechtsvorschriften des Mitgliedstaats, in dem er seinen Sitz hat.

(4) Zum Zwecke der Beweissicherung sind die datenschutzrelevanten Elemente des Vertrags oder Rechtsakts und die Anforderungen in bezug auf Maßnahmen nach Absatz 1 schriftlich oder in einer anderen Form zu dokumentieren.

ABSCHNITT IX
MELDUNG

Artikel 18 Pflicht zur Meldung bei der Kontrollstelle

(1) Die Mitgliedstaaten sehen eine Meldung durch den für die Verarbeitung Verantwortlichen oder gegebenenfalls seinen Vertreter bei der in Artikel 28 genannten Kontrollstelle vor, bevor eine vollständig oder teilweise automatisierte Verarbeitung oder eine Mehrzahl von Verarbeitungen zur Realisierung einer oder mehrerer verbundener Zweckbestimmungen durchgeführt wird.

(2) Die Mitgliedstaaten können eine Vereinfachung der Meldung oder eine Ausnahme von der Meldepflicht nur in den folgenden Fällen und unter folgenden Bedingungen vorsehen:

- Sie legen für Verarbeitungskategorien, bei denen unter Berücksichtigung der zu verarbeitenden Daten eine Beeinträchtigung der Rechte und Freiheiten der betroffenen Personen unwahrscheinlich ist, die Zweckbestimmungen der Verarbeitung, die Daten oder Kategorien der verarbeitenden Daten, die Kategorie(n) der betroffenen Personen, die Empfänger oder Kategorien der Empfänger, denen die Daten weitergegeben werden, und die Dauer der Aufbewahrung fest, und/oder
- der für die Verarbeitung Verantwortliche bestellt entsprechend dem einzelstaatlichen Recht, dem er unterliegt, einen Datenschutzbeauftragten, dem insbesondere folgendes obliegt:
  - die unabhängige Überwachung der Anwendung der zur Umsetzung dieser Richtlinie erlassenen einzelstaatlichen Bestimmungen,
  - die Führung eines Verzeichnisses mit den in Artikel 21 Absatz 2 vorgesehenen Informationen über die durch den für die Verarbeitung Verantwortlichen vorgenommene Verarbeitung,

  um auf diese Weise sicherzustellen, daß die Rechte und Freiheiten der betroffenen Personen durch die Verarbeitung nicht beeinträchtigt werden.

(3) Die Mitgliedstaaten können vorsehen, daß Absatz 1 keine Anwendung auf Verarbeitungen findet, deren einziger Zweck das Führen eines Register ist, daß gemäß den Rechts- oder Verwaltungsvorschriften zur Information der Öffentlichkeit bestimmt ist und entweder der gesamten Öffentlichkeit oder allen Personen, die ein berechtigtes Interesse nachweisen können, zur Einsichtnahme offensteht.

(4) Die Mitgliedstaaten können die in Artikel 8 Absatz 2 Buchstabe d) genannten Verarbeitungen von der Meldepflicht ausnehmen oder die Meldung vereinfachen.

(5) Die Mitgliedstaaten können die Meldepflicht für nicht automatisierte Verarbeitungen von personenbezogenen Daten generell oder in Einzelfällen vorsehen oder sie einer vereinfachten Meldung unterwerfen.

Artikel 19 Inhalt der Meldung

(1) Die Mitgliedstaaten legen fest, welche Angaben die Meldung zu enthalten hat. Hierzu gehört zumindest folgendes:

a) Name und Anschrift des für die Verarbeitung Verantwortlichen und gegebenenfalls seines Vertreters;

b) die Zweckbestimmung(en) der Verarbeitung;

c) eine Beschreibung der Kategorie(n) der betroffenen Personen und der diesbezüglichen Daten oder Datenkategorien;

d) die Empfänger oder Kategorien von Empfängern, denen die Daten mitgeteilt werden können;

e) eine geplante Datenübermittlung in Drittländer;

f) eine allgemeine Beschreibung, die es ermöglicht, vorläufig zu beurteilen, ob die Maßnahmen nach Artikel 17 zur Gewährleistung der Sicherheit der Verarbeitung angemessen sind.

(2) Die Mitgliedstaaten legen die Verfahren fest, nach denen Änderungen der in Absatz 1 genannten Angaben der Kontrollstelle zu melden sind.

Artikel 20 Vorabkontrolle

(1) Die Mitgliedstaaten legen fest, welche Verarbeitungen spezifische Risiken für die Rechte und Freiheiten der Personen beinhalten können, und tragen dafür Sorge, daß diese Verarbeitungen vor ihrem Beginn geprüft werden.

(2) Solche Vorabprüfungen nimmt die Kontrollstelle nach Empfang der Meldung des für die Verarbeitung Verantwortlichen vor, oder sie erfolgen durch den Datenschutzbeauftragten, der im Zweifelsfall die Kontrollstelle konsultieren muß.

(3) Die Mitgliedstaaten können eine solche Prüfung auch im Zuge der Ausarbeitung einer Maßnahme ihres Parlaments oder einer auf eine solche gesetzgeberische Maßnahme gestützten Maßnahme durchführen, die die Art oder Verarbeitung festlegt und geeignete Garantien vorsieht.

Artikel 21 Öffentlichkeit der Verarbeitungen

(1) Die Mitgliedstaaten erlassen Maßnahmen, mit denen die Öffentlichkeit der Verarbeitungen sichergestellt wird.

(2) Die Mitgliedstaaten sehen vor, daß die Kontrollstelle ein Register der gemäß Artikel 18 gemeldeten Verarbeitungen führt.

Das Register enthält mindestens die Angaben nach Artikel 19 Absatz 1 Buchstaben a) bis e).

Das Register kann von jedermann eingesehen werden.

(3) Die Mitgliedstaaten sehen vor, daß für Verarbeitungen, die von der Meldung ausgenommen sind, der für die Verarbeitung Verantwortliche oder eine andere von den Mitgliedstaaten benannte Stelle zumindest die in Artikel 19 Absatz 1 Buchstaben a) bis e) vorgesehenen Angaben auf Antrag jedermann in geeigneter Weise verfügbar macht.

Die Mitgliedstaaten können vorsehen, daß diese Bestimmungen keine Anwendung auf Verarbeitungen findet, deren einziger Zweck das Führen von Registern ist, die gemäß den Rechts- und Verwaltungsvorschriften zur Information der Öffentlichkeit bestimmt sind und die entweder der gesamten Öffentlichkeit oder allen Personen, die ein berechtigtes Interesse nachweisen können, zur Einsichtnahme offenstehen.

KAPITEL III
RECHTSBEHELFE, HAFTUNG UND SANKTIONEN

Artikel 22 Rechtsbehelfe

Unbeschadet des verwaltungsrechtlichen Beschwerdeverfahrens, das vor Beschreiten des Rechtsweges insbesondere bei der in Artikel 28 genannten Kontrollstelle eingeleitet werden kann, sehen die Mitgliedstaaten vor, daß jede Person bei der Verletzung der Rechte, die ihr durch die für die betreffende Verarbeitung geltenden einzelstaatlichen Rechtsvorschriften garantiert sind, bei Gericht einen Rechtsbehelf einlegen kann.

Artikel 23 Haftung

(1) Die Mitgliedstaaten sehen vor, daß jede Person, der wegen einer rechtswidrigen Verarbeitung oder jeder anderen mit den einzelstaatlichen Vorschriften zur Umsetzung dieser Richtlinie nicht zu vereinbarenden Handlung ein Schaden entsteht, das Recht hat, von dem für die Verarbeitung Verantwortlichen Schadenersatz zu verlangen.

(2) Der für die Verarbeitung Verantwortliche kann teilweise oder vollständig von seiner Haftung befreit werden, wenn er nachweist, daß der Umstand, durch den der Schaden eingetreten ist, ihm nicht zur Last gelegt werden kann.

Artikel 24 Sanktionen

Die Mitgliedstaaten ergreifen geeignete Maßnahmen, um die volle Anwendung der Bestimmungen dieser Richtlinie sicherzustellen, und legen insbesondere die Sanktionen fest, die bei Verstößen gegen die zur Umsetzung dieser Richtlinie erlassenen Vorschriften anzuwenden sind.

KAPITEL IV
ÜBERMITTLUNG PERSONENBEZOGENER DATEN IN DRITTLÄNDER

Artikel 25 Grundsätze

(1) Die Mitgliedstaaten sehen vor, daß die Übermittlung personenbezogener Daten, die Gegenstand einer Verarbeitung sind oder nach der Übermittlung verarbeitet werden sollen, in ein Drittland vorbehaltlich der Beachtung der aufgrund der anderen Bestimmungen dieser Richtlinie erlassenen einzelstaatlichen Vorschriften zulässig ist, wenn dieses Drittland ein angemessenes Schutzniveau gewährleistet.

(2) Die Angemessenheit des Schutzniveaus, das ein Drittland bietet, wird unter Berücksichtigung aller Umstände beurteilt, die bei einer Datenübermittlung oder einer Kategorie von Datenübermittlungen eine Rolle spielen; insbesondere werden die Art der Daten, die Zweckbestimmung sowie die Dauer der geplanten Verarbeitung, das Herkunfts- und das Endbestimmungsland, die in dem betreffenden Drittland geltenden allgemeinen oder sektoriellen Rechtsnormen sowie die dort geltenden Standesregeln und Sicherheitsmaßnahmen berücksichtigt.

(3) Die Mitgliedstaaten und die Kommission unterrichten einander über die Fälle, in denen ihres Erachtens ein Drittland kein angemessenes Schutzniveau im Sinne des Absatzes 2 gewährleistet.

(4) Stellt die Kommission nach dem Verfahren des Artikels 31 Absatz 2 fest, daß ein Drittland kein angemessenes Schutzniveau im Sinne des Absatzes 2 des vorliegenden Artikels aufweist, so treffen die Mitgliedstaaten die erforderlichen Maßnahmen, damit keine gleichartige Datenübermittlung in das Drittland erfolgt.

(5) Zum geeigneten Zeitpunkt leitet die Kommission Verhandlungen ein, um Abhilfe für die gemäß Absatz 4 festgestellte Lage zu schaffen.

(6) Die Kommission kann nach dem Verfahren des Artikels 31 Absatz 2 feststellen, daß ein Drittland aufgrund seiner innerstaatlichen Rechtsvorschriften oder internationaler Verpflichtungen, die es insbesondere infolge der Verhandlungen gemäß Absatz 5 eingegangen ist, hinsichtlich des Schutzes der Privatsphäre sowie der Freiheiten und Grundrechte von Personen ein angemessenes Schutzniveau im Sinne des Absatzes 2 gewährleistet.

Die Mitgliedstaaten treffen die aufgrund der Feststellung der Kommission gebotenen Maßnahmen.

Artikel 26 Ausnahmen

(1) Abweichend von Artikel 25 sehen die Mitgliedstaaten vorbehaltlich entgegenstehender Regelungen für bestimmte Fälle im in-

nerstaatlichen Recht vor, daß eine Übermittlung oder eine Kategorie von Übermittlungen personenbezogener Daten in ein Drittland, das kein angemessenes Schutzniveau im Sinne des Artikels 25 Absatz 2 gewährleistet, vorgenommen werden kann, sofern

a) die betroffene Person ohne jeden Zweifel ihre Einwilligung gegeben hat oder

b) die Übermittlung für die Erfüllung eines Vertrags zwischen der betroffenen Person und dem für die Verarbeitung Verantwortlichen oder zur Durchführung von vorvertraglichen Maßnahmen auf Antrag der betroffenen Person erforderlich ist oder

c) die Übermittlung zum Abschluß oder zur Erfüllung eines Vertrags erforderlich ist, der im Interesse der betroffenen Person vom für die Verarbeitung Verantwortlichen mit einem Dritten geschlossen wurde oder geschlossen werden soll, oder

d) die Übermittlung entweder für die Wahrung eines wichtigen öffentlichen Interesses oder zur Geltendmachung, Ausübung oder Verteidigung von Rechtsansprüchen vor Gericht erforderlich oder gesetzlich vorgeschrieben ist oder

e) die Übermittlung für die Wahrung lebenswichtiger Interessen der betroffenen Person erforderlich ist oder

f) die Übermittlung aus einem Register erfolgt, das gemäß den Rechts- oder Verwaltungsvorschriften zur Information der Öffentlichkeit bestimmt ist und entweder der gesamten Öffentlichkeit oder allen Personen, die ein berechtigtes Interesse nachweisen können, zur Einsichtnahme offensteht, soweit die gesetzlichen Voraussetzungen für die Einsichtnahme im Einzelfall gegeben sind.

(2) Unbeschadet des Absatzes 1 kann ein Mitgliedstaat eine Übermittlung oder eine Kategorie von Übermittlungen personenbezogener Daten in ein Drittland genehmigen, das kein angemessenes Schutzniveau im Sinne des Artikels 25 Absatz 2 gewährleistet, wenn der für die Verarbeitung Verantwortliche ausreichende Garantien hinsichtlich des Schutzes der Privatsphäre, der Grundrechte und der Grundfreiheiten der Personen sowie hinsichtlich der Ausübung der damit verbundenen Rechte bietet; diese Garantien können sich insbesondere aus entsprechenden Vertragsklauseln ergeben.

(3) Der Mitgliedstaat unterrichtet die Kommission und die anderen Mitgliedstaaten über die von ihm nach Absatz 2 erteilten Genehmigungen.

Legt ein anderer Mitgliedstaat oder die Kommission einen in bezug auf den Schutz der Privatsphäre, der Grundrechte und der Personen hinreichend begründeten Widerspruch ein, so erläßt die Kommission die geeigneten Maßnahmen nach dem Verfahren des Artikels 31 Absatz 2.

Die Mitgliedstaaten treffen die aufgrund des Beschlusses der Kommission gebotenen Maßnahmen.

(4) Befindet die Kommission nach dem Verfahren des Artikels 31 Absatz 2, daß bestimmte Standardvertragsklauseln ausreichende Garantien gemäß Absatz 2 bieten, so treffen die Mitgliedstaaten die aufgrund der Feststellung der Kommission gebotenen Maßnahmen.

KAPITEL V
VERHALTENSREGELN

Artikel 27

(1) Die Mitgliedstaaten und die Kommission fördern die Ausarbeitung von Verhaltensregeln, die nach Maßgabe der Besonderheiten der einzelnen Bereiche zur ordnungsgemäßen Durchführung der einzelstaatlichen Vorschriften beitragen sollen, die die Mitgliedstaaten zur Umsetzung dieser Richtlinie erlassen.

(2) Die Mitgliedstaaten sehen vor, daß die Berufsverbände und andere Vereinigungen, die andere Kategorien von für die Verarbeitung Verantwortlichen vertreten, ihre Entwürfe für einzelstaatliche Verhaltensregeln oder ihre Vorschläge zur Änderung oder Verlängerung bestehender einzelstaatlicher Verhaltensregeln der zuständigen einzelstaatlichen Stelle unterbreiten können.

Die Mitgliedstaaten sehen vor, daß sich diese Stellen insbesondere davon überzeugt, daß die ihr unterbreiteten Entwürfe mit den zur Umsetzung dieser Richtlinie erlassenen einzelstaatlichen Vorschriften in Einklang stehen. Die Stelle holt die Stellungnahmen der betroffenen Personen oder ihrer Vertreter ein, falls ihr dies angebracht erscheint.

(3) Die Entwürfe für gemeinschaftliche Verhaltensregeln sowie Änderungen oder Verlängerungen bestehender gemeinschaftlicher Verhaltensregeln können der in Artikel 29 genannten Gruppe unterbreitet werden. Die Gruppe nimmt insbesondere dazu Stellung, ob die ihr unterbreiteten Entwürfe mit den zur Umsetzung dieser Richtlinie erlassenen einzelstaatlichen Vorschriften in Einklang stehen. Sie holt die Stellungnahmen der betroffenen Personen oder ihrer Vertreter ein, falls ihr dies angebracht erscheint. Die Kommission kann dafür Sorge tragen, daß die Verhaltensregeln, zu denen die Gruppe eine positive Stellungnahme abgegeben hat, in geeigneter Weise veröffentlicht werden.

KAPITEL VI
KONTROLLSTELLE UND GRUPPE FÜR DEN SCHUTZ VON PERSONEN BEI DER VERARBEITUNG PERSONENBEZOGENER DATEN

Artikel 28 Kontrollstelle

(1) Die Mitgliedstaaten sehen vor, daß eine oder mehrere öffentliche Stellen beauftragt werden, die Anwendung der von den Mitgliedstaaten zur Umsetzung dieser Richtlinie erlassenen einzelstaatlichen Vorschriften in ihrem Hoheitsgebiet zu überwachen.

Diese Stellen nehmen die ihnen zugewiesenen Aufgaben in völliger Unabhängigkeit wahr.

(2) Die Mitgliedstaaten sehen vor, daß die Kontrollstellen bei der Ausarbeitung von Rechtsverordnungen oder Verwaltungsvorschriften bezüglich des Schutzes der Rechte und Freiheiten von Personen bei der Verarbeitung personenbezogener Daten angehört werden.

(3) Jede Kontrollstelle verfügt insbesondere über:

– Untersuchungsbefugnisse, wie das Recht auf Zugang zu Daten, die Gegenstand von Verarbeitungen sind, und das Recht auf Einholung aller für die Erfüllung ihres Kontrollauftrags erforderlichen Informationen;
– wirksame Einwirkungsbefugnisse, wie beispielsweise die Möglichkeit, im Einklang mit Artikel 20 vor der Durchführung der Verarbeitungen Stellungnahmen abzugeben und für eine geeignete Veröffentlichung der Stellungnahmen zu sorgen, oder die Befugnis, die Sperrung, Löschung oder Vernichtung von Daten oder das vorläufige oder endgültige Verbot einer Verarbeitung anzuordnen, oder die Befugnis, eine Verwarnung oder eine Ermahnung an den für die Verarbeitung Verantwortlichen zu richten oder die Parlamente oder andere politische Institutionen zu befassen;
– das Klagerecht oder eine Anzeigebefugnis bei Verstößen gegen die einzelstaatlichen Vorschriften zur Umsetzung dieser Richtlinie.

Gegen beschwerende Entscheidungen der Kontrollstelle steht der Rechtsweg offen.

(4) Jede Person oder ein sie vertretender Verband kann sich zum Schutz der die Person betreffenden Rechte und Freiheiten bei der Verarbeitung personenbezogener Daten an jede Kontrollstelle mit einer Eingabe wenden. Die betroffene Person ist darüber zu informieren, wie mit der Eingabe verfahren wurde.

Jede Kontrollstelle kann insbesondere von jeder Person mit dem Antrag befaßt werden, die Rechtmäßigkeit einer Verarbeitung zu überprüfen, wenn einzelstaatliche Vorschriften gemäß Artikel 13 Anwendung finden. Die Person ist unter allen Umständen darüber zu unterrichten, daß eine Überprüfung stattgefunden hat.

(5) Jede Kontrollstelle legt regelmäßig einen Bericht über ihre Tätigkeit vor. Dieser Bericht wird veröffentlicht.

(6) Jede Kontrollstelle ist im Hoheitsgebiet ihres Mitgliedstaats für die Ausübung der ihr gemäß Absatz 3 übertragenen Befugnisse zuständig, unabhängig vom einzelstaatlichen Recht, das auf die jeweilige Verarbeitung anwendbar ist. Jede Kontrollstelle kann von einer Kontrollstelle eines anderen Mitgliedstaats um die Ausübung ihrer Befugnisse ersucht werden.

Die Kontrollstellen sorgen für die zur Erfüllung ihrer Kontrollaufgaben notwendige gegenseitige Zusammenarbeit, insbesondere durch den Austausch sachdienlicher Informationen.

(7) Die Mitgliedstaaten sehen vor, daß die Mitglieder und Bediensteten der Kontrollstellen hinsichtlich der vertraulichen Informationen, zu denen sie Zugang haben, dem Berufsgeheimnis, auch nach Ausscheiden aus dem Dienst, unterliegen.

Artikel 29 Datenschutzgruppe

(1) Es wird eine Gruppe für den Schutz von Personen bei der Verarbeitung personenbezogener Daten eingesetzt (nachstehend »Gruppe« genannt).

Die Gruppe ist unabhängig und hat beratende Funktion.

(2) Die Gruppe besteht aus je einem Vertreter der von den einzelnen Mitgliedstaaten bestimmten Kontrollstellen und einem Vertreter der Stelle bzw. der Stellen, die für die Institutionen und Organe der Gemeinschaft eingerichtet sind, sowie einem Vertreter der Kommission.

Jedes Mitglied der Gruppe wird von der Institution, der Stelle oder den Stellen, die es vertritt, benannt. Hat ein Mitgliedstaat mehrere Kontrollstellen bestimmt, so ernennen diese einen gemeinsamen Vertreter. Gleiches gilt für die Stellen, die für die Institutionen und die Organe der Gemeinschaft eingerichtet sind.

(3) Die Gruppe beschließt mit der einfachen Mehrheit der Vertreter der Kontrollstellen.

(4) Die Gruppe wählt ihren Vorsitzenden. Die Dauer der Amtszeit des Vorsitzenden beträgt zwei Jahre. Wiederwahl ist möglich.

(5) Die Sekretariatsgeschäfte der Gruppe werden von der Kommission wahrgenommen.

(6) Die Gruppe gibt sich eine Geschäftsordnung.

(7) Die Gruppe prüft die Fragen, die der Vorsitzende von sich aus oder auf Antrag eines Vertreters der Kontrollstellen oder auf Antrag der Kommission auf die Tagesordnung gesetzt hat.

Artikel 30

(1) Die Gruppe hat die Aufgabe,

a) alle Fragen im Zusammenhang mit den zur Umsetzung dieser Richtlinie erlassenen einzelstaatlichen Vorschriften zu prüfen, um zu einer einheitlichen Anwendung beizutragen;

b) zum Schutzniveau in der Gemeinschaft und in Drittländern gegenüber der Kommission Stellung zu nehmen;

c) die Kommission bei jeder Vorlage zur Änderung dieser Richtlinie, zu allen Entwürfen zusätzlicher oder spezifischer Maßnahmen zur Wahrung der Rechte und Freiheiten natürlicher Personen bei der Verarbeitung personenbezogener Daten sowie zu allen anderen Entwürfen von Gemeinschaftsmaßnahmen zu beraten, die sich auf diese Rechte und Freiheiten auswirken;

d) Stellungnahmen zu den auf Gemeinschaftsebene erarbeiteten Verhaltensregeln abzugeben.

(2) Stellt die Gruppe fest, daß sich im Bereich des Schutzes von Personen bei der Verarbeitung personenbezogener Daten zwischen den Rechtsvorschriften oder der Praxis der Mitgliedstaaten Unterschiede ergeben, die die Gleichwertigkeit des Schutzes in der Gemeinschaft beeinträchtigen könnten, so teilt sie dies der Kommission mit.

(3) Die Gruppe kann von sich aus Empfehlungen zu allen Fragen abgeben, die den Schutz von Personen bei der Verarbeitung personenbezogener Daten in der Gemeinschaft betreffen.

(4) Die Stellungnahmen und Empfehlungen der Gruppe werden der Kommission und dem in Artikel 31 genannten Ausschuß übermittelt.

(5) Die Kommission teilt der Gruppe mit, welche Konsequenzen sie aus den Stellungnahmen und Empfehlungen gezogen hat. Sie erstellt hierzu einen Bericht, der auch dem Europäischen Parlament und dem Rat übermittelt wird. Dieser Bericht wird veröffentlicht.

(6) Die Gruppe erstellt jährlich einen Bericht über den Stand des Schutzes natürlicher Personen bei der Verarbeitung personenbezogener

Daten in der Gemeinschaft und in Drittländern, den sie der Kommission, dem Europäischen Parlament und dem Rat übermittelt. Dieser Bericht wird veröffentlicht.

KAPITEL VII
GEMEINSCHAFTLICHE DURCHFÜHRUNGSMASSNAHMEN

Artikel 31 Ausschußverfahren

(1) Die Kommission wird von einem Ausschuß unterstützt, der sich aus Vertretern der Mitgliedstaaten zusammensetzt und in dem der Vertreter der Kommission den Vorsitz führt.

(2) Der Vertreter der Kommission unterbreitet dem Ausschuß einen Entwurf der zu treffenden Maßnahmen. Der Ausschuß gibt seine Stellungnahme zu diesem Entwurf innerhalb einer Frist ab, die der Vorsitzende unter Berücksichtigung der Dringlichkeit der betreffenden Frage festsetzen kann.

Die Stellungnahme wird mit der Mehrheit abgegeben, die in Artikel 148 Absatz 2 des Vertrags vorgesehen ist. Bei der Abstimmung im Ausschuß werden die Stimmen der Vertreter der Mitgliedstaaten gemäß dem vorgenannten Artikel gewogen. Der Vorsitzende nimmt an der Abstimmung nicht teil.

Die Kommission erläßt Maßnahmen, die unmittelbar gelten. Stimmen sie jedoch mit der Stellungnahme des Ausschusses nicht überein, werden sie von der Kommission unverzüglich dem Rat mitgeteilt. In diesem Fall gilt folgendes:

- Die Kommission verschiebt die Durchführung der von ihr beschlossenen Maßnahmen um drei Monate vom Zeitpunkt der Mitteilung an;
- der Rat kann innerhalb des im ersten Gedankenstrich genannten Zeitraums mit qualifizierter Mehrheit einen anderslautenden Beschluß fassen.

SCHLUSSBESTIMMUNGEN

Artikel 32

(1) Die Mitgliedstaaten erlassen die erforderlichen Rechts- und Verwaltungsvorschriften, um dieser Richtlinie binnen drei Jahren nach ihrer Annahme nachzukommen.

Wenn die Mitgliedstaaten derartige Vorschriften erlassen, nehmen sie in den Vorschriften selbst oder durch einen Hinweis bei der amtlichen Veröffentlichung auf diese Richtlinie Bezug. Die Mitgliedstaaten regeln die Einzelheiten der Bezugnahme.

(2) Die Mitgliedstaaten tragen dafür Sorge, daß Verarbeitungen, die zum Zeitpunkt des Inkrafttretens der einzelstaatlichen Vorschriften zur Umsetzung dieser Richtlinie bereits begonnen wurden, binnen drei Jahren nach diesem Zeitpunkt mit diesen Bestimmungen in Einklang gebracht werden.

Abweichend von Unterabsatz 1 können die Mitgliedstaaten vorsehen, daß die Verarbeitungen von Daten, die zum Zeitpunkt des Inkrafttretens der einzelstaatlichen Vorschriften zur Umsetzung dieser Richtlinie bereits in manuellen Dateien enthalten sind, binnen zwölf Jahren nach Annahme dieser Richtlinie mit den Artikeln 6, 7 und 8 in Einklang zu bringen sind. Die Mitgliedstaaten gestatten jedoch, daß die betroffene Person auf Antrag und insbesondere bei Ausübung des Zugangsrechts die Berichtigung, Löschung oder Sperrung von Daten erreichen kann, die unvollständig, unzutreffend oder auf eine Art und Weise aufbewahrt sind, die mit den vom für die Verarbeitung Verantwortlichen verfolgten rechtmäßigen Zwecken unvereinbar ist.

(3) Abweichend von Absatz 2 können die Mitgliedstaaten vorbehaltlich geeigneter Garantien vorsehen, daß Daten, die ausschließlich zum Zwecke der historischen Forschung aufbewahrt werden, nicht mit den Artikeln 6, 7 und 8 in Einklang gebracht werden müssen.

(4) Die Mitgliedstaaten teilen der Kommission den Wortlaut der innerstaatlichen Vorschriften mit, die sie auf dem unter diese Richtlinie fallenden Gebiet erlassen.

Artikel 33

Die Kommission legt dem Europäischen Parlament und dem Rat regelmäßig, und zwar erstmals drei Jahre nach dem in Artikel 32 Absatz 1 genannten Zeitpunkt einen Bericht über die Durchführung dieser Richtlinie vor und fügt ihm gegebenenfalls geeignete Änderungsvorschläge bei. Dieser Bericht wird veröffentlicht.

Die Kommission prüft insbesondere die Anwendung dieser Richtlinie auf die Verarbeitung personenbezogener Bild- und Tondaten und unterbreitet geeignete Vorschläge, die sich unter Berücksichtigung der Entwicklung der Informationstechnologie und der Arbeiten über die Informationsgesellschaft als notwendig erweisen könnten.

Artikel 34

Diese Richtlinie ist an die Mitgliedstaaten gerichtet.

Geschehen zu Luxemburg am 24. Oktober 1995.

Im Namen des Europäischen Parlaments
Der Präsident
K. HÄNSCH

Im Namen des Rates
Der Präsident
L. ATIENZA SERNA

Entscheidung der Kommission gemäß der Richtlinie 95/46/EG des Europäischen Parlaments und des Rates über die Angemessenheit des von den Grundsätzen des »sicheren Hafens« und der diesbezüglichen »Häufig gestellten Fragen« (FAQ) gewährleisteten Schutzes, vorgelegt vom Handelsministerium der USA

vom 26. Juli 2000

(Bekannt gegeben unter Aktenzeichen K(2000) 2441)
(Text von Bedeutung für den EWR)
(2000/520/EG)

Amtsblatt der Europäischen Gemeinschaften L 215/7 vom 25. 8. 2000

DIE KOMMISSION DER EUROPÄISCHEN GEMEINSCHAFTEN –

gestützt auf den Vertrag zur Gründung der Europäischen Gemeinschaft,

gestützt auf die Richtlinie 95/46/EG des Europäischen Parlaments und des Rates vom 24. Oktober 1995 zum Schutz natürlicher Personen bei der Verarbeitung personenbezogener Daten und zum freien Datenverkehr[1], insbesondere auf Artikel 25 Absatz 6,

in Erwägung nachstehender Gründe:

(1) Gemäß der Richtlinie 95/46/EG haben die Mitgliedstaaten vorzusehen, dass die Übermittlung personenbezogener Daten in ein Drittland nur zulässig ist, wenn dieses Drittland ein angemessenes Schutzniveau gewährleistet und die einzelstaatlichen Rechtsvorschriften zur Umsetzung anderer Bestimmungen der Richtlinie vor der Übermittlung beachtet werden.

(2) Die Kommission kann feststellen, dass ein Drittland ein angemessenes Schutzniveau gewährleistet. In diesem Fall können personenbezogene Daten aus den Mitgliedstaaten übermittelt werden, ohne dass zusätzliche Garantien erforderlich sind.

---

1 ABl. L 281 vom 23. 11. 1995, S. 31.

(3) Gemäß der Richtlinie 95/46/EG sollte die Angemessenheit des Schutzniveaus unter Berücksichtigung aller Umstände beurteilt werden, die bei einer Datenübermittlung oder einer Kategorie von Datenübermittlungen eine Rolle spielen, und im Hinblick auf die gegebenen Bedingungen. Die durch die Richtlinie eingesetzte Datenschutzgruppe[2] hat Leitlinien für solche Bewertungen erstellt[3].

(4) Angesichts der verschiedenen Ansätze von Drittländern im Bereich Datenschutz sollte die Beurteilung der Angemessenheit und die Durchsetzung jeder Entscheidung gemäß Artikel 25 Absatz 6 der Richtlinie 95/46/EG in einer Form erfolgen, die gegen Drittländer bzw. unter Drittländern, in denen gleiche Bedingungen vorherrschen, nicht willkürlich oder ungerechtfertigt diskriminierend wirkt und unter Berücksichtigung der bestehenden internationalen Verpflichtungen der Gemeinschaft kein verstecktes Handelshemmnis darstellt.

(5) Das durch diese Entscheidung anerkannte angemessene Schutzniveau für die Übermittlung von Daten aus der Gemeinschaft in die Vereinigten Staaten sollte erreicht sein, wenn die Organisationen die »Grundsätze des ›sicheren Hafens‹ zum Datenschutz« für den Schutz personenbezogener Daten, die aus einem Mitgliedstaat in die Vereinigten Staaten übermittelt werden (im folgenden »die Grundsätze« genannt) sowie die »Häufig gestellten Fragen« (»Frequently Asked Questions«, im folgenden »FAQ« genannt) beachten, die Leitlinien für die Umsetzung der von der Regierung der Vereinigten Staaten von Amerika am 21. Juli 2000 veröffentlichten Grundsätze darstellen. Die Organisationen müssen ferner ihre Geschäftsbedingungen zum Datenschutz offen legen und der Zuständigkeit der Federal Trade Commission (FTC) gemäß Abschnitt 5 des Federal Trade Commission Act, der unlautere und irreführende Handlungen und Praktiken, die im Handel erfolgen oder die den Handel beeinträchtigen, verbietet, bzw. der Zuständigkeit anderer gesetzlicher Organe unterliegen, die die Einhaltung der entsprechend den FAQ umgesetzten Grundsätze effektiv gewährleisten.

(6) Bereiche und/oder Datenverarbeitungen, die nicht der Zuständigkeit einer der in Anhang VII dieser Entscheidung genannten staatlichen Einrichtungen innerhalb der Vereinigten Staaten unterliegen, fallen nicht in den Geltungsbereich dieser Entscheidung.

---

2 Die Web-Anschrift der Datenschutzgruppe lautet: http://www.europa.eu.int/comm/internal_market/en/media/dataprot/wpdocs/index.htm.

3 WP 12: Übermittlungen personenbezogener Daten an Drittländer: Anwendung von Artikel 25 und 26 der Datenschutzrichtlinie der EU, von der Arbeitsgruppe am 24. Juli 1998 angenommen.

(7) Um die ordnungsgemäße Anwendung dieser Entscheidung zu gewährleisten, müssen Organisationen, die den Grundsätzen und den FAQ beitreten, von den interessierten Kreisen, wie etwa den betroffenen Personen, Datenexporteuren und Datenschutzbehörden, erkannt werden können. Das US-Handelsministerium bzw. die von ihm benannte Stelle sollte es zu diesem Zweck übernehmen, eine Liste der Organisationen zu führen und der Öffentlichkeit zugänglich zu machen, die selbst bescheinigen, dass sie den entsprechend den FAQ umgesetzten Grundsätzen beigetreten sind und in die Zuständigkeit zumindest eines der in Anhang VII dieser Entscheidung genannten staatlichen Organe fallen.

(8) Im Interesse der Transparenz und um die Fähigkeit der zuständigen Behörden in den Mitgliedstaaten zu erhalten, den Schutz von Personen bei der Verarbeitung ihrer personenbezogenen Daten zu gewährleisten, ist es ungeachtet der Feststellung des angemessenen Schutzniveaus notwendig, in dieser Entscheidung die besonderen Umstände zu nennen, unter denen die Aussetzung bestimmter Datenübermittlungen gerechtfertigt sein sollte.

(9) Der durch die Grundsätze und die FAQ geschaffene »sichere Hafen« wird möglicherweise im Licht der Erfahrungen mit Entwicklungen beim Datenschutz in einem Umfeld, in dem die Technik die Übermittlung und Verarbeitung personenbezogener Daten immer einfacher macht, und im Licht von Berichten der für die Durchsetzung zuständigen Behörden über die Anwendung gegebenenfalls überprüft werden müssen.

(10) Die durch Artikel 29 der Richtlinie 95/46/EG eingesetzte Gruppe für den Schutz von Personen bei der Verarbeitung personenbezogener Daten hat zu dem Schutzniveau, das durch die Grundsätze über den sicheren Hafen in den Vereinigten Staaten geschaffen wird, Stellungnahmen abgegeben, die bei der Ausarbeitung der vorliegenden Entscheidung berücksichtigt wurden[4].

---

4 WP 15: Stellungnahme 1/99 zum Stand des Datenschutzes in den Vereinigten Staaten und zu den derzeitigen Verhandlungen zwischen der Europäischen Kommission und der amerikanischen Regierung;

WP 19: Stellungnahme 2/99 zur Angemessenheit der »Internationalen Grundsätze des sicheren Hafens«, ausgegeben vom US-Handelsministerium am 19. April 1999;

WP 21: Stellungnahme 4/99 zu den »Häufig gestellten Fragen« (Frequently Asked Questions), vorgelegt vom US-Handelsministerium im Zusammenhang mit den vorgeschlagenen »Grundsätzen des sicheren Hafens«;

WP 23: Arbeitsunterlage zum gegenwärtigen Stand der Diskussion zwischen der Europäischen Kommission und der Regierung der Vereinigten Staaten über die »Internationalen Grundsätze des sicheren Hafens«;

(11) Die in dieser Entscheidung geregelten Maßnahmen entsprechen der Stellungnahme des gemäß Artikel 31 der Richtlinie 95/46/EG eingesetzten Ausschusses –

(12) Gemäß dem Beschluss 1999/468/EG und insbesondere Artikel 8 hat das Europäische Parlament am 5. Juli 2000 die Entschließung A5-0177/2000 zu dem Entwurf einer Entscheidung der Kommission über die Angemessenheit des von den Grundsätzen des ›sicheren Hafens‹ und diesbezüglichen ›Häufig gestellten Fragen‹ (FAQ) gewährleisteten Schutzes, vorgelegt vom Handelsministerium der USA[5] angenommen. Die Kommission hat den Entwurf der Entscheidung im Lichte dieser Entschließung erneut geprüft und ist zu dem Schluss gelangt, dass, obwohl das Europäische Parlament einige Verbesserungen an den Grundsätzen des ›sicheren Hafens‹ und an den zugehörigen FAQ für erforderlich hält, bevor davon ausgegangen werden kann, dass diese einen ›angemessenen Schutz‹ gewährleisten können, es nicht festgestellt hat, dass die Kommission mit der Annahme der Entscheidung ihre Kompetenzen überschreiten würde.

HAT FOLGENDE ENTSCHEIDUNG ERLASSEN:

Artikel 1

(1) Es wird davon ausgegangen, dass die dieser Entscheidung als Anhang I beigefügten »Grundsätze des ›sicheren Hafens‹ zum Datenschutz«, im Folgenden »die Grundsätze« genannt, die gemäß den in den vom US-Handelsministerium am 21. Juli 2000 herausgegebenen, dieser Entscheidung als Anhang II beigefügten, »Häufig gestellten Fragen« (FAQ) enthaltenen Leitlinien umgesetzt werden, für alle unter die Richtlinie 95/46/EG fallenden Tätigkeiten ein im Sinne des Artikels 25 Absatz 2 dieser Richtlinie angemessenes Schutzniveau für personenbezogene Daten gewährleisten, die von der Europäischen Union an in den Vereinigten Staaten niedergelassene Organisationen übermittelt werden, unter Berücksichtigung folgender vom US-Handelsministerium veröffentlichter Dokumente:

WP 27: Stellungnahme 7/99 zum Datenschutzniveau, das die Grundsätze des sicheren Hafens in ihrer veröffentlichten Form, die dazu gehörigen häufig gestellten Fragen (FAQ) und andere vom US-Handelsministerium am 15./16. November 1999 veröffentlichte Dokumente gewährleisten;

WP 31: Stellungnahme 3/2000 zum Dialog EU-USA betreffend die Vereinbarung über den sicheren Hafen;

WP 32: Stellungnahme 4/2000 über das Datenschutzniveau, das die Grundsätze des sicheren Hafens bieten.

5 Die Entschließung wurde noch nicht im Amtsblatt veröffentlicht.

a) die »sicherer Hafen Durchsetzungsmechanismen« (Anhang III),

b) ein Memorandum über Entschädigungen für die Verletzung der Privatsphäre und ausdrückliche Ermächtigungen gemäß dem US-Recht (Anhang IV),

c) ein Schreiben der Federal Trade Commission (Anhang V),

d) ein Schreiben des US-Verkehrsministeriums (Anhang VI).

(2) Im Hinblick auf jede Datenübermittlung müssen folgende Voraussetzungen erfüllt sein:

a) Die Organisation, die die Daten erhält, hat sich eindeutig und öffentlich verpflichtet, die Grundsätze einzuhalten, die entsprechend den FAQ umgesetzt wurden; und

b) die Organisation unterliegt den gesetzlichen Befugnissen einer in Anhang VII dieser Entscheidung aufgeführten staatlichen Einrichtung in den Vereinigten Staaten, die berechtigt ist, im Fall der Nichtbeachtung der Grundsätze, die entsprechend den FAQ umgesetzt wurden, Beschwerden zu prüfen und Abhilfe wegen unlauterer und irreführender Praktiken sowie Schadenersatz für Privatpersonen zu erwirken, und zwar ungeachtet des Landes, in dem sie ihren Wohnsitz haben, oder ihrer Nationalität.

(3) Die Voraussetzungen des Absatzes 2 gelten ab dem Zeitpunkt als erfüllt, zu dem die Organisation, die ihren Beitritt zu den entsprechend den FAQ umgesetzten Grundsätzen bescheinigt, dem Handelsministerium der USA (oder der von ihm benannten Stelle) die öffentliche Bekanntgabe ihrer Verpflichtung nach Absatz 2 Buchstabe a) und die Identität der staatlichen Einrichtung nach Absatz 2 Buchstabe b) mitteilt.

Artikel 2

Die vorliegende Entscheidung betrifft nur die Angemessenheit des Schutzes, der in den Vereinigten Staaten nach den entsprechend den FAQ umgesetzten Grundsätzen gewährt wird, um die Anforderungen des Artikels 25 Absatz 1 der Richtlinie 95/46/EG zu erfüllen. Die Anwendung anderer Bestimmungen der Richtlinie, die sich auf die Verarbeitung personenbezogener Daten in den Mitgliedstaaten beziehen, einschließlich Artikel 4, bleiben von dieser Entscheidung unberührt.

Artikel 3

(1) Ungeachtet ihrer Befugnisse, tätig zu werden, um die Einhaltung einzelstaatlicher Vorschriften, die gemäß anderen Bestimmungen als denjenigen des Artikels 25 der Richtlinie 95/46/EG erlassen wurden, zu

gewährleisten, können die zuständigen Behörden in den Mitgliedstaaten ihre bestehenden Befugnisse ausüben, zum Schutz von Privatpersonen bei der Verarbeitung ihrer personenbezogenen Daten die Datenübermittlung an eine Organisation auszusetzen, die den Grundsätzen, die entsprechend den FAQ umgesetzt wurden, beigetreten ist, wenn

a) die in Anhang VII dieser Entscheidung erwähnte staatliche Einrichtung in den Vereinigten Staaten oder eine unabhängige Instanz im Sinne von Buchstabe a) des in Anhang I dieser Entscheidung erwähnten Durchsetzungsgrundsatzes feststellt, dass die betreffende Organisation die Grundsätze, die entsprechend den FAQ umgesetzt wurden, verletzt oder

b) eine hohe Wahrscheinlichkeit besteht, dass die Grundsätze verletzt werden; wenn Grund zur Annahme besteht, dass die jeweilige Durchsetzungsinstanz nicht rechtzeitig angemessene Maßnahmen ergreift bzw. ergreifen wird, um den Fall zu lösen; wenn die fortgesetzte Datenübermittlung für die betroffenen Personen das unmittelbar bevorstehende Risiko eines schweren Schadens schaffen würde, und wenn die zuständigen Behörden in den Mitgliedstaaten die Organisation unter den gegebenen Umständen in angemessener Weise unterrichtet und ihr Gelegenheit zu Stellungnahme gegeben haben.

Die Aussetzung ist zu beenden, sobald sichergestellt ist, dass die Grundsätze, die entsprechend den FAQ umgesetzt wurden, befolgt werden, und die zuständigen Behörden in der EU davon in Kenntnis gesetzt sind.

(2) Die Mitgliedstaaten informieren die Kommission unverzüglich, wenn Maßnahmen gemäß Absatz 1 ergriffen wurden.

(3) Die Mitgliedstaaten und die Kommission informieren einander auch über Fälle, bei denen die Maßnahmen der für die Einhaltung der entsprechend den FAQ umgesetzten Grundsätze in den Vereinigten Staaten verantwortlichen Einrichtungen nicht ausreichen, um die Einhaltung zu gewährleisten.

(4) Ergeben die Informationen nach den Absätzen 1, 2 und 3, dass eine der für die Einhaltung der entsprechend den FAQ umgesetzten Grundsätze in den Vereinigten Staaten verantwortlichen Einrichtungen ihrer Aufgabe nicht wirkungsvoll nachkommt, so informiert die Kommission das Handelsministerium der USA und schlägt, wenn nötig, gemäß dem Verfahren nach Artikel 31 der Richtlinie im Hinblick auf eine Aufhebung, Aussetzung oder Beschränkung des Geltungsbereichs dieser Entscheidung entsprechende Maßnahmen vor.

Artikel 4

(1) Diese Entscheidung kann jederzeit im Licht der Erfahrungen mit ihrer Anwendung angepasst werden und/oder dann, wenn das durch die Grundsätze und die FAQ gewährte Schutzniveau in die Rechtsvorschriften der USA übernommen wird.

In jedem Fall nimmt die Kommission drei Jahre, nachdem sie die Mitgliedstaaten von dieser Entscheidung in Kenntnis gesetzt hat, anhand der verfügbaren Informationen eine Bewertung ihrer Umsetzung vor und unterrichtet den nach Artikel 31 der Richtlinie 95/46/EG eingesetzten Ausschuss über sämtliche relevanten Feststellungen, einschließlich aller Erkenntnisse, die die Beurteilung der Vereinbarung in Artikel 1 als zur Gewährleistung des Datenschutzes angemessen im Sinne von Artikel 25 der Richtlinie 95/46/EG berühren könnten, sowie etwaiger Belege dafür, dass die vorliegende Entscheidung in diskriminierender Weise angewandt wird.

(2) Die Kommission legt erforderlichenfalls gemäß dem Verfahren nach Artikel 31 der Richtlinie Vorschläge für Maßnahmen vor.

Artikel 5

Die Mitgliedstaaten ergreifen binnen 90 Tagen, nachdem sie von der Entscheidung in Kenntnis gesetzt worden sind, alle für ihre Umsetzung erforderlichen Maßnahmen.

Artikel 6

Diese Entscheidung ist an alle Mitgliedstaaten gerichtet.

Brüssel, den 26. Juli 2000

Für die Kommission
Frederik BOLKESTEIN
Mitglied der Kommission

ANHANG I

GRUNDSÄTZE DES »SICHEREN HAFENS« ZUM DATENSCHUTZ

vorgelegt vom amerikanischen Handelsministerium am 21. Juli 2000

Die umfassende Rechtsvorschrift der Europäischen Union zum Schutz personenbezogener Daten, die Datenschutzrichtlinie (nachstehend »die Richtlinie« genannt), trat am 25. Oktober 1998 in Kraft. Sie legt fest, dass personenbezogene Daten nur in Nicht-EU-Länder übermittelt werden können, die einen »angemessenen« Schutz der Privatsphäre gewährleisten. Die Vereinigten Staaten und die Europäische Union haben beide das Ziel, den Datenschutz für ihre Staatsbürger zu verstärken, wobei die Vereinigten Staaten jedoch einen anderen Ansatz verfolgen als die Europäische Gemeinschaft. Die USA verwenden einen sektoralen Ansatz, der auf einer Mischung von Rechtsvorschriften, Verordnungen und Selbstregulierung basiert. Angesichts dieser Unterschiede fühlen sich viele US-Organisationen verunsichert bezüglich der Auswirkung des seitens der EU geforderten »Angemessenheits-Standards« für die Übermittlung personenbezogener Daten aus der Europäischen Union in die Vereinigten Staaten.

Um diese Unsicherheit auszuräumen und einen berechenbareren Rahmen für solche Datenübermittlungen zu schaffen, legt das Handelsministerium unter seiner gesetzlichen Autorität, internationalen Handel zu pflegen, zu fördern und zu entwickeln, dieses Papier und so genannte »Häufig gestellte Fragen« – FAQs (»die Grundsätze«) vor. Die Grundsätze wurden in Absprache mit der Industrie und der breiten Öffentlichkeit entwickelt, um den Handel zwischen der Europäischen Union und den Vereinigten Staaten zu erleichtern. Sie sind ausschließlich für den Gebrauch durch US-Organisationen bestimmt, die personenbezogene Daten aus der Europäischen Union erhalten, um sich für den »sicheren Hafen« und die daraus erwachsende Vermutung der »Angemessenheit« des Datenschutzes zu qualifizieren. Da die Grundsätze ausschließlich für diesen spezifischen Zweck erarbeitet wurden, können sie für andere Zwecke ungeeignet sein. Die Grundsätze können nicht benutzt werden als Ersatz für nationale Rechtsvorschriften über die Verarbeitung personenbezogener Daten in den Mitgliedstaaten, mit denen die Richtlinie umgesetzt wird.

Die Entscheidung der einzelnen Organisationen, sich für den »sicheren Hafen« zu qualifizieren, ist vollkommen freiwillig, und die Organisationen können sich für das Konzept des »sicheren Hafens« auf verschiedene Arten qualifizieren. Organisationen, die sich dazu entschließen, den Grundsätzen beizutreten, müssen die Grundsätze einhalten, um die Vorteile des »sicheren Hafens« erhalten und behalten zu können, und sie müssen diese Absicht öffentlich bekannt machen. Wenn sich eine Organisation beispielsweise einem vom Privatsektor entwickelten Datenschutzprogramm anschließt, das sich an diese Grundsätze hält, qualifiziert sie sich für den »sicheren Hafen«. Darüber hinaus können sich Organisationen auch qualifizieren, wenn sie eigene Maßnahmen zum Schutz personenbezogener Daten entwickeln, sofern diese den Grundsätzen entsprechen. Verstößt eine Organisation, deren Datenschutzmaßnahmen ganz oder teilweise auf Selbstregulierung beruhen, gegen diese Selbstregulierung, muss dieser Verstoß auch gemäß Abschnitt 5 des Federal Trade Commission Act zur Verhinderung unlauterer und irreführender Praktiken oder ähnlichen Rechtsvorschriften verfolgbar sein (der Anhang enthält die Liste der von der EU anerkannten staatlichen Einrichtungen in den Vereinigten Staaten). Zudem können Organisationen, die Gesetzen, Regulierungs-, Verwaltungs- oder anderen Rechtsvorschriften (oder Regeln) unterliegen, die wirksam personenbezogene Daten schützen, ebenfalls in den Genuss der Vorteile des »sicheren Hafens« gelangen. In allen Fällen gelten die Vorteile des Konzepts des »sicheren Hafens« ab dem Tag, an dem die Organisation, die sich für die Grundsätze des sicheren Hafens qualifizieren möchte, gegenüber dem Handelsministerium (oder einer von ihm benannten Stelle) gemäß den in den FAQ zur Selbstzertifizierung dargelegten Leitlinien erklärt, dass sie den Grundsätzen beitritt.

Die Geltung dieser Grundsätze kann begrenzt werden a) insoweit, als Erfordernissen der nationalen Sicherheit, des öffentlichen Interesses oder der Durchführung von Gesetzen Rechnung getragen werden muss, b) durch Gesetzesrecht, staatliche Regulierungsvorschriften oder Fallrecht, die unvereinbare Verpflichtungen oder ausdrückliche Ermächtigungen schaffen, vorausgesetzt, die Organisation kann in Wahrnehmung dieser Ermächtigungen nachweisen, dass die Nichteinhaltung der Grundsätze sich auf das Ausmaß beschränkte, das die Einhaltung übergeordneter berechtiger Interessen aufgrund eben dieser Ermächtigung erforderte, oder c) wenn die Richtlinie oder das nationale Recht Ausnahmeregelungen vorsieht, sofern diese Ausnahmeregelungen unter vergleichbaren Voraussetzungen getroffen werden. Im Hinblick auf das Ziel eines wirksameren Schutzes der Privatsphäre sollen die Organisationen die Grundsätze in vollem Umfang und in transparenter Weise anwenden, unter anderem indem sie angeben, in welchen Fällen Abweichungen von den Grundsätzen, die nach b) zulässig sind, bei ihren Datenschutzmaßnahmen regelmäßig Anwendung finden werden. Aus demselben Grund wird, wenn die Wahlmöglichkeit nach den Grundsätzen und/oder nach dem US-Recht besteht, von den Organisationen erwartet, dass sie sich, sofern möglich, für das höhere Schutzniveau entscheiden.

Organisationen können aus praktischen oder anderen Gründen die Grundsätze auf alle Datenverarbeitungsverfahren anwenden, die Verpflichtung zur Anwendung der Grundsätze entsteht jedoch erst mit dem Beitritt zum »sicheren Hafen«. Bei manuell verarbeiteten Daten ist die Einhaltung der Grundsätze zur Qualifizierung für den »sicheren Hafen« nicht erforderlich. Organisationen, die vom »sicheren Hafen« profitieren wollen, um manuell verarbeitete Daten aus der EU zu erhalten, müssen die Grundsätze auf alle Daten anwenden, die nach ihrem Beitritt übermittelt werden. Eine Organisation, die die Vorteile des sicheren Hafens auf Personaldaten ausdehnen will, die im Rahmen eines Beschäftigungsverhältnisses aus der EU übermittelt werden, muss darauf hinweisen, wenn sie sich dem US-Handelsministerium (oder einer von diesem benannten Stelle) gegenüber auf die Grundsätze verpflichtet, und sie muss die in der FAQ zur Selbstzertifizierung beschriebenen Anforderungen erfüllen. Organisationen können auch die in Artikel 26 der Richtlinie geforderten Garantien bieten, wenn sie in schriftlichen Vereinbarungen mit Stellen, die Daten aus der EU übermitteln, die Grundsätze für die materiellen Datenschutzvorschriften anwenden, sobald die weiteren Vorschriften für derartige Musterverträge von der Kommission und den Mitgliedstaaten genehmigt sind.

Für Fragen der Auslegung und der Einhaltung der Grundsätze des »sicheren Hafens« (einschließlich der FAQ) und der einschlägigen Geschäftsbedingungen für den Datenschutz einzelner dem »sicheren Hafen« angehöriger Organisationen gilt das US-Recht; es gilt nicht, wenn sich eine Organisation zur Zusammenarbeit mit europäischen Datenschutzbehörden verpflichtet hat. Sofern nicht anderweitig festgelegt, finden die Grundsätze des »sicheren Hafens« in sämtlichen Teilen, einschließlich der FAQ, in allen Fällen, in denen sie relevant sind, Anwendung.

Personenbezogene Daten sind in beliebiger Form aufgezeichnete Daten über eine identifizierte oder identifizierbare Person, die unter die Richtlinie fallen und aus der Europäischen Union an eine US-Organisation übermittelt werden.

INFORMATIONSPFLICHT

Die Organisation muss Privatpersonen darüber informieren, zu welchem Zweck sie die Daten über sie erhebt und verwendet, wie sie die Organisation bei eventuellen Nachfragen oder Beschwerden kontaktieren können, an welche Kategorien von Dritten die Daten weitergegeben werden und welche Mittel und Wege sie den Privatpersonen zur Verfügung stellt, um die Verwendung und Weitergabe der Daten einzuschränken. Diese Angaben sind den Betroffenen unmissverständlich und deutlich erkennbar zu machen, wenn sie erstmalig gebeten werden, der Organisation personenbezogene Daten zu liefern, oder so bald wie möglich danach, auf jeden Fall aber bevor die Organisation die Daten zu anderen Zwecken verwendet als denen, für die sie von der übermittelnden Organisation ursprünglich erhoben oder verarbeitet wurden, oder bevor sie die Daten erstmalig an einen Dritten weitergibt[1].

WAHLMÖGLICHKEIT

Die Organisation muss Privatpersonen die Möglichkeit geben zu wählen (»opt out«), ob ihre personenbezogenen Daten a) an Dritte[1]) weitergegeben werden sollen oder b) für einen Zweck verwendet werden sollen, der mit dem ursprünglichen oder dem nachträglich von der betreffenden Person genehmigten Erhebungszweck unvereinbar ist. Der betroffenen Person muss die Ausübung ihres Wahlrechts durch leicht erkennbare und verständliche, leicht zugängliche und kostengünstige Verfahren ermöglicht werden.

Bei sensiblen Daten (wie z. B. Angaben über den Gesundheitszustand, über Rassen- oder ethnische Zugehörigkeit, über politische, religiöse oder philosophische Überzeugungen, über die Mitgliedschaft in einer Gewerkschaft oder über das Sexualleben) benötigen die Organisationen die ausdrückliche Zustimmung (»opt in«) der betroffenen Personen, wenn die Daten an Dritte weitergegeben oder für einen anderen als den ursprünglichen Erhebungszweck oder den Zweck verwendet werden sollen, dem die betroffene Person nachträglich durch Ausübung des Wahlrechts zugestimmt hat. In jedem Fall sollen die Organisationen alle ihnen von Dritten übermittelten Informationen als sensibel behandeln, die der Übermittler als sensibel einstuft und behandelt.

WEITERGABE

Eine Organisation darf Daten nur dann an Dritte weitergeben, wenn sie die Grundsätze der Informationspflicht und der Wahlmöglichkeit anwendet. Möchte eine Organisation Daten an einen Dritten weitergeben, der in ihrem Auftrag und auf ihre Anweisung tätig ist (vergleiche Fußnote), kann sie dies tun, sofern der Dritte entweder dem »sicheren Hafen« angehört oder der Richtlinie unterliegt, oder von einer anderen Feststellung angemessenen Schutzniveaus erfasst wird oder sich schriftlich in einer Vereinbarung mit der Organisation dazu verpflichtet, zumindest das Maß an Schutz personenbezogener Daten zu gewährleisten, das in den entsprechenden Grundsätzen des

---

1 Die Übermittlung solcher Daten an einen Dritten ist nicht mitteilungspflichtig bzw. unterliegt nicht dem Grundsatz der Wahlmöglichkeit, wenn dieser im Auftrag oder auf Anweisung der Organisation tätig ist. Der Grundsatz der Weitergabe gilt jedoch auch in solchen Fällen.

»sicheren Hafens« gefordert wird. Eine Organisation, die diese Forderungen erfüllt, kann nicht haftbar gemacht werden (sofern sie nichts anderes vereinbart hat), wenn ein Dritter, an den sie Daten übermittelt hat, Beschränkungen der Verarbeitung dieser Daten missachtet oder sie in einer Weise verarbeitet, die seinen Erklärungen widerspricht, es sei denn, die Organisation wusste oder konnte wissen, dass der Dritte die Daten in unzulässiger Weise verarbeiten würde, und hat keine angemessenen Schritte unternommen, um das zu unterbinden.

SICHERHEIT

Organisationen, die personenbezogene Daten erstellen, verwalten, verwenden oder verbreiten, müssen angemessene Sicherheitsvorkehrungen treffen, um sie vor Verlust, Missbrauch und unbefugtem Zugriff, Weitergabe, Änderung und Zerstörung zu schützen.

DATENINTEGRITÄT

In Übereinstimmung mit den Grundsätzen müssen personenbezogene Daten für den beabsichtigten Verwendungszweck erheblich sein. Eine Organisation darf personenbezogene Daten nicht in einer Weise verarbeiten, die mit dem ursprünglichen Erhebungszweck oder mit dem Zweck unvereinbar ist, dem der Betroffene nachträglich zugestimmt hat. In dem für diese Zwecke notwendigen Umfang muss die Organisation durch angemessene Maßnahmen gewährleisten, dass die Daten für den vorgesehenen Zweck hinreichend zuverlässig, genau, vollständig und aktuell sind.

AUSKUNFTSRECHT

Privatpersonen müssen Zugang zu den personenbezogenen Daten haben, die eine Organisation über sie besitzt, und sie müssen die Möglichkeit haben, diese zu korrigieren, zu ändern oder zu löschen, wenn sie falsch sind, es sei denn, die Belastung oder die Kosten für die Gewährung des Zugangs würden in dem jeweiligen Fall in einem Missverhältnis zu den Nachteilen für den Betroffenen stehen, oder Rechte anderer Personen als des Betroffenen würden verletzt.

DURCHSETZUNG

Für einen effektiven Schutz der Privatsphäre müssen Mechanismen geschaffen werden, die die Einhaltung der Grundsätze des sicheren Hafens gewährleisten, Rechtsbehelfe für Betroffene vorsehen, bei deren Daten die Grundsätze nicht eingehalten wurden, sowie Sanktionen für die Organisation, die die Grundsätze nicht befolgt. Diese Mechanismen müssen mindestens Folgendes umfassen: a) leicht zugängliche, erschwingliche und von unabhängigen Stellen durchgeführte Verfahren, nach denen Beschwerden, die betroffene Personen unter Berufung auf die Grundsätze erhoben haben, behandelt werden und nach denen Schadenersatz geleistet wird, wenn das geltende Recht oder private Regelungen dies vorsehen; b) Kontrollmaßnahmen, um zu überprüfen, ob die Bescheinigungen und Behauptungen der Unternehmen über ihre Datenschutzmaßnahmen der Wahrheit entsprechen und ob diese Maßnahmen wie angegeben durchgeführt werden; c) Verpflichtungen zur Lösung von Problemen, die daraus resultieren, dass Organisationen die Einhaltung der Grundsätze zwar erklärt, sich aber trotzdem nicht daran gehalten haben, sowie entsprechende Sanktionen für diese Organisationen. Die Sanktionen müssen hinreichend streng sein, um sicherzustellen, dass die Organisationen die Grundsätze einhalten.

Anlage Liste der von der Europäischen Union anerkannten US-Behörden

Die Europäische Union erkennt an, dass die nachfolgend genannten Behörden befugt sind, Beschwerden zu prüfen und Unterlassung wegen unfairer oder betrügerischer Praktiken zu erwirken sowie Schadenersatz bei Verletzung der gemäß den FAQ umgesetzten Grundsätze:

- die Federal Trade Commission aufgrund ihrer Befugnisse nach Abschnitt 5 des Federal Trade Commission Act;
- das US-Verkehrsministerium aufgrund seiner Befugnisse nach Titel 49 des United States Code, Abschnitt 41712.

ANHANG II
HÄUFIG GESTELLTE FRAGEN (FAQ)

FAQ 1 – Sensible Daten

F: *Muss eine Organisation für die Verarbeitung sensibler Daten stets die Zustimmung der betroffenen Person einholen?*

A: Nein, die Zustimmung ist nicht erforderlich, wenn die Verarbeitung: 1. im lebenswichtigen Interesse der betroffenen Person oder einer anderen Person liegt; 2. zur Geltendmachung von Rechtsansprüchen oder für die Rechtsverteidigung notwendig ist; 3. für eine medizinische Behandlung oder Diagnose erforderlich ist; 4. durch eine politisch, philosophisch, religiös oder gewerkschaftlich ausgerichtete Stiftung, Vereinigung oder sonstige Körperschaft, die keinen Erwerbszweck verfolgt, im Rahmen rechtmäßiger Tätigkeiten und unter der Voraussetzung, dass sich die Verarbeitung ausschließlich auf die Mitglieder der Organisation oder Personen, die im Zusammenhang mit deren Tätigkeitszweck regelmäßige Kontakte mit ihr unterhalten, beziehen und die Daten nicht ohne Einwilligung der betroffenen Person an Dritte weitergegeben werden; 5. zur Erfüllung der arbeitsrechtlichen Pflichten der Organisation notwendig ist; 6. sich auf Daten bezieht, die von der Person nachweislich veröffentlicht worden sind.

FAQ 2 – Ausnahmen für den journalistischen Bereich

F: *Die Pressefreiheit ist durch die amerikanische Verfassung geschützt, und die Richtlinie sieht Ausnahmen für den Fall vor, dass personenbezogene Daten zu journalistischen Zwecken verarbeitet werden. Gelten also die Grundsätze des »sicheren Hafens« auch für personenbezogene Daten, die zu journalistischen Zwecken beschafft, gepflegt oder verbreitet werden?*

A: Wenn die im Ersten Zusatz zur Verfassung der Vereinigten Staaten verankerte Pressefreiheit mit dem Recht auf Schutz der Privatsphäre kollidiert, wird, soweit es um die Tätigkeit natürlicher oder juristischer Personen in den USA geht, die Interessenabwägung vom Ersten Verfassungsgrundsatz beherrscht. Die Grundsätze vom »sicheren Hafen« gelten nicht für personenbezogene Daten, die zur Veröffentlichung, zur Verbreitung über Rundfunk und Fernsehen oder für andere Formen öffentlicher Kommunikation gesammelt werden, unabhängig davon, ob sie tatsächlich genutzt werden oder nicht, ebenso nicht für früher veröffentlichtes Material, das aus Medienarchiven stammt.

FAQ 3 – Hilfsweise Haftung

F: *Sind Internetdienstanbieter (Internet Service providers, ISP), Telekommunikationsunternehmen und andere Organisationen nach den Grundsätzen des »sicheren Hafens« haftbar, wenn sie im Namen einer anderen Organisation Daten, die gegen die für sie geltenden Bestimmungen verstoßen, lediglich übermitteln, weiterleiten oder zwischenspeichern?*

A: Nein. Wie auch die Richtlinie selbst begründen die Grundsätze des »sicheren Hafens« keine hilfsweise Haftung. Soweit eine Organisation personenbezogene Daten Dritter nur weiterleitet und weder Mittel noch Zweck ihrer Verarbeitung bestimmt, ist sie nicht haftbar.

FAQ 4 – Investmentbanken und Wirtschaftsprüfer

F: *Bei der Tätigkeit von Investmentbanken und Wirtschaftsprüfern kann es vorkommen, dass personenbezogene Daten ohne Wissen und Einwilligung des Betroffenen verarbeitet werden. Unter welchen Voraussetzungen ist das mit den Grundsätzen des »sicheren Hafens« – Informationspflicht, Wahlrecht und Auskunftsrecht (notice, choice and access) – vereinbar?*

A: Investmentbanken oder Wirtschaftsprüfer können personenbezogene Daten ohne Wissen des Betroffenen nur verarbeiten, soweit und solange das aufgrund gesetzlicher oder im öffentlichen Interesse liegender Erfordernisse notwendig ist, und können das auch in anderen Fällen, wenn die Anwendung der Grundsätze ihren legitimen Interessen zuwiderlaufen würde. Legitim sind u. a. die Kontrolle von Unternehmen auf Erfüllung ihrer gesetzlichen Pflichten, die Prüfung ihrer Rechnungslegung und die Wahrung der Vertraulichkeit von Information betreffend mögliche Übernahmen, Fusionen und Joint Ventures sowie ähnliche Vorgänge, die von Investmentbanken oder Wirtschaftsprüfern abgewickelt werden.

FAQ 5[1] – Die Rolle der Datenschutzbehörden

F: *Wie können Organisationen, die sich zur Zusammenarbeit mit Datenschutzbehörden in der Europäischen Union verpflichten, diese Verpflichtung eingehen und wie wird sie umgesetzt?*

---

1 Die Einbeziehung dieser FAQ in das Paket hängt von der Zustimmung der Datenschutzbehörden ab. diese haben den vorliegenden Text in der Arbeitsgruppe nach Artikel 29 erörtert, und eine Mehrheit hat sich positiv dazu geäußert. Endgültig wollen sie sich aber erst im Rahmen einer Gesamtstellungnahme äußern, die die Arbeitsgruppe nach Artikel 29 zu dem Gesamtpaket abgeben wird.

A: Nach den Grundsätzen des »sicheren Hafens« müssen in den USA ansässige Organisationen, die personenbezogene Daten aus der EU erhalten, mit geeigneten Mitteln dafür sorgen, dass diese Grundsätze gewahrt werden. Wie im Durchsetzungsgrundsatz beschrieben, gehören diesen Mitteln unter anderem a) Rechtsbehelfe für Personen, über die die Organisationen Daten besitzen, b) Verfahren, mit denen sie überprüfen, ob ihre Aussagen und Zusicherungen betreffend ihre Datenschutzpraxis den Tatsachen entsprechen, c) die Pflicht der Organisationen, Abhilfe zu schaffen, falls es zu Problemen kommt, weil die Grundsätze des »sicheren Hafens« bei ihnen nicht gewahrt werden, sowie Sanktionen für Verstöße gegen diese Grundsätze. Dem Durchsetzungsprinzip (Buchstaben a) und c)) des »sicheren Hafens« können Organisationen dadurch entsprechen, dass sie sich gemäß dieser FAQ zur Zusammenarbeit mit den Datenschutzbehörden in der Europäischen Union verpflichten.

Eine Organisation kann sich zur Zusammenarbeit mit den Datenschutzbehörden verpflichten, indem sie in der Mitteilung, mit der sie das US-Handelsministerium von der Übernahme des Konzepts des »sicheren Hafens« in Kenntnis setzt, Folgendes erklärt (siehe FAQ 6 – Selbstzertifizierung):

1. dass sie den Bestimmungen der Buchstaben a) und c) des Durchsetzungsprinzips entsprechen will, indem sie sich zur Zusammenarbeit mit den entsprechenden Datenschutzbehörden verpflichtet;
2. dass sie mit den entsprechenden Datenschutzbehörden bei der Behandlung von Beschwerden zusammenarbeiten will, die unter Berufung auf die Grundsätze des »sicheren Hafens« erhoben werden;
3. dass sie sich an die Empfehlung der entsprechenden Datenschutzbehörden hält, wenn diese der Organisation aufgeben, spezifische Maßnahmen zu treffen, um den Grundsätzen des »sicheren Hafens« zu entsprechen; hierzu gehören auch Rechtsmittel und Entschädigungsleistungen zu Gunsten von Personen, die infolge Nichteinhaltung der Grundsätze Nachteile erlitten haben; ferner, dass sie den entsprechenden Datenschutzbehörden schriftlich die Durchführung dieser Maßnahmen bestätigt.

Die Kooperation der Datenschutzbehörden erfolgt über Information und Beratung:

– Die Beratung übernimmt ein informelles Gremium, in dem europäische Datenschutzbehörden vertreten sind, sodass u. a. ein einheitlicher schlüssiger Ansatz gewährleistet wird.

- Das Gremium berät die betreffenden US-amerikanischen Organisationen bei ungeklärten Beschwerden von Einzelpersonen über den Umgang mit personenbezogenen Daten, die aus der EU im Rahmen des »sicheren Hafens« übermittelt wurden. Diese Beratung soll gewährleisten, dass die Grundsätze des sicheren Hafens korrekt angewendet werden; sie schließt die Rechtsmittel für die betroffene(n) Einzelperson(en) ein, die die Datenschutzbehörden für angemessen erachten.
- Das Gremium erbringt derartige Beratungsleistungen auf Anfrage der betreffenden US-Organisationen und/oder auf direkt eingegangene Beschwerden von Einzelpersonen gegen Organisationen, die sich auf die Grundsätze des »sicheren Hafens« und zur Zusammenarbeit mit den Datenschutzbehörden verpflichtet haben. Dabei ermutigt es die betroffenen Einzelpersonen zunächst, die verfügbaren internen Verfahren zur Behandlung von Beschwerden, die die Organisation bereitstellt, zu nutzen, und unterstützt sie erforderlichenfalls dabei.
- Das Gremium gibt erst dann eine Empfehlung ab, wenn beide Parteien hinreichend Gelegenheit zur Stellungnahme oder zum Vorlegen von Beweisen hatten. Es wird sich bemühen, die Empfehlung so rasch zur Verfügung zu stellen, wie ein ordnungsgemäßes Vorgehen dies erlaubt. Grundsätzlich wird das Gremium sich bemühen, die Beratung binnen sechzig Tagen nach Eingang einer Beschwerde oder dem Ersuchen einer Organisation anzubieten, und falls möglich noch rascher.
- Soweit es ihm angemessen erscheint, veröffentlicht das Gremium die Ergebnisse der Beschwerdeprüfungen.
- Die Beratung ist weder für das Gremium selbst noch für eine der beteiligten Datenschutzbehörden mit irgendeiner Form der Haftung verbunden.

Organisationen, die sich für diese Form der Streitbeilegung entscheiden, müssen sich verpflichten, den Empfehlungen der Datenschutzbehörden zu folgen. Kommt die Organisation den Empfehlungen des Gremiums nicht binnen 25 Tagen nach und hat keine befriedigende Erklärung für die Verzögerung gegeben, so teilt das Gremium seine Absicht mit, die Angelegenheit an die US-Federal-Trade-Commission oder eine andere Stelle zu verweisen, die Zuständigkeit bzw. Durchsetzungsgewalt in Fällen von Irreführung oder unrichtiger Erklärung besitzt. Oder es teilt mit, dass es zu dem Schluss gelangt ist, dass eine gravierende Verletzung der Kooperationsvereinbarung vorliegt, und diese mithin null und nichtig ist. In diesem Fall unterrichtet das Gremium das US-Handelsministerium (oder eine von ihm benannte Stelle), sodass das Verzeichnis der dem »sicheren Hafen« angehörenden Organisationen entsprechend geändert werden kann. Jede Unterlassung der Zusammenarbeit und jeder Verstoß gegen die Grundsätze des »sicheren Hafens« können als Irreführung gemäß Abschnitt 5 des US-FTC-Acts oder anderen vergleichbaren Gesetzen rechtlich verfolgt werden.

Organisationen, die sich für die Zusammenarbeit gemäß der Vereinbarung zum »sicheren Hafen« entscheiden, zahlen eine Jahresgebühr, die dazu bestimmt ist, die laufenden Kosten des Gremiums der Datenschutzbehörden zu decken; ferner können sie zur Begleichung der Kosten für alle erforderlichen Übersetzungen herangezogen werden, die sich aus der Beratungstätigkeit des Gremiums im Zusammenhang mit Beschwerden gegenüber den Organisationen ergeben. Die Jahresgebühr beträgt höchstens 500 USD und ist für kleinere Organisationen geringer.

Die Option der Zusammenarbeit mit den Datenschutzbehörden steht den Organisationen, die der Vereinbarung zum »sicheren Hafen« beitreten, für drei Jahre offen. Die Datenschutzbehörden werden die Vereinbarung vor Ablauf dieses Zeitraums überprüfen, falls sich zu viele US-amerikanische Organisationen für diese Option entscheiden.

FAQ 6 – Selbstzertifizierung

F: *Wie zertifiziert eine Organisation, dass sie die Grundsätze des »sicheren Hafens« als verbindlich anerkennt?*

A: In den Genuss der Vorteile des »sicheren Hafens« kommt eine Organisation ab dem Tag, an dem sie dem US-Handelsministerium (oder einer von diesem benannten Stelle) gegenüber erklärt, dass sie entsprechend den nachstehenden Leitlinien den Grundsätzen des »sicheren Hafens« beitritt (Selbstzertifizierung).

Um sich selbst zu zertifizieren, muss die Organisation dem US-Handelsministerium (oder einer von diesem benannten Stelle) ein von einem leitenden Mitarbeiter im Namen der Organisation unterzeichnetes Schreiben vorlegen, das mindestens folgende Angaben enthält:

1. Name der Organisation, Postanschrift, E-Mail-Adresse, Telefon- und Faxnummer;
2. Beschreibung der Tätigkeit der Organisation im Zusammenhang mit personenbezogenen Daten aus der EU; und
3. Beschreibung der Geschäftsbedingungen für den Datenschutz der Organisation, die folgende Angaben umfassen muss: a)

Ort, an dem diese Beschreibung von der Öffentlichkeit eingesehen werden kann; b) Tag, an dem diese Vorkehrungen in Kraft gesetzt wurden; c) Kontaktstelle, die für die Bearbeitung von Beschwerden, Auskunftsersuchen und anderen Angelegenheiten des sicheren Hafens zuständig ist; d) die gesetzliche Aufsichtsbehörde, die über Beschwerden gegen die Organisation wegen unlauteren oder irreführenden Geschäftsgebarens und wegen Verletzung von datenschutzrechtlichen Vorschriften entscheidungsbefugt ist (und im Anhang zu den Grundsätzen aufgeführt ist); e) die Bezeichnungen aller Datenschutzprogramme, an denen die Organisation teilnimmt; f) die Art der anlassunabhängigen Kontrolle (z. B. intern oder extern)[2] und g) das unabhängige Schiedsverfahren zur Behandlung ungelöster Beschwerdefälle.

Wenn die Organisation wünscht, dass ihr die Vorteile des sicheren Hafens auch bei Personaldaten zuteil werden, die zur Verwendung im Rahmen von Beschäftigungsverhältnissen aus der EU übermittelt werden, muss es eine gesetzliche Aufsichtsbehörde geben, die über Beschwerden gegen die Organisation hinsichtlich Arbeitnehmerdaten beschwerdebefugt ist; diese Stelle muss im Anhang zu den Grundsätzen genannt sein. Darüber hinaus muss die Organisation darauf in der Selbstzertifizierung hinweisen und sich bereit erklären, gemäß FAQ 9 und 5, soweit anwendbar, mit der (den) Datenschutzbehörde(n) in der EU zusammenzuarbeiten und den Empfehlungen dieser Behörden nachzukommen.

Das Ministerium (oder die von ihm benannte Stelle) führt eine Liste aller Organisationen, die sich selbst zertifizieren und denen damit die Vorteile des »sicheren Hafens« zustehen. Die Liste wird nach den jährlich eingehenden Selbstzertifizierungsschreiben und den nach FAQ 11 eingegangenen Mitteilungen aktualisiert. Das Selbstzertifizierungsschreiben ist mindestens jährlich neu vorzulegen, andernfalls wird die Organisation von der Liste gestrichen und verliert damit ihren Status als »sicherer Hafen«. Die Liste und die von den Organisationen vorgelegten Selbstzertifizierungsschreiben werden der Öffentlichkeit zugänglich gemacht. Alle Organisationen, die sich selbst zertifizieren, müssen in ihren relevanten veröffentlichten Geschäftsbedingungen zum Datenschutz auch erklären, dass sie sich an die Grundsätze des »sicheren Hafens« halten.

Die Verpflichtung auf die Grundsätze des »sicheren Hafens« gilt ohne zeitliche Begrenzung für Daten, die der Organisation

2 Siehe FAQ 7 zum Thema anlassunabhängige Kontrolle.

übermittelt wurden, während sie den Status eines »sicheren Hafens« hatte. Diese Daten unterliegen den Grundsätzen des »sicheren Hafens« so lange, wie die Organisation sie speichert, verarbeitet oder weitergibt, und das auch dann noch, wenn sie aus welchem Grund auch immer den »sicheren Hafen« verlässt.

Eine Organisation, die aufgrund einer Fusion oder einer Übernahme ihren Status als selbstständige rechtliche Einheit verliert, muss dies dem Handelsministerium (oder einer von ihm benannten Stelle) vorher mitteilen. In dieser Mitteilung sollte auch darauf hingewiesen werden, ob die übernehmende Einheit bzw. die Einheit, die aus der Fusion hervorgeht, 1. weiterhin nach dem Gesetz, unter dem die Fusion oder Übernahme stattfand, an die Grundsätze des »sicheren Hafens« gebunden ist oder 2. entscheidet, ihren Beitritt zu den Grundsätzen des »sicheren Hafens« selbst zu zertifizieren, bzw. andere Garantien, beispielsweise durch schriftliche Vereinbarungen, schafft, die die Einhaltung der Grundsätze des »sicheren Hafens« gewährleisten. Ist weder 1. noch 2. der Fall, müssen alle Daten, die im Rahmen des »sicheren Hafens« gesammelt wurden, unverzüglich gelöscht werden.

Eine Organisation muss die Grundsätze des »sicheren Hafens« nicht unterschiedslos auf alle personenbezogenen Daten anwenden, sie muss sie aber auf alle nach ihrer Verpflichtung auf diese Grundsätze aus der EU empfangenen personenbezogenen Daten anwenden.

Macht eine Organisation gegenüber der Öffentlichkeit unzutreffende Angaben über ihre Anwendung der Grundsätze des »sicheren Hafens«, kann die Federal Trade Commission oder eine andere zuständige staatliche Stelle gegen sie vorgehen. Unzutreffende Angaben gegenüber dem US-Handelsministerium oder einer von ihm benannten Stelle können nach dem False Statements Act (18 U.S.C. § 1001) strafrechtlich verfolgt werden.

FAQ 7 – Anlassunabhängige Kontrolle

F: *Nach welchen Verfahren prüfen Organisationen, dass der von ihnen zugesicherte Datenschutz tatsächlich besteht und dass ihre Datenschutzpolitik tatsächlich umgesetzt worden ist und den Grundsätzen des »sicheren Hafens« entspricht?*

A: Die nach dem Durchsetzungsgrundsatz erforderliche anlassunabhängige Kontrolle kann eine Organisation entweder selbst durchführen oder von einer externen Stelle durchführen lassen.

Die Selbstkontrolle umfasst eine Erklärung darüber, dass die Organisation feststellt, dass ihre veröffentlichten Geschäftsbedingungen zum Datenschutz betreffend personenbezogene Daten aus der EU sachgerecht, umfassend, an auffälliger Stelle bekannt gemacht, vollständig umgesetzt und für jedermann zugänglich sind. Sie muss ferner feststellen, dass ihre Geschäftsbedingungen zum Datenschutz den Grundsätzen des »sicheren Hafens« entsprechen, dass betroffene Personen über interne Beschwerdeverfahren und Beschwerdeverfahren bei unabhängigen Schiedsstellen informiert werden, dass sie ihre Beschäftigten systematisch in der Praxis des Datenschutzes unterweist und Verstöße gegen die Datenschutzregeln sanktioniert und dass es bei ihr interne Verfahren gibt, nach denen die Einhaltung der Datenschutzvorschriften regelmäßig und objektiv überprüft wird. Die Selbstkontrolle sollte mindestens einmal jährlich stattfinden, eine Erklärung über ihre Durchführung ist von einem leitenden Angestellten oder einem bevollmächtigten Vertreter der Organisation zu unterzeichnen. Sie ist vorzulegen auf Verlangen von Einzelpersonen, im Rahmen einer Untersuchung oder bei einer Beschwerde wegen Nichteinhaltung von Datenschutzvorschriften.

Organisationen sollten die Umsetzung ihrer nach den Grundsätzen des »sicheren Hafens« konzipierten Geschäftsbedingungen zum Datenschutz dokumentieren und im Fall einer Untersuchung oder einer Beschwerde wegen Verletzung der Datenschutzvorschriften ihre Unterlagen der unabhängigen Schiedsstelle übergeben, die für die Prüfung von Beschwerden zuständig ist, oder der gesetzlichen Aufsichtsbehörde, die bei unlauterem und irreführendem Geschäftsgebaren entscheidungsbefugt ist.

Bei externer anlassunabhängiger Kontrolle ist nachzuweisen, dass die Geschäftsbedingungen zum Datenschutz der Organisation für den aus der EU den Grundsätzen des »sicheren Hafens« entsprechen, dass diese Regeln eingehalten werden und dass betroffene Personen über die Beschwerdewege informiert werden, die ihnen offen stehen. Dazu können ohne Einschränkung Buchprüfungen und Zufallskontrollen durchgeführt sowie »Köder« und jede Art von technischen Hilfsmitteln eingesetzt werden. Die externe Kontrolle sollte mindestens einmal jährlich stattfinden, eine Erklärung über ihre Durchführung ist von einem leitenden Angestellten oder einem bevollmächtigten Vertreter der Organisation zu unterzeichnen. Sie ist vorzulegen auf Verlangen von Einzelpersonen, im Rahmen einer Untersuchung oder bei einer Beschwerde wegen Nichteinhaltung von Datenschutzvorschriften.

FAQ 8 – Auskunftsrecht

Auskunftsrecht

Personen müssen Zugang zu Daten haben, die eine Organisation über sie gespeichert hat, und diese Daten berichtigen, ergänzen oder löschen lassen können, wenn sie unrichtig sind. Der Zugang kann jedoch verwehrt werden, wenn seine Gewährung mit Kosten oder Arbeit verbunden ist, die im Einzelfall in keinem Verhältnis zum Nachteil für die Privatsphäre des Betroffenen stehen, oder wenn legitime Rechte Dritter verletzt würden.

F 1: *Gibt es ein absolutes Auskunftsrecht?*

A 1: Nein. Nach den Grundsätzen des »sicheren Hafens« ist das Auskunftsrecht zwar grundlegend für den Schutz der Privatsphäre und ermöglicht es dem Einzelnen, die Richtigkeit von Daten zu überprüfen, die über ihn gespeichert sind. Die Pflicht einer Organisation, Personen Zugang zu den sie betreffenden personenbezogenen Daten zu gewähren, hat jedoch Grenzen, die sich nach dem Grundsatz der Verhältnismäßigkeit und der Zumutbarkeit bestimmen, und muss in bestimmten Fällen abgemildert werden. In der Begründung zu den Datenschutzleitlinien der OECD von 1980 wird schon klar gesagt, dass das Auskunftsrecht nicht absolut ist. Die Organisation ist nicht verpflichtet, so gründlich zu recherchieren, wie es etwa im Rahmen einer gerichtlichen Untersuchung erforderlich wäre, und muss auch nicht Zugang zu allen verschiedenen Speicherformen gewähren, in denen Daten über den Betroffenen gespeichert sind.

Verlangt jemand Zugang zu den über ihn gespeicherten Daten, sollte sich die angesprochene Organisation zunächst fragen, welche Gründe die Person dazu veranlassen. Ist beispielsweise eine Anfrage vage formuliert oder betrifft sie einen sehr weiten Bereich, so kann die Organisation mit der Person in Dialog treten, um die Gründe für die Anfrage besser zu verstehen und die gewünschten Daten zu ermitteln. Die Organisation kann sich danach erkundigen, mit welchen Teilen der Organisation die Person Kontakt hatte und/oder um welche Art von Daten (oder deren Nutzung) es geht. Wer Zugang zu den ihn betreffenden Daten verlangt, muss das allerdings nicht begründen.

Bei der Beurteilung der Zumutbarkeit sind die Kosten und die Arbeit zu berücksichtigen, die die Gewährung des Zugangs erfordert, sie sind aber nicht entscheidend. Bilden die Daten etwa die Grundlage für Entscheidungen, die für die Person von großer Tragweite sind (z. B. die Gewährung oder Versagung erheblicher Vorteile wie eine Versicherung, einen Kredit oder einen Arbeitsplatz), dann ist es der Organisation zumutbar, über diese Daten Auskunft zu geben, selbst wenn das einen relativ hohen Kosten- und Arbeitsaufwand erfordert.

Wenn die angeforderten Daten nicht sensibel sind oder nicht für Entscheidungen verwendet werden, die für die Person von großer Tragweite sind (z. B. nichtsensible Marketingdaten, nach denen entschieden wird, ob die Person einen Katalog zugesandt bekommt), aber leicht zugänglich sind und kostengünstig zur Verfügung gestellt werden können, muss die Organisation Zugang zu den Daten gewähren, die sie über die Person speichert. Diese Daten können von der Person selbst erhoben, im Verlauf eines Geschäftsvorgangs gesammelt oder von anderen erlangt worden sein.

Wegen seines grundlegenden Charakters sollen Organisationen das Auskunftsrecht nie ohne Not beschränken. Müssen z. B. bestimmte Daten geschützt werden und lassen sie sich leicht von den Daten trennen, zu denen Zugang verlangt wird, sollte die Organisation die geschützten Daten unkenntlich machen und die übrigen zur Verfügung stellen. Beschließt eine Organisation in einem bestimmten Fall, keinen Zugang zu gewähren, sollte sie der Person, die um Zugang ersucht hat, ihre Entscheidung begründen und ihr eine Kontaktstelle nennen, die weitere Auskünfte erteilt.

F 2: *Was sind vertrauliche Geschäftsdaten und dürfen Organisationen den Zugang zu personenbezogenen Daten verwehren, um vertrauliche Geschäftsdaten zu schützen?*

A 2: Vertrauliche Geschäftsdaten (in den Federal Rules of Civil Procedure on discovery als »confidential commercial information« bezeichnet) sind Daten, die ihr Inhaber durch besondere Vorkehrungen vor unbefugtem Zugriff geschützt hat, weil ihre Kenntnis Konkurrenten Vorteile verschaffen würde. Ein spezielles Rechnerprogramm, das eine Organisation verwendet, etwa ein Modellierungsprogramm, oder die Einzelheiten dieses Programms können vertrauliche Geschäftsdaten sein. Können vertrauliche Geschäftsdaten leicht von den Daten getrennt werden, zu denen Zugang verlangt wird, sollte die Organisation die vertraulichen Daten unkenntlich machen und die nichtvertraulichen zur Verfügung stellen. Eine Organisation kann den Zugang zu personenbezogenen Daten verwehren oder einschränken, wenn dadurch eigene vertrauliche Geschäftsdaten, wie z. B. von der Organisation erarbeitete Marketingkonzepte und Klassifikationen, offenbart würden oder aber Geschäftsdaten anderer, die einer vertraglichen

Geheimhaltungspflicht unterliegen, sofern eine Geheimhaltungsverpflichtung in solchen Fällen üblich oder vorgeschrieben ist.

F 3: *Kann eine Organisation, die personenbezogene Daten in ihren Datenbanken gespeichert hat, Personen lediglich mitteilen, welche Daten über sie gespeichert sind, oder muss sie ihnen Zugang zu den Datenbanken gewähren?*

A 3: Es genügt eine Mitteilung über die gespeicherten Daten, der Person muss kein Zugang zu den Datenbanken der Organisation gewährt werden.

F 4: *Muss eine Organisation ihre Datenbanken erforderlichenfalls umstrukturieren, um Auskunft gewähren zu können?*

A 4: Die Organisation muss nur Auskunft über die von ihr gespeicherten personenbezogenen Daten geben. Das Auskunftsrecht begründet keine Pflicht, Dateien mit personenbezogenen Daten aufzubewahren, zu pflegen oder erforderlichenfalls umzustrukturieren.

F 5: *Den vorstehenden Antworten ist zu entnehmen, dass Personen der Zugang zu sie betreffenden Daten in bestimmten Fällen verwehrt werden kann. In welchen anderen Fällen ist das noch möglich?*

A 5: Das ist nur in wenigen Fällen möglich und muss in jedem Fall konkret begründet werden. Eine Organisation kann den Zugang zu personenbezogenen Daten insoweit verwehren, als ihre Bekanntgabe wesentliche öffentliche Belange gefährden würde wie die nationale Sicherheit, die Verteidigung oder die öffentliche Sicherheit. Außerdem kann der Zugang verwehrt werden, wenn personenbezogene Daten ausschließlich für wissenschaftliche oder statistische Zwecke verarbeitet werden sollen. Weitere Gründe für die Verweigerung oder Beschränkung des Zugangs sind:

a) Beeinträchtigung von Rechtsvollzug oder Vollstreckung, einschließlich der Verhütung, Untersuchung oder Aufdeckung von Straftaten, oder des Rechts auf einen fairen Prozess;

b) Beeinträchtigung eines zivilrechtlichen Verfahrens, einschließlich der Abwehr, Untersuchung und Verfolgung von Rechtsansprüchen, oder des Rechts auf einen fairen Prozess;

c) die personenbezogenen Daten haben Bezüge zu anderen Personen, die nicht unkenntlich gemacht werden können;

d) gesetzliche oder andere berufliche Rechte und Pflichten werden verletzt;

e) es kommt zum Bruch der notwendigen Vertraulichkeit künftiger oder laufender Verhandlungen, z. B. über die Übernahme börsennotierter Organisationen;

f) die Sicherheitsprüfung von Arbeitnehmern oder ein Beschwerdeverfahren wird beeinträchtigt;

g) die Vertraulichkeit, die bei der Neubesetzung von Stellen oder bei der Umorganisation von Organisationen für eine gewisse Zeit gewahrt werden muss, wird gefährdet;

h) die Vertraulichkeit ist gefährdet, die bei der Überwachung, bei der Prüfung und bei sonstigen gesetzlich vorgeschriebenen Ordnungsfunktionen im Zusammenhang mit der ordnungsgemäßen Wirtschaftsführung erforderlich ist;

i) die Gewährung des Zugangs ist mit unverhältnismäßigen Kosten oder Arbeit verbunden, oder sie führt zur Beeinträchtigung der Rechte oder der berechtigten Interessen anderer.

Eine Organisation, die sich auf einen dieser Ausnahmefälle beruft, muss nachweisen, dass er tatsächlich vorliegt (was in der Regel der Fall ist). Wie bereits gesagt, sollen der anfragenden Person die Gründe für eine Zugangsverweigerung oder -beschränkung mitgeteilt werden, und es soll ihr eine Anlaufstelle für weitere Fragen genannt werden.

F 6: *Kann eine Organisation eine Gebühr erheben, um die Kosten für die Auskunftserteilung zu decken?*

A 6: Ja, die OECD-Leitlinien gestehen Organisationen das Recht zu, eine Gebühr zu erheben. Sie darf aber nicht überhöht sein. Organisationen dürfen also eine angemessene Gebühr in Rechnung stellen. Eine Gebühr kann sinnvoll sein, um wiederholten oder belästigenden Anfragen vorzubeugen.

Organisationen, die öffentlich zugängliche Information gegen Entgelt anbieten, können ihre üblichen Gebühren erheben. Alternativ können Personen Zugang zu sie betreffenden Daten von der Organisation verlangen, die sie ursprünglich erhoben hat.

Der Zugang darf nicht aus Kostengründen verwehrt werden, wenn die Personen, die den Zugang verlangen, bereit sind, diese Kosten zu übernehmen.

F 7: *Ist eine Organisation verpflichtet, Zugang zu personenbezogenen Daten zu gewähren, die sie aus öffentlichen Datenbeständen gewonnen hat?*

A 7: Zunächst eine Begriffsklärung: öffentliche Datenbestände sind Datenbestände, die von Ämtern aller Ebenen geführt werden und der Öffentlichkeit zur Einsichtnahme offen stehen. Das Auskunftsrecht gilt für solche Daten nur, wenn sie mit anderen personenbezogenen Daten kombiniert sind. Das Auskunftsrecht gilt nicht, wenn lediglich kleine Mengen von Daten aus nichtöffentlichen Quellen verwendet wurden, um die öffentlichen Daten zu indexieren oder zu ordnen. Die Bestimmungen der einschlägigen Rechtsvorschriften über die Einsichtnahme in Datenbestände sind einzuhalten. Sind Daten aus öffentlichen Beständen mit anderen als den genannten Datenmengen aus nichtöffentlichen Quellen kombiniert, muss die Organisation Zugang zu allen personenbezogenen Daten gewähren, sofern nicht einer der genannten Ausnahmefälle vorliegt.

F 8: *Gilt das Auskunftsrecht für öffentlich verfügbare personenbezogene Daten?*

A 8: Wie bei Daten, die aus öffentlichen Beständen gewonnen wurden (siehe F 7), ist das Auskunftsrecht nicht auf Daten anzuwenden, die bereits der Öffentlichkeit zur Verfügung stehen, sofern sie mit nicht öffentlich verfügbaren Daten kombiniert sind.

F 9: *Wie kann sich eine Organisation vor wiederholten oder belästigenden Auskunftsbegehren schützen?*

A 9: Eine Organisation muss solchen Auskunftsbegehren nicht entsprechen. Deshalb kann sie für Auskünfte eine angemessene Gebühr erheben oder die Zahl der Anfragen einer Person innerhalb eines bestimmten Zeitraums angemessen begrenzen. Bei der Festlegung dieser Grenze sind Faktoren zu berücksichtigen wie die Häufigkeit, mit der Daten aktualisiert werden, der Zweck, für den die Daten verwendet werden, und die Art der Daten.

F 10: *Wie kann sich eine Organisation vor Auskunftserschleichung schützen?*

A 10: Eine Organisation muss nur Auskunft erteilen, wenn die anfragende Person ihre Identität zweifelsfrei nachweist.

F 11: *Gibt es eine Frist, innerhalb deren Auskunft erteilt werden muss?*

A 11: Ja, eine Organisation soll ohne übermäßige Verzögerung und innerhalb angemessener Frist Auskunft erteilen. Wie in der Begründung der OECD-Datenschutzleitlinien von 1980 dargelegt wird, kann diese Forderung auf verschiedene Weise erfüllt werden. So kann eine Organisation, die Daten verarbeitet, von der Pflicht zur sofortigen Auskunftserteilung befreit werden, wenn sie erfasste Personen regelmäßig informiert.

FAQ 9 – Personaldaten

F 1: *Gilt der Grundsatz des »sicheren Hafens«, wenn personenbezogene Daten, die im Rahmen eines Beschäftigungsverhältnisses erhoben wurden, aus der EU in die Vereinigten Staaten übermittelt werden?*

A 1: Ja. Übermittelt eine in der EU ansässige Organisation im Rahmen des Beschäftigungsverhältnisses erhobene personenbezogene Daten über ihre (früheren oder derzeitigen) Beschäftigten an eine Mutterorganisation, eine verbundene Organisation oder eine nicht verbundene Dienstleistungsorganisation in den USA, die sich auf die Grundsätze des »sicheren Hafens« verpflichtet hat, so fällt diese Übermittlung in den Anwendungsbereich der Grundsätze des »sicheren Hafens«. In einem solchen Fall gelten für die Erhebung der Daten und ihre Verarbeitung vor der Übermittlung die Rechtsvorschriften des EU-Mitgliedstaats, aus dem sie stammen; sämtliche nach diesen Rechtsvorschriften geltenden Bedingungen und Beschränkungen der Übermittlung müssen beachtet werden.

Die Grundsätze des »sicheren Hafens« gelten nur für die Übermittlung von und den Zugriff auf Daten über identifizierte Einzelpersonen. Statistische Informationen, die auf aggregierten, anonymisierten oder pseudonymisierten Beschäftigungsdaten beruhen, sind unter dem Datenschutzaspekt unbedenklich.

F 2: *Wie sind die Grundsätze der Informationspflicht und des Wahlrechts auf solche Daten anzuwenden?*

A 2: Eine Organisation in den USA, die unter Anwendung der Grundsätze des »sicheren Hafens« Personaldaten aus der EU empfangen hat, darf diese Dritten nur offen legen und diese nur für andere Zwecke nutzen, wenn das mit den Grundsätzen der Informationspflicht und der Wahlmöglichkeit vereinbar ist. Will beispielsweise eine Organisation in den USA Personaldaten einer Organisation in der EU für Zwecke wie Direktmarketing nutzen, muss sie zuvor den betroffenen Personen die Wahlmöglichkeit geben, es sei denn, diese haben bereits der Nutzung der Daten für die jeweiligen Zwecke zugestimmt. Macht ein Beschäftigter von seinem Recht Gebrauch, die Erlaubnis zu versagen, darf das keine Minderung seiner Berufschancen und keine Sanktionen gegen ihn zur Folge haben.

Es ist darauf hinzuweisen, dass auf Grund einiger allgemein gültiger Bedingungen für die Übermittlung von Daten durch bestimmte Mitgliedstaaten die Nutzung der Daten für andere Zwecke auch nach der Übermittlung in Länder außerhalb der

EU ausgeschlossen werden kann; solche Bedingungen müssen eingehalten werden.

Außerdem ist den individuellen Datenschutzbedürfnissen der Arbeitnehmer angemessen Rechnung zu tragen. Auf Wunsch könnte etwa der Zugriff auf bestimmte Daten beschränkt werden oder Daten könnten anonymisiert oder Codes/Pseudonymen zugeordnet werden, wenn der tatsächliche Name für den vorgesehenen Zweck nicht benötigt wird.

Wo es um Beförderungen, Ernennungen und ähnliche Personalentscheidungen geht, ist die Organisation in dem Maß und so lange von der Pflicht zur Information und zur Beachtung der Wahlmöglichkeit befreit, wie es zur Wahrung ihrer legitimen Interessen notwendig ist.

F 3: *Wie ist der Grundsatz des Auskunftsrechts anzuwenden?*

A 3: In den Antworten auf die FAQs zum Auskunftsrecht wird ausgeführt, aus welchen Gründen der Zugang zu Personaldaten beschränkt oder verwehrt werden kann. Selbstverständlich müssen Arbeitgeber aus der Europäischen Union Arbeitnehmern aus der EU nach den Rechtsvorschriften ihres Landes Zugang zu Personaldaten gewähren, unabhängig davon, wo diese Daten verarbeitet oder gespeichert werden. Nach den Grundsätzen des »sicheren Hafens« muss eine Organisation, die solche Daten in den USA verarbeitet, diesen Zugang direkt oder unter Einschaltung des EU-Arbeitgebers gewährleisten.

F 4: *Welche Möglichkeiten der Rechtsdurchsetzung hat der Arbeitnehmer nach den Grundsätzen des »sicheren Hafens«?*

A 4: Soweit Personaldaten nur im Rahmen des Beschäftigungsverhältnisses verwendet werden, bleibt gegenüber dem Arbeitnehmer in erster Linie die in der EU ansässige Organisation verantwortlich. Folglich ist ein europäischer Arbeitnehmer, der gegen die Verwendung der ihn betreffenden Daten Beschwerde erhoben hat, (organisationsintern, bei einer externen Stelle oder nach einem tarifvertraglich vorgesehenen Verfahren) und mit dem Ergebnis nicht zufrieden ist, an den zuständigen Datenschutzbeauftragten oder die für arbeitsrechtliche Fragen zuständige Behörde des Landes zu verweisen, in dem er beschäftigt ist. Das gilt auch, wenn der als unzulässig betrachtete Umgang mit ihn betreffenden Daten in den Vereinigten Staaten stattgefunden hat, hierfür die US-Organisation, die die Informationen von dem Arbeitgeber erhalten hat, und nicht der Arbeitgeber verantwortlich ist und somit ein Verstoß gegen die Grundsätze des »sicheren Hafens« vorliegt und nicht ein Verstoß gegen nationale Rechtsvorschriften, die zur Umsetzung der Datenschutzrichtlinie erlassen wurden. So lässt sich am ehesten klären, wie die einander überschneidenden Bestimmungen des Arbeitsrechts, der Tarifverträge und des Datenschutzrechts miteinander in Einklang zu bringen sind.

Eine auf die Grundsätze des »sicheren Hafens« verpflichtete amerikanische Organisation, die Personaldaten, die im Rahmen eines Beschäftigungsverhältnisses aus der Europäischen Union übermittelt wurden, benutzt und wünscht, dass auf solche Übermittlungen die Grundsätze des »sicheren Hafens« angewandt werden, muss sich also verpflichten, gegebenenfalls bei Untersuchungen der in der EU jeweils zuständigen Behörden mitzuwirken und deren Empfehlungen zu befolgen. Die Datenschutzbehörden, die einer Zusammenarbeit in diesem Sinne zustimmen, setzen die Europäische Kommission und das amerikanische Handelsministerium davon in Kenntnis. In den Fällen, in denen eine auf die Grundsätze des »sicheren Hafens« verpflichtete amerikanische Organisation Personaldaten aus einem Mitgliedstaat, dessen Datenschutzbehörde einer Zusammenarbeit nicht zugestimmt hat, übermitteln will, gilt FAQ 5.

FAQ 10 – Datenverarbeitung im Auftrag (Artikel 17 der Datenschutzrichtlinie)

F: *Wenn Daten aus der EU in den USA im Auftrag verarbeitet werden sollen, muss dafür ein Vertrag geschlossen werden unabhängig davon, ob der Auftragsverarbeiter der Vereinbarung zum sicheren Hafen beigetreten ist oder nicht?*

A: Ja. Werden Daten lediglich zur Verarbeitung im Auftrag übermittelt, muss der in Europa für die Verarbeitung Verantwortliche darüber stets einen Vertrag schließen, gleich ob die Verarbeitung in oder außerhalb der EU stattfindet. Der Vertrag soll die Interessen des für die Verarbeitung Verantwortlichen schützen, also der natürlichen oder juristischen Person, die Mittel und Zweck der Verarbeitung bestimmt und die gegenüber der (den) betroffenen Person(en) voll verantwortlich bleibt. Im Vertrag wird festgehalten, welche Arbeiten genau auszuführen sind und mit welchen Vorkehrungen für die Sicherheit der Daten zu sorgen ist.

Eine amerikanische Organisation, die der Vereinbarung zum »sicheren Hafen« beigetreten ist und personenbezogene Daten aus der EU zur Verarbeitung im Auftrag übermittelt bekommt, braucht bei diesen Daten die Grundsätze nicht anzuwenden, denn die Verantwortung dafür gegenüber der betroffenen Person liegt nach den geltenden EU-Rechtsvorschriften (die strenger sein können als die Grundsätze des »sicheren Hafens«) weiterhin bei dem für die Verarbeitung Verantwortlichen.

Da die dem »sicheren Hafen« angehörenden Organisationen einen angemessenen Schutz gewähren, ist bei reinen Verarbeitungsverträgen mit dem »sicheren Hafen« angehörenden Organisationen keine vorherige Genehmigung erforderlich (oder die Genehmigung wird von dem jeweiligen Mitgliedstaat automatisch erteilt), wie sie bei Verträgen mit Empfängern, die sich nicht auf die Grundsätze des sicheren Hafens verpflichtet haben bzw. nicht auf andere Weise einen angemessenen Schutz bieten, erforderlich wäre.

FAQ 11 – Schiedsverfahren und Durchsetzungsprinzip

F: *Wie sind die im Durchsetzungsprinzip enthaltenen Anforderungen an die Behandlung von Beschwerden in die Praxis umzusetzen und was geschieht, wenn eine Organisation fortgesetzt gegen die Grundsätze des »sicheren Hafens« verstößt?*

A: Im Durchsetzungsprinzip ist festgelegt, wie den Grundsätzen des sicheren Hafens Geltung zu verschaffen ist. Wie Punkt b) des Durchsetzungsgrundsatzes zu entsprechen ist, wird in FAQ 7 (Kontrolle) ausgeführt. Diese FAQ 11 befasst sich mit den Punkten a) und c), die beide die Forderung nach unabhängigen Schiedsstellen enthalten. Das Beschwerdeverfahren kann auf verschiedene Weise ausgestaltet werden, es muss aber die im Durchsetzungsgrundsatz genannten Anforderungen erfüllen. Organisationen können diese Forderungen des Durchsetzungsgrundsatzes wie folgt erfüllen: 1. indem sie von der Privatwirtschaft entwickelte Datenschutzprogramme befolgen, in deren Regeln die Grundsätze des »sicheren Hafens« integriert sind und die wirksame Durchsetzungsmechanismen vorsehen, wie sie im Durchsetzungsgrundsatz beschrieben sind; 2. indem sie sich gesetzlich oder durch Rechtsverordnung vorgesehenen Kontrollorganen unterwerfen, die Beschwerden von Einzelpersonen nachgehen und Streitigkeiten schlichten; 3. indem sie sich verpflichten, mit den Datenschutzbehörden in der Europäischen Union oder mit deren bevollmächtigten Vertretern zusammenzuarbeiten. Die hier angeführten Möglichkeiten sind Beispiele, es handelt sich nicht um eine abschließende Aufzählung. Die Privatwirtschaft kann auch andere Durchsetzungsmechanismen einführen, sie müssen nur die Forderungen erfüllen, die im Durchsetzungsgrundsatz und in den FAQ niedergelegt sind. Zu beachten ist, dass die Forderungen des Durchsetzungsgrundsatzes die Forderung ergänzen, die im dritten Absatz der Einführung zu den Grundsätzen des sicheren Hafens formuliert ist. Danach müssen auch bei Selbstregulierung Verstöße gegen die Grundsätze gemäß Abschnitt 5 des Federal Trade Commission Act oder einem ähnlichen Gesetz verfolgbar sein.

Anrufung unabhängiger Beschwerdestellen:

Die Verbraucher sollen dazu angehalten werden, Beschwerden zunächst an die Organisation zu richten, die ihre Daten verarbeitet, ehe sie eine unabhängige Beschwerdestelle anrufen. Die Unabhängigkeit einer Beschwerdestelle ist an verschiedenen Merkmalen erkennbar wie transparente Besetzung und Finanzierung oder nachweisbare einschlägige Tätigkeit. Wie im Durchsetzungsgrundsatz gefordert, müssen einem Beschwerdeführer erschwingliche Rechtsbehelfe ohne weiteres zur Verfügung stehen. Eine Beschwerdestelle muss jede von einer Einzelperson vorgetragene Beschwerde prüfen, es sei denn, sie ist offensichtlich unbegründet oder nicht ernsthaft. Der Betreiber der Beschwerdestelle kann allerdings Kriterien für die Zulässigkeit von Beschwerden festlegen. Diese Kriterien sollen transparent und einsichtig sein (z. B. Ausschluss von Beschwerden, die nicht unter das jeweilige Datenschutzprogramm fallen oder die in die Zuständigkeit einer anderen Stelle fallen) und sollen nicht zu einer Lockerung der Pflicht führen, berechtigten Beschwerden nachzugehen. Beschwerdestellen sollen Beschwerdeführer auch umfassend und in leicht zugänglicher Form über den Ablauf des Verfahrens informieren. Zu diesen Informationen gehören auch Angaben über die Datenschutzpraxis der Beschwerdestelle im Einklang mit den Grundsätzen des sicheren Hafens[3]. Ferner sind die Stellen gehalten, sich an der Erarbeitung von Hilfsmitteln, die das Verfahren vereinfachen, wie z. B. Standardformularen für Beschwerden, zu beteiligen.

Rechtsbehelfe und Sanktionen:

Die Inanspruchnahme eines Rechtsbehelfs soll dazu führen, dass die Organisation, gegen die sich die Beschwerde richtet, die Folgen ihres Verstoßes gegen die Grundsätze soweit möglich abstellt oder rückgängig macht und die den Beschwerdeführer betreffenden Daten künftig entweder im Einklang mit den Grundsätzen des sicheren Hafens schützt oder nicht mehr verarbeitet. Sanktionen müssen so empfindlich sein, dass sie die Einhaltung der Grund-

3 Beschwerdestellen sind nicht verpflichtet, sich an das Durchsetzungsprinzip zu halten. Sie können auch im Fall widerstreitender Verpflichtungen oder wenn dies ausdrücklich genehmigt wird, bei der Ausübung ihrer spezifischen Aufgaben von den Grundsätzen abweichen.

sätze gewährleisten. Den Beschwerdestellen stehen Sanktionen von abgestufter Strenge zur Verfügung, mit denen sie gegen Verstöße von unterschiedlicher Schwere angemessen vorgehen können. Als Sanktionen kommen in Frage die öffentliche Bekanntmachung des Verstoßes, in bestimmten Fällen die Anordnung der Löschung der betreffenden Daten[4], der vorübergehende oder dauernde Entzug der Zugehörigkeit zur Zuständigkeit einer Beschwerdestelle, Entschädigungen für Personen, denen durch die Nichteinhaltung der Grundsätze ein Schaden entstanden ist, und Auflagen. Beschwerdestellen und Selbstregulierungsorgane des privaten Sektors müssen bei Missachtung ihrer Entscheidungen die Gerichte anrufen oder die zuständige entscheidungsbefugte Behörde verständigen und das US-Handelsministerium (oder eine von ihm beauftragte Stelle) unterrichten.

Befassung der FTC:

Die FTC will Beschwerden wegen Verletzung der Grundsätze des sicheren Hafens, die Selbstregulierungsorgane für den Datenschutz wie BBBOnline und TRUSTe und EU-Mitgliedstaaten an sie verweisen, vorrangig behandeln, und feststellen, ob gegen Abschnitt 5 des FTC Act verstoßen wurde, der unlautere und irreführende Geschäftspraktiken verbietet. Hat die FTC Grund zu der Annahme, dass ein solcher Verstoß vorliegt, kann sie eine behördliche Anordnung erwirken, die die beanstandete Praxis untersagt, oder sie kann vor einem Bezirksgericht klagen. Entscheidet das Gericht in ihrem Sinne, kann ein Bundesgericht eine Anordnung mit gleicher Wirkung erlassen. Gegen die Missachtung einer behördlichen Unterlassungsanordnung kann die FTC Geldstrafen verhängen, gegen die Missachtung der Anordnung eines Bundesgerichts kann sie zivil- und strafrechtlich vorgehen. Die FTC unterrichtet das Handelsministerium über von ihr unternommene Schritte. Andere Behörden sind angehalten, dem Handelsministerium das abschließende Ergebnis in solchen Fällen und sonstige Entscheidungen über die Beachtung der Grundsätze des sicheren Hafens mitzuteilen.

---

4 Beschwerdestellen können Sanktionen nach eigenem Ermessen verhängen. Die Sensibilität der Daten ist ein maßgebendes Kriterium, wenn zu entscheiden ist, ob Daten zu löschen sind oder ob eine Organisation mit der Erhebung, Nutzung oder Weitergabe von Daten die Grundsätze in eklatanter Weise verletzt hat.

Fortgesetzte Missachtung der Grundsätze des »sicheren Hafens«:

Missachtet eine Organisation fortgesetzt die Grundsätze, verliert sie ihren Status als »sicheren Hafen« und die damit verbundenen Vorteile. Eine fortgesetzte Missachtung liegt vor, wenn sich eine Organisation, die sich gegenüber dem US-Handelsministerium oder einer von ihm beauftragten Stelle selbst zertifiziert hat, weigert, der endgültigen Entscheidung eines staatlichen Kontrollorgans oder eines Selbstregulierungsorgans zu folgen, oder wenn von einer solchen Stelle festgestellt wird, dass die Organisation so häufig gegen die Grundsätze verstößt, die es einzuhalten vorgibt, dass diese Behauptung nicht mehr glaubwürdig ist. In diesen Fällen muss die Organisation das dem Handelsministerium oder einer von ihm beauftragte Stelle unverzüglich mitteilen. Die Unterlassung dieser Mitteilung kann nach dem False Statements Act strafrechtlich verfolgt werden (18 U.S.C § 1001).

Jede Mitteilung über die fortgesetzte Missachtung der Grundsätze des »sicheren Hafens« wird in das öffentliche Verzeichnis der dem »sicheren Hafen« beigetretenen Organisationen aufgenommen, das das US-Handelsministerium (oder eine von ihm beauftragte Stelle) führt, unabhängig davon, ob die Mitteilung durch die Organisation selbst, durch ein Selbstregulierungsorgan oder ein staatliches Kontrollorgan erfolgt. Das geschieht jedoch erst, nachdem die 30-tägige Frist abgelaufen ist, in der die betroffene Organisation Gelegenheit hat zu reagieren. Aus der öffentlichen Liste des US-Handelsministeriums oder einer von ihm beauftragten Stelle lässt sich also ersehen, welche Organisationen als »sicherer Hafen« anerkannt sind und welche diese Anerkennung verloren haben.

Eine Organisation, die sich einer Selbstregulierungsorganisation anschließt, um sich erneut als sicherer Hafen zu qualifizieren, muss dieser Selbstregulierungsorganisation ihre frühere Teilnahme am »sicheren Hafen« vollständig offenbaren.

FAQ 12 – Wahlmöglichkeit – Zeitpunkt des Widerspruchs

F: *Hat eine Einzelperson im Rahmen des Grundsatzes der Wahlmöglichkeit lediglich zu Beginn des Kontakts eine Wahlmöglichkeit oder jederzeit?*

A: Allgemein soll der Grundsatz der Wahlmöglichkeit gewährleisten, dass personenbezogene Daten in einer Weise genutzt und weitergegeben werden, die mit den Erwartungen und Entscheidungen des Betroffenen übereinstimmt. Dementsprechend sollte der Betroffene zu jeder Zeit entscheiden können, ob seine personenbezogenen Daten für das Direktmarketing verwendet werden dürfen oder nicht; hierfür können die Organisationen aber eine angemessene Frist festlegen, die sie zur effektiven Berücksichtigung eines Widerspruchs benötigen. Daneben kann die Organisation hinreichende Informationen anfordern, die die Identität der Person bestätigen, die Widerspruch einlegt. In den Vereinigten Staaten können Betroffene von der Wahlmöglichkeit Gebrauch machen, indem sie auf ein zentrales »Widerspruchsprogramm« zurückgreifen, wie der Mail Preference Service der Direkt Marketing Association. Organisationen, die an dem Mail Preference Service teilnehmen, sollten Verbraucher, die keine kommerziellen Informationen erhalten möchten, auf diesen Dienst hinweisen. Auf jeden Fall sollte den Betroffenen ein leicht zugänglicher und erschwinglicher Mechanismus zur Verfügung gestellt werden, um diese Möglichkeit nutzen zu können.

Gleichermaßen kann eine Organisation Daten für bestimmte Zwecke des Direktmarketing verwenden, wenn es unmöglich ist, dem Betroffenen vor Nutzung der Daten eine Widerspruchsmöglichkeit einzuräumen, sofern die Organisation dem Betroffenen unmittelbar danach (und auf Verlangen jederzeit) die Möglichkeit einräumt, den Erhalt weiterer Direktwerbung (ohne Kosten für den Verbraucher) abzulehnen, und die Organisation den Wünschen des Betroffenen nachkommt.

FAQ 13 – Reisedaten

F: *Wann dürfen Flugreservierungsdaten und andere Reisedaten wie Daten über Vielflieger, über Hotelreservierungen und über spezielle Bedürfnisse wie religiös begründete besondere Speisewünsche oder die Notwendigkeit pflegerischer Betreuung an Organisationen außerhalb der EU weitergegeben werden?*

A: Solche Daten dürfen in bestimmten Fällen weitergegeben werden. Nach Artikel 26 der Richtlinie dürfen personenbezogene Daten in ein Drittland übermittelt werden, das kein angemessenes Schutzniveau im Sinne des Artikels 25 Absatz 2 gewährleistet, wenn 1. die Übermittlung für die Erfüllung eines Vertrags wie der Vielflieger-Vereinbarung notwendig ist und 2. die betroffene Person ohne jeden Zweifel ihre Einwilligung gegeben hat. US-Organisationen, die sich den Grundsätzen des »sicheren Hafens« angeschlossen haben, gewährleisten einen angemessenen Schutz personenbezogener Daten und können deshalb solche Daten aus der EU empfangen, ohne dass diese Voraussetzungen oder die in Artikel 26 der Datenschutzrichtlinie genannten Voraussetzungen erfüllt sein müssen. Da das Konzept des »sicheren Hafens« besondere Regeln für den Umgang mit sensiblen Daten vorsieht, können auch solche Daten (die etwa für die pflegerische Betreuung eines Kunden benötigt werden) an Organisationen übermittelt werden, die am »sicheren Hafen« teilnehmen. Allerdings ist die übermittelnde Organisation stets dem Recht des EU-Mitgliedstaats unterworfen, in dem sie tätig ist, und das kann unter anderem bedeuten, dass sie im Umgang mit sensiblen Daten besondere Vorschriften zu beachten hat.

FAQ 14 – Arzneimittel und Medizinprodukte

F 1: *Wenn in der EU erhobene personenbezogene Daten für Zwecke der pharmazeutischen Forschung oder für andere Zwecke in die USA übermittelt werden, gilt dann das Recht der Mitgliedstaaten oder gelten die Grundsätze des sicheren Hafens?*

A 1: Das Recht der Mitgliedstaaten gilt für die Erhebung der personenbezogenen Daten und für ihre Verarbeitung vor der Übermittlung in die USA. Die Grundsätze des sicheren Hafens gelten, nachdem die Daten in die USA übermittelt worden sind. Daten, die für die pharmazeutische Forschung oder sonstige Zwecke benutzt werden, sollten gegebenenfalls anonymisiert werden.

F 2: *In medizinischen und pharmazeutischen Studien gewonnene personenbezogene Daten sind oft sehr wertvoll für künftige Forschungsarbeiten. Darf eine dem »sicheren Hafen« beigetretene US-Organisation, die personenbezogene Daten im Rahmen eines Forschungsvorhabens erhoben hat, diese Daten für ein anderes Forschungsvorhaben verwenden?*

A 2: Ja, wenn das dem Betroffenen schon zu Anfang ordnungsgemäß mitgeteilt und wenn ihm eine Wahlmöglichkeit eingeräumt wurde. Eine Mitteilung muss Angaben über die künftige Verwendung der Daten enthalten wie Angaben über regelmäßige Folgeuntersuchungen, ähnliche Forschungsvorhaben, für die sie verwendet werden sollen, oder ihre kommerzielle Nutzung. Es versteht sich, dass dabei nicht jede künftige Verwendung der Daten angegeben werden kann. Die Verwendung für einen anderen Forschungszweck kann sich aus neuen Erkenntnissen über die ursprünglichen Daten, aus neuen medizinischen Entdeckungen und Fortschritten sowie aus Entwicklungen im Gesundheitswesen und in der Gesetzgebung ergeben. Gegebenenfalls ist in der Mitteilung darauf hinzuweisen, dass personenbezogene Daten für künftige medizinische und pharmazeutische Forschungsarbeiten verwendet werden können, die nicht vorauszusehen sind. Entspricht die neue Verwendung nicht dem allgemeinen Forschungszweck, für den die Daten ursprünglich erhoben wurden oder in den der Betroffene später eingewilligt hat, muss erneut seine Einwilligung eingeholt werden.

F 3: *Was geschieht mit den Daten eines Teilnehmers, der sich auf eigenen Wunsch oder auf Wunsch der Trägerorganisation aus einem klinischen Versuch zurückzieht?*

A 3: Ein Teilnehmer kann sich jederzeit aus einem klinischen Versuch zurückziehen oder dazu aufgefordert werden. Daten über ihn, die vor seinem Rückzug erhoben wurden, können jedoch weiterhin verarbeitet werden wie die übrigen im Rahmen des Versuchs erhobenen Daten, wenn er darauf hingewiesen wurde, als er seine Bereitschaft zur Teilnahme erklärte.

F 4: *Hersteller von Arzneimitteln und Medizinprodukten dürfen in klinischen Versuchen in der EU gewonnene personenbezogene Daten zur Überprüfung an Aufsichtsbehörden in den USA übermitteln. Dürfen sie die Daten auch an andere Stellen übermitteln wie Organisationen und Wissenschaftler?*

A 4: Ja, unter Beachtung der Grundsätze der Informationspflicht und der Wahlmöglichkeit.

F 5: *Zur Wahrung der Objektivität dürfen bei klinischen Versuchen die Teilnehmer und oft auch die Forscher selbst nicht erfahren, wer wie behandelt wird, denn das würde die Aussagefähigkeit der Ergebnisse in Frage stellen. Können die Teilnehmer an solchen sogenannten Blindversuchen Zugang zu Daten über ihre Behandlung während des Versuchs verlangen?*

A 5: Nein, den Teilnehmern muss kein Zugang gewährt werden, wenn ihnen diese Beschränkung vor ihrer Teilnahme erklärt wurde und die Offenlegung der Daten den Nutzen der Forschungsarbeit gefährden würde. Wer sich dennoch zur Teilnahme an dem Versuch entschließt, muss hinnehmen, dass die ihn betreffenden Daten unter Verschluss gehalten werden. Nach Abschluss des Versuchs und Auswertung der Ergebnisse müssen die Teilnehmer allerdings auf Verlangen Zugang zu ihren Daten erhalten. Dafür sollten sie sich in erster Linie an den Arzt oder an anderes medizinisches Personal wenden, von dem sie während des Versuchs behandelt wurden, hilfsweise an die Organisation, in deren Auftrag der Versuch durchgeführt wurde.

F 6: *Muss ein Hersteller von Arzneimitteln oder Medizinprodukten die in den Grundsätzen des »sicheren Hafens« verankerten Grundsätze der Informationspflicht, der Wahlmöglichkeit, der Weiterübermittlung und des Auskunftsrechts beachten, wenn er Maßnahmen zur Überwachung der Sicherheit und Wirksamkeit seiner Produkte trifft und u. a. über Zwischenfälle berichtet und laufend Daten über Patienten/Versuchspersonen erhebt, die bestimmte Arzneimittel oder Medizinprodukte (z. B. Herzschrittmacher) nutzen?*

A 6: Nein, soweit die Grundsätze des »sicheren Hafens« mit gesetzlichen Pflichten kollidieren. Das gilt sowohl für Berichte von Dienstleistern des Gesundheitswesens an Arzneimittel- und Medizinprodukthersteller als auch für Berichte von Arzneimittel- und Medizinproduktherstellern an Behörden wie die amerikanische Food and Drug Administration.

F 7: *Forschungsdaten werden stets an der Quelle verschlüsselt, damit aus ihnen nicht die Identität einzelner Personen zu ersehen ist. Den Pharmaorganisationen, also den Projektträgern, wird der Schlüssel nicht ausgehändigt, er verbleibt beim Forscher, so dass er unter bestimmten Umständen (z. B. wenn eine nachträgliche Überwachung notwendig ist) einzelne Versuchspersonen identifizieren kann. Ist die Übermittlung derart verschlüsselter Daten von der EU in die USA als Übermittlung personenbezogener Daten anzusehen, die den Grundsätzen des sicheren Hafens unterliegt?*

A 7: Nein, das gilt nicht als Übermittlung personenbezogener Daten, die den Grundsätzen des »sicheren Hafens« unterliegt.

FAQ 15 – Daten aus öffentlichen Registern und öffentlich zugängliche Daten

F: *Gelten die Grundsätze der Informationspflicht, der Wahlmöglichkeit und der Weiterübermittlung für Daten aus öffentlichen Registern beziehungsweise öffentlich verfügbaren Daten?*

A: Die Grundsätze der Informationspflicht, der Wahlmöglichkeit und der Weiterübermittlung sind nicht auf Daten in öffentlichen Registern anzuwenden, wenn diese nicht mit nichtöffentlichen Daten kombiniert sind und solange die von der zuständigen Behörde festgelegten Bedingungen für ihre Abfrage beachtet werden.

Im Allgemeinen gelten die Grundsätze der Informationspflicht, der Wahlmöglichkeit und der Weiterübermittlung auch nicht für öffentlich verfügbare Daten, es sei denn, der europäische Übermittler weist darauf hin, dass diese Daten Beschränkungen unterliegen, aufgrund deren die Organisation die genannten Grundsätze im Hinblick auf die von ihr geplanten Verwendung anwenden muss. Organisationen haften nicht dafür, wie diese Daten von denen genutzt werden, die sie aus veröffentlichtem Material entnommen haben.

Wird festgestellt, dass eine Organisation unter Missachtung der obigen Grundsätze absichtlich personenbezogene Daten offengelegt hat, sodass diese Ausnahme von der Regel für die Organisation selbst oder aber für andere von Nutzen ist, verliert sie ihren Status als »sicherer Hafen« und die damit verbundenen Vorteile.

ANHANG III
Grundsätze des sicheren Hafens: Überblick über die Möglichkeiten der Durchsetzung

(vom Abdruck wird abgesehen)

ANHANG IV
Datenschutz und Schadenersatz, rechtliche Ermächtigungen, Fusionen und Übernahmen im Rahmen des US-amerikanischen Rechts

(vom Abdruck wird abgesehen)

ANHÄNGE V bis VII enthalten weitere Erläuterungen seitens der amerikanischen Bundesregierung; vom Abdruck wird abgesehen

Entscheidung der Kommission der Europäischen Gemeinschaften K (2001) 1539 endgültig – DE vom 15. 6. 2001 hinsichtlich Standardvertragsklauseln für die Übermittlung personenbezogener Daten in Drittländer nach der Richtlinie 95/46/EG

(Text von Bedeutung für den EWR)

Amtsblatt der Europäischen Gemeinschaften L Nr. 181 vom 4. 7. 2001

DIE KOMMISSION DER EUROPÄISCHEN GEMEINSCHAFTEN –

gestützt auf den Vertrag zur Gründung der Europäischen Gemeinschaft,

gestützt auf die Richtlinie 95/46/EG des Europäischen Parlaments und des Rates vom 24. Oktober 1995 zum Schutz natürlicher Personen bei der Verarbeitung personenbezogener Daten und zum freien Datenverkehr[1], insbesondere auf Artikel 26 Absatz 4,

in Erwägung nachstehender Gründe:

(1) Nach der Richtlinie 95/46/EG müssen die Mitgliedstaaten dafür Sorge tragen, dass die Übermittlung personenbezogener Daten in ein Drittland nur dann erfolgen kann, wenn das betreffende Drittland ein angemessenes Datenschutzniveau gewährleistet und Gesetze des Mitgliedstaates, die den anderen Bestimmungen der Richtlinie entsprechen, vor der Übermittlung berücksichtigt werden.

(2) Artikel 26 Absatz 2 der Richtlinie 95/46/EG sieht jedoch vor, dass die Mitgliedstaaten, sofern bestimmte Garantien vorliegen, eine Übermittlung oder eine Kategorie von Übermittlungen personenbezogener Daten in Drittländer, die kein angemessenes Datenschutzniveau gewährleisten, genehmigen können. Solche Garantien können sich insbesondere aus einschlägigen Vertragsklauseln ergeben.

---

1 ABl. L 281 vom 23.11.1995, S. 31.

(3) Nach der Richtlinie 95/46/EG ist das Datenschutzniveau unter Berücksichtigung aller Umstände zu beurteilen, die bei der Datenübermittlung oder einer Kategorie von Datenübermittlungen eine Rolle spielen; die gemäß dieser Richtlinie eingesetzte Gruppe für den Schutz natürlicher Personen bei der Verarbeitung personenbezogener Daten[2] hat Leitlinien für die Erstellung solcher Beurteilungen veröffentlicht[3].

(4) Artikel 26 Absatz 2 der Richtlinie 95/46/EG, der einer Organisation, die Daten in Drittländer übermitteln will, Flexibilität bietet, und Artikel 26 Absatz 4 mit dem Hinweis auf Standardvertragsklauseln sind wesentlich, um den notwendigen Strom personenbezogener Daten zwischen der Europäischen Union und Drittländern ohne unnötige Belastung der Wirtschaftsakteure aufrechtzuerhalten. Beide Bestimmungen sind von besonderer Bedeutung angesichts der Tatsache, dass die Kommission kurzoder mittelfristig wohl nur für eine begrenzte Zahl von Ländern die Angemessenheit des Schutzniveaus nach Artikel 25 Absatz 6 wird feststellen können.

(5) Die Standardvertragsklauseln sind neben Artikel 25 und Artikel 26 Absätze 1 und 2 nur eine von mehreren Möglichkeiten im Rahmen der Richtlinie 95/46/EG für die rechtmäßige Übermittlung personenbezogener Daten in Drittländer; für die Organisationen wird es erheblich einfacher, personenbezogene Daten in Drittländer zu übermitteln, wenn sie die Standardvertragsklauseln in den Vertrag aufnehmen. Sie beziehen sich jedoch nur auf den Da-

---

2 Die Internetadresse der Arbeitsgruppe lautet: http://www.europa.eu.int/comm/internal_market/en/media/dataprot/wpdocs/index.htm.

3 **WP4 (5020/97)** Erste Leitlinien für die Übermittlung personenbezogener Daten in Drittländer – Mögliche Ansätze für eine Bewertung der Angemessenheit; Diskussionsgrundlage von der Arbeitsgruppe angenommen am 26. Juni 1997.

WP7 (5057/97) Arbeitsunterlage: Beurteilung der Selbstkontrolle der Wirtschaft: wann ist sie ein sinnvoller Beitrag zum Niveau des Datenschutzes in einem Drittland? Von der Arbeitsgruppe angenommen am 14. Januar 1998.

WP9 (3005/98) Arbeitsunterlage: Erste Überlegungen zur Verwendung vertraglicher Bestimmungen im Rahmen der Übermittlungen personenbezogener Daten an Drittländer, von der Arbeitsgruppe angenommen am 22. April 1998.

WP12: Übermittlungen personenbezogener Daten an Drittländer: Anwendung von Artikel 25 und 26 der Datenschutzrichtlinie der EU; von der Gruppe angenommen am 24. Juli 1998, verfügbar auf der Web-Site der Europäischen Kommission:
»europa.eu.int/comm/internal_markt/en/media.dataprot/wpdocs/wp12/de«.

tenschutz. Datenexporteur und Datenimporteur ist es freigestellt, weitere geschäftsbezogene Klauseln aufzunehmen, z. B. Klauseln über gegenseitige Unterstützung bei Streitigkeiten mit einer betroffenen Person oder einer Kontrollstelle, die die Parteien für vertragsrelevant halten, sofern sie den Standardvertragsklauseln nicht widersprechen.

(6) Diese Entscheidung sollte die nationalen Genehmigungen unberührt lassen, die von den Mitgliedstaaten nach ihren eigenen Rechtsvorschriften zur Umsetzung von Artikel 26 Absatz 2 der Richtlinie 95/46/EG erteilt werden können. Die Umstände einer bestimmten Übermittlung können es erforderlich machen, dass die für die Datenverarbeitung Verantwortlichen andere Garantien im Sinne von Artikel 26 Absatz 2 leisten müssen. Diese Entscheidung hat lediglich die Wirkung, dass die Mitgliedstaaten die hier beschriebenen Vertragsklauseln als ausreichende Garantien anerkennen müssen, und lässt daher andere Vertragsklauseln unberührt.

(7) Die Entscheidung beschränkt sich darauf festzulegen, dass die im Anhang aufgeführten Vertragsklauseln von einem für die Datenverarbeitung Verantwortlichen, der in der Gemeinschaft ansässig ist, angewandt werden können, um ausreichende Garantien nach Artikel 26 Absatz 2 der Richtlinie 95/46/EG zu gewährleisten. Die Übermittlung personenbezogener Daten in Drittländer ist eine Verarbeitung in einem Mitgliedstaat, für deren Rechtmäßigkeit nationales Recht maßgeblich ist; die Kontrollstellen der Mitgliedstaaten sollten weiterhin dafür zuständig sein, im Rahmen ihrer Aufgaben und Befugnisse nach Artikel 28 der Richtlinie 95/46/EG zu prüfen, ob der Datenexporteur die nationalen Vorschriften zur Umsetzung der Bestimmungen der Richtlinie 95/46/EG einhält, insbesondere der spezifischen Bestimmungen über die Informationspflicht nach dieser Richtlinie.

(8) Diese Entscheidung betrifft nicht die Übermittlung personenbezogener Daten durch für die Verarbeitung Verantwortliche, die in der Gemeinschaft ansässig sind, an Empfänger, die nicht im Gebiet der Gemeinschaft ansässig sind und nur als Auftragsverarbeiter tätig werden. Diese Übermittlungen erfordern nicht die gleichen Garantien, weil der Auftragsverarbeiter ausschließlich im Auftrag des für die Verarbeitung Verantwortlichen tätig ist. Die Kommission beabsichtigt diese Art der Übermittlung in einer späteren Entscheidung zu behandeln.

(9) Es sollten die Mindestinformationen festgelegt werden, die von den Parteien im Übermittlungsvertrag bereitgestellt werden müssen. Die Mitgliedstaaten sollten weiterhin die Befugnis haben, die

Informationen im einzelnen zu benennen, die von den Parteien zu liefern sind. Diese Entscheidung wird im Lichte der Erfahrung überprüft.

(10) Die Kommission wird zukünftig ferner erwägen, ob Standardvertragsklauseln, die von Industrieverbänden oder anderen interessierten Parteien vorgelegt werden, ausreichende Garantien im Sinne der Richtlinie 95/46/EG bieten.

(11) Zwar sollte es den Parteien freistehen, zu vereinbaren, welche Datenschutzregeln von dem Datenimporteur zu beachten sind, doch sollten bestimmte Datenschutzgrundsätze in allen Fällen anzuwenden sein.

(12) Daten sollten nur für angegebene Zwecke verarbeitet und anschließend verwendet oder übermittelt werden und sollten nicht länger als notwendig aufbewahrt werden.

(13) Gemäß Artikel 12 der Richtlinie 95/46/EG sollte die betroffene Person Anspruch auf alle sie betreffenden Daten und je nach Fall auf Berichtigung, Löschung und Sperrung bestimmter Daten haben.

(14) Die Weiterübermittlung von personenbezogenen Daten an einen anderen für die Verarbeitung Verantwortlichen, der in einem Drittland ansässig ist, sollte nur unter bestimmten Voraussetzungen erlaubt werden, die insbesondere sicherstellen, dass die betroffenen Personen angemessen informiert werden und die Möglichkeit haben zu widersprechen oder in bestimmten Fällen ihre Zustimmung zu versagen.

(15) Neben der Prüfung, ob Übermittlungen in Drittländer nationalem Recht entsprechen, sollten die Kontrollstellen eine Schlüsselrolle in diesem Vertragsmechanismus übernehmen, indem sie sicherstellen, dass personenbezogene Daten nach der Übermittlung angemessen geschützt werden. In bestimmten Fällen sollten die Kontrollstellen der Mitgliedstaaten weiterhin befugt sein, eine Datenübermittlung beziehungsweise eine Reihe von Datenübermittlungen auf der Grundlage der Standardvertragsklauseln zu untersagen oder auszusetzen; dies gilt für jene Ausnahmefälle, für die feststeht, dass sich eine Übermittlung auf Vertragsbasis wahrscheinlich sehr nachteilig auf die Garantien auswirkt, die den betroffenen Personen angemessenen Schutz bieten sollen.

(16) Die Standardvertragsklauseln sollten durchsetzbar sein, und zwar nicht nur von den Organisationen, die Vertragsparteien sind, sondern auch von den betroffenen Personen, insbesondere wenn ihnen als Folge eines Vertragsbruchs Schaden entsteht.

(17) Auf den Vertrag sollte das Recht des Mitgliedstaates anwendbar sein, in dem der Datenexporteur ansässig ist, das es einem Drittbegünstigten ermöglicht, den Vertrag durchzusetzen. Betroffene Personen sollten, wenn sie dies wünschen und das nationale Recht es zulässt, das Recht haben, sich von Vereinigungen oder sonstigen Einrichtungen vertreten zu lassen.

(18) Um die Schwierigkeiten der betroffenen Personen zu verringern, ihre Rechte nach diesen Standardvertragsklauseln geltend zu machen, sollten der Datenexporteur und der Datenimporteur gesamtschuldnerisch für Schäden aufgrund jeglicher Verletzung der Bestimmungen haftbar sein, die der Drittbegünstigtenklausel unterliegen.

(19) Die betroffene Person hat das Recht, wegen Schäden, die durch Handlungen verursacht werden, die mit den in den Standardvertragsklauseln enthaltenen Verpflichtungen unvereinbar sind, gegen den Datenexporteur, den Datenimporteur oder beide gerichtlich vorzugehen und Schadensersatz zu erlangen; beide Parteien können von dieser Haftung ausgenommen werden, wenn sie beweisen, dass keiner von ihnen für diese Schäden verantwortlich ist.

(20) Die gesamtschuldnerische Haftung betrifft nicht die Bestimmungen, die nicht unter die Drittbegünstigtenklausel fallen, und muss nicht dazu führen, dass eine Partei für Schäden aus der unrechtmäßigen Verarbeitung durch die andere Partei aufkommt. Die Bestimmung über einen gegenseitigen Ausgleichsanspruch zwischen den Parteien ist nicht Voraussetzung für die Angemessenheit des Schutzniveaus für die betroffenen Personen, und die Parteien können diese Bestimmung streichen. Sie wurde aber im Interesse der Klarheit in die Standardvertragsklauseln aufgenommen, und um es den Parteien zu ersparen, im Einzelfall Ausgleichsklauseln auszuhandeln.

(21) Wird eine Auseinandersetzung der Parteien mit einer betroffenen Person, die sich auf die Drittbegünstigtenklausel beruft, nicht gütlich beigelegt, verpflichten sich die Parteien, der betroffenen Person die Wahlmöglichkeiten zwischen Schlichtung, Schiedsund Gerichtsverfahren anzubieten. Das Ausmaß der tatsächlichen Wahlmöglichkeiten der betroffenen Person hängt von dem Vorhandensein zuverlässiger und anerkannter Schlichtungsund Schiedsgerichtssysteme ab. Schlichtung durch die Kontrollstellen eines Mitgliedstaats sollte eine Möglichkeit sein, sofern diese Stellen solche Leistungen erbringen.

(22) Die Gruppe für den Schutz natürlicher Personen bei der Verarbeitung personenbezogener Daten, die durch Artikel 29 der Richtli-

nie 95/46/EG eingesetzt wurde, hat eine Stellungnahme zu dem Schutzniveau abgegeben, das die der Entscheidung beiliegenden Standvertragsklauseln bieten; die Stellungnahme wurde bei der Erarbeitung der vorliegenden Entscheidung[4] berücksichtigt.

(23) Die in der vorliegenden Entscheidung enthaltenen Maßnahmen entsprechen der Stellungnahme des Ausschusses, der durch Artikel 31 der Richtlinie 95/46/EG eingesetzt wurde –

HAT FOLGENDE ENTSCHEIDUNG ERLASSEN:

Artikel 1

Die Standardvertragsklauseln im Anhang gelten als ausreichende Garantien hinsichtlich des Schutzes der Privatsphäre, der Grundrechte und der Grundfreiheiten der Personen sowie hinsichtlich der Ausübung der damit verbundenen Rechte im Sinne von Artikel 26 Absatz 2 der Richtlinie 95/46/EG.

Artikel 2

Diese Entscheidung betrifft ausschließlich die Angemessenheit des Schutzes, der bei der Übermittlung personenbezogener Daten durch die im Anhang aufgeführten Standardvertragsklauseln gewährleistet wird. Die Anwendung anderer nationaler Vorschriften zur Durchführung der Richtlinie 95/46/EG, die sich auf die Verarbeitung personenbezogener Daten in den Mitgliedstaaten beziehen, bleibt davon unberührt.

Diese Entscheidung ist nicht anwendbar auf die Übermittlung personenbezogener Daten durch für die Verarbeitung Verantwortliche, die in der Gemeinschaft ansässig sind, an Empfänger, die nicht im Gebiet der Gemeinschaft ansässig sind und nur als Auftragsverarbeiter tätig werden.

Artikel 3

Im Rahmen dieser Entscheidung

a) gelten die Begriffsbestimmungen der Richtlinie 95/46/EG;
b) bezeichnet der Begriff »besondere Kategorien personenbezogener Daten« die in Artikel 8 der Richtlinie genannten Daten;
c) bezeichnet der Begriff »Kontrollstelle« die in Artikel 28 der Richtlinie genannte Stelle;

---

4 Stellungnahme Nr. 1/2001, angenommen von der Gruppe am 26. Januar 2001 (GD MARKT 5102/00 WP 38), verfügbar auf der »Europa«-Site der Europäischen Kommission.

d) bezeichnet der Begriff »Datenexporteur« den für die Verarbeitung Verantwortlichen, der die personenbezogenen Daten übermittelt;
e) bezeichnet der Begriff »Datenimporteur« den für die Verarbeitung Verantwortlichen, der sich bereit erklärt, vom Datenexporteur personenbezogene Daten für die weitere Verarbeitung gemäß den Bestimmungen dieser Entscheidung entgegenzunehmen.

Artikel 4

(1) Unbeschadet ihrer Befugnisse, tätig zu werden, um die Einhaltung nationaler Vorschriften, die gemäß den Kapiteln II, III, V und VI der Richtlinie 95/46/EG erlassen wurden, zu gewährleisten, können die zuständigen Kontrollstellen in den Mitgliedstaaten ihre bestehenden Befugnisse ausüben, um zum Schutz von Privatpersonen in Bezug auf die Verarbeitung ihrer personenbezogenen Daten die Datenübermittlung in Drittländer zu verbieten oder auszusetzen, wenn:

a) feststeht, dass der Datenimporteur nach den für ihn geltenden Rechtsvorschriften Anforderungen unterliegt, die ihn zwingen, von den einschlägigen Datenschutzvorschriften in einem Maß abzuweichen, das über die Beschränkungen hinausgeht, die im Sinne von Artikel 13 der Richtlinie 95/46/EG für eine demokratische Gesellschaft erforderlich sind und dass sich diese Anforderungen wahrscheinlich sehr nachteilig auf die Garantien auswirken, die die Standardvertragsklauseln bieten sollen, oder
b) eine zuständige Kontrollstelle festgestellt hat, dass der Datenimporteur die Vertragsklauseln nicht einhält, oder
c) eine hohe Wahrscheinlichkeit besteht, dass die im Anhang enthaltenen Standardvertragsklauseln derzeit oder künftig nicht eingehalten werden und die Fortsetzung der Übermittlung den betroffenen Personen einen nicht wieder gut zu machenden Schaden zufügen würde.

(2) Das Verbot oder die Aussetzung im Sinne von Absatz 1 wird aufgehoben, sobald die Gründe für das Verbot oder die Aussetzung nicht mehr vorliegen.

(3) Sobald die Mitgliedstaaten Maßnahmen gemäß Absatz 1 und 2 ergreifen, informieren sie unverzüglich die Kommission, die ihrerseits die Informationen an die anderen Mitgliedstaaten weiterleitet.

Artikel 5

Die Kommission bewertet drei Jahre, nachdem sie den Mitgliedstaaten diese Entscheidung bekanntgegeben hat, anhand der verfügbaren Informationen ihre Durchführung. Sie unterrichtet den durch Artikel 31 der Richtlinie 95/46/EG eingesetzten Ausschuss über ihre Feststellungen.

Sie fügt sämtliche Belege bei, die für die Beurteilung der Angemessenheit der Standardvertragsklauseln des Anhangs von Bedeutung sein könnten, sowie etwaige Belege dafür, dass die Entscheidung in diskriminierender Weise angewandt wird.

Artikel 6

Diese Entscheidung ist anwendbar ab dem 3. September 2001.

Artikel 7

Diese Entscheidung ist an die Mitgliedstaaten gerichtet.

Brüssel, den

Für die Kommission

Mitglied der Kommission

ANHANG
Standardvertragsklauseln

im Sinne von Artikel 26 Absatz 2 der Richtlinie 95/46/EG für die Übermittlung personenbezogener Daten in Drittländer, die kein angemessenes Schutzniveau gewährleisten

Bezeichnung der Daten exportierenden Organisation:

....

Adresse ....

Tel.: ....; *Fax:* ....; *E-Mail:* ....

Weitere Angaben zur Identifizierung der Organisation: ....

(nachstehend: Daten**exporteur**)

und

Bezeichnung der Daten importierenden Organisation:

....

Adresse ....

Tel.: ....; *Fax:* ....; *E-Mail:* ....

Weitere Angaben zur Identifizierung der Organisation: ....

(nachstehend: Daten**importeur**)

VEREINBAREN folgende Vertragsklauseln (nachstehend: *Klauseln*), um ausreichende Garantien hinsichtlich des Schutzes der Privatsphäre, der Grundrechte und der Grundfreiheiten der Personen für die Übermittlung der in Anlage 1 zu diesen Vertragsklauseln spezifizierten personenbezogenen Daten vom Exporteur an den Importeur bereitzustellen.

Klausel 1
Begriffsbestimmungen

Im Rahmen der Vertragsklauseln gelten folgende Begriffsbestimmungen:

(a) *»personenbezogene Daten«*, *»besondere Kategorien personenbezogener Daten«*, *»Verarbeitung«*, *»für die Verarbeitung Verantwortlicher«*, *»Auftragsverarbeiter«*, *»betroffene Person«* und *»Kontrollstelle«*: es gelten die Begriffsbestimmungen der Richtlinie 95/46/EG vom 24. Oktober 1995 zum Schutz natürlicher Personen bei der Verarbeitung personenbezogener Daten und zum freien Datenverkehr (nachstehend: Richtlinie);

(b) *»Datenexporteur«* der für die Verarbeitung Verantwortliche, der die personenbezogenen Daten übermittelt;

(c) *»Datenimporteur«* der für die Verarbeitung Verantwortliche, der sich bereit erklärt, vom Datenexporteur personenbezogene Daten für die Verarbeitung gemäß den Bestimmungen dieser Vertragsklauseln entgegenzunehmen und der nicht an ein System eines Drittlandes gebunden ist, das angemessenen Schutz gewährleistet.

Klausel 2
Einzelheiten der Übermittlung

Die Einzelheiten der Übermittlung, insbesondere die Kategorien personenbezogener Daten und ihre Übermittlungszwecke, sind in Anlage 1 aufgeführt, die Bestandteil der Klauseln ist.

Klausel 3
Drittbegünstigtenklausel

Die betroffenen Personen können diese Klausel und die Klausel 4 Buchstaben b), c) und d), Klausel 5 Buchstaben a), b), c) und e), Klausel 6 Absätze 1 und 2 sowie Klauseln 7, 9 und 11 als Drittbegünstigte geltend machen. Die Parteien haben keine Einwände dagegen, dass die betroffenen Personen, sofern sie dies wünschen und das nationale Recht dies zulässt, durch eine Vereinigung oder sonstige Einrichtungen vertreten werden.

Klausel 4
Pflichten des Datenexporteurs

Der Datenexporteur verpflichtet sich und garantiert:

(a) dass die Verarbeitung der personenbezogenen Daten, einschließlich der Übermittlung, durch ihn entsprechend den einschlägigen Vorschriften des Mitgliedstaates, in dem der Datenexporteur ansässig ist, erfolgt ist bzw. bis zum Zeitpunkt der Übermittlung erfolgen wird (gegebenenfalls einschließlich der Mitteilung an die zuständige Stelle dieses Mitgliedstaats) und dass sie nicht gegen die einschlägigen Vorschriften dieses Staates verstößt;

(b) dass die betroffene Person, sofern die Übermittlung besondere Datenkategorien einbezieht, davon in Kenntnis gesetzt worden ist oder vor der Übermittlung wird, dass ihre Daten in ein Drittland übermittelt werden könnten, das kein angemessenes Schutzniveau bietet;

(c) dass er den betroffenen Personen auf Anforderung eine Kopie dieser Klauseln, wie sie vereinbart wurden, zur Verfügung stellt und

(d) Anfragen der Kontrollstelle bezüglich der Verarbeitung einschlägiger personenbezogener Daten durch den Datenimporteur sowie Anfragen betroffener Personen bezüglich der Verarbeitung ihrer personenbezogenen Daten durch den Datenimporteur innerhalb eines angemessenen Zeitraums und in zumutbarem Maße beantwortet.

Klausel 5
Pflichten des Datenimporteurs

Der Datenimporteur verpflichtet sich und garantiert:

(a) dass er seines Wissens keinen nationalen Gesetzen unterliegt, die ihm die Erfüllung seiner Vertragsverpflichtungen unmöglich machen und dass er im Fall einer Gesetzesänderung, die sich voraussichtlich sehr nachteilig auf die Garantien auswirkt, die die Klauseln bieten, den Datenexporteur und die Kontrollstelle des Landes, in dem der Datenexporteur ansässig ist, hiervon informieren wird. In einem solchen Fall ist der Datenexporteur berechtigt, die Datenübermittlung auszusetzen und/oder vom Vertrag zurücktreten.

(b) dass er die personenbezogenen Daten verarbeitet in Übereinstimmung mit den verbindlichen Datenschutzgrundsätzen der Anlage 2 oder
dass er, falls sich die Parteien durch Ankreuzen des entsprechenden Kästchens weiter unten ausdrücklich damit einverstanden erklärt haben und vorausgesetzt, dass die Verbindlichen Datenschutzgrundsätze der Anlage 3 beachtet werden, die Daten in jeder anderen Hinsicht verarbeitet in Übereinstimmung mit:
   - den einschlägigen nationalen Rechtsvorschriften (in der Anlage zu diesen Klauseln) zum Schutz der Grundrechte und -freiheiten natürlicher Personen, insbesondere des Rechts auf Schutz der Privatsphäre, im Hinblick auf die Verarbeitung personenbezogener Daten, die in dem Land, in dem der Datenexporteur ansässig ist, auf die für die Verarbeitung Verantwortlichen anzuwenden sind oder
   - den einschlägigen Bestimmungen in Entscheidungen der Kommission nach Artikel 25 Absatz 6 der Richtlinie 95/46/EG, mit denen festgestellt wird, dass ein Drittland nur für bestimmte Tätigkeitsbereiche ein angemessenes Schutzniveau gewährleistet, vorausgesetzt, dass der Datenimporteur in diesem Drittland ansässig ist und nicht unter diese Bestimmungen fällt, sofern diese Bestimmungen dergestalt sind, dass sie auf die Übermittlung anwendbar sind.

(c) dass er alle sachdienlichen Anfragen, die sich auf die von ihm durchgeführte Verarbeitung der personenbezogenen Daten, die

Gegenstand der Übermittlung sind, beziehen und die der Datenexporteur oder die betroffenen Personen an ihn richten, unverzüglich und genau bearbeitet und bei allen Anfragen der zuständigen Kontrollstelle mit dieser kooperiert und die Feststellung der Kontrollstelle im Hinblick auf die Verarbeitung der übermittelten Daten respektiert;

(d) dass er auf Verlangen des Datenexporteurs seine für die Verarbeitung erforderlichen Datenverarbeitungseinrichtungen zur Prüfung zur Verfügung stellt; die Prüfung wird vom Datenexporteur oder einem vom Datenexporteur gegebenenfalls in Absprache mit der Kontrollstelle ausgewählten Prüfgremium durchgeführt, dessen Mitglieder unabhängig sind und über die erforderlichen Qualifikationen verfügen;

(e) dass er den betroffenen Personen auf Anfrage eine Kopie der Vertragsklauseln zur Verfügung stellt und die Stelle benennt, die für Beschwerden zuständig ist.

Klausel 6
Haftung

1. Die Parteien vereinbaren, dass betroffene Personen, die durch eine Verletzung der Bestimmungen in Klausel 3 Schaden erlitten haben, berechtigt sind, von den Parteien Schadensersatz für den erlittenen Schaden zu verlangen. Die Parteien vereinbaren, dass sie nur von der Haftung befreit werden können, wenn sie nachweisen, dass keine von ihnen für die Verletzung dieser Bestimmungen verantwortlich ist.

2. Der Datenexporteur und der Datenimporteur vereinbaren, dass sie gesamtschuldnerisch für Schäden der betroffenen Personen haften, die durch eine Verletzung im Sinne von Absatz 1 entstehen. Im Falle einer Verletzung dieser Bestimmungen kann die betroffene Person gegen den Datenexporteur oder den Datenimporteur oder beide gerichtlich vorgehen.

3. Die Parteien vereinbaren, dass, wenn eine Partei haftbar gemacht wird für eine Verletzung im Sinne von Absatz 1 durch die andere Partei, die zweite Partei der ersten Partei alle Kosten, Schäden, Ausgaben und Verluste, die der ersten Partei entstanden sind, in dem Umfang ersetzt, in dem die zweite Partei haftbar ist[1].

Klausel 7
Schlichtungsverfahren und Zuständigkeit

1. Die Parteien vereinbaren, dass sie im Falle einer Streitigkeit zwischen einer betroffenen Person und einer der Vertragsparteien,

---

1 Die Verwendung von Absatz 3 ist den Parteien freigestellt.

die unter Berufung auf die Drittbegünstigung nach Klausel 3 nicht auf gütlichem Wege beigelegt wird, die Entscheidung der betroffenen Person akzeptieren entweder:

a) an einem Schlichtungsverfahren durch eine unabhängige Person oder gegebenenfalls durch die Kontrollstelle teilzunehmen; oder
b) den Streitfall den Gerichten des Mitgliedstaates zu unterbreiten, in dem der Datenexporteur ansässig ist.

2. Die Parteien vereinbaren, dass nach Absprache zwischen der betroffenen Person und der relevanten Partei die Klärung eines bestimmten Streitfalls einem Schiedsgericht unterbreitet werden kann, vorausgesetzt dass diese Partei in einem Land ansässig ist, das das New Yorker Übereinkommen über die Vollstreckung von Schiedssprüchen ratifiziert hat.

3. Die Parteien vereinbaren, dass die Absätze 1 und 2 unbeschadet der materiellen oder Verfahrensrechte der betroffenen Person gelten, nach anderen Bestimmungen des nationalen oder internationalen Rechts Rechtsbehelfe einzulegen.

Klausel 8
Zusammenarbeit mit Kontrollstellen

Die Parteien verpflichten sich, eine Kopie dieses Vertrages bei der Kontrollstelle zu hinterlegen, wenn diese es verlangt oder das nationale Recht es so vorsieht.

Klausel 9
Kündigung der Klauseln

Die Parteien vereinbaren, dass sie durch die Kündigung dieser Klauseln, wann, unter welchen Umständen und aus welchen Gründen auch immer sie erfolgt, nicht von den Verpflichtungen und/oder Bestimmungen dieser Klauseln in bezug auf die Verarbeitung der übermittelten Daten befreit werden.

Klausel 10
Anwendbares Recht

Für diese Klauseln gilt das Recht des Mitgliedstaates, in dem der Datenexporteur ansässig ist: ....

Klausel 11
ÄNDERUNG DES VERTRAGS

Die Parteien verpflichten sich, den Wortlaut dieser Klauseln, wie sie vereinbart wurden, nicht zu ändern.

Für den Datenexporteur:

Name (ausgeschrieben): ....

Stellung: ....

Anschrift: ....

Gegebenenfalls weitere Angaben, die für das Vorliegen eines verbindlichen Vertrags erforderlich sind:

....

Unterschrift ....

(Stempel der Organisation)

Für den Datenimporteur:

Name (ausgeschrieben): ....

Stellung: ....

Anschrift: ....

Gegebenenfalls weitere Angaben, die für das Vorliegen eines verbindlichen Vertrags erforderlich sind:

....

Unterschrift ....

(Stempel der Organisation)

ANLAGE 1 zu den Standardvertragsklauseln

Diese Anlage ist Bestandteil der Klauseln und muss von den Parteien ausgefüllt und unterzeichnet werden[1]

Datenexporteur

Der Datenexporteur ist *(bitte erläutern Sie kurz Ihre Tätigkeiten, die für die Übermittlung von Belang sind)*:

....

....

....

Datenimporteur

Der Datenimporteur ist *(bitte erläutern Sie kurz Ihre Tätigkeiten, die für die Übermittlung von Belang sind)*:

....

....

....

Betroffene Personen

Die übermittelten personenbezogenen Daten beziehen sich auf folgende Kategorien von betroffenen Personen *(bitte erläutern)*:

....

....

....

Übermittlungszwecke

Die Übermittlung ist zu folgenden Zwecken erforderlich *(bitte angeben)*:

....

....

....

---

1 Die Mitgliedstaaten können entsprechend ihren nationalen Verfahren weitere erforderliche Informationen angeben oder spezifizieren, die in dieser Anlage enthalten sein müssen.

Kategorien übermittelter Daten

Die übermittelten personenbezogenen Daten gehören zu folgenden Datenkategorien *(bitte angeben)*:

....

....

....

Sensible Daten (gegebenenfalls)

Die übermittelten personenbezogenen Daten gehören zu folgenden Kategorien sensibler Daten *(bitte angeben)*:

....

....

....

Empfänger

Die übermittelten personenbezogenen dürfen nur folgenden Empfängern oder Kategorien von Empfängern bekannt gemacht werden *(bitte angeben)*:

....

....

....

Aufbewahrungszeitraum

Die übermittelten personenbezogenen Daten dürfen nur *(bitte angeben)*: .... (Monate/Jahre) aufbewahrt werden.

	DATENEXPORTEUR	DATENIMPORTEUR
Name:	....	....
Unterschrift des/der Bevollmächtigten		
	....	....

ANLAGE 2 zu den Standardvertragsklauseln

Verbindliche Datenschutzgrundsätze im Sinne von Klausel 5 Buchstabe b) Absatz 1

Diese Datenschutzgrundsätze sind im Lichte der Bestimmungen (Grundsätze und entsprechende Ausnahmen) der Richtlinie 95/46/EG[1] auszulegen.

Sie gelten vorbehaltlich der nach den nationalen Rechtsvorschriften für den Datenimporteur geltenden zwingenden Anforderungen, die nicht weitergehen, als es in einer demokratischen Gesellschaft unter Zugrundelegung der in Artikel 13 Absatz 1 der Richtlinie 95/46/EG aufgeführten Interessen erforderlich ist; d. h. die Anforderungen müssen notwendig sein für die Sicherheit des Staates, die Landesverteidigung, die öffentliche Sicherheit, die Verhütung, Ermittlung, Feststellung und Verfolgung von Straftaten oder Verstößen gegen die berufsständischen Regeln bei reglementierten Berufen oder den Schutz der betroffenen Person und der Rechte und Freiheiten anderer Personen.

1) Zweckbindung

Die Daten sind für die spezifischen Zwecke in Anlage 1 der Klauseln zu verarbeiten und anschließend zu verwenden oder weiter zu übermitteln. Die Daten dürfen nicht länger aufbewahrt werden, als es für die Zwecke erforderlich ist, für die sie übermittelt werden.

2) Datenqualität und -verhältnismäßigkeit

Die Daten müssen sachlich richtig und, wenn nötig, auf dem neuesten Stand sein. Sie müssen angemessen, relevant und im Hinblick auf die Zweckbestimmung, für die sie übertragen oder weiterverarbeitet werden, nicht exzessiv sein.

3) Transparenz

Die betroffenen Personen müssen Informationen über die Zweckbestimmungen der Verarbeitung und die Identität des im Drittland für die Verarbeitung Verantwortlichen sowie andere Informationen erhalten, sofern dies erforderlich ist, um eine angemessene Verarbeitung sicherzustellen, und sofern diese Informationen nicht bereits vom Datenexporteur erteilt wurden.

---

1 Richtlinie 95/46/EG des Europäischen Parlaments und des Rates vom 24. Oktober 1995 zum Schutz natürlicher Personen bei der Verarbeitung personenbezogener Daten und zum freien Datenverkehr. ABl. L 281 vom 23. 11. 1995.

4) Sicherheit und Vertraulichkeit

Der für die Verarbeitung Verantwortliche hat geeignete technische und organisatorische Sicherheitsvorkehrungen gegen die Risiken der Verarbeitung zu treffen, beispielsweise gegen den unzulässigen Zugriff auf Daten. Alle unter der Verantwortung des für die Verarbeitung Verantwortlichen tätigen Personen, darunter auch Auftragsverarbeiter, dürfen die Daten nur auf Anweisung des für die Verarbeitung Verantwortlichen verarbeiten.

5) Recht auf Zugriff, Berichtigung, Löschung und Widerspruch

Nach Artikel 12 der Richtlinie 95/46/EG muss die betroffene Person das Recht haben, auf alle sie betreffenden Daten, die verarbeitet werden, zuzugreifen sowie je nach Fall das Recht haben auf Berichtigung, Löschung oder Sperrung von Daten, deren Verarbeitung gegen die in dieser Anlage aufgeführten Grundsätze verstößt, insbesondere wenn diese Daten unvollständig oder unrichtig sind. Die betreffende Person muss auch aus zwingenden berechtigten Gründen, die mit ihrer persönlichen Situation zusammenhängen, Widerspruch gegen die Verarbeitung der sie betreffenden Daten einlegen können.

6) Beschränkung der Weiterübermittlung

Weiterübermittlungen personenbezogener Daten vom Datenimporteur an einen anderen für die Verarbeitung Verantwortlichen, der in einem Drittland ansässig ist, das weder angemessenen Schutz bietet noch unter eine von der Kommission gemäß Artikel 25 Absatz 6 der Richtlinie 95/46/EG erlassene Entscheidung fällt (nachstehend: Weiterübermittlung), dürfen nur stattfinden, wenn eine der folgenden Bedingungen erfüllt ist:

a) Die betroffenen Personen haben der Weiterübermittlung eindeutig zugestimmt, falls bestimmte Datenkategorien betroffen sind, oder haben in anderen Fällen die Möglichkeit erhalten, sich dagegen auszusprechen.

   Die betroffenen Personen müssen mindestens folgende Informationen erhalten und zwar in einer Sprache, die sie verstehen:

   - die Zwecke der Weiterübermittlung,
   - die Identität des in der Gemeinschaft ansässigen Datenexporteurs,
   - die Kategorien weiterer Empfänger der Daten und Empfängerländer sowie
   - eine Erklärung darüber, dass die Daten, nach der Weiterübermittlung von einem für die Verarbeitung Verantwortlichen verarbeitet werden können, der in einem Land ansässig ist,

das kein angemessenes Schutzniveau für die Privatsphäre des Einzelnen gewährleistet; oder

b) der Datenexporteur und der Datenimporteur stimmen dem Beitritt eines weiteren, für die Verarbeitung Verantwortlichen zu den Klauseln zu, der dadurch zu einer Partei dieser Klauseln wird und dieselben Verpflichtungen wie der Datenimporteur eingeht.

7) Besondere Datenkategorien

Werden Daten, aus denen die rassische und ethnische Herkunft, politische Meinungen, religiöse oder philosophische Überzeugungen oder die Gewerkschaftszugehörigkeit hervorgehen, sowie Daten über Gesundheit oder Sexualleben und Daten über Straftaten, strafrechtliche Verurteilungen oder Sicherheitsmaßnahmen verarbeitet, so sollten zusätzliche Garantien entsprechend der Richtlinie 95/46/EG vorliegen, insbesondere angemessene Sicherheitsmaßnahmen wie die strenge Verschlüsselung für Übermittlungszwecke oder Aufzeichnungen über Zugriffe auf sensible Daten.

8) Direktmarketing

Werden Daten zum Zwecke des Direktmarketings verarbeitet, müssen wirksame Verfahren vorgesehen sein, die der betroffenen Person jederzeit die Möglichkeit des »Opt-out« geben, so dass sie sich gegen die Verwendung ihrer Daten für derartige Zwecke entscheiden kann.

9) Automatisierte Einzelentscheidungen

Die betroffenen Personen haben das Recht, keiner Entscheidung unterworfen zu werden, die allein auf der automatisierten Datenverarbeitung beruht, wenn keine anderen Maßnahmen zur Wahrung der berechtigten Interessen der Person nach Artikel 15 Absatz 2 der Richtlinie 95/46/EG ergriffen werden. Erfolgt die Übermittlung mit dem Ziel, eine automatisierte Einzelentscheidung im Sinne von Artikel 15 der Richtlinie 95/46/EG, d. h. eine Entscheidung, die rechtliche Folgen für die Person nach sich zieht oder sie erheblich beeinträchtigt und die ausschließlich aufgrund einer automatisierten Verarbeitung von Daten zum Zwecke der Bewertung einzelner Aspekte ihrer Person ergeht, wie beispielsweise ihrer beruflichen Leistungsfähigkeit, ihrer Kreditwürdigkeit, ihrer Zuverlässigkeit oder ihres Verhaltens usw., zu treffen, so muss die natürliche Person das Recht haben, die Gründe für diese Entscheidung zu erfahren.

ANLAGE 3 zu den Standardvertragsklauseln

Verbindliche Datenschutzgrundsätze im Sinne von Klausel 5 Buchstabe b) Absatz 2

1) Zweckbindung

Die Daten sind für die spezifischen Zwecke in Anlage 1 der Klauseln zu verarbeiten und anschließend zu verwenden oder weiter zu übermitteln. Die Daten dürfen nicht länger aufbewahrt werden, als es für die Zwecke erforderlich ist, für die sie übermittelt werden.

2) Recht auf Zugriff, Berichtigung, Löschung und Widerspruch

Nach Artikel 12 der Richtlinie 95/46/EG muss die betroffene Person das Recht haben, auf alle sie betreffenden Daten, die verarbeitet werden, zuzugreifen sowie je nach Fall das Recht haben auf Berichtigung, Löschung oder Sperrung von Daten, deren Verarbeitung gegen die in dieser Anlage aufgeführten Grundsätze verstößt, insbesondere wenn diese Daten unvollständig oder unrichtig sind. Die betreffende Person muss auch aus zwingenden berechtigten Gründen, die mit ihrer persönlichen Situation zusammenhängen, Widerspruch gegen die Verarbeitung der sie betreffenden Daten einlegen können.

3) Beschränkung der Weiterübermittlung

Weiterübermittlungen personenbezogener Daten vom Datenimporteur an einen anderen für die Verarbeitung Verantwortlichen, der in einem Drittland ansässig ist, das weder angemessenen Schutz bietet noch unter eine von der Kommission gemäß Artikel 25 Absatz 6 der Richtlinie 95/46/EG erlassene Entscheidung fällt (nachstehend: Weiterübermittlungen), dürfen nur stattfinden, wenn eine der folgenden Bedingungen erfüllt ist:

a) Die betroffenen Personen haben der Weiterübermittlung ausdrücklich zugestimmt, falls bestimmte Datenkategorien betroffen sind, oder haben in anderen Fällen die Möglichkeit erhalten, sich dagegen auszusprechen.

   Die betroffenen Personen müssen mindestens folgende Informationen erhalten und zwar in einer Sprache, die sie verstehen:

   - die Zwecke der Weiterübermittlung,
   - die Identität des in der Gemeinschaft ansässigen Datenexporteurs,
   - die Kategorien weiterer Empfänger der Daten und Empfängerländer sowie
   - eine Erklärung darüber, dass die Daten, nach der Weiterübermittlung von einem für die Verarbeitung Verantwortlichen

verarbeitet werden können, der in einem Land ansässig ist, das kein angemessenes Schutzniveau für die Privatsphäre des Einzelnen gewährleistet; oder

b) der Datenexporteur und der Datenimporteur stimmen dem Beitritt eines weiteren, für die Verarbeitung Verantwortlichen zu den Klauseln zu, der dadurch zu einer Partei dieser Klauseln wird und dieselben Verpflichtungen wie der Datenimporteur eingeht.

Schengener Vertragsstaaten Übereinkommen zur Durchführung des Übereinkommens von Schengen vom 14. Juni 1985 zwischen den Regierungen der Staaten der Benelux-Wirtschaftsunion, der Bundesrepublik Deutschland und der Französischen Republik betreffend den schrittweisen Abbau der Kontrollen an den gemeinsamen Grenzen (Schengener Durchführungsübereinkommen)

– Auszug –

vom 13. 6. 1990

Gliederung

Übereinkommen

Zur Durchführung des Übereinkommens von Schengen vom 14. Juni 1985 zwischen den Regierungen der Staaten der Benelux-Wirtschaftsunion, der Bundesrepublik Deutschland und der Französischen Republik betreffend den schrittweisen Abbau der Kontrollen an den gemeinsamen Grenzen

vom 13. Juni 1990

– Auszug –

Das Königreich Belgien, die Bundesrepublik Deutschland, die Französische Republik, das Großherzogtum Luxemburg und das Königreich der Niederlande,[1] nachfolgend Vertragsparteien genannt –

aufbauend auf dem am 14. Juni 1985 in Schengen geschlossenen Übereinkommen über den schrittweisen Abbau der Kontrollen an den gemeinsamen Grenzen,

entschlossen, das in diesem Übereinkommen zum Ausdruck gebrachte Bestreben der Abschaffung der Kontrollen des Personenverkehrs an den gemeinsamen Grenzen und der Erleichterung des Transports und des Warenverkehrs zu verwirklichen,

in der Erwägung, daß der Vertrag zur Gründung der Europäischen Gemeinschaften, ergänzt durch die Einheitliche Europäische Akte, vorsieht, daß der Binnenmarkt einen Raum ohne Binnengrenzen umfaßt,

in der Erwägung, daß der durch die Vertragsparteien angestrebte Zweck mit diesem Ziel übereinstimmt, unbeschadet der Maßnahmen, die zur Anwendung der Bestimmungen dieses Vertrages getroffen werden,

in der Erwägung, daß die Verwirklichung dieses Zieles eine Reihe von geeigneten Maßnahmen und eine enge Zusammenarbeit der Vertragsparteien erfordert –

haben folgendes vereinbart:

1 Nach Art. 140 sind beigetreten: Griechenland, Italien, Portugal, Spanien

Titel I
Begriffsbestimmungen

Artikel 1

Im Sinne dieses Übereinkommens bedeutet:

Binnengrenzen:	die gemeinsamen Landgrenzen der Vertragsparteien sowie ihre Flughäfen für die Binnenflüge und ihre Seehäfen für die regelmäßigen Fährverbindungen ausschließlich von und nach dem Gebiet der Vertragsparteien ohne Fahrtunterbrechung in außerhalb des Gebiets gelegenen Häfen;
Außengrenzen:	die Land- und Seegrenzen sowie die Flug- und Seehäfen der Vertragsparteien, soweit sie nicht Binnengrenzen sind;
Binnenflug:	ein Flug ausschließlich von und nach dem Gebiet der Vertragsparteien, ohne Landung auf dem Gebiet eines Drittstaates;
Drittstaat:	ein Staat, der nicht Vertragspartei ist;
Drittausländer:	eine Person, die nicht Staatsangehöriger eines der Mitgliedstaaten der Europäischen Gemeinschaften ist;
Zur Einreiseverweigerung ausgeschriebener Drittausländer:	ein Drittausländer, der gemäß Artikel 96 zur Einreiseverweigerung in dem Schengener Informationssystem ausgeschrieben ist;
Grenzübergangsstelle:	ein von den zuständigen Behörden für das Überschreiten der Außengrenzen zugelassener Übergang;
Grenzkontrolle:	an den Grenzen vorgenommene Kontrolle, die unabhängig von jedem anderen Anlaß ausschließlich aufgrund des beabsichtigten Grenzübertritts durchgeführt wird;
Beförderungsunternehmer:	natürliche oder juristische Person, die gewerblich die Beförderung von Personen auf dem Luft-, See- oder Landweg durchführt;
Aufenthaltstitel	jede von einer Vertragspartei ausgestellte Erlaubnis gleich welcher Art, die zum Aufenthalt in deren Hoheitsgebiet berechtigt. Hierzu zählen nicht die befristete Zulassung zum

	Aufenthalt im Hoheitsgebiet einer der Vertragsparteien im Hinblick auf die Behandlung eines Asylbegehrens oder eines Antrags auf eine Aufenthaltserlaubnis;
Asylbegehren:	jeder an der Außengrenze oder im Gebiet einer Vertragspartei in Europa schriftlich, mündlich oder auf andere Weise geäußerte Wunsch eines Drittausländers mit dem Ziel, den Flüchtlingsstatus nach der Genfer Konvention vom 28. Juli 1951 über den Flüchtlingsstatus in der Fassung des Protokolls vom 31. Januar 1967 zu erlangen und als solcher ein Aufenthaltsrecht zu genießen;
Asylbegehrender:	ein Drittausländer, der ein Asylbegehren im Sinne dieses Übereinkommens gestellt hat, über das noch nicht abschließend entschieden ist;
Behandlung eines Asylbegehrens:	alle Verfahren zur Prüfung und Entscheidung von Asylbegehren sowie alle in Ausführung der endgültigen Entscheidungen getroffenen Maßnahmen, mit Ausnahme der Bestimmung der Vertragspartei, die aufgrund dieses Übereinkommens für die Behandlung des Asylbegehrens zuständig ist.

Titel II
Abschaffung der Kontrollen an den Binnengrenzen und Personenverkehr

Kapitel 1
Überschreiten der Binnengrenzen

Artikel 2

(1) Die Binnengrenzen dürfen an jeder Stelle ohne Personenkontrollen überschritten werden.

(2) Wenn die öffentliche Ordnung oder die nationale Sicherheit es indessen erfordern, kann eine Vertragspartei nach Konsultation der anderen Vertragsparteien beschließen, daß für einen begrenzten Zeitraum an den Binnengrenzen den Umständen entsprechende nationale Grenzkontrollen durchgeführt werden. Verlangen die öffentliche Ordnung

oder die nationale Sicherheit ein sofortiges Handeln, so ergreift die betroffene Vertragspartei die erforderlichen Maßnahmen und unterrichtet darüber möglichst frühzeitig die anderen Vertragsparteien.

(3) Die Anwendung von Artikel 22 und die Ausübung der Polizeibefugnisse durch die nach Maßgabe des nationalen Rechts zuständigen Behörden einer Vertragspartei in dem gesamten Hoheitsgebiet dieser Vertragspartei sowie die im Recht dieser Vertragspartei vorgesehenen Verpflichtungen über den Besitz, das Mitführen und das Vorzeigen von Urkunden und Bescheinigungen bleiben von der Abschaffung der Personenkontrollen an den Binnengrenzen unberührt.

(4) Die Warenkontrollen werden nach Maßgabe der einschlägigen Bestimmungen dieses Übereinkommens durchgeführt.

Kapitel 2
Überschreiten der Außengrenzen

Artikel 3

(1) Die Außengrenzen dürfen grundsätzlich nur an den Grenzübergangsstellen und während der festgesetzten Verkehrsstunden überschritten werden. Das Nähere sowie die Ausnahmen und die Modalitäten des kleinen Grenzverkehrs und die Vorschriften für bestimmte Sonderkategorien des Seeverkehrs, wie die Vergnügungsschiffahrt und die Küstenfischerei, legt der Exekutivausschuß fest.

(2) Die Vertragsparteien verpflichten sich, das unbefugte Überschreiten der Außengrenzen außerhalb der zugelassenen Grenzübergangsstellen und der festgesetzten Verkehrsstunden mit Sanktionen zu belegen.

Artikel 4

(1) Die Vertragsparteien gewährleisten, daß von 1993 an die Reisenden von Flügen aus Drittstaaten, die in Binnenflüge umsteigen, vorher einer Personenkontrolle sowie einer Kontrolle des von ihnen mitgeführten Handgepäcks bei der Einreise im Ankunftsflughafen des Drittlandfluges unterzogen werden. Die Reisenden eines Binnenfluges, die auf einen Flug in ein Drittland umsteigen, unterliegen zuvor den entsprechenden Kontrollen bei der Ausreise im Ausgangsflughafen des Drittlandfluges.

(2) Die Vertragsparteien treffen die erforderlichen Maßnahmen, damit die Kontrollen entsprechend den Vorschriften des Absatzes 1 erfolgen können.

(3) Die Kontrolle des aufgegebenen Reisegepäcks bleibt von den Bestimmungen der Absätze 1 und 2 unberührt; sie findet jeweils im

endgültigen Zielflughafen oder im ursprünglichen Abgangsflughafen statt.

(4) Bis zu dem in Absatz 1 vorgesehenen Datum sind die Flughäfen für Binnenflüge in Abweichung von der Definition der Binnengrenzen als Außengrenzen anzusehen.

Artikel 5

(1) Für einen Aufenthalt von bis zu drei Monaten kann einem Drittausländer die Einreise in das Hoheitsgebiet der Vertragsparteien gestattet werden, wenn er die nachstehenden Voraussetzungen erfüllt:

a) Er muß im Besitz eines oder mehrerer gültiger Grenzübertrittspapiere sein, die von dem Exekutivausschuß bestimmt werden.
b) Er muß, soweit erforderlich, im Besitz eines gültigen Sichtvermerks sein.
c) Er muß gegebenenfalls die Dokumente vorzeigen, die seinen Aufenthaltszweck und die Umstände seines Aufenthalts belegen, und über ausreichende Mittel zur Bestreitung des Lebensunterhalts sowohl für die Dauer des Aufenthalts als auch für die Rückreise in den Herkunftsstaat oder für die Durchreise in einen Drittstaat, in dem seine Zulassung gewährleistet ist, verfügen oder in der Lage sein, diese Mittel auf legale Weise zu erwerben.
d) Er darf nicht zur Einreiseverweigerung ausgeschrieben sein.
e) Er darf keine Gefahr für die öffentliche Ordnung, die nationale Sicherheit oder die internationalen Beziehungen einer der Vertragsparteien darstellen.

(2) Einem Drittausländer, der nicht alle diese Voraussetzungen erfüllt, muß die Einreise in das Hoheitsgebiet der Vertragsparteien verweigert werden, es sei denn, eine Vertragspartei hält es aus humanitären Gründen oder Gründen des nationalen Interesses oder aufgrund internationaler Verpflichtungen für erforderlich, von diesem Grundsatz abzuweichen. In diesen Fällen wird die Zulassung auf das Hoheitsgebiet der betreffenden Vertragspartei beschränkt, die die übrigen Vertragsparteien darüber unterrichten muß.

Die besonderen Bestimmungen des Asylrechts und des Artikels 18 bleiben unberührt.

(3) Einem Drittausländer, der über eine von einer der Vertragsparteien ausgestellte Aufenthaltserlaubnis, einen von einer der Vertragsparteien ausgestellten Rückreisesichtvermerk oder erforderlichenfalls beide Dokumente verfügt, ist die Durchreise zu gestatten, es sei denn, daß er auf der nationalen Ausschreibungsliste der Vertragspartei steht, an deren Außengrenzen er die Einreise begehrt.

Artikel 6

(1) Der grenzüberschreitende Verkehr an den Außengrenzen unterliegt der Kontrolle durch die zuständigen Behörden. Diese wird nach einheitlichen Grundsätzen, in nationaler Zuständigkeit, nach Maßgabe des nationalen Rechts und unter Berücksichtigung der Interessen aller Vertragsparteien für das Hoheitsgebiet der Vertragsparteien durchgeführt.

(2) Die einheitlichen Grundsätze nach Absatz 1 sind:

a) Die Personenkontrolle umfaßt nicht nur die Überprüfung der Grenzübertrittspapiere und der anderen Voraussetzungen für die Einreise, den Aufenthalt, die Arbeitsaufnahme und die Ausreise, sondern auch die fahndungstechnische Überprüfung sowie die Abwehr von Gefahren für die nationale Sicherheit und die öffentliche Ordnung der Vertragsparteien. Die Kontrollen beziehen sich auch auf die Fahrzeuge der die Grenze überschreitenden Personen und die von ihnen mitgeführten Sachen. Sie werden von jeder Vertragspartei nach Maßgabe ihres nationalen Rechts, insbesondere in bezug auf die Durchsuchung, durchgeführt.

b) Alle Personen sind zumindest einer solchen Kontrolle zu unterziehen, die die Feststellung ihrer Identität anhand der vorgelegten oder vorgezeigten Reisepapiere ermöglicht.

c) Drittausländer unterliegen bei der Einreise einer eingehenden Kontrolle im Sinne des Buchstaben a.

d) Bei der Ausreise finden die Kontrollen statt, die im Interesse aller Vertragsparteien aufgrund des Ausländerrechts und für Zwecke der Fahndung und Abwehr von Gefahren für die nationale Sicherheit und die öffentliche Ordnung der Vertragsparteien geboten sind. Diese Kontrollen erfolgen in jedem Falle bei Drittausländern.

e) Können solche Kontrollen wegen besonderer Umstände nicht durchgeführt werden, sind Schwerpunkte zu setzen. Dabei hat die Kontrolle des Einreiseverkehrs grundsätzlich Vorrang vor der Kontrolle des Ausreiseverkehrs.

(3) Die zuständigen Behörden überwachen die Außengrenzen außerhalb der Grenzübergangsstellen, die Grenzübergangsstellen außerhalb der für sie festgesetzten Verkehrsstunden durch Streifen. Diese Überwachung ist in einer Weise durchzuführen, daß kein Anreiz für eine Umgehung der Kontrollen an den Grenzübergangsstellen entsteht. Die Überwachungsmodalitäten sind gegebenenfalls von dem Exekutivausschuß festzulegen.

(4) Die Vertragsparteien verpflichten sich, geeignete Kräfte in ausreichender Zahl für die Durchführung der Kontrollen und die Überwachung der Außengrenzen zur Verfügung zu stellen.

(5) Für die Kontrollen an den Außengrenzen gilt ein gleichmäßiger Überwachungsstandard.

Artikel 7

Zur wirksamen Durchführung der Kontroll- und Überwachungsaufgaben unterstützen die Vertragsparteien einander und pflegen eine enge und ständige Zusammenarbeit. Sie tauschen insbesondere alle wichtigen einschlägigen Informationen mit Ausnahme der personenbezogenen Daten aus, es sei denn, dieses Übereinkommen enthält anderslautende Bestimmungen, stimmen möglichst die an die nachgeordneten Dienststellen ergehenden Weisungen ab und wirken auf eine einheitliche Aus- und Fortbildung des Kontrollpersonals hin. Diese Zusammenarbeit kann in Form eines Austausches von Verbindungsbeamten erfolgen.

Artikel 8

Der Exekutivausschuß trifft die erforderlichen Entscheidungen über die praktischen Einzelheiten der Durchführung der Kontrollen und der Überwachung der Grenzen.

...

Artikel 17

(1) Der Exekutivausschuß legt gemeinsame Regelungen für die Prüfung der Sichtvermerksanträge fest, achtet auf deren richtige Anwendung und paßt sie an neue Situationen und Umstände an.

(2) Der Exekutivausschuß legt darüber hinaus die Fälle fest, in denen die Erteilung eines Sichtvermerks von der Konsultation der zentralen Behörde der betroffenen Vertragspartei und gegebenenfalls von der Konsultation der zentralen Behörden der anderen Vertragsparteien abhängig ist.

(3) Der Exekutivausschuß trifft ferner die erforderlichen Entscheidungen in bezug auf die nachstehenden Punkte;

a) Sichtvermerksfähige Reisedokumente;

b) für die Sichtvermerkserteilung zuständige Instanzen;

c) Voraussetzungen für die Sichtvermerkserteilung an der Grenze;

d) Form, Inhalt, Gültigkeitsdauer der Sichtvermerke und für ihre Ausstellung einzuziehende Gebühren;

e) Voraussetzungen für die Verlängerung und Verweigerung der nach Buchstabe c und d erteilten Sichtvermerke unter Berücksichtigung der Interessen aller Vertragsparteien;

f) Modalitäten der räumlichen Beschränkung des Sichtvermerks;

g) Grundsätze für die Erstellung einer gemeinsamen Liste von zur Einreiseverweigerung ausgeschriebenen Drittausländern, unbeschadet des Artikels 96.

...

Kapitel 5
Aufenthaltstitel und Ausschreibung zur Einreiseverweigerung

Artikel 25

(1) Beabsichtigt eine Vertragspartei, einem zur Einreiseverweigerung ausgeschriebenen Drittausländer einen Aufenthaltstitel zu erteilen, so konsultiert sie vorab die ausschreibende Vertragspartei und berücksichtigt deren Interessen; der Aufenthaltstitel wird nur bei Vorliegen von gewichtigen Gründen erteilt, insbesondere wegen humanitärer Erwägungen oder infolge internationaler Verpflichtungen.
Wird der Aufenthaltstitel erteilt, so zieht die ausschreibende Vertragspartei die Ausschreibung zurück, wobei es ihr unbenommen bleibt, den betroffenen Drittausländer in die nationale Ausschreibungsliste aufzunehmen.

(2) Stellt sich heraus, daß der Drittausländer, der über einen von einer der Vertragsparteien erteilten gültigen Aufenthaltstitel verfügt, zum Zwecke der Einreiseverweigerung ausgeschrieben ist, konsultiert die ausschreibende Vertragspartei die Vertragspartei, die den Aufenthaltstitel erteilt hat, um zu prüfen, ob ausreichende Gründe für die Einziehung des Aufenthaltstitels vorliegen.
Wird der Aufenthaltstitel nicht eingezogen, so zeiht die ausschreibende Vertragspartei die Ausschreibung zurück, wobei es ihr unbenommen bleibt, den betroffenen Drittausländer in die nationale Ausschreibungsliste aufzunehmen.

...

Titel III
Polizei und Sicherheit

Kapitel 1
Polizeiliche Zusammenarbeit

Artikel 39

(1) Die Vertragsparteien verpflichten sich, daß ihre Polizeidienste sich untereinander nach Maßgabe des nationalen Rechts und ihrer

jeweiligen Zuständigkeit im Interesse der vorbeugenden Bekämpfung und der Aufklärung von strafbaren Handlungen Hilfe leisten, sofern ein Ersuchen oder dessen Erledigung die Ergreifung von Zwangsmaßnahmen durch die ersuchte Vertragspartei nicht erfordert. Ist die ersuchte Polizeibehörde für die Erledigung nicht zuständig, so leitet sie das Ersuchen an die zuständige Behörde weiter.

(2) Schriftliche Informationen, die von der ersuchten Vertragspartei nach Absatz 1 übermittelt werden, können nur mit Zustimmung der zuständigen Justizbehörde dieser Vertragspartei von der ersuchenden Vertragspartei als Beweismittel in einem Strafverfahren benutzt werden.

(3) Ersuchen um Hilfe nach Absatz 1 und die Antworten können zwischen den von den Vertragsparteien mit der grenzüberschreitenden polizeilichen Zusammenarbeit beauftragten zentralen Stellen übermittelt und auf demselben Weg zurückgesandt werden. In Fällen, in denen das Ersuchen nicht rechtzeitig über diesen Geschäftsweg gestellt werden kann, können Ersuchen von den Polizeibehörden der ersuchenden Vertragspartei unmittelbar den zuständigen Behörden der ersuchten Vertragspartei übermittelt und von diesen unmittelbar beantwortet werden. In diesen Fällen unterrichtet die ersuchende Polizeibehörde unverzüglich die von der ersuchten Vertragspartei mit der grenzüberschreitenden polizeilichen Zusammenarbeit beauftragte zentrale Stelle über das direkte Ersuchen.

(4) Die Zusammenarbeit in den Grenzgebieten kann in Vereinbarungen zwischen den zuständigen Ministern der Vertragsparteien geregelt werden.

(5) Weitergehende bestehende und künftige bilaterale Abkommen zwischen zwei Vertragsparteien, die eine gemeinsame Grenze haben, bleiben von den Bestimmungen dieses Artikels unberührt. Die Vertragsparteien unterrichten einander über diese Abkommen.

Artikel 40

(1) Beamte einer Vertragspartei, die im Rahmen eines Ermittlungsverfahrens in ihrem Land eine Person observieren, die im Verdacht steht, an einer auslieferungsfähigen Straftat beteiligt zu sein, sind befugt, die Observation auf dem Hoheitsgebiet einer anderen Vertragspartei fortzusetzen, wenn diese der grenzüberschreitenden Observation auf der Grundlage eines zuvor gestellten Rechtshilfeersuchens zugestimmt hat. Die Zustimmung kann mit Auflagen verbunden werden.
Auf Verlangen ist die Observation an die Beamten der Vertragspartei, auf deren Hoheitsgebiet die Observation stattfindet, zu übergeben.
Das Rechtshilfeersuchen nach Satz 1 ist an die durch jede der Vertrags-

parteien bezeichnete Behörde zu richten, die befugt ist, die erbetene Zustimmung zu erteilen oder zu übermitteln.

(2) Kann wegen der besonderen Dringlichkeit der Angelegenheit eine vorherige Zustimmung der anderen Vertragspartei nicht beantragt werden, dürfen die Beamten die Observation einer Person, die im Verdacht steht, an einer der in Absatz 7 aufgeführten Straftaten beteiligt zu sein, unter folgenden Voraussetzungen über die Grenze hinweg fortsetzen:

a) Der Grenzübertritt ist noch während der Observation unverzüglich der in Absatz 5 bezeichneten Behörde der Vertragspartei, auf deren Hoheitsgebiet die Observation fortgesetzt werden soll, mitzuteilen.

b) Ein Rechtshilfeersuchen nach Absatz 1, in dem auch die Gründe dargelegt werden, die einen Grenzübertritt ohne vorherige Zustimmung rechtfertigen, ist unverzüglich nachzureichen.

Die Observation ist einzustellen, sobald die Vertragspartei, auf deren Hoheitsgebiet die Observation stattfindet, aufgrund der Mitteilung nach Buchstabe a oder des Ersuchens nach Buchstabe b dies verlangt oder wenn die Zustimmung nicht fünf Stunden nach Grenzübertritt vorliegt.

(3) Die Observation nach den Absätzen 1 und 2 ist ausschließlich unter den nachstehenden allgemeinen Voraussetzungen zulässig:

a) Die observierenden Beamten sind an die Bestimmungen dieses Artikels und das Recht der Vertragspartei, auf deren Hoheitsgebiet sie auftreten, gebunden; sie haben Anordnungen der örtlich zuständigen Behörden zu befolgen.

b) Vorbehaltlich der Fälle des Absatzes 2 führen die Beamten während der Observation ein Dokument mit sich, aus dem sich ergibt, daß die Zustimmung erteilt worden ist.

c) Die observierenden Beamten müssen in der Lage sein, jederzeit ihre amtliche Funktion nachzuweisen.

d) Die observierenden Beamten dürfen während der Observation ihre Dienstwaffe mit sich führen, es sei denn, die ersuchte Vertragspartei hat dem ausdrücklich widersprochen; der Gebrauch ist mit Ausnahme des Falles der Notwehr nicht zulässig.

e) Das Betreten von Wohnungen und öffentlich nicht zugänglichen Grundstücken ist nicht zulässig.

f) Die observierenden Beamten sind nicht befugt, die zu observierende Person anzuhalten oder festzunehmen.

g) Über jede Operation wird den Behörden der Vertragspartei, auf deren Hoheitsgebiet die Operation stattgefunden hat, Bericht erstattet; dabei kann das persönliche Erscheinen der observierenden Beamten gefordert werden.

h) Die Behörden der Vertragspartei, aus deren Hoheitsgebiet die observierenden Beamten kommen, unterstützen auf Ersuchen die nachträglichen Ermittlungen einschließlich gerichtlicher Verfahren der Vertragspartei, auf deren Hoheitsgebiet eingeschritten wurde.

(4) Die in den Absätzen 1 und 2 genannten Beamten sind:

Für das Königreich Belgien: Die Beamten der Kriminalpolizei bei den Staatsanwaltschaften, der Gendarmerie und der Gemeindepolizei sowie, unter den in geeigneten bilateralen Vereinbarungen nach Absatz 6 festgelegten Bedingungen in bezug auf ihre Befugnisse im Bereich des unerlaubten Verkehrs mit Betäubungsmitteln und im Bereich des unerlaubten Handels mit Waffen und Sprengstoffen und des unerlaubten Verkehrs mit giftigen und schädlichen Abfällen, die Zollbeamten;

für die Bundesrepublik Deutschland: Die Beamten der Polizeien des Bundes und der Länder sowie, beschränkt auf den Bereich des unerlaubten Verkehrs mit Betäubungsmitteln und des unerlaubten Handels mit Waffen, die Beamten des Zollfahndungsdienstes als Hilfsbeamte der Staatsanwaltschaft;

für die Französische Republik: Die Beamten und die Hilfsbeamten der kriminalpolizeilichen Abteilungen der Nationalen Polizei und der Nationalen Gendarmerie sowie, unter den in geeigneten bilateralen Vereinbarungen nach Absatz 6 festgelegten Bedingungen in bezug auf ihre Befugnisse im Bereich des unerlaubten Verkehrs mit Betäubungsmitteln und im Bereich des unerlaubten Handels mit Waffen und Sprengstoffen und des unerlaubten Verkehrs mit giftigen und schädlichen Abfällen, die Zollbeamten;

für das Großherzogtum Luxemburg: Die Beamten der Gendarmerie und der Polizei, sowie, unter den in geeigneten bilateralen Vereinbarungen nach Absatz 6 festgelegten Bedingungen in bezug auf ihre Befugnisse im Bereich des unerlaubten Verkehrs mit Betäubungsmitteln, im Bereich des unerlaubten Handels mit Waffen und Sprengstoffen und im Bereich des unerlaubten Verkehrs mit giftigen und schädlichen Abfällen, die Zollbeamten;

für das Königreich der Niederlande: Die Beamten der Reichspolizei und der Gemeindepolizei, sowie, unter den in geeigneten bilateralen Vereinbarungen nach Absatz 6 festgelegten Bedingungen in bezug auf ihre Befugnisse im Bereich des unerlaubten Verkehrs mit Betäubungsmitteln und im Bereich des unerlaubten Handels mit Waffen und Sprengstoffen und des unerlaubten Verkehrs mit giftigen und schädlichen Abfällen, die Beamten des fiskalischen Nachrichten- und Fahndungsdienstes, die im Bereich der Einfuhrzölle und Verbrauchsteuern zuständig sind.

(5) Die in den Absätzen 1 und 2 genannte Behörde ist:
Für das Königreich Belgien: Das Generalkommissariat der Kriminalpolizei;
für die Bundesrepublik Deutschland: Das Bundeskriminalamt;
für die Französische Republik: Die Zentraldirektion der Kriminalpolizei;
für das Großherzogtum Luxemburg: Der Generalstaatsanwalt;
für das Königreich der Niederlande: Der landesweit zuständige Staatsanwalt für grenzüberschreitende Observation.

(6) Die Vertragsparteien können im Wege bilateraler Vereinbarungen den Anwendungsbereich dieses Artikels erweitern und zusätzliche Regelungen zu seiner Durchführung treffen.

(7) Eine Observation nach Absatz 2 ist nur zulässig, wenn eine der nachstehenden Straftaten zugrunde liegt:

- Mord,
- Totschlag,
- Vergewaltigung,
- Vorsätzliche Brandstiftung,
- Falschmünzerei,
- Schwerer Diebstahl, Hehlerei und Raub,
- Erpressung,
- Entführung und Geiselnahme,
- Menschenhandel,
- Unerlaubter Verkehr mit Betäubungsmitteln,
- Verstoß gegen die gesetzlichen Vorschriften über Waffen und Sprengstoffe,
- Vernichtung durch Sprengstoffe,
- Unerlaubter Verkehr mit giftigen und schädlichen Abfällen.

Artikel 41

(1) Beamte einer Vertragspartei, die in ihrem Land eine Person verfolgen, die auf frischer Tat bei der Begehung von oder der Teilnahme an einer Straftat nach Absatz 4 betroffen wird, sind befugt, die Verfolgung auf dem Hoheitsgebiet einer anderen Vertragspartei ohne deren vorherige Zustimmung fortzusetzen, wenn die zuständigen Behörden der anderen Vertragspartei wegen der besonderen Dringlichkeit der Angelegenheit nicht zuvor mit einem der in Artikel 44 vorgesehenen Kommunikationsmittel unterrichtet werden konnten oder nicht rechtzeitig zur Stelle sind, um die Verfolgung zu übernehmen.
Gleiches gilt, wenn die verfolgte Person sich in Untersuchungshaft oder Strafhaft befand und aus der Haft geflohen ist.
Spätestens beim Grenzübertritt nehmen die nacheilenden Beamten Kontakt mit der zuständigen Behörde des Gebietsstaates auf. Die Verfolgung ist einzustellen, sobald die Vertragspartei, auf deren Hoheitsgebiet die Verfolgung stattfinden soll, dies verlangt. Auf Ersuchen der

nacheilenden Beamten ergreifen die örtlich zuständigen Behörden die betroffene Person, um ihre Identität festzustellen oder die Festnahme vorzunehmen.

(2) Die Nacheile wird gemäß einer der nachfolgenden Modalitäten ausgeübt, die in der Erklärung nach Absatz 9 festgelegt werden:

a) Die nacheilenden Beamten haben kein Festhalterecht.
b) Wenn kein Einstellungsverlangen vorliegt und die örtlichen Behörden nicht rechtzeitig herangezogen werden können, dürfen die nacheilenden Beamten die Person festhalten, bis die Beamten des Gebietsstaates, die unverzüglich zu unterrichten sind, die Identitätsfeststellung oder die Festnahme vornehmen.

(3) Die in den Absätzen 1 und 2 vorgesehene Nacheile wird gemäß einer der nachfolgenden Modalitäten ausgeübt, die in der Erklärung nach Absatz 9 festgelegt werden:

a) Innerhalb eines in der Erklärung bestimmten Gebietes oder während einer darin bestimmten Zeit vom Überschreiben der Grenze an;
b) ohne räumliche oder zeitliche Begrenzung.

(4) In der Erklärung nach Absatz 9 legen die Vertragsparteien die in Absatz 1 vorgesehenen Straftaten gemäß einer der nachfolgenden Modalitäten fest:

a) Straftatenkatalog:
   - Mord,
   - Totschlag,
   - Vergewaltigung,
   - Vorsätzliche Brandstiftung,
   - Falschmünzerei,
   - Schwerer Diebstahl, Hehlerei und Raub,
   - Erpressung,
   - Entführung und Geiselnahme,
   - Menschenhandel,
   - Unerlaubter Verkehr mit Betäubungsmitteln,
   - Verstoß gegen die gesetzlichen Vorschriften über Waffen und Sprengstoffe,
   - Unerlaubter Verkehr mit giftigen und schädlichen Abfällen,
   - Unerlaubtes Entfernen nach einem Unfall mit schwerer Körperverletzung oder Todesfolge;
b) die auslieferungsfähigen Straftaten.

(5) Die Nacheile darf nur unter folgenden allgemeinen Voraussetzungen ausgeübt werden:

a) Die nacheilenden Beamten sind an die Bestimmungen dieses Artikels und das Recht der Vertragspartei, auf deren Hoheitsgebiet sie auftreten, gebunden; sie haben Anordnungen der örtlich zuständigen Behörden zu befolgen.

b) Die Nacheile findet lediglich über die Landgrenzen statt.

c) Das Betreten von Wohnungen und öffentlich nicht zugänglichen Grundstücken ist nicht zulässig.

d) Die nacheilenden Beamten müssen als solche eindeutig erkennbar sein, entweder durch eine Uniform, eine Armbinde oder durch an dem Fahrzeug angebrachte Zusatzeinrichtungen; das Tragen von Zivilkleidung unter Benutzung eines getarnten Polizeifahrzeuges ohne die vorgenannte Kennzeichnung ist nicht zulässig; die nacheilenden Beamten müssen jederzeit in der Lage sein, ihre amtliche Funktion nachzuweisen.

e) Die nacheilenden Beamten dürfen ihre Dienstwaffe mit sich führen; der Gebrauch ist mit Ausnahme des Falles der Notwehr nicht zulässig.

f) Die nach Absatz 2 Buchstabe b ergriffene Person darf im Hinblick auf ihre Vorführung vor die örtlichen Behörden lediglich einer Sicherheitsdurchsuchung unterzogen werden; es dürfen ihr während der Beförderung Handschellen angelegt werden; die von der verfolgten Person mitgeführten Gegenstände dürfen sichergestellt werden.

g) Die nacheilenden Beamten melden sich nach jedem Einschreiten gemäß den Absätzen 1, 2 und 3 bei den örtlich zuständigen Behörden der Vertragspartei, auf deren Hoheitsgebiet sie gehandelt haben und erstatten Bericht; auf Ersuchen dieser Behörden sind sie verpflichtet, sich bis zur Klärung des Sachverhalts bereitzuhalten; gleiches gilt auch, wenn die verfolgte Person nicht festgenommen werden konnte.

h) Die Behörden der Vertragspartei, aus deren Hoheitsgebiet die nacheilenden Beamten kommen, unterstützen auf Ersuchen die nachträglichen Ermittlungen einschließlich gerichtlicher Verfahren der Vertragspartei, auf deren Hoheitsgebiet eingeschritten wurde.

(6) Die Person, die gemäß Absatz 2 durch die örtlich zuständigen Behörden festgenommen wurde, kann ungeachtet ihrer Staatsangehörigkeit zum Zwecke der Vernehmung festgehalten werden. Die einschlägigen Bestimmungen des nationalen Rechts finden sinngemäß Anwendung.

Hat die Person nicht die Staatsangehörigkeit der Vertragspartei, in deren Hoheitsgebiet sie aufgegriffen wurde, wird sie spätestens sechs Stunden nach ihrer Ergreifung freigelassen, wobei die Stunden zwischen Mitternacht und neun Uhr nicht mitzählen, es sei denn, die örtlich zuständigen Behörden erhalten vor Ablauf dieser Frist ein Ersuchen gleich in welcher Form um vorläufige Festnahme zum Zwecke der Auslieferung.

(7) Die in den Absätzen 1 bis 6 genannten Beamten sind:

Für das Königreich Belgien: Die Beamten der Kriminalpolizei bei den Staatsanwaltschaften, der Gendarmerie und der Gemeindepolizei sowie, unter den in geeigneten bilateralen Vereinbarungen nach Absatz 10 festgelegten Bedingungen in bezug auf ihre Befugnisse im Bereich des unerlaubten Verkehrs mit Betäubungsmitteln und im Bereich des unerlaubten Handels mit Waffen und Sprengstoffen und des unerlaubten Verkehrs mit giftigen und schädlichen Abfällen, die Zollbeamten;

für die Bundesrepublik Deutschland: Die Beamten der Polizeien des Bundes und der Länder sowie, beschränkt auf den Bereich des unerlaubten Verkehrs mit Betäubungsmitteln und des unerlaubten Handels mit Waffen, die Beamten des Zollfahndungsdienstes als Hilfsbeamte der Staatsanwaltschaft;

für die Französische Republik: Die Beamten und die Hilfsbeamten der kriminalpolizeilichen Abteilungen der Nationalen Polizei und der Nationalen Gendarmerie sowie, unter den in geeigneten bilateralen Vereinbarungen nach Absatz 10 festgelegten Bedingungen in bezug auf ihre Befugnisse im Bereich des unerlaubten Verkehrs mit Betäubungsmitteln und im Bereich des unerlaubten Handels mit Waffen und Sprengstoffen und des unerlaubten Verkehrs mit giftigen und schädlichen Abfällen, die Zollbeamten;

für das Großherzogtum Luxemburg: Die Beamten der Gendarmerie und der Polizei , sowie, unter den in geeigneten bilateralen Vereinbarungen nach Absatz 10 festgelegten Bedingungen in bezug auf ihre Befugnisse im Bereich des unerlaubten Verkehrs mit Betäubungsmitteln, im Bereich des unerlaubten Handels mit Waffen und Sprengstoffen und im Bereich des unerlaubten Verkehrs mit giftigen und schädlichen Abfällen, die Zollbeamten;

für das Königreich der Niederlande: Die Beamten der Reichspolizei und der Gemeindepolizei sowie, unter den in geeigneten bilateralen Vereinbarungen nach Absatz 10 festgelegten Bedingungen in bezug auf ihre Befugnisse im Bereich des unerlaubten Verkehrs mit Betäubungsmitteln und im Bereich des unerlaubten Handels mit Waffen und Sprengstoffen und des unerlaubten Verkehrs mit giftigen und schädlichen Abfällen, die Beamten des fiskalischen Nachrichten- und Fahndungsdienstes, die im Bereich der Einfuhrzölle und Verbrauchsteuern zuständig sind.

(8) Für die betreffenden Vertragsparteien bleibt Artikel 27 des Benelux-Übereinkommens über Auslieferung und Rechtshilfe in Strafsachen vom 27. Juni 1962 in der Fassung des Protokolls vom 11. Mai 1974 unberührt.

(9) Bei der Unterzeichnung dieses Übereinkommens gibt jede Vertragspartei eine Erklärung ab, in der sie bezüglich jeder Vertragspartei, mit der sie eine gemeinsame Grenze hat, die Modalitäten der Ausübung des Nacheilerrechts in ihrem Hoheitsgebiet nach Maßgabe der Absätze 2, 3 und 4 festgelegt.
Jede Vertragspartei kann zu jedem Zeitpunkt ihre Erklärung durch eine andere Erklärung ersetzen, soweit diese nicht die Tragweite der früheren Erklärung einschränkt.
Jeder Erklärung geht eine vorherige Abstimmung mit allen betroffenen Vertragsparteien voraus, wobei die Gleichwertigkeit der auf beiden Seiten der Binnengrenzen geltenden Regelungen angestrebt wird.

(10) Die Vertragsparteien können im Wege bilateraler Vereinbarungen den Anwendungsbereich des Absatzes 1 erweitern und zusätzliche Regelungen zur Durchführung dieses Artikels treffen.

Artikel 42

Während eines Einschreitens nach Maßgabe der Artikel 40 und 41 werden die Beamten, die im Hoheitsgebiet einer anderen Vertragspartei eine Aufgabe erfüllen, den Beamten dieser Vertragspartei in bezug auf die Straftaten, denen diese Beamten zum Opfer fallen oder die sie begehen würden, gleichgestellt.

Artikel 43

(1) Wenn Beamte einer Vertragspartei nach den Artikeln 40 und 41 dieses Übereinkommens auf dem Hoheitsgebiet einer anderen Vertragspartei einschreiten, haftet die erste Vertragspartei nach Maßgabe des nationalen Rechts dieser anderen Vertragspartei für den durch die Beamten bei diesem Einschreiten dort verursachten Schaden.

(2) Die Vertragspartei, auf deren Hoheitsgebiet der in Absatz 1 genannte Schaden verursacht wird, verpflichtet sich, diesen Schaden so zu ersetzen, wie sie ihn ersetzen müßte, wenn ihre eigenen Beamten ihn verursacht hätten.

(3) Die Vertragspartei, deren Beamte den Schaden auf dem Hoheitsgebiet einer anderen Vertragspartei verursacht haben, erstattet dieser anderen Vertragspartei den Gesamtbetrag des Schadensersatzes, den diese an die Geschädigten oder ihre Rechtsnachfolger geleistet hat.

(4) Vorbehaltlich der Ausübung ihrer Rechte gegenüber Dritten und außer der Bestimmung des Absatzes 3 verzichtet jede Vertragspartei in dem Fall des Absatzes 1 darauf, den Betrag des erlittenen Schadens anderen Vertragsparteien gegenüber geltend zu machen.

Artikel 44

(1) Die Vertragsparteien schaffen nach Maßgabe der entsprechenden internationalen Verträge und unter Berücksichtigung der örtlichen Gegebenheiten und der technischen Möglichkeiten – insbesondere in den Grenzregionen – direkte Telefon-, Funk-, Telex- und andere Verbindungen zum Zwecke der Erleichterung der polizeilichen und zollrechtlichen Zusammenarbeit, insbesondere im Hinblick auf die rechtzeitige Übermittlung von Informationen im Zusammenhang mit der grenzüberschreitenden Observation und Nacheile.

(2) Über diese Sofortmaßnahmen hinaus werden sie insbesondere die nachstehenden Möglichkeiten prüfen:
a) Austausch von Material oder Entsendung von Verbindungsbeamten, die über geeignete Funkgeräte verfügen;
b) Erweiterung der in den Grenzregionen benutzten Frequenzbänder;
c) Einrichtung einer gemeinsamen Verbindung zwischen den in derselben Region tätigen Polizei- und Zolldienststellen;
d) Koordinierung ihrer Programme für den Erwerb von Kommunikationsgeräten mit dem Ziel der Einrichtung genormter und kompatibler Kommunikationssysteme.

Artikel 45

(1) Die Vertragsparteien verpflichten sich, die erforderlichen Maßnahmen zu ergreifen, um sicherzustellen, daß
a) der Leiter einer Beherbergungsstätte oder seine Beauftragten darauf hinwirken, daß beherbergte Ausländer, einschließlich der Angehörigen anderer Vertragsparteien sowie anderer Mitgliedstaaten der Europäischen Gemeinschaften, soweit es sich nicht um mitreisende Ehegatten und minderjährige Kinder sowie Teilnehmer von Reisegesellschaften handelt, Meldevordrucke eigenhändig ausfüllen und unterschreiben und sich dabei gegenüber dem Leiter der Beherbergungsstätte oder seinem Beauftragten durch Vorlage eines gültigen Identitätsdokuments ausweisen;
b) die nach Buchstabe a ausgefüllten Meldevordrucke für die zuständigen Behörden bereitgehalten oder diesen übermittelt werden, wenn dies nach deren Feststellung für Zwecke der Gefahrenabwehr, der Strafverfolgung oder der Aufklärung des Schicksals von Vermißten oder Unfallopfern erforderlich ist, soweit im nationalen Recht nichts anderes geregelt ist.

(2) Absatz 1 findet sinngemäß Anwendung, wenn Personen auf Plätzen, die geschäftsmäßig überlassen werden, insbesondere in Zelten, Wohnwagen und Wasserfahrzeugen übernachten.

Artikel 46

(1) Jede Vertragspartei kann nach Maßgabe ihres nationalen Rechts ohne Ersuchen im Einzelfall der jeweils betroffenen Vertragspartei Informationen mitteilen, die für den Empfänger zur Unterstützung bei der Bekämpfung zukünftiger Straftaten, zur Verhütung einer Straftat oder zur Abwehr von Gefahren für die öffentliche Sicherheit und Ordnung von Bedeutung sein können.

(2) Der Informationsaustausch wird unbeschadet der Regelung der Zusammenarbeit in den Grenzgebieten in Artikel 39 Absatz 4 über eine zu benennende zentrale Stelle abgewickelt. In besonders eilbedürftigen Fällen kann der Informationsaustausch im Sinne dieses Artikels unmittelbar zwischen den betroffenen Polizeibehörden erfolgen, vorbehaltlich abweichender Regelungen im nationalen Recht. Die zentrale Stelle wird hiervon so bald wie möglich in Kenntnis gesetzt.

Artikel 47

(1) Die Vertragsparteien können bilaterale Absprachen über die befristete oder unbefristete Entsendung von Verbindungsbeamten einer Vertragspartei zu Polizeidienststellen einer anderen Vertragspartei treffen.

(2) Die unbefristete oder befristete Entsendung von Verbindungsbeamten hat zum Ziel, die Zusammenarbeit zwischen den Vertragsparteien zu fördern und zu beschleunigen, insbesondere durch

a) Unterstützung des Informationsaustausches zur präventiven und repressiven Verbrechensbekämpfung;
b) Unterstützung bei polizeilicher und justitieller Rechtshilfe in Strafsachen;
c) Unterstützung der grenzüberwachenden Behörden an den Außengrenzen.

(3) Die Verbindungsbeamten werden beratend und unterstützend tätig. Sie sind nicht zur selbständigen Durchführung von polizeilichen Maßnahmen berechtigt. Sie erteilen Informationen und erledigen ihre Aufträge im Rahmen der ihnen von der entsendenden Vertragspartei und der Vertragspartei, in die sie entsandt worden sind, erteilten Weisungen. Sie berichten regelmäßig an den Leiter des Polizeidienstes, zu dem sie entsandt sind.

(4) Die Vertragsparteien können bilateral oder multilateral vereinbaren, daß die in Drittstaaten tätigen Verbindungsbeamten bei ihrer Tätigkeit auch die Interessen einer oder mehrerer anderer Vertragsparteien mitwahrnehmen. Nach Maßgabe dieser Absprachen übermitteln die in Drittstaaten entsandten Verbindungsbeamten den anderen Vertragsparteien auf deren Ersuchen oder selbständig Informationen und erledigen

Aufträge im Rahmen ihrer Zuständigkeit. Die Vertragsparteien informieren sich gegenseitig, in welche Drittstaaten sie Verbindungsbeamte zu entsenden beabsichtigen.

Kapitel 2
Rechtshilfe in Strafsachen

Artikel 48

(1) Die Bestimmungen dieses Kapitels sollen das Europäische Übereinkommen über Rechtshilfe in Strafsachen vom 20. April 1959 ergänzen und seine Anwendung erleichtern. In den Beziehungen zwischen den Vertragsparteien, die der Benelux-Wirtschaftsunion angehören, gilt Satz 1 sinngemäß für Kapitel II des Benelux-Übereinkommens über Auslieferung und Rechtshilfe in Strafsachen vom 27. Juni 1962 in der Fassung des Protokolls vom 11. Mai 1974.

(2) Die zwischen den Vertragsparteien geltenden weitergehenden Bestimmungen aufgrund bilateraler Abkommen bleiben unberührt.

Artikel 49

Rechtshilfe wird auch geleistet

a) in Verfahren wegen Handlungen, die nach dem nationalen Recht einer oder beider Vertragsparteien als Zuwiderhandlungen gegen Ordnungsvorschriften durch Behörden geahndet werden, gegen deren Entscheidung ein auch in Strafsachen zuständiges Gericht angerufen werden kann;
b) in Verfahren über Ansprüche auf Entschädigung für Strafverfolgungsmaßnahmen und ungerechtfertigte Verurteilungen;
c) in Gnadensachen;
d) in Zivilsachen, die mit einer Strafklage verbunden sind, solange das Strafgericht noch nicht endgültig über die Strafklage entschieden hat;
e) bei der Zustellung von Urkunden bezüglich der Vollstreckung einer Strafe oder einer Maßregel der Sicherung und Besserung, der Einziehung einer Geldbuße oder der Zahlung der Gerichtskosten;
f) bei Maßnahmen betreffend die Aussetzung des Ausspruchs oder der Vollstreckung einer Strafe oder Maßregel der Sicherung und Besserung, die bedingte Entlassung, den Aufschub des Vollstreckungsbeginns einer Strafe oder Maßregel der Sicherung und Besserung oder die Unterbrechung der Vollstreckung.

Artikel 50

(1) Die Vertragsparteien verpflichten sich, Rechtshilfe nach Maßgabe der in Artikel 48 erwähnten Übereinkommen zu leisten wegen

Verstößen gegen die gesetzlichen Bestimmungen und Vorschriften im Bereich der Verbrauchsteuern, der Mehrwertsteuern und des Zolls. Als Zollgesetze gelten die in Artikel 2 des Übereinkommens zwischen Belgien, der Bundesrepublik Deutschland, Frankreich, Italien, Luxemburg und den Niederlanden über die gegenseitige Unterstützung ihrer Zollverwaltungen vom 7. September 1967 aufgeführten Vorschriften sowie die in Artikel 2 der Verordnung (EWG) Nr. 1468/81 des Rates vom 19. Mai 1981 aufgeführten Vorschriften.

(2) Ersuchen in Verfahren wegen des Verdachts der Hinterziehung von Verbrauchsteuern dürfen nicht mit der Begründung abgelehnt werden, daß von der ersuchten Vertragspartei Verbrauchsteuern auf die in dem Ersuchen genannten Waren nicht erhoben werden.

(3) Die ersuchenden Vertragsparteien erhalten Informationen oder Beweismittel für andere als in dem Ersuchen bezeichnete Ermittlungen, Strafverfolgungen oder Verfahren nur mit vorheriger Zustimmung der ersuchten Vertragspartei.

(4) Rechtshilfe im Sinne dieses Artikels kann verweigert werden, wenn der verkürzte oder erschlichene Betrag 25.000,– ECU oder der Wert der unerlaubt ein- oder ausgeführten Waren 100.000,– ECU voraussichtlich nicht übersteigt, es sei denn, die Tat wird wegen ihrer Art oder wegen der Person des Täters von der ersuchenden Vertragspartei als sehr schwerwiegend betrachtet.

(5) Die Vorschriften dieses Artikels finden auch Anwendung, wenn die erbetene Rechtshilfe sich erstreckt auf Handlungen, die nur mit einer Geldbuße geahndet werden (Ordnungswidrigkeiten) und das Ersuchen von einer Justizbehörde gestellt wird.

Artikel 51

Die Vertragsparteien unterwerfen die Erledigung von Rechtshilfeersuchen um Durchsuchung und Beschlagnahme keinen weitergehenden Bedingungen als denen, daß

a) die dem Rechtshilfeersuchen zugrunde liegende Tat nach dem Recht beider Vertragsparteien mit einer Freiheitsstrafe oder die Freiheit beschränkenden Maßregel der Sicherung und Besserung im Höchstmaß von mindestens sechs Monaten bedroht ist, oder nach dem Recht einer der beiden Vertragsparteien mit einer Sanktion des gleichen Höchstmaßes bedroht ist und nach dem Recht der anderen Vertragspartei als Zuwiderhandlung gegen Ordnungsvorschriften durch Behörden geahndet wird, gegen deren Entscheidung ein auch in Strafsachen zuständiges Gericht angerufen werden kann;
b) die Erledigung des Rechtshilfeersuchens im übrigen mit dem Recht der ersuchten Vertragspartei vereinbar ist.

Artikel 52

(1) Jede Vertragspartei kann Personen, die sich im Hoheitsgebiet einer anderen Vertragspartei aufhalten, gerichtliche Urkunden unmittelbar durch die Post übersenden. Eine Liste der Urkunden, die auf diesem Wege übersandt werden dürfen, wird dem Exekutivausschuß von den Vertragsparteien zugeleitet.

(2) Wenn Anhaltspunkte dafür vorliegen, daß der Zustellungsempfänger der Sprache, in der die Urkunde abgefaßt ist, unkundig ist, ist die Urkunde – oder zumindest die wesentlichen Passagen – in die Sprache oder in eine der Sprachen der Vertragspartei, in deren Hoheitsgebiet der Empfänger sich aufhält, zu übersetzen. Wenn der zustellenden Behörde bekannt ist, daß der Empfänger nur einer anderen Sprache kundig ist, ist die Urkunde – oder zumindest die wesentlichen Passagen – in diese andere Sprache zu übersetzen.

(3) Der Zeuge oder Sachverständige, dem eine Vorladung auf postalischem Wege übermittelt worden ist und der dieser nicht Folge leistet, darf selbst dann, wenn die Vorladung Zwangsandrohungen enthält, nicht bestraft oder einer Zwangsmaßnahme unterworfen werden, sofern er sich nicht später freiwillig in das Hoheitsgebiet der ersuchenden Vertragspartei begibt und dort erneut ordnungsgemäß vorgeladen wird. Die zustellende Behörde achtet darauf, daß auf postalischem Wege übersandte Vorladungen keine Zwangsandrohungen enthalten. Artikel 34 des Benelux-Übereinkommens über Auslieferung und Rechtshilfe in Strafsachen vom 27. Juni 1962 in der Fassung des Protokolls vom 11. Mai 1974 wird hiervon nicht berührt.

(4) Liegt dem Rechtshilfeersuchen eine Handlung zugrunde, die sowohl nach dem Recht der ersuchten als auch nach dem Recht der ersuchenden Vertragspartei als Zuwiderhandlung gegen Ordnungsvorschriften durch Behörden geahndet wird, gegen deren Entscheidung ein auch in Strafsachen zuständiges Gericht angerufen werden kann, so ist bei der Zustellung von Urkunden grundsätzlich nach Absatz 1 zu verfahren.

(5) Unbeschadet des Absatzes 1 kann die Zustellung von gerichtlichen Urkunden durch Übermittlung der Justizbehörde der ersuchten Vertragspartei vorgenommen werden, wenn die Anschrift des Empfängers unbekannt ist oder die ersuchende Vertragspartei eine förmliche Zustellung fordert.

Artikel 53

(1) Die Rechtshilfeersuchen und die entsprechenden Antworten können unmittelbar von Justizbehörde zu Justizbehörde übermittelt werden.

(2) Absatz 1 läßt die Möglichkeit unberührt, daß Ersuchen durch die Justizministerien oder über die nationalen Zentralbüros der Internationalen Kriminalpolizeilichen Organisation gestellt oder beantwortet werden.

(3) Für Ersuchen um vorübergehende Überstellung oder Durchbeförderung von Personen, die sich in Untersuchungs- oder Strafhaft befinden, oder aufgrund der Anordnung einer die Freiheit beschränkenden Maßregel der Sicherung und Besserung untergebracht sind sowie für den regelmäßigen oder gelegentlichen Informationsaustausch aus den Justizdokumentationen ist der justizministerielle Geschäftsweg einzuhalten.

(4) Justizministerien im Sinne des Europäischen Übereinkommens über Rechtshilfe in Strafsachen vom 20. April 1959 sind für die Bundesrepublik Deutschland der Bundesminister der Justiz und die Justizminister/-senatoren der Länder.

(5) Anzeigen zum Zwecke der Strafverfolgung nach Artikel 21 des Europäischen Übereinkommens über Rechtshilfe in Strafsachen vom 20. April 1959 oder Artikel 42 des Benelux-Übereinkommens über Auslieferung und Rechtshilfe in Strafsachen vom 27. Juni 1962 in der Fassung des Protokolls vom 11. Mai 1974 wegen Zuwiderhandlungen gegen die Lenk- und Ruhezeitvorschriften können durch die Justizbehörden der ersuchenden Vertragspartei unmittelbar an die Justizbehörde der ersuchten Vertragspartei gesandt werden.

...

Kapitel 4
Auslieferung

...

Artikel 64

Eine Ausschreibung im Schengener Informationssystem nach Artikel 95 ist einem Ersuchen um vorläufige Festnahme im Sinne des Artikels 16 des Europäischen Auslieferungsübereinkommens vom 13. September 1957 oder des Artikels 15 des Benelux-Übereinkommens über Auslieferung und Rechtshilfe in Strafsachen vom 27. Juni 1962 in der Fassung des Protokolls vom 11. Mai 1974 gleichgestellt.

...

Kapitel 7
Feuerwaffen und Munition

Artikel 77

(1) Die Vertragsparteien verpflichten sich, die nationalen Gesetze, Verordnungen und sonstigen Vorschriften über den Erwerb, den Besitz, den Vertrieb und das Überlassen von Feuerwaffen und Munition den Bestimmungen dieses Kapitels anzupassen.

(2) Dieses Kapitel gilt für den Erwerb, den Besitz, den Vertrieb und das Überlassen von Feuerwaffen und Munition durch natürliche und juristische Personen; es gilt nicht für die Lieferung an sowie den Erwerb und Besitz durch staatliche Dienststellen und Gebietskörperschaften, die Streitkräfte und die Polizei, ferner nicht für die Herstellung durch staatliche Unternehmen.

Artikel 78

(1) Die Feuerwaffen werden im Rahmen dieses Kapitels wie folgt klassifiziert:
a) verbotene Waffen,
b) erlaubnispflichtige Waffen,
c) meldepflichtige Waffen.

(2) Auf Verschluß, Patronenlager und Lauf der Feuerwaffen sind die Vorschriften entsprechend anzuwenden, die für den Gegenstand gelten, dessen Bestandteil sie sind oder werden sollen.

(3) Als Kurzwaffen im Sinne dieses Übereinkommens gelten Feuerwaffen, deren Lauf nicht länger als 30 cm ist oder deren Gesamtlänge 60 cm nicht überschreitet; Langwaffen sind alle anderen Feuerwaffen.

Artikel 79

(1) In die Liste der verbotenen Feuerwaffen und Munition sind die folgenden Gegenstände aufzunehmen:
a) Feuerwaffen, die üblicherweise als Kriegsschußwaffen verwendet werden;
b) vollautomatische Feuerwaffen, auch wenn sie keine Kriegsschußwaffen sind;
c) Feuerwaffen, die einen anderen Gegenstand vortäuschen;
d) panzerbrechende Munition, Munition mit Spreng- und Brandsätzen sowie Geschosse für diese Munition;
e) Pistolen- und Revolvermunition mit Dumdum-Geschossen oder Hohlspitzgeschossen sowie Geschosse für diese Munition.

(2) Die zuständigen Behörden können in Einzelfällen für die in Absatz 1 aufgeführten Feuerwaffen und Munition eine Erlaubnis erteilen, wenn Gründe der öffentlichen Sicherheit und Ordnung dem nicht entgegenstehen.

Artikel 80

(1) In die Liste der Feuerwaffen, für deren Erwerb und Besitz eine Erlaubnis erforderlich ist, sind mindestens folgende Feuerwaffen aufzunehmen, soweit sie nicht verboten sind:

a) Halbautomatische Kurz-Feuerwaffen und kurze Repetier-Feuerwaffen;
b) kurze Einzellader-Feuerwaffen mit Zentralfeuerzündung;
c) kurze Einzellader-Feuerwaffen mit Randfeuerzündung mit einer Gesamtlänge von weniger als 28 cm;
d) halbautomatische Lang-Feuerwaffen, deren Magazin und Patronenlager mehr als drei Patronen aufnehmen kann;
e) lange Repetier-Feuerwaffen und halbautomatische Feuerwaffen mit glattem Lauf, deren Lauf nicht länger als 60 cm ist;
f) zivile halbautomatische Feuerwaffen, die wie vollautomatische Kriegswaffen aussehen.

(2) In die Liste der erlaubnispflichtigen Feuerwaffen sind nicht aufzunehmen:

a) Schreckschuß-, Reizstoff- und Signalwaffen, sofern bei diesen Waffen durch technische Maßnahmen sichergestellt ist, daß sie mit allgemein gebräuchlichen Werkzeugen nicht zu Waffen zum Verschießen fester Körper umgebaut werden können und das Verschießen eines Reizstoffes keine dauernden körperlichen Schädigungen zufügen kann;
b) halbautomatische Lang-Feuerwaffen, deren Magazin und Patronenlager nicht mehr als drei Patronen aufnehmen kann, ohne da sie neu geladen werden, und unter der Bedingung, daß das Magazin unauswechselbar ist, oder soweit sichergestellt ist, daß sie mit allgemein gebräuchlichen Werkzeugen nicht umgebaut werden können zu Waffen, deren Magazin und Patronenlager mehr als drei Patronen aufnehmen kann.

Artikel 81

In die Liste der meldepflichtigen Feuerwaffen sind, sofern diese Waffen weder verboten noch erlaubnispflichtig sind, aufzunehmen:

a) Lange Repetier-Feuerwaffen;
b) lange Einzellader-Feuerwaffen mit gezogenem Lauf oder gezogenen Läufen;

c) kurze Einzellader-Feuerwaffen mit Randfeuerzündung mit einer Gesamtlänge von mehr als 28 cm;
d) die in Artikel 80 Absatz 2 Buchstabe b aufgeführten Feuerwaffen.

Artikel 82

Die Listen der in den Artikeln 79, 80 und 81 aufgeführten Feuerwaffen umfassen folgende Gegenstände nicht:
a) Feuerwaffen, deren Modell vor dem 1. Januar 1870 entwickelt worden ist oder die vor diesem Zeitpunkt hergestellt worden sind – vorbehaltlich Ausnahmen – wenn in ihnen keine Munition geladen werden kann, die für verbotene oder erlaubnispflichtige Feuerwaffen bestimmt ist;
b) Reproduktionen von Waffen nach Buchstabe a, sofern daraus keine Patronen mit Metallhülsen verschossen werden können;
c) Feuerwaffen, die durch Anwendung technischer Verfahren zum Abschuß jeglicher Munition unbrauchbar gemacht worden sind, und die das Prüfzeichen einer offiziellen Dienststelle tragen oder von einer solchen Dienststelle anerkannt worden sind.

Artikel 83

Eine Erlaubnis zum Erwerb und Besitz einer Feuerwaffe nach Artikel 80 darf einer Person nur erteilt werden,
a) wenn sie das achtzehnte Lebensjahr vollendet hat, von Ausnahmen für Jagd- oder Sportzwecke abgesehen;
b) wenn sie nicht wegen einer Geisteskrankheit oder anderer geistiger oder körperlicher Mängel unfähig ist, eine Feuerwaffe zu erwerben oder zu besitzen;
c) wenn sie nicht wegen einer Straftat verurteilt wurde oder wenn nicht andere Anhaltspunkte dafür vorliegen, daß sie eine Gefahr für die öffentliche Sicherheit oder Ordnung darstellt;
d) wenn der für den Erwerb oder Besitz einer Feuerwaffe angeführte Grund als triftig anzusehen ist.

Artikel 84

(1) Die Meldung für Waffen nach Artikel 81 wird in ein von den in Artikel 85 bezeichneten Personen geführtes Register eingetragen.

(2) Wenn die Waffe durch eine Person überlassen wird, die nicht in Artikel 85 bezeichnet ist, muß dies nach den von jeder Vertragspartei festzulegenden Modalitäten gemeldet werden.

(3) Die in diesem Artikel genannte Meldung muß die für die Identifizierung der betroffenen Personen und Waffen erforderlichen Angaben enthalten.

Artikel 85

(1) Die Vertragsparteien verpflichten sich, Hersteller und Händler von erlaubnispflichtigen Feuerwaffen einer Erlaubnispflicht, Hersteller und Händler von meldepflichtigen Feuerwaffen einer Meldepflicht zu unterwerfen. Die Erlaubnis für erlaubnispflichtige Feuerwaffen umfaßt auch die meldepflichtigen Feuerwaffen. Die Vertragsparteien unterziehen die Waffenhersteller und Waffenhändler einer Überwachung, die eine wirksame Kontrolle gewährleistet.

(2) Die Vertragsparteien verpflichten sich, Vorschriften zu erlassen, wonach alle Feuerwaffen mindestens mit einer dauerhaften fortlaufenden Identifizierungsnummer und der Marke des Herstellers gekennzeichnet sind.

(3) Die Vertragsparteien verpflichten Hersteller und Händler, alle erlaubnis- und meldepflichtigen Feuerwaffen zu registrieren; die Register müssen es ermöglichen, die Art der Feuerwaffen, ihre Herkunft und die Erwerber der Waffen schnell zu ermitteln.

(4) Die Vertragsparteien verpflichten sich, in bezug auf Erlaubnisse nach Artikel 79 und 80 Vorschriften zu erlassen, wonach die Identifizierungsnummer und die Kennzeichnung der Feuerwaffen in die ihrem Besitzer ausgestellte Erlaubnisurkunde eingetragen werden.

Artikel 86

(1) Die Vertragsparteien verpflichten sich, Vorschriften zu erlassen, aufgrund deren es den rechtmäßigen Besitzern von erlaubnispflichtigen oder meldepflichtigen Feuerwaffen verboten ist, diese Personen zu überlassen, die nicht im Besitz einer Erwerbserlaubnis oder einer Anmeldebestätigung sind.

(2) Die Vertragsparteien können das vorübergehende Überlassen an Personen nach den von ihnen festzulegenden Modalitäten erlauben.

Artikel 87

(1) Die Vertragsparteien führen in ihr nationales Recht ein System ein, welches die Rücknahme der Erlaubnisse bei Personen ermöglicht, die nicht mehr die Voraussetzungen für die Erteilung der Erlaubnisse nach Artikel 83 erfüllen.

(2) Die Vertragsparteien verpflichten sich, geeignete Vorschriften, einschließlich der Beschlagnahme der Feuerwaffen und der Rücknahme der Erlaubnis zu erlassen, sowie die Verletzung der Gesetze oder sonstiger Vorschriften über Feuerwaffen mit geeigneten Sanktionen zu belegen. Dabei kann die Einziehung der Feuerwaffen vorgesehen werden.

Artikel 88

(1) Die Personen, die eine Erlaubnis zum Erwerb einer Feuerwaffe besitzen, benötigen keine Erlaubnis zum Erwerb von Munition für diese Waffen.

(2) Der Erwerb von Munition durch Personen, die nicht im Besitze einer Erlaubnis zum Waffenerwerb sind, unterliegt der entsprechenden Regelung der Waffe, für die sie bestimmt ist. Die Erlaubnis kann für eine Munitionsart oder für alle Munitionsarten ausgestellt werden.

Artikel 89

Die Listen der verbotenen erlaubnispflichtigen und meldepflichtigen Feuerwaffen können geändert oder ergänzt werden, um die technische, wirtschaftliche und sicherheitspolitische Entwicklung zu berücksichtigen. Der Exekutivausschuß kann die Listen ändern oder ergänzen.

Artikel 90

Die Vertragsparteien sind befugt, strengere Gesetze und Vorschriften in bezug auf Feuerwaffen und Munition zu erlassen.

Artikel 91

(1) Die Vertragsparteien schaffen auf der Grundlage des Europäischen Übereinkommens vom 28. Juni 1978 über die Kontrolle des Erwerbs und des Besitzes von Schußwaffen durch Einzelpersonen nach Maßgabe ihres nationalen Rechts einen Informationsaustausch über den Erwerb von Feuerwaffen durch Personen, Privatpersonen oder Waffenhändler im Einzelhandel, die sich gewöhnlich in dem Hoheitsgebiet einer anderen Vertragspartei aufhalten oder dort ihren Sitz haben. Unter Einzelhändler ist jede Person zu verstehen, deren Erwerbstätigkeit insgesamt oder zum Teil in dem Einzelhandel von Feuerwaffen besteht.

(2) Der Informationsaustausch erstreckt sich:
a) Zwischen zwei Vertragsparteien, die das in Absatz 1 genannte Übereinkommen ratifiziert haben, auf die Feuerwaffen, die in Anlage 1 Teil A Nummer 1 Buchstaben a bis h des genannten Übereinkommens aufgeführt sind;
b) zwischen zwei Vertragsparteien, von denen mindestens eine das in Absatz 1 genannte Übereinkommen nicht ratifiziert hat, auf die Waffen, die in dem Hoheitsgebiet jeder einzelnen Vertragspartei erlaubnis- oder meldepflichtig sind.

(3) Die Informationen über den Erwerb von Feuerwaffen müssen so schnell wie möglich übermittelt werden und die folgenden Angaben enthalten:

a) Das Datum des Erwerbs und die Identität des Erwerbers, nämlich,
   - wenn es sich um eine natürliche Person handelt: Name, Vorname, Datum und Ort der Geburt, Anschrift und Paß- oder Personalausweisnummer sowie Ausstellungsdatum und Angabe der ausstellenden Behörde, Waffenhändler oder nicht;
   - wenn es sich um eine juristische Person handelt: Firma und Sitz sowie Name, Vorname, Datum und Ort der Geburt, Anschrift und Paß- oder Personalausweisnummer der Person, die zur Vertretung der juristischen Person berechtigt ist;

b) Modell, Herstellungsnummer, Kaliber und die anderen Merkmale der betreffenden Feuerwaffe sowie die Identifizierungsnummer.

(4) Jede Vertragspartei benennt eine nationale Behörde, die die in den Absätzen 2 und 3 erwähnten Informationen übermittelt und empfängt und setzt die anderen Vertragsparteien unverzüglich über jede Änderung der bezeichneten Behörde in Kenntnis.

(5) Die von jeder Vertragspartei benannte Behörde kann die erhaltenen Informationen den zuständigen örtlichen Polizeidienststellen und den Grenzüberwachungsbehörden zum Zwecke der Verhütung oder Verfolgung von Straftaten und Ordnungswidrigkeiten übermitteln.

Titel IV
Schengener Informationssystem

Kapitel 1
Einrichtung des Schengener Informationssystems

Artikel 92

(1) Die Vertragsparteien errichten und unterhalten ein gemeinsames Informationssystem, nachstehend das Schengener Informationssystem genannt, das aus einem nationalen Teil bei jeder Vertragspartei und einer technischen Unterstützungseinheit besteht. Durch das Schengener Informationssystem werden Ausschreibungen, die der Suche nach Personen und Sachen dienen, den durch die Vertragsparteien bezeichneten Behörden bei nach Maßgabe des nationalen Rechts durchgeführten Grenzkontrollen, sonstigen polizeilichen und zollrechtlichen Überprüfungen im Inland sowie, beschränkt auf die Ausschreibungskategorie nach Artikel 96 für Zwecke des Sichtvermerksverfahrens sowie der Erteilung der Aufenthaltstitel und der Handhabung des Ausländerrechts im Rahmen der Anwendung dieses Übereinkommens im Bereich des Personenverkehrs zum Abruf im automatisierten Verfahren bereit gehalten.

(2) Jede Vertragspartei errichtet und unterhält in eigener Verantwortung und auf eigene Kosten ihren nationalen Teil des Schengener Informationssystems, dessen Bestand durch Nutzung der technischen Unterstützungseinheit inhaltlich identisch ist mit dem Bestand des nationalen Teiles jeder anderen Vertragspartei. Im Hinblick auf die schnelle und zweckmäßige Übermittlung der Informationen nach Absatz 3 berücksichtigt jede Vertragspartei bei der Errichtung ihres nationalen Teils die durch die Vertragsparteien gemeinsam festgelegten Protokolle und Verfahren in bezug auf die technische Unterstützungseinheit. Der Bestand jedes nationalen Teils dient innerhalb des Hoheitsgebietes der jeweiligen Vertragsparteien zum Abruf im automatisierten Verfahren. Ein Abruf aus dem Bestand des nationalen Teiles einer anderen Vertragspartei erfolgt nicht.

(3) Die Vertragsparteien errichten und unterhalten in gemeinsamer Verantwortung und auf gemeinsame Kosten die technische Unterstützungseinheit des Schengener Informationssystems. Die Französische Republik ist zuständig für diese Unterstützungseinheit; sie wird eingerichtet in Straßburg. Die technische Unterstützungseinheit umfaßt einen Bestand, der der On-Line-Übermittlung der Informationen an die nationalen Bestände dient, wodurch gewährleistet wird, daß die nationalen Bestände identisch bleiben. In den Bestand der technischen Unterstützungseinheit werden Ausschreibungen von Personen und Sachen aufgenommen, soweit sie sich auf alle Vertragsparteien beziehen. Der Bestand der technischen Unterstützungseinheit umfaßt, abgesehen von den Daten nach diesem Absatz und nach Artikel 113 Absatz 2, keine weiteren Daten.

Kapitel 2
Betrieb und Nutzung des Schengener Informationssystems

Artikel 93

Das Schengener Informationssystem hat nach Maßgabe der Bestimmungen dieses Übereinkommens zum Ziel, in dem Hoheitsgebiet der Vertragsparteien anhand der aus diesem System erteilten Informationen die öffentliche Sicherheit und Ordnung einschließlich der Sicherheit des Staates und die Anwendung der Bestimmungen dieses Übereinkommens im Bereich des Personenverkehrs zu gewährleisten.

Artikel 94

(1) Das Schengener Informationssystem enthält ausschließlich die durch jede der Vertragsparteien gelieferten Kategorien von Daten, die für die in den Artikeln 95 bis 100 vorgesehenen Zwecke erforderlich sind. Die ausschreibende Vertragspartei prüft, ob die Bedeutung des

Falles eine Aufnahme der Ausschreibung in das Schengener Informationssystem rechtfertigt.

(2) Die Datenkategorien sind:
a) Die ausgeschriebenen Personen;
b) die in Artikel 100 aufgeführten Sachen und die in Artikel 99 aufgeführten Fahrzeuge.

(3) In bezug auf Personen werden höchstens die folgenden Angaben mitgeteilt:
a) Name und Vorname, gegebenenfalls Aliasname in einem neuen Datensatz;
b) besondere unveränderliche physische Merkmale;
c) erster Buchstabe des zweiten Vornamens;
d) Geburtsort und -datum;
e) Geschlecht;
f) Staatsangehörigkeit;
g) der personenbezogene Hinweis »bewaffnet«;
h) der personenbezogene Hinweis »gewalttätig«;
i) Ausschreibungsgrund;
j) zu ergreifende Maßnahme.
Andere Angaben, insbesondere die Daten, die in Artikel 6 Satz 1 des Übereinkommens des Europarates vom 28. Januar 1981 zum Schutz des Menschen bei der automatischen Verarbeitung personenbezogener Daten erwähnt sind, sind nicht zulässig.

(4) Sofern eine Vertragspartei eine Ausschreibung nach Artikel 95, 97 oder 99 für nicht vereinbar hält mit ihrem nationalen Recht, mit internationalen Verpflichtungen oder wesentlichen nationalen Interessen, kann sie nachträglich die Ausschreibung in dem Bestand ihres nationalen Teils des Schengener Informationssystems so kennzeichnen lassen, daß die Maßnahme in ihrem Hoheitsgebiet nicht aufgrund der Ausschreibung vollzogen wird. Mit den anderen Vertragsparteien müssen hierüber Konsultationen geführt werden. Wenn die ausschreibende Vertragspartei die Ausschreibung nicht zurückzieht, bleibt die Ausschreibung für die anderen Vertragsparteien nach wie vor gültig.

Artikel 95

(1) Daten in bezug auf Personen, um deren Festnahme mit dem Ziel der Auslieferung ersucht wird, werden auf Antrag der Justizbehörde der ersuchenden Vertragspartei aufgenommen.

(2) Vor der Ausschreibung prüft die ausschreibende Vertragspartei, ob die Festnahme nach dem Recht der ersuchten Vertragsparteien zulässig ist. Sollte die ausschreibende Vertragspartei Zweifel haben, ist sie verpflichtet, die betroffenen Vertragsparteien zu konsultieren.

Die ausschreibende Vertragspartei teilt den ersuchten Vertragsparteien gleichzeitig mit der Ausschreibung auf möglichst schnellem Wege folgende für den zugrunde liegenden Sachverhalt wesentlichen Informationen mit:

a) die um die Festnahme ersuchende Behörde;
b) das Bestehen eines Haftbefehls oder einer Urkunde mit gleicher Rechtswirkung oder eines rechtskräftigen Urteils;
c) die Art und die rechtliche Würdigung der strafbaren Handlung;
d) die Beschreibung der Umstände, unter denen die Straftat begangen wurde; einschließlich der Zeit, des Orts und der Art der Täterschaft;
e) soweit möglich die Folgen der Straftat.

(3) Eine ersuchte Vertragspartei kann die Ausschreibung in dem Bestand ihres nationalen Teils des Schengener Informationssystems so kennzeichnen lassen, daß bis zur Löschung der Kennzeichnung keine Festnahme aufgrund der Ausschreibung erfolgen darf. Die Kennzeichnung ist spätestens vierundzwanzig Stunden nach der Speicherung der Ausschreibung zu löschen, es sei denn, die betreffende Vertragspartei lehnt die erbetene Festnahme aus Rechtsgründen oder besonderen Opportunitätserwägungen ab. Sofern in besonderen Ausnahmefällen die Komplexität des Sachverhalts dies erfordert, kann die genannte Frist auf eine Woche verlängert werden. Ungeachtet einer Kennzeichnung oder einer ablehnenden Entscheidung bleiben die anderen Vertragsparteien befugt, die mit der Ausschreibung erbetene Festnahme zu vollziehen.

(4) Ersucht eine Vertragspartei wegen besonderer Eilbedürftigkeit um eine Sofortfahndung, prüft die ersuchte Vertragspartei, ob sie auf die Kennzeichnung verzichten kann. Die ersuchte Vertragspartei trifft die erforderlichen Vorkehrungen, damit die erbetene Maßnahme für den Fall, daß die Ausschreibung gebilligt wird, unverzüglich vollzogen werden kann.

(5) Ist eine Festnahme wegen einer noch nicht abgeschlossenen Prüfung oder wegen einer ablehnenden Entscheidung einer ersuchten Vertragspartei nicht möglich, so ist von dieser Vertragspartei die Ausschreibung als Ausschreibung zur Aufenthaltsermittlung zu behandeln.

(6) Die ersuchten Vertragsparteien treffen die aufgrund der Ausschreibung erbetenen Maßnahmen auf der Grundlage der geltenden Auslieferungsübereinkommen und nach Maßgabe des nationalen Rechts. Unbeschadet der Möglichkeit, den Betroffenen nach Maßgabe des nationalen Rechts festzunehmen, sind sie nicht verpflichtet, die Maßnahme zu vollziehen, wenn ein eigener Staatsangehöriger betroffen ist.

Artikel 96

(1) Die Daten bezüglich Drittausländern, die zur Einreiseverweigerung ausgeschrieben sind, werden aufgrund einer nationalen Ausschreibung gespeichert, die auf Entscheidungen der zuständigen Verwaltungsbehörden und Gerichte beruht, wobei die Verfahrensregeln des nationalen Rechts zu beachten sind.

(2) Die Entscheidungen können auf die Gefahr für die öffentliche Sicherheit und Ordnung oder die nationale Sicherheit, die die Anwesenheit eines Drittausländers auf dem Hoheitsgebiet der Vertragspartei bedeutet, gestützt werden.
Dies kann insbesondere der Fall sein

a) bei einem Drittausländer, der wegen einer Straftat verurteilt worden ist, die mit Freiheitsstrafe von mindestens einem Jahr bedroht ist;
b) bei einem Drittausländer, gegen den ein begründeter Verdacht besteht, daß er schwere Straftaten, einschließlich solcher im Sinne von Artikel 71 begangen hat, oder gegen den konkrete Hinweise bestehen, daß er solche Taten in dem Hoheitsgebiet einer Vertragspartei plant.

(3) Die Entscheidungen können ebenso darauf beruhen, daß der Drittausländer ausgewiesen, zurückgewiesen oder abgeschoben worden ist, wobei die Maßnahme nicht aufgeschoben oder aufgehoben worden sein darf, ein Verbot der Einreise oder des Aufenthalts enthalten oder davon begleitet sein muß und auf der Nichtbeachtung des nationalen Rechts über die Einreise oder den Aufenthalt von Ausländern beruhen muß.

Artikel 97

Daten in bezug auf Vermißte oder Personen, die im Interesse ihres eigenen Schutzes oder zur Gefahrenabwehr auf Ersuchen der zuständigen Behörde oder des zuständigen Gerichts der ausschreibenden Vertragspartei vorläufig in Gewahrsam genommen werden müssen, werden aufgenommen, damit die Polizeibehörden den Aufenthalt der ausschreibenden Vertragspartei mitteilen oder die Person in Gewahrsam nehmen können, um deren Weiterreise zu verhindern, soweit es das nationale Recht erlaubt. Dies gilt insbesondere für Minderjährige und Personen, die aufgrund einer Anordnung einer zuständigen Stelle zwangsweise untergebracht werden müssen. Bei volljährigen Vermißten bedarf die Mitteilung der Einwilligung des Betroffenen.

Artikel 98

(1) Daten in bezug auf Zeugen sowie auf Personen, die im Rahmen eines Strafverfahrens wegen Taten vor Gericht erscheinen müssen,

deretwegen sie verfolgt werden oder Personen, denen ein Strafurteil oder die Ladung zum Antritt einer Freiheitsentziehung zugestellt werden muß, werden auf Ersuchen der zuständigen Justizbehörden im Hinblick auf die Mitteilung des Wohnsitzes oder des Aufenthalts aufgenommen.

(2) Die erbetenen Informationen werden der ersuchenden Vertragspartei nach Maßgabe des nationalen Rechts und der geltenden Übereinkommen über Rechtshilfe in Strafsachen mitgeteilt.

Artikel 99

(1) Daten in bezug auf Personen oder Fahrzeuge werden nach Maßgabe des nationalen Rechts der ausschreibenden Vertragspartei zur verdeckten Registrierung oder zur gezielten Kontrolle gemäß Absatz 5 aufgenommen.

(2) Eine Ausschreibung dieser Art ist zulässig zur Strafverfolgung und zur Abwehr von Gefahren für die öffentliche Sicherheit, wenn
a) konkrete Anhaltspunkte dafür vorliegen, daß der Betroffene in erheblichem Umfang außergewöhnlich schwere Straftaten plant oder begeht, oder
b) die Gesamtbeurteilung des Betroffenen, insbesondere aufgrund der bisher von ihm begangenen Straftaten, erwarten läßt, daß er auch künftig außergewöhnlich schwere Straftaten begehen wird.

(3) Die Ausschreibung ist ferner, soweit das nationale Recht es erlaubt, auf Veranlassung der für die Sicherheit des Staates zuständigen Stellen zulässig, wenn tatsächliche Anhaltspunkte dafür vorliegen, daß die in Absatz 4 bezeichneten Informationen zur Abwehr einer von dem Betroffenen ausgehenden erheblichen Gefährdung oder anderer erheblicher Gefahren für die innere oder äußere Sicherheit des Staates erforderlich sind. Die ausschreibende Vertragspartei ist verpflichtet, vorab die anderen Vertragsparteien zu konsultieren.

(4) Aufgrund der verdeckten Registrierung können anläßlich von Grenzkontrollen und sonstigen polizeilichen und zollrechtlichen Überprüfungen im Binnenland die nachstehenden Informationen ganz oder teilweise eingeholt und der ausschreibenden Stelle übermittelt werden:
a) Antreffen der ausgeschriebenen Person oder des ausgeschriebenen Fahrzeugs,
b) Ort, Zeit oder Anlaß der Überprüfung,
c) Reiseweg und Reiseziel,
d) Begleitpersonen oder Insassen,
e) benutztes Fahrzeug,
f) mitgeführte Sachen,
g) Umstände des Antreffens der Person oder des Fahrzeugs.

Bei der Erhebung dieser Daten ist darauf zu achten, daß der verdeckte Charakter der Maßnahme nicht gefährdet wird.

(5) Bei der in Absatz 1 genannten gezielten Kontrolle können nach Maßgabe des nationalen Rechts zur Erreichung der in den Absätzen 2 und 3 genannten Zwecke die Person, das Fahrzeug oder die mitgeführten Gegenstände durchsucht werden. Soweit nach dem Recht einer Vertragspartei die gezielte Kontrolle nicht zulässig ist, wird diese Maßnahme für diese Vertragspartei automatisch in eine verdeckte Registrierung umgesetzt.

(6) Eine ersuchte Vertragspartei kann die Ausschreibung in dem Bestand ihres nationalen Teils des Schengener Informationssystems so kennzeichnen lassen, daß bis zur Löschung der Kennzeichnung keine Maßnahme aufgrund der Ausschreibung zur verdeckten Registrierung oder zur gezielten Kontrolle vollzogen wird. Die Kennzeichnung ist spätestens vierundzwanzig Stunden nach der Speicherung der Ausschreibung zu löschen, es sei denn, die betreffende Vertragspartei lehnt die erbetene Maßnahme aus Rechtsgründen oder besonderen Opportunitätserwägungen ab. Ungeachtet einer Kennzeichnung oder einer ablehnenden Entscheidung bleiben die anderen Vertragsparteien befugt, die mit der Ausschreibung erbetene Maßnahme zu vollziehen.

Artikel 100

(1) Daten in bezug auf Sachen, die zur Sicherstellung oder Beweissicherung im Strafverfahren gesucht werden, werden in das Schengener Informationssystem aufgenommen.

(2) Ergibt eine Abfrage, daß eine Sachfahndungsnotierung besteht, so setzt sich die aufgreifende mit der ausschreibenden Stelle in Verbindung, um erforderliche Maßnahmen abzustimmen. Zu diesem Zweck können nach Maßgabe dieses Übereinkommens auch personenbezogene Daten übermittelt werden. Maßnahmen der aufgreifenden Vertragspartei werden nach Maßgabe ihres nationalen Rechts vollzogen.

(3) Es werden folgende Kategorien von Sachen einbezogen:

a) Gestohlene, unterschlagene oder sonst abhandengekommene Kraftfahrzeuge mit eine Hubraum von mehr als 50 ccm;

b) gestohlene, unterschlagene oder sonst abhandengekommene Anhänger und Wohnwagen mit einem Leergewicht von mehr als 750 kg;

c) gestohlene, unterschlagene oder sonst abhandengekommene Feuerwaffen;

d) gestohlene, unterschlagene oder sonst abhandengekommene Blankodokumente;

e) gestohlene, unterschlagene oder sonst abhandengekommene ausgefüllte Identitätspapiere (Pässe, Identitätskarten, Führerscheine);
f) Banknoten (Registriergeld).

Artikel 101

(1) Zugriff auf die im Schengener Informationssystem gespeicherten Daten mit dem Recht, diese unmittelbar abzurufen, erhalten ausschließlich Stellen, die zuständig sind für:
a) Grenzkontrollen,
b) sonstige polizeiliche und zollrechtliche Überprüfungen im Inland sowie deren Koordinierung.

(2) Zugriff auf die nach Artikel 96 gespeicherten Daten mit dem Recht, diese unmittelbar abzurufen, erhalten außerdem die für die Sichtvermerkserteilung zuständigen Stellen, die zentralen Behörden, die für die Behandlung der Sichtvermerksanträge zuständig sind sowie die für die Erteilung von Aufenthaltstiteln und die für die Handhabung der ausländerrechtlichen Bestimmungen dieses Übereinkommens im Bereich des Personenverkehrs zuständigen Behörden. Der Zugriff auf die Daten erfolgt nach Maßgabe des nationalen Rechts der Vertragsparteien.

(3) Die Benutzer dürfen nur die Daten abrufen, die zur Erfüllung ihrer Aufgaben erforderlich sind.

(4) Jede Vertragspartei übermittelt dem Exekutivausschuß die Liste der zuständigen Behörden, die berechtigt sind, die im Schengener Informationssystem gespeicherten Daten unmittelbar abzufragen, wobei für jede Behörde angegeben wird, welche Daten für welche Aufgaben sie abrufen darf.

Kapitel 3
Datenschutz und Datensicherung im Schengener Informationssystem

Artikel 102

(1) Die Vertragsparteien dürfen die in den Artikeln 95 bis 100 genannten Daten nur für die der jeweiligen Ausschreibung entsprechenden Zwecke nutzen.

(2) Die Daten dürfen nur zu technischen Zwecken vervielfältigt werden, soweit dies zum unmittelbaren Abruf durch die in Artikel 101 genannten Stellen erforderlich ist. Ausschreibungen von anderen Vertragsparteien dürfen nicht aus dem Bestand des nationalen Teils des

Schengener Informationssystems in andere nationale Datenbestände übernommen werden.

(3) Hinsichtlich der Ausschreibungen nach Artikel 95 bis 100 dieses Übereinkommens ist eine Abweichung von Absatz 1, durch die eine Ausschreibungskategorie durch eine andere ersetzt wird, nur zulässig, soweit dies zur Abwehr einer schwerwiegenden und unmittelbar bevorstehenden Gefahr für die öffentliche Sicherheit und Ordnung oder aus schwerwiegenden Gründen der Sicherheit des Staates oder zur Verhütung einer Straftat mit erheblicher Bedeutung erforderlich ist. Hierüber ist die vorherige Zustimmung der ausschreibenden Vertragspartei einzuholen.

(4) Die Daten dürfen nicht zu Verwaltungszwecken genutzt werden. Hiervon abweichend dürfen die nach Artikel 96 gespeicherten Daten nach Maßgabe des nationalen Rechts jeder Vertragspartei nur für die sich aus Artikel 101 Absatz 2 ergebenden Zwecke genutzt werden.

(5) Jede Nutzung der Daten, die den Absätzen 1 bis 4 nicht entspricht, wird nach dem nationalen Recht der Vertragspartei als Zweckentfremdung bewertet.

Artikel 103

Jede Vertragspartei gewährleistet, daß durchschnittlich jede zehnte Übermittlung von personenbezogenen Daten durch die dateiführende Stelle im nationalen Teil des Schengener Informationssystems protokolliert wird zur Kontrolle der Zulässigkeit der Abrufe. Die Aufzeichnung darf nur hierfür verwendet werden und wird nach sechs Monaten gelöscht.

Artikel 104

(1) Das nationale Recht der ausschreibenden Vertragspartei findet auf die Ausschreibung Anwendung, es sei denn, dieses Übereinkommen enthält engere Voraussetzungen für die Ausschreibung.

(2) Soweit dieses Übereinkommen keine besondere Regelung enthält, findet das nationale Recht der jeweiligen Vertragspartei auf die in ihrem nationalen Teil des Schengener Informationssystems gespeicherten Daten Anwendung.

(3) Soweit dieses Übereinkommen keine besondere Regelung über die Durchführung der mit der Ausschreibung erbetenen Maßnahme enthält, findet das nationale Recht der ersuchten Vertragspartei, die die Maßnahme durchführt, Anwendung. Soweit dieses Übereinkommen

besondere Regelungen über die Durchführung der mit der Ausschreibung erbetenen Maßnahme enthält, werden die Befugnisse durch das nationale Recht der ersuchten Vertragspartei begrenzt. Soweit die erbetene Maßnahme nicht durchgeführt werden kann, unterrichtet die ersuchte Vertragspartei die ausschreibende Vertragspartei unverzüglich.

Artikel 105

Die ausschreibende Vertragspartei ist für die Richtigkeit und Aktualität der Daten sowie die Rechtmäßigkeit der Speicherung im Schengener Informationssystem verantwortlich.

Artikel 106

(1) Die Änderung, Ergänzung, Berichtigung oder Löschung der Daten darf nur durch die ausschreibende Vertragspartei vorgenommen werden.

(2) Hat eine Vertragspartei, die selber die Ausschreibung nicht veranlaßt hat, Anhaltspunkte dafür, daß Daten unrichtig sind oder unrechtmäßig gespeichert worden sind, so teilt sie dies umgehend der ausschreibenden Vertragspartei mit, die verpflichtet ist, diese Mitteilung unverzüglich zu prüfen und erforderlichenfalls die Daten unverzüglich zu berichtigen oder zu löschen.

(3) Falls die Vertragsparteien sich nicht einigen können, unterbreitet die Vertragspartei, die die Ausschreibung nicht veranlaßt hat, der in Artikel 115 Absatz 1 vorgesehenen gemeinsamen Kontrollinstanz den Fall zur Stellungnahme.

Artikel 107

Wurde in bezug auf eine Person bereits eine Ausschreibung in das Schengener Informationssystem aufgenommen, so stimmt sich die Vertragspartei, die eine weitere Ausschreibung vornimmt, mit der Vertragspartei, die die erste Ausschreibung vorgenommen hat, über die Speicherung der Ausschreibungen ab. Hierzu können die Vertragsparteien auch generelle Regelungen treffen.

Artikel 108

(1) Jede Vertragspartei bestimmt eine Stelle, die als Zentrale für den nationalen Teil des Schengener Informationssystems zuständig ist.

(2) Jede Vertragspartei nimmt ihre Ausschreibungen über diese Stelle vor.

(3) Diese Stelle ist für das reibungslose Funktionieren des nationalen Teiles des Schengener Informationssystems verantwortlich und trifft die erforderlichen Maßnahmen für die Einhaltung der Bestimmungen dieses Übereinkommens.

(4) Die Vertragsparteien teilen einander über den Verwahrer die nach Absatz 1 bestimmte Stelle mit.

Artikel 109

(1) Das Recht jeder Person, über die zu ihrer Person im Schengener Informationssystem gespeicherten Daten Auskunft zu erhalten, richtet sich nach dem nationalen Recht der Vertragspartei, in deren Hoheitsgebiet das Auskunftsrecht beansprucht wird. Soweit das nationale Recht dies vorsieht, entscheidet die in Artikel 114 Absatz 1 vorgesehene nationale Kontrollinstanz, ob und in welcher Weise Auskunft erteilt wird. Eine Vertragspartei, die selber die Ausschreibung nicht vorgenommen hat, darf Auskunft zu diesen Daten nur erteilen, wenn sie vorher der ausschreibenden Vertragspartei Gelegenheit zur Stellungnahme gegeben hat.

(2) Die Auskunftserteilung an den Betroffenen unterbleibt, wenn dies zur Durchführung einer rechtmäßigen Aufgabe im Zusammenhang mit der Ausschreibung oder zum Schutz der Rechte und Freiheiten Dritter unerläßlich ist. Sie unterbleibt immer während der Ausschreibung zur verdeckten Registrierung.

Artikel 110

Jeder hat das Recht, auf seine Person bezogene unrichtige Daten berichtigen oder unrechtmäßig gespeicherte Daten löschen zu lassen.

Artikel 111

(1) Jeder hat das Recht, im Hoheitsgebiet jeder Vertragspartei eine Klage wegen einer seine Person betreffenden Ausschreibung insbesondere auf Berichtigung, Löschung, Auskunftserteilung oder Schadenersatz vor dem nach nationalem Recht zuständigen Gericht oder der zuständigen Behörde zu erheben.

(2) Unbeschadet des Artikels 116 verpflichten sich die Vertragsparteien, unanfechtbare Entscheidungen der Gerichte oder Behörden nach Absatz 1 zu vollziehen.

Artikel 112

(1) Die zur Personenfahndung in dem Schengener Informationssystem aufgenommenen personenbezogenen Daten werden nicht länger als für den verfolgten Zweck erforderlich gespeichert. Spätestens drei Jahre nach ihrer Einspeicherung ist die Erforderlichkeit der weiteren Speicherung von der ausschreibenden Vertragspartei zu prüfen. Für die Ausschreibung gemäß Artikel 99 beträgt diese Frist ein Jahr.

(2) Jede ausschreibende Vertragspartei bestimmt gegebenenfalls kürzere Prüffristen nach Maßgabe ihres nationalen Rechts.

(3) Die technische Unterstützungseinheit des Schengener Informationssystems weist die ausschreibende Vertragspartei mit einem Vorlauf von einem Monat automatisch auf die im System programmierte Löschung hin.

(4) Die ausschreibende Vertragspartei kann innerhalb der Prüffrist beschließen, die Ausschreibung noch beizubehalten, wenn dies für den der Ausschreibung zugrunde liegenden Zweck erforderlich ist. Eine Verlängerung der Ausschreibung ist in die technische Unterstützungseinheit einzugeben. Absatz 1 gilt entsprechend.

Artikel 113

(1) Andere Daten als in Artikel 112 werden nicht länger als zehn Jahre, Daten in bezug auf ausgestellte Identitätspapiere und Registriergeld nicht länger als fünf Jahre und Daten in bezug auf Kraftfahrzeuge, Anhänger und Wohnwagen nicht länger als drei Jahre nach der Aufnahme gespeichert.

(2) Gelöschte Daten werden noch ein Jahr in der technischen Unterstützungseinheit gespeichert. Sie dürfen in dieser Zeit jedoch lediglich genutzt werden, um nachträglich ihre Richtigkeit oder die Rechtmäßigkeit der Speicherung zu prüfen. Danach sind sie zu vernichten.

Artikel 114

(1) Jede Vertragspartei bezeichnet eine Kontrollinstanz, deren Aufgabe darin besteht, nach Maßgabe des jeweiligen nationalen Rechts den Bestand des nationalen Teils des Schengener Informationssystems unabhängig zu überwachen und zu prüfen, ob durch Verarbeitung und Nutzung der im Schengener Informationssystem gespeicherten Daten die Rechte des Betroffenen nicht verletzt werden. Diese Kontrollinstanz hat hierfür Zugriff auf den Bestand des nationalen Teils des Schengener Informationssystems.

(2) Jeder hat das Recht, die Kontrollinstanzen zu ersuchen, die zu seiner Person im Schengener Informationssystem gespeicherten Daten sowie deren Nutzung zu überprüfen. Dieses Recht wird nach Maßgabe des nationalen Rechts der Vertragspartei, an die das Ersuchen gerichtet wird, ausgeübt. Wurden die Daten durch eine andere Vertragspartei eingegeben, so erfolgt die Kontrolle in enger Abstimmung mit der Kontrollinstanz dieser Vertragspartei.

Artikel 115

(1) Zur Überwachung der technischen Unterstützungseinheit des Schengener Informationssystems wird eine gemeinsame Kontrollinstanz eingerichtet, die sich aus je zwei Vertretern der jeweiligen nationalen Kontrollinstanzen zusammensetzt. Jede Vertragspartei hat bei Abstimmungen eine Stimme. Die Kontrolle richtet sich nach den Bestimmungen dieses Übereinkommens, des Übereinkommens des Europarates vom 28. Januar 1981 zum Schutz des Menschen bei der automatischen Verarbeitung personenbezogener Daten, der Empfehlung R (87) 15 des Ministerausschusses des Europarates über die Nutzung personenbezogener Daten im Polizeibereich vom 17. September 1987 und nach dem nationalen Recht der für die technische Unterstützungseinheit zuständigen Vertragspartei.

(2) In bezug auf die technische Unterstützungseinheit hat die gemeinsame Kontrollinstanz die Aufgabe, die richtige Anwendung der Bestimmungen dieses Übereinkommens zu überprüfen. Sie hat hierfür Zugriff auf den zentralen Bestand.

(3) Die gemeinsame Kontrollinstanz ist auch zuständig für die Prüfung der Anwendungs- oder Auslegungsfragen im Zusammenhang mit dem Funktionieren des Schengener Informationssystems, für die Prüfung von Fragen im Zusammenhang mit den von den nationalen Kontrollinstanzen unabhängig vorgenommenen Kontrollen oder mit der Ausübung des Auskunftsrechtes sowie für die Erarbeitung harmonisierter Vorschläge im Hinblick auf gemeinsame Lösungen für die bestehenden Fragen.

(4) Die von der gemeinsamen Kontrollinstanz erstellten Berichte werden an die Stellen übermittelt, an die die nationalen Kontrollinstanzen ihre Berichte übermitteln.

Artikel 116

(1) Wird jemand bei dem Betrieb eines nationalen Bestandes des Schengener Informationssystems geschädigt, haftet ihm hierfür jede Vertragspartei nach Maßgabe ihres nationalen Rechts. Dies gilt auch, wenn der Schaden durch die ausschreibende Vertragspartei verursacht

worden ist, weil diese die Daten unrichtig eingegeben hat oder die Speicherung unrechtmäßig war.

(2) Ist die in Anspruch genommene Vertragspartei nicht die ausschreibende Vertragspartei, hat letztere den geleisteten Ersatz auf Anforderung zu erstatten, es sei denn, von der ersuchten Vertragspartei wurden die Daten vertragswidrig genutzt.

Artikel 117

(1) Jede Vertragspartei trifft spätestens bis zum Inkrafttreten dieses Übereinkommens in ihrem nationalen Recht in bezug auf die automatische Verarbeitung personenbezogener Daten im Rahmen der Anwendung dieses Titels die erforderlichen Maßnahmen zur Gewährleistung eines Datenschutzstandards, der zumindest dem entspricht, der sich aus der Verwirklichung der Grundsätze des Übereinkommens des Europarates über den Schutz des Menschen bei der automatischen Verarbeitung personenbezogener Daten vom 28. Januar 1981 ergibt, und beachtet dabei die Empfehlung R (87) 15 des Ministerausschusses des Europarates über die Nutzung personenbezogener Daten im Polizeibereich vom 17. September 1987.

(2) Die in diesem Titel vorgesehenen Übermittlungen personenbezogener Daten dürfen erst beginnen, wenn in dem Hoheitsgebiet der an der Übermittlung beteiligten Vertragsparteien die nach Absatz 1 gebotenen datenschutzrechtlichen Regelungen in Kraft getreten sind.

Artikel 118

(1) Jede Vertragspartei verpflichtet sich, für ihren nationalen Teil des Schengener Informationssystems Maßnahmen zu treffen, die geeignet sind:

a) Unbefugten den Zugang zu Datenverarbeitungsanlagen, mit denen personenbezogene Daten verarbeitet werden, zu verwehren (Zugangskontrolle);
b) zu verhindern, daß Datenträger unbefugt gelesen, kopiert, verändert oder entfernt werden können (Datenträgerkontrolle);
c) die unbefugte Eingabe in den Speicher sowie die unbefugte Kenntnisnahme, Veränderung oder Löschung gespeicherter personenbezogener Daten zu verhindern (Speicherkontrolle);
d) zu verhindern, daß automatisierte Datenverarbeitungssysteme mit Hilfe von Einrichtungen zur Datenübertragung von Unbefugten genutzt werden können (Benutzerkontrolle);
e) zu gewährleisten, daß die zur Benutzung eines automatisierten Datenverarbeitungssystems Berechtigten ausschließlich auf die ihrer Zugriffsberechtigung unterliegenden Daten zugreifen können (Zugriffskontrolle);

f) zu gewährleisten, daß überprüft und festgestellt werden kann, an welche Stellen personenbezogene Daten durch Einrichtungen zur Datenübertragung übermittelt werden können (Übermittlungskontrolle);

g) zu gewährleisten, daß nachträglich überprüft und festgestellt werden kann, welche personenbezogenen Daten zu welcher Zeit und von wem in automatisierte Datenverarbeitungssysteme eingegeben worden sind (Eingabekontrolle);

h) zu verhindern, daß bei der Übertragung personenbezogener Daten sowie beim Transport von Datenträgern die Daten unbefugt gelesen, kopiert, verändert oder gelöscht werden können (Transportkontrolle).

(2) Jede Vertragspartei hat für die Übermittlung von Daten an Stellen außerhalb des Hoheitsgebietes der Vertragsparteien besondere Vorkehrungen zur Datensicherung zu treffen. Diese sind der gemeinsamen Kontrollinstanz mitzuteilen.

(3) Jede Vertragspartei darf mit der Datenverarbeitung in ihrem nationalen Teil des Schengener Informationssystems nur Personen beauftragen, die besonders geschult und einer Sicherheitsüberprüfung unterzogen worden sind.

(4) Für die technische Unterstützungseinheit des Schengener Informationssystems trifft die hierfür zuständige Vertragspartei die in den Absätzen 1 bis 3 genannten Maßnahmen.

Kapitel 4
Verteilung der Kosten des Schengener Informationssystems

Artikel 119

(1) Die Kosten für die Einrichtung und den Betrieb der technischen Unterstützungseinheit nach Artikel 92 Absatz 3 einschließlich der Leitungskosten für die Verbindung der nationalen Teile des Schengener Informationssystems mit der technischen Unterstützungseinheit werden von den Vertragsparteien gemeinsam getragen. Der zu leistende Kostenanteil richtet sich nach dem Anteil einer jeden Vertragspartei an der einheitlichen Mehrwertsteuer-Bemessungsgrundlage im Sinne des Artikels 2 Absatz 1 Buchstabe c des Beschlusses des Rates der Europäischen Gemeinschaften über das System der Eigenmittel der Gemeinschaften vom 24. Juni 1988.

(2) Die Kosten für die Einrichtung und den Betrieb ihres nationalen Teils des Schengener Informationssystems trägt jede Vertragspartei selbst.

...

Titel VI
Datenschutz

Artikel 126

(1) Jede Vertragspartei trifft spätestens bis zum Inkrafttreten dieses Übereinkommens in ihrem nationalen Recht in bezug auf die automatische Verarbeitung personenbezogener Daten, die nach diesem Übereinkommen übermittelt werden, die erforderlichen Maßnahmen zur Gewährleistung eines Datenschutzstandards, der zumindest dem entspricht, der sich aus der Verwirklichung der Grundsätze des Übereinkommens des Europarates über den Schutz des Menschen bei der automatischen Verarbeitung personenbezogener Daten vom 28. Januar 1981 ergibt.

(2) Die in diesem Übereinkommen vorgesehene Übermittlung personenbezogener Daten darf erst beginnen, wenn in dem Hoheitsgebiet der an der Übermittlung beteiligten Vertragsparteien die nach Absatz 1 gebotenen datenschutzrechtlichen Regelungen in Kraft getreten sind.

(3) In bezug auf die automatische Verarbeitung personenbezogener Daten, die nach diesem Übereinkommen übermittelt werden, gelten außerdem folgende Bestimmungen:

a) Eine Nutzung der personenbezogenen Daten durch die empfangende Vertragspartei ist ausschließlich zu den Zwecken zulässig, zu denen die Übermittlung solcher Daten in diesem Übereinkommen vorgesehen ist; eine Nutzung zu anderen Zwecken ist nur nach vorheriger Zustimmung der übermittelnden Vertragspartei und nur nach Maßgabe des Rechts der empfangenden Vertragspartei zulässig. Die Zustimmung darf erteilt werden, soweit das nationale Recht der übermittelnden Vertragspartei dies zuläßt.

b) Die übermittelten personenbezogenen Daten dürfen ausschließlich durch die Behörden und Gerichte genutzt werden, die für eine Aufgabe im Rahmen der Zwecke nach Buchstabe a zuständig sind.

c) Die übermittelnde Vertragspartei ist verpflichtet, auf die Richtigkeit der personenbezogenen Daten zu achten; erweist sich, von Amts wegen oder aufgrund eines Antrags des Betroffenen, daß unrichtige Daten oder Daten, die nicht hätten übermittelt werden dürfen, übermittelt worden sind, so ist dies der empfangenden Vertragspartei oder den empfangenden Vertragsparteien unverzüglich mitzuteilen. Diese ist beziehungsweise diese sind verpflichtet, die Berichtigung oder Vernichtung vorzunehmen oder zu vermerken, daß die Daten unrichtig sind oder unrechtmäßig übermittelt wurden.

d) Im Rahmen ihrer Haftung nach Maßgabe des nationalen Rechts kann eine Vertragspartei sich im Verhältnis zu dem Geschädigten zu ihrer Entlastung nicht darauf berufen, daß eine andere Vertragspartei unrichtige Daten übermittelt hat. Leistet die empfangende Vertragspartei Schadensersatz wegen eines Schadens, der durch die Nutzung von unrichtig übermittelten Daten verursacht wurde, so erstattet die übermittelnde Vertragspartei der empfangenden Vertragspartei den Gesamtbetrag des geleisteten Ersatzes.
e) Die Übermittlung und der Empfang personenbezogener Daten sind in der Datei, aus der sie übermittelt werden und in der Datei, in der sie gespeichert werden, festzuhalten.
f) Die gemeinsame Kontrollinstanz nach Artikel 115 ist zuständig, auf Ersuchen einer Vertragspartei ein Gutachten über die Anwendungs- und Auslegungsschwierigkeiten abzugeben, die sich bei der Anwendung dieses Artikels ergeben.

(4) Dieser Artikel findet auf die Übermittlung personenbezogener Daten nach Maßgabe des Titels II Kapitel 7 und des Titels IV keine Anwendung. Absatz 3 findet keine Anwendung auf die Übermittlung personenbezogener Daten nach Maßgabe des Titels III Kapitel 2, 3, 4 und 5.

Artikel 127

(1) Werden aufgrund dieses Übereinkommens einer anderen Vertragspartei personenbezogene Daten übermittelt, so findet auf die Übermittlung dieser Daten aus einer nicht-automatisierten Datei und ihre Aufnahme in eine solche Datei Artikel 126 sinngemäß Anwendung.

(2) Werden in anderen als den in Artikel 126 Absatz 1 dieses Artikels genannten Fällen einer anderen Vertragspartei personenbezogene Daten übermittelt, so gilt Artikel 126 Absatz 3 mit Ausnahme von Buchstabe e. Außerdem gelten folgende Bestimmungen:
a) Die Übermittlung und der Empfang personenbezogener Daten werden aktenkundig gemacht. Diese Verpflichtung entfällt, soweit es für die Verwendung der Daten nicht erforderlich ist, sie aktenkundig zu machen, insbesondere weil die Daten nicht oder nur kurzfristig verwendet werden.
b) Die Verwendung der übermittelten Daten genießt auf dem Hoheitsgebiet der empfangenden Vertragspartei zumindest den Schutz, der aufgrund des Rechts dieser Vertragspartei für eine Verwendung von Daten gleicher Art gilt.
c) Die Entscheidung darüber, ob und unter welchen Bedingungen auf Antrag des Betroffenen über die auf seine Person bezogenen übermittelten Daten Auskunft erteilt wird, richtet sich nach dem Recht der Vertragspartei, bei der der Antrag gestellt wird.

(3) Dieser Artikel findet auf die Übermittlung personenbezogener Daten nach Maßgabe des Titel II Kapitel 7, des Titels III Kapitel 2, 3, 4 und 5 und des Titels IV keine Anwendung.

Artikel 128

(1) Die in diesem Übereinkommen vorgesehenen Übermittlungen personenbezogener Daten dürfen erst beginnen, wenn die an der Übermittlung beteiligten Vertragsparteien einer nationalen Kontrollinstanz die Aufgabe übertragen haben, auf unabhängige Weise die Einhaltung der Artikel 126 und 127 sowie der Rechtsvorschriften zur Anwendung dieser Bestimmungen in bezug auf die Verarbeitung personenbezogener Daten in Dateien zu überwachen.

(2) Hat eine Vertragspartei nach Maßgabe ihres nationalen Rechts eine Kontrollinstanz mit der Aufgabe eingerichtet, in einem oder mehreren Sachbereichen die Einhaltung von datenschutzrechtlichen Bestimmungen in bezug auf nicht in Dateien gespeicherte Daten auf unabhängige Weise zu überwachen, so überträgt diese Vertragspartei dieser Kontrollinstanz die Aufgabe, in diesen Sachbereichen auch die Einhaltung der Regelungen dieses Titels zu überwachen.

(3) Dieser Artikel findet auf die Übermittlung personenbezogener Daten nach Maßgabe des Titels II Kapitel 7 und des Titels III Kapitel 2, 3, 4 und 5 keine Anwendung.

Artikel 129

In bezug auf die Übermittlung personenbezogener Daten nach Titel III Kapitel 1 verpflichten sich die Vertragsparteien, unbeschadet der Artikel 126 und 127, einen Datenschutzstandard zu verwirklichen, wobei die Grundsätze der Empfehlung R (87) 15 des Ministerausschusses des Europarates über die Nutzung personenbezogener Daten im Polizeibereich vom 17. September 1987 beachtet werden. Darüber hinaus finden auf die Übermittlung nach Maßgabe des Artikels 46 die folgenden Bestimmungen Anwendung:

a) Eine Nutzung dieser Daten durch die empfangende Vertragspartei ist ausschließlich zu den durch die übermittelnde Vertragspartei angegebenen Zwecken und unter den durch diese Vertragspartei vorgeschriebenen Bedingungen zulässig.
b) Die Daten dürfen ausschließlich an Polizeidienststellen und Polizeibehörden übermittelt werden. Die weitere Übermittlung an andere Stellen darf nur mit vorheriger Zustimmung der übermittelnden Vertragspartei erfolgen.
c) Der Empfänger unterrichtet die übermittelnde Vertragspartei auf Ersuchen über die Verwendung der übermittelten Daten und über die dadurch erzielten Ergebnisse.

Artikel 130

Erfolgt die Übermittlung personenbezogener Daten über einen in Artikel 47 oder in Artikel 125 vorgesehenen Verbindungsbeamten, so finden die Bestimmungen dieses Titels erst Anwendung, wenn der Verbindungsbeamte sie der Vertragspartei weitergegeben hat, die ihn in das Hoheitsgebiet der anderen Vertragspartei entsandt hat.

Titel VII
Exekutivausschuß

Artikel 131

(1) Im Hinblick auf die Anwendung dieses Übereinkommens richten die Vertragsparteien einen Exekutivausschuß ein.

(2) Unbeschadet der besonderen Befugnisse, mit denen er aufgrund dieses Übereinkommens ausgestattet ist, hat der Exekutivausschuß als allgemeine Aufgabe, auf die richtige Anwendung dieses Übereinkommens zu achten.

Artikel 132

(1) Jede Vertragspartei hat einen Sitz im Exekutivausschuß. Die Vertragsparteien sind in dem Exekutivausschuß durch einen für die Durchführung dieses Übereinkommens zuständigen Minister vertreten; diese kann sich soweit erforderlich durch Sachverständige unterstützen lassen, die an den Verhandlungen teilnehmen dürfen.

(2) Der Exekutivausschuß faßt seine Beschlüsse einstimmig. Er legt seine Arbeitsmethode fest; dabei kann ein schriftliches Verfahren für die Beschlußfassung vorgesehen werden.

(3) Auf Ersuchen eines Vertreters einer Vertragspartei kann die endgültige Entscheidung über einen Beschlußentwurf bis spätestens zwei Monate nach der Vorlage dieses Entwurfs vertagt werden.

(4) Der Exekutivausschuß ist berechtigt, im Hinblick auf die Vorbereitung der Beschlußfassung oder auf andere Tätigkeiten Arbeitsgruppen einzusetzen, die aus Vertretern der Verwaltungen der Vertragsparteien zusammengesetzt sind.

Artikel 133

Der Exekutivausschuß tritt abwechselnd im Hoheitsgebiet jeder der Vertragsparteien zusammen. Sitzungen werden anberaumt, so oft dies für die Erfüllung seiner Aufgaben erforderlich ist.

Titel VIII
Schlußbestimmungen

Artikel 134

Die Bestimmungen dieses Übereinkommens sind nur anwendbar, soweit sie mit dem Gemeinschaftsrecht vereinbar sind.

Artikel 135

Die Bestimmungen dieses Übereinkommens gelten vorbehaltlich der Bestimmungen der Genfer Konvention vom 28. Juli 1951 über den Flüchtlingsstatus in der Fassung des Protokolls von New York vom 31. Januar 1967.

Artikel 136

(1) Erwägt eine Vertragspartei, mit einem Drittstaat Verhandlungen zu führen, die die Grenzkontrollen betreffen, so unterrichtet sie rechtzeitig die anderen Vertragsparteien.

(2) Vorbehaltlich des Rechts der Mitgliedstaaten der Europäischen Gemeinschaften, gemeinsam solche Übereinkommen zu schließen, werden die Vertragsparteien ohne vorherige Zustimmung der anderen Vertragsparteien keine zwei- oder mehrseitigen Vereinbarungen über die Erleichterung oder den Abbau der Grenzkontrollen mit Drittstaaten zu schließen.

(3) Absatz 2 findet keine Anwendung auf Übereinkommen über den kleinen Grenzverkehr, sofern diese Übereinkommen die Ausnahmen und Modalitäten nach Artikel 3 Absatz 1 beachten.

Artikel 137

Vorbehalte zu diesem Übereinkommen sind mit Ausnahme der in Artikel 60 erwähnten nicht zulässig.

Artikel 138

Die Bestimmungen dieses Übereinkommens gelten für die Französische Republik nur für das europäische Hoheitsgebiet der Französischen Republik.
Die Bestimmungen dieses Übereinkommens gelten für das Königreich der Niederlande nur für das Hoheitsgebiet des Reichs in Europa.

Artikel 139

(1) Dieses Übereinkommen bedarf der Ratifikation, Annahme oder Genehmigung. Die Ratifikations-, Annahme- oder Genehmigungsur-

kunden werden bei der Regierung des Großherzogtums Luxemburg hinterlegt; diese notifiziert die Hinterlegung allen Vertragsparteien.

(2) Dieses Übereinkommen tritt am ersten Tag des zweiten Monats nach Hinterlegung der letzten Ratifikations-, Annahme- oder Genehmigungsurkunde in Kraft. Die Bestimmungen in bezug auf die Einrichtung, die Tätigkeiten und die Befugnisse des Exekutivausschusses finden vom Inkrafttreten des Übereinkommens an Anwendung. Die übrigen Bestimmungen finden vom ersten Tag des dritten Monats nach Inkrafttreten des Übereinkommens an Anwendung.

(3) Die Regierung des Großherzogtums Luxemburg notifiziert allen Vertragsparteien das Datum des Inkrafttretens.

Artikel 140

(1) Jeder Mitgliedstaat der Europäischen Gemeinschaften kann diesem Übereinkommen beitreten. Der Beitritt wird in einem Übereinkommen zwischen diesem Staat und den Vertragsparteien geregelt.

(2) Dieses Übereinkommen bedarf der Ratifikation, Annahme oder Genehmigung durch den beitretenden Staat und jede Vertragspartei. Es tritt in Kraft am ersten Tag des zweiten Monats nach Hinterlegung der letzten Ratifikations-, Annahme- oder Genehmigungsurkunde.

Artikel 141

(1) Jede Vertragspartei kann dem Verwahrer einen Vorschlag zur Änderung dieses Übereinkommens zuleiten. Der Verwahrer übermittelt diesen Vorschlag an die anderen Vertragsparteien. Auf Antrag einer Vertragspartei überprüfen die Vertragsparteien die Bestimmungen dieses Übereinkommens, wenn nach ihrer Auffassung eine Änderung grundlegenden Charakters in den zur Zeit des Inkrafttretens des Übereinkommens bestehenden Verhältnissen entstanden ist.

(2) Die Vertragsparteien legen die Änderungen dieses Übereinkommens einvernehmlich fest.

(3) Die Änderungen treten in Kraft am ersten Tag des zweiten Monats nach Hinterlegung der letzten Ratifikations-, Annahme- oder Genehmigungsurkunde.

Artikel 142

(1) Werden zwischen den Mitgliedstaaten der Europäischen Gemeinschaften Übereinkommen im Hinblick auf die Verwirklichung eines Raumes ohne Binnengrenzen geschlossen, so vereinbaren die Vertragsparteien, unter welchen Voraussetzungen die Bestimmungen dieses Übereinkommens unter Berücksichtigung der entsprechenden

Bestimmungen der erwähnten Übereinkommen ersetzt oder geändert werden müssen.
Die Vertragsparteien berücksichtigen dabei, daß die Bestimmungen dieses Übereinkommens eine weitergehende Zusammenarbeit vorsehen können als die Bestimmungen der erwähnten Übereinkommen.
Die Bestimmungen, die zu den Bestimmungen der zwischen den Mitgliedstaaten der Europäischen Gemeinschaften geschlossenen Übereinkommen in Widerspruch stehen, werden auf jeden Fall angepaßt.

(2) Die Änderungen dieses Übereinkommens, die von den Vertragsparteien für erforderlich gehalten werden, bedürfen der Ratifikation, Annahme oder Genehmigung durch die Vertragsparteien. Artikel 141 Absatz 3 findet Anwendung mit der Maßgabe, daß die Änderungen nicht vor Inkrafttreten des betreffenden Übereinkommens zwischen den Mitgliedstaaten der Europäischen Gemeinschaften in Kraft treten.
Zu Urkund dessen haben die hierzu gehörig befugten Unterzeichneten dieses Übereinkommen unterschrieben.
Geschehen zu Schengen, am neunzehnten Juni neunzehnhundertneunzig, in deutscher, französischer und niederländischer Sprache, wobei jeder Wortlaut gleichermaßen verbindlich ist, in einer Urschrift, die bei der Regierung des Großherzogtums Luxemburg hinterlegt wird; diese übermittelt jeder Vertragspartei eine beglaubigte Abschrift.

Schlußakte

Bei der Unterzeichnung des Übereinkommens zur Durchführung des Übereinkommens von Schengen vom 14. Juni 1985 zwischen den Regierungen der Staaten der Benelux-Wirtschaftsunion, der Bundesrepublik Deutschland und der Französischen Republik betreffend den schrittweisen Abbau der Kontrollen an den Gemeinsamen Grenzen haben die Vertragsparteien die folgenden Erklärungen angenommen:

1) Gemeinsame Erklärung zu Artikel 139
Die Unterzeichnerstaaten unterrichten sich schon vor Inkrafttreten des Übereinkommens über alle Umstände, die für die Vertragsmaterie des Übereinkommens und seine Inkraftsetzung von Bedeutung sind.
Das Übereinkommen wird erst in Kraft gesetzt, wenn die Voraussetzungen der Anwendung des Übereinkommens bei den Unterzeichnerstaaten gegeben sind und die Kontrollen an den Außengrenzen tatsächlich durchgeführt werden.
2) Gemeinsame Erklärung zu Artikel 4
Die Vertragsparteien verpflichten sich, alles zu tun, um gleichzeitig diesen Termin einzuhalten und kein Sicherheitsdefizit entstehen zu lassen. Vor dem 31. Dezember 1992 wird im Exekutivausschuß geprüft werden, welche Fortschritte verwirklicht worden sind. Das

Königreich der Niederlande weist darauf hin, daß Terminschwierigkeiten bei einem bestimmten Flughafen nicht auszuschließen sind, ohne daß hieraus Sicherheitslücken entstehen. Die anderen Vertragsparteien werden dies berücksichtigen, ohne daß sich hieraus Schwierigkeiten für den Binnenmarkt ergeben dürfen.
Im Fall von Schwierigkeiten wird der Exekutivausschuß prüfen, wie eine gleichzeitige Einführung am besten verwirklicht werden kann.

...

Protokoll

In Ergänzung der Schlußakte zu dem Übereinkommen zur Durchführung des Übereinkommens von Schengen vom 14. Juni 1985 zwischen den Regierungen der Staaten der Benelux-Wirtschaftsunion, der Bundesrepublik Deutschland und der Französischen Republik betreffend den schrittweisen Abbau der Kontrollen an den gemeinsamen Grenzen haben die Vertragsparteien die folgende gemeinsame Erklärung abgegeben und die folgenden einseitigen Erklärungen entgegengenommen, die in bezug auf dieses Übereinkommen abgegeben wurden:

I. Erklärung in bezug auf den Geltungsbereich
Die Vertragsparteien stellen fest: Nach der Vereinigung der beiden deutschen Staaten wird sich die völkerrechtliche Bindungswirkung des Übereinkommens auch auf das derzeitige Gebiet der Deutschen Demokratischen Republik erstrecken.

II. Erklärungen der Bundesrepublik Deutschland zur Auslegung des Übereinkommens
1. Das Übereinkommen wird in der Perspektive der Vereinigung der beiden deutschen Staaten geschlossen.
Die Deutsche Demokratische Republik ist im Verhältnis zur Bundesrepublik Deutschland nicht Ausland.
Artikel 136 findet keine Anwendung auf das Verhältnis der Bundesrepublik Deutschland zur Deutschen Demokratischen Republik.
2. Die im deutsch-österreichischen Briefwechsel vom 20. August 1984 getroffene Regelung über Kontrollerleichterungen an den gemeinsamen Grenzen für die Staatsangehörigen beider Staaten bleibt durch diesen Staatsvertrag unberührt, muß aber im Interesse der Sicherheitslage und der Einwanderungsrisiken der Schengener Vertragsparteien so vollzogen werden, daß sich die Vergünstigungen in der Praxis auf österreichische Staatsangehörige beschränken.

III. Erklärung des Königreichs Belgien zu Artikel 67
Hinsichtlich der Übertragung der Vollstreckung von Strafurteilen wird auf nationaler Ebene nicht das Verfahren angewandt, das nach

belgischem Recht für die zwischenstaatliche Überstellung von verurteilten Personen vorgesehen ist, sondern ein Sonderverfahren, das bei der Ratifikation dieses Übereinkommens festgelegt wird.

Geschehen zu Schengen, am neunzehnten Juni neunzehnhundertneunzig, in deutscher, französischer und niederländischer Sprache, wobei jeder Wortlaut gleichermaßen verbindlich ist, in einer Urschrift, die bei der Regierung des Großherzogtums Luxemburg hinterlegt wird; diese übermittelt jeder Vertragspartei eine beglaubigte Abschrift.

Vereinte Nationen
Richtlinien betreffend personenbezogene Daten in automatisierten Dateien

von der Generalversammlung beschlossen am 14. Dezember 1990

Die Verfahrensweisen für die Anwendung der Bestimmungen bezüglich personenbezogener Daten in automatisierten Dateien werden der Initiative der einzelnen Staaten überlassen. Sie müssen sich jedoch an folgenden Grundsätzen orientieren:

A. Grundsätze betreffend den Mindeststandard, der durch die nationale Gesetzgebung gewährleistet werden sollte

1. Grundsatz der Rechtmäßigkeit und der Beachtung von Treu und Glauben:

Personenbezogene Informationen sollten nicht auf rechtswidrige Weise oder unter Verstoß gegen Treu und Glauben erhoben oder verarbeitet werden, noch sollten die Informationen für Zwecke verwendet werden, die im Gegensatz zu den Zielsetzungen und Grundsätzen der Charta der Vereinten Nationen stehen.

2. Grundsatz der Richtigkeit:

Die für die Zusammenstellung und Führung von Dateien verantwortlichen Personen sind dazu verpflichtet, die Richtigkeit und Relevanz der erfaßten Daten regelmäßig zu überprüfen und dafür Sorge zu tragen, daß sie, um Irrtümer und Auslassungen zu vermeiden, so vollständig wie möglich geführt und regelmäßig oder anläßlich der Verwendung der in der Datei gespeicherten Angaben auf den neuesten Stand gebracht werden, solange mit den Daten gearbeitet wird.

3. Grundsatz der Zweckbestimmung:

Der Zweck, dem eine Datei dienen soll, und deren dementsprechende Verwendung sollten genau bestimmt werden, rechtmäßig sein, und eine Datei sollte bei ihrer Einrichtung zu einem gewissen Grad öffentlich bekannt gemacht oder der Betroffene davon in Kenntnis gesetzt werden. Dadurch soll anschließend sichergestellt werden können, daß

a) alle erhobenen und erfaßten personenbezogenen Daten für die solcherart festgelegten Zwecke relevant und angemessen bleiben;
b) keine der genannten personenbezogenen Daten für Zwecke, die im Widerspruch mit den solcherart festgelegten Zwecken stehen, genutzt oder übermittelt werden, es sei denn, der Betroffene hat eingewilligt;

c) der Zeitraum, über den die personenbezogenen Daten gespeichert bleiben, nicht länger ist als der Zeitraum, der zur Erfüllung des solcherart festgelegten Zwecks erforderlich ist.

4. Grundsatz der Möglichkeit des Betroffenen zur Einsichtnahme:

Jeder, der seine Identität nachweist, hat das Recht, Kenntnis davon zu erlangen, ob seine Person betreffende Informationen verarbeitet werden und sie ohne unangemessene Verzögerung oder Kosten in verständlicher Form zur Verfügung gestellt zu bekommen sowie im Falle unrechtmäßiger, nicht erforderlicher oder ungenauer Eintragungen eine entsprechende Berichtigung bzw. Löschung zu erwirken und über die Adressaten in Kenntnis gesetzt zu werden, falls die Informationen weitergegeben werden. Entsprechende Rechtsmittel sollten festgelegt werden, und, falls erforderlich, sollte die in Grundsatz 8 aufgeführte Aufsichtsbehörde angegeben werden. Die Kosten einer Berichtigung sind von der für die Datei verantwortlichen Personen zu tragen. Es wäre wünschenswert, daß die Bestimmungen ungeachtet der Staatsangehörigkeit und des Wohnsitzes für alle Personen gelten.

5. Grundsatz der Nichtdiskriminierung:

Vorbehaltlich der restriktiv im Grundsatz 6 niedergelegten Ausnahmen sollten Daten, die leicht zu ungesetzlicher oder willkürlicher Diskriminierung führen können, u.a. Angaben über rassische oder ethnische Herkunft, Hautfarbe, Sexualleben, politische Anschauungen, religiöse, weltanschauliche und andere Überzeugungen sowie die Mitgliedschaft in einer Vereinigung oder einer Gewerkschaft, nicht erfaßt werden.

6. Ausnahmebefugnisse:

Abweichungen von der Anwendung der unter 1 – 4 genannten Grundsätze dürfen nur zugelassen werden, wenn sie erforderlich sind, um die nationale Sicherheit, die öffentliche Ordnung, die öffentliche Gesundheit oder Moral wie auch die Rechte und Freiheiten anderer, insbesondere verfolgter Personen (humanitärer Vorbehalt), zu schützen, falls diese Abweichungen ausdrücklich durch Gesetz oder entsprechende Regelungen festgelegt sind. Diese Gesetze oder Regelungen müssen in Übereinstimmung mit der Rechtsordnung des jeweiligen Staates ausdrücklich die Grenzen dieser Ausnahmen festlegen und einen angemessenen Schutz gewährleisten.

Abgesehen davon, daß für sie die für Ausnahmen von den Grundsätzen 1 bis 4 vorzusehenden Schutzbestimmungen bestehen müssen, dürfen Ausnahmen von dem im Grundsatz 5 verankerten Verbot der Diskriminierung nur zugelassen werden, wenn sie mit der Allgemeinen

Erklärung der Menschenrechte und anderen maßgeblichen Rechtsinstrumenten zum Schutz der Menschenrechte und der Verhütung von Diskriminierung vereinbar sind.

7. Grundsatz der Sicherheit:

Geeignete Maßnahmen sollten ergriffen werden, um die Dateien sowohl gegen Naturgefahren, wie zufälligen Verlust oder Zerstörung, als auch gegen Gefahren durch menschliche Einwirkungen, wie z.B. unerlaubten Zugang, vorsätzlichen Mißbrauch von Daten oder das Einsetzen von Computerviren, zu schützen.

8. Überwachung und Sanktionen:

Im Gesetz des jeweiligen Landes ist festzulegen, welche Stelle in Übereinstimmung mit der Rechtsordnung des jeweiligen Staates dafür zuständig sein soll, die Einhaltung der obigen Grundsätze zu überwachen. Diese Stelle muß Garantien für Unparteilichkeit, für Unabhängigkeit gegenüber den für die Verarbeitung und Erhebung verantwortlichen Personen oder Behörden und fachliche Kompetenz bieten. Für den Fall der Verletzung der nationalen Rechtsvorschriften, die zur Verwirklichung der vorgenannten Prinzipien geschaffen worden sind, sollten strafrechtliche Maßnahmen oder andere Sanktionen und die jeweils angemessenen Rechtsmittel vorgesehen werden.

9. Grenzüberschreitender Datenverkehr:

Sofern bei einem grenzüberschreitenden Datenverkehr die Gesetzgebungen zweier oder mehrerer betroffener Staaten vergleichbare Sicherungen für den Schutz der Privatsphäre bieten, sollten die Informationen zwischen ihnen so frei wie innerhalb jedes Einzelstaates ausgetauscht werden können. Wenn keine entsprechenden Schutzbestimmungen bestehen, dürfen Beschränkungen für diesen Austausch nicht unangemessenerweise und nur insoweit verfügt werden, als der Schutz der Privatsphäre es erfordert.

10. Geltungsbereich:

Die obigen Bestimmungen sollten in erster Linie für alle öffentlichen und privaten automatisierten Dateien einschließlich manueller Dateien gelten, für die diese Bestimmungen auf der Basis einer freiwilligen Ausweitung und unter dem Vorbehalt entsprechender Anpassungen Gültigkeit haben sollten. Ebenfalls auf freiwilliger Basis könnten spezielle Bestimmungen geschaffen werden, wodurch alle oder ein Teil der Grundsätze auch für Dateien über juristische Personen gelten sollen, besonders dann, wenn diese Angaben über Einzelpersonen enthalten.

B. Anwendung der Richtlinien auf personenbezogene Daten in den Dateien internationaler staatlicher Organisationen

Die vorliegenden Richtlinien sollten für personenbezogene Daten in Dateien staatlicher internationaler Organisationen gelten, vorbehaltlich etwa erforderlicher Anpassungen in bezug auf eventuelle Unterschiede, die zwischen Dateien für interne Zwecke, wie z.B. die Personalverwaltung betreffende Dateien, und Dateien für externe Zwecke bestehen könnten, die sich auf Dritte beziehen, welche mit der Organisation in Verbindung stehen.

Jede Organisation sollte eine Behörde benennen, die eine gesetzliche Zuständigkeit für die Überwachung der Einhaltung dieser Regelungen besitzt.

Humanitärer Vorbehalt: Eine Abweichung von diesen Prinzipien kann für Dateien vorgesehen werden, deren Zweck auf den Schutz der Menschenrechte und Grundfreiheiten des einzelnen oder humanitäre Hilfe gerichtet ist.

Eine entsprechende abweichende Bestimmung sollte in der nationalen Gesetzgebung für die staatlichen internationalen Organisationen vorgesehen werden, deren Abkommen über den Sitz der Organisation nicht die Anwendung der genannten nationalen Gesetzgebung ausschließt, sowie für die nichtstaatlichen internationalen Organisationen, für welche dieses Gesetz Anwendung findet.

Simitis/Dammann/Körner

Datenschutz in der Europäischen Union

– Gesetzessammlung –

Mit dem »Vorschlag für eine Richtlinie zur Regelung personenbezogener Daten« im September 1990 entsprach die Kommission der Europäischen Gemeinschaften nach einer langen Zeit zögerlichen Abwartens einer nicht zuletzt vom Europäischen Parlament mehrfach erhobenen Forderung, einheitliche Maßstäbe für den gesamten Gemeinschaftsbereich zu entwickeln.
Die Gesetzessammlung in Loseblattform »Datenschutz in der Europäischen Union« trägt in ihrem Aufbau der Entwicklung und Ausformulierung von Verarbeitungsregelungen auf supranationaler und nationaler Ebene Rechnung.
Die Sammlung dokumentiert ebenso die Datenschutzkonvention von 1981 und die zahlreichen Empfehlungen des Europarates, wie den Richtlinienvorschlag der Kommission der Europäischen Gemeinschaft und die Datenschutzgesetze der einzelnen Mitgliedstaaten.
Um den Zugang zu erleichtern und eine wirklich verläßliche Information zu bieten, werden die Dokumente jeweils in deutscher, englischer und französischer Fassung bzw. in der Originalsprachfassung in die Sammlung aufgenommen. Bei verschiedenen Dokumenten sind alle Sprachverfassungen z. Zt. noch nicht verfügbar. Sie werden mit den Ergänzungslieferungen jedoch in allernächster Zeit vervollständigt.

Fortsetzungswerk in Loseblattform, Grundwerk in zwei Ordnern, 348,– DM, 299,– sFr. Ergänzungslieferungen je Druckbogen (à 16 Seiten) 4,40 DM, 4,40 sFr. Kündigung vierteljährlich zum Jahresende.
ISBN 3-7890-2958-0

NOMOS Verlagsgesellschaft
76520 Baden-Baden

Gesa Zahn

Datenabgleich zur Mißbrauchskontrolle im Bereich der Sozialleistungen

Im Sozialleistungssystem sind gesetzlich zahlreiche Formen des Datenabgleichs vorgesehen, durch die Sozialleistungsmißbrauch aufgedeckt und verhindert werden soll. Die entsprechenden Behörden können dabei aufgrund dieser ausdrücklichen oder impliziten Ermächtigungen entweder im Einzelfall oder – wie beim Sozialhilfedatenabgleich – ausnahmsweise auch systematisch in einer Vielzahl von Fällen Daten zum Leisstungsbezug untereinander austauschen. Die vielfältigen gesetzlichen Regelungen werden nach allgemeinen Ausführungen – unter anderem zur Definition des Datenabgleichs und zu möglichen Ursachen des Sozialleistungsmißbrauchs – systematisch dargestellt und verfassungsrechtlich überprüft. Die verfassungsrechtliche Untersuchung erfolgt in erster Linie im Hinblick auf das Recht auf informationelle Selbstbestimmung. Außerdem werden das Sozialstaatsprinzip, das Verbot der Selbstbezichtigung und der Grundsatz der (informationellen) Gewaltenteilung angesprochen. Ergänzend fließen ausländische Erfahrungen mit Datenabgleichsverfahren in die Überlegungen ein.

2001, 325 S., brosch., 98,– DM, 86,– sFr, ISBN 3-7890-7413-6
(Frankfurter Studien zum Datenschutz, Bd. 20)

NOMOS Verlagsgesellschaft
76520 Baden-Baden